MW01055562

Deutschland und Luxemburg
Einwohner
Deutschland (2019): 83,5 Mio
Luxemburg (2019): 620.000
0
50
100 Kilometer
DÄNEMARK
Sylt
Flensburg
Hiddensee
OSTSEE
Rügen
Kiel
Helgoland
SCHLESWIG-
HOLSTEIN
Warnemünde
Stralsund
Rostock
Greifswald
Lübeck
MECKLENBURG-
NORDSEE
Cuxhaven
HAMBURG
Güstrow
Schwerin
Neubrandenburg
Bremerhaven
Hamburg
VORPOMMERN
Emden
BREMEN
Prenzlau
Leer
Lüneburg
Elbe
Oder
Oldenburg
Bremen
Havel
POLEN
NIEDERSACHSEN
SACHSEN-
ANHALT
BERLIN
Wolfsburg
Brandenburg
Berlin
DIE
NIEDERLANDE
Weser
Hannover
Potsdam
Frankfurt
Osnabrück
Braunschweig
Eisenhüttenstadt
TEUTOBURGER WALD
Bielefeld
Hameln
Magdeburg
Münster
BRANDENBURG
Bad
Harzburg
Wernigerode
Wittenberg
Cottbus
NORDRHEIN-WESTFALEN
Dortmund
Paderborn
Dessau
HARZ
Spree
Neiße
Essen
Ruhr
Göttingen
Eisleben
Halle
Krefeld
Saale
Düsseldorf
Kassel
Leipzig
SACHSEN
Görlitz
Erfurt
Meißen
Dresden
Köln
HESSEN
Eisenach
Weimar
Aachen
Jena
Chemnitz
Marburg
THÜRINGEN
Bonn
Gera
Zwickau
THÜRINGER WALD
Gießen
Rhein
Suhl
Fulda
ERZGEBIRGE
BELGIEN
Limburg
Elbe
Koblenz
RHÖN
Frankfurt
Wiesbaden
Main
EIFEL
Mainz
Bayreuth
LUXEMBURG
RHEINLAND-
HUNSRÜCK
FRÄNKISCHE ALB
TSCHECHIEN
Luxemburg
Trier
PFALZ
Würzburg
Worms
Kaiserslautern
SAARLAND
Mannheim
Nürnberg
Saarbrücken
Ludwigshafen
Heidelberg
BAYERN
Rothenburg
ob der Tauber
BÖHMER WALD
BADEN-
WÜRTTEMBERG
Mosel
Karlsruhe
Regensburg
BAYERISCHER
WALD
FRANKREICH
Stuttgart
Donau
Straubing
VOGESEN
SCHWÄBISCHE ALB
Tübingen
Isar
Passau
Neckar
SCHWARZWALD
Ulm
Augsburg
Rottweil
München
Inn
Freiburg
ÖSTERREICH
Rhein
Konstanz
Friedrichshafen
BAYERISCHE ALPEN
Berchtesgaden
Lindau
DIE SCHWEIZ
Garmisch-Partenkirchen

0 250 500 Meilen
0 250 500 Kilometer
Reykjavik
ISLAND
NORWEGEN
SCHWEDEN
FINNLAND
Oslo
Stockholm
Helsinki
Tallinn
ESTLAND
LETTLA
Riga
LITAUEN
Wilna
(ZU RUSSLAND)
OSTSEE
Schottland
Nordirland
NORDSEE
IRLAND
Dublin
GROSSBRITANNIEN
DÄNEMARK
Kopenhagen
DIE NIEDERLANDE
ATLANTISCHER OZEAN
Wales
England
London
Den Haag
Berlin
POLEN
Warschau
WEISS
Der Ärmelkanal
Brüssel
BELGIEN
DEUTSCHLAND
LUXEMBURG
Luxemburg
Paris
Prag
TSCHECHIEN
DIE SLOWAKEI
Wien
Bratislava
LIECHTENSTEIN
Bern
DIE SCHWEIZ
ÖSTERREICH
FRANKREICH
Budapest
UNGARN
MO
RUMÄN
Ljubljana
SLOWENIEN
Zagreb
KROATIEN
BOSNIEN UND HERZEGOWINA
Belgrad
Bukar
SERBIEN
Sarajevo
ANDORRA
MONACO
ITALIEN
PORTUGAL
Madrid
Lissabon
SPANIEN
Korsika
VATIKANSTADT
Rom
ADRIATISCHES MEER
MONTENEGRO
Podgorica
Pristina
KOSOVO
Skopje
BUL
Sofi
Tirana
NORDMAZEDON
ALBANIEN
Mallorca
Sardinien
Straße von Gibraltar
TYRRHENISCHES MEER
GRIECHENLAND
Algier
Rabat
Sizilien
IONISCHES MEER
Athe
Tunis
MAROKKO
MALTA
TUNESIEN
MITTELMEER
ALGERIEN
Tripolis
LIBYEN

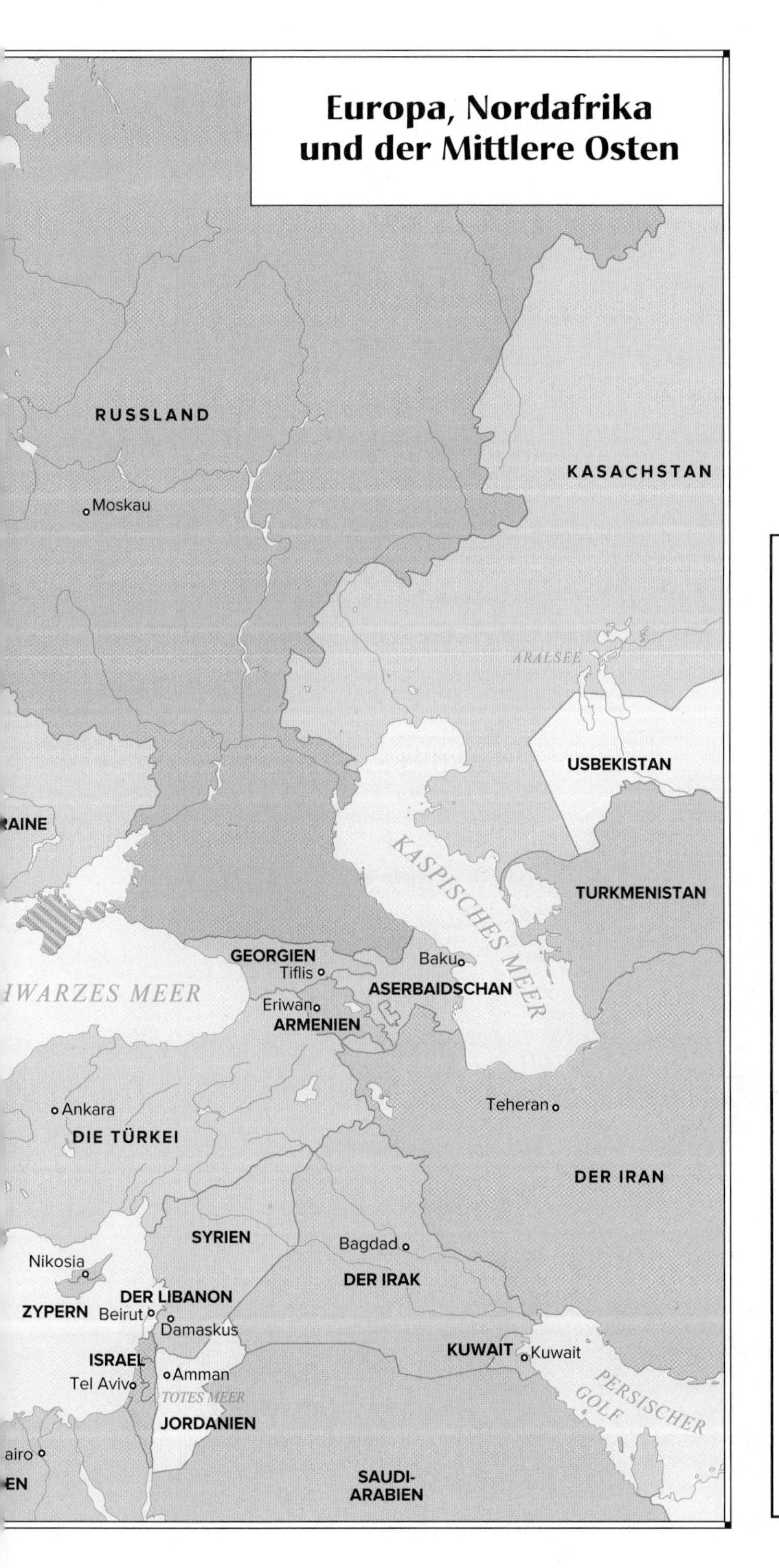


| EU-LÄNDER (2019) | EINWOHNER (2019) |
|---|---|
| | Millionen |
| Belgien | 11,5 |
| Bulgarien | 7,0 |
| Dänemark | 5,8 |
| Deutschland | 83,5 |
| Estland | 1,3 |
| Finnland | 5,5 |
| Frankreich | 67,5 |
| Griechenland | 10,6 |
| Irland | 4,8 |
| Italien | 60,7 |
| Kroatien | 4,1 |
| Lettland | 1,9 |
| Litauen | 2,8 |
| Luxemburg | 0,6 |
| Malta | 0,5 |
| die Niederlande | 17,3 |
| Österreich | 8,9 |
| Polen | 38,0 |
| Portugal | 10,2 |
| Rumänien | 19,4 |
| Schweden | 10,2 |
| die Slowakei | 5,5 |
| Slowenien | 2,1 |
| Spanien | 46,5 |
| Tschechien | 10,6 |
| Ungarn | 9,8 |
| Zypern | 0,9 |
| GESAMT | 448,0 |

Österreich
Einwohner (2019): 8,9 Mio
0 25 50 Meilen
0 25 50 Kilometer
TSCHECHIEN
DEUTSCHLAND
SLOWAKEI
UNGARN
SLOWENIEN
ITALIEN
DIE SCHWEIZ
SÜDTIROL
Gmünd
Horn
Krems
Donau
WIEN
Linz
Melk
Sankt Pölten
Wien
OBERÖSTERREICH
Amstetten
Baden
NIEDERÖSTERREICH
Gmunden
Neusiedler See
Eisenstadt
Wiener Neustadt
Bodensee
Salzburg
Bad Ischl
Mariazell
Bregenz
Kufstein
Sankt Johann in Tirol
Hallstatt
Liezen
Wörgl
VORARLBERG
Reutte
Kitzbühel
Bischofshofen
Bruck an der Mur
BURGENLAND
Innsbruck
Inn
Zell am See
Radstadt
STEIERMARK
Enns
Feldkirch
St. Anton am Arlberg
Oberwart
Landeck
Bruck
Sankt Georgen ob Judenburg
TIROL
SALZBURG
Mauterndorf
Graz
Güssing
Osttirol (zu Tirol)
Mur
Lienz
Spittal an der Drau
Drau
KÄRNTEN
Feldkirchen
Meran
Klagenfurt
Villach
Wörther See
Bozen

0 25 50 Meilen
0 25 50 Kilometer
Rhein
DEUTSCHLAND
FRANKREICH
BASEL (STADT)
SCHAFFHAUSEN
Schaffhausen
APPENZELL AUSSERRHODEN
Kreuzlingen
THURGAU
Basel
Rhein
Liestal
Frauenfeld
Thur
Bodensee
Baden
Winterthur
BASEL (LAND)
AARGAU
ZÜRICH
St. Gallen
St. Margrethen
Herisau
Zürich
Delémont
Aarau
Reuss
SANKT GALLEN
APPENZELL INNERRHODEN
JURA
SOLOTHURN
Appenzell
Zürichsee
Aare
ÖSTERREICH
Solothurn
LUZERN
Zug
Einsiedeln
Vaduz
JURA
Biel
ZUG
LIECHTENSTEIN
BERN
Vierwaldstätter See
SCHWYZ
Glarus
Luzern
Neuchâtel
BERNER OBERLAND
Schwyz
GLARUS
Rhein
NEUENBURG
Stans
Braunwald
Neuenburger See
Sarnen
Bern
NIDWALDEN
Chur
Klosters-Serneus
Inn
Altdorf
OBWALDEN
Engelberg
Davos
Brienz
Fribourg
Thun
Brienzersee
URI
Rhein
WAADT
Thunersee
Andermatt
Disentis
GRAUBÜNDEN
FREIBURG
Interlaken
Jungfrau
Grindelwald
Jungfraujoch
Lausanne
St. Moritz
Montreux
Gstaad
Tessin
Genfer See
Rotten
TESSIN
Brig
Sion
Bellinzona
GENF
Locarno
Genf
Rhône
WALLIS
Lugano
Zermatt
Matterhorn
Lago Maggiore
ITALIEN
Die Schweiz und Liechtenstein
Einwohner
Schweiz (2019): 8,5 Mio
Liechtenstein (2019): 38.500

# Kontakte

## A Communicative Approach

9th Edition

# Kontakte

## A Communicative Approach

Erwin Tschirner
Herder-Institut, Universität Leipzig
University of Rhode Island

Brigitte Nikolai
Werner-von-Siemens-Gymnasium,
Bad Harzburg

KONTAKTE



This book is printed on acid-free paper.

1 2 3 4 5 6 7 8 9 LWI 24 23 22 21 20

ISBN 978-1-260-57551-4
MHID 1-260-57551-9



mheducation.com/highered

# Kontakte

## A Communicative Approach

# Brief Contents

# Contents

## Einführung A

akg-images/SuperStock

## Einführung B

akg-images/The Image Works

Fine Art Images/Heritage Image/age fotostock

## Kapitel 1

### Wer ich bin und was ich tue

**Themen**

Fine Art Images/age fotostock

## Kapitel 2

### Besitz und Freude

**Themen**

The Picture Art Collection/Alamy

## Kapitel 3

### Talente, Pläne, Pflichten

**Themen**

Willibald Stojka/Photo by Célia Pernot

## Kapitel 4

## Ereignisse und Erinnerungen

**Themen**

Hanne Holze

## Kapitel 5

## Geld und Arbeit

**Themen**

Hundertwasser Archive, Vienna

## Kapitel 6

## Wohnen

**Themen**

## Kulturelles



## Lektüren



## Strukturen



## Kulturelles



## Lektüren



## Strukturen



## Kulturelles



## Lektüren



## Strukturen

Fine Art Images/age fotostock

## Kapitel 7

## Unterwegs

**Themen**

akg-images/The Image Works

## Kapitel 8

## Essen und Einladen

**Themen**

© Irene Brandt

## Kapitel 9

## Kindheit und Jugend

**Themen**

## Kulturelles



## Lektüren



## Strukturen



## Kulturelles



## Lektüren



## Strukturen



## Kulturelles



## Lektüren



## Strukturen

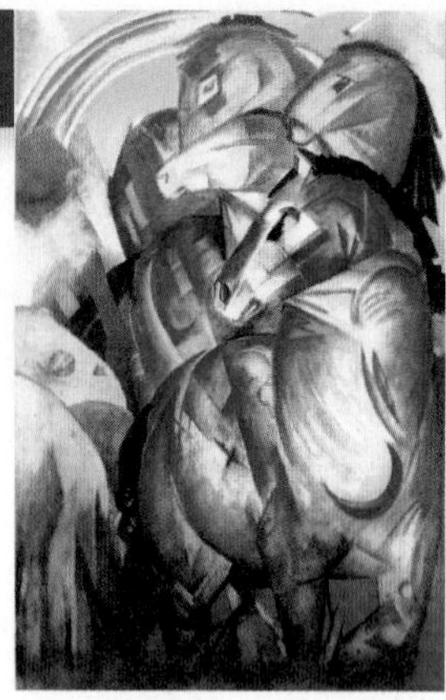

World History Archive/Alamy

## Kapitel 10

### Tourismus

**Themen**

Historical Views/age fotostock

## Kapitel 11

### Gesundheit und Krankheit

**Themen**

© Ferhat Yeter

## Kapitel 12

### Das 21. Jahrhundert

**Themen**

# Preface

***Kontakte*** continues to offer a truly communicative approach that bolsters functional proficiency, supported by the full suite of digital tools available in **Connect.** This proven introductory German program maintains its commitment to meaningful communicative practice as well as extensive coverage of the ACTFL Proficiency Guidelines and World-Readiness Standards for Learning Languages (5 C's) as well as the NCSSFL-ACTFL Can-Do Statements: Proficiency Benchmarks. Thanks to extensive reviewer feedback, the ninth edition includes substantial changes across the program that will enhance the user experience and bring the program solidly up to date. Here are the biggest changes you'll want to know about:

- The vocabulary program in ***Kontakte*** has been completely overhauled based on word frequency studies, so that virtually all of the 1,000 most-used German words are presented.
- More new vocabulary is introduced in readings than in previous editions.
- The entire program has been revised with an eye toward cultural inclusion and broader diversity across its representation of regional origin, religion, race, sexual orientation, and gender.
- The number of readings has been expanded to include over seventy texts of various lengths, genres, and styles.
- New grammar topics present word formation patterns such as derivation and compounding.
- Roughly 80% of the characters have been renamed to reflect a new generation of young people of various backgrounds.
- The grammar content of each chapter (**Strukturen**) has been relocated so that it now appears adjacent to the topical activities sections (**Situationen**)—no more flipping back and forth!

For a complete list of what's new in the ninth edition, go to page xxv.

## Communication in Meaningful Contexts

Throughout the ***Kontakte*** program, students have the opportunity to communicate in German in meaningful ways. Students read and listen to comprehensible German and are provided with ample opportunities to use it in interview, information-gap, role-play, autograph, writing, and other personalized activities that are theme-based, not grammar-driven. The video segments—**Perspektiven** and **Interviews**—were filmed specifically for ***Kontakte*** and feature interviews with a variety of speakers that allow students to hear authentic German in context. They provide models for talking about topics using authentic language, guiding students to communicate with one another.

In **Connect,** students can take advantage of brand-new synchronous and asynchronous voice tools to communicate with their classmates online. There are several activity types, including **Rollenspiel, Interview,** and **Umfrage** activities, that can take advantage of new voice tools. **Recordable Video Chat,** powered by GoReact, is a new way for students to practice live, synchronous communication, via a live chat tool that allows up to six students to have conversations and complete assignments. Instructors can provide personalized and on-the-spot feedback to the recorded student videos and choose from a wide variety of pre-built activities or create their own. The asynchronous option, **Voice Board** (also powered by GoReact), gives students the chance to post video, audio, or text remarks related to the topic and comment on their classmates' posts. Both tools expand opportunities for students to connect and communicate in the target language.

## A Solid Theoretical Foundation

Firmly grounded in second-language acquisition research, ***Kontakte*** also supports the World-Readiness Standards for Learning Languages. As presented in the standards, the five C's—Communication, Cultures, Connections, Comparisons, and Communities—provide a framework for what students should know and be able to do as a result of their language study.

***Kontakte*** also integrates several modes of language, as described in the ACTFL Proficiency Descriptors. The activities, exercises, and tasks offer students a wide variety of opportunities for communication and interaction in interpersonal, interpretive, and presentational modes. For example, the many interviews in ***Kontakte*** reinforce the interpersonal mode of communication by requiring students to negotiate meaning. The diversity of readings, whether literary, cultural, or encyclopedic, requires students to interpret information within context and apply it to new contexts.

## Vocabulary

The ninth edition of ***Kontakte*** is based on a scientific, corpus-linguistic, frequency approach with respect to the selection, acquisition, and building of vocabulary. Based on an analysis of a contemporary corpus of 20 million words, the lists presented in the end-of-chapter vocabularies (called **Wortschatz zum Lernen**) represent around 2,000 of the 5,000 most frequently used German words. Furthermore, about 75% of the words in the end-of-chapter vocabularies belong to the top 2,000 frequent German words. They are called out in the chapter lists with an arrow (→). For vocabulary building, the most frequent patterns of word formation and derivation are presented in the numbered chapters, covering nouns, verbs, and adjectives. This helps students acquire them more readily when encountering them in texts. The vocabulary of texts in ***Kontakte*** has been optimized with regard to frequency and acquisition goals. The more frequent new words are presented in **Miniwörterbuch** lists to increase focus, while less frequent and non-cognate unfamiliar words are glossed in footnotes if important for overall text comprehension.

## Tools for Digital Success: Connect and LearnSmart

McGraw-Hill's digital teaching and learning environment allows students to engage in their course material via the devices they use every day. In **Connect,** students have full access to the digitally enhanced eBook, the online Workbook / Laboratory Manual activities, LearnSmart®, and all of the accompanying audio and video resources, giving them the ability to interact with the materials (and one other) as often as they wish. For instructors, it's never been easier to build and maintain a course, accessing and evaluating student performance along the way.

### Connect: Leveraging the Best in Learning Science

The digital tools available in the **Connect** platform facilitate student progress by providing extensive opportunities to practice and hone their developing skills. These include online communicative activities, instant feedback, peer-editing writing tools, sophisticated reporting, and a complete eBook with embedded audio and video. The ***Kontakte*** program also provides online tools to reduce the amount of time and energy that instructors need to invest in building and maintaining their courses. In the Assignment Builder, instructors can sort and assign activities based on parameters such as skill, grammar structure, vocabulary theme, activity type, the 5 C's, and much more.

### LearnSmart®: An Adaptive Teaching and Learning Experience

McGraw-Hill's LearnSmart® provides each student with a personalized and adaptive learning experience geared to individual needs. Using the latest research, each of the vocabulary items has been thoughtfully selected from a list of high-frequency words, guaranteeing that students will practice the words they need to become successful readers and speakers of German. As each student works through a series of probes that reinforce the vocabulary and grammar presented in each chapter, LearnSmart® identifies gaps in knowledge, continuously adapting to focus on those areas where the student needs the most help. Each student learns and masters core vocabulary and grammar at his or her own pace and comes to class better prepared to communicate in the target language.

**Connect** for ***Kontakte*** Ninth Edition now includes an eBook experience that allows students to watch videos and listen to audio directly within the eBook itself. In addition, the eBook is available in the ReadAnywhere app both online and offline. Visit mheducation.com/ReadAnywhere to learn more.

## Remote Proctoring & Browser-Locking Capabilities

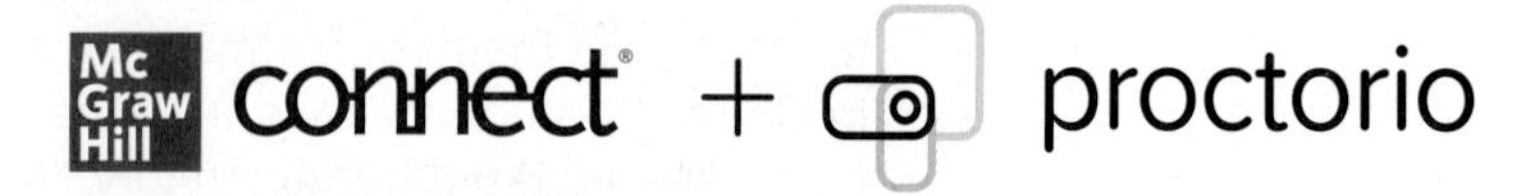


New remote proctoring and browser-locking capabilities, hosted by Proctorio within Connect, provide control of the assessment environment by enabling security options and verifying the identity of the student.

Seamlessly integrated within Connect, these services allow instructors to control students' assessment experience by restricting browser activity, recording students' activity, and verifying students are doing their own work.

Instant and detailed reporting gives instructors an at-a-glance view of potential academic integrity concerns, thereby avoiding personal bias and supporting evidence-based claims.

## For Instructors and Students

- **Student Edition:** Full-color textbook with activities, grammar explanations and exercises, and helpful appendices. Available in print and as a digital eBook with embedded audio and video in **Connect.**
- **Workbook / Laboratory Manual (Arbeitsbuch):** This combined *Workbook / Laboratory Manual* contains both acquisition activities and practice exercises for use outside the classroom. The Answer Key at the end of the print *Workbook / Laboratory Manual* allows students to correct many of the activities themselves. The *Workbook / Laboratory Manual* activities and the related audio recordings are also accessible in **Connect.**
- **Textbook Audio Program:** This audio program contains selected dialogues, listening comprehension passages, pictorial narratives (**Bildgeschichten**), cultural readings (**Kultur ... Landeskunde ... Informationen**), poems, and a fairy tale from the text. These recordings are signaled by an earbuds icon next to relevant content and have been embedded in the eBook. The audio files are available in **Connect** as well as in the Online Learning Center at www.mhhe.com/kontakte9.
- **Workbook / Laboratory Manual Audio Program:** This robust program contains pronunciation practice and listening comprehension texts, recorded dialogues, narratives, and other oral texts. As in the eighth edition, the audio is accessed directly in the online *Workbook / Laboratory Manual* in **Connect.**
- **Video Program:** The ***Kontakte*** video program, consisting of the **Perspektiven** and **Interviews** segments, may be accessed in the eBook and within **Connect.** The ***Kontakte*** DVD is also available to instructors on demand.

## For Instructors

- **Annotated Instructor's Edition:** The print textbook contains margin notes and annotations with suggestions for using and expanding most of the **Situationen** in the program. It also offers the scripts for **Bildgeschichte** narratives; additional cultural information; teaching hints for using readings, photos, and art; and tips on teaching selected grammar points.

- **Online Instructor Resources:** In addition to the printed Instructor's Edition, there are also many instructor resources available in the **Online Learning Center (OLC),** accessible from **Connect** in the **Instructor's Resources** section of the Library tab:
  - **Instructor's Manual:** The Instructor's Manual provides a guided walk-through of a typical chapter, information on language teaching theory and practice, and hints and practical guidance for instructors.
  - **Testing Program with Audio:** This program offers a variety of test components emphasizing pronunciation, listening, speaking, reading, writing, vocabulary, grammar, and culture. For the ninth edition, a second version of each chapter test has been developed. Available in pdf format, as a Word document, and now as online tests with audio in **Connect,** this program provides you with the flexibility to electronically modify or adapt the tests to suit the particular needs of your class. For users of the print tests, the listening comprehension passages are available in the **Instructor's Resources** section of the **OLC** under the Library tab in **Connect.**
  - **Audioscript:** This is a transcript of all the material recorded for the *Workbook / Laboratory Manual.*
  - **Guide to Gender-Neutral German:** This is a short guide that describes recent developments and current trends in German-speaking countries with regard to gender-inclusive and gender-neutral language. It also describes the rationale for the approach taken to incorporating gender-sensitive language in ***Kontakte.***
  - **Instructor Transition Guide:** This is a chapter-by-chapter and topic-by-topic overview of content changes from the eighth to the ninth edition.

## New to This Edition

- **High-Frequency Vocabulary:** Common words that were missing from previous editions of ***Kontakte*** have been added and infrequent words removed. Three-fourths of all active vocabulary now comes from the top 2,000 most frequently used words in German-speaking countries.
- ***Strukturen* now Interspersed throughout the *Situationen:*** Each grammar subsection has been moved from its place at the end of the chapter to the relevant topical section within the chapter. The grammar segments retain their shaded background so that they are distinct from the topical activities.
- **Readings:** Developing reading proficiency has recently become a more prominent goal of foreign language programs. Each numbered chapter now has six readings: one **Kunst und Kunstschaffende** section (artist bio), one **Musikszene** (singer bio), one **Filmlektüre** (film synopsis), two **KLI** (culture readings), and one **Lektüre** (variety of genres).
  - The texts in the **Kunst und Kunstschaffende, Musikszene,** and **Filmlektüre** features have been revamped to be much more focused on reading and vocabulary acquisition, which meant the addition of a **Miniwörterbuch** for many of them.

- Two **KLI** culture readings are brand new: "Gefahren im Netz: Was junge Menschen beachten müssen" (**Kap. 2**) and "Geschlechtergerechte Sprache" (**Kap. 12**). All **KLI** readings have been updated, revamped, and/or revised with regard to vocabulary, and they have been turned into focused reading activities through the addition of pre-reading (**Vor dem Lesen**) and reading (**Arbeit mit dem Text**) questions.
- **Lektüre:** All **Lektüre** readings have been updated and/or revised with regard to vocabulary; some have been moved to different chapters to better align with students' reading proficiency; and three new readings have been added: an encyclopedic-style biography ("Marie Juchacz: Politikerin und Bürgerrechtlerin" **Kap. 4**), a news report ("10-Jähriger vom PKW erfasst" **Kap. 11**), and a ballad by Theodor Fontane ("Die Brück' am Tay" **Kap. 12**).

- **Chapter-Opening Fine Art:** Ten new artists are featured, representing more diverse art styles and including works by eight women, three Austrians, and one Swiss artist, representing Turkish and Roma backgrounds, among others.
- **Can-Do Statements:** At the opening of each chapter, there is now a list of communicative abilities to set students' expectations and allow students to identify and set learning goals for that chapter.
- **Filmlektüre:** Eight new films are featured, which are more diverse with regard to gender and origins of the directors and themes.
- **Art and Photos:** Drawings and photographs feature more ethnic and cultural diversity, as well as more diverse physical characteristics and abilities.
- **Musikszene:** Eleven of the fourteen songs are completely new, representing fresh new artists. Half the vocalists are women. More diverse ethnicities and cultures are represented.
- **Modernized Names:** Most of the recurring characters have new names. The Berkeley characters now use their real names instead of "adopted" German names. For example, Peter, Albert, and Nora are now Pedro, Miguel, and Meili. Other names have been modernized in order to reflect a new generation of young people of various backgrounds.
- **Gender:** The laws surrounding gender inclusivity in language use in the public sphere have recently changed in Austria and Germany. Now, in addition to *männlich* (male) and *weiblich* (female), there is a third option people must be allowed to choose to identify with: *divers* (non-binary). Increasingly, official documents and applications include this third option, and job ads present a third, non-binary gender marker. In response to these developments, one reading passage per chapter in ***Kontakte*** (beginning with **Kapitel 1**) utilizes the *Gendersternchen* ("gender asterisk") forms where appropriate; for example, instead of *Einwohnerinnen und Einwohner* (which includes only women and men), we read *Einwohner*innen,* where the asterisk is meant to indicate non-binary inclusiveness.
- **Diversity:** ***Kontakte*** Ninth Edition is more diverse, inclusive, and culturally sensitive in representations of origin, religion, ethnicity, race, sexual orientation, and gender. Several characters have new backgrounds: the Wagners' children Yusuf (from Syria) and Elif (from Turkey) are adopted; Phan Nguyen has Vietnamese heritage; and Nesrin and Sofie are a

lesbian couple. A greater sensitivity to gender bias and other stereotypes is evident throughout the content. The ethnicities of some of the Berkeley characters (Pedro, Miguel, and Meili) are more firmly established with their new names. In addition, the Jewish and Muslim religions are more prominent.

- **ReadAnywhere app:** An eBook with embedded audio and video features the ReadAnywhere app. Our new ReadAnywhere app lets students access important course materials on their mobile device, both online and offline. ReadAnywhere includes the same functionality as the eBook offered in Connect with auto-sync across both platforms. Visit mheducation.com/ReadAnywhere to learn more.
- **Recordable Video Chat,** powered by GoReact, is a synchronous chat tool, now available in **Connect.** Students can now practice live, synchronous communication via a live chat tool that allows up to six students to have conversations and complete assignments. Instructors can provide personalized and on-the-spot feedback on the recorded student videos and choose from a wide variety of pre-built activities or create their own.
- **Voice Board,** our new asynchronous voice tool, also powered by GoReact, gives students the chance to post video, audio, or text comments related to a given topic and respond to their classmates' posts. Both tools expand opportunities for students to connect and communicate in the target language.

Hero Images Inc./Alamy

# Acknowledgments

We gratefully acknowledge our debt to the many instructors who over the past years have personally shared their experiences with us, especially Peter Ecke and the graduate student instructors at the University of Arizona. In addition, the authors would like to express their gratitude to the following members of the language-teaching profession whose valuable suggestions contributed to the preparation of this revised edition. The appearance of these names does not necessarily constitute an endorsement of ***Kontakte*** or its methodology.

American River College
*Diana Lysinger*

Anderson University
*Inge Baird*

Berry College
*Christine Anton*

Brigham Young University
*David Seay*

Brigham Young University
*Teresa R. Bell*

Brigham Young University—Idaho
*Brooks Haderlie*

Carnegie Mellon University
*Martina Wells*

Central Washington University
*Laurie J. Moshier*

College of Charleston
*Sarah Koellner*

College of Charleston
*Stephen Della Lana*

Colorado State University
*Franziska Wilcox*

Columbia University
*Jutta Schmiers-Heller*

Columbia University
*Richard Korb*

DePaul University
*Eugene Sampson*

DePaul University
*Anna Souchuk*

Duke University
*Lukas Hoffman*

Duquesne University
*Edith H. Krause*

East Tennessee State University
*Jan Jost-Fritz*

East Tennessee State University
*Raluca Negrisanu*

Eastern Washington University
*Jody Stewart-Strobelt*

Franklin & Marshall College
*Jennifer Redmann*

Georgetown University
*Joe Cunningham*

Indiana University South Bend
*Shawn Hill*

Iowa State University
*William Carter*

Kent State University
*Stephanie E. Libbon*

Lawrence University
*Alison Guenther-Pal*

Lawrence University
*Maria Carone*

Long Beach City College
*Katja Halle*

Louisiana State University
*Michael B. Dettinger*

Mercer University
*Edward Wintraut*

Miami University
*Mariana Ivanova*

Montclair State University
*Pascale LaFountain*

Northern Arizona University
*Marilya Reese*

Northern Arizona University
*Vicky Vandermale*

North Carolina Central University
*Claudia A. Becker*

Oberlin College
*Adrienne Merritt*

Ohio University
*Adi King*

Ohio University
*Annette Steigerwald*

Pacific University
*Lorely French*

Pima Community College
*Leslie Taylor*

Rhodes College
*Elizabeth Bridges*

Rutgers The State University of NJ
*Alexander Pichugin*

Saint John's University
*Kurt Hollender*

Santa Clara University
*Josef Hellebrandt*

Santa Monica College
*Jiro Tanaka*

Sauk Valley College
*Nina L. Dulabaum*

Southeast Missouri State University
*Victoria Vygodskaia-Rust*

Southern Connecticut State University
*Gillian Fox*

Southern Methodist University
*Anneliese Gerl*

Southwestern University
*Erika Berroth*

State University of New York
at Stony Brook
*Robert Bloomer*

Tarleton State University
*Renee Barlow*

Texas Christian University
*Cynthia Chapa*

University of Arizona
*Antonella Cassia*

University of Arizona
*Diane Richardson*

University of Alabama
*Douglas Lightfoot*

University of California San Diego
*Elke Riebeling*

University of Chicago
*Anna Pajak*

University of Connecticut
*Anke Finger*

University of Connecticut
*Daniel Onuwa*

University of Houston
*Tanja Hellmann*

University of Louisville
*Jordan Gabbard*

University of Maryland Baltimore
*Xenia Wolff*

University of New Mexico
*Marina Peters-Newell*

University of New Mexico
*Jason Wilby*

University of Southern California
*Eve Lee*

University of Texas at Arlington
*Amy Titus*

University of Washington
*Klaus Brandl*

University of West Georgia
*John Blair*

University of West Georgia
*Muriel Cormican*

University of Wyoming
*Julia Stetler*

Webster University
*Paula Hanssen*

Western Kentucky University
*Tim Straubel*

William Rainey Harper College
*Kimberly Jaeger*

Yale University
*Theresa Schenker*

Yale University
*Marion Gehlker*

We would like to extend our continuing thanks to all the loyal users, reviewers, consultants, and native readers who contributed to prior editions of ***Kontakte*** and have helped shape the development of this program over the years; they are too numerous to mention here. We continue to thank Eirik Børve and Thalia Dorwick, who launched the first edition, and Tracy Terrell, our first- and second-edition coauthor, whose revolutionary vision of language teaching and learning and whose belief in the power of listening and reading and communicative encounters continue to be a never-ending inspiration. ***Kontakte*** also owes enduring thanks to Gregory Trauth, our wonderful editor of the third and fourth editions.

The revised Ninth Edition of ***Kontakte*** is a product of the hardworking efforts of many different language-teaching and publishing professionals, first and foremost Paul Listen, our editor since the fifth edition, whose artistry, creativity, enthusiasm, attention to detail, and perseverance have kept us all on track and helped us turn our highest aspirations into reality. Our gratitude to Arden Smith for compiling the extensive end vocabularies and completing an accessibility review of the testing program; to Carrie Burger for researching the many interesting photos; and to Beth Thole and her team, who secured reprint permissions for the realia and readings. We owe a debt of gratitude to Marie Deer, our copyeditor, and to Carolyn Hawkshaw, our proofreader, for their numerous comments and suggestions. Many thanks to Jennifer Rodes at Klic Video Productions and her team for the beautiful **Interviews** and **Perspektiven** video segments, and to Jupp Möhring, Nicole Mackus, Jenny Fischer, Judith Müller, Juliane Schäfer, and Sandra Süring for organizing and helping with the video shoot as well as to Tetyana Chobotar, Michael Dobstadt, Shaimaa Hamdy Mohamed Elsayed, Simone Grossmann, Hend Adel Lotfy Hasan, Tina Hofmann, Maria Jeschke, Albrecht Klemm, Felicitas Krahnert, Tabea Mackel, Inna Meskova, Pascal Müller, Nadezda Mukhina, Michael Seyfarth, Carolyn Teschner, Susan Wagner, Sophia Weber, and Martin Wendig for participating in it. Sincere thanks go to Meike Münster and Ann-Katrin Röß, who revised and updated the *Testing Program*. Our heartfelt gratitude also goes to Klaus Brandl, who revised and updated the *Workbook / Laboratory Manual* for this edition, and to our product developer, Jason Kooiker, who worked tirelessly on both the print and digital versions.

We thank Egzon Shaqiri, Beth Blech, and their design team for the beautiful interior and imaginative cover. We also thank our talented production team, Sherry Kane, Senior Content Project Manager, and Kelly Heinrichs, Program Manager, for their superior work on the Ninth Edition. Special thanks as well to Ann Helgerson and the rest of the McGraw-Hill marketing and sales staff who so actively promote ***Kontakte.***

On the digital side, we would like to acknowledge the valuable contributions of Jason Kooiker, Lead Subject Matter Expert, and his team of builders and reviewers; many thanks as well to our **LearnSmart**® team.

Finally, we express our sincere appreciation to the McGraw-Hill World Languages product development team: Shaun Bauer, Senior Product Developer; Margaryta Bondarenko, Product Developer; Amanda Hirt, Product Development Coordinator; Susan Pierre-Louis, Business Product Analyst; and Katie Crouch, Senior Portfolio Manager, whose support and encouragement are deeply appreciated.

# To the Student

## Getting to Know the Characters

The people you will read and talk about in ***Kontakte*** appear in activities and exercises throughout the book. Some are American students, and others are from Germany, Austria, and Switzerland. First, there is a group of students learning German at the University of California at Berkeley. Although they all have different majors, they are all in Professor Karin Schulz's German class. You will meet eight students in the class: Pedro, Heidi, Shannon, Meili, Miguel, Steve, Noah, and Kayla.

In Göttingen, Germany, you will meet Phan Nguyen and her boyfriend, Daniel Baumann. You will also get to know Johannes Schmitz. He studies psychology in the United States, but spends a lot of time in Göttingen, where his mother lives. Johannes's father, Ralf Schmitz, and stepmother, Aydan Candemir, live near Düsseldorf, Germany. Ralf and Aydan have twin daughters named Eske Schmitz and Damla Schmitz.

You will also accompany an American student, Claire Martin, on her travels. Her best friends are Leon Bergmann and Julia Staiger from Regensburg. In Berlin, you will meet Sarah Abraham and Mert Yilmaz.

Claire

Leon

Julia

Sarah

Mert

In Dresden, you will meet Sofie Pracht; her partner, Nesrin Durani, originally from Afghanistan; and their friend Lukas Pietsch.

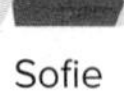
Sofie

Nesrin

Lukas

In Munich, you will meet the Wagners and the Rufs. Emma and Benjamin Wagner have three children: Antonia, Elif (adopted from Turkey), and Yusuf (adopted from Syria). The children's cousin Max Wagner often comes to visit. The Wagners' neighbors are the Rufs: Jochen Ruf, a writer and stay-at-home dad, and Margret, a businesswoman. They have two children: Hannah and Phillip.

die Familie Wagner

Antonia Emma Elif Benjamin Yusuf Max

die Familie Ruf

Phillip Margret Jochen Hannah

There are others in the neighborhood as well, such as Herr Jörg Moser and Herr Alexander Fuchs, Frau Maike Gruber, Frau Judith Körner, Maria Schneider, and her boyfriend, Michael Pusch. In Austria, you will get to know Richard Steiner, who is 18 and has just graduated from high school.

Herr Jörg Moser

Herr Alexander Fuchs

Frau Maike Gruber

Frau Judith Körner

Maria

Michael

Richard

In Switzerland, you will meet Kobe Okonkwo, his wife Veronika Frisch-Okonkwo, and their three children, Lydia Frisch, Sumita Okonkwo, and Yamina Okonkwo.

die Familie Okonkwo

Sumita Veronika Kobe Lydia Yamina

We hope you will enjoy meeting these characters and learning more about their personalities, their daily lives, and the German-speaking regions they are from. Enjoy learning German and working with ***Kontakte***!

# EINFÜHRUNG A

## Themen

Bitten

Namen

Kleidung

Farben

Begrüßen und Verabschieden

Zahlen

## Kulturelles

Kunst: Dora Hitz (*Mädchen im Mohnfeld*)

KLI: Vornamen

KLI: Farben als Symbole

Musikszene: „Lieblingsmensch" (Namika)

KLI: So zählt man ... So schreibt man ...

Videoecke: Persönliche Informationen

## Strukturen

1. Giving instructions: Polite commands
2. What is your name? The verb **heißen**
3. The German case system
4. Grammatical gender: Nouns and pronouns
5. Addressing people: **Sie** versus **du** or **ihr**

After completing **Einführung A,** you will be able to . . .

- understand instructions about classroom activities
- understand questions about yourself and your classmates with respect to clothing, belongings, and colors
- recognize and understand known words in authentic speech, such as songs
- understand most numbers from 1 to 100
- introduce yourself to someone and greet your peers
- respond to *who*, *what*, *when*, and *where* questions
- write words and phrases that you have learned
- identify some typical practices in German-speaking countries related to greetings, names, colors, and numbers

Dora Hitz: *Mädchen im Mohnfeld* (1891), Museum der Bildenden Künste, Leipzig, Deutschland

| Miniwörterbuch | |
|---|---|
| die **Kunst** | art |
| der **Künstler** | male artist |
| die **Künstlerin** | female artist |
| der **Verein** | club |
| die **Blume,** *plural* **Blumen** | flower, flowers |
| die **Farbe** | color |

## KUNST UND KUNSTSCHAFFENDE

Dora Hitz (1856–1924) was a German painter who studied in Munich at the "Damenmalschule der Frau Staatsrat Weber," an art school for young women, and also in Paris. Later she worked in Romania as the court painter to the Romanian royal family and in Berlin where she was a member of the "Verein Berliner Künstlerinnen und Kunstfreundinnen." In 1894 she founded an art school for women. Later in life she fell into financial difficulties, became ill, and shunned social contact.

Sehen Sie das im Bild?[1]

| | JA | NEIN |
|---|---|---|
| **1.** einen Ball | ☐ | ☐ |
| **2.** ein Mädchen[2] | ☐ | ☐ |
| **3.** Blumen | ☐ | ☐ |
| **4.** Autos | ☐ | ☐ |
| **5.** die Farbe Gelb[3] | ☐ | ☐ |
| **6.** die Farbe Grün[4] | ☐ | ☐ |
| **7.** die Farbe Rot[5] | ☐ | ☐ |

[1]Sehen ... *Do you see that in the picture?* [2]*girl* [3]*yellow* [4]*green* [5]*red*

# Situationen

## Bitten

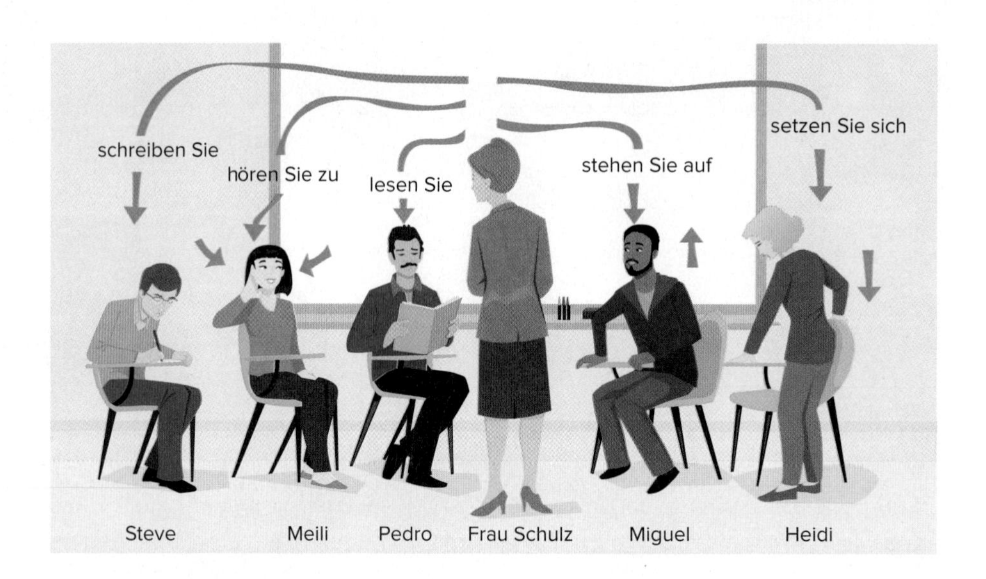


### Situation 1 **Bitten**[1]

1. Geben Sie mir die Hausaufgabe!
2. Öffnen Sie das Buch!
3. Schließen Sie das Buch!
4. Nehmen Sie einen Stift!
5. Gehen Sie!
6. Springen Sie!
7. Laufen Sie!
8. Schauen Sie an die Tafel!

[1] *Requests*

## Situation 2 Wer macht das?

Hören Sie zu und schreiben Sie die Zahlen unter die Bilder.

a. ______ b. ______ c. ______

d. ______ e. ______ f. ______

g. ______ h. ______

Hill Street Studios/Blend Images

In der Bibliothek

# Strukturen

## 1. Giving instructions: Polite commands

command form = verb + **Sie**

The instructions your instructor gives you in class consist of a verb, which ends in **-en,** and the pronoun **Sie** (*you*).* Like the English *you,* the German **Sie** can be used with one person (*you*) or with more than one (*you* [*all*]). In English instructions the pronoun *you* is normally understood but not said. In German, **Sie** is a necessary part of the sentence.

| | |
|---|---|
| **Stehen Sie** bitte **auf.** | *Please stand up.* |
| **Nehmen Sie** bitte das Buch. | *Please take the book.* |

With certain instructions, you will also hear the word **sich** (*yourself* ).†

| | |
|---|---|
| **Setzen Sie sich,** bitte. | *Sit down, please.* |

### Übung A. Im Kurs

Was sagt Frau Schulz zu den Studierenden?

Nehmen Sie einen Stift!
Sagen Sie „Guten Tag"!
Schauen Sie an die Tafel!
Schließen Sie das Buch!
Schreiben Sie „Tschüss"!
Öffnen Sie das Buch!
Hören Sie zu!
Geben Sie mir die Hausaufgabe!

1. Pedro

2. Heidi

3. Shannon

4. Meili

5. Miguel

6. Steve

7. Noah

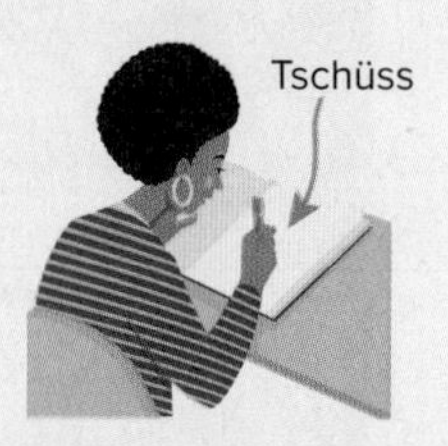

8. Kayla

*The pronoun **Sie** (*you*) is capitalized to distinguish it from another pronoun, **sie** (*she; it; they*).
†**Sich** is a reflexive pronoun; its use will be explained in **Kapitel 11.**

# Situationen

## Namen

—Wie heißt du?
—Heidi.
—Wie schreibt man das?
—H-E-I-D-I. Und wie heißt du?

Heidi und Steve

| Buchstaben | | | |
|---|---|---|---|
| ***Schreiben*** | ***Sprechen*** | ***Schreiben*** | ***Sprechen*** |
| ***A a*** | [a:] | **O o** | [o:] |
| ***Ä ä*** | [ɛ:] | **Ö ö** | [ø:] |
| ***B b*** | [be:] | ***P p*** | [pe:] |
| ***C c*** | [tse:] | ***Q q*** | [ku:] |
| ***D d*** | [de:] | ***R r*** | [ɛr] |
| ***E e*** | [e:] | ***S s*** | [ɛs] |
| ***F f*** | [ɛf] | **ß** | [ɛs'tsɛt] |
| ***G g*** | [ge:] | ***T t*** | [te:] |
| ***H h*** | [ha:] | ***U u*** | [u:] |
| ***I i*** | [i:] | ***Ü ü*** | [y:] |
| ***J j*** | [jɔt] | ***V v*** | [fau] |
| ***K k*** | [ka:] | ***W w*** | [ve:] |
| ***L l*** | [ɛl] | ***X x*** | [ɪks] |
| ***M m*** | [ɛm] | ***Y y*** | ['ʏpsilɔn] |
| ***N n*** | [ɛn] | ***Z z*** | [tsɛt] |

## KULTUR ... LANDESKUNDE ... INFORMATIONEN

### VORNAMEN

### Vor dem Lesen

Was sind häufige Vornamen in Ihrem Land für Personen über 60 Jahre? für Personen um die 40? für Personen um die 20? für Neugeborene[1]?

### Nach dem Lesen

- Welche Vornamen gefallen Ihnen[2]?
- Welche Vornamen gibt es auch in Ihrem Kurs?

DIE BELIEBTESTEN[3] VORNAMEN IN DEUTSCHLAND 2017

| Mädchen | Jungen |
|---|---|
| **1.** Marie | **1.** Maximilian |
| **2.** Sophie/Sofie | **2.** Alexander |
| **3.** Maria | **3.** Paul |
| **4.** Sophia/Sofia | **4.** Elias |
| **5.** Emilia | **5.** Ben |
| **6.** Emma | **6.** Noah |
| **7.** Hannah/Hanna | **7.** Leon |
| **8.** Anna | **8.** Louis/Luis |
| **9.** Mia | **9.** Jonas |
| **10.** Luisa/Louisa | **10.** Felix |

*Source: Gesellschaft für deutsche Sprache.*

[1]*newborns* [2]gefallen ... *do you like* [3]*most popular*

## Situation 3 Wie heißt ...?

1. Wie heißt die Frau mit dem schwarzen Buch?
2. Wie heißt der Mann mit dem Stift?
3. Wie heißt die Frau an der Tafel?
4. Wie heißt die Frau an der Tür?
5. Wie heißt der Mann mit der Brille?
6. Wie heißt der Mann mit dem Schnurrbart?
7. Wie heißt die Frau mit dem Ball?
8. Wie heißt der Mann mit dem langen Haar?

## Situation 4 Interview: Wie schreibt man deinen Namen?

MODELL: ein Student / eine Studentin mit Brille →
S1: Wie heißt du?
S2 (*mit Brille*): Mark.
S1: Wie schreibt man das?
S2: M-A-R-K.

| | NAME |
|---|---|
| 1. ein Student / eine Studentin mit Brille | ________ |
| 2. ein Student / eine Studentin in Jeans | ________ |
| 3. ein Student / eine Studentin mit langem Haar | ________ |
| 4. ein Student / eine Studentin mit einem Buch | ________ |
| 5. ein Student / eine Studentin mit Ohrring[3] | ________ |
| 6. ein Student / eine Studentin mit kurzem Haar | ________ |

[3]*earring*

# Strukturen

## 2. What is your name? The verb *heißen*

**heißen** = *to be called*
**Wie heißen Sie?** *(formal)*
**Wie heißt du?** *(informal)*

Use a form of the verb **heißen** (*to be called*) to tell your name and to ask for the names of others.

Wie **heißen Sie?** / Wie **heißt du?*** *What is your name?*
**Ich heiße ...** *My name is . . .*

| heißen (singular forms) | |
|---|---|
| ich heiße | *my name is* |
| du heißt | *your name is* |
| Sie heißen | *your name is* |
| er heißt | *his name is* |
| sie heißt | *her name is* |

### Übung B. Minidialoge

Ergänzen Sie[1] das Verb **heißen: heiße**, **heißt**, **heißen**.

1. YUSUF: Hallo, wie ______[a] du?
   HANNAH: Ich ______[b] Hannah. Und du?
   YUSUF: Ich ______[c] Yusuf.
2. HERR MOSER: Guten Tag, wie ______[a] Sie bitte?
   HERR FUCHS: Ich ______[b] Fuchs, Alexander Fuchs.
3. CLAIRE: Hallo, ich ______[a] Claire und wie heißt ihr?
   JULIA: Ich ______[b] Julia und er ______[c] Leon.

## 3. The German case system

Case shows how nouns function in a sentence.

German speakers use a *case system* (nominative for the subject, accusative for the direct object, and so on) to indicate the function of a particular noun in a sentence. The article† or adjective that precedes the noun shows its case. You will learn the correct endings in future lessons. For now, be aware that you will hear and read articles and adjectives with a variety of endings. These various forms will not prevent you from understanding German. Here are all the possibilities.

| | |
|---|---|
| der, das, die, dem, den, des | *the* |
| ein, eine, einen, einem, einer, eines | *a, an* |
| blau, blaue, blauer, blaues, blauen, blauem | *blue* |

In addition, definite articles may contract with some prepositions, just as *do* and *not* contract to *don't* in English. At left are some common contractions you will hear and read.

| | |
|---|---|
| in + das = ins | *into the* |
| in + dem = im | *in the* |
| zu + der = zur | *to the* |
| zu + dem = zum | *to the* |
| an + das = ans | *to/on the* |
| an + dem = am | *to/at the* |

*The difference between **Sie** (*formal*) and **du** (*informal*) will be explained in *Strukturen 5*.
†Articles are words such as *the, a,* and *an,* which precede nouns.
[1]Ergänzen ... *Supply*

# Situationen

## Kleidung

### Situation 5* Informationsspiel: Zehn Fragen

Stellen Sie zehn Fragen. Ja oder nein?

MODELL: S1: Trägt Noah einen Anzug?
S2: Nein. Trägt Herr Fuchs einen Anzug?
S1: Ja.

| | NOAH | MEILI |
|---|---|---|
| einen Anzug | *Nein* | ______ |
| eine Brille | ______ | ______ |
| ein Hemd | ______ | ______ |
| eine Hose | ______ | ______ |
| einen Hut | ______ | ______ |
| eine Jacke | ______ | ______ |
| eine Jeans | ______ | ______ |
| ein Kleid | ______ | ______ |
| einen Mantel | ______ | ______ |
| einen Pullover | ______ | ______ |
| einen Rock | ______ | ______ |
| Schuhe | ______ | ______ |
| Socken | ______ | ______ |
| Sportschuhe | ______ | ______ |
| Stiefel | ______ | ______ |
| ein T-Shirt | ______ | ______ |

Herr Fuchs    Frau Körner

*This is the first of many information-gap activities in ***Kontakte***. Pair up with another student. One of you (Student 1 or „S1") will work with the pictures of Herr Fuchs and Frau Körner on this page. The other (Student 2 or „S2") will work with pictures of Noah and Meili in *Appendix A*. The goal is to complete the activity while speaking only German and not looking at your partner's pictures.

## Situation 6 Kleidung

Wer im Kurs trägt ______?

1. einen Rock
2. eine Jacke
3. ein Kleid
4. Stiefel
5. ein Hemd
6. eine Hose
7. einen Hut
8. Sportschuhe[1]
9. einen Pullover
10. einen Anzug

# Farben

Noah und Kayla

[1] *athletic shoes*

## Situation 7 Meine Kommilitonen

Schauen Sie Ihre Kommilitonen[1] und Kommilitoninnen an. Was tragen sie?

| | NAME | KLEIDUNG | FARBE |
|---|---|---|---|
| 1. | Heidi | Rock | blau |
| 2. | ________ | ________ | ________ |
| 3. | ________ | ________ | ________ |
| 4. | ________ | ________ | ________ |
| 5. | ________ | ________ | ________ |

## Situation 8 Umfrage: Was ist deine Lieblingsfarbe?

MODELL: S1: Ist deine Lieblingsfarbe[2] blau?
S2: Ja.
S1: Unterschreib bitte hier.

| | | UNTERSCHRIFT[3] |
|---|---|---|
| 1. | Ist deine Lieblingsfarbe blau? | ________ |
| 2. | Trägst du gern schwarz? | ________ |
| 3. | Hast du zu Hause braune Socken? | ________ |
| 4. | Ist deine Lieblingsfarbe rot? | ________ |
| 5. | Trägst du gern gelb? | ________ |
| 6. | Hast du zu Hause ein graues T-Shirt? | ________ |
| 7. | Ist deine Lieblingsfarbe grün? | ________ |
| 8. | Hast du zu Hause ein weißes Hemd? | ________ |

# KULTUR ... LANDESKUNDE ... INFORMATIONEN

## FARBEN ALS SYMBOLE

### Vor dem Lesen

- Haben Sie eine Lieblingsfarbe? Was ist sie?

### Arbeit mit dem Text

________ ist die Liebe[4]
________ ist die Unschuld[5]
________ ist die Trauer[6]
________ ist die Treue[7]
________ ist die Hoffnung[8]
________ ist der Neid[9]

### Nach dem Lesen

- Welche Farbe ist die Liebe? Und in Ihrem Land?
- Welche Farbe ist die Hoffnung? Und in Ihrem Land?
- Welche Farbe ist die Trauer? Und in Ihrem Land?

[4]*love* [5]*innocence* [6]*grief, sorrow* [7]*loyalty* [8]*hope* [9]*envy*

*Siri Ang/Shutterstock*

[1]*classmates, fellow students* [2]*favorite color* [3]*signature*

# Strukturen

## 4. Grammatical gender: Nouns and pronouns

In German, all nouns are classified grammatically as masculine, neuter, or feminine. When referring to people, grammatical gender usually matches biological sex.

| MASCULINE | FEMININE |
|---|---|
| **der** Mann | **die** Frau |
| **der** Student | **die** Studentin |
| **der** Professor | **die** Professorin |

masculine = **der**
neuter = **das**
feminine = **die**
plurals (all genders) = **die**

When referring to things or concepts, however, grammatical gender obviously has nothing to do with biological sex.

| MASCULINE | NEUTER | FEMININE |
|---|---|---|
| **der** Rock | **das** Hemd | **die** Hose |
| **der** Hut | **das** Buch | **die** Jacke |

The definite article indicates the grammatical gender of a noun. German has three nominative singular definite articles: **der** (*masculine*), **das** (*neuter*), and **die** (*feminine*). The plural article is **die** for all genders. All of these definite articles mean *the.*

| | Singular | Plural |
|---|---|---|
| *Masculine* | der | die |
| *Neuter* | das | die |
| *Feminine* | die | die |

**der** → **er** = *he, it*
**das** → **es** = *it*
**die** → **sie** = *she, it*
**die** (*pl.*) → **sie** = *they*

The personal pronouns **er, es, sie** (*he, it, she*) reflect the gender of the nouns they replace. For example, **er** (*he, it*) refers to **der Rock** because the grammatical gender is masculine; **es** (*it*) refers to **das Hemd** (*neuter*); **sie** (*she, it*) refers to **die Jacke** (*feminine*). The personal pronoun **sie** (*they*) refers to all plural nouns.

—Welche Farbe hat **der Rock?** — *What color is the skirt?*
—**Er** ist gelb. — *It is yellow.*

—Welche Farbe hat **das Hemd?** — *What color is the shirt?*
—**Es** ist weiß. — *It is white.*

—Welche Farbe hat **die Jacke?** — *What color is the jacket?*
—**Sie** ist braun. — *It is brown.*

—Welche Farbe haben **die Stifte?** — *What color are the pencils?*
—**Sie** sind gelb. — *They are yellow.*

**ACHTUNG!**

All German nouns are capitalized, whether they are common nouns (people, objects, concepts: **Freund, Auto, Situation**) or proper nouns (names of people, countries, etc.: **Heidi, Deutschland**).

Sometimes gender can be determined from the ending of the noun; for example, most nouns that end in **-e,** such as **die Jacke** or **die Hose,** are feminine. The ending **-in** indicates a female person: **die Studentin, die Professorin.**

In most cases, however, gender cannot be predicted from the form of the word. It is best, therefore, to learn the corresponding definite article along with each new noun.

## Übung C. Kleidung

Frau Schulz spricht über die Kleidung. Ergänzen Sie **er, es, sie** oder **sie** (Plural).

Frau Schulz:

1. Hier ist die Jacke. _______ ist neu.
2. Und hier ist das Kleid. _______ ist nicht modern.
3. Hier ist der Rock. _______ ist kurz.
4. Und hier ist die Brille. _______ ist hübsch.
5. Hier ist das Hemd. _______ ist grün.
6. Und hier sind die Schuhe. _______ sind schmutzig.
7. Hier ist der Hut. _______ ist rot.
8. Und hier ist die Hose. _______ ist weiß.
9. Hier sind die Stiefel. _______ sind schwarz.
10. Und hier ist der Anzug. _______ ist alt.

## Übung D. Welche Farbe?

Welche Farbe haben diese Kleidungsstücke? Ergänzen Sie **er, es, sie** oder **sie** (Plural) und die richtige Farbe.

1. A: Welche Farbe hat Marias Rock?
   B: _______ ist _______.
2. A: Welche Farbe hat Michaels Hose?
   B: _______ ist _______.
3. A: Welche Farbe hat Michaels Hemd?
   B: _______ ist _______.
4. A: Welche Farbe hat Michaels Hut?
   B: _______ ist _______ und _______.
5. A: Welche Farbe haben Marias Schuhe?
   B: _______ sind _______.
6. A: Welche Farbe haben Michaels Schuhe?
   B: _______ sind _______.
7. A: Welche Farbe hat Marias Top[1]?
   B: _______ ist _______.

[1]das Top = das Oberteil (*top*)

# Situationen

## Begrüßen und Verabschieden

Guten Morgen!

Guten Tag!

Guten Abend!

—Auf Wiedersehen!
—Wiedersehen!

—Tschüss!
—Bis bald!

—Grüß Gott!
—Grüß Gott!

### Situation 9 **Dialoge**

1. Daniel Baumann spricht mit einer Studentin.

DANIEL: Hallo, bist du ________ hier?
ANNA: ________. Du auch?
DANIEL: Ja. Sag mal, ________?
ANNA: Anna. Und ________?
DANIEL: Daniel.

2. Frau Frisch-Okonkwo ruft Herrn Koch an.

HERR KOCH: Koch.
FRAU FRISCH-OKONKWO: Guten Tag, Herr Koch, ________ Frisch-Okonkwo. Unser Computer ist kaputt.
HERR KOCH: ________, ich komme morgen vorbei.
FRAU FRISCH-OKONKWO: Gut. Bis dann. ________.

3. Hannah trifft ihren Freund Max.

HANNAH: Hi, Max.
MAX: Hi, Hannah. Wie geht's?
HANNAH: Gut, danke. Wo willst ________ denn hin?
MAX: ________ muss zum Fußballtraining.
HANNAH: Na, dann viel Spaß[1].
MAX: ________. Mach's gut, Hannah.

[1]viel Spaß *have fun*

## Miniwörterbuch

| | |
|---|---|
| der **Lieblings-mensch** | favorite person |
| der **Mensch** | human being |
| das **Riesen-kompliment** | huge compliment |
| **kennen, kennt** | to know, knows |
| **verträumt** | dreamy |
| **verrückt** | crazy |
| **eigentlich** | actual, real |
| die **Großeltern** | grandparents |
| die **Stadt** | city, town |

## MUSIKSZENE

### „Lieblingsmensch" (2015, Deutschland) *Namika*

**Biografie** *Namika* ist aus Frankfurt. Ihr eigentlicher Name ist Hanan Hamdi. Ihre Großeltern kommen aus der Stadt Nador in Marokko. Namika erhielt[2] 2018 den MTV European Music Award. Andere große Hits waren „Nador" und „Je ne parle pas français".

Frank Hoensch/Redferns/Getty Images

Namika

**NOTE:** For copyright reasons, the songs referenced in **MUSIKSZENE** have not been provided by the publisher. The songs can be found online at various sites.

**Vor dem Hören** Wer ist vielleicht der Lieblingsmensch der Sängerin?

☐ **1.** Ihr Vater
☐ **2.** Ihr Kind
☐ **3.** Ihr Partner

**Nach dem Hören**

**A.** Hören Sie den Refrain! Richtig (R) oder falsch (F)?

___ **1.** Der Lieblingsmensch kennt die Sängerin sehr gut.
___ **2.** Die Sängerin ist gerne verträumt und verrückt.
___ **3.** Die Sängerin sagt *Danke*.

**B.** Wie heißt dein Lieblingsmensch?

[2] *received*

## Situation 10* Rollenspiel: Begrüßen

S1: Begrüßen Sie einen Kommilitonen oder eine Kommilitonin. Schütteln Sie dem Kommilitonen oder der Kommilitonin die Hand. Sagen Sie Ihren Namen. Fragen Sie, wie alt er oder sie ist. Verabschieden Sie sich.

HA Photos/Alamy

Begrüßen

*This is the first of many role-playing activities in ***Kontakte.*** Pair up with another student. One of you takes the role of S1. The corresponding role for the other person (S2) appears in *Appendix B*.

# Strukturen

## 5. Addressing people: *Sie* versus *du* or *ihr*

Use **du** and **ihr** with friends, family, and children. Use **Sie** with almost everyone else.

German speakers use two modes of addressing others: the formal **Sie** (*singular* and *plural*) and the informal **du** (*singular*) or **ihr** (*plural*). You usually use **Sie** with someone you don't know or when you want to show respect or social distance. Children are addressed as **du.** Students generally call one another **du.**

| | Singular | Plural |
|---|---|---|
| *Informal* | du | ihr |
| *Formal* | Sie | Sie |

Frau Ruf, **Sie** sind 38, nicht wahr? — *Ms. Ruf, you are 38, aren't you?*
Max und Hannah, **ihr** seid 16, nicht wahr? — *Max and Hannah, you are 16, aren't you?*
Phillip, **du** bist 13, nicht wahr? — *Phillip, you are 13, aren't you?*

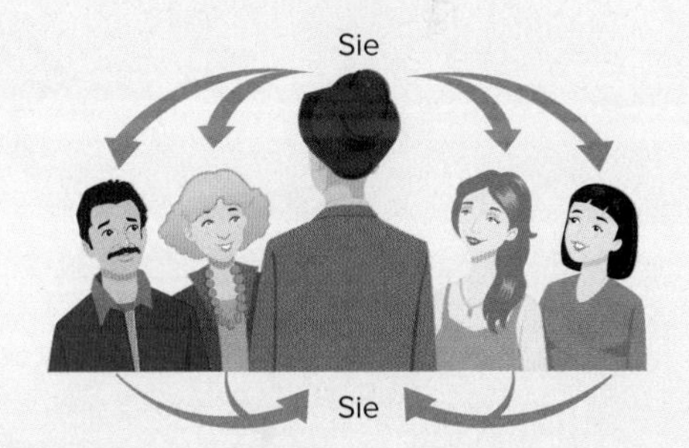

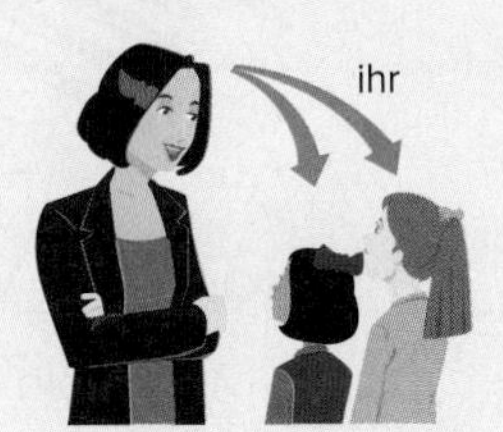

### Übung E. *Sie, du* oder *ihr*?

Was sagen diese Personen: **Sie, du** oder **ihr?**

1. Student → Student
2. Professor → Student
3. Freund → Freundin
4. Studentin → zwei Studenten
5. Frau (40 Jahre alt) → Frau (50 Jahre alt)
6. Student → Sekretärin
7. Doktor → Patient
8. Frau → zwei Kinder

# Situationen

## Zahlen

| | | | | | | | |
|---|---|---|---|---|---|---|---|
| 0 | null | 10 | zehn | 20 | zwanzig | 30 | dreißig |
| 1 | eins | 11 | elf | 21 | einundzwanzig | 40 | vierzig |
| 2 | zwei | 12 | zwölf | 22 | zweiundzwanzig | 50 | fünfzig |
| 3 | drei | 13 | dreizehn | 23 | dreiundzwanzig | 60 | sechzig |
| 4 | vier | 14 | vierzehn | 24 | vierundzwanzig | 70 | siebzig |
| 5 | fünf | 15 | fünfzehn | 25 | fünfundzwanzig | 80 | achtzig |
| 6 | sechs | 16 | sechzehn | 26 | sechsundzwanzig | 90 | neunzig |
| 7 | sieben | 17 | siebzehn | 27 | siebenundzwanzig | 100 | hundert |
| 8 | acht | 18 | achtzehn | 28 | achtundzwanzig | | |
| 9 | neun | 19 | neunzehn | 29 | neunundzwanzig | | |

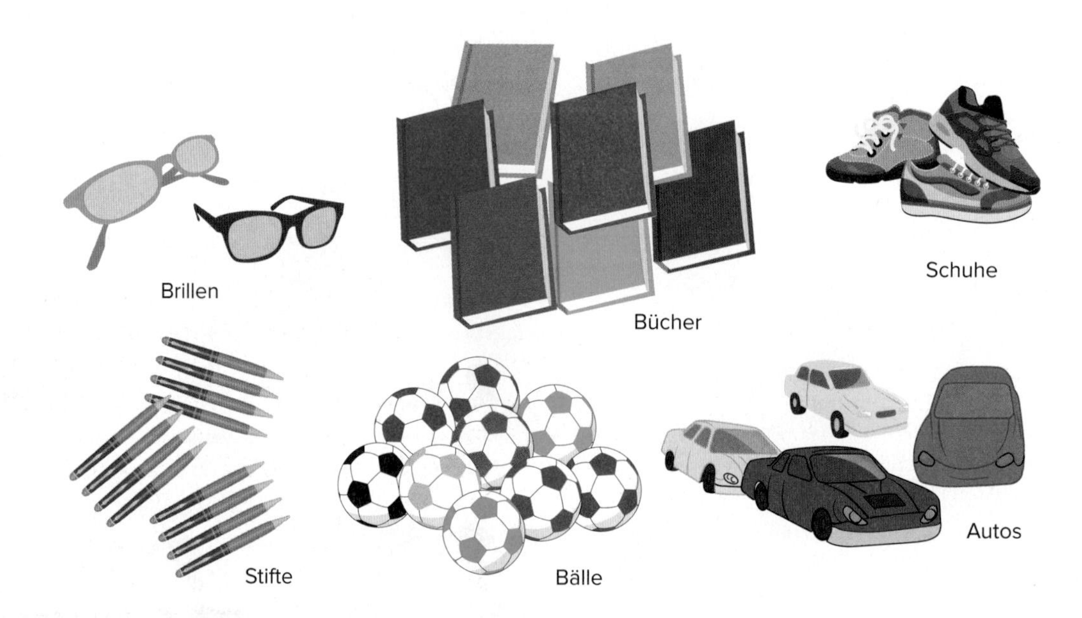


### Situation 11 Wie viele?

Wie viele Studierende im Kurs tragen ...?

eine Hose ______
eine Brille ______
ein Hemd ______
ein T-Shirt ______
einen Rock ______
Sportschuhe ______

# KULTUR ... LANDESKUNDE ... INFORMATIONEN

## SO ZÄHLT MAN ...

### Vor dem Lesen

- Welcher Finger ist in Ihrem Land eine Eins?

## SO SCHREIBT MAN ...

1 7

eine Eins eine Sieben

### Nach dem Lesen

- Wie zeigt man in Deutschland eine Zwei? Und in Ihrem Land?
- Wie zeigt man in Deutschland eine Drei? Und in Ihrem Land?
- Wie, glauben[1] Sie, zeigt man in Deutschland eine Vier?

[1]*believe*

---

## Situation 12 Informationsspiel: Zahlenrätsel

Verbinden Sie die Punkte[2]. Sagen Sie Ihrem Partner oder Ihrer Partnerin, wie er oder sie die Punkte verbinden soll. Dann sagt Ihr Partner oder Ihre Partnerin Ihnen, wie Sie die Punkte verbinden sollen. Was zeigen Ihre Bilder?

S1: Start ist Nummer 1. Geh zu 18, zu 7, zu 29, zu 13, zu 60, zu 32, zu 12, zu 5, zu 14, zu 20, zu 11, zu 9, zu 3, zu 80, zu 23, zu 19, zu 4, zu 27, zu 8, zu 15, zu 35, zu 26, zu 2, und zum Schluss zu 17. Was zeigt dein Bild?

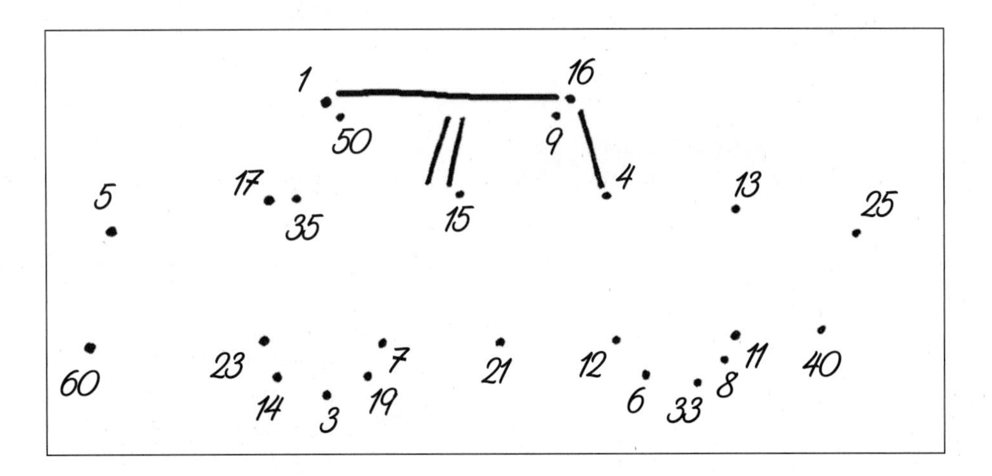


[2]*points*

# Videoecke

## Perspektiven

„Hey, wie geht's?"

### Aufgabe 1 Wie viele?

| Miniwörterbuch | |
|---|---|
| die **Paare** | pairs |
| **umarmen** | embrace |
| **sich** | *here:* each other |
| **küssen** | kiss |
| **zueinander** | to each other |

Wie viele Paare machen das?

_____ 1. Wie viele Paare schütteln sich die Hand?

_____ 2. Wie viele Paare umarmen sich?

_____ 3. Wie viele Paare küssen sich?

_____ 4. Wie viele Paare sitzen, wie viele stehen?

_____ 5. Wie viele Paare sagen: „Wie geht's?"?

_____ 6. Wie viele Paare sagen **Sie** zueinander?

### Aufgabe 2 Was sagen sie?

| Miniwörterbuch | |
|---|---|
| der **Zopf** | braid |
| die **Strickjacke** | cardigan sweater |
| der **Schal** | scarf |
| **beide** | both |

Was sagen die folgenden Personen?

_____ 1. junger Mann mit lila[1] Hemd

_____ 2 junge Frau mit Zopf und blondem Haar

_____ 3. junge Frau mit langem schwarzem Haar und schwarzer Strickjacke

_____ 4. Frau mit kurzem dunkelbraunem Haar und brauner Jacke

_____ 5. junge Frau mit langem blondem Haar und lila Sweatshirt

_____ 6. junger Mann mit grünkariertem Hemd

_____ 7. junge Frau mit langem dunkelbraunem Haar, lila T-Shirt und schwarzer Hose

_____ 8. junge Frau mit hellbrauner Jacke und Schal

a. „Hallo Susi."

b. „Gut, und dir?"

c. „Na, wie geht's dir?"

d. „Hey, wie geht's dir?"

e. „Hey, wie geht's?"

f. „Mir geht's gut und dir?"

g. „Ach, ganz gut und dir?"

h. „Guten Tag!"

[1] *purple*

## Interviews

- Wie heißt du?
- Wie schreibt man das?
- Welche Kleidung trägst du gern?
- Welche Farben trägst du gern?
- Wie alt bist du?
- Hast du eine Glückszahl?

McGraw-Hill/Klic Video Productions

Nicole

McGraw-Hill/Klic Video Productions

Michael

## Aufgabe 3 Persönliche Informationen

Wer sagt das, Nicole oder Michael oder beide?

| | NICOLE | MICHAEL | BEIDE |
|---|---|---|---|
| 1. Ich trage gern Jeans und Pullover. | ☐ | ☐ | ☐ |
| 2. Ich trage gern türkis, blau und grün. | ☐ | ☐ | ☐ |
| 3. Ich trage gern rot und braun. | ☐ | ☐ | ☐ |
| 4. Ich bin 45 Jahre alt. | ☐ | ☐ | ☐ |
| 5. Ich bin 28 Jahre alt. | ☐ | ☐ | ☐ |
| 6. Meine Glückszahl ist sieben. | ☐ | ☐ | ☐ |
| 7. Meine Glückszahl ist dreizehn. | ☐ | ☐ | ☐ |

## Aufgabe 4 Interview

Interviewen Sie eine Partnerin oder einen Partner. Stellen Sie dieselben Fragen.

# Wortschatz zum Lernen

| Bitten | Requests |
|---|---|
| →**arbeiten Sie mit einem Partner*** | work with a partner |
| →**geben Sie mir** | give me |
| →**gehen Sie** | go, walk |
| →**hören Sie zu** | listen |
| →**laufen Sie** | go, run |
| →**lesen Sie** | read |
| →**nehmen Sie** | take |
| →**öffnen Sie** | open |
| →**sagen Sie** | say |
| →**schauen Sie** | look |
| →**schließen Sie** | close, shut |
| →**schreiben Sie** | write; spell |
| →**setzen Sie sich** | sit down |
| →**springen Sie** | jump |
| →**stehen Sie auf** | get up, stand up |
| die **Blume** | flower |
| →die **Einführung** | introduction |
| die **Hausaufgabe** | homework |
| →die **Kunst** | art |
| →die **Künstlerin** | female artist |
| →die **Situation** | situation |
| die **Tafel** | blackboard, whiteboard |
| die **Übung** | exercise |
| →der **Künstler** | male artist |
| →der **Name** | name |
| der **Stift** | pen, pencil |
| →der **Verein** | association, club |
| →das **Bild,** (*pl.*) **Bilder** | picture, pictures |
| →das **Buch** | book |
| →**bitte** | please; you're welcome |
| →**was ... ?** | what . . . ? |

| Namen | Names |
|---|---|
| →**heißen** | to be called/named |
| **ich heiße ...** | my name is . . . |
| **wie heißen Sie?** | what's your name? (*formal*) |
| **wie heißt du?** | what's your name? (*informal*) |
| die **Brille** | glasses |
| →die **Frau** | Ms., Mrs.; woman; wife |
| →die **Struktur** | structure, pattern |
| →die **Tür** | door |
| der **Ball** | ball |
| →der **Junge** | boy |
| der **Kurs** | course, class |
| →der **Mann** | man; husband |
| →das **Haar** | hair |
| →das **Mädchen** | girl |
| →das **Modell, -e** | model |
| →**häufig** | frequent(ly) |
| →**kurz** | short, brief(ly) |
| →**lang** | long |
| →**auch** | also, too, as well |
| **gibt es ...?** | is there . . . ? are there . . . ? |
| →**in** | in |
| →**mit** | with |
| →**und** | and |
| →**welche, welcher, welches ... ?** | which . . . ? |
| →**wie ... ?** | how |
| **wie schreibt man das?** | how do you spell that? |

| Kleidung | Clothes |
|---|---|
| →**stellen** | to put, place; to pose |
| **stellen Sie Fragen** | ask questions |
| →**tragen** | to wear |
| **er/sie trägt ...** | he/she is wearing . . . |
| **ich trage ...** | I wear / am wearing . . . |
| **trägst du ...?** | do you wear . . . ? / are you wearing . . . ? |
| →die **Frage** | question |
| die **Hose** | pants |
| die **Jacke** | jacket |
| der **Anzug** | suit |
| →der **Herr** | Mr.; gentleman |
| der **Hut** | hat |
| der **Mantel** | coat, overcoat |
| der **Rock** | skirt |
| der **Schuh,** (*pl.*) **Schuhe** | shoe, shoes |
| der **Stiefel,** (*pl.*) **Stiefel** | boot, boots |
| das **Hemd** | shirt |
| das **Kleid** | dress |
| →**ja** | yes |
| →**nein** | no |
| →**oder** | or |
| →**wer ... ?** | who . . . ? |

| Farben | Colors |
|---|---|
| →**haben** | to have |
| **er/sie hat ...** | he/she has . . . |
| **haben Sie ...?** | do you have . . . ? (*formal*) |
| **hast du ...?** | do you have . . . ? (*informal*) |

***Note:** The dots and underlines beneath certain letters in words in the *Wortschatz* lists are meant to help you learn which vowels are stressed. A dot below a single vowel indicates a short stressed vowel. An underline below a single vowel, double vowel, or diphthong (combination of two different vowels) indicates a long stressed vowel. These markings are not used in written German but are provided here only as an aid to pronunciation. Highly frequent German words are indicated with arrows. These are especially important ones for you to learn.

| | |
|---|---|
| →**sein** | to be |
| **bist du ...?** | are you . . . ? (*informal*) |
| **er/sie ist ...** | he/she is . . . |
| **sie sind ...** | they are . . . |
| **sind Sie ...?** | are you . . . ? (*formal*) |
| **unterschreiben** | to sign |
| die **Farbe** | color |
| →die **Professorin** | female professor |
| die **Studentin** | female student |
| →der **Professor** | male professor |
| der **Student** | male student |
| →**alt** | old |
| →**blau** | blue |
| **braun** | brown |
| **gelb** | yellow |
| **grau** | gray |
| →**grün** | green |
| **hübsch** | pretty |
| →**neu** | new |
| →**rot** | red |
| **schmutzig** | dirty |
| →**schwarz** | black |
| →**weiß** | white |
| →**dein, deine** | your *(informal)* |
| →**hier** | here |
| →**mein, meine** | my |
| →**nicht** | not |
| →**zu Hause** | at home |

## Begrüßen und Verabschieden — Greeting and Leave-Taking

| | |
|---|---|
| →**kennen** | to know |
| die **Hand schütteln** | to shake hands |
| →die **Freundin** | female friend |
| →die **Stadt** | city, town |
| →der **Abend** | evening |
| **guten Abend** | good evening |
| →der **Doktor** | doctor, Dr. |
| →der **Freund** | male friend |
| der **Fußball** | soccer ball |
| →der **Mensch** | human being, person |
| →der **Morgen** | morning |
| **guten Morgen** | good morning |
| →der **Tag** | day |
| **guten Tag** | good afternoon, hello *(formal)* |
| **kaputt** | broken |
| **verrückt** | crazy, crazily |
| **auf Wiedersehen** | good-bye |
| **bis bald** | so long; see you soon |
| →**danke** | thank you, thanks |
| →**dann** | then |
| **grüß Gott** | good afternoon; hello (*formal; southern Germany, Austria*) |
| **hallo** | hello |
| **tschüss** | bye *(informal)* |
| →**viel** | much, a lot |

## Zahlen — Numbers

| | |
|---|---|
| →**verbinden** | to connect |
| →**zählen** | to count |
| →**zeigen** | to show |
| der **Wortschatz** | vocabulary |
| →das **Auto** | car |
| →**so** | so, like this |
| →**viele** | many |

| | | | |
|---|---|---|---|
| 0 | **null** | 20 | **zwanzig** |
| 1 | **eins** | 21 | **einundzwanzig** |
| 2 | **zwei** | 22 | **zweiundzwanzig** |
| 3 | **drei** | 23 | **dreiundzwanzig** |
| 4 | **vier** | 24 | **vierundzwanzig** |
| 5 | **fünf** | 25 | **fünfundzwanzig** |
| 6 | **sechs** | 26 | **sechsundzwanzig** |
| 7 | **sieben** | 27 | **siebenundzwanzig** |
| 8 | **acht** | 28 | **achtundzwanzig** |
| 9 | **neun** | 29 | **neunundzwanzig** |
| 10 | **zehn** | 30 | **dreißig** |
| 11 | **elf** | 40 | **vierzig** |
| 12 | **zwölf** | 50 | **fünfzig** |
| 13 | **dreizehn** | 60 | **sechzig** |
| 14 | **vierzehn** | 70 | **siebzig** |
| 15 | **fünfzehn** | 80 | **achtzig** |
| 16 | **sechzehn** | 90 | **neunzig** |
| 17 | **siebzehn** | 100 | **hundert** |
| 18 | **achtzehn** | | |
| 19 | **neunzehn** | | |

# EINFÜHRUNG B

## Themen

Der Seminarraum

Beschreibungen

Der Körper

Die Familie

Wetter und Jahreszeiten

Geografie, Herkunft und Sprachen

## Kulturelles

Kunst: Paula Modersohn-Becker (*Zwei Kinder in der Sonne am Wiesenzaun stehend*)

KLI: Was ist wichtig im Leben?

KLI: Wetter und Klima

Musikszene: „36 Grad" (2raumwohnung)

KLI: Die Lage Deutschlands in Europa

Videoecke: Familie

## Strukturen

1. Definite and indefinite articles
2. Who are you? The verb **sein**
3. What do you have? The verb **haben**
4. Plural forms of nouns
5. Personal pronouns
6. Origins: **Woher kommen Sie?**
7. Possessive determiners: **mein** and **dein/Ihr**

After completing **Einführung B,** you will be able to . . .

- understand comments and talk about objects in the classroom
- understand comments and talk about the way people look
- understand descriptions of and talk about family relationships
- ask and answer questions related to national origin and native languages
- recognize and understand more words in authentic written and spoken passages
- write something about friends and classmates and the members of your family
- identify typical seasonal weather events in your country and in German-speaking countries

akg-images/The Image Works

Paula Modersohn-Becker: *Zwei Kinder in der Sonne am Wiesenzaun stehend (1902)*, Privatbesitz

## KUNST UND KUNSTSCHAFFENDE

The German Paula Modersohn-Becker (1876–1907) was one of the most prominent female painters of her time and represents early Expressionism. In 1898 she became a member of the Worpsweder Künstlerkolonie near Bremen, where she met her husband Otto Modersohn. She died at the age of 31 after giving birth to her daughter. Under the Nazi regime her paintings were banned as degenerate art.

Was sehen Sie auf dem Gemälde[1]?

1. Welche Farben sind dominant: rot, blau, grün, grau, schwarz, braun, weiß?
2. Welche Personen sehen Sie: einen Mann, eine Frau, ein Kind, einen Jungen, ein Mädchen?
3. Was ist im Vordergrund, was im Hintergrund: die Kinder, der Himmel[2], ein Haus, eine Wiese[3], Bäume[4], ein Zaun[5]?
4. Was trägt das Mädchen: ein Kleid, Schuhe, einen Hut, eine Jacke?
5. Was trägt der Junge: ein Kleid, Schuhe, einen Hut, eine Jacke?
6. Welche Gefühle[6] evoziert das Gemälde: Ruhe, Hoffnung[7], Angst, Liebe, Glück[8]?

[1]*painting* [2]*sky* [3]*meadow* [4]*trees* [5]*fence* [6]*feelings* [7]*hope* [8]*joy*

# Situationen

## Der Seminarraum

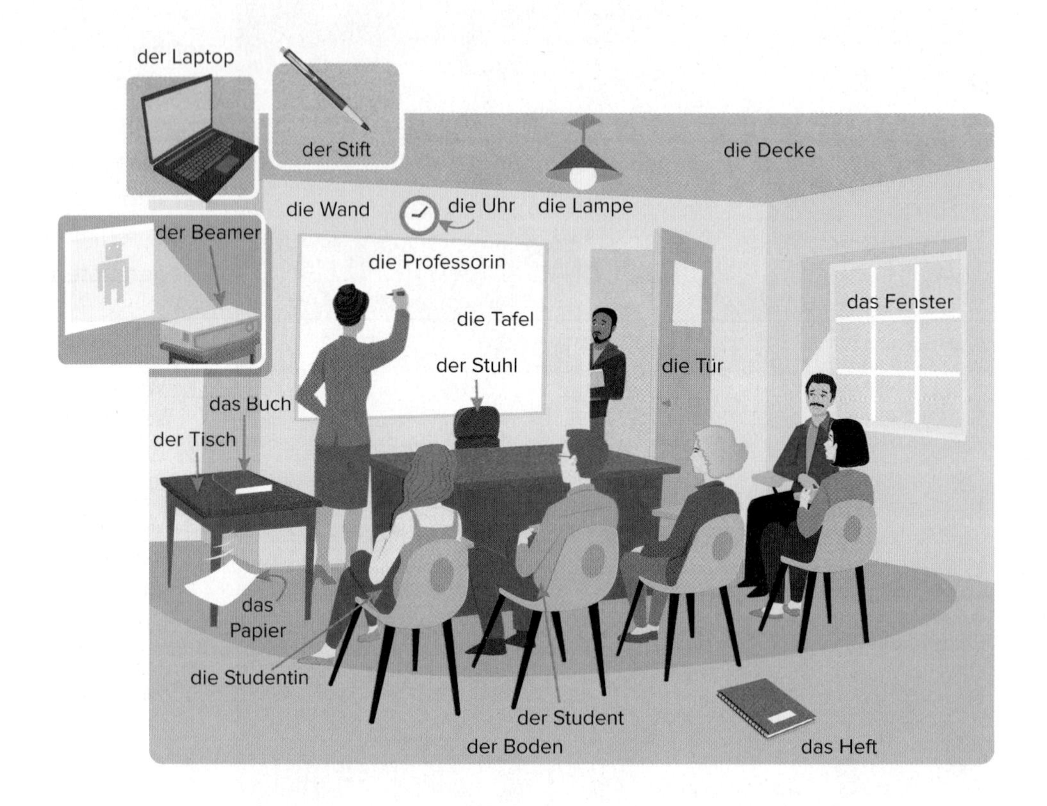


### Situation 1 Der Seminarraum

Wie viele ______ sind im Seminarraum?

1. Studierende
2. Tische
3. Fenster
4. Lampen
5. Uhren
6. Türen
7. Bücher
8. Tafeln
9. Stühle
10. Hefte
11. Laptops
12. Frauen

### Situation 2 Gegenstände im Seminarraum

MODELL: S1: Was ist weiß?
S2: Die Tafel (ist weiß).

1. weiß
2. schmutzig
3. schwarz
4. neu
5. alt
6. ______

a. der Boden
b. das Fenster
c. die Tafel
d. die Uhr
e. der Beamer
f. ______

# Strukturen

## 1. Definite and indefinite articles

**WISSEN SIE NOCH?**

MASCULINE = **der**
NEUTER = **das**
FEMININE = **die**
PLURAL (ALL GENDERS) = **die**

Review **Strukturen 4** in **Einführung A.**

**der** → **ein**
**das** → **ein**
**die** → **eine**
**die** (*pl.*) → **ø**

Recall that the definite article **der, das, die** (*the*) varies by grammatical gender, number, and case.* Similarly, the indefinite article **ein, eine** (*a, an*) has various forms.

| | |
|---|---|
| Das ist **ein** Buch. Welche Farbe hat **das** Buch? | *This is a book. What color is the book?* |
| Das ist **eine** Tür. Welche Farbe hat **die** Tür? | *This is a door. What color is the door?* |

Here are the definite and indefinite articles for all three genders in the singular and plural, nominative case. There is only one plural definite article for all three genders: **die.** The indefinite article (*a, an*) has no plural.

| | Singular | Plural |
|---|---|---|
| *Masculine* | **der** Stift | **die** Stifte |
| | **ein** Stift | Stifte |
| *Neuter* | **das** Buch | **die** Bücher |
| | **ein** Buch | Bücher |
| *Feminine* | **die** Tür | **die** Türen |
| | **eine** Tür | Türen |

### Übung A. Im Seminarraum

Frau Schulz spricht über die Gegenstände und die Farben im Seminarraum. Ergänzen Sie den unbestimmten[1] Artikel, den bestimmten[2] Artikel und die Farbe.

MODELL: FRAU SCHULZ: Das ist eine Lampe. Welche Farbe hat die Lampe?
STUDENT(IN): Sie ist gelb.

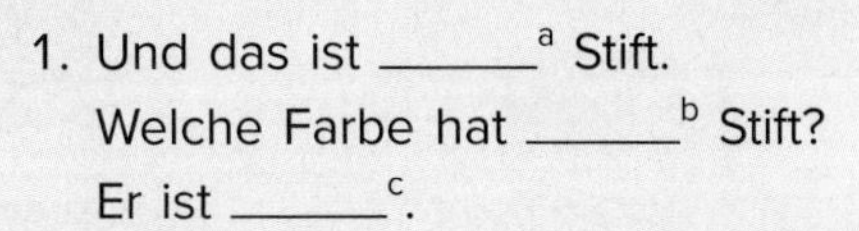

1. Und das ist ______[a] Stift.
   Welche Farbe hat ______[b] Stift?
   Er ist ______[c].

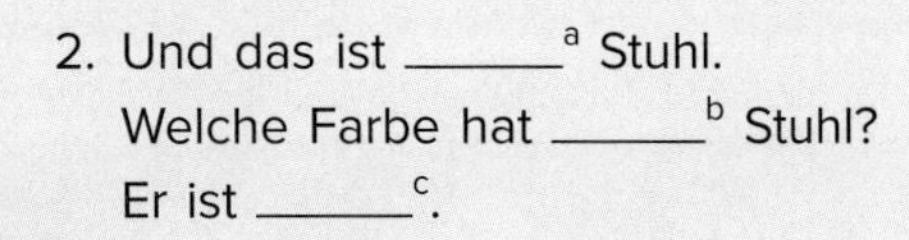

2. Und das ist ______[a] Stuhl.
   Welche Farbe hat ______[b] Stuhl?
   Er ist ______[c].

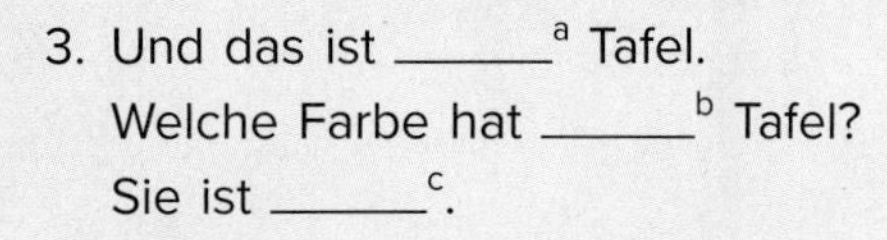

3. Und das ist ______[a] Tafel.
   Welche Farbe hat ______[b] Tafel?
   Sie ist ______[c].

[1]*indefinite* [2]*definite*

*See **Strukturen** sections 3 and 4 in **Einführung A.**

4. Und das ist ______[a] Uhr.
   Welche Farbe hat ______[b] Uhr?
   Sie ist ______[c].

5. Und das ist ______[a] Buch.
   Welche Farbe hat ______[b] Buch?
   Es ist ______[c].

6. Und das ist ______[a] Brille.
   Welche Farbe hat ______[b] Brille?
   Sie ist ______[c].

## Übung B. Was ist das?

Herr Wagner spricht mit seiner Tochter Elif.

MODELL: Ist das eine Decke? →
Nein, das ist ein Stift.

1. Ist das eine Tür?

2. Ist das eine Uhr?

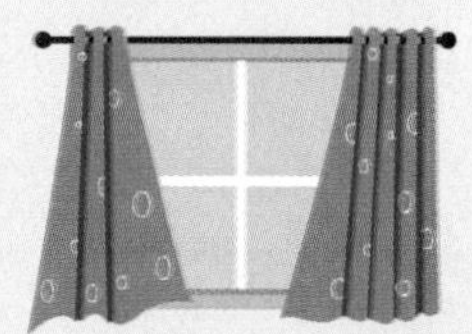

3. Ist das eine Lampe?

4. Ist das ein Tisch?

5. Ist das ein Stuhl?

6. Ist das eine Studentin?

7. Ist das ein Heft?

8. Ist das eine Tafel?

# Situationen

## Beschreibungen

### Situation 3 Im Deutschkurs

1. Wer ist ______?
   a. blond
   b. groß
   c. klein
   d. sportlich
   e. jung
   f. alt

2. Wer hat ______?
   a. braunes Haar
   b. graues Haar
   c. kurzes Haar
   d. langes Haar
   e. einen Bart
   f. blaue Augen
   g. braune Augen

### Situation 4 Interaktion: Wie bist du?

MODELL: S1: Bist du glücklich?
S2: Ja, ich bin glücklich.
*oder* Nein, ich bin nicht glücklich.

| | ICH | MEIN PARTNER | MEINE PARTNERIN |
|---|---|---|---|
| glücklich | ☐ | ☐ | ☐ |
| traurig | ☐ | ☐ | ☐ |
| konservativ | ☐ | ☐ | ☐ |
| schüchtern[1] | ☐ | ☐ | ☐ |
| religiös | ☐ | ☐ | ☐ |
| ruhig | ☐ | ☐ | ☐ |
| freundlich | ☐ | ☐ | ☐ |
| verrückt | ☐ | ☐ | ☐ |
| sportlich | ☐ | ☐ | ☐ |

[1] *shy*

*imageBROKER/Alamy*

EMMA: Mir geht's gut.

*Ryan McVay/Getty Images*

SERGEJ: Ich bin traurig.

## WAS IST WICHTIG IM LEBEN?

| Miniwörterbuch | |
|---|---|
| **wichtig** | important |
| die **Aussage, -n** | statement |
| **möchte** | would like |
| **sicher** | safe(ly), secure(ly) |
| die **Bildung** | education |
| die **Umwelt** | environment |
| **schützen** | to protect, save |
| der **Wert, -e** | value |
| **wollen** | want |
| die **Sicherheit** | security |
| **innere** | internal |
| der **Bereich, -e** | sector, area |
| die **Wissenschaft** | science |
| die **Forschung** | research |
| **wirtschaftlich** | economic |
| die **Bedingung, -en** | condition |

### Vor dem Lesen

Was ist für Sie wichtig? Was ist am wichtigsten[1], was ist weniger wichtig? Bringen Sie die Aussagen in die Reihenfolge[2] ihrer Wichtigkeit[3] für Sie!

_______ Ich möchte Kinder und eine Familie haben[4].
_______ Ich möchte einen guten Job haben.
_______ Ich möchte sicher und frei leben.
_______ Ich möchte ein gutes Gesundheitssystem[5] haben.
_______ Ich möchte eine gute Bildung haben.
_______ Ich möchte die Natur und Umwelt schützen.

### Arbeit mit dem Text

Schauen Sie sich die Grafik an. Welche Werte haben junge Menschen in Deutschland?

1. Was ist für junge Menschen in Deutschland am wichtigsten?
2. Was ist wichtiger für junge Menschen in Deutschland: eine gute Bildung oder Umweltschutz[6]?
3. Wie viel Prozent der jungen Menschen in Deutschland wollen soziale Sicherheit?
4. Für wie viel Prozent der jungen Menschen in Deutschland ist ein gutes Gesundheitssystem wichtig?
5. Was ist wichtiger für junge Menschen in Deutschland: innere Sicherheit oder der Arbeitsmarkt[7]?

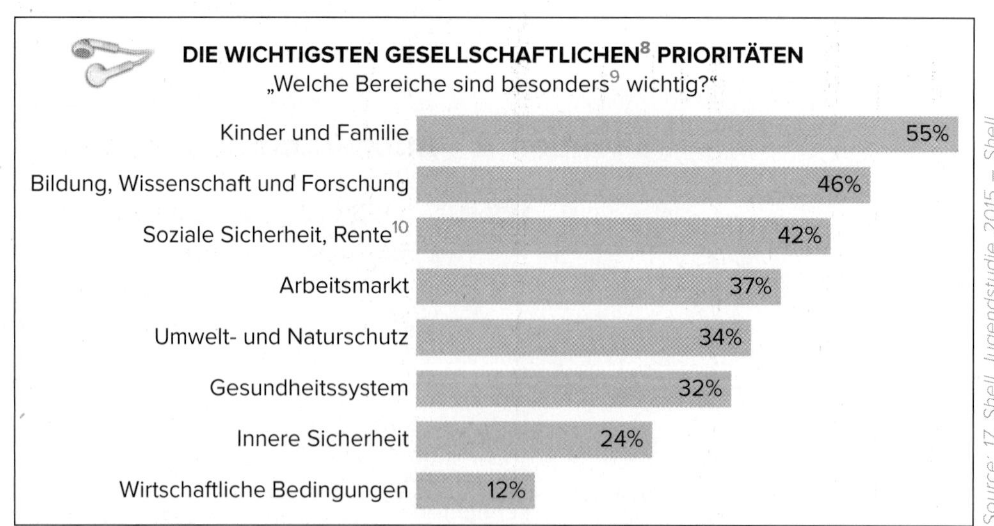


Source: 17. Shell Jugendstudie 2015 – Shell Deutschland Oil, GmbH.

[1]*most important* [2]*sequence* [3]*importance* [4]möchte haben *would like to have* [5]*health care system* [6]*environmental protection* [7]*job market* [8]*social* [9]*especially* [10]*pension*

# Strukturen

## 2. Who are you? The verb *sein*

**sein** = *to be*

Use a form of the verb **sein** (*to be*) to identify or describe people and things.

| | |
|---|---|
| —**Sind** Hannah und Richard blond? | *Are Hannah and Richard blond?* |
| —Ja, sie **sind** blond. | *Yes, they are blond.* |
| Pedro **ist** groß. | *Pedro is tall.* |
| Das Fenster **ist** nicht klein. | *The window is not small.* |

**ACHTUNG!**

*NOT* = **NICHT**
—Ist Max groß?
—Nein, er ist **nicht** groß, er ist klein.

| sein | | | |
|---|---|---|---|
| ***Singular*** | | ***Plural*** | |
| ich bin | *I am* | wir sind | *we are* |
| du bist | *you are* | ihr seid | *you are* |
| Sie sind | *you are* | Sie sind | *you are* |
| er / sie / es ist | *he / she / it is* | sie sind | *they are* |

### Übung C. Minidialoge

Ergänzen Sie das Verb **sein: bin, bist, ist, sind, seid.**

1. MICHAEL: Ich bin Michael. Wer _______[a] du?
   MAX: Ich _______[b] Max. Hannah und ich, wir _______[c] gute Freunde.
2. FRAU SCHULZ: Das ist Herr Moser. Er _______[a] alt.
   STEVE: Herr Moser ist alt?
   FRAU SCHULZ: Ja, Steve. Herr Moser ist alt, aber Maria und Michael _______[b] jung.
3. HERR MOSER: Hannah und Phillip, wie alt _______[a] ihr?
   HANNAH: Ich _______[b] 16 und Phillip _______[c] 13.
4. MICHAEL: Wer bist du?
   PHILLIP: Ich _______[a] Phillip.
   MICHAEL: Wie alt bist du?
   PHILLIP: Ich _______[b] 13.
5. FRAU SCHULZ: Welche Farbe haben die Schuhe?
   PEDRO: Sie _______ schwarz.
6. FRAU SCHULZ: Wer _______ sportlich?
   MIGUEL: Max!
7. FRAU KÖRNER: Frau Ruf, Sie _______[a] 38, nicht wahr?
   FRAU RUF: Nein, ich _______[b] 40.
8. PHAN: Wie alt _______[a] du, Johannes?
   JOHANNES: Ich _______[b] 20.

## 3. What do you have? The verb *haben*

**haben** = *to have*

The verb **haben** (*to have*) is often used to show possession or to describe physical characteristics.

| | |
|---|---|
| Ich **habe** eine Brille. | *I have glasses.* |
| **Hast** du das Buch? | *Do you have the book?* |
| Meili **hat** braune Augen. | *Meili has brown eyes.* |

| **haben** | | | |
|---|---|---|---|
| ***Singular*** | | ***Plural*** | |
| ich habe | *I have* | wir haben | *we have* |
| du hast | *you have* | ihr habt | *you have* |
| Sie haben | *you have* | Sie haben | *you have* |
| er / sie hat / es | *he / she has / it* | sie haben | *they have* |

### Übung D. Minidialoge

Ergänzen Sie das Verb **haben: habe**, **hast**, **hat**, **habt**, **haben**.

1. FRAU SCHULZ: Meili, ______[a] Sie viele Freunde und Freundinnen?
   MEILI: Ja, ich ______[b] viele Freunde und Freundinnen.
2. SHANNON: Steve, ______ du einen Stift?
   STEVE: Nein.
3. PEDRO: Hallo, Heidi und Kayla! ______[a] ihr das Deutschbuch?
   HEIDI: Kayla ______[b] es, aber ich nicht.
   PEDRO: Dann ______[c] wir zwei. Ich ______[d] es auch.

Studierende an der Uni

# Situationen

## Der Körper

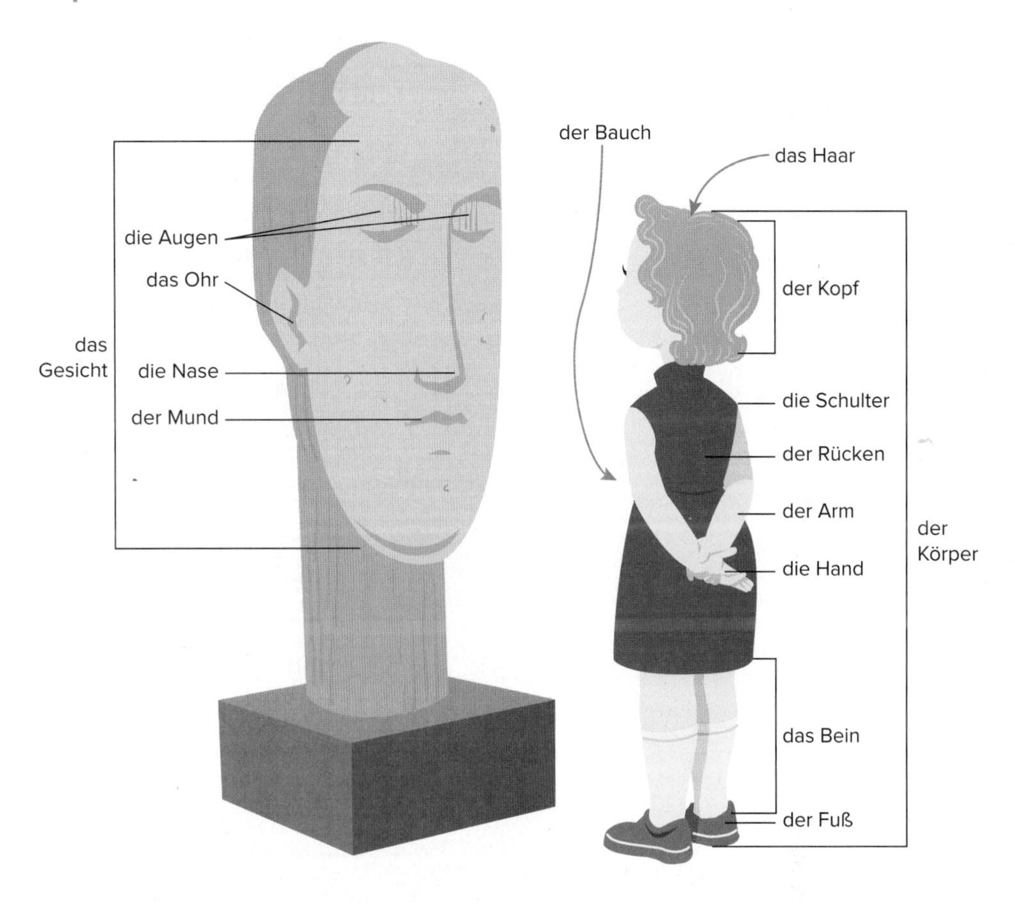


### Situation 5 **Welches Tier ist das?**

MODELL: S1: Mein Tier hat vier Beine und zwanzig Zehen.
S2: Das ist ein Elefant.

| | Beine | Füße | Zehen | Augen |
|---|---|---|---|---|
| ein Elefant | 4 | 4 | 20 | 2 |
| ein Goldfisch | keine | keine | keine | 2 |
| ein Insekt | 6 | 6 | keine | viele |
| ein Kamel | 4 | 4 | 8 | 2 |
| ein Krokodil | 4 | 4 | 18 | 2 |
| ein Pinguin | 2 | 2 | 8 | 2 |
| ein Skorpion | 8 | 8 | keine | viele |
| ein Zebra | 4 | 4 | keine | 2 |

# Strukturen

## 4. Plural forms of nouns

Just as in English, there are different ways to form plurals in German.

Pedro hat zwei **Hefte.** *Pedro has two notebooks.*
Ein Vogel hat zwei **Füße**. *A bird has two feet.*

These guidelines will help you to form the plural of German nouns.

1. Most feminine nouns add **-n** or **-en.** They add **-n** when the singular ends in **-e;** otherwise, they add **-en.** Nouns that end in **-in** add **-nen.**

   eine Kusine, zwei Kusine**n** — eine Tür, zwei Tür**en**
   eine Frau, zwei Frau**en** — eine Studentin, zwei Studentin**nen**

2. Most masculine and neuter nouns add **-e** or **-er.** Those plurals that end in **-er** have an umlaut when the stem vowel is **a, o, u,** or **au.** Many masculine plural nouns ending in **-e** have an umlaut as well. Neuter plural nouns ending in **-e** do not have an umlaut.

   | MASCULINE **(der)** | NEUTER **(das)** |
   |---|---|
   | ein Rock, zwei R**ö**ck**e** | ein Heft, zwei Heft**e** |
   | ein Mann, zwei M**ä**nn**er** | ein Buch, zwei B**ü**ch**er** |

3. Masculine and neuter nouns that end in **-er** either add an umlaut or change nothing at all in the plural. Many nouns with a stem vowel of **a, o, u,** or **au** add an umlaut.

   | MASCULINE **(der)** | NEUTER **(das)** |
   |---|---|
   | ein Bruder, zwei Br**ü**der | ein Fenster, zwei Fenster |
   | ein Computer, zwei Computer | |

4. Nouns that end in a vowel other than unstressed **-e** and many nouns of English or French origin add **-s.**

   ein Laptop, zwei Laptop**s** — ein Auto, zwei Auto**s**

The following chart summarizes the guidelines provided above.

| Singular | Plural | Examples |
|---|---|---|
| ein _____er | no ending; some words add an umlaut where possible | ein Fenster, zwei Fenster; ein Vater, zwei V**ä**ter |
| ein _____ | add **-e;** masculine words often add an umlaut, neuter words do not | ein Rock, zwei R**ö**ck**e;** ein Regal, zwei Regal**e** |
| ein _____ | add **-er;** add an umlaut where possible | ein Mann, zwei M**ä**nn**er;** ein Buch, zwei B**ü**ch**er** |
| eine _____ | add **-n, -en,** or **-nen,** depending on final letter of the word | eine Lampe, zwei Lampe**n;** eine Tür, zwei Tür**en;** eine Freundin, zwei Freundin**nen** |
| ein(e) _____ *(foreign words)* | add **-s** | ein Hobby, zwei Hobby**s;** eine Kamera, zwei Kamera**s** |

Beginning with this chapter, the plural endings of nouns are indicated in the vocabulary lists as follows.

| LISTING | PLURAL FORM |
| --- | --- |
| das **Fenster, -** | die **Fenster** |
| der **Bruder, ¨** | die **Brüder** |
| der **Tisch, -e** | die **Tische** |
| der **Stuhl, ¨e** | die **Stühle** |
| das **Kleid, -er** | die **Kleider** |
| der **Mann, ¨er** | die **Männer** |
| die **Tante, -n** | die **Tanten** |
| die **Uhr, -en** | die **Uhren** |
| die **Studentin, -nen** | die **Studentinnen** |
| das **Auto, -s** | die **Autos** |

## Übung E. Der Körper

Wie viele der folgenden Körperteile[1] hat die Statue?

MODELL: Die Statue hat zwei Arme.

Arm
Auge
Bein
Finger
Fuß
Hand
Nase
Ohr
Schulter

*Source: The Metropolitan Museum of Art*

## Übung F. Das Zimmer

Wie viele der folgenden Dinge sind in Ihrem[2] Zimmer? (ein[e], zwei, ..., viele, nicht viele)

das Buch
der Computer
das Fenster
die Lampe
der Stuhl
der Tisch
die Tür
die Uhr
die Wand

In meinem Zimmer ist/sind ______ Buch/Bücher, ...

[1]*body parts* [2]*your*

# Situationen

## Die Familie

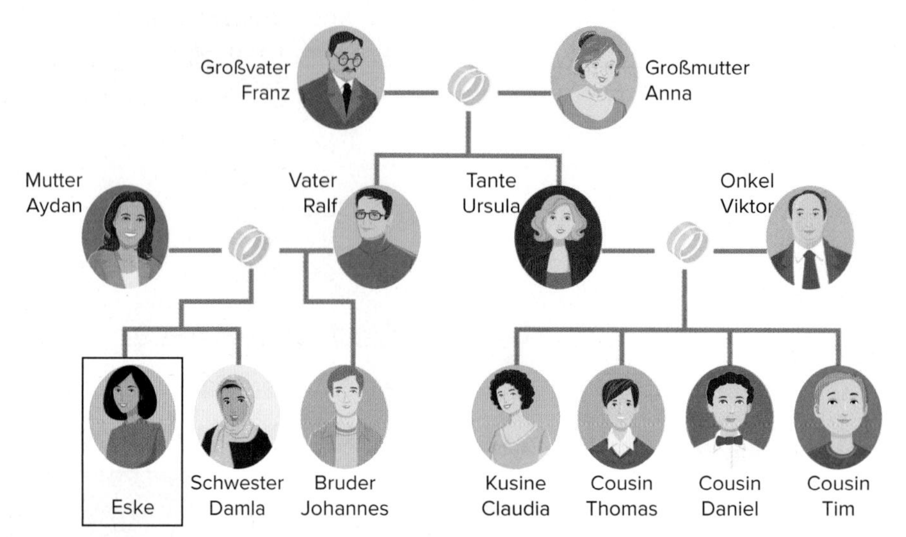


Das ist Eskes Familie. Eskes Eltern sind Aydan Candemir und Ralf Schmitz. Sie sind verheiratet und haben drei Kinder: zwei Töchter und einen Sohn.

### Situation 6 **Interview: Die Familie**

Sprechen Sie über Ihre Familie. Welche Personen sind wichtig für Sie? Wie heißen sie? Wie alt sind sie? Wo wohnen sie?

MODELL: S1: Meine Mutter heißt Morgan.
S2: Wie alt ist sie?
S1: Sie ist 42 Jahre alt.
S2: Wo wohnt sie?
S1: Sie wohnt in Birmingham.

**meine Familie**
**meine Mutter** **mein Vater**
**meine Eltern**
**mein Bruder** **meine Schwester**
**meine Geschwister**
**meine Kinder** **meine Großeltern**[1]
**mein(e) ______**

[1]*grandparents*

## Situation 7* Informationsspiel: Familie

MODELL: S2: Wie heißt Richards Vater?
S1: Er heißt Werner.
S2: Wie schreibt man das?
S1: W-E-R-N-E-R. Wie alt ist er?
S2: Er ist _______ Jahre alt. Wo wohnt er?
S1: Er wohnt in Innsbruck. Wie heißt Richards Mutter?
S2: Sie heißt _______.
S1: Wie schreibt man das?
S2: _______.

| | | Richard | Sofie | Mert |
|---|---|---|---|---|
| *Vater* | *Name* | Werner | Olaf | |
| | *Alter* | | 50 | 59 |
| | *Wohnort* | Innsbruck | | Solingen |
| *Mutter* | *Name* | | Katrin | Sule |
| | *Alter* | | | |
| | *Wohnort* | Innsbruck | Dresden | |
| *Bruder* | *Name* | Alexander | | Yakup |
| | *Alter* | 15 | 27 | 34 |
| | *Wohnort* | | | |
| *Schwester* | *Name* | | — | |
| | *Alter* | | — | |
| | *Wohnort* | Salzburg | — | Frankfurt |

Rudy Balasko/Getty Images

Salzburg

*This is an information-gap activity in table form. Pair up with another student. One of you will work with this chart, the other with the corresponding chart in **Appendix A.** Different information is missing from each chart.

# Strukturen

## 5. Personal pronouns

**WISSEN SIE NOCH?**

**der** → **er** = *he, it*
**das** → **es** = *it*
**die** → **sie** = *she, it*
**die** (*pl.*) → **sie** = *they*
Review **Strukturen 4** in **Einführung A.**

Personal pronouns refer to the speaker (first person), to the person addressed (second person), or to the person(s) or object(s) talked about (third person).

| | Singular | | Plural | |
|---|---|---|---|---|
| *First person* | ich | *I* | wir | *we* |
| *Second person informal* | du | *you* | ihr | *you* |
| *Second person formal* | Sie | *you* | Sie | *you* |
| *Third person* | er | *he, it* | sie | *they* |
| | es | *it* | | |
| | sie | *she, it* | | |

Third-person singular pronouns reflect the grammatical gender of the nouns they replace.

—Welche Farbe hat **der Hut?** *What color is the hat?*
—**Er** ist braun. *It is brown.*

—Welche Farbe hat **das Kleid?** *What color is the dress?*
—**Es** ist grün. *It is green.*

—Welche Farbe hat **die Hose?** *What color are the pants?*
—**Sie** ist gelb. *They are yellow.*

The third-person plural pronoun is **sie** for all three genders.

—Welche Farbe haben **die Schuhe?** *What color are the shoes?*
—**Sie** sind schwarz. *They are black.*

### Übung G. Welche Farbe?

Frau Schulz spricht über die Farbe der Kleidung. Antworten Sie!

1. Welche Farbe hat der Hut?
2. Welche Farbe hat das Hemd?
3. Welche Farbe hat die Hose?
4. Welche Farbe hat die Brille?
5. Welche Farbe haben die Socken?
6. Welche Farbe hat das Kleid?
7. Welche Farbe hat der Rock?
8. Welche Farbe haben die Stiefel?
9. Welche Farbe hat die Jacke?
10. Welche Farbe hat der Mantel?

# Situationen

## Wetter und Jahreszeiten

**WIE IST DAS WETTER?**

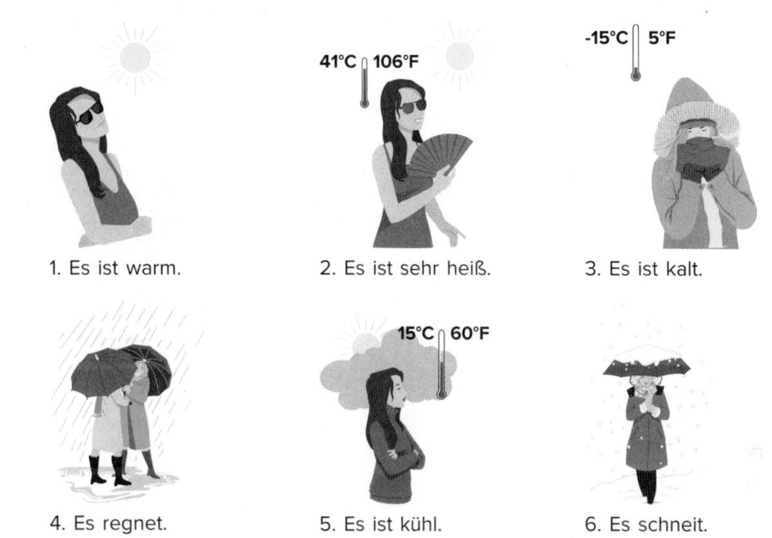


1. Es ist warm.
2. Es ist sehr heiß.
3. Es ist kalt.
4. Es regnet.
5. Es ist kühl.
6. Es schneit.

**MONATE UND JAHRESZEITEN**

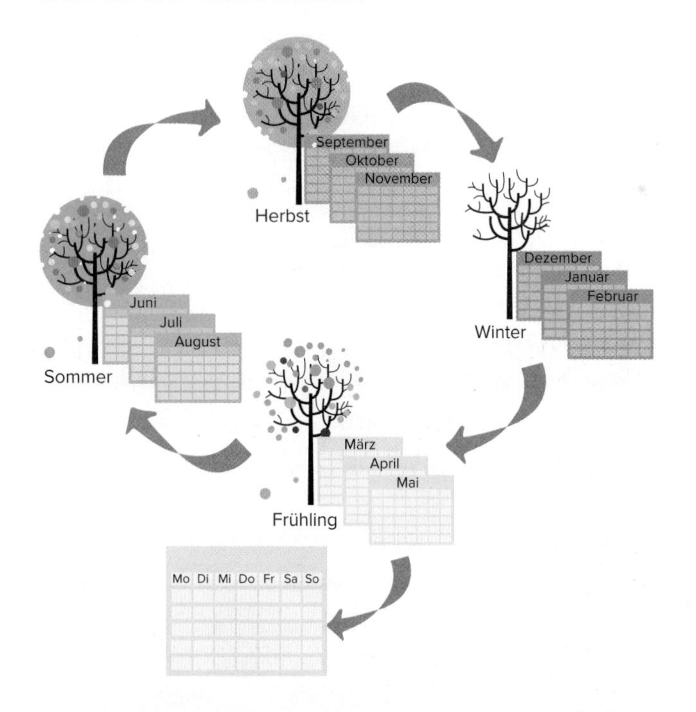


### Situation 8 Dialog: Das Wetter in Regensburg

Leon trifft Claire an der Uni.

LEON: Schön heute, nicht?
CLAIRE: Ja, sehr ________ und sonnig – wirklich schön!
LEON: Leider ________ es so oft hier in Bayern – auch im ________.
CLAIRE: Ist es auch oft ________ und windig hier?
LEON: Ja, im ________. Und manchmal ________ es noch im April.

## WETTER UND KLIMA

### Vor dem Lesen

Wie ist das Wetter in Ihrer Stadt?

| | IM WINTER | IM SOMMER |
|---|---|---|
| sonnig[1] | ☐ | ☐ |
| warm | ☐ | ☐ |
| (sehr) heiß | ☐ | ☐ |
| (sehr) feucht | ☐ | ☐ |
| mild | ☐ | ☐ |
| (sehr) kalt | ☐ | ☐ |
| viele Niederschläge[2] (Schnee/Regen) | ☐ | ☐ |
| windig | ☐ | ☐ |
| große Temperaturunterschiede[3] | ☐ | ☐ |
| geringe Temperaturunterschiede | ☐ | ☐ |

Winterwetter in München

Steven Jones/Alamy

Deutschland hat ein gemäßigtes[4] Klima mit Niederschlägen in allen Jahreszeiten. Im Nordwesten ist das Klima mehr ozeanisch mit warmen, aber selten heißen Sommern und relativ milden Wintern. Im Osten ist es eher kontinental. Im Winter liegen die Temperaturen im Durchschnitt[5] zwischen 1,5 Grad Celsius (°C) im Tiefland[6] und minus 6°C im Gebirge[7], im Juli liegen sie zwischen 18 und 22°C.

***Ausnahmen:*** Am Rhein ist das Klima sehr mild, hier wächst[8] sogar Wein. Oberbayern hat einen warmen alpinen Südwind, den Föhn. Im Harz sind die Sommer oft kühl und im Winter gibt es oft Schnee.

**Temperaturen in Fahrenheit und Celsius**

**Fahrenheit → Celsius**

32 subtrahieren und mit 5/9 multiplizieren

| °F | | °C |
|---|---|---|
| 0 | | -17,8 |
| 32 | | 0 |
| 50 | ~ | 10 |
| 70 | | 21,1 |
| 90 | | 32,2 |
| 98,6 | | 37 |
| 212 | | 100 |

**Celsius → Fahrenheit**

Mit 9/5 multiplizieren und 32 addieren

| °C | | °F |
|---|---|---|
| -10 | | 14 |
| 0 | | 32 |
| 10 | ~ | 50 |
| 20 | | 68 |
| 30 | | 86 |
| 37 | | 98,6 |
| 100 | | 212 |

### Arbeit mit dem Text

Wie sind die Temperaturen in Deutschland? Benutzen Sie die Tabelle.

| | Sommer | Winter Tiefland | Winter Gebirge |
|---|---|---|---|
| *in °C* | | | |
| *in °F* | | | |

Welche Gebiete bilden Ausnahmen?

| Gebiet | Klima |
|---|---|
| am Rhein | sehr _______ |
| Oberbayern | warmer alpiner _______ |
| im Harz | Sommer: _______<br>Winter: _______ |

| Miniwörterbuch | |
|---|---|
| **gering** | slight, minor |
| **aber** | but |
| **eher** | rather, more likely |
| die **Ausnahme, -n** | exception |
| **sogar** | even |
| das **Gebiet** | area |

[1]*sunny* [2]*precipitation* [3]*temperature variations* [4]*moderate* [5]*im ... on average* [6]*lowlands* [7]*mountains* [8]*grows*

## MUSIKSZENE

### „36 Grad" (2007, Deutschland) *2raumwohnung*

**Biografie** *2raumwohnung* (Zweiraumwohnung) ist ein Duo aus Berlin. Das Duo besteht aus Inga Humpe und Tommi Eckart. „36 Grad" war der Sommerhit des Jahres 2007 in Deutschland.

*ullstein bild/Manfred Roth/The Image Works*

2raumwohnung im Konzert

| Miniwörterbuch | |
|---|---|
| **bestehen (aus)** | consist (of) |
| das **Jahr** | year |
| **keinen** | no, not any |
| das **Leben** | life |
| **leicht** | easy |
| **zieht ... aus** | takes off |
| **(zieht ...) an** | (puts) on |
| **tanzen** | to dance |
| **singen** | to sing |

**NOTE:** For copyright reasons, the songs referenced in **MUSIKSZENE** have not been provided by the publisher. The songs can be found online at various sites.

**Vor dem Hören** Wie viel Grad Fahrenheit sind 36 Grad Celsius?

**Nach dem Hören**

**A.** Hören Sie den Refrain! Richtig oder falsch?

__ **1.** Es ist heiß und wird noch heißer.

__ **2.** Es gibt keinen Ventilator.

__ **3.** Die Sängerin meint, das Leben ist leicht.

**B.** Die Sängerin zieht die Schuhe aus und den Bikini an. Was macht sie dann?

## Situation 9 Informationsspiel: Temperaturen

MODELL: S1: Wie viel Grad Celsius sind 90 Grad Fahrenheit?
S2: _______ Grad Celsius.

| °F | 90 | 65 | 32 | 0 | −5 | −39 |
|---|---|---|---|---|---|---|
| °C | | 18 | | −18 | | −39 |

# Geografie, Herkunft und Sprachen

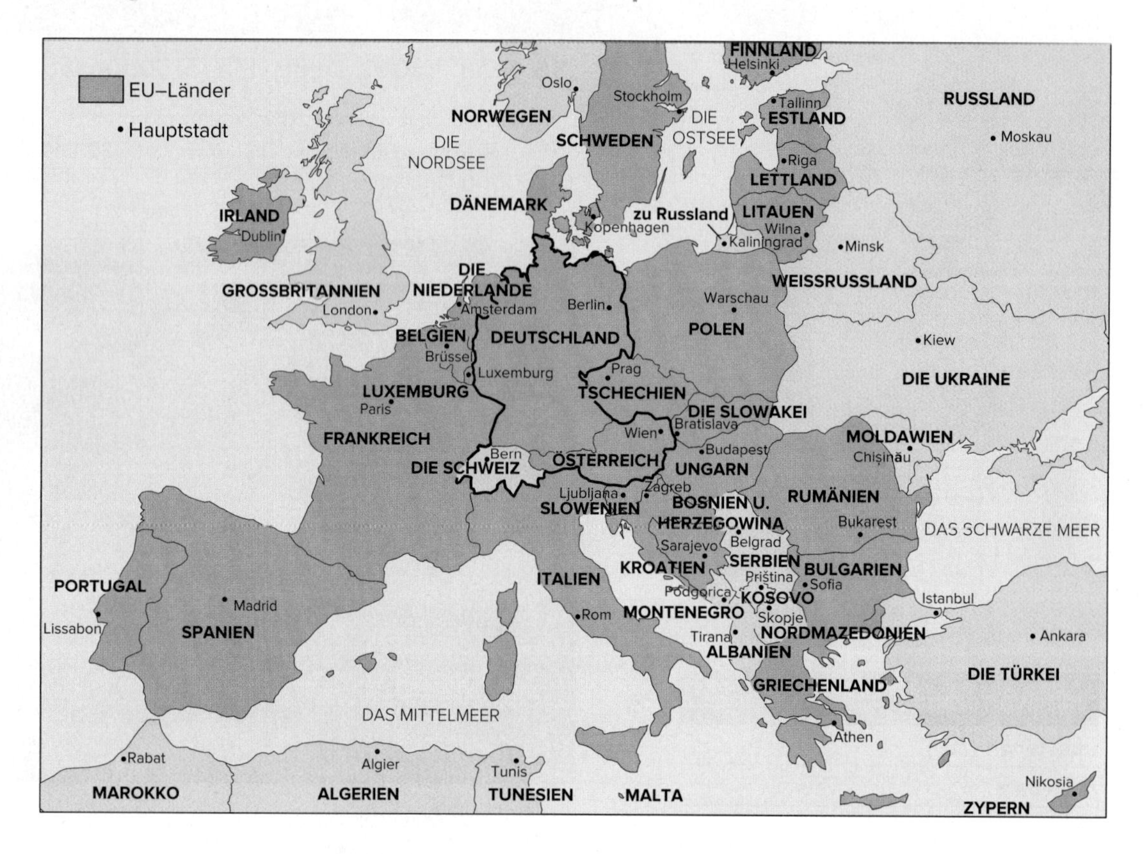


## Situation 10 Dialog: Woher kommst du?

Claire trifft Julia auf einer Party.

CLAIRE: Wie heißt du?
JULIA: Julia. ___________?
CLAIRE: Claire.
JULIA: Bist du ___________?
CLAIRE: Ja.
JULIA: Und ___________ kommst du?
CLAIRE: ___________ New York. Und du?
JULIA: Aus Regensburg. Ich ___________ von hier.

## Situation 11 Rollenspiel: Herkunft

S1: Sie sind ein neuer Student / eine neue Studentin an einer Universität in Österreich. Sie lernen einen Kommilitonen[1] / eine Kommilitonin kennen. Fragen Sie, wie er/sie heißt und woher er/sie kommt. Fragen Sie auch, ob er/sie Freunde oder Freundinnen in anderen Ländern hat und welche Sprachen sie sprechen.

[1] *fellow student*

# KULTUR ... LANDESKUNDE ... INFORMATIONEN

## DIE LAGE DEUTSCHLANDS IN EUROPA

### Vor dem Lesen

Sehen Sie die Grafik an.

- Wo genau liegt Deutschland in Europa?
- Wie viele Nachbarländer hat Deutschland?
- Welche Länder sind im Westen, welche im Osten, welche im Süden, welche im Norden?
- Wie heißen die zwei Meere im Norden von Deutschland?

### Nach dem Lesen

Deutschland gehört[3] zur Europäischen Union. Welche Länder gehören noch zur Europäischen Union? Schauen Sie auf die Karte vor[4] **Situation 10.**

[1]grenzt ... *has borders with* [2]*borders* [3]*belongs* [4]*before*

### Arbeit mit dem Text

Deutschland liegt mitten in ________. Es grenzt an[1] Dänemark, Polen, Tschechien, Österreich, die ________, Frankreich, Luxemburg, ________ und die Niederlande. Die Grenzen[2] Deutschlands sind ________ Kilometer lang. Die längste Grenze ist die mit ________. Sie ist ________ Kilometer lang. Die Grenze zu Dänemark ist nur ________ Kilometer lang, die Grenze zu Polen ________, zu Tschechien 811, zur Schweiz ________, zu Frankreich 448, zu Luxemburg ________, zu Belgien 156 und zu den Niederlanden ________ Kilometer. Im ________ grenzt Deutschland an zwei Meere, die Nordsee und die Ostsee.

DÄNEMARK
DIE OSTSEE
DIE NORDSEE
DIE NIEDERLANDE
POLEN
DEUTSCHLAND
BELGIEN
TSCHECHIEN
LUXEMBURG
FRANKREICH
ÖSTERREICH
DIE SCHWEIZ

---

## Situation 12 Herkunft

MODELL: S1: Woher kommt Phan Nguyen?
S2: Sie kommt aus ______.
S1: Wer kommt aus Dresden?
S2: ______.
S1: Kommt Kobe Okonkwo aus Innsbruck?
S2: Nein, er kommt aus ______.

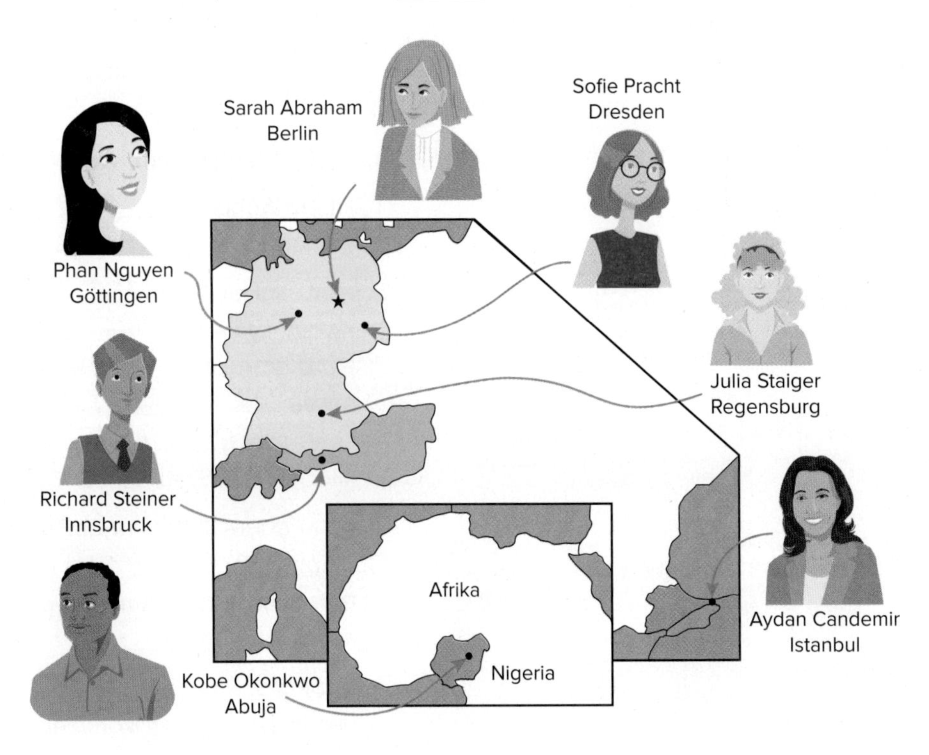

# Strukturen

## 6. Origins: *Woher kommen Sie?*

**kommen aus** = *to come from* (a place)

To ask about someone's origins, use the question word **woher** (*from where*) followed by the verb **kommen** (*to come*). In the answer, use the preposition **aus** (*from, out of*).

| | |
|---|---|
| —**Woher kommst** du / **kommen** Sie? | *Where do you come from?* |
| —Ich komme **aus** Iowa. Ich bin Amerikaner. | *I come from Iowa. I'm American.* |
| —**Woher kommt** Phan? | *Where does Phan come from?* |
| —Sie kommt **aus** Göttingen. Sie ist Deutsche. | *She comes from Göttingen. She's German.* |

| kommen | | | |
|---|---|---|---|
| ich | komme | wir | kommen |
| du | kommst | ihr | kommt |
| Sie | kommen | Sie | kommen |
| er<br>sie<br>es | kommt | sie | kommen |

The infinitive of German verbs, that is, the basic form of the verb, ends in **-n** or **-en.** Most verbs follow a conjugation pattern similar to that of **kommen.**

| | |
|---|---|
| **Kommen Sie** heute Abend? | *Are you coming this evening?* |
| Warten Sie! **Ich komme** mit! | *Wait! I'll come along.* |

### Übung H. Minidialoge

Ergänzen Sie **kommen, woher** und **aus** und die Personalpronomen.

1. MERT: Woher _______[a] du, Sarah?
   SARAH: Ich _______[b] aus Berlin.
2. FRAU SCHULZ: Woher _______[a] Lydia?
   KAYLA: Lydia kommt _______[b] Zürich.
   FRAU SCHULZ: _______[c] kommen Leon und Julia?
   STEVE: Sie _______[d] aus Regensburg.
   FRAU SCHULZ: Und woher komme _______[e]?
   MIGUEL: Sie, Frau Schulz, Sie kommen _______[f] Kalifornien.
3. FRAU SCHULZ: Kommt Sofie aus Regensburg?
   HEIDI: Nein, _______[a] kommt aus Dresden.
   FRAU SCHULZ: Kommen Leon und Julia aus Innsbruck?
   STEVE: Nein, sie _______[b] aus Regensburg.
4. ANDREAS: Phan und Daniel, kommt _______[a] aus Göttingen?
   PHAN: Ja, _______[b] kommen aus Göttingen.

## 7. Possessive determiners: *mein* and *dein/Ihr*

**der** → **mein, dein, Ihr**
**das** → **mein, dein, Ihr**
**die** → **meine, deine, Ihre**
**die** (*pl.*) → **meine, deine, Ihre**

**ACHTUNG!**

Note that the forms of **Ihr** are capitalized, just as **Sie** is, when they mean *your.*

The possessive determiners **mein** (*my*), **dein** (*informal your*), and **Ihr** (*formal your*) have the same endings as the indefinite article **ein.** In the plural, the ending is **-e.** Here are the nominative forms of these possessive determiners.

| | Onkel (*m.*) | Auto (*n.*) | Tante (*f.*) | Eltern (*pl.*) |
|---|---|---|---|---|
| *ich* | mein | mein | meine | meine |
| *du* | dein | dein | deine | deine |
| *Sie* | Ihr | Ihr | Ihre | Ihre |

—Woher kommen **deine** Eltern, Miguel? — *Where are your parents from, Miguel?*
—**Meine** Eltern kommen aus Mexiko. — *My parents are from Mexico.*
Wie heißt **Ihr** Vater, Frau Schulz? — *What is your father's name, Ms. Schulz?*
Und **Ihre** Mutter? — *And your mother's?*

### Übung I. Minidialoge

**ACHTUNG!**

Just as in English, an ***s*** added onto someone's name in German indicates possession. In German, however, there is no apostrophe before the ***s***.

Das ist Yamina. Das ist Yaminas Vater.
*This is Yamina. That is Yamina's father.*

Ergänzen Sie die Possessivartikel.

1. FRAU SCHULZ: Wo sind _______ Hausaufgaben?
   PEDRO: Sie liegen leider zu Hause.
2. HERR RUF: Ist das _______[a] Hund?
   ANTONIA: Nein, das ist nicht _______[b] Hund. Ich habe keinen[1] Hund.
3. LYDIA: He, Yamina! Das ist _______[a] Kleid.
   YAMINA: Nein, das ist _______[b] Kleid. _______[c] Kleid ist schmutzig.
4. KAYLA: Woher kommen _______[a] Eltern, Frau Schulz?
   FRAU SCHULZ: _______[b] Mutter kommt aus Schwabing und _______[c] Vater kommt aus Germering.

### Übung J. Woher kommen sie?

| Miniwörterbuch | |
|---|---|
| **Australien** | Australia |
| **China** | China |
| **England** | England |
| **Kanada** | Canada |
| **die USA** | USA |
| **aus den USA** | from the USA |

Beantworten Sie die Fragen.

1. Woher kommen Sie?
2. Woher kommt Ihre Mutter oder Ihr Vater?
3. Woher kommen Ihre Großeltern[2]?
4. Woher kommt Ihr Professor oder Ihre Professorin?
5. Wie heißt ein Student aus Ihrem Kurs und woher kommt er?
6. Wie heißt eine Studentin aus Ihrem Kurs und woher kommt sie?

[1]*no* [2]*grandparents*

# Videoecke

## Perspektiven

Woher kommst du und woher kommen deine Eltern?

McGraw-Hill/Klic Video Productions

Ich komme aus Leipzig.

### Aufgabe 1 Wer ist das?

Wie sehen sie aus? Wo sind sie? Ordnen Sie die Beschreibungen den Personen zu.

| Miniwörterbuch | |
|---|---|
| **ordnen Sie ... zu** | assign, match |
| der **Fluss** | river |
| die **Kirche** | church |
| das **Oberteil** | top |
| der **Tisch** | table |
| das **Kopftuch** | headscarf |
| das **Einzelkind** | only child |

1. Tina ___

2. Albrecht ___

3. Simone ___

4. Sandra ___

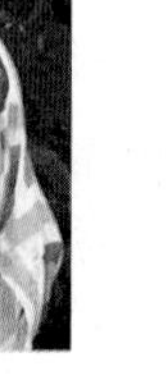

5. Hend ___

6. Felicitas ___

7. Pascal ___

8. Sophie ___

(1 to 8): McGraw-Hill/Klic Video Productions

a. Er steht an einem Fluss.
b. Er steht vor einer Kirche.
c. Sie hat langes blondes Haar und trägt ein blaues Oberteil.
d. Sie sitzt an einem Tisch.
e. Sie trägt ein graues Oberteil und eine graue Jacke.
f. Sie trägt ein Kopftuch.
g. Sie trägt ein pinkes Oberteil und eine Jacke.
h. Sie trägt einen grünen Pulli.

### Aufgabe 2 Herkunft

Woher kommen sie? Woher kommen ihre Eltern? Ergänzen Sie die Tabelle mit Wörtern aus dem Kasten.

**Berlin**
**Dresden**
**Schweiz**
**Prenzlau**
**Grimma**
**Braunschweig**
**Kairo**
**Leipzig**

| Name | Woher? | Woher kommen die Eltern? |
| --- | --- | --- |
| Tina | | Leipzig |
| Albrecht | Dresden | |
| Simone | | Salzgitter |
| Sandra | | Prenzlau |
| Hend | Kairo | |
| Felicitas | Grimma | |
| Pascal | | aus der Schweiz und aus Holland |
| Sophie | | aus Würzburg und aus Braunschweig |

## Interviews

- Woher kommst du?
- Wo liegt das?
- Woher kommt deine Familie?
- Erzähl mir ein bisschen von deiner Familie!
- Welche Sprachen sprichst du?
- Wie wird morgen das Wetter?

Pascal

Nadezda

## Aufgabe 3 Familie

Wer sagt das, Pascal oder Nadezda?

| | PASCAL | NADEZDA |
| --- | --- | --- |
| 1. Ich komme aus Moskau. | ☐ | ☐ |
| 2. Ich komme aus Zürich. | ☐ | ☐ |
| 3. Meine Familie kommt aus Holland und aus der Schweiz. | ☐ | ☐ |
| 4. Meine Familie kommt aus Russland und aus Europa. | ☐ | ☐ |
| 5. Ich bin Einzelkind. | ☐ | ☐ |
| 6. Meine Geschwister arbeiten. | ☐ | ☐ |
| 7. Ich spreche Holländisch, Französisch, Englisch und Italienisch. | ☐ | ☐ |
| 8. Ich spreche Deutsch, Englisch und Russisch. | ☐ | ☐ |

## Aufgabe 4 Interview

Interviewen Sie eine Partnerin oder einen Partner. Stellen Sie dieselben Fragen.

# Wortschatz zum Lernen

| Der Seminarraum | The Classroom |
|---|---|
| →die **Decke, -n** | ceiling |
| die **Lampe, -n** | lamp |
| die **Liebe, -n** | love |
| →die **Ruhe** | peace, quiet |
| →die **Uhr, -en** | clock |
| →die **Wand, ¨e** | wall |
| →der **Boden, ¨** | floor |
| der **Gegenstand, ¨e** | object, item |
| der **Hintergrund, ¨e** | background |
| der **Laptop, -s** [lɛptɔp] | laptop (computer) |
| der **Stuhl, ¨e** | chair |
| →der **Tisch, -e** | table |
| der **Vordergrund, ¨e** | foreground |
| →das **Fenster, -** | window |
| das **Heft, -e** | notebook |
| das **Papier, -e** | paper |
| **das ist ...** | this/that is . . . |
| **das sind ...** | these/those are . . . |

| Beschreibungen | Descriptions |
|---|---|
| →**schützen** | to protect, save |
| →die **Bedingung, -en** | condition |
| →die **Bildung** | education |
| die **Forschung, -en** | research |
| →die **Natur** | nature |
| →die **Sicherheit, -en** | security |
| die **Umwelt** | environment |
| die **Wissenschaft, -en** | science |
| der **Bart, ¨e** | beard |
| der **Job, -s** | job |
| →der **Wert, -e** | value |
| →das **Auge, -n** | eye |
| →das **Haar, -e** | hair |
| →das **System, -e** | system |
| **blond** | blond |
| →**frei** | free(ly) |
| **freundlich** | friendly |
| **glücklich** | happy, happily |
| →**groß** | tall; big |
| →**innere** | internal; inner |
| →**jung** | young |
| →**klein** | short; small |
| **konservativ** | conservative(ly) |
| →**lang** | long |
| **religiös** | religious(ly) |
| →**ruhig** | quiet(ly), calm(ly) |
| **schlank** | slender, slim |
| →**sicher** | secure(ly) |
| **sportlich** | sporty, athletic(ally) |
| **traurig** | sad(ly) |
| →**wichtig** | important |

| Der Körper | The Body |
|---|---|
| →die **Hand, ¨e** | hand |
| die **Nase, -n** | nose |
| die **Schulter, -n** | shoulder |
| →der **Arm, -e** | arm |
| der **Bauch, ¨e** | belly, stomach |
| →der **Fuß, ¨e** | foot |
| →der **Kopf, ¨e** | head |
| →der **Körper, -** | body |
| →der **Mund, ¨er** | mouth |
| der **Rücken, -** | back |
| →das **Bein, -e** | leg |
| →das **Gesicht, -er** | face |
| das **Ohr, -en** | ear |
| →**Ihr(e)** | your (formal) |

| Die Familie | The Family |
|---|---|
| →**wohnen (in)** | to live (in) |
| →die **Familie, -n** | family |
| die **Großmutter, ¨** | grandmother |
| die **Kusine, -n** | female cousin |
| →die **Mutter, ¨** | mother |
| →die **Schwester, -n** | sister |
| die **Tante, -n** | aunt |
| →die **Tochter, ¨** | daughter |
| →der **Bruder, ¨** | brother |
| der **Cousin, -s** [ kuzɛ̃: ] | male cousin |
| der **Großvater, ¨** | grandfather |
| der **Onkel, -** | uncle |
| →der **Sohn, ¨e** | son |
| →der **Vater, ¨** | father |
| das **Kind, -er** | child |
| die **Eltern** | parents |
| die **Geschwister** | siblings |
| →**wo** | where |

| Wetter und Jahreszeiten | Weather and Seasons |
|---|---|
| →**bestehen (aus)** | to consist (of) |
| **regnen, regnet** | to rain |
| **schneien** | to snow |
| die **Ausnahme, -n** | exception |
| →die **Tabelle, -n** | table |
| →die **Temperatur, -en** | temperature |
| der **Frühling** | spring |
| **im Frühling** | in the spring |

| | |
|---|---|
| der **Grad** | degree |
| der **Herbst** | fall, autumn |
| der **Monat, -e** | month |
| →der **Sommer** | sommer |
| der **Winter** | winter |
| das **Gebiet, -e** | area |
| →das **Jahr, -e** | year |
| **feucht** | humid |
| →**gering** | slight, minor |
| **heiß** | hot |
| →**kalt** | cold |
| **kühl** | cool |
| →**schön** | pretty, beautiful(ly); nice(ly) |
| **warm** | warm |
| →**wirklich** | real(ly) |
| →**aber** | but, however |
| →**eher** | rather, more likely |
| →**heute** | today |
| →**leider** | unfortunately |
| →**manchmal** | sometimes |
| →**noch** | even, still |
| →**oft** | often |
| →**relativ** | relative(ly) |
| →**sehr** | very |
| →**sogar** | even |

## Geografie, Herkunft und Sprachen — Geography, Origin, and Languages

| | |
|---|---|
| →**kommen (aus)** | to come (from) |
| →**sprechen** | to speak |
| **zu·ordnen** | to allocate, match |
| **ordnen Sie zu** | match |
| **Australien** | Australia |
| →**China** | China |
| →**Deutsch** | German (language) |
| →**Deutschland** | Germany |
| **England** | England |
| →**Englisch** | English (language) |
| →**Europa** | Europe |
| →**Frankreich** | France |
| →**Französisch** | French (language) |
| **Kanada** | Canada |
| →**Österreich** | Austria |
| →**Russisch** | Russian (language) |
| →**Russland** | Russia |
| **Spanisch** | Spanish (language) |
| **Türkisch** | Turkish (language) |
| die **Hauptstadt, ¨-e** | capital city |
| →die **Schweiz** | Switzerland |
| →die **Türkei** | Turkey |
| →die **Universität, -en** | university |
| die **Uni, -s** | |
| der **Amerikaner, -** / die **Amerikanerin, -nen** | American (person) |
| der **Australier, -** / die **Australierin, -nen** | Australian (person) |
| →der/die **Deutsche, -n** | German (person) |
| **Ich bin Deutsche/r.** | I am German. |
| der **Franzose, -n** / die **Französin, -nen** | French (person) |
| der **Kanadier, -** / die **Kanadierin, -nen** | Canadian (person) |
| der **Mexikaner, -** / die **Mexikanerin, -nen** | Mexican (person) |
| der **Norden** | North |
| der **Osten** | East |
| der **Österreicher, -** / die **Österreicherin, -nen** | Austrian (person) |
| der **Schweizer, -** / die **Schweizerin, -nen** | Swiss (person) |
| der **Süden** | South |
| der **Westen** | West |
| →die **USA** (*pl.*) | USA |
| →**europäisch** | European |
| →**dein(e)** | your (informal) |
| →**von** | of; from |
| **woher** | where . . . from |

KAPITEL 1

# Wer ich bin und was ich tue

### Themen

Freizeit

Schule und Universität

Alltag

Persönliche Angaben

### Kulturelles

Kunst: Carl Spitzweg (*Der Kaktusliebhaber*)

KLI: Freizeit

KLI: Schule

Musikszene: „Gewinner" (Clueso)

Videoecke: Tagesablauf

### Strukturen

1. The present tense
2. Expressing likes and dislikes: **gern / nicht gern**
3. Telling time
4. Word order in statements
5. Word formation: Separable-prefix verbs
6. Word order in questions

### Lektüren

Film: *Die kleine Hexe* (Michael Schaerer)

Biografie: Guten Tag, ich heiße ...

After completing **Kapitel 1** you will be able to . . .

- request and provide information in conversations about how you and others spend your time—your studies, daily routines, and recreational pursuits—by forming simple statements and asking simple questions
- request and provide personal information about yourself and others
- understand the main idea and key information in short straightforward informational texts in the form of charts and tables
- understand the main idea and important information in short straightforward narrative texts with the help of key vocabulary items
- write something about your daily routines, studies, and recreational pursuits
- compare practices in your area with those in German-speaking countries with respect to daily routines, schools and colleges, and recreational pursuits

Fine Art Images/Heritage Image/age fotostock

Carl Spitzweg: *Der Kaktusliebhaber* (ca. 1850), Museum Georg Schäfer, Schweinfurt/Deutschland

# KUNST UND KUNSTSCHAFFENDE

Carl Spitzweg (1808–1885) ist ein deutscher Maler und Dichter[1] aus der Umgebung[2] von München. Seine Bilder sind oft ironisch. „Der Kaktusliebhaber" ist ein gutes Beispiel[3] für Spitzwegs humorvolle Perspektive.

Schauen Sie sich das Gemälde[4] an und antworten Sie auf die folgenden Fragen.

1. Wie ist der Mann, wie sieht er aus: jung, alt, dünn, dick, klein, groß, interessant, langweilig[5], rote Nase, Glatze[6], in Jeans, im Anzug, trägt eine Brille, trägt einen Mantel?
2. Wo ist er: in einer Bibliothek, in einem Zimmer, im Kino, in einer Wohnung, auf einem Sofa?
3. Was kann man sehen: einen Tisch, einen Stuhl, einen Schrank, eine Uhr, ein Fenster, eine Lampe, ein Buch, Zeitungen, Kakteen, eine Tafel, einen Hut?
4. Welche Farben dominieren: blau, braun, gelb, grau, grün, rot, schwarz, weiß?
5. Welche Gefühle[7] ruft das Gemälde hervor: Angst, Glück[8], Hoffnung, Langeweile[9], Neugier[10], Ruhe, Sehnsucht[11]?

[1]*poet* [2]*vicinity* [3]*example* [4]*painting* [5]*boring* [6]*bald head* [7]*feelings* [8]*happiness* [9]*boredom* [10]*curiosity* [11]*yearning*

# Situationen

## Freizeit

Pedro und Steve wandern gern.

Yusuf spielt gern Fußball.

Hannah und Mira spielen gern Karten.

Julia tanzt gern.

Michael spielt gern Gitarre.

Veronika reitet gern.

Noah segelt gern.

Herr und Frau Ruf gehen gern spazieren.

## Situation 1 Hobbys

Sagen Sie **ja** oder **nein.**

1. In den Ferien ...
   a. reise ich gern.
   b. koche ich gern.
   c. beobachte ich gern Tiere.
   d. arbeite ich gern.
2. Im Winter ...
   a. gehe ich gern ins Museum.
   b. spiele ich gern Karten.
   c. fahre ich gern Ski.
   d. schwimme ich gern.
3. Meine Eltern ...
   a. nutzen gern Online-Angebote.
   b. gehen gern in die Berge.
   c. gehen gern ins Kino.
   d. besuchen gern Freunde.
4. Mein Bruder / Meine Schwester ...
   a. wandert gern.
   b. hört gern Musik.
   c. beobachtet gern Menschen.
   d. singt gern.
5. Mein Deutschlehrer / Meine Deutschlehrerin ...
   a. schreibt gern Briefe.
   b. verwendet gern die Tafel.
   c. geht gern auf Partys.
   d. diskutiert gern.

## Situation 2 Informationsspiel: Freizeit

MODELL: S1: Wie alt ist Johannes?
S2: ______.
S1: Woher kommt Richard?
S2: Aus ______.
S1: Was macht Richard gern?
S2: Er ______.
S1: Wie alt bist du?
S2: ______.
S1: Woher kommst du?
S2: ______.
S1: Was machst du gern?
S2: ______.

| | Alter | Wohnort[1] | Hobby |
|---|---|---|---|
| *Richard* | 18 | | |
| *Johannes* | | Berkeley | |
| *Daniel* | 21 | | besucht gern Freunde |
| *Sofie* | 22 | Dresden | |
| *Hannah* | | | hört gern Musik |
| *Julia* | 25 | | diskutiert gern |
| *mein Partner / meine Partnerin* | | | |

[1]*residence*

## Situation 3 Vor dem Tanzstudio

Bringen Sie die Sätze in die richtige Reihenfolge.

_____ Dann können wir ja miteinander lernen.
_____ Das macht nichts. Dann sehen wir uns wenigstens mal wieder etwas öfter. Wollen wir reingehen?
_____ Hey Nesrin!
_____ Hey Lukas, lange nicht gesehen[1]. Was machst du denn hier?
_____ Ich kann leider nur Dienstag. Freitag arbeite ich am Abend in der Kneipe.
_____ Ich lerne tanzen. Und was machst du?
_____ Ja, das finde ich gut. Kommst du jeden Dienstag?
_____ Ja, ich komme jeden Dienstag und jeden Freitag. Und du?
_____ Ja, Lukas, gehen wir rein.
_____ So ein Zufall. Ich lerne auch tanzen.

## Situation 4 Umfrage

MODELL: S1: Schwimmst du gern im Meer?
S2: Ja.
S1: Unterschreib bitte hier.

| | UNTERSCHRIFT |
|---|---|
| 1. Schwimmst du gern im Meer? | _____ |
| 2. Trinkst du gern Kaffee? | _____ |
| 3. Spielst du gern Fußball? | _____ |
| 4. Hörst du gern Musik? | _____ |
| 5. Beobachtest du gern Tiere? | _____ |
| 6. Arbeitest du gern? | _____ |
| 7. Diskutierst du gern? | _____ |
| 8. Tanzt du gern? | _____ |
| 9. Schreibst du gern Briefe? | _____ |
| 10. Machst du gern Fotos? | _____ |

Christian Beirle González/Getty Images

Im Aquarium: Wer beobachtet wen?

[1]lange ... *long time no see*

# KULTUR ... LANDESKUNDE ... INFORMATIONEN

## FREIZEIT

### Vor dem Lesen

- Was machen Menschen in Ihrem Land in ihrer Freizeit?
- Was machen Sie in Ihrer Freizeit? am Wochenende? abends? in den Ferien?
- Was machen Ihre Eltern in ihrer Freizeit? am Wochenende? abends? in den Ferien?
- Wie viele Stunden Freizeit haben Sie am Tag?

### Arbeit mit dem Text

- Sehen Sie sich die Grafik an. Für welche Aktivitäten braucht man andere Menschen? Welche Aktivitäten kann man alleine tun?
- Was machen Menschen in Deutschland öfter als Sie? Was machen sie weniger oft als Sie?
- Wie viele Stunden Freizeit haben Deutsche am Tag? Raten Sie!

Paul Bradbury/age fotostock

**Die häufigsten Freizeitbeschäftigungen der Deutschen**
(mindestens einmal pro Woche)

| | |
|---|---|
| Fernsehen | 95% |
| Radio hören | 90% |
| Musik hören | 85% |
| Telefonieren (von zu Hause) | 84% |
| Internet | 78% |
| Zeit mit Partner*in verbringen | 68% |
| Ausschlafen[1] | 67% |
| Zeitungen/Zeitschriften lesen | 67% |
| Soziale Medien nutzen | 52% |
| Nichts tun | 51% |

| Miniwörterbuch | |
|---|---|
| die **Zeit, -en** | time |
| **öfter** | more often |
| **weniger** | less |
| **raten** | to guess |
| **verbringen** | to spend (time) |
| **fernsehen** | to watch TV |
| die **Zeitschrift, -en** | magazine |

[1] *sleep late*

# Strukturen

## 1. The present tense

One German present-tense form expresses three different ideas in English.

**Ich spiele** Fußball. — *I play soccer.* / *I'm playing soccer.* / *I'm going to play soccer.*

Most German verbs form the present tense just like **kommen (Einführung B).**

| spielen | | | |
|---|---|---|---|
| ich | spiele | wir | spielen |
| du | spielst | ihr | spielt |
| Sie | spielen | Sie | spielen |
| er<br>sie<br>es | spielt | sie | spielen |

**WISSEN SIE NOCH?**

| | |
|---|---|
| ich | -e |
| du | -st |
| er/sie/es | -t |
| wir | -en |
| ihr | -t |
| sie | -en |
| Sie | -en |

Review **Strukturen 6** in **Einführung B.**

Mira und Hannah **spielen** gern Karten. — *Mira and Hannah like to play cards.*

Verbs whose stems end in an **s**-sound, such as **-s, -ss, -ß, -z (-ts),** or **-x (-ks),** do not add an additional **-s-** in the **du**-form: **du heißt, du nutzt, du reist, du tanzt.**

Wie **heißt du?** — *What is your name?*
**Nutzt du** gern Online-Angebote? — *Do you like using online offers?*

Verbs whose stems end in **-d** or **-t** (and a few other verbs such as **regnen** [*to rain*] and **öffnen** [*to open*]) insert an **-e-** between the stem and the **-st** or **-t** endings. This happens in the **du-, ihr-,** and **er/sie/es-**forms, e.g., **beobachte(s)t, arbeite(s)t.**

Ali **arbeitet** jeden Tag. — *Ali works every day.*

| arbeiten | | | |
|---|---|---|---|
| ich | arbeite | wir | arbeiten |
| du | arbeitest | ihr | arbeitet |
| Sie | arbeiten | Sie | arbeiten |
| er<br>sie<br>es | arbeitet | sie | arbeiten |

## Übung A. Was machen sie?

Kombinieren Sie die Wörter. Achten Sie auf die Verbendungen.

MODELL: Ich besuche Freunde.

| | | |
|---|---|---|
| 1. [ich] | lernen | [Freunde] |
| 2. ihr | [besuche] | ins Konzert |
| 3. Hannah und Max | studiert | Spaghetti |
| 4. du | hört | ein Buch |
| 5. Julia | reisen | gut Tennis |
| 6. ich | kochen | nach Deutschland |
| 7. wir | lese | in Regensburg |
| 8. Richard | spielst | Spanisch |
| 9. Daniel und Phan | geht | gern Musik |

## Übung B. Minidialoge

Ergänzen Sie das Pronomen.

1. CLAIRE: Arbeitet deine Freundin?
   LEON: Nein, ______ arbeitet nicht.
2. MICHAEL: Schwimmen ______ gern im Meer?
   FRAU KÖRNER: Ja, sehr gern. Und Sie?
3. MERT: Was machst ______[a] im Sommer?
   SARAH: ______[b] fliege nach Spanien.
4. CLAIRE: Woher kommt ______[a]?
   ESKE UND DAMLA: ______[b] kommen aus Krefeld.
5. DANIEL: ______[a] studiere in Göttingen. Und ______[b]?
   JONAS UND LILLI: ______[c] studieren in Berlin.

## Übung C. Minidialoge

Ergänzen Sie die Verbendungen.

1. CLAIRE: Du tanz______[a] gern, nicht wahr?
   JULIA: Ja, ich tanz______[b] sehr gern, aber mein Freund tanz______[c] nicht gern.
2. FRAU SCHULZ: Richard geh______[a] im Sommer in den Bergen wandern.
   STEVE: Und was mach______[b] seine Eltern?
   FRAU SCHULZ: Seine Mutter arbeit______[c] und sein Vater mach______[d] nichts.
3. DANIEL: Wir koch______[a] heute Abend. Was mach______[b] ihr?
   JONAS: Wir besuch______[c] Freunde.
4. DANIEL: Schreib______[a] du mir eine E-Mail?
   PHAN: Ja, ich schreibe dir eine E-Mail. Nutz______[b] du auch andere Online-Angebote?
   DANIEL: Ja, das mach______[c] ich auch.

## 2. Expressing likes and dislikes: *gern / nicht gern*

VERB + **gern** = *to like doing something*
VERB + **nicht gern** = *to dislike doing something*

To say that you like doing something, use the word **gern** after the verb. To say that you don't like doing something, use **nicht gern.**

| | |
|---|---|
| Yusuf spielt **gern** Fußball. | *Yusuf likes to play soccer.* |
| Leon spielt **nicht gern** Fußball. | *Leon doesn't like to play soccer.* |

| I | II | III | IV |
|---|---|---|---|
| Sofie | spielt | gern | Golf. |
| Lukas | spielt | auch gern | Golf. |
| Ich | spiele | nicht gern | Golf. |
| Shannon | spielt | auch nicht gern | Golf. |

The position of **auch/nicht/gern** (in that order) is between the verb and its complement. The complement provides additional information and thus "completes" the meaning of the verb: **ich spiele → ich spiele Golf; ich höre → ich höre Musik.**

### Übung D. Was machen die Studierenden gern?

Bilden Sie Sätze.

MODELL: Heidi und Meili schwimmen gern.

Heidi/Meili

1. Pedro/Steve

2. Heidi

3. Steve

4. Meili

5. Pedro

6. Kayla

7. Shannon

8. Miguel

## Übung E. Und diese Personen?

Sagen Sie, was die folgenden Personen gern machen.

MODELL: Frau Ruf liegt gern in der Sonne. Hannah liegt auch gern in der Sonne, aber Herr Ruf liegt nicht gern in der Sonne.

1. Frau Ruf Hannah Herr Ruf

2. Max Yusuf Hannah

3. Max Hannah Antonia

4. Michael Maria die Rufs die Wagners

# Situationen

## Schule und Universität

### Situation 5 Dialog: Was studierst du?

Steve trifft Johannes in der Cafeteria der Universität in Berkeley.

STEVE: Hallo, bist du __________ hier?
JOHANNES: Ja, ich __________ aus Deutschland.
STEVE: Und was machst __________ hier?
JOHANNES: Ich __________ Psychologie. Und du?
STEVE: __________.

## Situation 6 Wie spät ist es?

MODELL: S1: Wie spät ist es?
S2: Es ist ________.

1.

2.

3.

4.

5.

6.

7.

8.

9.

10.

## Situation 7 Informationsspiel: Hannahs Stundenplan[1]

MODELL: S2: Was hat Hannah am Montag um acht Uhr fünfzig?
S1: Sie hat Deutsch.

| Uhr | Montag | Dienstag | Mittwoch | Donnerstag | Freitag |
|---|---|---|---|---|---|
| *8.00–8.45* | | Mathematik | Kunst | | Mathematik |
| *8.50–9.35* | Deutsch | | | Englisch | |
| *9.35–9.50* | ← Pause → | | | | |
| *9.50–10.35* | Biologie | Medien | | Erdkunde | |
| *10.40–11.25* | | | Deutsch | | Französisch |
| *11.25–11.35* | ← Pause → | | | | |
| *11.35–12.20* | Sport | | Englisch | | Religion |
| *12.25–13.10* | | Erdkunde | | Französisch | |

[1] *schedule*

# KULTUR ... LANDESKUNDE ... INFORMATIONEN

## SCHULE

### Vor dem Lesen

- Wann beginnt in Ihrem Land morgens die Schule?
- Wann gehen die Schülerinnen und Schüler nach Hause?
- Wann und wo machen sie Hausaufgaben?
- Wann haben sie Freizeit?
- Welche Schulfächer haben Schülerinnen und Schüler?
- Welches sind Pflichtfächer[1]?
- An welchen Tagen gehen die Schülerinnen und Schüler in die Schule?

### Arbeit mit dem Text

Schauen Sie auf Hannahs Stundenplan (Situation 7).

- Wann beginnt für Hannah die Schule?
- Wann geht sie nach Hause?
- Welche Fächer hat Hannah?
- Wie viele Fremdsprachen hat sie?
- An welchen Tagen geht sie in die Schule?

Was meinen Sie?

- Wann und wo macht Hannah Hausaufgaben?
- Wann hat sie Freizeit?

©Stuart Cohen

Große Pause an einer Schule in Berlin

[1] *required subjects*

## Situation 8 Interview

1. Welche Fächer hast du in diesem Semester? Welche Fächer magst du? Welche Fächer magst du nicht?
2. Wann beginnt am Montag dein erster (1.) Kurs? Welcher Kurs ist das?
3. Wann gehst du am Montag nach Hause?
4. Wann beginnt am Dienstag dein erster Kurs? Welcher Kurs ist das?
5. Wann gehst du am Dienstag nach Hause?
6. Arbeitest du? An welchen Tagen arbeitest du? Wann beginnt deine Arbeit?
7. Wann gehst du während der Woche ins Bett? Und am Wochenende?
8. Wann machst du Hausaufgaben?
9. Wann hast du Freizeit?

# Strukturen

## 3. Telling time

Ask the time in German in one of two ways.

Wie spät ist es?
Wie viel Uhr ist es? — *What time is it?*

Es ist eins.
Es ist ein Uhr.

Es ist drei.
Es ist drei Uhr.

Es ist Viertel vor elf.
Es ist zehn Uhr fünfundvierzig.

Es ist Viertel nach elf.
Es ist elf Uhr fünfzehn.

Es ist zehn (Minuten) vor acht.
Es ist sieben Uhr fünfzig.

Es ist zehn (Minuten) nach acht.
Es ist acht Uhr zehn.

Es ist halb zehn.
Es ist neun Uhr dreißig.

**vor** = *to*
**nach** = *after*
**halb** = *half, thirty*
**halb zehn** = *half past nine, nine thirty*

ein Tag = 24 Stunden
eine Stunde = 60 Minuten
eine Minute = 60 Sekunden

| Ankunft | Abfahrt | |
|---|---|---|
| 14.22 | 14.24 | Potsdam Stadt |
| 14.43 | 14.44 | Wildpark |
| 14.49 | 14.52 | Werder |
| 14.53 | 15.00 | Wustermark |

The expressions **Viertel, nach, vor,** and **halb** are used in everyday speech. In German, the half hour is expressed as "half before" the following hour, not as "half after" the preceding hour, as in English.

The 24-hour clock (0.00 to 24.00) is used when giving exact or official times, as in time announcements, schedules, programs, and the like. With the 24-hour clock only the pattern "(*number*) **Uhr** (*number of minutes*)" is used. For example, "1:30 P.M." = **13.30 Uhr,** which is read **dreizehn Uhr dreißig.**

Use **um** to ask or state at what time something occurs.

**Um** wie viel Uhr fährt der Zug ab? — *At what time does the train leave?*
Der Zug fährt **um** vierzehn Uhr vierundzwanzig ab. — *The train leaves at two twenty-four P.M.*

### Übung F. Die Uhrzeit

Wie spät ist es?

MODELL: Es ist acht Uhr.

1.

2.

3.

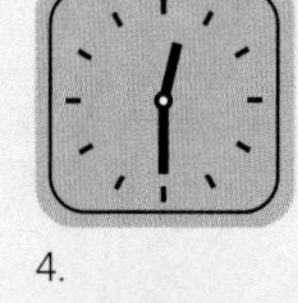
4.

5.

6.

7.

8.

# Situationen

## Alltag

Herr Wagner steht auf.

Er duscht.

Er frühstückt.

Er geht zur Arbeit.

Er geht einkaufen.

Er macht die Wohnung sauber.

Er geht im Park spazieren.

Er geht ins Bett.

### Situation 9 **Interview**

1. Wann stehst du auf?
2. Wann duschst du?
3. Wann frühstückst du?
4. Wann gehst du zur Uni?
5. Wann kommst du nach Hause?
6. Wann lernst du?
7. Wann gehst du einkaufen?
8. Wann machst du die Wohnung sauber?
9. Wann gehst du ins Bett?

## Situation 10 Am Wochenende

Was machen Sie am Wochenende sicher, wahrscheinlich, vielleicht, nicht?

S = sicher
W = wahrscheinlich
V = vielleicht
N = nicht

| | ICH | PARTNER/PARTNERIN |
|---|---|---|
| 1. Ich spiele Computerspiele. | ______ | ______ |
| 2. Ich stehe spät auf. | ______ | ______ |
| 3. Ich kaufe ein. | ______ | ______ |
| 4. Ich surfe im Internet. | ______ | ______ |
| 5. Ich trete im Theater auf. | ______ | ______ |
| 6. Ich mache nichts. | ______ | ______ |
| 7. Ich arbeite fürs Studium. | ______ | ______ |
| 8. Ich rufe meine Freunde oder meine Familie an. | ______ | ______ |
| 9. Ich mache mein Zimmer sauber. | ______ | ______ |
| 10. Ich gehe mit Freunden aus. | ______ | ______ |
| 11. Ich habe eine Prüfung. | ______ | ______ |
| 12. Ich schaue Filme an. | ______ | ______ |

## Situation 11 Bildgeschichte: Ein Tag in Sofies Leben

## Situation 12 Informationsspiel: Diese Woche

MODELL: S2: Was macht Phan am Dienstag?
S1: Sie arbeitet am Abend in einer Kneipe.
S2: Was machst du am Montag?
S1: Ich ______.

| |  Phan Nguyen |  Mert Yilmaz | mein(e) Partner(in) |
|---|---|---|---|
| *Montag* | | Er geht um 7 Uhr zur Arbeit. | |
| *Dienstag* | Sie arbeitet am Abend in einer Kneipe. | | |
| *Mittwoch* | | Er surft im Internet. | |
| *Donnerstag* | Sie ruft ihre Eltern an. | | |
| *Freitag* | | Er hört um 15 Uhr mit der Arbeit auf. | |
| *Samstag* | Sie tritt im Theater auf. | | |
| *Sonntag* | | Er frühstückt mit Sarah. | |

# Filmlektüre

## *Die kleine Hexe*

**NOTE:** For copyright reasons, the films referenced in **FILMLEKTÜRE** have not been provided by the publisher. The films can be found online at various sites.

FILMANGABEN

**Titel:** *Die kleine Hexe*
**Genre:** Abenteuer
**Erscheinungsjahr:** 2018
**Land:** Schweiz
**Dauer:** 103 Min
**Regisseur:** Michael Schaerer
**Hauptrollen:** Karoline Herfurth, Suzanne von Borsody, Axel Prahl

### Vor dem Lesen

**A.** Beantworten Sie die folgenden Fragen.

1. Was sehen Sie auf dem Bild? Was sehen Sie nicht: eine Hexe, ein Haus, Bäume, Blumen, Tiere, ein Bett, das Meer?
2. Welche Farben dominieren? Welche Gefühle ruft das Poster hervor?

**B.** Lesen Sie die Wörter im Miniwörterbuch. Suchen Sie sie im Text und in den Aufgaben und markieren Sie sie.

Die kleine Hexe fliegt zum Tanz.

| Miniwörterbuch | |
|---|---|
| die **Hexe, -n** | witch |
| **fliegen** | to fly |
| **trotzdem** | anyway, despite |
| **erwischt werden** | to get caught |
| die **Strafe** | punishment |
| **auswendig lernen** | to learn by heart, memorize |
| **helfen (hilft)** | to help (helps) |
| der **Spaß** | fun |
| **nicht dürfen (darf)** | must not |
| **böse** | evil |
| **verraten (verrät)** | to betray (betrays) |
| **meinen** | to mean; to think |
| **verstehen** | understand |
| **endlich** | finally |
| die **Lösung, -en** | solution |
| die **Aussage, -n** | statement |
| **bekommen** | to receive |

## Inhaltsangabe

Die kleine Hexe (Karoline Herfurth) ist erst 127 Jahre alt. Das ist viel zu jung für den großen Hexentanz in der Walpurgisnacht. Sie fliegt mit ihrem Besen[1] trotzdem zum Tanz und wird erwischt. Als Strafe muss sie das große Hexenbuch mit 7.892 Zaubersprüchen[2] auswendig lernen. Sie hat ein Jahr Zeit und soll in diesem Jahr eine gute Hexe werden. Ihr Rabe[3] Abraxas (Axel Prahl) hilft ihr.

Die kleine Hexe hat Spaß beim Hexen[4] und sie hilft den Menschen. Auch am Freitag hilft sie ihnen mit ihren Zaubersprüchen. Aber am Freitag darf man nicht hexen. Die böse Hexe Rumpumpel (Suzanne von Borsody) verrät sie an den Hexenrat[5].

Der Hexenrat meint, dass eine gute Hexe böse sein muss. Die kleine Hexe versteht das nicht. Wie soll sie eine gute Hexe sein und gleichzeitig böse sein? Dann kommt die nächste Walpurgisnacht. Die kleine Hexe soll endlich etwas Böses tun. Sie soll ihre Freunde verhexen. Findet sie eine Lösung?

## Arbeit mit dem Text

Richtig (R) oder falsch (F)? Verbessern Sie die falschen Aussagen.

_____ **1.** Eine Hexe mit 127 Jahren ist zu jung für den Hexentanz.

_____ **2.** Die Hexen tanzen in der Walpurgisnacht.

_____ **3.** Die kleine Hexe wird auf dem Tanz erwischt.

_____ **4.** Die kleine Hexe bekommt keine Strafe.

_____ **5.** Die kleine Hexe muss Zaubersprüche auswendig lernen.

_____ **6.** Hexen dürfen nur während der Woche hexen.

_____ **7.** Die Hexe Rumpumpel ist eine gute Hexe.

_____ **8.** Hexen müssen böse sein.

## Nach dem Lesen

Kennen Sie andere Filme mit Hexen oder Zauberern? Wie heißen diese Filme? Mögen Sie diese Filme?

[1]*broom* [2]*spells, hexes* [3]*raven* [4]*casting spells, hexing* [5]*witches' council*

# Strukturen

## 4. Word order in statements

In English, the verb usually follows the subject of a sentence, even when another word or phrase begins the sentence.

| | SUBJECT | VERB | COMPLEMENT |
|---|---|---|---|
| | We | play | tennis. |
| Today | we | play | tennis. |

In statements, verb second.

In German statements, the verb is always in second position. If the sentence begins with an element other than the subject, then the subject follows the verb.

| I | II | III | IV |
|---|---|---|---|
| SUBJECT | VERB | COMPLEMENT | |
| Wir | spielen | Tennis. | |
| | VERB | SUBJECT | COMPLEMENT |
| Heute | spielen | wir | Tennis. |

### Übung G. Johannes

Markieren Sie das Subjekt des Satzes. Steht das konjugierte Verb vor[1] oder nach[2] dem Subjekt?

1. Johannes kommt aus Krefeld. *nach dem Subjekt*
2. Im Moment studiert er in Berkeley. ________
3. Seine Stiefmutter wohnt in Krefeld. ________
4. Samstags geht Johannes oft ins Kino. ________
5. Am Wochenende wandert er oft in den Bergen. ________
6. In der Woche treibt er gern Sport. ________
7. Im Sommer geht er surfen. ________
8. Er geht auch ins Schwimmbad der Uni. ________

### Übung H. Sie und Ihr(e) Freund(in)

Bilden Sie Sätze. Beginnen Sie die Sätze mit dem ersten Wort oder den ersten Wörtern in jeder Zeile. Beachten[3] Sie die Satzstellung[4].

MODELL: Heute (ich / sein ______) → Heute bin ich fröhlich.

1. Ich (studieren ______)
2. Im Moment (ich / wohnen in ______)
3. Heute (ich / kochen ______)
4. Manchmal (ich / trinken ______)
5. Ich (spielen gern ______)
6. Mein[e] Freund[in] (heißen ______)
7. Jetzt (er [*or* sie] / wohnen in ______)
8. Manchmal (wir / spielen ______)

[1]*before* [2]*after* [3]*Pay attention to* [4]*word order*

## 5. Word formation: Separable-prefix verbs

Many German verbs have prefixes that change the verb's meaning. They combine with the infinitive to form a single word. Common prefixes include **ab, an, auf, aus, ein,** and **vor.**

| | |
|---|---|
| kommen | *to come* |
| ankommen | *to arrive* |
| stehen | *to stand* |
| aufstehen | *to get up* |
| kaufen | *to buy* |
| einkaufen | *to shop* |

In statements, verb second, prefix last.

When you use a present-tense form of these verbs, put the conjugated form in second position and put the prefix at the end of the sentence. The two parts of the verb form a frame or bracket, called a **Satzklammer,** that encloses the rest of the sentence.

Claire [kauft] [ein].

Claire [kauft] am Wochenende [ein].

Claire [kauft] am Wochenende nicht [ein].

Here are some common verbs with separable prefixes.

| | |
|---|---|
| abholen | *to pick up* |
| anbieten | *to offer* |
| ankommen | *to arrive* |
| annehmen | *to accept; to adopt; to assume* |
| anrufen | *to call up* |
| anschauen | *to watch* |
| aufgeben | *to give up; to hand in* |
| aufhören | *to stop, be over* |
| aufstehen | *to get up* |
| auftreten | *to appear; to occur* |
| ausgehen | *to go out* |
| darstellen | *to represent, portray* |
| einkaufen | *to shop, shop for* |
| vorstellen | *to introduce* |

In vocabulary lists and in some dictionaries, a dot indicates that a verb has a separable prefix, e.g., **ab·holen.** This dot is not used in actual writing.

### Übung I. Eine Reise in die Türkei

Mert fliegt morgen in die Türkei. Was macht er heute? Ergänzen Sie die folgenden Wörter: **ab, an, an, an, auf, auf, aus, aus, ein, vor.**

1. Er steht um 7 Uhr _______.
2. Er ruft Sarah _______.
3. Er bietet seine Hilfe _______.
4. Er stellt einen Freund _______.
5. Er geht ins Konsulat. Er füllt ein Formular _______.
6. Er holt seinen Reisepass[1] _______.
7. Er kauft Essen[2] _______.
8. Abends geht er _______.
9. Er schaut einen Film _______.
10. Der Film hört um 22 Uhr _______.

Mert

[1] *passport* [2] *food*

## Übung J. Was machen die Leute?

Verwenden Sie die folgenden Verben.

abholen
anbieten
ankommen
anrufen
aufstehen
ausfüllen
ausgehen
einkaufen
vorstellen

MODELL: Frau Schulz kauft Lebensmittel ein.

Frau Schulz

1. Johannes

2. Noah/Heidi

3. Heidi/Noah

4. Miguel

5. Pedro/Shannon

6. Pedro und Shannon

7. Frau Schulz / Sunil

8. Steve

# Situationen

## Persönliche Angaben

**Antrag auf Ausstellung eines Personalausweises**

Familienname: Ruf
geborene(r): Schuler
Vorname(n): Margret
Geburtstag: 13. April 1984
Geburtsort: Augsburg
Staatsangehörigkeit: deutsch
Augenfarbe: ❑ blau ❑ grau ☒ grün ❑ braun Größe: 172 cm
München Sonnenstraße (Straße) 11 (Hausnummer)

München, den 30. 5. 2021

Margret Ruf
Unterschrift

### Situation 13 Dialog: Auf dem Rathaus

Julia Staiger ist auf dem Rathaus in Regensburg. Sie braucht einen neuen Personalausweis[1].

BEAMTER: Grüß Gott!
JULIA: Grüß Gott. Ich __________ einen neuen Personalausweis.
BEAMTER: __________ ist Ihr Name, bitte?
JULIA: Staiger, Julia Staiger.
BEAMTER: Und __________ wohnen Sie?
JULIA: In Regensburg.
BEAMTER: __________ ist die genaue Adresse?
JULIA: Gesandtenstraße 8.
BEAMTER: Haben Sie auch __________?
JULIA: Ja, die Nummer ist 24352.
BEAMTER: Was sind Sie von __________?
JULIA: Ich bin Studentin.

Das Regensburger Rathaus

Raimund Kutter/imageBROKER/SuperStock

### Situation 14 Interview: Auf dem Rathaus

1. Wie heißen Sie?
2. Wie alt sind Sie?
3. Wo sind Sie geboren?
4. Wo wohnen Sie?
5. Was ist Ihre genaue Adresse?
6. Was ist Ihre E-Mail-Adresse?
7. Was studieren Sie?
8. Sind Sie verheiratet?
9. Welche Augenfarbe haben Sie?
10. Welche Haarfarbe?

[1] *identity card (ID)*

## MUSIKSZENE

### „Gewinner“ (2009, Deutschland) *Clueso*

**Biografie** Clueso kommt aus Erfurt. Sein richtiger Name ist Thomas Hübner. Er wurde 1980 geboren. Sein Künstlername kommt von Inspektor Clouseau aus dem Film *The Pink Panther.*

*Christian Jakubaszek/Getty Images*

Clueso

**NOTE:** For copyright reasons, the songs referenced in **MUSIKSZENE** have not been provided by the publisher. The songs can be found online at various sites.

**Vor dem Hören** Wie fühlt man sich am Ende einer Beziehung?

**Nach dem Hören**

Was sagt der Sänger zu seiner Freundin? Richtig (R) oder falsch (F)?

_____ **1.** An allem, was man sagt, ist nichts dran.

_____ **2.** Er glaubt an sie.

_____ **3.** Er fragt sie.

_____ **4.** Sie verlieren einander.

_____ **5.** Er sucht sie.

_____ **6.** Er gibt auf.

| Miniwörterbuch | |
|---|---|
| **fühlt sich** | feels |
| die **Beziehung** | relationship |
| **ist auch was dran** | there's something to (it) |
| **glauben (an)** | to believe (in) |
| **dabei sein** | to be close to or on the verge of |
| **verlieren** | to lose |
| **einander** | each other |
| **gibt auf** | gives up |

### Situation 15 Rollenspiel: Auf dem Auslandsamt°

°*study abroad office*

S1: Sie sind Student/Studentin und möchten ein Jahr lang in Österreich studieren. Gehen Sie aufs Auslandsamt und sagen Sie, dass Sie ein Stipendium[1] möchten. Beantworten Sie die Fragen des Beamten / der Beamtin. Sagen Sie am Ende des Gesprächs „Auf Wiedersehen“.

[1] *scholarship*

## Situation 16 Interview: Persönliche Fragen

Fragen Sie Ihren Partner / Ihre Partnerin.

1. Welche Suchmaschinen[1] verwendest du?
2. Was machst du mit deinem Handy?
3. Welche Online-Angebote nutzt du?
4. Verlierst du oft etwas?
5. Führst du gern lange Gespräche?
6. Diskutierst du gern über Politik?
7. Hast du eine gute Beziehung zu deinen Professorinnen und Professoren?
8. Was verstehst du nicht?
9. Wo verbringst du die nächsten Ferien?
10. Hast du Spaß in deinem Leben?
11. Lernst du gern neue Leute kennen?

# Lektüre

## Vor dem Lesen

**LESEHILFE**

In this reading, several of the characters of ***Kontakte*** are introduced. Before reading, look at each of the pictures and say as much as you can about the characters, based on the drawings. Now read the text once through. How closely do the pictures reflect what is in the text?

Welche Informationen geben Sie, wenn Sie sich vorstellen[2]? Kreuzen Sie an.

| | |
|---|---|
| ☐ Name | ☐ Gewicht[3] |
| ☐ Alter | ☐ Hobbys |
| ☐ Beruf/Studienfach | ☐ Herkunft |
| ☐ Familie | ☐ Noten[4] |
| ☐ Freunde | ☐ Interessen |
| ☐ Geburtsdatum | ☐ Adresse |

| Miniwörterbuch | |
|---|---|
| die **Lehrerin, -nen** | female teacher |
| der **Lehrer, -** | male teacher |
| **unterrichten** | to teach |
| die **Politik** | politics, political science |
| der **Zug, ¨-e** | train |
| **seit** | since; *here:* for |
| der **Stadtteil, -e** | borough, area |
| die **Kundin, -nen** | female customer, client |
| der **Kunde, -n** | male customer, client |
| **erfahren** | to find out, learn |

[1]*search engines* [2]sich ... *introduce yourself* [3]*weight* [4]*grades*

## Guten Tag, ich heiße ...

Grüezi mitenand[5], ich heiße Veronika Frisch-Okonkwo. Ich bin verheiratet und habe drei Töchter. Sie heißen Sumita, Yamina und Lydia. Ich lebe mit meinem Mann Kobe Okonkwo und unseren Töchtern in der Schweiz. Wir wohnen im Kanton Zürich. Ich komme aus Zürich und mein Mann kommt aus Abuja, Nigeria. Ich bin 33 Jahre alt und Kobe ist 35. Kobe ist Geschäftsmann[6] hier in Zürich und ich bin Lehrerin. Ich unterrichte Französisch und Politik. Meine Freizeit verbringe ich am liebsten mit meiner Familie. Außerdem reise ich gern.

Guten Tag, ich heiße Sofie Pracht, bin 22 und komme aus Dresden. Ich studiere Biologie an der Technischen Universität Dresden. Ein paar Stunden in der Woche arbeite ich in einer großen Gärtnerei[7]. In meiner Freizeit spiele ich Gitarre und tanze sehr gern. Meine Partnerin heißt Nesrin Durani. Sie studiert auch hier in Dresden an der TU. Sie kommt aus Leipzig, aber ihre Eltern kommen aus Afghanistan. Am Wochenende fahren wir manchmal mit dem Zug nach Leipzig und besuchen ihre Familie.

Guten Tag, ich heiße Mert Yilmaz. Ich bin 29 und in Solingen geboren. Meine Großeltern kommen aus Izmir in der Türkei. Meine Familie wohnt schon seit über 40 Jahren in Deutschland. Ich wohne in Kreuzberg, einem Stadtteil von Berlin, in einer schönen Wohnung. Ich arbeite für eine Speditionsfirma[8] als Logistiker[9]. Weil ich Deutsch und Türkisch spreche, bin ich oft bei Kunden in der Türkei. In meiner Freizeit treibe ich viel Sport. Ich spiele Fußball und gehe mit meiner Freundin Sarah ins Fitnessstudio[10].

## Arbeit mit dem Text

Was erfahren Sie über Veronika Frisch-Okonkwo, Sofie Pracht und Mert Yilmaz? Vervollständigen Sie die Tabelle.

| Name | Veronika Frisch-Okonkwo | Sofie Pracht | Mert Yilmaz |
|---|---|---|---|
| *Alter* | | | |
| *Geburtsort* | | | |
| *Familie/Freunde* | | | |
| *Wohnort*[11] | | | |
| *Beruf* | | | |
| *Studienfach* | | | |
| *Freizeit* | | | |
| *Sonstiges*[12] | | | |

## Nach dem Lesen

Stellen Sie sich vor[13]. Schreiben Sie einen kurzen Text. Kleben[14] Sie ein Foto auf das Papier oder zeichnen[15] Sie ein Selbstporträt. Hängen Sie Ihre Texte im Seminarraum an die Wand.

[5]Grüezi ... *hello everyone* (Swiss German) [6]*businessman* [7]*nursery (gardening)* [8]*trucking company* [9]*logistician* [10]*fitness center, gym* [11]*residence* [12]*other information* [13]Stellen ... *Introduce yourself* [14]*glue* [15]*draw*

# Strukturen

## 6. Word order in questions

In **w**-questions, verb second.

When you begin a question with a question word (for example, **wie, wo, wer, was, wann, woher**), the verb follows in second position. The subject of the sentence is in third position unless the question word is the subject, e.g., **wer** or **welcher.** Any further elements appear in fourth position.

| I | II | III | IV | |
|---|---|---|---|---|
| *Wann* | beginnt | das Spiel? | | *When does the game start?* |
| *Was* | machst | du | heute Abend? | *What are you doing this evening?* |
| *Wo* | wohnst | du? | | *Where do you live?* |
| *Welcher Tag* | ist | heute? | | *What day is today?* |

The endings of **welcher** vary according to gender, number, and case of the following noun. They are the same endings as those of the definite article. Therefore, **welcher** is called a **der**-word, for example: **welcher Name** *(masc.)*, **welches Alter** (*neut.*), **welche Adresse** (*fem.*), **welche Fächer** (*plur.*).

Here are the question words you have encountered so far.

| | | | |
|---|---|---|---|
| wann | *when* | wie | *how* |
| was | *what* | wie viel(e) | *how much (many)* |
| welcher | *which* | wo | *where* |
| wer | *who* | woher | *from where* |

Questions that can be answered by *yes* or *no* begin with the verb.

| | |
|---|---|
| Kommst du aus München? | *Do you come from Munich?* |
| Gehst du ins Kino? | *Are you going to the movies?* |

### Übung K. Ein Interview mit Nesrin Durani

Schreiben Sie die Fragen.

MODELL: du + heißen + wie + ? → Wie heißt du?

1. du + sein + geboren + wann + ?
2. du + kommen + woher + ?
3. du + sein + alt + wie + ?
4. du + studieren + Fächer + welche + ?
5. du + arbeiten + Stunden + wie viele + ?
6. du + machen + gern + was + ?

Nesrin

### Übung L. Noch ein Interview

Stellen Sie die Fragen.

1. —Ich heiße Sofie.
2. —Nein, ich komme nicht aus München.
3. —Ich komme aus Dresden.
4. —Ich studiere Biologie.
5. —Sie heißt Nesrin.
6. —Wir wohnen in Dresden.
7. —Nein, ich spiele nicht Tennis.
8. —Ja, ich tanze sehr gern.
9. —Ja, ich trinke gern Cola.
10. —Ja, Nesrin trinkt gern Bier.

Sofie

# Videoecke

## Perspektiven

Wie spät ist es?

Wie spät ist es?

### Aufgabe 1 Uhren

Worauf schauen sie?

1. Wie viele Leute schauen auf ihre Armbanduhr[1]?
2. Wie viele Leute schauen auf ihr Handy?
3. Wie viele Leute schauen auf die Turmuhr?

### Aufgabe 2 Wer sagt das?

Wie spät ist es? Acht Personen werden gefragt. Ordnen Sie die Aussagen den Personen zu.

1. ___

2. ___

3. ___

4. ___

5. ___

6. ___

7. ___

8. ___



a. Es ist 10 Uhr 10.
b. Es ist 12 Uhr 25.
c. Es ist 13 Uhr 28.
d. Es ist 14 Uhr 38.
e. Ich weiß es nicht. Ich habe keine Uhr.
f. Es ist drei vor sechs.
g. Es ist dreiviertel fünf.
h. Es ist neun Uhr.

[1]*wristwatch*

## Interviews

- Was studierst du?
- Welche Seminare hast du in diesem Semester?
- Wann beginnen deine Seminare?
- Wann stehst du da auf?
- Was machst du dann?
- Was machst du in deiner Freizeit?

McGraw-Hill/Klic Video Productions

Sandra

McGraw-Hill/Klic Video Productions

Susan

### Aufgabe 3 Tagesablauf

**Miniwörterbuch**

| | |
|---|---|
| die **Fremdsprache** | *foreign language* |
| **belegen** | *to take* |

Wer macht das? Sandra, Susan oder beide?

| | SANDRA | SUSAN | BEIDE |
|---|---|---|---|
| 1. Sie studiert Deutsch als Fremdsprache. | ☐ | ☐ | ☐ |
| 2. Sie belegt Seminare zur Phonetik, Phonologie und Grammatik. | ☐ | ☐ | ☐ |
| 3. Ihre Seminare beginnen um 9 Uhr. | ☐ | ☐ | ☐ |
| 4. Sie steht um halb acht auf. | ☐ | ☐ | ☐ |
| 5. Sie steht um 7 Uhr auf. | ☐ | ☐ | ☐ |
| 6. Sie fährt mit dem Fahrrad zur Universität. | ☐ | ☐ | ☐ |
| 7. Sie geht zuerst duschen. | ☐ | ☐ | ☐ |
| 8. Sie geht gern laufen und sie liest[2] gern. | ☐ | ☐ | ☐ |
| 9. Sie geht schwimmen und singt im Chor. | ☐ | ☐ | ☐ |

[2] *reads*

# Wortschatz zum Lernen

| Freizeit | Leisure Time |
|---|---|
| →**beobachten** | to watch, observe |
| →**besuchen** | to visit |
| →**diskutieren** | to discuss, argue |
| **fern·sehen** | to watch TV |
| →**fliegen** | to fly |
| →**hören** | to hear |
| **kochen** | to cook |
| →**liegen** | to lie |
| →**machen** | to do |
| →**nutzen** | to use |
| →**reisen** | to travel |
| **reiten** | to ride horseback |
| **schwimmen** | to swim |
| →**singen** | to sing |
| **spazieren gehen** | to go for a walk |
| →**spielen** | to play |
| **tanzen** | to dance |
| →**trinken** | to drink |
| →**tun** | to do |
| **verbringen** | to spend (time) |
| →**verwenden** | to use |
| **wandern** | to hike |
| die **E-Mail [i:meɪl], -s;** die **Mail, -s** | e-mail |
| die **Karte, -n** | card |
| die **Kneipe, -n** | bar, tavern |
| →die **Musik** | music |
| die **Party, -s** | party |
| die **Perspektive, -n** | perspective |
| →die **Sonne, -n** | sun |
| →die **Stunde, -n** | hour |
| →die **Wohnung, -en** | apartment |
| →die **Zeit, -en** | time |
| →die **Zeitung, -en** | newspaper |
| der **Berg, -e** | mountain |
| →der **Brief, -e** | letter |
| der **Kaffee, -s** | coffee |
| der **Zufall, ¨-e** | coincidence |
| →das **Alter** | age |
| →das **Angebot, -e** | offer, offering |
| →das **Beispiel, -e** | example |
| →das **Foto, -s** | photo |
| das **Hobby, -s** | hobby |
| das **Kino, -s** | movie theater, cinema |
| das **Konzert, -e** | concert |
| →das **Meer, -e** | sea |
| das **Museum, Museen** | museum |
| →das **Tier, -e** | animal |
| →das **Wochenende, -n** | weekend |
| **am Wochenende** | over the weekend |
| →das **Zimmer, -** | room |
| die **Ferien** (*pl.*) | vacation |
| →die **Medien** (*pl.*) | media |
| →**gern** | gladly, with pleasure |
| →**jede, jeder, jedes** | each, every |
| →**miteinander** | with each other |
| →**nichts** | nothing |
| →**sein(e)** | his |
| →**wenigstens** | at least |

| Schule und Universität | School and University |
|---|---|
| →**beginnen** | to begin |
| →**lernen** | to study, learn |
| →**meinen** | to mean; to think |
| →**mögen (mag)** | to like (likes) |
| →**studieren** | to be a student, study |
| →die **Arbeit** | work |
| →die **Chemie** | chemistry |
| die **Fremdsprache, -n** | foreign language |
| →die **Geschichte, -n** | history; story |
| die **Informatik** | computer science |
| →die **Literatur** | literature |
| die **Mathematik** | mathematics |
| →die **Minute, -n** | minute |
| die **Pause, -n** | break, intermission |
| die **Physik** | physics |
| die **Religion, -en** | religion |
| →die **Schule, -n** | school |
| →die **Schülerin, -nen** | female pupil |
| →die **Sekunde, -n** | second |
| →die **Wirtschaft, -en** | economics |
| →die **Woche, -n** | week |
| →**während der Woche** | during the week |
| →der **Schüler, -** | male pupil |
| →der **Sport** | sport, physical education |
| der **Montag** | Monday |
| der **Dienstag** | Tuesday |
| der **Mittwoch** | Wednesday |
| der **Donnerstag** | Thursday |
| →der **Freitag** | Friday |
| der **Samstag** | Saturday |
| →der **Sonntag** | Sunday |
| →das **Bett, -en** | bed |
| **ins Bett gehen** | to go to bed |
| das **Fach, ¨-er** | academic subject |

| | |
|---|---|
| das **Haus, ¨-er** | house |
| **nach Hause gehen** | to go home |
| →das **Kapitel, -** | chapter |
| →**halb** | half |
| **Um wie viel Uhr ...?** | At what time . . . ? |
| →**wann** | when |
| **Welcher Tag ist heute?** | What day is today? |
| **Wie spät ist es?** | What time is it? |
| **Wie viel Uhr ist es?** | What time is it? |

### Alltag — Everyday Life

| | |
|---|---|
| **ab·holen** | to pick (somebody) up (from a place) |
| →**an·kommen** | to arrive |
| **an·rufen** | to call |
| →**an·schauen** | to look at, watch |
| **auf·geben (gibt auf)** | to give up (gives up) |
| →**auf·hören (mit)** | to stop (doing something) |
| →**auf·treten (tritt auf)** | to appear; to occur (appears; occurs) |
| **aus·füllen** | to fill out |
| →**aus·gehen** | to go out |
| →**bekommen** | to get, receive |
| **duschen** | to (take a) shower |
| **ein·kaufen (gehen)** | to go shopping, shop for |
| **frühstücken** | to eat breakfast |
| →**kaufen** | to buy |
| →die **Aussage, -n** | statement |
| →die **Lösung, -en** | solution |
| die **Prüfung, -en** | test |
| die **Tasche, -n** | bag, purse, pocket |
| →der **Moment, -e** | moment |
| der **Park, -s** | park |
| →der **Spaß, ¨-e** | fun; joke |
| das **Studium, Studien** | university studies |
| das **Theater, -** | theater |
| →**früh** | early |
| →**spät, später** | late, later |
| →**wahrscheinlich** | probable, probably |
| →**endlich** | finally |
| →**ihr(e)** | her; their |

### Persönliche Angaben — Biographical Information

| | |
|---|---|
| →**brauchen** | to need, use |
| **kennen·lernen** | to get acquainted with |
| →**suchen** | to search, look for |
| →**verlieren** | to lose |
| die **Adresse, -n** | address |
| →die **Angabe, -n** | information, indication |
| →die **Beziehung, -en** | relationship |
| die **Grammatik** | grammar; grammar book |
| →die **Größe, -n** | height |
| →die **Kundin, -nen** | female customer, client |
| →die **Lehrerin, -nen** | female teacher |
| →die **Nummer, -n** | number |
| →die **Person, -en** | person |
| →die **Politik** | politics |
| →der **Beruf, -e** | profession |
| der **Geburtstag, -e** | birthday |
| →der **Kunde, -n** | male customer, client |
| →der **Lehrer, -** | male teacher |
| →der **Zug, ¨-e** | train |
| →das **Ende, -n** | end |
| →das **Gespräch, -e** | conversation |
| das **Rathaus, ¨-er** | town hall |
| das **Telefon, -e** | telephone |
| →**genau** | exact(ly) |
| →**technisch** | technical(ly) |
| **verheiratet** | married |
| →**geboren** | born |
| **Wann sind Sie geboren?** | When were you born? |

KAPITEL 2

# Besitz und Freude

## Themen

Besitz

Geschenke

Kleidung und Aussehen

Freude

## Kulturelles

Kunst: Jeanne Mammen (*Schwester im Atelier*)

KLI: Der Euro

Musikszene: „Meine beiden Schwestern" (Wanda)

KLI: Gefahren im Netz

Videoecke: Hobbys

## Strukturen

1. The accusative case
2. The negative article: **kein, keine**
3. What would you like? **Ich möchte ...**
4. Word formation: Compound nouns (part one)
5. Possessive determiners
6. The present tense of stem-vowel changing verbs
7. Asking people to do things: The **du**-imperative

## Lektüren

Blog Deutsch 101: Frau Schulz hat Geburtstag

Film: *SMS für Dich* (Karoline Herfurth)

After completing **Kapitel 2** you will be able to . . .

- request and provide information in conversations by asking simple questions and forming simple sentences about what you and others own or would like to own, what clothes you and others have and what you think about them, and what you and others like to do
- interact with others to meet your basic needs by asking them to do things in common everyday situations
- understand the main idea and key information in short straightforward informational texts with the help of key vocabulary items
- present personal information about the things you own, the clothes you wear, and the things you like to do using simple written sentences
- compare products and practices in your area with those in German-speaking countries with respect to possessions and daily activities, including social media activities

Fine Art Images/age fotostock

Jeanne Mammen: *Schwester im Atelier* (1913), Berlinische Galerie Museum für Moderne Kunst, Berlin

## KUNST UND KUNSTSCHAFFENDE

Jeanne Mammen (1890–1976) war eine Berliner Malerin[1] und Grafikerin. Ihre Bilder und Zeichnungen[2] zeigen oft realistische Szenen aus der Großstadt Berlin in den zwanziger Jahren. Jeanne Mammen malte[3] in der Tradition des Symbolismus, des Kubismus und später auch abstrakt. Während[4] der Nazizeit und des Zweiten Weltkrieges malte sie auch, aber ihre Karriere war zu Ende. Sie porträtierte oft Frauen, wie zum Beispiel ihre Schwester Mimi auf diesem Bild. Jeanne Mammens ältere Schwester Mimi war auch Künstlerin.

Schauen Sie sich das Bild an und beantworten Sie die folgenden Fragen.

1. Welche Farben dominieren: blau, braun, gelb, grau, grün, rot, schwarz, weiß?
2. Wie ist die Frau, wie sieht sie aus: braunes/blondes/graues/langes/kurzes Haar, blaue/braune/grüne Augen, hübsch, jung, alt, groß, klein, schlank?
3. Wie ist sie: glücklich, traurig, freundlich, konservativ, sportlich, ruhig?
4. Wo ist sie: in einer Wohnung, in einem Zimmer, im Atelier, im Bett, auf einem Sofa?
5. Welche Gefühle ruft das Bild hervor: Angst, Ruhe, Sehnsucht[5], Neugier[6], Glück, Hoffnung, Liebe, Trauer[7]?

[1]*female painter* [2]*drawings* [3]*painted* [4]*during* [5]*desire, longing* [6]*curiosity* [7]*sorrow*

# Situationen

## Besitz

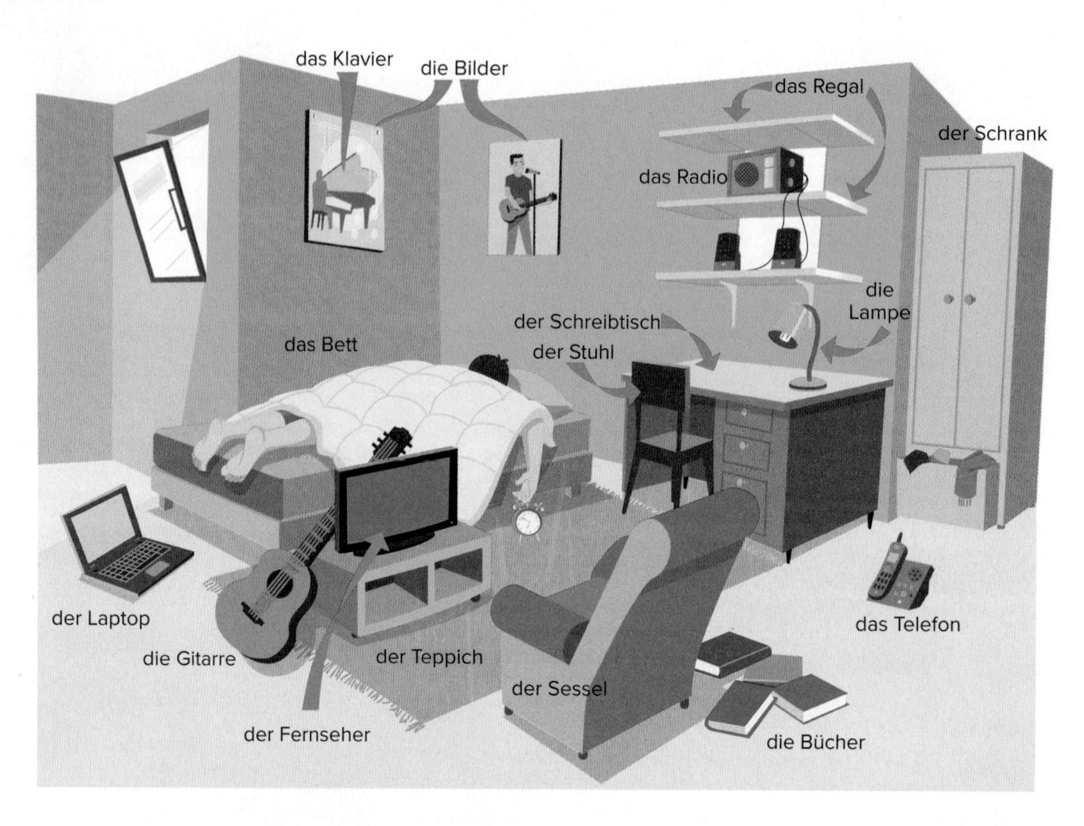


### Situation 1 Hast du einen Rucksack?

MODELL: S1: Hast du einen Rucksack?
S2: Ja, ich habe einen Rucksack.
*oder* Nein, ich habe keinen Rucksack.

# KULTUR ... LANDESKUNDE ... INFORMATIONEN

## DER EURO

### Vor dem Lesen

Fragen Sie Ihren Partner oder Ihre Partnerin.

1. Wie heißt die Währung in dem Land, in dem du geboren bist?
2. Welche Münzen gibt es, z. B. 1-Cent-Münzen, 2-Cent-Münzen?
3. Welche Geldscheine[1] gibt es, z. B. 1-Dollar-Scheine, 2-Dollar-Scheine?
4. Welche Farbe haben die Geldscheine?

| Miniwörterbuch | |
|---|---|
| die **Währung, -en** | currency |
| die **Münze, -n** | coin |
| **zahlen** | to pay |
| **seit** | since |
| **manche** | some |
| **obwohl** | although |
| **gleich** | same |
| die **Brücke, -n** | bridge |

Den Euro gibt es seit dem 1. Januar 2002. Der Euro ist die gemeinsame Währung der Europäischen Union (EU). Doch nicht alle Länder der EU haben den Euro. Zwölf Länder haben den Euro seit 2002: Belgien, Deutschland, Finnland, Frankreich, Griechenland, Irland, Italien, Luxemburg, die Niederlande, Österreich, Portugal und Spanien. Auch Estland, Lettland, Litauen, Malta, die Slowakei, Slowenien und Zypern gehören zur Eurozone. Manche Länder akzeptieren den Euro, obwohl sie nicht in der Europäischen Union sind. Dazu gehört zum Beispiel Kosovo.

Es gibt Euroscheine und Euromünzen. Euroscheine gibt es zu 5€, 10€, 20€, 50€, 100€, 200€ und 500€. Die Scheine sind in allen Ländern gleich. Alle Scheine haben auf der Rückseite ein Bild von einer Brücke. Euromünzen gibt es zu 1 Cent (ct), 2ct, 5ct, 10ct, 20ct und 50ct. 100 Cent sind 1 Euro. Es gibt auch 1€ und 2€ Münzen. Die Vorderseite[2] zeigt die Länder der Eurozone. Auf der Rückseite hat jedes Land ein anderes Bild.

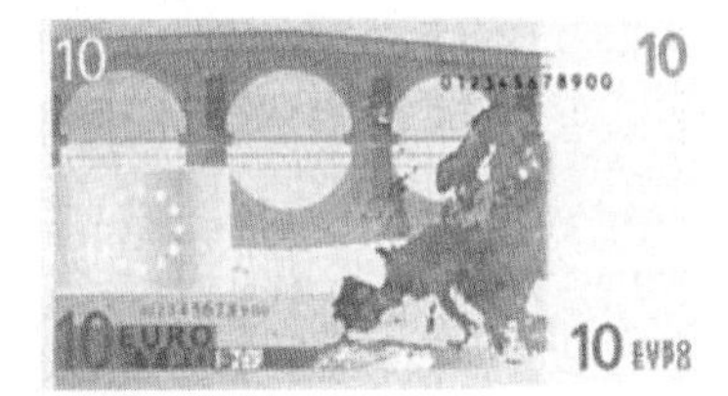


10 Euro

50 Euro

### Arbeit mit dem Text

1. Was ist der Euro?
2. In welchen Ländern der Europäischen Union zahlt man mit dem Euro? Nennen Sie fünf.
3. Welche Euroscheine gibt es? Wie sehen sie aus?
4. Welche Euromünzen gibt es? Wie sehen sie aus?

10 Cent

10 Cent (D)

2 Euro

2 Euro (D)

[1]der Schein *bill* [2]*front side*

*Source: (All): European Central Bank*

##  Situation 2 Dialog: Steve zieht in sein neues Zimmer

Kayla trifft Steve im Möbelgeschäft[1].

KAYLA: Hallo, Steve. Was machst du denn hier?
STEVE: Ach, ich brauche noch ein paar Sachen. Morgen ziehe ich in ____________.
KAYLA: Was brauchst du denn?
STEVE: Ach, alles Mögliche[2].
KAYLA: Was hast du denn ____________?
STEVE: Ich habe einen ____________, eine Gitarre und ... und ... und einen ____________.
KAYLA: Das ist aber nicht viel. ____________ hast du denn?
STEVE: So 30 Dollar.
KAYLA: Ich ____________, du bist im falschen Geschäft. Der Flohmarkt[3] ist viel besser ____________.
STEVE: Ja, vielleicht hast du recht.

## Situation 3 Informationsspiel: Was machen sie morgen?

MODELL: S2: Zahlt Daniel morgen eine Rechnung?
S1: Nein.
S2: Zahlst du morgen eine Rechnung?
S1: Ja. (Nein.)

| | Daniel | Phan | mein(e) Partner(in) |
|---|---|---|---|
| 1. *zahlt/zahlst ... eine Rechnung* | – | | |
| 2. *überrascht/überraschst ... jemand* | + | | |
| 3. *schaut/schaust ... einen Film an* | | | |
| 4. *ruft/rufst ... eine Freundin an* | – | + | |
| 5. *löst/löst ... ein Problem* | + | | |
| 6. *treibt/treibst ... Sport* | | | |
| 7. *besucht/besuchst ... einen Freund* | + | + | |
| 8. *macht/machst ... eine Reise* | – | | |

## Situation 4 Interview: Besitz

1. Was hast du in deinem Zimmer? Was brauchst du noch? Was möchtest du haben?
2. Hast du wertvolle Sachen? Auto, Motorrad, Laptop, Fernseher, Smartphone? Was möchtest du haben?
3. Hast du ein Pferd, einen Hund oder eine Katze? Möchtest du ein Pferd, einen Hund oder eine Katze haben?

[1]*furniture store* [2]alles ... *everything possible* [3]*flea market*

# Strukturen

## 1. The accusative case

**WISSEN SIE NOCH?**

Case indicates the function of a noun in a sentence.

Review **Strukturen 3** in **Einführung A.**

nominative = subject
accusative = direct object

The nominative case designates the subject of a sentence; the accusative case commonly denotes the object of the action implied by the verb, such as what is being possessed, looked at, or acted on by the subject of the sentence.

| | |
|---|---|
| Hannah hat einen Hund. | *Hannah has a dog.* |
| Max kauft eine Lampe. | *Max is buying a lamp.* |

Here are the nominative and accusative forms of the definite and indefinite articles.

| | **Tisch (*m.*)** | **Bett (*n.*)** | **Lampe (*f.*)** | **Bücher (*pl.*)** |
|---|---|---|---|---|
| *Nominative* | der | das | die | die |
| *Accusative* | den | | | |
| *Nominative* | ein | ein | eine | – |
| *Accusative* | einen | | | |

Note that only the masculine has a different form in the accusative case.

| | |
|---|---|
| **Der** Teppich ist schön. | *The rug is beautiful.* |
| Kaufst du **den** Teppich? | *Are you going to buy the rug?* |

### Übung A. Im Kaufhaus

Was kaufen diese Leute? Was kaufen Sie?

MODELL: Max kauft **den** Fernseher, **das** Regal und **den** DVD-Spieler.

| | Max | Yusuf | Julia | Hannah | ich |
|---|---|---|---|---|---|
| *der Pullover* | – | – | – | + | |
| *der Fernseher* | + | – | – | – | |
| *die Tasche* | – | + | + | – | |
| *das Regal* | + | – | + | – | |
| *die Lampe* | – | – | – | + | |
| *die Stühle* | – | + | – | – | |
| *der DVD-Spieler* | + | – | – | + | |
| *der Schreibtisch* | – | + | + | – | |

## Übung B. Besitz

Was haben Sie?

MODELL: Ich habe eine/einen/ein _______, ...

das Bett
das Bild / die Bilder
das Buch / die Bücher
der CD-Spieler
der Fernseher
das Klavier
die Lampe / die Lampen
der Laptop
der Plattenspieler
das Radio
das Regal / die Regale
der Rucksack
der Schrank
der Schreibtisch
der Sessel
das Smartphone
der Stuhl / die Stühle
das Telefon
_______

## 2. The negative article: *kein, keine*

**Kein** and **keine** (*not a, not any, no*) are the negative forms of **ein** and **eine.**

**ein → kein**
**einen → keinen**
**eine → keine**
[plural] → **keine**

| | |
|---|---|
| Im Klassenzimmer sind **keine** Fenster. | *There aren't any / are no windows in the classroom.* |
| Steve hat **keinen** Schreibtisch. | *Steve doesn't have a desk.* |

The negative article has the same endings as the indefinite article **ein.** It also has a plural form: **keine.**

<table>
<tr><th></th><th>Teppich (m.)</th><th>Regal (n.)</th><th>Uhr (f.)</th><th>Stühle (pl.)</th></tr>
<tr><td>Nominative</td><td>ein</td><td rowspan="2">ein</td><td rowspan="2">eine</td><td rowspan="2">–</td></tr>
<tr><td>Accusative</td><td>einen</td></tr>
<tr><td>Nominative</td><td>kein</td><td rowspan="2">kein</td><td rowspan="2">keine</td><td rowspan="2">keine</td></tr>
<tr><td>Accusative</td><td>keinen</td></tr>
</table>

| | |
|---|---|
| —Hat Kayla **einen** Schrank? | *Does Kayla have a wardrobe cabinet?* |
| —Nein, sie hat **keinen** Schrank. | *No, she doesn't have a wardrobe cabinet.* |
| —Hat Kayla **Bilder** an der Wand? | *Does Kayla have pictures on the wall?* |
| —Nein, sie hat **keine** Bilder an der Wand. | *No, she has no pictures on the wall.* |

## Übung C. Vergleiche°

°*Comparisons*

Wer hat was? Was haben Sie?

MODELL: Miguel hat keinen Teppich. Er hat einen Fernseher und eine Gitarre, aber er hat kein Fahrrad. Er hat einen Computer und Bilder, aber er hat kein Smartphone.

| | Miguel | Heidi | Shannon | ich |
|---|---|---|---|---|
| *der Teppich* | − | + | − | |
| *der Fernseher* | + | − | − | |
| *die Gitarre* | + | + | − | |
| *das Fahrrad* | − | − | + | |
| *der Computer* | + | + | + | |
| *die Bilder* | + | − | + | |
| *das Smartphone* | − | + | + | |

# Situationen

## Geschenke

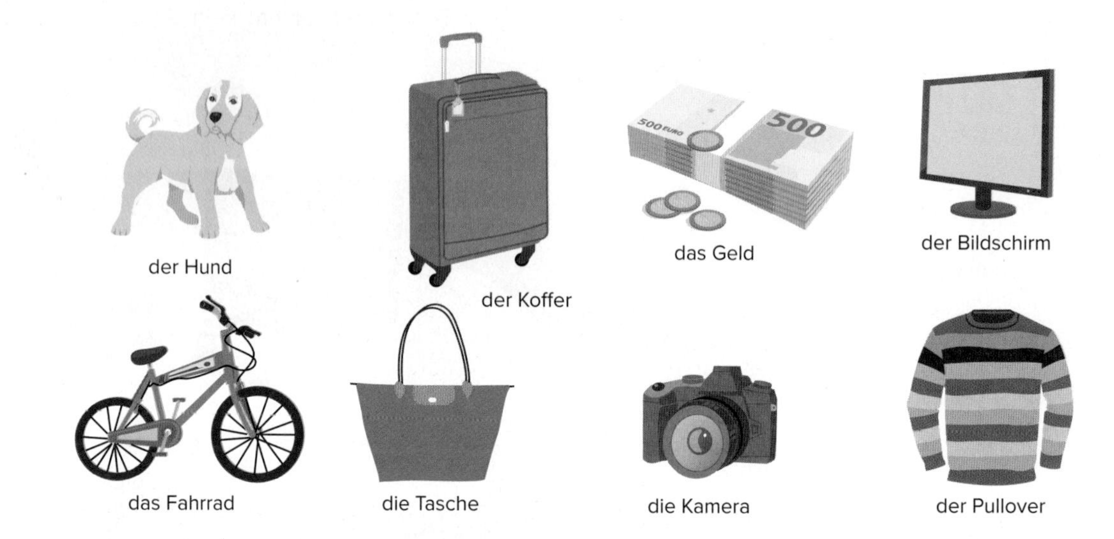


### Situation 5 Welche Wörter gehören zusammen?

MODELL: S1: Welches Wort passt zu „zu Hause schlafen"?
S2: Das Bett.
S1: Ja, das passt!

1. zu Hause schlafen
2. Rechnungen zahlen
3. wandern
4. eine Reise unternehmen
5. ein Instrument spielen
6. im Nationalpark schlafen
7. jemand überraschen
8. sitzen
9. einen Film drehen
10. in Kontakt bleiben

a. der Koffer
b. das Zelt
c. die Kreditkarte
d. das Bett
e. der Rucksack
f. das Smartphone
g. der Sessel
h. die Kamera
i. das Klavier
j. das Geschenk

###  Situation 6 Dialog: Ein Geschenk für Leon

Julia trifft Claire in der Cafeteria.

JULIA: Leon hat nächsten Donnerstag ________.
CLAIRE: Wirklich? Dann brauche ich ja noch ein ________ für ihn. Mensch, das ist schwierig. Hat er denn Hobbys?
JULIA: Er ________ Gitarre und ________ gern Musik.
CLAIRE: Hast du schon ein Geschenk?
JULIA: Ich ________ einen Plattenspieler kaufen. Aber er ist ziemlich ________. Kaufen wir ihn zusammen?
CLAIRE: Ja, gern. ________ finden wir ja einen billigen.
JULIA: Ja, ich kenne da ein gutes Geschäft.

## Situation 7 Zum Schreiben: Eine Einladung

Schreiben Sie eine Einladung zu einer Motto-Party. Benutzen Sie das Modell unten und Ihre Fantasie!

## Situation 8 Rollenspiel: Am Telefon

S1: Sie rufen einen Freund / eine Freundin an. Sie machen am Samstag eine Party. Laden Sie Ihren Freund / Ihre Freundin ein.

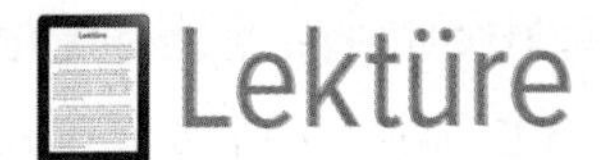

# Lektüre

## Vor dem Lesen

**A.** Frau Schulz hat bald Geburtstag. Die Studierenden wollen ihr ein Geschenk machen. Im Internet diskutieren sie über ihre Ideen. Welche Geschenke kann man einer Professorin machen, wenn sie Geburtstag hat? Kreuzen Sie an.

- ☐ Blumen
- ☐ einen Rucksack
- ☐ ein Foto der Klasse
- ☐ ein Snowboard
- ☐ eine Kinokarte
- ☐ ein neues Auto
- ☐ eine Reise nach Europa
- ☐ ein Fahrrad
- ☐ einen Gutschein[1] in Höhe von 50 Euro
- ☐ einen Kuchen
- ☐ einen Laptop
- ☐ ein Wörterbuch[2]

**B.** Suchen Sie die Wörter von **A,** oben, im Text. Markieren Sie die Wörter, die Sie finden.

## Arbeit mit dem Text

Beantworten Sie die Fragen.

1. Wann hat Frau Schulz Geburtstag?
2. Wer wusste nicht[3], dass Frau Schulz Geburtstag hat?
3. Was möchte Heidi schenken?
4. Was für eine Idee hat Meili?
5. Wo waren die Studierenden mit Frau Schulz auf der letzten Kursfahrt?
6. Wer hat noch einen Rahmen[4] für das Bild?
7. Welche Idee hat Steve?
8. Was möchten die Studierenden am Abend machen?
9. Was für einen Kuchen backt Shannon?
10. Kommt Miguel auch mit?

| Miniwörterbuch | |
|---|---|
| die **Freude, -n** | joy, pleasure |
| **jemand** | somebody, anybody |
| der **Kuchen, -** | cake |
| **weniger** | less |
| die **Fahrt, -en** | trip |
| **(sich) erinnern an** | to remember |
| der **Rahmen, -** | frame |
| **lustig** | fun, funny |
| **unternehmen** | to do, undertake |
| die **Einladung, -en** | invitation |
| **mitbringen** | to bring along |
| **übrigens** | by the way |
| die **Nachfrage, -n** | inquiry |

## Nach dem Lesen

Fragen Sie eine Person im Kurs. Schreiben Sie die Antworten auf.

1. Wie bleibst du mit deinen Freunden in Kontakt?
2. Wann hast du Geburtstag?
3. Was möchtest du zum Geburtstag?
4. Was machst du gern, wenn du mit Freunden weggehst? Wohin geht ihr?

[1]*gift certificate* [2]*dictionary* [3]wusste ... *did not know* [4]*picture frame*

## Blog Deutsch 101: Frau Schulz hat Geburtstag

| **Pinnwand** | **Etwas schreiben** | **Alle ansehen** |
|---|---|---|
| Zeige 16 von 16 Einträgen | | |

**Heidi schrieb**
*am Donnerstag um 14:36 Uhr*

Frau Schulz hat morgen Geburtstag. Wir sollten[1] ihr eine Freude machen. Hat jemand eine Idee?

**Shannon schrieb**
*am Donnerstag um 14:48 Uhr*

Wir können einen Kuchen backen. Das ist ein gutes Geschenk und nicht teuer.

**Noah schrieb**
*am Donnerstag um 15:01 Uhr*

Ich wusste gar nicht, dass Frau Schulz Geburtstag hat. Ein Kuchen ist eine gute Idee!

**Heidi schrieb**
*am Donnerstag um 15:05 Uhr*

Wir sollten sie überraschen! Ein Buch oder eine Kinokarte ist auch gut.

**Meili schrieb**
*am Donnerstag um 17:10 Uhr*

Nein, ein Buch ist eine weniger gute Idee! Wir können selbst etwas machen. Ein Foto von uns allen – dann vergisst sie uns nicht.

**Pedro schrieb**
*am Donnerstag um 17:18 Uhr*

Ich habe ein Bild von unserer letzten Kursfahrt. Wir sitzen alle am Tisch im Restaurant und Steve ist ganz nass, weil die Kellnerin die Limonade verschüttet[2] hat :)

**Meili schrieb**
*am Donnerstag um 17:20 Uhr*

Haha, daran erinnere ich mich noch sehr gut.

**Kayla schrieb**
*am Donnerstag um 17:27 Uhr*

Ich finde beide Ideen gut – den Kuchen und das Bild. Ich habe noch einen schönen Rahmen.

**Steve schrieb**
*am Donnerstag um 17:32 Uhr*

Das mit der Limonade war nicht lustig! :P Alles hat geklebt! ... Ich habe noch eine Idee: Wir können alle gemeinsam etwas unternehmen.

**Kayla schrieb**
*am Donnerstag um 17:41 Uhr*

Eine gute Idee. Wir schenken ihr eine Kinokarte und gehen gemeinsam mit ihr ins Kino.

**Meili schrieb**
*am Donnerstag um 17:47 Uhr*

Ins Kino gehen ist eine weniger gute Idee. Da kann man nicht reden. Bowlen wäre[3] doch super!

**Noah schrieb**
*am Donnerstag um 17:49 Uhr*

Also ein Bild, einen Kuchen und eine Einladung zum Bowlen. Dann geben wir ihr morgen früh das Bild und schreiben dazu: „Treffen Sie uns heute Abend um 20 Uhr bei der Bowlingbahn!"

**Heidi schrieb**
*am Donnerstag um 17:55 Uhr*

Ja, das ist eine tolle Idee. Pedro bringt das Bild mit. Kayla, bringst du bitte den Rahmen mit? Shannon, es wäre toll, wenn du einen Schokoladenkuchen backst und abends mitbringst.

**Kayla schrieb**
*am Donnerstag um 17:58 Uhr*

Natürlich! Mache ich!

**Shannon schrieb**
*am Donnerstag um 17:59 Uhr*

Ja, gern. Schokoladenkuchen kann ich besonders gut. Übrigens, hat jemand etwas von Miguel gehört? Weiß er Bescheid?

**Miguel schrieb**
*am Donnerstag um 18:00 Uhr*

Danke für die Nachfrage. Ich bin morgen auch dabei!

[1]*should* [2]*spilled* [3]*would be*

# Strukturen

## 3. What would you like? *Ich möchte ...*

**WISSEN SIE NOCH?**

The **Satzklammer** forms a frame or a bracket consisting of the main verb and either a separable prefix or an infinitive. The infinitive appears at the end of the sentence. Think of the **Satzklammer** used with separable-prefix verbs, and pattern your **möchte** sentences after it. Other verbs similar to **möchte** are explained in **Kapitel 3.**

Review **Strukturen 5** in **Kapitel 1.**

**möchte** = *would like*

Use **möchte** (*would like*) to express that someone would like to have something. The thing wanted is in the accusative case. **Möchte** is common in polite exchanges, for example in shops or restaurants.

| | |
|---|---|
| Phillip **möchte** einen Laptop. | *Phillip would like a laptop.* |
| **Möchten** Sie eine Tasse Kaffee? | *Would you like a cup of coffee?* |
| Ich **möchte** ein Bier. | *I would like a beer.* |

To say that someone would like to do something, use **möchte** with the infinitive of the verb that expresses the action.

| | |
|---|---|
| Daniel, **möchtest** du deinen Vater in Frankfurt **besuchen?** | *Daniel, would you like to visit your father in Frankfurt?* |

Following are the forms of **möchte.** Note that the **er/sie/es**-form does not follow the regular pattern: it does not end in **-t.**

| möchte | | | |
|---|---|---|---|
| ich | möchte | wir | möchten |
| du | möchtest | ihr | möchtet |
| Sie | möchten | Sie | möchten |
| er<br>sie<br>es | möchte | sie | möchten |

### Übung D. Der Wunschzettel

das Auto, die Kamera, das Pferd, die Brille, die Katze, der Plattenspieler, das Fahrrad, der Koffer, ~~der Ring,~~ der Fernseher, der Laptop, der Rucksack, der Hund, der Bildschirm, der Schlafsack

Was, glauben Sie, möchten diese Personen?

MODELL: Meine beste Freundin möchte einen Ring.

1. Ich _______
2. Mein bester Freund / Meine beste Freundin _______
3. Meine Eltern _______
4. Mein Kommilitone / Meine Kommilitonin _______
5. Mein Professor / Meine Professorin _______
6. Mein Bruder / Meine Schwester _______

### Übung E. Pläne

Was, glauben Sie, möchten diese Personen machen?

MODELL: Hannah möchte ihren Hund mitbringen.

| | |
|---|---|
| 1. Hannah ... | a. seine Mutter überraschen |
| 2. Noah ... | b. in ein neues Zimmer ziehen |
| 3. Phillip ... | c. eine Rechnung bezahlen |
| 4. Phan ... | d. ihren Hund mitbringen |
| 5. Julia ... | e. seinen Freund besuchen |
| 6. Steve ... | f. ein Video drehen |
| 7. Daniel ... | g. eine neue Tasche kaufen |

# 4. Word formation: Compound nouns (part one)

Word formation plays a much bigger role in German than it does in English. Where English often uses an adjective and a noun or two nouns, German uses a compound noun.

| | | |
|---|---|---|
| der Kredit + die Karte | die Kreditkarte | *credit card* |
| die Schokolade + der Kuchen | der Schokoladenkuchen | *chocolate cake* |
| der Abend + das Essen | das Abendessen | *evening meal* |
| das Wandern + die Schuhe | die Wanderschuhe | *hiking boots* |

A compound noun has the same gender as the final noun in the compound.

The gender of the compound noun is determined by the second or final noun, e.g., **der Gast + das Haus → das Gasthaus.** The first noun, which modifies the meaning of the compound noun, generally receives the main stress. The compound noun **Gasthaus** is stressed on **Gast.**

Wo ist das **Gạsthaus?** *Where is the guest house?*

## Übung F. Definitionen

**ACHTUNG!**

Some compound nouns add or remove certain letters when combining.

**Nasen: Nasenring**

**Schreiben: Schreibtisch**

This will be explained in more detail in **Kapitel 9.**

Ergänzen Sie die Substantive.

MODELL: Ein Ohrring ist ein *Ring* für das Ohr.

1. Ein Wörterbuch ist ein _______ für Wörter.
2. Ein Plattenspieler ist ein _______ für Platten.
3. Unisachen sind _______ für die Uni.
4. Ein Nasenring ist ein _______ für die Nase.
5. Eine Halskette ist eine _______ für den Hals.
6. Ein Rucksack ist ein _______ auf dem Rücken.
7. Ein Bademantel ist ein _______ für das Bad.
8. Hausaufgaben sind _______ für Zuhause.
9. Ein Esstisch ist ein _______ zum Essen[1].
10. Wanderschuhe sind _______ zum Wandern.
11. Die Haarfarbe ist die _______ des[2] Haars.
12. Der Geburtstag ist der _______ der[3] Geburt.
13. Eine Geburtstagskarte ist eine _______ für den Geburtstag.
14. Eine Geschäftsfrau ist eine _______, die[4] Geschäfte macht.

## Übung G. Wie nennt man das?

**ACHTUNG!**

An infinitive can be made into a noun to focus on the activity rather than on the doing of the act. Such nouns are neuter: **schwimmen** *to swim* → (das) **Schwimmen** *swimming*. They often combine with **zum** and are then comparable to English phrases with "for": **zum Schwimmen** = *for swimming.*

Stellen Sie Fragen nach dem Modell.

MODELL: ein Geschäft für Möbel →
S1: Was ist ein Geschäft für Möbel?
S2: Das ist ein Möbelgeschäft.

1. ein Ring fürs Ohr
2. ein Hemd für die Nacht
3. Schuhe für den Sport
4. eine Hose für den Sport
5. eine Karte für das Kino
6. ein Tisch zum Schreiben
7. ein Bad zum Schwimmen
8. ein Brett zum Surfen
9. die Farbe der Augen
10. ein Sack zum Schlafen

[1]zum Essen *for eating* [2]*of the* [3]*of* [4]*who*

# Situationen

## Kleidung und Aussehen

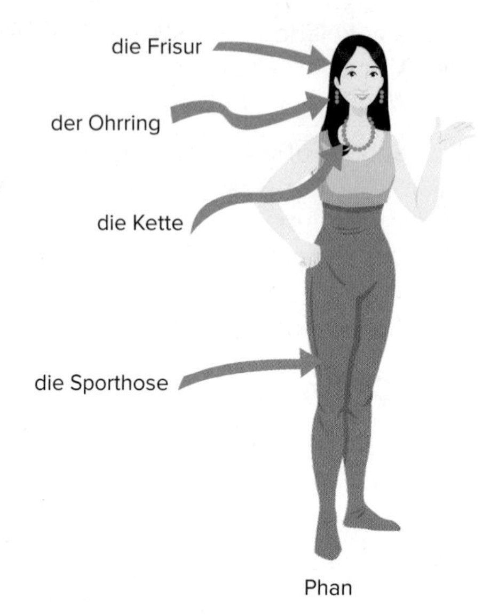


MEILI: Wie findest du ihre Frisur[1]?
KAYLA: Sieht echt gut aus!

PEDRO: Wie findest du seinen Bademantel?
STEVE: Nicht schlecht!

### Situation 9 **Veronika Frisch-Okonkwo**

Welche Wörter passen in die Lücken?

| | | | |
|---|---|---|---|
| **Füße (*pl.*)** | **Ring (*m.*)** | **Rock (*m.*)** | **passt** |
| **Frisur (*f.*)** | **trägt** | **Sonnenbrille (*f.*)** | **Handschuhe (*pl.*)** |
| **Sporthose (*f.*)** | | | |

Lydia Frisch erzählt: Meine Mutti ist immer gut gekleidet. Sie trägt meistens einen _________ und eine Bluse[2]. Sie _________ gerne Schmuck[3]. Ihre Halskette[4] _________ zu ihren Ohrringen und ihr _________ ist aus Gold. Im Winter trägt sie _________ aus Leder[5]. Im Sommer hat sie oft eine _________ auf der Nase, auch bei schlechtem Wetter. Selbst zu Hause ist sie immer schick[6] gekleidet. Wenn sie im Garten arbeitet, trägt sie eine _________ und ihre _________ stecken in schicken Sandalen. Und sie hat immer die neueste _________ .

[1]*haircut, hair style* [2]*blouse* [3]*jewelry* [4]*necklace* [5]*leather* [6]*chic*

## Situation 10 Interaktion: Wie findest du meine Sportschuhe?

1. Kreuzen Sie an, was Sie heute tragen.
2. Fragen Sie, wie Ihr Partner / Ihre Partnerin das findet.

MODELL: S1: Wie findest du meine Schuhe?
S2: Deine Schuhe? Nicht schlecht.

**super** **schick**
**hübsch** **Passt/Passen dir gut!**
**voll süß** **cool**
**Finde ich ganz toll!** **Sieht/Sehen gut aus.**
**Steht/Stehen dir gut!**

| | Was Sie heute tragen | Wie Ihr(e) Partner(in) das findet |
|---|---|---|
| *meine Jeans* | ☐ | |
| *meine Schuhe* | ☐ | |
| *meinen Rock* | ☐ | |
| *meinen Mantel* | ☐ | |
| *meinen Ring* | ☐ | |
| *meine Kette* | ☐ | |
| *mein Hemd* | ☐ | |

## Situation 11 Frau Grubers neuer Mantel

Bringen Sie die Sätze in die richtige Reihenfolge.

_____ Von Kaufland. Er ist wirklich sehr schön.
_____ Finde ich ganz toll. Sieht dick und warm aus. Woher haben Sie ihn?
__1__ Guten Tag, Frau Körner.
_____ Ach, mein Mantel ist auch schon so alt. Ich brauche dringend[1] etwas für den Winter.
_____ Guten Tag, Frau Gruber. Wie geht's denn so?
_____ Gehen Sie doch auch mal zu Kaufland. Da gibt es gute Preise.
_____ Danke, ganz gut. Wie finden Sie denn meinen neuen Mantel?

[1] *urgently*

| **Miniwörterbuch** | |
|---|---|
| **beide** | both; two |
| **bestehen (aus)** | to consist (of) |
| das **Lied, -er** | song |
| **fremd** | foreign |
| **stammen (aus)** | to derive, be (from) |
| **träumen** | to dream |
| **nah** | near, close |
| die **Flasche, -n** | bottle |
| **gestern** | yesterday |
| **leben** | to live |

## MUSIKSZENE

### „Meine beiden Schwestern" (2015, Österreich) *Wanda*

**Biografie** *Wanda* ist eine Indie-Rockgruppe aus Wien. Es gibt sie seit 2012. Sie besteht aus fünf Mitgliedern. Ihr Sänger heißt Marco. 2018 war das Lied „Columbo" Song des Jahres bei den Amadeus Austrian Music Awards. *Wanda* ist strikt gegen Fremdenhass, Frauenhass und Sexismus. Ihr Lied „Meine beiden Schwestern" stammt aus dem Jahr 2015.

Henrik Josef Boerger/picture alliance/Getty Images

Wanda

**NOTE:** For copyright reasons, the songs referenced in **MUSIKSZENE** have not been provided by the publisher. The song can be found online at various sites.

**Vor dem Hören** Wie fühlt man sich, wenn es einem emotional nicht gut geht? Was möchte man machen?

**Nach dem Hören**

Was sagt der Sänger zu seinen beiden Schwestern? Richtig (R) oder falsch (F)?

__ **1.** Man kann dabei träumen.

__ **2.** Wir sind traurige Gespenster[1].

__ **3.** Wir sind uns nah, wie die Flaschen von heute.

__ **4.** Man kann dabei leben.

__ **5.** Manchmal sind wir uns nah.

[1]*ghosts, spirits*

## Situation 12 Flohmarkt

Schreiben Sie fünf Sachen auf, die Sie verkaufen. Schreiben Sie auf, wer sie kauft und wie viel sie kosten.

MODELL: S1: Ich verkaufe meine Kette. Brauchst du eine Kette?
S2: Nein danke, ich brauche keine Kette.
*oder* Zeig mal. Ja, ich finde deine Kette toll. Was kostet sie?
S1: 2 Euro.
S2: Gut, ich nehme sie.

| | ZU VERKAUFEN | KÄUFER/KÄUFERIN | KOSTET/KOSTEN ... |
|---|---|---|---|
| 1. | ______ | ______ | ______ |
| 2. | ______ | ______ | ______ |
| 3. | ______ | ______ | ______ |
| 4. | ______ | ______ | ______ |
| 5. | ______ | ______ | ______ |

# Filmlektüre

## *SMS für Dich*

FILMANGABEN

**Titel:** *SMS für Dich*
**Genre:** Liebesfilm
**Erscheinungsjahr:** 2016
**Land:** Deutschland
**Dauer:** 107 min
**Regisseurin:** Karoline Herfurth
**Hauptrollen:** Karoline Herfurth, Nora Tschirner, Friedrich Mücke, Frederick Lau

Gregor Fischer/dpa picture alliance/Alamy

Nora Tschirner und Karoline Herfurth bei der Premiere von *SMS für Dich*.

### Vor dem Lesen

**A.** Schauen Sie auf das Foto und die Filmangaben und beantworten Sie die folgenden Fragen.

1. Beschreiben Sie die Personen: Kleidung, Haare, Persönlichkeit.
2. Was assoziieren Sie mit *SMS*[1] *für Dich*?

**B.** Lesen Sie die Wörter im Miniwörterbuch. Suchen Sie sie im Text und markieren Sie sie.

| Miniwörterbuch | |
|---|---|
| **zeichnen** | to draw |
| **sterben, stirbt** | to die |
| der **Unfall** | accident |
| **vergessen, vergisst** | to forget |
| **erfolgreich** | successful |
| **vermissen** | to miss |
| **nachdenklich** | thoughtful |
| **trotzdem** | nonetheless |
| **sich verlieben in** | to fall in love with |
| **Schluss machen** | to break it off |
| **helfen, hilft** | to help |
| **geschehen, geschieht** | to happen |

## Inhaltsangabe

Clara (Karoline Herfurth) zeichnet Kinderbücher. Ihr Freund Ben stirbt bei einem Unfall. Selbst zwei Jahre später kann sie ihn nicht vergessen und kann keine Kinderbücher mehr zeichnen. Sie zieht nach Berlin.

Ihre Freundin Katja (Nora Tschirner) möchte, dass Clara einen neuen Partner findet. Doch die Dates, die sie arrangiert, sind nicht erfolgreich. Clara vermisst ihren Freund so sehr, dass sie beginnt, ihm SMS-Nachrichten zu schreiben, in Form von kurzen nachdenklichen Tagebucheinträgen[2].

Die Telefonnummer ihres Freundes hat aber nun Mark (Friedrich Mücke), der als Journalist arbeitet. Mark liest die Nachrichten, schreibt aber nicht zurück. Er ist von Clara fasziniert. Ihre Nachrichten sind voller Melancholie und trotzdem voll Hoffnung. Langsam verliebt er sich in Clara. Er sucht sie und findet sie.

Clara weiß nicht, dass er sie gesucht hat, aber nun verliebt sie sich auch in ihn. Durch einen Zufall findet sie heraus, dass er die ganze Zeit ihre Nachrichten an ihren alten Freund gelesen hat. Sie wird böse und macht Schluss mit Mark. Doch Katja und Marks Freund David (Frederick Lau) helfen den beiden, dass sie wieder zusammenfinden.

[1]*text message* [2]*diary entries*

## Arbeit mit dem Text

Beantworten Sie die folgenden Fragen.

1. Welche Arbeit hat Clara?
2. Was geschieht mit ihrem Freund Ben?
3. Was macht Clara dann?
4. Wer ist Katja?
5. Was macht Katja für Clara?
6. Warum schreibt Clara SMS-Nachrichten an Bens Telefonnummer?
7. Wer hat Bens Telefonnummer?
8. Was denkt diese Person über Claras Nachrichten?
9. Was geschieht dann?
10. Was macht Clara, als sie herausfindet, dass Mark ihre Nachrichten gelesen hat[3]?
11. Gibt es trotzdem ein Happyend?

## Nach dem Lesen

Suchen Sie nach Informationen über die Schauspielerinnen Karoline Herfurth und Nora Tschirner im Internet.

1. Wann und wo sind sie geboren?
2. Wie heißen ihre ersten Filme?
3. In welchen anderen Filmen spielen sie mit?
4. Was erfahren Sie sonst noch Interessantes?

Jochen Tack/Alamy

Berlin-Kreuzberg

[3]gelesen ... *was reading*

# Strukturen

## 5. Possessive determiners

Use the possessive determiners **mein, dein,** and so forth to express ownership.

—Ist das **dein** Rucksack? — *Is this your backpack?*
—Nein, das ist nicht **mein** Rucksack. — *No, that's not my backpack.*
—Ist das Sofies Gitarre? — *Is this Sofie's guitar?*
—Ja, das ist **ihre** Gitarre. — *Yes, that's her guitar.*

Just as the personal pronoun **sie** can mean either *she* or *they*, the possessive determiner **ihr** can mean either *her* or *their*. When it is capitalized as **Ihr,** it means *your* and corresponds to the formal **Sie** (*you*).

Here are the nominative neuter forms of the possessive determiners.

| Singular | Plural |
|---|---|
| **mein** Auto (*my car*) | **unser** Auto (*our car*) |
| **dein** Auto (*your car*)<br>**Ihr** Auto (*your car*) | **euer** Auto (*your car*)<br>**Ihr** Auto (*your car*) |
| **sein** Auto (*his/its car*)<br>**ihr** Auto (*her/its car*) | **ihr** Auto (*their car*) |

Note the three German forms for English *your:* **dein** (*informal singular*), **euer** (*informal plural*), and **Ihr** (*formal singular* or *plural*).

Miguel und Pedro, wo sind **eure** Bücher? — *Miguel and Pedro, where are your books?*
Öffnen Sie **Ihre** Bücher auf Seite 133. — *Open your books to page 133.*

Possessive determiners have the same endings as **ein** and **eine.**
**ein** → **mein**
**eine** → **meine**
**einen** → **meinen**
[plural] → **meine**

Possessive determiners have the same endings as the indefinite article **ein.** They agree in case (*nominative* or *accusative*), gender (*masculine, neuter,* or *feminine*), and number (*singular* or *plural*) with the noun that they precede.

**Mein** Mantel ist warm. Möchtest du **meinen** Mantel tragen? — *My coat is warm. Would you like to wear my coat?*
Leon verkauft **seinen** Computer. — *Leon is selling his computer.*

Like **ein,** the forms of possessive determiners are the same in the nominative and accusative cases—except for the masculine singular, which has an **-en** ending in the accusative.

**Possessive Determiners: Nominative and Accusative Cases**

| | Mantel (*m.*) | Kleid (*n.*) | Kette (*f.*) | Schuhe (*pl.*) |
|---|---|---|---|---|
| *my* | mein<br>meinen | mein | meine | meine |
| *your* | dein<br>deinen | dein | deine | deine |
| *your* | Ihr<br>Ihren | Ihr | Ihre | Ihre |
| *his, its* | sein<br>seinen | sein | seine | seine |
| *her, its* | ihr<br>ihren | ihr | ihre | ihre |
| *our* | unser<br>unseren | unser | unsere | unsere |
| *your* | euer<br>euren | euer | eure | eure |
| *your* | Ihr<br>Ihren | Ihr | Ihre | Ihre |
| *their* | ihr<br>ihren | ihr | ihre | ihre |

## Übung H. Jan und Jana

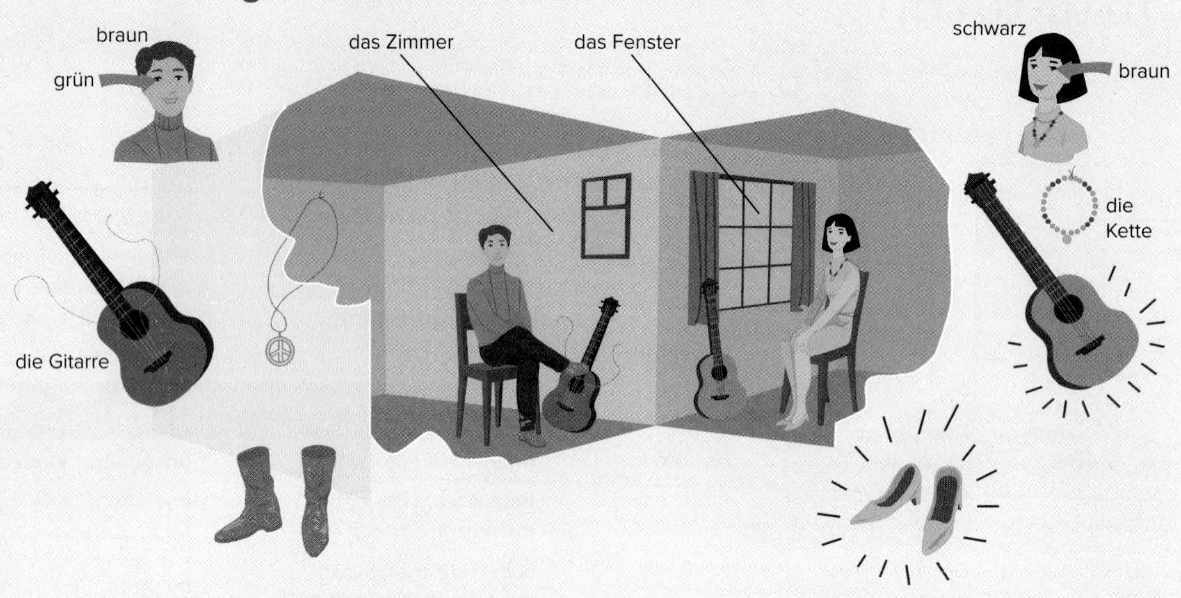


Beschreiben Sie Jan und Jana.

| | |
|---|---|
| Seine Haare sind braun. | Ihre Haare sind schwarz. |
| _______ Augen sind grün. | _______ Augen sind braun. |
| _______ Kette ist lang. | _______ Kette ist … |
| _______ Stiefel sind schmutzig. | _______ Schuhe sind … |
| _______ Gitarre ist alt. | … |
| _______ Zimmer ist groß. | … |
| _______ Fenster ist klein. | … |

## Übung I. Minidialoge

**WISSEN SIE NOCH?**

Use **du (dein)** and **ihr (euer)** to address people whom you know well and whom you address by their first name. Use **Sie (Ihr)** for all other people.

Review **Strukturen 5** in **Einführung A.**

Ergänzen Sie **dein, euer** oder **Ihr.** Verwenden Sie die richtige Endung.

1. FRAU GRUBER: Wie finden Sie meinen Mantel?
   HERR WAGNER: Ich finde _______ Mantel sehr schön.
2. KOBE: Weißt du, wo meine Brille ist, Veronika?
   VERONIKA: _______ Brille ist auf dem Tisch.
3. AYDAN CANDEMIR: Eske! Damla! Wo sind _______ Schuhe?
   ESKE UND DAMLA: Sie sind unter dem Bett, Mama.
4. HERR RUF: Hannah! _______ Freundin war da. Sie braucht ihr Buch zurück.
   HANNAH: Ja, gut. Ich nehme es morgen mit in die Schule.
5. HERR FUCHS: Wie heißt _______ Hund, Frau Körner?
   FRAU KÖRNER: Mein Hund heißt Ringo.
   HERR FUCHS: Wie süß!
6. MEILI: Morgen möchte ich zu meinen Eltern fahren.
   PEDRO: Wo wohnen _______ Eltern?
   MEILI: In Santa Cruz.
7. DANIEL: Phan und ich, wir verkaufen unseren Computer.
   ANDREAS: _______ Computer! Der ist so alt, den kauft doch niemand!

## Übung J. Flohmarkt

Sie und die Studierenden in Frau Schulz' Deutschkurs brauchen Geld und organisieren einen Flohmarkt. Schreiben Sie Sätze. Wer verkauft was?

MODELL: Shannon verkauft ihre CDs.

| | | | |
|---|---|---|---|
| Shannon | verkaufe | ihr | Bilderrahmen (der) |
| Noah | verkaufen | ihre | Ring (der) |
| ich | verkaufen | ihre | Wörterbuch (das) |
| Kayla | verkaufen | ihren | DVD-Spieler (der) |
| Pedro und Heidi | verkauft | ihren | CDs (*pl.*) |
| wir | verkauft | mein | Bücher (*pl.*) |
| Steve | verkauft | seine | Gitarre (die) |
| Meili und Miguel | verkauft | seinen | Büchertasche (die) |
| Frau Schulz | verkauft | unsere | Telefon (das) |

*Gina Sanders/123RF*

Auf dem Flohmarkt

# Situationen

## Freude

Herr Wagner schläft gern.

Max fährt gern Motorrad.

Sofie trägt gern Hosen.

Julia lädt gern Freunde ein.

Mert läuft gern im Wald.

Yusuf isst gern Eis.

Phillip liest gern Bücher.

Sumita sieht gern fern.

### Situation 13 Interview: Was machst du lieber?

MODELL: S1: Schwimmst du lieber im Meer oder lieber im Schwimmbad?
S2: Lieber im Meer.

1. Isst du lieber zu Hause oder im Restaurant?
2. Wirfst du lieber Bälle oder Bücher?
3. Fährst du lieber Fahrrad oder Motorrad?
4. Misst du deine Temperatur lieber mit dem Thermometer oder dem Smartphone?
5. Liest du lieber online oder auf Papier?
6. Vergisst du lieber deine Hausaufgaben oder deine Dates?
7. Trittst du lieber im Theater oder im Seminar auf?
8. Läufst du lieber im Wald oder in der Stadt?
9. Schläfst du lieber im Hotel oder im Zelt?

### Situation 14 Probleme, Probleme

Pedro spricht mit Heidi über seine Probleme. Heidi sagt ihm, was er machen soll.

MODELL: PEDRO: Ich vergesse alles.
HEIDI: Schreib es doch auf.

| | |
|---|---|
| 1. Ich vergesse alles. | a. Wach nicht so früh auf! |
| 2. Ich sehe den ganzen Tag fern. | b. Trink doch Cola! |
| 3. Ich arbeite zu viel. | c. Lies doch ein Buch! |
| 4. Ich bin so müde. | d. Mach doch eine Pause! |
| 5. Ich trinke zu viel Kaffee. | e. Schreib es doch auf! |
| 6. Ich esse zu viel Eis. | f. Fahr doch Fahrrad! |
| 7. Meine Jeans ist alt. | g. Iss lieber Joghurt! |
| 8. Ich koche nicht gern italienisch. | h. Lade doch deine Freunde ein! |
| 9. Das Wochenende ist langweilig. | i. Kauf doch eine neue Jeans! |
| 10. Ich fahre nicht gern Auto. | j. Koch doch chinesisch. |

## Situation 15 Informationsspiel: Was machen sie gern?

MODELL: S2: Was fährt Richard gern?
S1: Fahrrad.
S2: Was fährst du gern?
S1: _______________

| | Richard | Leon und Julia | mein(e) Partner(in) |
|---|---|---|---|
| *fahren* | Fahrrad | | |
| *tragen* | | Jeans | |
| *lesen* | Mangas | | |
| *sehen* | Fußball | | |
| *vergessen* | | ihr Alter | |
| *waschen* | sein Auto | | |
| *treffen* | seine Freundin | | |
| *einladen* | seinen Bruder | | |
| *sprechen* | | Englisch | |

## Situation 16 Bildgeschichte: Ein Tag in Phans Leben

## KULTUR ... LANDESKUNDE ... INFORMATIONEN

# GEFAHREN IM NETZ: WAS JUNGE MENSCHEN BEACHTEN MÜSSEN

### Vor dem Lesen

Fragen Sie Ihre Partner*in[†]!

1. Was ist im Internet für dich wichtig?
2. Welche Gefahren gibt es im Internet?
3. Worauf achtest du besonders?
4. Was machst du nie?

Santiago Nunez Iniguez/123RF

| Miniwörterbuch | |
|---|---|
| die **Gefahr, -en** | danger |
| **beachten** | to pay attention to |
| **ständig** | constant(ly) |
| **unterwegs sein** | to be on the go |
| der **Inhalt, -e** | content |
| **vorsichtig** | cautious(ly) |
| die **Regel, -n** | rule |
| das **Opfer, -** | victim |
| **behaupten** | to claim, argue |
| **schlimm** | bad |
| **mitteilen, teilt ... mit** | to share, tell |
| das **Spiel, -e** | game |
| **bezahlen** | to pay |
| der **Einfluss, ¨-e** | influence |
| **abhängig** | dependent, addicted |
| der **Unterschied, -e** | difference |
| **irgendein** | some, any |
| der **Platz, ¨-e** | place, spot |

### Arbeit mit dem Text

Zu welcher Gefahr im Internet gehört das? Ordnen Sie die Titel aus dem Text den Aussagen zu.

1. Sie finden einen tollen Film im Internet und er kostet nichts.
2. Die letzte Party war sehr lustig und Sie laden ein paar dumme Fotos hoch.
3. Sie machen oft keine Hausaufgaben, weil Sie viel online sind.
4. Eine Person aus einem Kurs schreibt immer wieder beleidigende Kommentare in den Chat.
5. Eine Bekannte oder ein Bekannter aus einem Chat möchte Fotos von Ihnen sehen.

Viele Menschen sind heute ständig im Internet unterwegs. Es kann aber sehr leicht geschehen, dass man die Gefahren im Internet vergisst. Fast jeder hat ein eigenes Smartphone oder einen Computer und nutzt zu Hause, im Beruf oder in der Schule digitale Inhalte. Man sollte dabei aber vorsichtig sein. Es gibt fünf wichtige Regeln.

**Wer ist wer im Netz.** Die Anonymität im Netz ist ein großes Problem. Jede(r) kann im Internet eine andere Identität annehmen[1]. Zum Beispiel können Erwachsene sich in Chats als Kinder oder Jugendliche ausgeben[2]. Andere Kinder oder Jugendliche können so Opfer von sexueller Belästigung[3] werden. REGEL NR. 1: Nur sichere Chats nutzen. Am besten ist es, wenn es eine Moderator*in gibt.

**Cybermobbing.** Cybermobbing ist eine konkrete Gefahr im Internet. Man kann zum Beispiel andere Menschen beleidigen oder falsche Dinge behaupten. Cybermobbing ist besonders schlimm, weil sich sensible[4] Inhalte wie Fotos oder Videos extrem schnell über das Internet verbreiten[5]. REGEL NR. 2: Niemals sensible Fotos oder Videos ins Netz stellen. Wenn Sie sich gemobbt fühlen, teilen Sie es jemandem mit.

**Copyright.** Viele Menschen laden aus dem Netz Spiele, Serien oder Filme illegal herunter. Dieser illegale Download ist aber strafbar[6] und kann zu hohen Geld- oder sogar Gefängnisstrafen[7] führen. REGEL NR. 3: Spiele oder Filme nur auf legalen Seiten herunterladen und, wenn nötig, dafür bezahlen.

**Das Internet vergisst nichts!** Man sagt, das Internet vergisst nie, weil etwas – ein dummes Urlaubsfoto[8] oder Video von einer Party – für immer im Netz bleibt, wenn man es einmal hochgeladen hat. REGEL NR. 4: Nie Inhalte hochladen, die einen negativen Einfluss auf das spätere Leben haben können.

**Das Internet kann abhängig machen.** Die Welt im Internet ist eine eigene digitale Welt, eine Welt, in der man sich schnell verlieren[9] kann. Es gibt viele Angebote und es gibt keinen Unterschied zwischen Tag und Nacht. Man vergisst die Zeit und an irgendeinem Platz auf der Welt ist immer jemand, der auch im Internet unterwegs ist. REGEL NR. 5: Nicht zu viel im Internet surfen und mehr Zeit mit realen Freund*innen verbringen.

[†]**Ihre Partner*in:** An asterisk between a masculine noun and the feminine noun suffix **-in** indicates that all social and biological genders are included. When articles or possessive determiners are used with such nouns, they usually have feminine endings (for example, **Ihre**). The gender asterisk (**Gendersternchen** in German) appears mostly in writing. If using it in speaking, some people pronounce it as a glottal stop, as though the **-in** were a separate word. A glottal stop is a momentary blockage of the airstream before a vowel in words like the English exclamation of alarm "Uh-oh!".

[1]*assume, take on* [2]sich als ... ausgeben *impersonate* [3]*harassment* [4]*sensitive* [5]sich verbreiten *are spread* [6]*punishable, criminal* [7]das Gefängnis = *prison* [8]der Urlaub = *vacation* [9]sich verlieren *get lost*

# Strukturen

## 6. The present tense of stem-vowel changing verbs

There are four types of stem vowel changes:

**a → ä, au → äu, e → i, e → ie.**

In some verbs, the stem vowel changes in the **du-** and the **er/sie/es-**forms.

| | |
|---|---|
| —**Schläfst** du gern? | *Do you like to sleep?* |
| —Ja, ich **schlafe** sehr gern. | *Yes, I like to sleep very much.* |
| Ich **lese** viel, aber Yusuf **liest** mehr. | *I read a lot, but Yusuf reads more.* |

These are the types of vowel changes you will encounter.

**a → ä**

| | | | |
|---|---|---|---|
| einladen: | du lädst* ... ein | er/sie/es lädt ... ein | *to invite* |
| fahren: | du fährst | er/sie/es fährt | *to drive* |
| halten: | du hältst | er/sie/es hält | *to stop; to hold* |
| schlafen: | du schläfst | er/sie/es schläft | *to sleep* |
| schlagen: | du schlägst | er/sie/es schlägt | *to hit, beat* |
| tragen: | du trägst | er/sie/es trägt | *to wear* |

**au → äu**[†]

| | | | |
|---|---|---|---|
| laufen: | du läufst | er/sie/es läuft | *to run* |

**e → i**

| | | | |
|---|---|---|---|
| auftreten: | du trittst ... auf | er/sie/es tritt ... auf | *to appear (e.g., on stage)* |
| essen: | du isst[‡] | er/sie/es isst | *to eat* |
| geben: | du gibst | er/sie/es gibt | *to give* |
| messen: | du misst[‡] | er/sie/es misst | *to measure* |
| nehmen: | du nimmst | er/sie/es nimmt | *to take* |
| sprechen: | du sprichst | er/sie/es spricht | *to speak* |
| sterben: | du stirbst | er/sie/es stirbt | *to die* |
| treffen: | du triffst | er/sie/es trifft | *to meet* |
| vergessen: | du vergisst[‡] | er/sie/es vergisst | *to forget* |
| werfen: | du wirfst | er/sie/es wirft | *to throw* |

**e → ie**[§]

| | | | |
|---|---|---|---|
| geschehen: | | es geschieht | *to happen* |
| lesen: | du liest[§] | er/sie/es liest | *to read* |
| sehen: | du siehst | er/sie/es sieht | *to see* |

| | |
|---|---|
| Daniel **läuft** jeden Tag 10 Kilometer. | *Daniel runs 10 kilometers every day.* |
| Yusuf **spricht** auch Arabisch. | *Yusuf also speaks Arabic.* |
| Michael **tritt** gern im Theater **auf.** | *Michael likes to perform in the theater.* |

*You have learned that verbs with stems ending in **-d** or **-t** insert an **-e-** before the **-st** and **-t** endings, for example: **finden > du findest.** However, verbs with a stem vowel change do *not* insert this **-e-**, for example: **laden > du lädst.**

[†] Recall that **äu** is pronounced as in English *boy.*

[‡] Recall that verb stems that end in **-s**, **-ß**, **-z**, or **-x** do not add **-st** in the **du**-form, but only **-t**.

[§] Recall that **ie** is pronounced as in English *niece.*

## Übung K. Minidialoge

**ACHTUNG!**

| | |
|---|---|
| —Läufst du **gern** in der Stadt? | *Do you like to jog in the city?* |
| —Nein, ich laufe **lieber** im Wald. | *No, I prefer jogging in the forest.* |

Ergänzen Sie das Pronomen.

1. JOHANNES: Seht _______[a] gern fern?
   ESKE UND DAMLA: Ja, _______[b] sehen sehr gern fern.
2. FRAU GRUBER: Lesen _______[a] die Zeitung?
   FRAU SCHNEIDER: Im Moment nicht. _______[b] lese gerade ein Buch.
3. HERR FUCHS: Isst Ihre Tochter gern Eis?
   HERR RUF: Nein, _______[a] isst lieber Joghurt. Aber da kommt mein Sohn, _______[b] isst sehr gern Eis.
4. PHAN: Wohin[1] fährst _______[a] im Sommer?
   ANDREAS: _______[b] fahre nach Spanien. Und wohin fahrt _______[c]?
   PHAN: _______[d] fahren nach England.

## Übung L. Max und Hannah

Ergänzen Sie das Verb. Verwenden Sie die folgenden Wörter.

| | |
|---|---|
| fahren (2×) | schlafen |
| geschehen | schlagen |
| lesen | vergessen |
| machen (2×) | werfen |

MICHAEL: Antonia, was _______[a] Hannah und Max gern?
ANTONIA: Hannah _______[b] sehr gern Fahrrad. Max _______[c] lieber Ball.
MICHAEL: _______[d] Max oft seine Hausaufgaben?
YUSUF: Ja, leider.
MICHAEL: Und was _______[e] dann?
YUSUF: Dann bekommt er Hausarrest. Er bekommt auch Hausarrest, wenn er mich _______[f].
MICHAEL: Hm, tut er das? Das ist nicht schön. Und ihr, was _______[g] ihr gern?
ANTONIA: Ich _______[h] gern Bücher und Yusuf _______[i] gern. Und im Winter _______[j] wir gern Snowboard.

## Übung M. Was machen Sie gern?

Sagen Sie, was Sie gern machen, und bilden Sie Fragen.

MODELL: ich/du: Fast Food essen →
Ich esse (nicht) gern Fast Food. Isst du auch (nicht) gern Fast Food?

1. wir/ihr: Deutsch sprechen
2. ich/du: meine Temperatur messen
3. ich/du: im Wald laufen
4. ich/du: Romane lesen
5. wir/ihr: Referate halten
6. ich/du: Freunde treffen
7. wir/ihr: die Hausaufgabe vergessen
8. ich/du: Aspirin nehmen
9. wir/ihr: Jeans tragen
10. ich/du: Verwandte einladen

[1] *Where*

## 7. Asking people to do things: The *du*-imperative

Drop the **-(s)t** from the **du**-form to get the **du**-imperative.

Use the **du**-imperative when addressing people you normally address with **du,** such as friends, relatives, other students, and the like. It is formed by dropping the **-(s)t** ending from the present-tense **du**-form of the verb. The pronoun **du** is not used.

| | | | |
|---|---|---|---|
| (du) arbeitest | → | Arbeite! | *Work!* |
| (du) isst | → | Iss! | *Eat!* |
| (du) kommst | → | Komm! | *Come!* |
| (du) öffnest | → | Öffne! | *Open!* |
| (du) siehst | → | Sieh! | *See!* |
| (du) tanzt | → | Tanz! | *Dance!* |

Verbs whose stem vowel changes from **a(u)** to **ä(u)** drop the umlaut in the **du**-imperative.

| | | | |
|---|---|---|---|
| (du) fährst | → | Fahr! | *Drive!* |
| (du) läufst | → | Lauf! | *Run!* |

**WISSEN SIE NOCH?**

To form commands for people you address with **Sie,** invert the subject and verb: **Sie kommen mit.** → **Kommen Sie mit!**

Review **Strukturen 1** in **Einführung A.**

Imperative sentences always begin with the verb.

| | |
|---|---|
| Trag mir bitte die Tasche. | *Please carry the bag for me.* |
| Öffne bitte das Fenster. | *Open the window, please.* |
| Reite nicht so schnell! | *Don't ride so fast!* |
| Sieh nicht so viel fern! | *Don't watch so much TV!* |

### Übung N. Ach, diese Geschwister!

Ihr kleiner Bruder macht alles falsch. Sagen Sie ihm, was er machen soll.

MODELL: Ihr kleiner Bruder isst zu viel. → Iss nicht so viel!

1. Ihr kleiner Bruder schläft den ganzen Tag.
2. Er liegt den ganzen Tag in der Sonne.
3. Er vergisst seine Hausaufgaben.
4. Er liest seine Bücher nicht.
5. Er sieht den ganzen Tag fern.
6. Er trinkt zu viel Cola.
7. Er sitzt den ganzen Tag am Computer.
8. Er trägt seine Brille nicht.
9. Er wirft seine Hosen auf den Boden.
10. Er treibt keinen Sport.

### Übung O. Vorschläge°

°*Suggestions*

Machen Sie einem Freund / einer Freundin Vorschläge.

MODELL: nicht zu spät ins Bett / gehen →
Geh nicht zu spät ins Bett!

1. heute ein Hemd / tragen
2. keine laute Musik / spielen
3. nicht allein im Park / laufen
4. deine Freunde / anrufen
5. deine Eltern mit einem Geschenk / überraschen
6. nicht zu lange in der Sonne / liegen
7. deine Hausaufgaben nicht / vergessen
8. mal wieder etwas Interessantes / unternehmen
9. den Wortschatz / lernen
10. früh / aufstehen

# Videoecke

## Perspektiven

Welches elektronische Gerät[1] ist für dich am wichtigsten[2]? Warum?

McGraw-Hill/Klic Video Productions

Am wichtigsten ist mir mein Laptop.

### Aufgabe 1 Hintergrund°

°*background*

Schauen Sie sich den Clip an. Was sehen Sie hinter[3] diesen Personen?

1. Judith ___

2. Sandra ___

3. Tina ___

4. Susan ___

5. Pascal ___

6. Martin ___

7. Felicitas ___

8. Albrecht ___

(1 to 8): McGraw-Hill/Klic Video Productions

a. Ein Boot fährt vorbei.
b. Wir sehen ein schönes historisches Gebäude[4] auf einem großen Platz.
c. Zwei junge Leute schieben ihre Fahrräder vorbei[5].
d. Wir sehen schöne Blumen[6].
e. Ein Taxi fährt vorbei.
f. Ein paar Leute stehen unter einer Laterne.
g. Wir sehen ein Café.
h. Wir sehen eine Statue mit der Inschrift[7] „Johann Sebastian Bach".

[1]*device* [2]am ... *most important* [3]*behind* [4]*building* [5]ihre Fahrräder vorbeischieben *walk their bicycles past* [6]*flowers* [7]*inscription*

## Aufgabe 2 Gründe°

°*reasons*

Warum sind diese elektronischen Geräte so wichtig? Ordnen Sie die Geräte und Gründe den Personen zu.

MODELL: Judith → ihr Laptop → Sie braucht ihn für Unisachen und das Internet.

| | PERSON | GERÄT | GRUND |
|---|---|---|---|
| 1. | Judith | sein Gitarrenverstärker[8] | Er kann ohne ihn keine Musik machen. |
| 2. | Sandra | sein Handy | Er schreibt seine Dissertation und schaut Filme an. |
| 3. | Tina | ihr Laptop | Er trägt es den ganzen Tag herum. |
| 4. | Susan | ihr MP3-Player | Sie braucht ihn für Unisachen und das Internet. |
| 5. | Pascal | ihr Radio | Sie hört gern Musik. |
| 6. | Martin | ihr Telefon | Sie hört gern Musik. |
| 7. | Felicitas | ihr Handy | Sie möchte immer erreichbar[9] sein. |
| 8. | Albrecht | sein Laptop | Sie ruft gern ihre Freunde und ihre Schwestern an. |

## Interviews

Maria

Simone

## Aufgabe 3 Hobbys

- Was für Hobbys hast du?
- Welche elektronischen Geräte hast du?
- Bist du bei Facebook oder einem anderen sozialen Netzwerk?
- Was machst du damit?
- Was hältst du davon?
- Was machst du sonst? Twitterst du? Chattest du?
- Trägst du gern Schmuck?
- Hast du ein besonderes Schmuckstück?

Wer ist das, Maria, Simone oder beide?

| | | MARIA | SIMONE | BEIDE |
|---|---|---|---|---|
| 1. | Sie geht gern schwimmen und macht Hula-Hoop. | ☐ | ☐ | ☐ |
| 2. | Sie macht ganz viel Sport. | ☐ | ☐ | ☐ |
| 3. | Sie hat ein Notebook, einen I-Pod und ein Handy. | ☐ | ☐ | ☐ |
| 4. | Sie hat einen Laptop und eine Stereoanlage. | ☐ | ☐ | ☐ |
| 5. | Sie ist bei Facebook. | ☐ | ☐ | ☐ |
| 6. | Sie chattet über Skype. | ☐ | ☐ | ☐ |
| 7. | Sie schreibt nur E-Mails. | ☐ | ☐ | ☐ |
| 8. | Sie trägt keinen Schmuck. | ☐ | ☐ | ☐ |
| 9. | Sie trägt gern Ketten und Ringe. | ☐ | ☐ | ☐ |

## Aufgabe 4 Interview

Interviewen Sie eine Partnerin oder einen Partner. Stellen Sie dieselben Fragen.

[8] *guitar amplifier* [9] *reachable*

# Wortschatz zum Lernen

| Besitz | Possessions |
|---|---|
| →**aus·sehen, sieht … aus** | to look, appear |
| →**glauben** | to believe |
| →**lösen** | to solve |
| →**möchte** | would like |
| →**recht haben, hat recht** | to be right |
| →**Sport treiben** | to do sports, work out |
| →**überraschen** | to surprise |
| →**zahlen** | to pay |
| →**ziehen** | to draw; pull; move |
| die **Hoffnung, -en** | hope |
| die **Katze, -n** | cat |
| die **Rechnung, -en** | bill; calculation |
| →die **Reise, -n** | trip, journey |
| →die **Sache, -n** | thing |
| die **Trauer** | sorrow |
| der **Computer, -** | computer |
| →**der Euro, -** | euro |
| der **Fernseher, -** | TV set |
| →der **Film, -e** | film |
| →der **Hund, -e** | dog |
| der **Rucksack, ¨e** | backpack |
| der **Schlafsack, ¨e** | sleeping bag |
| der **Schrank, ¨e** | wardrobe cabinet, cupboard |
| der **Schreibtisch, -e** | desk |
| der **Sessel, -** | armchair |
| →der **Spieler, -** | player |
| der **Teppich, -e** | carpet |
| das **Boot, -e** | boat |
| das **Fahrrad, ¨er** | bicycle |
| →das **Geld** | money |
| →das **Geschäft, -e** | store |
| das **Klavier, -e** | piano |
| das **Pferd, -e** | horse |
| →das **Problem, -e** | problem |
| das **Radio, -s** | radio |
| das **Regal, -e** | bookshelf, bookcase |
| das **Smartphone, -s** | smartphone |
| das **Zelt, -e** | tent |
| →**besser** | better |
| →**falsch** | wrong |
| →**gleich** | same, equal; right away |
| **wertvoll** | valuable, expensive |
| →**alles** | everything |
| →**dich** | you (informal, accusative case) |
| →**diese, dieser, dieses** | this, these |
| →**ein paar** | a few, some |
| →**jemand** | someone, somebody |
| →**kein, keine** | no, none |
| →**manche, mancher, manches** | some |
| →**morgen** | tomorrow |
| →**obwohl** | although |
| →**schon** | already |
| →**seit** | since; for |
| →**vielleicht** | perhaps |

| Geschenke | Gifts |
|---|---|
| →**drehen** | to turn, rotate; to shoot (*film*) |
| **ein·laden, lädt … ein** | to invite |
| →**finden** | to find |
| **mit·bringen** | to bring along |
| →**schlafen, schläft** | to sleep |
| →**sitzen** | to sit |
| **unternehmen, unternimmt** | to do, undertake |
| →**vergessen, vergisst** | to forget |
| →**wissen, weiß** | to know |
| die **Einladung, -en** | invitation |
| die **Freude, -n** | joy, pleasure |
| →die **Höhe, -n** | height; amount |
| die **Kamera, -s** | camera |
| →die **Nachfrage, -n** | inquiry; demand |
| die **Platte, -n** | vinyl (record); disk, board |
| die **Tasse, -n** | cup |
| der **Bildschirm, -e** | screen, display |
| →der **Gast, ¨e** | guest |
| →der **Kontakt, -e** | contact |
| →der **Rahmen, -** | frame |
| das **Bier, -e** | beer |
| das **Brett, -er** | board |
| das **Geschenk, -e** | gift |
| das **Instrument, -e** | instrument |
| das **Restaurant, -s** | restaurant |
| →das **Wort, ¨er** | word |
| **billig** | cheap(ly) |
| →**ganz** | complete(ly), whole (wholly), quite |
| **lustig** | fun, funny |
| →**natürlich** | natural(ly), of course |
| →**schwierig** | difficult |
| →**teuer** | expensive |
| →**toll** | neat, great |
| →**beide** | both; two |
| →**da** | there |
| →**etwas** | something |
| **heute Abend** | this evening |
| →**ihn** | him, it (accusative case) |
| →**selbst** | (one)self; even |
| →**übrigens** | by the way |
| →**wenn** | if, when |
| →**ziemlich** | quite, fairly |
| →**zusammen** | together |

| Kleidung und Aussehen | Clothes and Appearance |
|---|---|
| →**bringen** | to bring |
| →**geschehen, geschieht** | to happen |
| →**kosten** | to cost |
| →**leben** | to live |
| →**passen** | to match, go with |
| →**stammen (aus)** | to be, derive (from) |
| →**sterben, stirbt** | to die |
| **träumen** | to dream |
| →**verkaufen** | to sell |
| die **Kette, -n** | chain, necklace |
| die **Reihenfolge, -n** | order, sequence |
| der **Ring, -e** | ring |
| das **Lied, -er** | song |
| **dick** | thick, heavy; fat |
| →**echt** | real(ly) |
| →**erfolgreich** | successful(ly) |
| →**fremd** | foreign, strange(ly) |
| →**richtig** | right, correct(ly) |
| →**schlecht** | bad(ly) |
| **süß** | sweet(ly) |
| →**voll** | full(y), full of |
| →**Das steht / Die stehen dir gut!** | That looks / Those look good on you! |
| →**niemand** | nobody, no one |
| →**trotzdem** | nonetheless, despite that |

| Freude | Pleasure |
|---|---|
| **auf·wachen** | to wake up |
| →**essen, isst** | to eat |
| →**fahren, fährt** | to drive, ride |
| →**halten, hält** | to hold, stop |
| →**messen, misst** | to measure |
| →**mit·teilen** | to tell, share |
| →**schlagen, schlägt** | to hit, beat |
| →**sehen, sieht** | to see |
| →**stehen** | to stand, be in an upright position |
| →**treffen, trifft** | to meet |
| →**waschen, wäscht** | to wash |
| →**werfen, wirft** | to throw |
| →die **Gefahr, -en** | danger |
| der **Bus, -se** | bus |
| →der **Einfluss, ¨-e** | influence |
| →der **Grund, ¨-e** | reason, cause |
| →der **Kilometer, -** | kilometer |
| →der **Roman, -e** | novel |
| →der **Unterschied, -e** | difference |
| →der **Wald, ¨-er** | forest, woods |
| →das **Ding, -e** | thing |
| das **Eis** | ice, ice cream |
| das **Frühstück, -e** | breakfast |
| das **Handy, -s [hɛndi]** | cell phone |
| →das **Hotel, -s** | hotel |
| →das **Spiel, -e** | game |
| die **Verwandten** (*pl.*) | relatives |
| →**historisch** | historical(ly) |
| **langweilig** | boring |
| →**laut** | loud(ly) |
| →**schlimm** | bad(ly) |
| →**ständig** | constant(ly) |
| →**irgendein, irgendeine** | some, any |
| →**lieber** | rather, preferably |
| →**ohne** | without |
| →**sonst** | otherwise |
| →**unterwegs** | on the road, on one's way |
| →**zu** | too |

| Präpositionen | Prepositions |
|---|---|
| →**an** | at; on; to |
| **am Telefon** | on the phone |
| **ans Meer** | to the sea |
| →**bei** | with; at |
| **bei Hannah** | at Hannah's |
| →**bis** | until |
| **bis acht Uhr** | until eight o'clock |
| →**für** | for |
| →**zu** | to; for (*an occasion*) |
| **zum Geburtstag** | for someone's birthday |
| **zur Uni** | to the university |

KAPITEL 3

# Talente, Pläne, Pflichten

## Themen

Talente und Pläne

Pflichten

Dienste

Körperliche und geistige Verfassung

## Kulturelles

Kunst: Albrecht Anker (*Dorfschule*)

Musikszene: „Müssen nur wollen“ (Wir sind Helden)

KLI: Jugendschutz

KLI: Chatiquette: Sternchen, Abkürzungen und Akronyme

Videoecke: Fähigkeiten und Pflichten

## Strukturen

1. The modal verbs **können, wollen, mögen**
2. The modal verbs **müssen, sollen, dürfen**
3. Accusative case: Personal pronouns
4. Word formation: Feminine nouns in **-e**
5. Word order: Dependent clauses
6. Dependent clauses and separable-prefix verbs

## Lektüren

Zeitungsartikel: Ringe fürs Leben zu zweit

Film: *Vincent will Meer* (Ralf Huettner)

After completing **Kapitel 3,** you will be able to . . .

- request and provide information in everyday conversations about talents, obligations, intentions, and necessities by forming simple sentences and asking appropriate follow-up questions
- express, ask about, and react in some detail to preferences, feelings, or opinions on familiar topics by forming simple sentences
- understand the main idea and key information in short straightforward informational texts, popular songs, and conversations related to talents, obligations, intentions, and necessity
- present personal information about your and others' talents, obligations, intentions, and necessities using simple sentences and series of connected sentences in speaking and writing
- compare products and practices in your area with those in German-speaking countries with respect to talents, obligations, intentions, and necessities

Albrecht Anker: *Dorfschule* (1896), Kunstmuseum, Basel, Schweiz

## KUNST UND KUNSTSCHAFFENDE

Albert Anker (1831–1910) war ein Schweizer Maler und Grafiker des 19. Jahrhunderts. Die Ideen des Schweizer Pädagogen Johann Heinrich Pestalozzi und des Philosophen Jean-Jacques Rousseau waren sehr wichtig für ihn. In Ankers Bildern kommen sehr oft Kinder im Zusammenhang mit Schule und Bildung vor. Für Kinder auf dem Land war der Besuch einer Schule im 19. Jahrhundert nicht selbstverständlich.

Schauen Sie das Bild an und beantworten Sie die folgenden Fragen.

1. Welche Farben dominieren: blaue Farben, braune Farben, gelbe Farben, grüne Farben, rote Farben?
2. Welche Linien dominieren: gerade Linien oder krumme[1] Linien?
3. Welche Personen sehen Sie? Wie viele Kinder ungefähr? Wie viele Erwachsene?
4. Welche Möbel[2] sehen Sie: Bänke[3], Pulte[4], eine Tafel, einen Schrank, einen Schreibtisch?
5. Was sehen Sie noch: Bücher, Hefte, eine Tür, eine Uhr?
6. Was tragen die Schülerinnen und Schüler: Hemden und Hosen, Röcke, Jacken? Was trägt der Lehrer?
7. Was machen die Personen: hören sie zu, singen sie, tanzen sie, lesen sie, schreiben sie, sitzen sie, stehen sie, sprechen sie?
8. Was haben sie in der Hand: Bücher, einen Stock, eine Zeitung, Karten?

[1]*curved* [2]*pieces of furniture* [3]*benches* [4]*lecterns*

| Miniwörterbuch | |
|---|---|
| die **Malerin, -nen** / der **Maler, -** | painter |
| die **Idee, -n** | idea |
| der **Zusammenhang, ¨-e** | connection, context |
| **selbstverständlich** | (as) a matter of course |
| die **Linie, -n** | line |
| **gerade** | straight |
| **ungefähr** | approximately |
| der/die **Erwachsene, -n** | adult, grown-up |
| der **Stock, ¨-e** | stick, pointer |

# Situationen

## Talente und Pläne

Pedro kann wunderbar kochen.

Yamina und Sumita können gut zeichnen.

Claire kann gut Deutsch.

Julia und Leon wollen heute Abend zu Hause bleiben und lesen.

Phan will für ihre Mutter einen Pullover kaufen.

Sofie und Nesrin wollen tanzen gehen.

### Situation 1 Informationsspiel: Kann Kayla gut rechnen?

MODELL: S2: Kann Kayla gut rechnen?
S1: Ja, sehr gut. Kannst du rechnen?
S2: Ja, aber nicht so gut.

[++]
wunderbar
hervorragend
sehr gut
gut

[+]
ganz gut

[0]
nicht so gut
nur ein bisschen
gar nicht
kein bisschen

| | Kayla | Pedro | mein(e) Partner(in) |
|---|---|---|---|
| *rechnen* | sehr gut | | |
| *reden* | | wunderbar | |
| *erklären* | nur ein bisschen | | |
| *Witze erzählen* | ganz gut | | |
| *tanzen* | | sehr gut | |
| *Bilder beschreiben* | | nicht so gut | |
| *Begriffe definieren* | ganz gut | | |
| *Klavier spielen* | hervorragend | | |
| *werfen* | gut | | |
| *Sachen reparieren* | | nicht so gut | |

## Situation 2 Kochen

Bringen Sie die Sätze in die richtige Reihenfolge.

_____ Spaghetti esse ich besonders gern.
_____ Dann komm doch mal vorbei.
_____ Nicht so gut. Aber ich kann sehr gut Spaghetti machen.
_____ Kannst du chinesisch kochen?
__1__ Kochst du gern?
_____ Ja, ich koche sehr gern.
_____ Ja, gern! Vielleicht Samstag?
_____ Gut! Bis Samstag.

## Situation 3 Talente?

Was können die Personen? Was ist schwierig für sie? Suchen Sie die Personen im Bild und schreiben Sie ihre Namen in die Sätze.

1. ____________ kann hervorragend zeichnen.
2. ____________ können sehr gut Fotos machen.
3. ____________ kann nicht so gut Haare schneiden.
4. ____________ kann sehr gut Türkisch.
5. ____________ kann sehr gut Tischtennis spielen.
6. ____________ kann ihr Fahrrad reparieren.
7. ____________ können sehr gut werfen.
8. ____________ können nicht besonders gut Tango tanzen.

## Situation 4 Ferienpläne

Julia und Leon wollen beide einen Teil ihrer Ferien zu Hause in Regensburg verbringen, aber auch eine Reise machen. Was wollen sie wo machen? Können sie etwas zusammen machen? Hören Sie zu und ergänzen Sie die Tabelle.

NÜTZLICHE WÖRTER

| | |
|---|---|
| die Ausstellung | *exhibit* |
| außerdem | *in addition* |
| tauchen | *to dive* |
| die Querflöte | *transverse flute* |
| vorher | *before that* |
| die Garage | *garage* |
| aufräumen | *to clean up* |

| | Julia | Leon | beide zusammen |
|---|---|---|---|
| *in München* | | | |
| *zu Hause in Regensburg* | | | |
| *auf der Reise* | | | |

# Lektüre

**LESEHILFE**

Before starting to read, it is always useful to look at the complete text, the title, and any subtitles, accompanying pictures, tables, photos, or drawings, in order to get a general idea of what the text will be about. Look at this text, its title, subtitles, and its accompanying pictures. Then write down what the main topic of the text probably is and what subtopics it suggests.

## Vor dem Lesen

German and English are closely related languages and share many words. Sometimes the words look almost identical, with minor spelling variations such as German **k** or **z** for English *c*. Sometimes you have to use a little guesswork to see the English word in the German one, as in the word **Ägypter** (*Egyptian*). In the following text, highlight the words whose meanings you think you can guess by knowing English. (In a later activity, you will work with the underlined words.)

Symbole der Liebe

| Miniwörterbuch | |
|---|---|
| **nie** | never |
| **aufhören** | to end, stop |
| die **Welt, -en** | world |
| die **Leute** (*pl.*) | people |
| der **Schmerz, -en** | pain |
| **gelten, gilt** | to be valid, count |
| **unterschiedlich** | different, varying |
| die **Zukunft** | future |

# Ringe fürs Leben zu zweit

### Symbole ewiger[1] Liebe

Der **Ehering** symbolisiert ewige Liebe: Er hat keinen **Anfang** und kein Ende. So wie der Ring kein Ende hat, soll auch die Liebe nie aufhören. Er signalisiert aller Welt: Diese Person ist verheiratet. Jeder Ring kann zum Ehering werden. In Deutschland ist der Ehering oft ein einfacher goldener Ring. Zum Ehering wird ein Ring durch die eingravierte Schrift. Auch auf sehr schmale Ringe kann man die Vornamen der **Eheleute** und das Hochzeitsdatum eingravieren.

Wenn[2] der Ring einmal am Finger ist, darf er nie[3] mehr **herunter** kommen. Wenn der Ring kalt wird, wird auch die Liebe kalt. Wenn der Ring **zerbricht** oder wenn er **verloren** geht, dann ist das schlecht für die Liebe.

### Das Herz als Sitz der Liebe

Die alten Griechen und Ägypter trugen den Ehering am linken Ringfinger. Sie glaubten[4], dass eine Ader[5] von diesem Finger direkt zum **Herzen** führt. Sie glaubten, dass das Herz der Sitz der Liebe ist.

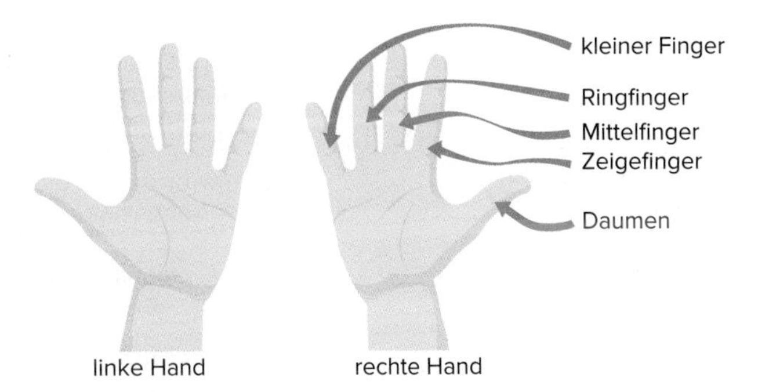


Ein bekannter **Kinderreim** lautet:

*Er (oder sie) liebt mich von Herzen,*
*mit Schmerzen,*
*oder gar nicht.*

Wenn man wissen möchte, ob die Person einen[6] liebt, dann pflückt man eine Blume und reißt ihr nacheinander alle Blütenblätter ab[7]. Bei jedem Blütenblatt sagt man eine Zeile des Reims. Das, was man beim letzten Blütenblatt sagt, gilt.

In Italien trägt man den Ring noch heute an der linken Hand. In Deutschland trägt man nur den Verlobungsring[8] an der linken Hand. Den Ehering trägt man an der rechten Hand.

[1]*of eternal* [2]*When, If* [3]darf ... *it must never* [4]*believed* [5]*vein, artery* [6]here: *you* [7]reißt ... *plucks all its petals off one by one* [8]*engagement ring*

## Arbeit mit dem Text

**A.** Guess the meaning of the boldface underlined words in the reading by looking at the context of the sentences in which they appear. Some hints are provided.

1. **Ehering.** HINT: **Ehering** is a compound of **Ehe** and **Ring.** Look at the drawing. What kind of rings are these? What might **Ehe** mean?
2. **Anfang.** HINT: the opposite of the noun **Ende**
3. **Eheleute.** HINT: You already guessed **Ehe. Leute** means people; what might the combination of these two words mean?
4. **herunter.** HINT: Because the second clause contains the phrase *must never,* **herunter** is probably the opposite of **am Finger.**
5. **zerbricht.** HINT: What bad things can happen to a ring? The root of this word is **brich.** German **ch** is often English *k.* What English word is spelled *br_____k* and is something bad?
6. **verloren.** HINT: Ignore the prefix **ver-** and the **-n** for a moment. German **r** is sometimes related to English *s.* What verb is this?
7. **Herzen/Herz.** HINT: **Herzen** is the dative form of **Herz.** What might be called the **Sitz der Liebe** (seat of love) and be connected to other parts of the body by a vein?
8. **Kinderreim.** HINT: **Kinder** appears in English words such as *kindergarten* and is already familiar to you. If you pronounce **Reim,** it sounds like *rhyme,* which is in fact its meaning. What might the combination of these two words mean?

**B.** Beantworten Sie die folgenden Fragen.

1. Warum symbolisiert ein Ring ewige Liebe?
2. Was signalisiert ein Ehering der Welt[1]?
3. Welche Ringe trägt man in Deutschland oft als Eheringe?
4. Was ist oft in Eheringen eingraviert?
5. Was geschieht, wenn der Ring vom Finger herunter kommt? Was glauben viele Leute?
6. Was macht man in Deutschland, wenn man wissen möchte, ob der Freund oder die Freundin einen liebt?
7. Was trägt man in Deutschland an der linken Hand und was an der rechten Hand?

## Nach dem Lesen

**A.** Gibt es in Ihrer Klasse unterschiedliche Traditionen und Kulturen? Sammeln Sie in Ihrem Kurs Antworten auf die folgenden Fragen.

1. Trägt man in Ihrer Kultur Eheringe? Wenn ja, an welchem Finger welcher Hand trägt man sie? Wenn nicht, wie signalisiert man, dass Menschen verheiratet sind? Oder signalisiert man es gar nicht? Kann ein Ring auch signalisieren, dass man Heiratspläne für die Zukunft hat?
2. Was macht man in Ihrer Kultur, wenn man herausfinden möchte, ob jemand einen liebt?

**B.** Was halten Sie von Symbolen, die zeigen, dass zwei Menschen einander lieben und miteinander durchs Leben gehen wollen? Finden Sie sie wichtig? Warum (nicht)?

[1]der ... *to the world*

# Strukturen

## 1. The modal verbs *können, wollen, mögen*

**WISSEN SIE NOCH?**

The **Satzklammer** forms a frame or a bracket consisting of a verb and either a separable prefix or an infinitive. This same structure is used with the modal verbs.

Review **Strukturen 5** in **Kapitel 1** and **Strukturen 3** in **Kapitel 2.**

Modal verbs, such as **können** (*can, to be able to, know how to*), **wollen** (*to want to*), and **mögen** (*to like to*), are auxiliary verbs that modify the meaning of the main verb. The main verb appears as an infinitive at the end of the clause.

The modal **können** usually indicates an ability or talent but may also be used to ask permission. The modal **wollen** expresses a desire or an intention to do something. The modal **mögen** expresses a liking; just like its English equivalent, *to like,* it is commonly used with an accusative object.

| | |
|---|---|
| Kannst du kochen? | *Can you cook?* |
| Kann ich mitkommen? | *Can I come along?* |
| Sofie und Nesrin wollen tanzen gehen. | *Sofie and Nesrin want to go dancing.* |
| Ich mag aber nicht tanzen. | *I don't like to dance, though.* |
| Magst du Sushi? | *Do you like sushi?* |

**können** = *can*
**wollen** = *to want to*
**mögen** = *to like (to)*

Modals do not have endings in the **ich-** and **er/sie/es-**forms. Note also that these modal verbs have one stem vowel in all plural forms and in the polite **Sie-**form, and a different stem vowel in the **ich-, du-,** and **er/sie/es-**forms.

| | können | wollen | mögen |
|---|---|---|---|
| *ich* | kann | will | mag |
| *du* | kannst | willst | magst |
| *Sie* | können | wollen | mögen |
| *er/sie/es* | kann | will | mag |
| *wir* | können | wollen | mögen |
| *ihr* | könnt | wollt | mögt |
| *Sie* | können | wollen | mögen |
| *sie* | können | wollen | mögen |

### Übung A. Talente

Teil A. **Wer kann das?**

MODELL: Ich kann Deutsch.
*oder* Wir können Deutsch.

1. Deutsch
2. gut rechnen
3. gut erklären
4. Klavier spielen
5. gut kochen
6. gut Karaoke singen
7. Witze erzählen
8. gut reden

mein Freund / meine Freundin
meine Eltern
ich/wir
mein Bruder / meine Schwester
der Professor / die Professorin

Teil B. **Kannst du das?**

MODELL: Gedichte schreiben → Kannst du Gedichte schreiben?
*oder* Könnt ihr Gedichte schreiben?

1. Gedichte schreiben du
2. Auto fahren ihr
3. Begriffe definieren
4. gut werfen
5. zeichnen
6. Tango tanzen
7. tauchen

## Übung B. Pläne und Fähigkeiten

**ACHTUNG!**

German **will** is not the equivalent of English *will*. Instead, it means "want(s)" or "intend(s) to."

Was können oder wollen diese Personen (nicht) machen?

MODELL: am Samstag / ich / wollen →
Am Samstag **will** ich **tanzen gehen.**

E-Mails lesen
Gitarre spielen
die Grammatik erklären
Haare schneiden
ins Kino gehen
nach Europa fliegen
schlafen
singen
Tennis spielen
Witze erzählen
zeichnen
_____?

1. heute Abend / ich / wollen
2. morgen / ich / nicht können
3. mein Freund (*oder* meine Freundin) / gut können
4. am Samstag / meine Freundin (*oder* mein Freund) / wollen
5. mein Freund (*oder* meine Freundin) und ich / wollen
6. im Winter / meine Eltern (*oder* meine Schwestern) / wollen
7. meine Brüder (*oder* meine Eltern) / gut können
8. meine Professorin (*oder* mein Professor) / gut können
9. am Wochenende / Sofie / wollen

# Situationen

## Pflichten

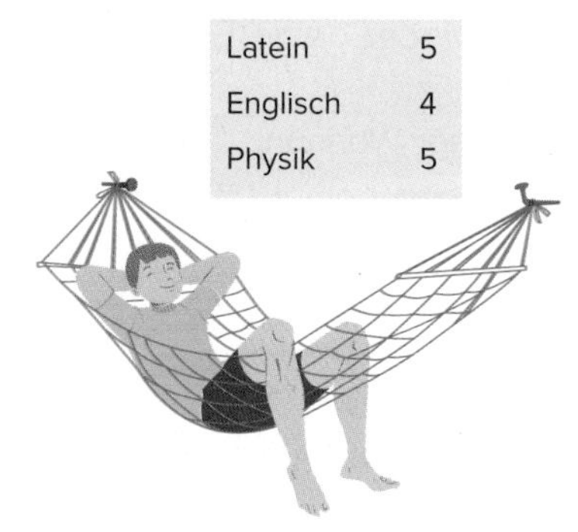


Max hat schlechte Noten. Er muss mehr lernen.

Er darf nicht mit seinen Freunden Skateboard fahren.

Hannah muss in der Schule besser aufpassen.

Sie darf in der Stunde nicht mit ihrer Freundin reden.

Hannah muss nach der Schule ihre Hausaufgaben machen.

### Situation 5 **Schlechtes Zeugnis!**

Max hat schlechte Noten in Latein, Englisch und Physik.

- Was muss er machen? Was darf er nicht machen? Kreuzen Sie an.
- Schreiben Sie dann noch eine Sache dazu, die er machen muss, und eine, die er nicht machen darf.
- Entscheiden Sie schließlich, was am wichtigsten ist (1), was weniger wichtig (2) und was am unwichtigsten (3).

| MUSS | DARF NICHT | | WIE WICHTIG? (1–3) |
|---|---|---|---|
| ☐ | ☐ | nach Österreich reisen | ______ |
| ☐ | ☐ | Physikprobleme lösen | ______ |
| ☐ | ☐ | den ganzen Tag in der Sonne liegen | ______ |
| ☐ | ☐ | seine Prüfungen bestehen | ______ |
| ☐ | ☐ | jeden Tag in die Schule gehen | ______ |
| ☐ | ☐ | im Unterricht träumen | ______ |
| ☐ | ☐ | mit seinen Freunden lernen | ______ |
| ☐ | ☐ | mit seinen Lehrerinnen und Lehrern sprechen | ______ |
| ☒ | ☐ | ______________________________ | ______ |
| ☐ | ☒ | ______________________________ | ______ |

## Situation 6 Interview: Studium und Alltag

1. Musst du neben dem Studium arbeiten? Wo arbeitest du? Wie viele Stunden pro Woche? Macht die Arbeit Spaß?
2. Kannst du gut Auto fahren? Hast du ein eigenes Auto? Fährst du gern Auto?
3. Musst du mal wieder deine Eltern besuchen? Wie oft besuchst du deine Eltern?
4. Darfst du in deiner Wohnung Tiere halten? Wenn ja, was für ein Tier hast du?
5. Musst du heute mathematische Probleme lösen? Wenn nicht, was machst du heute? Wenn ja, was machst du sonst noch? Was musst du sofort machen?
6. Kannst du jeden Tag bis Mittag schlafen? Wenn nicht, wann stehst du meist auf?
7. Musst du heute Rechnungen bezahlen? Wenn nicht, wann bezahlst du Rechnungen?
8. Darfst du schon Alkohol trinken? Wenn ja, was trinkst du gern?

## MUSIKSZENE

**„Müssen nur wollen" (2003, Deutschland) *Wir sind Helden***

**Biografie** *Wir sind Helden* kommen aus Berlin. Die Lead-Sängerin heißt Judith Holofernes. Sie schreibt auch die meisten Texte und Songs der Gruppe. Die Songs sind oft sehr kritisch. Der Hit „Müssen nur wollen" stammt aus dem Jahr 2003.

Wir sind Helden

*Christian Jakubaszek/Getty Images*

**NOTE:** For copyright reasons, the songs referenced in **MUSIKSZENE** have not been provided by the publisher. The song can be found online at various sites.

**Vor dem Hören** Was musst du tun, was willst du tun? Willst du, was du musst?

**Nach dem Hören**

**A.** Was sagt die Sängerin? Richtig (R) oder falsch (F)?

_____ **1.** In einer Hand trägt sie die Welt, mit der anderen Hand bietet sie Getränke an.

_____ **2.** Sie kann gar nichts.

_____ **3.** Alle sollen etwas wollen.

_____ **4.** Dressierte[1] Affen können alles schaffen.

_____ **5.** Sie kann glücklich sein und Konzerne leiten.

**B.** Was meinen Sie?

**1.** Kann man glücklich sein und Konzerne leiten?

**2.** Muss man alles tun, was man tun kann?

| Miniwörterbuch | |
|---|---|
| **tragen, trägt** | to carry |
| **anbieten** | to offer |
| das **Getränk, -e** | drink |
| **gar nichts** | nothing at all |
| der **Affe, -n** | monkey |
| **schaffen** | to achieve |
| der **Konzern, -e** | corporation |
| **leiten** | to lead, be head of |

[1]*trained*

## Situation 7 Dialog

Johannes trifft Kayla in der Cafeteria.

JOHANNES: Hallo, Kayla, ist hier noch ________?

KAYLA: Ja, klar.

JOHANNES: Ich ________, ich störe ________ nicht beim Lernen.

KAYLA: Nein, ich muss auch mal ________ machen.

JOHANNES: Was machst du denn?

KAYLA: Wir haben morgen eine ________ und ich ________ noch viele Begriffe definieren.

JOHANNES: ________ ihr viel für euren Kurs arbeiten?

KAYLA: Ja, ganz schön viel. Heute Abend ________ ich bestimmt nicht fernsehen, ________ ich so viel lernen muss.

JOHANNES: Ich glaube, ich ________ dich nicht länger. Viel ________ für die Prüfung.

KAYLA: Danke, tschüss.

## Situation 8 Steves Zimmer

Steves Mutter kommt zu Besuch[1]. Was muss Steve machen?

- den Papierkorb[2] leeren
- den Schrank zumachen
- die Katze aus dem Zimmer tragen
- das Fenster zumachen
- das Bett machen
- die Bücher gerade stellen
- das Bild an die Wand hängen
- die Kerzen anzünden
- das Zimmer in Ordnung bringen
- die Pflanze gießen[3]
- den Fernseher ausmachen
- den Boden sauber machen

Das ist Steves Zimmer.

So soll es sein.

[1]zu Besuch kommen *to visit* [2]*wastebasket* [3]*to water*

# KULTUR ... LANDESKUNDE ... INFORMATIONEN

## JUGENDSCHUTZ

### Vor dem Lesen

In welchem Alter darf man in Ihrem Land oder Staat ...

- Auto fahren?
- heiraten?
- in den Ferien arbeiten?

Nicht in jedem Alter darf man alles. In Deutschland regelt das Jugendschutzgesetz[1], in welchem Alter Kinder und Jugendliche etwas dürfen oder können.

**Mit 13 ...**

- darf man in den Ferien arbeiten. ABER: Die Eltern müssen es erlauben und die Arbeit muss leicht sein.

**Mit 14 ...**

- darf man im Restaurant Bier oder Wein trinken. ABER: Die Eltern müssen dabei sein[2].

**Mit 15 ...**

- kann man mit der Arbeit anfangen. ABER: Man darf nur 8 Stunden am Tag und 5 Tage in der Woche arbeiten.

**Mit 16 ...**

- darf man im Restaurant Bier oder Wein trinken (ohne Eltern).
- darf man zu Hause ausziehen. ABER: Die Eltern müssen es erlauben.
- darf man heiraten. ABER: Die Eltern müssen es erlauben. UND: Die Partner*in muss über 18 Jahre alt sein.
- darf man bis 24.00 Uhr in die Disko gehen.

**Mit 17 ...**

- darf man begleitet[3] Auto fahren.

**Mit 18 ...**

- darf man allein Auto fahren.
- darf man ohne Erlaubnis heiraten.
- darf man wählen.
- darf man im Kino alle Filme sehen.
- darf man im Restaurant Alkohol trinken.
- darf man so lange in die Disko gehen, wie man will.
- darf man rauchen.

In Deutschland ist man mit 18 Jahren erwachsen.

[1]*law for the protection of minors* [2]dabei ... *be present* [3]*accompanied*

Dragana Gordic/Shutterstock

Mit 17 darf man Auto fahren.

**Miniwörterbuch**

| | |
|---|---|
| das **Gesetz, -e** | law |
| der/die **Jugendliche, -n** | teenager, youth |
| **erlauben** | to permit, allow |
| **ausziehen (zieht ... aus)** | to move away |
| **wählen** | to vote, choose, select |
| **rauchen** | to smoke |
| **erwachsen** | grown-up |

### Arbeit mit dem Text

Was darf oder ist man in Deutschland in welchem Alter? Ergänzen Sie die Tabelle.

| | Mit ... Jahren |
|---|---|
| Alkohol trinken | |
| alle Filme sehen | |
| arbeiten | |
| Auto fahren | |
| erwachsen | |
| heiraten | |
| in die Disko gehen | |
| rauchen | |
| wählen | |

# Strukturen

## 2. The modal verbs *müssen, sollen, dürfen*

**müssen** = *must*
**sollen** = *to be supposed to*
**dürfen** = *may*

The modal **müssen** stresses the necessity to do something. The modal **sollen** is less emphatic than **müssen** and may imply an obligation or a strong suggestion made by another person. The modal **dürfen,** used primarily to indicate permission, can also be used in polite requests.

| | |
|---|---|
| Max muss mehr lernen. | *Max has to study more.* |
| Vati sagt, du sollst sofort nach Hause kommen. | *Dad says you're supposed to come home immediately.* |
| Frau Schulz sagt, du sollst morgen zu ihr kommen. | *Ms. Schulz says you should come to see her tomorrow.* |
| Darf ich die Kerzen anzünden? | *May I light the candles?* |

| | **müssen** | **sollen** | **dürfen** |
|---|---|---|---|
| *ich* | muss | soll | darf |
| *du* | musst | sollst | darfst |
| *Sie* | müssen | sollen | dürfen |
| *er/sie/es* | muss | soll | darf |
| *wir* | müssen | sollen | dürfen |
| *ihr* | müsst | sollt | dürft |
| *Sie* | müssen | sollen | dürfen |
| *sie* | müssen | sollen | dürfen |

**nicht müssen** = *to not have to, to not need to*
**nicht dürfen** = *mustn't, must not*

When negated, the English expressions *to have to* and *must* undergo a change in meaning. The expression *not have to* implies that there is no need to do something, while *must not* implies a strong prohibition. These two distinct meanings are expressed in German by **nicht müssen** and **nicht dürfen,** respectively.

| | |
|---|---|
| Du musst das nicht tun. | *You don't have to do that.* |
| | or: *You don't need to do that.* |
| Du darfst das nicht tun. | *You mustn't do that.* |

### Übung C. Hannah hat eine schlechte Note in Englisch.

Was soll sie machen? Was muss sie machen? Was darf sie nicht machen?

1. mit Max zusammen lernen
2. den ganzen Abend fernsehen
3. in der Klasse aufpassen und mitschreiben
4. jeden Tag tanzen gehen
5. jeden Tag ihren Wortschatz lernen
6. amerikanische Filme im Original sehen
7. für eine Woche nach London fahren
8. fleißig[1] die englische Grammatik lernen

[1] *diligently*

## Übung D. Minidialoge

> **ACHTUNG!**
>
> Remember the two characteristics of modal verbs:
>
> 1. no ending in the **ich-** and **er/sie/es-**forms;
> 2. one stem vowel in the **ich-, du-,** and **er/sie/es-**forms and a different one in the plural, the formal **Sie,** and the infinitive. (Note, however, that **sollen** has the same stem vowel in all forms.)

Ergänzen Sie **können, wollen, müssen, sollen, dürfen.**

1. MIGUEL: Hallo, Meili. Pedro und ich gehen ins Kino. _______[a] du nicht mitkommen?
   MEILI: Ich _______[b] schon, aber leider _______[c] ich nicht mitkommen. Ich _______[d] arbeiten.
2. MAX: Vati, _______[a] ich mit Phillip fischen[1] gehen?
   VATER: Nein! Du hast schlechte Noten. Du _______[b] zu Hause bleiben und deine Hausaufgaben machen.
   MAX: Aber, Vati! Meine Hausaufgaben _______[c] ich doch heute Abend machen.
   VATER: Nein, Max! Aber wenn du möchtest, _______[d] du zu Phillip gehen und dann _______[e] ihr eure Hausaufgaben zusammen machen.
3. HEIDI: Hallo, Steve. Frau Schulz sagt, du _______[a] morgen in ihre Sprechstunde[2] kommen.
   STEVE: Morgen _______[b] ich nicht, ich habe keine Zeit.
   HEIDI: Das _______[c] du Frau Schulz schon selbst sagen. Tschüss.

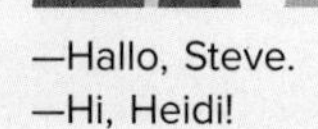
—Hallo, Steve.
—Hi, Heidi!

Dmitriy Shironosov/123RF

[1]fishing [2]office hours

# Situationen

## Dienste

MARIA: Der Fernseher läuft ja den ganzen Tag.
MICHAEL: Soll ich ihn ausmachen?

FRAU KÖRNER: Ich finde den Mantel einfach toll!
FRAU GRUBER: Kaufen Sie ihn doch!

AYDAN: Die Tasche ist so schwer.
ESKE: Komm, Mama, ich trage sie.

PRINZESSIN: Hier ist mein Taschentuch[1]. Du darfst mich nie vergessen.
PRINZ: Nein, Geliebte, ich vergesse dich nie!

PHANS FREUNDIN: Samstag geben wir eine Party. Ich möchte euch gern einladen.

RAQUEL UND MEIKE: Hallo, wir wollen nach Regensburg. Nehmt ihr uns mit?

### Situation 9 **Minidialoge**

Was passt?

1. Es ist kalt und das Fenster ist offen!
2. Der Wein ist gut.
3. Du hast nächste Woche Geburtstag?
4. Der Koffer ist so schwer.
5. Die Suppe ist wirklich gut!
6. Wie findest du die Sängerin *Namika*?
7. Die Wohnung ist schmutzig.

a. Komm, ich trage ihn.
b. Machen Sie es bitte zu.
c. Darf ich ihn probieren?
d. Ich mag sie aber nicht.
e. Ja, ich gebe eine Party und ich lade euch ein.
f. Ich mache sie morgen sauber.
g. Ich mag sie ganz gern.

[1]*handkerchief*

## Situation 10 Dialog

Heidi sucht einen Platz in der Cafeteria.

HEIDI: Entschuldigung, ____________?
STEVE: Ja, klar.
HEIDI: Danke.
STEVE: ____________?
HEIDI: Ja, ich glaube schon. Bist du nicht auch in dem Deutschkurs um neun?
STEVE: Na, klar. Jetzt ____________ ich's wieder. Du ____________ Stefanie, nicht wahr?
HEIDI: Nein, ich heiße Heidi.
STEVE: Ach ja, richtig ... Heidi. Ich heiße Steve.
HEIDI: ____________ kommst du eigentlich, Steve?
STEVE: ____________ Iowa City, und du?
HEIDI: Ich bin aus Berkeley. Und was studierst du?
STEVE: ____________. Vielleicht Sport, vielleicht Geschichte oder vielleicht Deutsch.
HEIDI: Ich studiere auch Deutsch, Deutsch und ____________. Ich möchte in Deutschland bei einer amerikanischen Firma arbeiten.
STEVE: Toll! Da verdienst du sicherlich viel Geld.
HEIDI: ____________.

## Situation 11 Rollenspiel: In der Mensa[1]

S1: Sie studieren an der Uni in Regensburg. Sie suchen in der Mensa einen Platz und setzen sich zu jemand an den Tisch. Fragen Sie, wie er/sie heißt, woher er/sie kommt und was er/sie studiert.

*Mixa/Getty Images*

## Situation 12 Ratespiel

Was ist das?

1. _____ Michael muss sie regelmäßig schneiden.
2. _____ Man bietet es an.
3. _____ Lydia muss es manchmal reparieren.
4. _____ Man wirft ihn.
5. _____ Man trägt ihn am Finger.
6. _____ Kayla kann ihn gut definieren.
7. _____ Man leitet ihn.

a. der Ball
b. der Ring
c. das Fahrrad
d. das Getränk
e. der Konzern
f. die Haare
g. der Begriff

[1] *student cafeteria*

# Filmlektüre

## *Vincent will Meer*

FILMANGABEN

**Titel:** *Vincent will Meer*
**Genre:** Road Movie, Tragikomödie
**Land:** Deutschland
**Erscheinungsjahr:** 2010
**Dauer:** 96 Min.
**Regisseur:** Ralf Huettner
**Hauptrollen:** Florian David Fitz, Karoline Herfurth, Johannes Allmayer, Heino Ferch, Katharina Müller-Elmau

### Miniwörterbuch

| | |
|---|---|
| **leiden (an)** | to suffer (from) |
| **erfüllen** | to fulfill |
| **fliehen** | to flee |
| **stehlen, stiehlt** | to steal |
| **entwickeln** | to develop |
| **zusammenbrechen, bricht ... zusammen** | to collapse |
| **unterwegs** | along the way |
| **bitten** | to ask, request |
| **aussteigen** | to get out |

### Vor dem Lesen

**A.** Beantworten Sie die Fragen.

1. Was sehen Sie im Bild?
2. Warum sind die drei Leute in dem Auto? Sind sie im Urlaub oder auf der Flucht? Sind sie Freunde oder streiten sie?
3. Wer spielt in dem Film die Hauptrollen?

**B.** Lesen Sie die Wörter im Miniwörterbuch. Suchen Sie sie im Text und markieren Sie sie.

Marie, Vincent und Alexander



## Inhaltsangabe

Vincent (Florian David Fitz) leidet am Tourette-Syndrom und muss nach dem Tod seiner Mutter in eine Klinik, weil sein Vater (Heino Ferch) es so will. Der Vater ist Politiker und nicht sehr nett zu seinem Sohn. In der Klinik trifft Vincent die magersüchtige[1] Marie (Karoline Herfurth) und seinen zwangsneurotischen[2] Zimmergenossen Alexander (Johannes Allmayer). Da Vincent den letzten Wunsch seiner Mutter erfüllen möchte, noch einmal das Meer zu sehen, fliehen die drei aus der Klinik. Sie stehlen das Auto der Therapeutin Dr. Rose (Katharina Müller-Elmau) und fahren nach Italien. Die Asche[3] seiner Mutter hat Vincent in einer Bonbondose[4] dabei. Vincents Vater fährt zusammen mit Dr. Rose hinterher. Zuerst will er nur seinen Sohn wieder zurück in die Klinik bringen, doch während der Zeit, die er mit der Ärztin verbringt, entwickelt er neue Gefühle für ihn. Vincent, Marie und Alex kommen über Umwege[5] ans Meer. Marie bricht dort wegen ihrer Magersucht zusammen und kommt ins Krankenhaus. Vincent und Alex fahren zusammen mit Dr. Rose und Vincents Vater wieder zurück nach Deutschland. Unterwegs bittet Vincent seinen Vater, ihn aussteigen zu lassen, und geht zurück nach Triest, wo Marie nach ihrem Herzanfall[6] noch immer im Krankenhaus liegt. Alex folgt ihm.

### Arbeit mit dem Text

Richtig (R) oder falsch (F)? Verbessern Sie die falschen Aussagen.

_____ 1. Vincent muss in eine Klinik, weil sein Vater tot ist.
_____ 2. Alexander und Marie leben auch in der Klinik.
_____ 3. Vincent möchte ans Meer.
_____ 4. Die drei fahren mit der Therapeutin Dr. Rose nach Italien.
_____ 5. Marie muss am Meer ins Krankenhaus.
_____ 6. Vincent und Alexander fahren mit dem Vater nach Triest.

### Nach dem Lesen

Suchen Sie im Internet.

1. Wer hat das Originaldrehbuch[7] zu „Vincent will Meer" geschrieben[8]?
2. Welche Preise hat der Film bekommen?
3. Wie heißt die amerikanische Neuverfilmung[9]?

[1]*anorexic* [2]*obsessive-compulsive* [3]*ashes* [4]*candy tin* [5]*detours* [6]*heart attack*
[7]*screenplay* [8]hat geschrieben *wrote* [9]*remake*

# Strukturen

## 3. Accusative case: Personal pronouns

As in English, certain German pronouns change depending on whether they are the subject or the object of a verb.

**Ich** möchte mitkommen. — *I would like to come along.*
Nimmst du **mich** mit? — *Will you take me with you?*
**Er** kommt aus Wien. — *He is from Vienna.*
Kennst du **ihn**? — *Do you know him?*

A. First- and second-person pronouns: nominative and accusative forms

**WISSEN SIE NOCH?**

The accusative case is used to indicate direct objects of verbs.

Review **Strukturen 1** in **Kapitel 2.**

| Nominative | | Accusative | |
|---|---|---|---|
| ich | *I* | mich | *me* |
| du | *you* | dich | *you* |
| Sie | *you* | Sie | *you* |
| wir | *we* | uns | *us* |
| ihr | *you* | euch | *you* |
| Sie | *you* | Sie | *you* |

Wer bist **du?** Ich kenne **dich** nicht. — *Who are you? I don't know you.*
Wer seid **ihr?** Ich kenne **euch** nicht. — *Who are you (people)? I don't know you.*

B. Third-person pronouns: nominative and accusative forms

| | Nominative | | Accusative | |
|---|---|---|---|---|
| *Masculine* | er | *he* | ihn | *him, it* |
| *Feminine* | sie | *she* | sie | *her, it* |
| *Neuter* | es | *it* | es | *it* |
| *Plural* | sie | *they* | sie | *them* |

**der → er**
**den → ihn**
**das → es**
**die → sie**

Recall that third-person pronouns reflect the grammatical gender of the noun they stand for: **der Film → er; die Gitarre → sie; das Foto → es.** This relationship also holds true for the accusative case: **den Film → ihn; die Gitarre → sie; das Foto → es.** Note that only the masculine singular pronoun has a different form in the accusative case.

Wo ist der Spiegel? Ich sehe **ihn** nicht. — *Where is the mirror? I don't see it.*

Das ist meine Schwester Jasmin. Du kennst **sie** noch nicht. — *This is my sister Jasmin. You don't know her yet.*

—Wann kaufst du die Bücher? — *—When will you buy the books?*
—Ich kaufe **sie** morgen. — *—I'll buy them tomorrow.*

## Übung E. Minidialoge

Ergänzen Sie **mich, dich, uns, euch, Sie.**

1. KAYLA: Holst du mich heute Abend ab, wenn wir ins Kino gehen?
   NOAH: Natürlich hole ich _______ ab!
2. STEVE: Hallooo! Hier bin ich, Miguel! Siehst du _______[a] denn nicht?
   MIGUEL: Ach, *da* bist du. Ja, jetzt sehe ich _______[b].
3. SARAH: Guten Tag, Frau Schulz. Sie kennen _______ noch nicht. Wir sind neu in Ihrer Klasse. Das ist Caleb, und ich bin Sarah.
   FRAU SCHULZ: Guten Tag, Caleb. Guten Tag, Sarah.
4. SHANNON: Hallo, Miguel. Hallo, Noah. Kayla und ich besuchen _______ heute.
   MIGUEL UND NOAH: Toll! Bringt Kuchen mit!
5. STEVE: Heidi, ich mag _______[a]!
   HEIDI: Das ist schön, Steve. Ich mag _______[b] auch.
6. FRAU SCHULZ: Spreche ich laut genug? Verstehen Sie _______[a]?
   ALLE: Ja, wir verstehen _______[b] sehr gut, Frau Schulz.
7. STEVE UND MIGUEL: Auf Wiedersehen, Frau Schulz! Schöne Ferien! Und vergessen Sie uns nicht!
   FRAU SCHULZ: Natürlich nicht! Wie kann ich _______ denn je vergessen?

## Übung F. Der Deutschkurs

**das → es**
**den → ihn**
**die → sie**

MODELL: Machst du gern **das** Arbeitsbuch[1] für ***Kontakte***? →
Ja, ich mache **es** gern.
*oder*: Nein, ich mache **es** nicht gern.

1. Machst du gern **das** Arbeitsbuch für ***Kontakte***?
2. Kannst du **das** deutsche Alphabet aufsagen?
3. Kennst du **den** beliebtesten deutschen Vornamen für Jungen?
4. Liest du gern **die** Grammatik?
5. Lernst du gern **den** Wortschatz?
6. Kennst du **die** Studierenden im Kurs?
7. Vergisst du oft **die** Hausaufgaben?
8. Magst du **deinen** Dozenten oder **deine** Dozentin?

Hero Images/Getty Images

[1] *workbook*

## Übung G. Was machen diese Personen?

Beantworten Sie die Fragen negativ.

MODELL: Kauft Michael das Buch? →
Nein, er kauft es nicht, er liest es.

Verwenden Sie diese Verben.

| | |
|---|---|
| anrufen, ruft an | kaufen |
| anziehen, zieht an | schreiben |
| anzünden, zündet an | trinken |
| ausmachen, macht aus | verkaufen |
| essen, isst | waschen, wäscht |

1. Liest Maria den Brief?

2. Isst Michael die Suppe?

3. Macht Maria den Fernseher an?[1]

4. Kauft Michael das Auto?

5. Zieht Michael die Hose aus?

6. Trägt Maria den Rock?

7. Bestellt Michael das Schnitzel?

8. Besucht Michael seinen Freund?

9. Trocknet[2] Maria ihr Haar?

10. Bläst Michael die Kerzen aus[3]?

[1]anmachen *to turn on* [2]*to dry* [3]ausblasen *to blow out*

## 4. Word formation: Feminine nouns in *-e*

Many German verbs have counterparts that are feminine nouns ending in **-e.** You will be able to tell the meaning of such nouns if you know the meaning of the verb, or vice versa. For example, if you know the verb **lieben** (*to love*), you will understand the noun **die Liebe** (*love*). Some have small differences between the two words, for example, **geben** (*to give*) and **die Gabe** (*gift*).

Here is a list of examples drawn from the verbs and nouns you have encountered so far together with their counterparts.

| Verbs | | Nouns | |
|---|---|---|---|
| angeben | *to specify* | die Angabe | *specification* |
| aufgeben | *to assign* | die Aufgabe | *assignment, task* |
| aussagen | *to state* | die Aussage | *statement* |
| bitten | *to request* | die Bitte | *request* |
| folgen | *to follow* | die Folge | *sequence* |
| fragen | *to ask* | die Frage | *question* |
| geben | *to give* | die Gabe | *gift* |
| helfen | *to help* | die Hilfe | *help* |
| kochen | *to cook* | die Küche | *cuisine; kitchen* |
| lieben | *to love* | die Liebe | *love* |
| liegen | *to lie* | die Lage | *location* |
| nachfragen | *to inquire* | die Nachfrage | *inquiry* |
| reden | *to talk, speak* | die Rede | *speech* |
| reisen | *to travel* | die Reise | *trip* |
| sprechen | *to speak* | die Sprache | *language* |
| suchen | *to look for, search* | die Suche | *search* |
| waschen | *to wash* | die Wäsche | *wash* |

If adjective has **a, o,** or **u,** the related noun has **ä, ö,** or **ü**

A number of adjectives describing physical characteristics also have related feminine nouns in **-e,** such as **lang** (*long*) and **die Länge** (*length*) or **kurz** (*short*) and **die Kürze** (*brevity*). Only adjectives consisting of one syllable follow this pattern. If the adjective contains a vowel such as **-a-**, **-o-**, or **-u-**, the noun will have the umlauted equivalent **-ä-**, **-ö-**, or **-ü-**.

Here is a list of adjectives and nouns following this pattern that you have encountered so far.

| Adjectives | | Nouns | |
|---|---|---|---|
| dick | *thick* | die Dicke | *thickness* |
| groß | *tall, big* | die Größe | *size, height, greatness* |
| halb | *half* | die Hälfte | *half* |
| hoch | *high* | die Höhe | *height* |
| kalt | *cold* | die Kälte | *cold, coldness* |
| nah | *near, close* | die Nähe | *closeness, proximity* |
| nass | *wet* | die Nässe | *wetness* |

## Übung H. Minidialoge

Ergänzen Sie die Lücken.

MODELL: SCHÜLERIN: Wie viele *Sprachen* sprechen Sie?
LEHRER: Ich spreche Deutsch, Englisch und Türkisch.

*oder* PRINZ: Ich *liebe* dich sehr.
PRINZESSIN: Meine Liebe für dich ist auch sehr groß.

1. RICHARD: Morgen ______ wir nach Österreich.
   ALI: Die Reise wird sicherlich schön!
2. HERR FUCHS: Ich muss Sie um etwas bitten. Meine ______ ist sehr dringend.
3. AYDAN: Eske, ich brauche jetzt deine ______.
   ESKE: Wie kann ich dir helfen, Mama?
4. NOAH: Michael ist besonders groß.
   KAYLA: Ja, seine ______ ist wirklich ungewöhnlich[1].
5. MAX: Ich ______ etwas und kann es nicht finden.
   HANNAH: Die Suche wird sicher lange dauern!
6. KOBE: Liegt der Ort Porto Vecchio am Meer?
   VERONIKA: Ja, seine ______ ist sehr schön!
7. ELIF: Darf ich Sie etwas fragen, Frau Körner? Ich habe eine ______.
   FRAU KÖRNER: Natürlich, mein Kind.
8. PHILLIP: Du redest aber viel. Halte bitte keine so lange ______!
   JANNES: Na, ich habe aber viel zu sagen!
9. JOCHEN: Was mache ich mit der ______?
   MARGRET: Kannst du sie bitte waschen?
10. FRAU KÖRNER: Heute ist es sehr kalt, finden Sie nicht auch, Frau Gruber?
    FRAU GRUBER: Ja, diese ______ ist ungewöhnlich.
11. SCHÜLERIN: Welche Sprachen ______ Sie?
    FRAU FRISCH-OKONKWO: Ich spreche Deutsch, Französisch, Englisch und Hausa.

Frau Frisch-Okonkwo kann gut Französisch.

[1] *unusual*

# Situationen

## Körperliche und geistige Verfassung

Er ist glücklich.

Sie sind traurig.

Er ist wütend.

Sie ist krank.

Sie sind spät dran.

Sie ist müde.

Sie haben Hunger.

Er hat Angst.

### Situation 13 Informationsspiel: Was machen sie, wenn ...?

MODELL: S2: Was macht Sarah, wenn sie traurig ist?
S1: Sie ruft ihre Freundin an.
S2: Was machst du, wenn du traurig bist?
S1: Ich gehe ins Bett.

| | Sarah | Yusuf | mein(e) Partner(in) |
|---|---|---|---|
| 1. *traurig ist/bist* | ruft ihre Freundin an | | |
| 2. *müde ist/bist* | | schläft | |
| 3. *spät dran ist/bist* | nimmt ein Taxi | | |
| 4. *wütend ist/bist* | | schreit ganz laut | |
| 5. *krank ist/bist* | geht zum Arzt | | |
| 6. *glücklich ist/bist* | | lacht ganz laut | |
| 7. *Hunger hat/hast* | isst einen Apfel | | |
| 8. *Angst hat/hast* | | läuft zu Mama | |

# KULTUR ... LANDESKUNDE ... INFORMATIONEN

## CHATIQUETTE: STERNCHEN, ABKÜRZUNGEN UND AKRONYME

### Vor dem Lesen

- Was bedeutet LOL? IMHO? TGIF?

Wenn es schnell gehen muss, verwenden viele Leute im Chat, bei WhatsApp oder SMS besondere Formen der Kommunikation. Sie machen das Chatleben leichter. Viele sind lustig oder ironisch gemeint und ein fester[1] Bestandteil der Chatkultur. Sternchen[2] drücken Emotion oder Tätigkeit aus und es gibt viele Akronyme auf Englisch, aber auch auf Deutsch.

### Arbeit mit dem Text

- Wann verwenden viele Leute beim Chatten Abkürzungen und Akronyme?
- Wie sind sie oft gemeint[3]?
- Was drücken Sternchen aus?

Gerhilde Skoberne/Getty Images

| Miniwörterbuch | |
|---|---|
| **verwenden** | to use |
| der **Bestandteil, -e** | component, part |
| **aus·drücken** | to express, convey |
| die **Tätigkeit, -en** | activity |
| **erkennen** | to recognize |
| **grinsen** | to grin |
| **habe dich lieb** | (I) love you |
| **drücken** | to hug |

### Nach dem Lesen

Erkennen Sie die folgenden Akronyme auf Deutsch? Ordnen Sie die Akronyme den Aussagen zu.

| | |
|---|---|
| 1. *g* | a. kein Kommentar |
| 2. *fg* | b. grinsen |
| 3. *momtel* | c. Moment, ich telefoniere gerade |
| 4. *knuddel* | d. liebe Grüße |
| 5. LG | e. habe dich lieb |
| 6. kk | f. ich knuddele[4]/drücke dich |
| 7. N8 | g. frech[5]/fies[6] grinsen |
| 8. omg | h. Nacht / Gute Nacht |
| 9. HDL | i. habe dich ganz doll[7] lieb |
| 10. HDGDL | j. oh mein Gott |

[1]*established* [2]*asterisks* [3]*meant* [4]*to cuddle (colloquial)* [5]*cheekily, insolently* [6]*maliciously* [7]*very (colloquial)*

---

### Situation 14 Zum Schreiben: Auch in Ihnen steckt ein Dichter!

Schreiben Sie ein Gedicht!

MODELL:

| | |
|---|---|
| ein Nomen = Thema | *Wasser* |
| zwei Adjektive | *kühl, nass* |
| drei Verben | *schwimmen, segeln, tauchen* |
| vier Wörter, die ein Gefühl ausdrücken[8] | *Sonne auf meiner Haut* |
| ein Nomen = Zusammenfassung[9] | *Sommer* |

[8]*express* [9]*summary*

## Situation 15 Interview: Wie fühlst du dich, wenn ...?

MODELL: S1: Wie fühlst du dich, wenn du um fünf Uhr morgens aufstehst?
S2: Hervorragend!

| [++] | [+] | [–] |
| --- | --- | --- |
| wunderbar | ganz gut | nicht besonders gut |
| hervorragend | | ziemlich schlecht |
| sehr gut | | richtig schlecht |
| gut | | nervös |

1. wenn du um fünf Uhr morgens aufstehst
2. wenn du die ganze Nacht nicht schlafen kannst
3. wenn deine Freunde dich auf eine Party einladen
4. wenn du etwas erklären musst
5. wenn du eine Prüfung hast
6. wenn das Semester zu Ende ist
7. wenn du etwas kaufen willst, aber kein Geld hast
8. wenn alle deine Hosen schmutzig sind
9. wenn du eine gute Note bekommst
10. wenn dich jemand drückt
11. wenn du wählen gehen kannst

## Situation 16 Warum fährt Frau Ruf mit dem Bus?

Ordnen Sie zu!

MODELL: S1: Warum fährt Frau Ruf mit dem Bus?
S2: Weil ihr Auto kaputt ist.

1. Warum lacht Max?
2. Warum hat Phillip Angst?
3. Warum geht Hannah nicht ins Kino?
4. Warum geht Max nicht in die Schule?
5. Warum kauft Antonia Phillip ein Buch?

a. weil er Geburtstag hat
b. weil Hannah einen Witz erzählt
c. weil er allein zu Hause ist
d. weil sie für eine Prüfung lernen muss
e. weil er keine Lust hat

---

6. Warum fährt Herr Wagner nach Leipzig?
7. Warum schreit Yusuf so?
8. Warum fährt Frau Gruber in die Berge?
9. Warum geht Herr Fuchs um zehn Uhr ins Bett?
10. Warum ruft Maria ihre Freundin an?

f. weil er seinen Bruder besuchen will
g. weil sie wandern geht
h. weil er wütend ist
i. weil sie sie ins Kino einladen will
j. weil er jeden Tag um sechs Uhr aufsteht

# Strukturen

## 5. Word order: Dependent clauses

Use a conjunction such as **wenn** (*when, if*) or **weil** (*because*) to add a modifying clause to a sentence.

| | |
|---|---|
| Mert hört Musik, **wenn** er traurig ist. | *Mert listens to music whenever he is sad.* |
| Sarah geht nach Hause, **weil** sie müde ist. | *Sarah is going home because she is tired.* |

In the preceding examples, the first clause is the main clause. The clause introduced by a conjunction is called a *dependent clause*. In German, the verb in a dependent clause appears at the end of the clause.

| MAIN CLAUSE | DEPENDENT CLAUSE |
|---|---|
| Ich bleibe im Bett, | wenn ich krank **bin.** |
| *I stay in bed* | *when I am sick.* |

When **wenn** or **weil** begins a clause, the conjugated verb appears at the end of the clause.

In sentences beginning with a dependent clause, the entire clause acts as the first element in the sentence. The verb of the main clause comes directly after the dependent clause, separated by a comma. As in all German statements, the verb is in second position. The subject of the main clause follows the verb.

| I<br>DEPENDENT CLAUSE | II<br>VERB | III<br>SUBJECT | |
|---|---|---|---|
| Wenn ich krank bin, | bleibe | ich | im Bett. |
| *When I'm sick,* | *I stay in bed.* | | |
| Weil sie müde ist, | geht | Sarah | nach Hause. |
| *Because she's tired,* | *Sarah is going home.* | | |

### Übung I. Warum denn?

Beantworten Sie die Fragen.

MODELL: Warum gehst du nicht in die Schule? → Weil ich krank bin.

1. Warum gehst du nicht in die Schule?
2. Warum liegt dein Bruder im Bett?
3. Warum esst ihr denn schon wieder?
4. Warum kommt Meili nicht mit ins Kino?
5. Warum schreit Phillip so?
6. Warum sitzt du allein in deinem Zimmer?
7. Warum kommst du nicht mit?
8. Warum machst du das Licht an?[1]
9. Warum singt Max den ganzen Tag?
10. Warum bleibst du zu Hause?

a. keine Lust haben
b. krank sein
c. traurig sein
d. wütend sein
e. Angst haben
f. glücklich sein
g. lernen müssen
h. müde sein
i. Hunger haben
j. keine Zeit haben

[1]anmachen *to turn on*

## Übung J. Ist das immer so?

Sagen Sie, wie das für andere Personen ist und wie das für Sie ist.

MODELL: S1: Was macht Miguel, wenn er müde ist?
S2: Wenn Miguel müde ist, geht er nach Hause.
S1: Und du?
S2: Wenn ich müde bin, trinke ich einen Kaffee.

| | |
|---|---|
| 1. Miguel ist müde. | a. Sie lacht viel. |
| 2. Maria ist glücklich. | b. Er geht nach Hause. |
| 3. Herr Ruf ist traurig. | c. Sie fährt mit dem Taxi. |
| 4. Frau Wagner ist spät dran. | d. Sie kauft etwas zu essen. |
| 5. Heidi hat Hunger. | e. Er redet mit jemand. |
| 6. Frau Schulz hat Ferien. | f. Er geht zum Arzt. |
| 7. Phillip hat Angst. | g. Er ruft: „Mama, Mama". |
| 8. Steve ist krank. | h. Sie fliegt nach Deutschland. |

# 6. Dependent clauses and separable-prefix verbs

As you know, the prefix of a separable-prefix verb appears at the end of an independent clause.

| | |
|---|---|
| Johannes **steht** immer früh **auf.** | *Johannes always gets up early.* |

In a dependent clause, the prefix is attached to the base verb form, all of which is placed at the end of the clause.

| | |
|---|---|
| Johannes ist immer müde, wenn er früh **aufsteht.** | *Johannes is always tired when he gets up early.* |
| Eske, bitte **mach** das Fenster nicht **auf!** Es wird kalt, wenn du es **aufmachst.** | *Eske, please don't open the window. It gets cold when you open it.* |

**WISSEN SIE NOCH?**

When a verb in an independent clause has a separable prefix, the prefix appears at the end.

Review **Strukturen 5** in **Kapitel 1.**

When there are two verbs in a dependent clause, such as a modal verb and an infinitive, the modal verb comes last, following the infinitive.

| | | |
|---|---|---|
| INDEPENDENT CLAUSE | Johannes **muss** früh **aufstehen.** | *Johannes has to get up early.* |
| DEPENDENT CLAUSE | Er ist müde, wenn er früh **aufstehen muss.** | *He is tired when he has to get up early.* |
| INDEPENDENT CLAUSE | Eske hat kein Geld. Sie **kann** nichts **machen.** | *Eske doesn't have any money. She can't do anything.* |
| DEPENDENT CLAUSE | Sie ist unglücklich, dass sie nichts **machen kann.** | *She's unhappy that she can't do anything.* |

## Übung K. Warum ist das so?

MODELL: Daniel ist wütend, weil er immer so früh aufstehen muss.

| | |
|---|---|
| 1. Daniel ist müde. | a. Sie muss noch einkaufen. |
| 2. Phan ist froh. | b. Er steht immer so früh auf. |
| 3. Claire ist spät dran. | c. Seine Freundin nimmt ihn zur Uni mit. |
| 4. Leon ist traurig. | d. Nesrin und Sofie wollen vorbeikommen. |
| 5. Noah geht nicht zu Fuß. | e. Sie kann nicht schwimmen. |
| 6. Lukas bleibt zu Hause. | f. Er will seine Cousins besuchen. |
| 7. Nesrin hat Angst vor Wasser. | g. Julia ruft ihn nicht an. |
| 8. Mert fährt in die Türkei. | h. Sie muss heute nicht arbeiten. |

# Videoecke

## Perspektiven

Wie viel Zeit verbringst du pro Tag am Computer? Womit verbringst du die meiste Zeit?

Ich arbeite oder ich chatte.



### Aufgabe 1 Zeit am Computer

Wie viel Zeit verbringen sie am Computer? Schreiben Sie die Antworten auf.

1. Susan ____

2. Felicitas ____

3. Michael ____

4. Shaimaa ____

5. Nadezda ____

6. Pascal ____

7. Judith ____

8. Martin ____



### Aufgabe 2 Tätigkeiten am Computer

Was machen sie am Computer? Ordnen Sie die Tätigkeiten den Personen unter Aufgabe 1 zu.

| | |
|---|---|
| ____ 1. Susan | a. Die meiste Zeit verbringt sie auf Facebook. |
| ____ 2. Felicitas | b. Er liest E-Mails und Nachrichten. |
| ____ 3. Michael | c. Er macht Layout und Grafik. |
| ____ 4. Shaimaa | d. Er sucht potentielle Kunden für seine Firma. |
| ____ 5. Nadezda | e. Sie arbeitet die meiste Zeit. |
| ____ 6. Pascal | f. Sie arbeitet oder sie chattet. |
| ____ 7. Judith | g. Sie checkt ihre E-Mails und ist oft bei Facebook. |
| ____ 8. Martin | h. Sie verwendet die meiste Zeit für ihr Studium. |

## Interviews

- Hast du handwerkliche oder künstlerische Fähigkeiten?
- Was kannst du besonders gut?
- Was gefällt dir daran?
- Was kannst du nicht besonders gut?
- Gibt es etwas, was du nicht gern machst?
- Wie fühlst du dich, wenn du eine Prüfung hast?
- Wie bereitest du dich darauf vor?

Carolyn

Michael

## Aufgabe 3 Fähigkeiten und Pflichten

Carolyn oder Michael?

| | CAROLYN | MICHAEL |
|---|---|---|
| 1. Wer tanzt und gestaltet[1] gerne T-Shirts? | ☐ | ☐ |
| 2. Wer hat keine handwerklichen Fähigkeiten? | ☐ | ☐ |
| 3. Wer mag es total, sich zu den Rhythmen der Musik zu bewegen? | ☐ | ☐ |
| 4. Wer spielt Gitarre, Akkordeon und Klavier? | ☐ | ☐ |
| 5. Wer kann nicht gut kochen? | ☐ | ☐ |
| 6. Wer putzt nicht gern? | ☐ | ☐ |
| 7. Wer macht nicht gern Sport? | ☐ | ☐ |
| 8. Wessen[2] Hände schwitzen[3], wenn er oder sie eine Prüfung hat? | ☐ | ☐ |
| 9. Wer geht regelmäßig zu Seminaren und Vorlesungen, damit er oder sie gut vorbereitet ist? | ☐ | ☐ |

## Aufgabe 4 Interview

Interviewen Sie eine Partnerin oder einen Partner. Stellen Sie dieselben Fragen.

[1]*designs* [2]*Whose* [3]*sweat*

# Wortschatz zum Lernen

| Talente und Pläne | Talents and Plans |
|---|---|
| →**beschreiben** | to describe |
| →**bleiben** | to stay, remain |
| →**definieren** | to define |
| →**erklären** | to explain |
| →**erzählen** | to tell |
| →**gelten, gilt** | to be valid, count |
| →**lieben** | to love |
| →**rechnen** | to compute, calculate |
| →**reden** | to speak, converse |
| **schneiden** | to cut |
| **tauchen** | to dive |
| **vorbei·kommen** | to come by, visit |
| **zeichnen** | to draw |
| →die **Antwort** | answer, response |
| die **Ausstellung, -en** | exhibition |
| die/der **Erwachsene, -n** | adult, grown-up |
| →die **Idee, -n** | idea |
| →die **Linie, -n** | line |
| →die **Welt, -en** | world |
| →die **Zukunft, ¨e** | future |
| →der **Begriff, -e** | term, concept |
| der **Besuch, -e** | visit |
| →der **Plan, ¨e** | plan |
| →der **Satz, ¨e** | sentence |
| →der **Teil, -e** | part |
| der **Witz, -e** | joke |
| →der **Zusammenhang, ¨e** | connection, context |
| das **Gedicht, -e** | poem |
| →das **Herz, -en** | heart |
| →die **Leute** (*pl.*) | people |
| →**direkt** | direct(ly) |
| →**einfach** | simple, simply |
| **hervorragend** | excellent(ly) |
| →**recht** | right |
| →**unterschiedlich** | different(ly), diverse |
| **wunderbar** | wonderful(ly) |
| →**besonders** | particularly, especially |
| **einander** | each other, one another |
| →**ein bisschen** | a little bit |
| →**gar nicht** | not at all |
| →**kein bisschen** | not a bit |
| →**nach** | after; to (a place) |
| →**nie** | never |
| →**nur** | only |
| →**vorher** | before that |

| Pflichten | Obligations |
|---|---|
| →**an·bieten** | to offer |
| **an·zünden** | to light |
| **auf·passen** | to pay attention |
| **aus·machen** | to switch off, extinguish |
| **aus·ziehen** | to move away; to take off (clothes) |
| →**erlauben** | to permit |
| →**hängen** | to hang |
| **heiraten** | to marry |
| →**hoffen** | to hope |
| **leeren** | to empty |
| **leiten** | to lead, be the head of |
| **rauchen** | to smoke |
| →**schaffen** | to accomplish, achieve |
| **stören** | to disturb |
| →**wählen** | to vote, choose, elect |
| **zu·machen** | to close |
| die/der **Jugendliche, -n** | teenager, youth |
| die **Kerze, -n** | candle |
| →die **Ordnung, -en** | order, orderliness |
| die **Pflanze, -n** | plant |
| die **Pflicht, -en** | duty, requirement |
| der **Konzern, -e** | corporation, enterprise |
| der **Mittag, -e** | noon |
| →das **Gesetz, -e** | law |
| →das **Glück** | luck; happiness |
| →**amerikanisch** | American |
| →**bestimmt** | definite(ly), certain(ly) |
| →**eigen** | own |
| →**gerade** | straight; just now |
| →**meist, meiste** | most, mostly |
| **sauber** | clean(ly) |
| →**neben** | beside; in addition to |
| →**pro** | per |
| →**sofort** | immediately, right away |
| →**was für** | what kind of |
| →**weil** | because |
| →**wieder** | again |

| Modalverben | Modal Verbs |
|---|---|
| →**dürfen, darf** | to be permitted (to), may |
| →**können, kann** | to be able (to), can; may |
| →**mögen, mag** | to like, care for |
| →**möchte** | would like (to) |
| →**müssen, muss** | to have to, must |
| →**sollen, soll** | to be supposed to |
| →**wollen, will** | to want; to intend, plan (to) |

| Dienste | Services |
|---|---|
| **an·ziehen** | to put on, dress; to attract |
| **bestellen** | to order (food) |
| **bitten** | to ask, request |
| →**entwickeln** | to develop |
| →**erfüllen** | to fulfill |
| →**leiden (an)** | to suffer (from) |

| | |
|---|---|
| **mit·nehmen, nimmt ... mit** | to take along |
| **probieren** | to try, taste |
| →die **Ärztin, -nen** | female physician |
| →die **Firma, Firmen** | company |
| die/der **Geliebte, -n** | beloved female/male friend, lover |
| →die **Sprache, -n** | language |
| →der **Arzt, ¨-e** | male physician |
| der **Koffer, -** | suitcase |
| →der **Platz, ¨-e** | place, seat |
| →das **Gefühl, -e** | feeling |
| das **Krankenhaus, ¨-er** | hospital |
| **beliebt** | popular |
| →**eigentlich** | actual(ly) |
| **nass** | wet |
| →**negativ** | negative(ly) |
| **nett** | nice(ly) |
| →**offen** | open(ly) |
| →**schwer** | heavy; hard, difficult |
| →**wahr** | true |
| **Entschuldigung!** | Excuse me! |
| →**genug** | enough |
| →**jetzt** | now |
| →**na** | well (interjection) |
| **sicherlich** | surely, certainly |

### Körperliche und geistige Verfassung / Physical and Mental State

| | |
|---|---|
| **auf·machen** | to open |
| **aus·drücken** | to express, convey |
| →**bewegen** | to move |
| →**drücken** | to hug, press, push |
| →**erkennen** | to recognize |
| →**fühlen** | to feel |
| **Wie fühlst du dich?** | How do you feel? |
| **ich fühle mich ...** | I feel . . . |
| →**lachen** | to laugh |
| **schreien** | to scream, yell |
| **spät dran sein** | to be late |
| **weinen** | to cry |
| →die **Angst, ¨-e** | fear |
| **Angst haben** | to be afraid |
| die **Lust** | desire |
| **Lust haben** | to feel like (doing something) |
| →die **Nacht, ¨-e** | night |
| →der **Gott, ¨-er** | god, God |
| der **Hunger** | hunger |
| **Hunger haben** | to be hungry |
| →das **Licht, -er** | light |
| →das **Wasser** | water |
| **krank** | sick |
| **müde** | tired(ly) |
| **unglücklich** | unhappy, unhappily |
| **wütend** | angry, angrily |
| →**immer** | always |
| →**warum** | why |
| **zu Fuß** | on foot |

KAPITEL 4

# Ereignisse und Erinnerungen

### Themen

Der Arbeitstag
Urlaub und Freizeit
Geburtstage und Jahrestage
Ereignisse

### Kulturelles

Kunst: Ceija Stojka (*Am See*)
KLI: Universität und Studium
Musikszene: „Superheld" (Samy Deluxe)
KLI: Feiertage und Bräuche
Videoecke: Feste und Feiern

### Strukturen

1. Talking about the past: The perfect tense
2. Weak and strong past participles
3. Dates and ordinal numbers
4. Prepositions of time: **um, am, im**
5. Past participles with and without **ge-**
6. Word formation: Feminine nouns in **-ung**

### Lektüren

Biografie: Marie Juchacz: Politikerin und Bürgerrechtlerin
Film: *Einmal Hans mit scharfer Soße* (Buket Alakuş)

After completing **Kapitel 4**, you will be able to . . .

- request and present personal information about your life, past activities, and events using sentences and series of connected sentences
- understand the main idea and key information in short straightforward informational texts, popular songs, and conversations related to past activities and events
- present personal information about your life, past activities, and events in writing using sentences and series of connected sentences
- compare products and practices in your area with those in German-speaking countries with respect to past events, holidays, and college life

Willibald Stojka/Photo by Celia Pernot

Ceija Stojka: *Ohne Titel (Am See)* (1995), Sammlung Hojda und Nuna Stojka, Wien

| Miniwörterbuch | |
|---|---|
| das **Opfer, -** | victim |
| das **Lager, -** | camp |
| **hell** | bright |
| **dunkel** | dark |
| der **Krieg, -e** | war |
| die **Freiheit, -en** | freedom, liberty |
| der **See, -n** | lake |
| der **Baum, ¨-e** | tree |
| der **Wagen, -** | wagon, caravan |
| die **Sehnsucht, ¨-e** | longing, desire |
| der **Hass** | hatred |
| das **Leid** | sorrow, suffering |

## KUNST UND KUNSTSCHAFFENDE

Die Österreicherin Ceija Stojka (1933 – 2013) ist Roma. Die Roma, die seit mehr als 700 Jahren in Europa leben, werden immer wieder Opfer von Diskriminierung und Verfolgung[1]. Zur Zeit des Nationalsozialismus verliert Ceija Stojka fast ihre ganze Großfamilie (200 Personen) in Konzentrationslagern. Nur ihre Mutter, eine Schwester und zwei Brüder überleben. In ihren Bildern sagt Ceija Stojka, was sie mit Worten nicht sagen kann. Es gibt „helle" und „dunkle" Bilder. Das Bild *Am See* ist ein „helles Bild". Es zeigt das sorglose[2] Leben vor dem Krieg – Freiheit, Idylle und Fröhlichkeit[3]– in leuchtenden[4] Farben.

Schauen Sie sich das Bild an und beantworten Sie die folgenden Fragen.

1. Was sehen Sie auf dem Bild: einen See, Berge, Bäume, Häuser, einen Wagen, einen Sonnenuntergang[5], Erwachsene, Mädchen?
2. Was tragen die Mädchen: Röcke, Blusen, Mäntel, Hosen, Hüte?
3. Was machen die Menschen: sprechen, zuhören, singen, tanzen, springen, schlafen, sitzen, stehen, lachen?
4. Welche Farben dominieren: blau, braun, gelb, grau, grün, rot, schwarz, weiß?
5. Welche Gefühle ruft das Bild hervor: Angst, Glück, Hoffnung, Ruhe, Sehnsucht, Hass, Liebe, Leid?

[1]persecution [2]carefree [3]gaiety, mirth [4]bright, blazing [5]sunset

# Situationen

## Der Arbeitstag

Ich habe geduscht.

Ich habe gefrühstückt.

Ich bin in die Uni gegangen.

Ich bin in einer Vorlesung gewesen.

Ich habe mit meinen Freunden Kaffee getrunken.

Ich bin nach Hause gekommen.

Ich habe zu Mittag gegessen.

Ich bin nachmittags zu Hause geblieben.

Ich habe abends gelernt.

## Situation 1 Umfrage: Letzte Woche

MODELL: S1: Hast du eine Rede gehalten?
S2: Ja.
S1: Unterschreib bitte hier.

UNTERSCHRIFT

1. Hast du eine Rede gehalten? ____________
2. Hast du Kaffee getrunken? ____________
3. Hast du Zeitung gelesen? ____________
4. Hast du einen Film gesehen? ____________
5. Hast du mit deinen Eltern telefoniert? ____________
6. Hast du auf viele Fragen geantwortet? ____________
7. Hast du in der Bibliothek gearbeitet? ____________
8. Hast du viele Aufgaben erledigt? ____________
9. Hast du die Grammatik verstanden? ____________
10. Hast du viele E-Mails geschrieben? ____________

## Situation 2 Dialog: Das Fest

Phan und Daniel sitzen in der Cafeteria und essen zu Mittag.

PHAN: Ich bin furchtbar __________.
DANIEL: Bist du wieder so spät ins Bett __________?
PHAN: Ja. Ich bin heute früh erst um vier Uhr nach Hause __________.
DANIEL: Wo __________ du denn so lange?
PHAN: Auf einem Fest.
DANIEL: __________?
PHAN: Ja, ich habe ein paar alte Freunde __________ und wir haben uns sehr gut unterhalten.
DANIEL: Kein Wunder, __________!

## Situation 3 Zum Schreiben: Ein Tagebuch

Schreiben Sie ein Tagebuch! Vielleicht haben Sie das früher schon einmal auf Englisch gemacht. Machen Sie sich zuerst ein paar Notizen[1]. Was ist letzte Woche passiert? Welche Aufgaben haben Sie übernommen? Haben Sie alles erledigt? Was haben Sie sonst so gemacht? Was wollen Sie nicht vergessen?

MODELL: Letzte Woche habe/bin ich ...

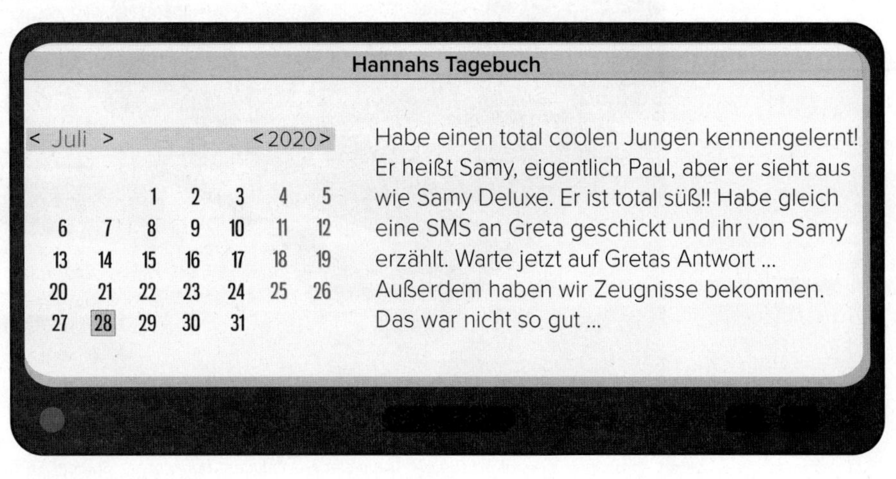

Hannahs Tagebuch
< Juli > <2020>
1 2 3 4 5
6 7 8 9 10 11 12
13 14 15 16 17 18 19
20 21 22 23 24 25 26
27 28 29 30 31
Habe einen total coolen Jungen kennengelernt! Er heißt Samy, eigentlich Paul, aber er sieht aus wie Samy Deluxe. Er ist total süß!! Habe gleich eine SMS an Greta geschickt und ihr von Samy erzählt. Warte jetzt auf Gretas Antwort ...
Außerdem haben wir Zeugnisse bekommen. Das war nicht so gut ...


[1] *notes*

## KULTUR ... LANDESKUNDE ... INFORMATIONEN

# UNIVERSITÄT UND STUDIUM

## Vor dem Lesen

- Wann haben Sie mit dem Studium am College oder an der Universität angefangen?
- Welche Voraussetzungen (High-School-Abschluss, Prüfungen usw.) braucht man für ein Studium?
- An welchen Universitäten haben Sie sich beworben[1]?
- Studieren Sie an einer privaten oder einer öffentlichen Hochschule?
- Müssen Sie Studiengebühren[2] bezahlen?
- Wie lange dauert Ihr Studium voraussichtlich[3]?
- Welchen Abschluss haben Sie am Ende Ihres Studiums?
- Was für Kurse müssen Sie belegen?

Die meisten Universitäten in Deutschland sind öffentliche Universitäten. Das Studium ist in der Regel kostenlos[4]. Studierende müssen aber einen Semesterbeitrag[5] von ca. 250 bis 350 Euro zahlen. Das Geld ist für die Studierendenschaft[6], das Studierendenwerk[7] und ein Semesterticket für die öffentlichen Verkehrsmittel[8]. Es gibt nur wenige private Hochschulen.

Auch in Österreich gibt es meist keine Studiengebühren. In der Schweiz bezahlt man von Uni zu Uni unterschiedliche Studiengebühren, von 500 Franken pro Semester in Genf bis zu 2.000 Franken in Lugano.

Um an einer Universität zu studieren, braucht man normalerweise das Abitur. Man kann an einer Universität oder Fachhochschule[9] einen Bachelor oder Master als Abschluss bekommen. Ein Bachelorstudium dauert meist drei Jahre, ein Masterstudium zwei weitere Jahre.

59 Prozent der jungen Erwachsenen[10] in Deutschland beginnen ein Studium, aber nur 36 Prozent beenden es auch. In Österreich ist es ähnlich und in der Schweiz beginnen sogar 75 Prozent mit einem Studium und etwa 50 Prozent schaffen den Abschluss.

| Miniwörterbuch | |
|---|---|
| die **Voraussetzung, -en** | prerequisite |
| **öffentlich** | public |
| die **Hochschule, -n** | college, university |
| der **Abschluss, ¨-e** | degree, diploma |
| die **Regel, -n** | rule |
| **wenig** | few |
| **meist** | mostly |
| **um ... zu ...** | (in order) to . . . |
| **weiter** | additional |
| **beenden** | to end |
| **ähnlich** | similar(ly) |
| **etwa** | approximately |

## Arbeit mit dem Text

- Wofür ist in Deutschland der Semesterbeitrag?
- Worin unterscheiden sich Österreich und die Schweiz?
- Wie lange dauert das Bachelorstudium?
- Wie viel Prozent der Studierenden schaffen in den deutschsprachigen[11] Ländern ihren Studienabschluss?
- Was ist in Deutschland anders als in Ihrem Land?

Monkey Business Images/Shutterstock

Studierende in der Bibliothek

[1]*sich ... applied* [2]*fees, tuition* [3]*probably* [4]*free, at no charge* [5]*semester fee* [6]*student parliament* [7]*Student Services* [8]*transportation* [9]*technical college* [10]*adults* [11]*German-speaking*

# Strukturen

## 1. Talking about the past: The perfect tense

The simple past tense, which you will study in **Kapitel 9,** is used more often in writing.

In conversation, German speakers generally use the perfect tense to describe past events.

| | |
|---|---|
| Ich **habe** ein Glas Wein **getrunken.** | *I drank a glass of wine.* |
| Meili **hat** Basketball **gespielt.** | *Meili played basketball.* |

**WISSEN SIE NOCH?**

You've already seen how a **Satzklammer** forms a frame or a bracket consisting of a verb and either a separable prefix or an infinitive (**Strukturen 5** in **Kapitel 1, Strukturen 3** in **Kapitel 2,** and **Strukturen 1** in **Kapitel 3**). Note in the example here how the **Satzklammer** is composed of **habe** and the past participle **gelacht.**

German forms the perfect tense with an auxiliary (**haben** or **sein**) and a past participle, for example, **gelacht.** Participles usually begin with the prefix **ge-.** The past participle is at the end of the clause.

| | AUXILIARY | | PARTICIPLE | |
|---|---|---|---|---|
| Ich | **habe** | sehr viel | **gelacht.** | *I laughed very much.* |

The auxiliary is in second position in statements and **w**-word questions, but in first position in yes/no questions.

| | |
|---|---|
| —Wann **bist** du ins Bett **gegangen?** | *When did you go to bed?* |
| —Um zehn Uhr. | *At ten o'clock.* |
| —**Hat** Heidi schon **gefrühstückt?** | *Has Heidi already eaten breakfast?* |
| —Ja. | *Yes.* |

Verbs with **sein** = no direct object; change of location or condition.

Although most verbs form the present perfect tense with **haben,** many use **sein.** To use **sein,** a verb must fulfill two conditions: 1) It cannot take a direct object; 2) it must indicate change of location or condition.

| SEIN | HABEN |
|---|---|
| Ich **bin** früh **aufgestanden.** | Ich **habe** Kaffee **getrunken.** |
| *I got up early.* | *I drank coffee.* |

Here is a list of common verbs that take **sein** as an auxiliary. (*Appendix E* contains a list of other common verbs; those taking **sein** as an auxiliary are indicated.)

| | | |
|---|---|---|
| ankommen | *to arrive* | ich bin angekommen |
| aufstehen | *to get up* | ich bin aufgestanden |
| auftreten | *to occur, appear* | ich bin aufgetreten |
| ausgehen | *to go out* | ich bin ausgegangen |
| fahren | *to go, drive* | ich bin gefahren |
| fliegen | *to fly* | ich bin geflogen |
| folgen | *to follow* | ich bin gefolgt |
| gehen | *to go, walk* | ich bin gegangen |
| geschehen | *to happen* | es ist geschehen |
| kommen | *to come* | ich bin gekommen |
| laufen | *to run* | ich bin gelaufen |
| reisen | *to travel* | ich bin gereist |
| schwimmen | *to swim* | ich bin geschwommen |
| sterben | *to die* | ich bin gestorben |
| wandern | *to hike* | ich bin gewandert |

In addition to these verbs, **sein** itself and the verb **bleiben** (*to stay*) take **sein** as an auxiliary.

| | |
|---|---|
| **Bist** du schon in Ulm **gewesen?** | *Have you ever been in Ulm?* |
| Gestern **bin** ich zu Hause **geblieben.** | *Yesterday I stayed home.* |

## Übung A. Yaminas erster Schultag

Ergänzen Sie **haben** oder **sein.** Beantworten Sie dann die Fragen.

Yamina _______[a] bis sieben Uhr geschlafen. Dann _______[b] sie aufgestanden und _______[c] mit ihren Eltern und ihren Schwestern gefrühstückt. Sie _______[d] ihre Tasche genommen und _______[e] mit ihrer Mutter zur Schule gegangen. Ihre Mutter und sie _______[f] ins Klassenzimmer gegangen und ihre Mutter _______[g] noch ein bisschen dageblieben. Die Lehrerin, Frau Dehne, _______[h] alle begrüßt. Dann _______[i] Frau Dehne „Herzlich willkommen" an die Tafel geschrieben.

1. Wann ist Yamina aufgestanden?
2. Wohin sind Yamina und ihre Mutter gegangen?
3. Was hat Frau Dehne an die Tafel geschrieben?

## Übung B. Eine Reise nach Istanbul

Ergänzen Sie **haben** oder **sein.** Beantworten Sie dann die Fragen.

LEON UND JULIA: Wir _______[a] ein Taxi genommen. Mit dem Taxi _______[b] wir zum Bahnhof gefahren. Dort _______[c] wir uns Tickets gekauft. Dann _______[d] wir in den Zug eingestiegen. Um 5.30 Uhr _______[e] wir aufgebrochen. Wir _______[f] im Speisewagen[1] gefrühstückt. Den ganzen Tag _______[g] wir Karten gespielt. Nachts _______[h] wir in den Schlafwagen[2] gegangen. Wir _______[i] schlecht geschlafen. Aber wir _______[j] gut in Istanbul angekommen.

1. Wohin sind Leon und Julia mit dem Taxi gefahren?
2. Wann sind sie aufgebrochen?
3. Wo haben sie gefrühstückt?
4. Was haben sie nachts gemacht?

## Übung C. Ein ganz normaler Tag

Ergänzen Sie das Partizip.

**gefrühstückt**
**aufgestanden** **gehört**
**gearbeitet** **getroffen**
**gegangen**
**geduscht** **getrunken**
**gegessen**

KAYLA: Heute bin ich um 7.00 Uhr _______[a]. Ich habe _______,[b] _______[c] und bin an die Uni _______[d]. Ich habe einen Vortrag[3] _______[e]. Um 10 Uhr habe ich ein paar Kommilitoninnen _______[f] und Kaffee _______[g]. Dann habe ich bis 12.30 Uhr in der Bibliothek _______[h] und habe in der Cafeteria zu Mittag _______[i].

[1]*dining car* [2]*sleeper, Pullman coach* [3]*lecture, talk*

# Situationen

## Urlaub und Freizeit

Hannah ist ins Schwimmbad gefahren.

Sie hat in der Sonne gelegen.

Sie ist geschwommen.

Sie hat Musik gehört.

Max und Robert haben Postkarten geschrieben.

Sie sind in den Bergen gewandert.

Sie haben Tennis gespielt.

Sie haben viel gelesen.

## Situation 4 Bildgeschichte: Familie Wagner im Urlaub am Strand

## Situation 5 Dialog: Max und Hannah

Es ist Montag. Max und Hannah treffen sich auf dem Schulhof ihrer Schule und reden über ihr Wochenende.

MAX: Hallo, Hannah!

HANNAH: Grüß dich, Max! Was hast du am Wochenende __________?

MAX: Ach, nichts Besonderes. Ich habe __________ und Musik __________. Es war ziemlich langweilig. Und du?

HANNAH: Ich bin mit meinen Eltern in die Berge __________. Wir sind __________. Du weißt, ich habe ein neues Smartphone und ich habe alles fotografiert, vor allem die Berge. Ich liebe die Berge.

MAX: Das hört sich wirklich toll an!

HANNAH: Ja, war es auch. Komm doch das nächste Mal mit.

MAX: Au ja, gern.

## Situation 6 Am Wochenende

Schauen Sie auf die Bilder und finden Sie die passende Antwort auf jede Frage.

1. _____ Was hat Frau Ruf am Freitag gemacht?
2. _____ Was hat Hannah am Samstag gemacht?
3. _____ Was haben Hannah und Phillip am Sonntag gemacht?
4. _____ Was haben die Okonkwos am Sonntag gemacht?
5. _____ Was hat Michael am Samstag gemacht?
6. _____ Was hat Max am Sonntag gemacht?
7. _____ Was hat Herr Ruf am Freitag gemacht?
8. _____ Was hat Richard am Samstag gemacht?

a. Sie haben den Hund gebadet[1].
b. Er hat mit Maria zu Abend gegessen.
c. Sie sind in den Bergen gewandert.
d. Er hat stundenlang ferngesehen.
e. Sie hat Samy kennengelernt.
f. Sie ist nach Augsburg gefahren.
g. Er hat für seine Familie die Wäsche[2] gewaschen.
h. Er ist zum Strand gefahren.

[1]*bathed* [2]*laundry*

## Miniwörterbuch

| | |
|---|---|
| **sozial** | social(ly) |
| **politisch** | political(ly) |
| **erscheinen, ist erschienen** | to appear |
| **enthalten, enthält, enthalten** | to contain |
| die **Heldin, -nen** / der **Held, -en** | hero |
| die **Haut, ¨-e** | skin |
| **leicht** | easy |
| **vergleichen, verglichen** | to compare |
| **sich** | oneself, himself, herself |
| **andere, anderer, anderes** | other(s) |

## MUSIKSZENE

### „Superheld“ (2009, Deutschland) *Samy Deluxe*

**Biografie** Samy Deluxe ist in Hamburg geboren. Er ist ein sehr erfolgreicher deutscher Rapper. Sein Vater kommt aus Afrika. Samy ist sozial und politisch sehr engagiert. Er hat einen Sohn, für den er *Superheld* geschrieben hat. 2018 hat Samy ein MTV Unplugged Konzert gegeben, das auch als CD erschienen ist. Das Lied *Superheld* ist dort auch enthalten.

Samy Deluxe

*Andrea Friedrich/Redferns/Getty Images*

**NOTE:** For copyright reasons, the songs referenced in **MUSIKSZENE** have not been provided by the publisher. The song can be found online at various sites.

**Vor dem Hören** Kennen Sie einen Superhelden mit brauner Haut? Warum sind Superhelden wichtig und warum ist es wichtig, auch Superheldinnen und Superheld*innen mit brauner Haut zu haben?

**Nach dem Hören** Was sagt der Sänger? Richtig (R) oder falsch (F)?

_____ **1.** Sein Sohn wäre gerne[1] weiß.

_____ **2.** Die Superhelden von Samys Sohn sind weiß und braun.

_____ **3.** Es ist leicht, weiß zu sein, wenn alle braun sind.

_____ **4.** Wenn man jung ist, vergleicht man sich oft mit anderen.

_____ **5.** Der Sänger hat sich nie mit anderen verglichen.

## Situation 7 Interview: Letztes Wochenende

Was hast du am Wochenende gemacht?

1. Hast du am Samstag lang geschlafen? Wie lang?
2. Ist etwas Interessantes[2] geschehen? Was?
3. Hast du mit jemand gefrühstückt?
4. Bist du irgendwohin gefahren? Wohin?
5. Hast du etwas im Internet bestellt? Was?
6. Hast du viele Aufgaben erledigt? Welche?
7. Bist du ins Kino gegangen? Welchen Film hast du gesehen?
8. Hast du ein Buch gelesen? Welches?
9. Hast du Geld verdient? Was hast du gemacht?
10. Hast du deine Seminare vorbereitet? Welche?

[1]wäre gerne *would like to be* [2]etwas … *anything interesting*

# Strukturen

## 2. Weak and strong past participles

weak verbs = **ge-** + verb stem + **-(e)t**

German verbs that form the past participle with **-(e)t** are called *weak verbs.* Examples include **spielen, gespielt** (*to play, played*) or **arbeiten, gearbeitet** (*to work, worked*). To form the regular past participle, take the present tense **er/sie/es**-form and precede it with **ge-.** Most verbs follow this pattern.

| | | | | | |
|---|---|---|---|---|---|
| er | spielt | → | er | hat | gespielt |
| sie | arbeitet | → | sie | hat | gearbeitet |
| es | regnet | → | es | hat | geregnet |

strong verbs = **ge-** + verb stem + **-en;** the verb stem may have vowel or consonant changes.

Verbs that form the past participle with **-en** are called *strong verbs.* Many strong verbs have the same stem vowel in the past participle as in the infinitive, for example, **kommen → gekommen.** However, some verbs have a change in the stem vowel, for example, **schwimmen → geschwommen.** Some also have a change in consonants, such as with **gehen → gegangen.**

Here is a list of common irregular (strong) past participles.

| PARTICIPLES WITH **haben** | |
|---|---|
| essen, gegessen | *to eat* |
| finden, gefunden | *to find* |
| gelten, gegolten | *to count, be valid* |
| halten, gehalten | *to hold* |
| leiden, gelitten | *to suffer* |
| lesen, gelesen | *to read* |
| liegen, gelegen | *to lie, be situated* |
| messen, gemessen | *to measure* |
| nehmen, genommen | *to take* |
| schlafen, geschlafen | *to sleep* |
| schlagen, geschlagen | *to hit, beat, strike* |
| schreiben, geschrieben | *to write* |
| sehen, gesehen | *to see* |
| sitzen, gesessen | *to sit* |
| sprechen, gesprochen | *to speak* |
| stehen, gestanden | *to stand* |
| tragen, getragen | *to wear, carry* |
| treffen, getroffen | *to meet* |
| trinken, getrunken | *to drink* |
| waschen, gewaschen | *to wash* |
| werfen, geworfen | *to throw* |
| ziehen, gezogen | *to pull, draw, haul* |

| PARTICIPLES WITH **sein** | |
|---|---|
| ankommen, angekommen | *to arrive* |
| aufstehen, aufgestanden | *to get up* |
| bleiben, geblieben | *to stay, remain* |
| fahren, gefahren | *to go (using a vehicle), drive* |
| fliegen, geflogen | *to fly* |
| gehen, gegangen | *to go (walk)* |
| geschehen, geschehen | *to happen* |
| laufen, gelaufen | *to run* |
| kommen, gekommen | *to come* |
| schwimmen, geschwommen | *to swim* |
| sein, gewesen | *to be* |
| sterben, gestorben | *to die* |
| werden, geworden | *to become* |

## Übung D. Das ungezogene[1] Kind

Stellen Sie die Fragen!

MODELL: SIE: Hast du schon geduscht?
DAS KIND: Heute will ich nicht duschen.

1. Heute will ich nicht lernen.
2. Heute will ich nicht schwimmen.
3. Heute will ich keine Geschichte lesen.
4. Heute will ich nicht Klavier spielen.
5. Heute will ich nicht schlafen.
6. Heute will ich nicht essen.
7. Heute will ich nicht rechnen.
8. Heute will ich den Brief nicht schreiben.
9. Heute will ich nicht ins Bett gehen.

## Übung E. Kaylas Tag

Wie war gestern Kaylas Tag? Schreiben Sie zu jedem Bild einen Satz. Verwenden Sie diese Ausdrücke.

MODELL: Kayla hat bis neun im Bett gelegen.

in der Bibliothek arbeiten
abends zu Hause bleiben
einen Vortrag halten
nach Hause kommen
~~bis neun im Bett liegen~~
regnen
mit Frau Schulz sprechen
einen Rock tragen
Freundinnen treffen
ihre Wäsche[2] waschen

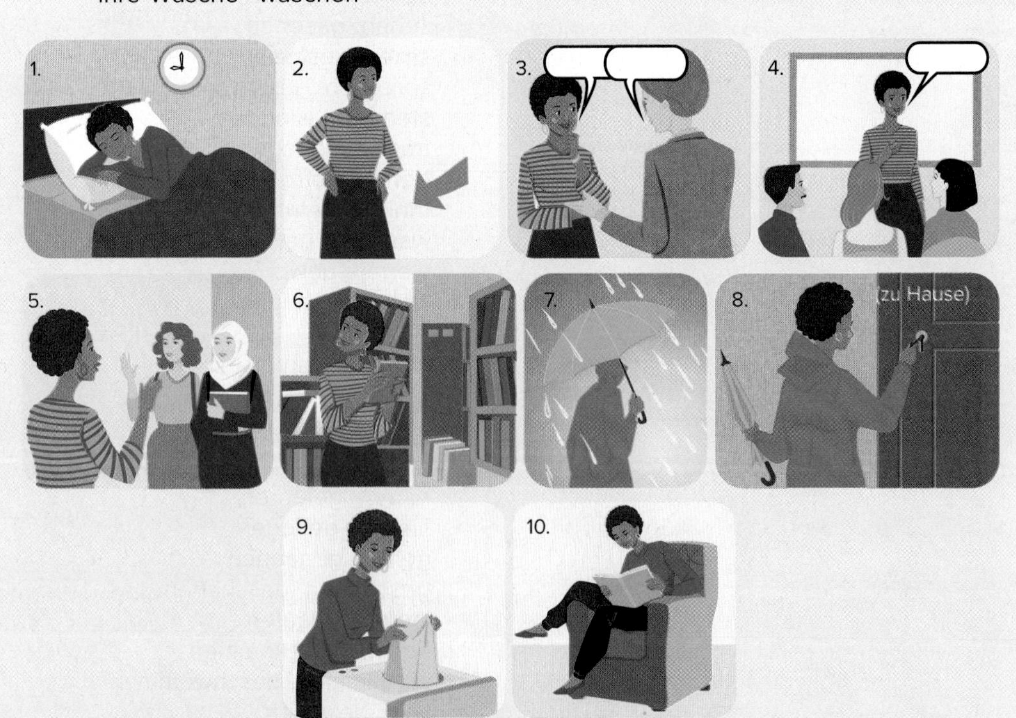


[1]ill-mannered, naughty [2]laundry

# Situationen

## Geburtstage und Jahrestage

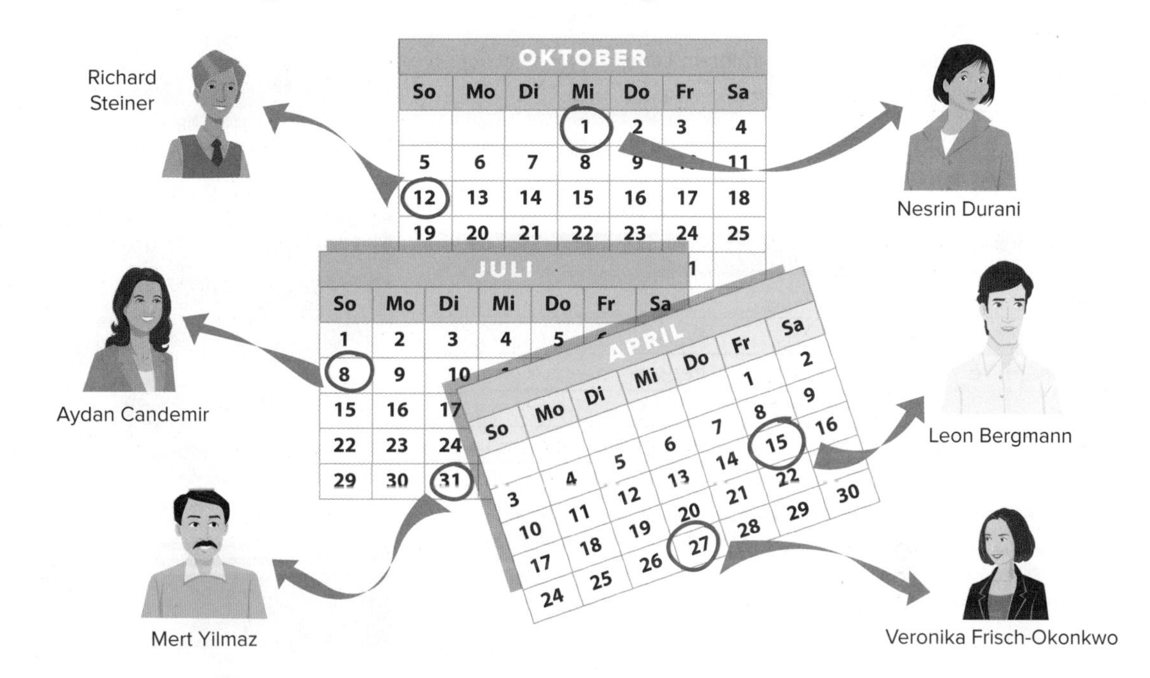


Nesrin hat am ersten Oktober Geburtstag.
Richard hat am zwölften Oktober Geburtstag.
Aydan hat am achten Juli Geburtstag.
Mert ist am einunddreißigsten Juli geboren.
Leon ist am fünfzehnten April geboren.
Veronika hat am siebenundzwanzigsten April Geburtstag.

### Situation 8 Dialog: Welcher Tag ist heute?

Bringen Sie die Sätze in die richtige Reihenfolge.

Lukas und Sofie sitzen im Café. Sofie fragt:

_____ Nein, welches Datum?
_____ Montag.
_____ Wirklich? Ich dachte, sie hat im November Geburtstag.
_____ Hast du denn schon ein Geschenk?
__1__ Welcher Tag ist heute?
_____ Ach so, der erste.
_____ Der erste? Mensch, dann ist ja heute Nesrins Geburtstag!
_____ Das ist es ja! Ich hab' noch nicht einmal ein Geschenk.
_____ Nein, ich habe im November Geburtstag, aber Nesrin im Oktober.
_____ Na, dann viel Spaß beim Geschenke kaufen!

# KULTUR ... LANDESKUNDE ... INFORMATIONEN

## FEIERTAGE UND BRÄUCHE[1]

### Vor dem Lesen

- Welches sind die Familienfeste in Ihrem Land?
- Was macht man an diesen Festen?
- Wer feiert zusammen?
- Kennen Sie Feiertage und Bräuche in Deutschland? Wenn ja, welche?

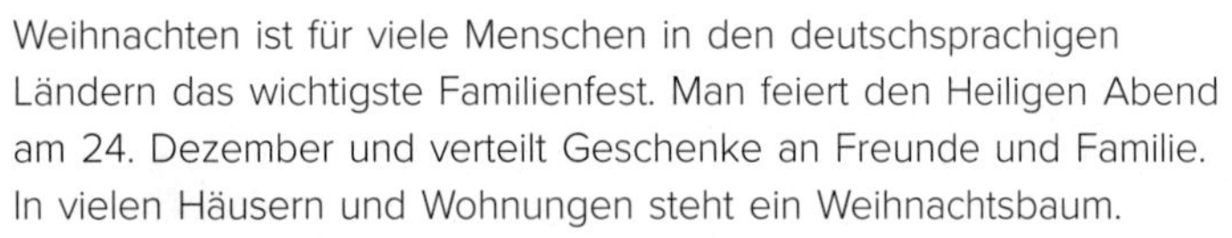

| Miniwörterbuch | |
|---|---|
| **heilig** | holy |
| **verteilen** | to distribute |
| der **Baum, ⸚e** | tree |
| **fern** | far |
| **entweder (... oder)** | either (. . . or) |

Auf dem Christkindlmarkt in München im Jahre 1897



Weihnachten ist für viele Menschen in den deutschsprachigen Ländern das wichtigste Familienfest. Man feiert den Heiligen Abend am 24. Dezember und verteilt Geschenke an Freunde und Familie. In vielen Häusern und Wohnungen steht ein Weihnachtsbaum.

Manche Leute wollen aber auch über die Feiertage nicht zu Hause bleiben und buchen einen Urlaub in einem fernen Land. Viele Schweizer*innen zum Beispiel fliegen gerne nach Bangkok und New York, aber auch nach Dubai und Porto.

Vor Weihnachten, in der Adventszeit, gibt es Adventskalender mit Schokolade, Tee oder sogar Gewürzen[2]. Am 6. Dezember kommt der Nikolaus und in den Alpenländern am Abend vorher der Krampus. Viele Menschen gehen in dieser Zeit auf die vielen Weihnachtsmärkte.

Aber wie feiern andersgläubige Menschen in den deutschsprachigen Ländern in der Weihnachtszeit? Juden[3] feiern im Dezember acht Tage lang Chanukka. Für Muslime gibt es im Dezember keine Feiertage, außer der Ramadan fällt einmal in diesen Monat. Viele schenken ihrer Familie und ihren Freunden trotzdem etwas, entweder an Weihnachten oder zu Neujahr.

Ein Adventskalender



### Arbeit mit dem Text

- Wann bekommt man an Weihnachten die Geschenke?
- Wohin fliegen viele Schweizer*innen über die Feiertage gern?
- Was ist zum Beispiel in einem Adventskalender?
- Wie viele Tage lang feiert man Chanukka?
- Wann geben manche Muslime der Familie Geschenke?

[1]*customs* [2]*spices* [3]*Jews*

## Situation 9 Informationsspiel: Geburtstage

MODELL: S1: Wann ist Lukas geboren?
S2: Am dreißigsten Mai 1995.

| Person | Geburtstag |
|---|---|
| *Lukas* | 30. Mai 1995 |
| *Sofie* | |
| *Claire* | 1. Dezember 1994 |
| *Julia* | |
| *Meili* | 4. Juli 2002 |
| *Noah* | |
| *Heidi* | 23. Juni 1999 |
| *mein(e) Partner(in)* | |
| *sein/ihr bester Freund* | |
| *seine/ihre beste Freundin* | |

## Situation 10 Fest- und Feiertage

1. Wann feiert man den Valentinstag?
2. Wann feiert man den Nationalfeiertag in deinem Land?
3. Welcher Feiertag ist in deiner Familie der wichtigste? Wann feiert ihr ihn?
4. Was feiert man am 1. Mai?
5. Welcher Festtag ist der wichtigste für dich? Dein Geburtstag? Der Tag deiner Taufe[1]? Der Tag deiner Religionsmündigkeit[2] (Bar-Mizwa / Bat-Mizwa)? Ein anderer Tag?
6. Was feiert man am 31. Oktober?
7. Wann feiert man Weihnachten? An welchem Tag bekommt man die Geschenke?
8. Wann feiert man das islamische Opferfest[3]?
9. Wann feiert man Jom Kippur?
10. Wann beginnt der Frühling?

## Situation 11 Erfindungen und Entdeckungen

MODELL: S1: Wer hat den Bleistift erfunden?
S2: _______.
S1: Wann hat sie/er ihn erfunden?
S2: _______.

**das Fallschirmpaket[4]**
**der Kugelschreiber[5]**
**der Bleistift**
**der Kaffeefilter**
**die Schallplatte**
**die Schreibmaschine**
**das Akkordeon**
**das Frequenzsprung[6]-Verfahren**

Cyril Demian
1829

Friedrich Staedtler
1662

Emil Berliner
1887

Katharina Paulus
1913

Melitta Bentz
1908

Laszlo Biro
1938

Peter Mitterhofer
1864

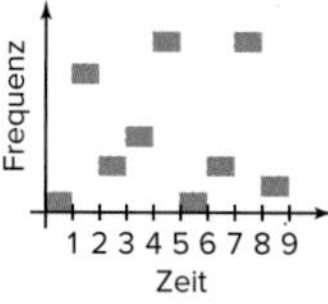

Hedy Lamarr
1942

[1] *baptism, christening* [2] *religious maturity* [3] *Feast of the Sacrifice* [4] *collapsible parachute pack* [5] *ballpoint pen* [6] *frequency hopping*

MODELL: S1: Wer hat das Radium entdeckt?
S2: ________.
S1: Wann hat er/sie es entdeckt?
S2: ________.

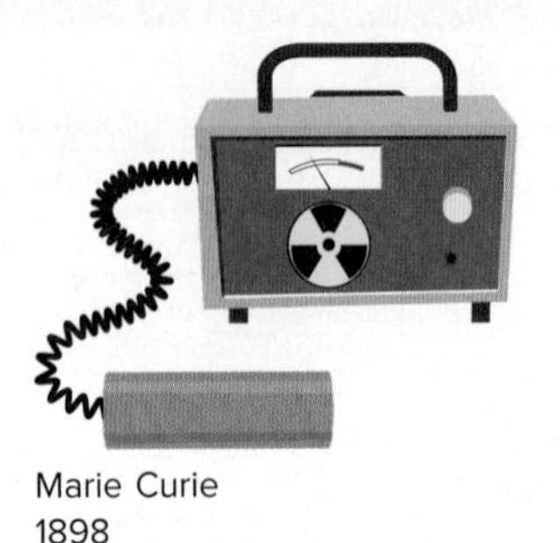
Marie Curie
1898

Friedrich Herschel
1781

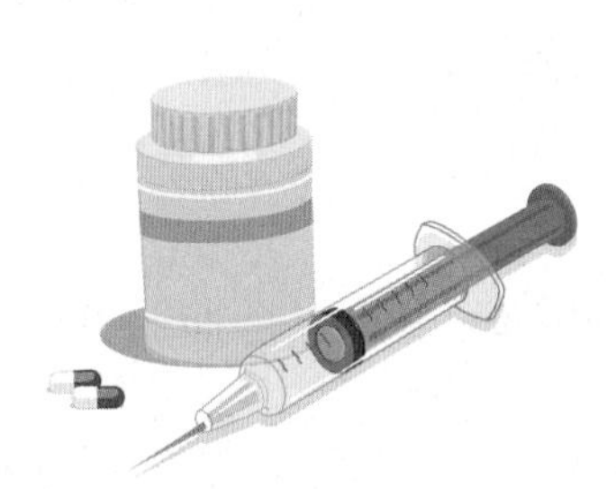
Alexander Fleming
1928

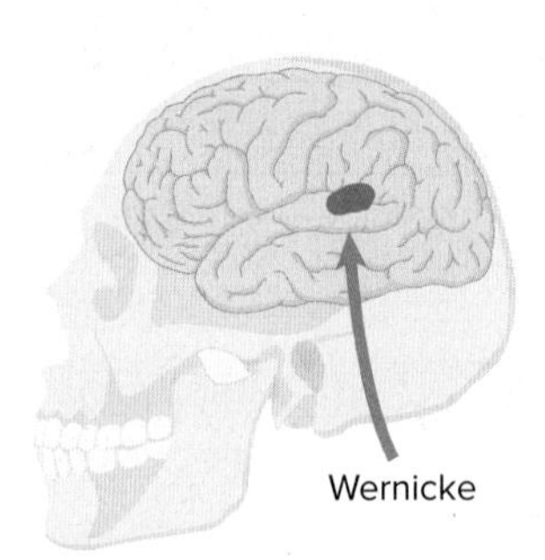

Carl Wernicke
1874

**das Penizillin** **der Uranus**
**das Radium** **das Wernicke-Zentrum**

## Situation 12 Interview

1. Wann bist du geboren (Tag, Monat, Jahr)? Wann ist dein Freund oder deine Freundin geboren (Tag, Monat, Jahr)? Wann ist dein Vater oder deine Mutter geboren (Tag, Monat, Jahr)?
2. Wann bist du in die Schule gekommen (Monat, Jahr)? Wann hast du angefangen zu studieren (Monat, Jahr)?
3. Was war der wichtigste Tag in deinem Leben? Welche Erinnerungen hast du daran? In welchem Monat war das? In welchem Jahr?
4. In welchem Monat warst du zum ersten Mal verliebt? hast du zum ersten Mal Geld verdient? hast du einen Unfall gehabt?
5. An welchen Tagen in der Woche arbeitest du? hast du frei? gehst du ins Kino? besuchst du deine Eltern? gehst du in Vorlesungen? gehst du ins Sprachlabor? gehst du in die Bibliothek?
6. Um wie viel Uhr stehst du auf? ist dein erster Kurs? gehst du nach Hause? gehst du ins Bett?
7. Was hast du vor zwei Tagen gemacht? vor zwei Wochen?

# Lektüre

## Vor dem Lesen

**A.** Beantworten Sie die folgenden Fragen.

1. Seit wann gibt es das Wahlrecht[1] für Frauen in Ihrem Land?
2. Seit wann dürfen in Ihrem Land alle Menschen, auch nicht-weiße, wählen?
3. Seit wann haben Frauen in Ihrem Land die gleichen Rechte?
4. Seit wann haben alle, auch nicht-weiße Menschen, in Ihrem Land die gleichen Rechte?

**LESEHILFE**

Looking at the title of a text and quickly scanning it will often tell you something about the genre and topic. Notice that the title includes a person's name, and that within the text there are several years in chronological order.

**Miniwörterbuch**

| | |
|---|---|
| die **Rede, -n** | speech |
| **nachdem** | after |
| das **Recht, -e** | law, right |
| die **Spitze, -n** | top; tip, point |
| **treten, tritt, ist getreten** | to step (up), appear |
| die **Bundeskanzlerin** | federal chancellor (female) |
| **statt** | instead of |
| **hart** | hard |
| **eintreten, tritt ... ein, ist eingetreten** | to enter, join |
| **werden, wird, ist geworden** | to become |
| **bekannt** | known |
| **(sich) kümmern um** | to care for, look after |
| der **Krieg, -e** | war |
| **klar** | clear |
| **zusammengehören** | to belong together |
| das **Mitglied, -er** | member |
| **gründen** | to establish, found |
| **übernehmen, übernimmt, übernommen** | to assume, take over |
| die **Macht, ⸚e** | power, might |
| **deshalb** | therefore, that's why |
| der **Flüchtling, -e** | refugee |
| **zurückkehren, kehrt ... zurück, ist zurückgekehrt** | to return |
| **hoch** | high |

ullstein bild/Getty Images

Marie Juchacz bei einer öffentlichen Rede in Berlin 1919

**B. Überblick**[2]. Suchen Sie die Wörter im Miniwörterbuch im Text und in den Fragen und markieren Sie sie. Wovon handelt der Text? Was glauben Sie? Sammeln[3] Sie Ihre Hypothesen.

## Marie Juchacz: Politikerin und Bürgerrechtlerin

Marie Juchacz ist geschieden[4], alleinerziehend[5], Sozialdemokratin und hält als erste Frau eine Rede im Parlament der Weimarer Nationalversammlung. Das ist am 19. Februar 1919, ca. zweieinhalb Monate nachdem die Frauen in Deutschland das Wahlrecht bekommen haben.

Bis die erste Frau an die Spitze der Bundesrepublik Deutschland tritt, dauert es noch einmal 86 Jahre. Angela Merkel wird im November 2005 Bundeskanzlerin.

Marie Juchacz wird als Marie Luise Gohlke am 15. März 1879 in Landsberg an der Warthe im heutigen Polen geboren. Statt nur mit Puppen[6] zu spielen, liest sie die Zeitung und weiß früh, was in der Welt passiert. Marie arbeitet hart, erst als Zimmermädchen, dann in einer Nervenheilanstalt[7] und schließlich als Näherin[8]. Sie heiratet, bekommt zwei Kinder und interessiert sich für Politik. Die Ehe ist nicht glücklich und sie zieht 1906 ohne ihren Mann mit den Kindern und ihrer Schwester Elisabeth nach Berlin.

Für politische Aktivitäten hat sie zu Beginn keine Zeit, denn sie muss arbeiten und ihre Kinder ernähren[9]. 1908 treten Marie und Elisabeth in die SPD ein und werden bekannt, weil sie gut reden können. Wenn Marie arbeitet oder politisch aktiv ist, kümmern sich ihre Schwester, ihre Schwägerin[10] und auch ihre Mutter, die nach Berlin kommt, um die Kinder.

[1]*right to vote, suffrage* [2]*overview* [3]*collect* [4]*divorced* [5]*single parent* [6]*dolls* [7]*psychiatric hospital* [8]*seamstress* [9]*feed* [10]*sister-in-law*

1913 geht Marie mit ihren Kindern und ihrer Schwester nach Köln. Jetzt wird Politik ihr Beruf. Sie arbeitet als Sekretärin für Frauenfragen bei der SPD. Dann beginnt der Erste Weltkrieg und ihr wird klar, dass die Frauenfrage mit der sozialen Frage zusammengehört. 1917 zieht Marie Juchacz als „Zentrale Frauensekretärin" der SPD wieder nach Berlin und wird Mitglied des Parteivorstands.

Das Jahr 1918 bringt die Novemberrevolution, und mit ihr kommt endlich das Frauenwahlrecht, auf das Marie Juchacz und ihre Mitstreiterinnen[11] schon so viele Jahre hingearbeitet haben.

Marie ist 1919 eine der ersten Profiteurinnen des neuen Wahlrechts, sie zieht gemeinsam mit 36 anderen Frauen in die Nationalversammlung der Weimarer Republik ein. Eine davon ist ihre Schwester Elisabeth.

Noch 1919, am 13. Dezember, gründet Marie Juchacz die Arbeiterwohlfahrt, denn sie will Solidarität, soziale Arbeit für die Alten und Bildungschancen für die Kinder, oder wie sie es in einem späteren Lebenslauf[12] schreibt: „soziale Selbsthilfe der Arbeiterschaft". „Empowerment" würde man heute sagen.

1933 übernehmen die Nazis in Deutschland die Macht. Deshalb flieht Marie über Frankreich nach New York. Dort kümmert sie sich um andere Flüchtlinge und lernt mit über 60 Jahren Englisch. Erst 1949 kehrt sie nach Deutschland zurück. Ende Januar 1956 stirbt Marie Juchacz in Düsseldorf an Krebs.

## Arbeit mit dem Text

**A. Wichtige Jahre**. Ordnen Sie die Jahreszahlen den Informationen zu.

| | |
|---|---|
| 1. Marie Juchacz hält eine Rede im Parlament. | a. 1906 |
| 2. Angela Merkel wird Bundeskanzlerin. | b. 1913 |
| 3. Marie Juchacz wird geboren. | c. 2005 |
| 4. Marie Juchacz zieht ohne ihren Mann nach Berlin. | d. 1933 |
| 5. Marie Juchacz tritt in die SPD ein. | e. 1919 |
| 6. Marie Juchacz zieht mit ihrer Schwester nach Köln. | f. 1918 |
| 7. Marie Juchacz wird Mitglied des Parteivorstands[13]. | g. 1956 |
| 8. Die Frauen in Deutschland bekommen das Wahlrecht. | h. 1879 |
| 9. Marie Juchacz flieht[14] über Frankreich nach New York. | i. 1917 |
| 10. Marie Juchacz stirbt an Krebs[15]. | j. 1908 |

**B. Inhalt.** Entscheiden Sie, ob die folgenden Aussagen richtig (R) oder falsch (F) sind, und korrigieren Sie die falschen Aussagen.

_____ 1. Marie Juchacz ist die erste Frau, die in einem deutschen Parlament eine Rede hält.

_____ 2. Erst hundert Jahre später wird eine Frau Bundeskanzlerin von Deutschland.

_____ 3. Marie Juchacz wird in Berlin geboren.

_____ 4. Sie liest schon als Kind die Zeitung und weiß, was in der Welt geschieht.

_____ 5. Marie Juchacz ist glücklich verheiratet und bekommt zwei Kinder.

_____ 6. Wenn sie arbeitet oder politisch aktiv ist, kümmert sich ihr Mann um die Kinder.

_____ 7. Marie Juchacz arbeitet als Sekretärin für Frauenfragen bei der SPD.

_____ 8. Die Novemberrevolution 1918 bringt den Frauen in Deutschland das Wahlrecht.

_____ 9. Der Anteil der Frauen in der Nationalversammlung[16] der Weimarer Republik ist nicht sehr hoch.

_____ 10. In New York kümmert sich Marie Juchacz um Flüchtlinge und gründet die Arbeiterwohlfahrt[17].

## Nach dem Lesen

Erstellen Sie ein Plakat oder schreiben Sie eine Kurzbiografie über eine andere berühmte Frau, zum Beispiel aus Ihrem Land oder aus einem deutschsprachigen Land.

[11]*fellow campaigners* [12]*résumé, CV* [13]*party executive committee* [14]*flees* [15]*cancer*
[16]*National Assembly* [17]*Workers Welfare Association*

# Strukturen

## 3. Dates and ordinal numbers

Ordinals 1–19 add **-te** to the cardinal number (but note the irregular forms: **erste, dritte, siebte, achte**).

Ordinals 20 and higher add **-ste** to the cardinal number.

To form ordinal numbers, add **-te** to the cardinal numbers 1 through 19 and **-ste** to the numbers 20 and above. Exceptions to this pattern are **erste** (*first*), **dritte** (*third*), **siebte** (*seventh*), and **achte** (*eighth*).

| | | |
|---|---|---|
| eins | **erste** | *first* |
| zwei | zweite | *second* |
| drei | **dritte** | *third* |
| vier | vierte | *fourth* |
| fünf | fünfte | *fifth* |
| sechs | sechste | *sixth* |
| sieben | **siebte** | *seventh* |
| acht | **achte** | *eighth* |
| neun | neunte | *ninth* |
| . . . | | |
| neunzehn | neunzehnte | *nineteenth* |
| zwanzig | zwanzigste | *twentieth* |
| einundzwanzig | einundzwanzigste | *twenty-first* |
| zweiundzwanzig | zweiundzwanzigste | *twenty-second* |
| . . . | | |
| dreißig | dreißigste | *thirtieth* |
| vierzig | vierzigste | *fortieth* |
| . . . | | |
| hundert | hundertste | *hundredth* |
| . . . | | |

All dates are masculine:
***der* zweite Mai**
***am* zweit*en* Mai**

Ordinal numbers usually end in **-e** or **-en.** Use the construction **der** + **-e** to answer the question **Welches Datum ...?**

Welches Datum ist heute? — *What is today's date?*
Heute ist **der** acht**e** Mai. — *Today is May 8th.*

Use **am** + **-en** to answer the question **Wann ...?**

Wann sind Sie geboren? — *When were you born?*
**Am** achtzehnt**en** Juni 1997. — *On the eighteenth of June, 1997.*

Ordinal numbers in German can be written as words or figures.

am zweiten Februar — *on the second of February*
am 2. Februar — *on the 2nd of February*

### Übung F. Wichtige Daten

Beantworten Sie die Fragen.

1. Welches Datum ist heute?
2. Welches Datum ist morgen?
3. Wann hast du Geburtstag?
4. Wann hat deine Mutter oder dein Vater Geburtstag?
5. Wann feiert man das neue Jahr?
6. Wann feiert man den *Día de los Muertos*?
7. Wann ist dieses Jahr Muttertag?
8. Wann ist nächstes Jahr Ostern?
9. Wann beginnt der Sommer?
10. Wann beginnt der Herbst?

## 4. Prepositions of time: *um, am, im*

Use the question word **wann** to ask for a specific time. The preposition in the answer will vary depending on whether it refers to clock time, days or parts of days, months, or seasons.

A. Use **um** for clock time.

| | |
|---|---|
| —Wann beginnt der Film? | *When does the film start?* |
| —**Um** neun Uhr. | *At nine o'clock.* |

um

B. Use **am** for days.

| | |
|---|---|
| —Wann ist das Konzert? | *When is the concert?* |
| —**Am** Montag. | *On Monday.* |

am

| Mo | Di | Mi | Do | Fr | Sa | So |
|---|---|---|---|---|---|---|
| | | 1 | 2 | 3 | 4 | 5 |
| 6 | 7 | 8 | 9 | 10 | 11 | 12 |
| 13 | 14 | 15 | 16 | 17 | | |
| 20 | 21 | | | | | |
| 27 | | | | | | |

C. Use **am** for parts of days.*

| | |
|---|---|
| —Wann arbeitest du? | *When do you work?* |
| —**Am** Abend. | *In the evening.* |

am

D. Use **im** for seasons and months.

| | |
|---|---|
| —Wann ist das Wetter schön? | *When is the weather nice?* |
| —**Im** Sommer und besonders **im** August. | *In the summer and especially in August.* |

im

No preposition is used when stating the year in which something takes place.

| | |
|---|---|
| —Wann bist du geboren? | *When were you born?* |
| —Ich bin 2002 geboren. | *I was born in 2002.* |

*Note the exceptions: **in der Nacht** (*at night*) and **um Mitternacht** (*at midnight*).

## Übung G. Julias Geburtstag

Ergänzen Sie **um, am, im** oder —.

Julia hat _______ [a] Frühling Geburtstag, _______ [b] April. Sie ist _______ [c] 1996 geboren, _______ [d] 3. April 1996. _______ [e] Dienstag kommen Claire und Leon _______ [f] halb vier zum Kaffee. Julias Mutter kommt _______ [g] 16 Uhr. _______ [h] Abend gehen Julia, Claire und Leon ins Kino. Leon hat auch _______ [i] April Geburtstag, aber erst _______ [j] 15. April.

## Übung H. Interview

Beantworten Sie die Fragen.

1. Was machst du im Winter? im Sommer?
2. Wie ist das Wetter im Frühling? im Herbst?
3. Was machst du am Morgen? am Abend?
4. Was machst du heute um sechs Uhr abends? um zehn Uhr abends?
5. Was machst du am Freitag?
6. Was machst du am Wochenende?
7. Was machst du am Sonntag um Mitternacht?

Chromorange/Alamy

Am Wochenende feiern wir.

# Situationen

## Ereignisse

1. Wann sind Sie aufgewacht?
2. Wann sind Sie aufgestanden?
3. Wann sind Sie von zu Hause weggegangen?
4. Wann hat Ihr Kurs angefangen?
5. Wann hat Ihr Kurs aufgehört?
6. Wann sind Sie nach Hause gekommen?
7. Wann haben Sie unsere Prüfungen korrigiert?

1. Wann hast du eingekauft?
2. Wann hast du dein Video gedreht?
3. Wann hast du mit deinem Freund telefoniert?
4. Wann hast du ferngesehen?
5. Wann hast du dein Fahrrad repariert?
6. Wann bist du abends ausgegangen?

## Situation 13 Michaels freier Tag

Michael telefoniert mit Maria. Sie reden über Michaels freien Tag. Bringen Sie die Sätze in die richtige Reihenfolge.

_____ Tut mir leid, Maria, an dich habe ich leider nicht gedacht. Aber wenn du willst, können wir heute Abend etwas machen.

_____ Hallo Maria. Hier ist Michael. Wie geht's?

_____ Also, zuerst habe ich meinen kleinen Bruder besucht und sein Motorrad repariert.

__13__ Tschüss.

_____ Dann habe ich meinen Keller aufgeräumt. Und am Abend bin ich ausgegangen, in die Kneipe, mit zwei Arbeitskollegen.

_____ Nein, natürlich nicht. Mittags habe ich meinen neuen Nachbarn kennengelernt und wir haben zusammen Kaffee getrunken.

_____ Und dann?

__1__ Schneider, guten Tag.

_____ Und an mich hast du den ganzen Tag nicht gedacht, oder doch?

_____ Also gut. Kannst du mich um acht Uhr abholen?

_____ Ganz gut, danke. Du, sag mal, ich habe versucht, dich gestern anzurufen. Was hast du denn den ganzen Tag gemacht?

_____ Ja gern. Bis dann um acht. Tschüss.

_____ So, und das hat den ganzen Tag gedauert?

## Situation 14 Interview: Gestern

1. Wann bist du aufgestanden?
2. Wie bist du zur Uni gekommen?
3. Was war dein erster Kurs?
4. Hast du eine Rede gehalten? Worüber?
5. Hast du etwas erklärt? Was?
6. Hast du etwas nicht verstanden? Was?
7. Hast du eine Aufgabe übernommen? Welche?
8. Hast du etwas fotografiert? Was?
9. Hast du etwas verteilt? Was?
10. Hast du etwas gemessen? Was?
11. Hast du jemand vorgestellt? Wen?
12. Bist du irgendwo aufgetreten? Wo?

fStop/Getty Images

Der Alltag

## Situation 15 Informationsspiel: Zum ersten Mal

MODELL: S2: Wann hat Frau Gruber ihren ersten Kuss bekommen?
S1: Als sie dreizehn war.

| | Herr Moser | Frau Gruber | mein(e) Partner(in) |
|---|---|---|---|
| *seinen/ihren/deinen ersten Kuss*[1] *bekommen* | | als sie 13 war | |
| *zum ersten Mal ausgegangen* | als er 14 war | | |
| *seinen/ihren/deinen Führerschein*[2] *gemacht* | | mit 25 | |
| *sein/ihr/dein erstes Bier getrunken* | mit 16 | | |
| *seinen/ihren/deinen ersten Preis gewonnen* | | noch nie | |
| *zum ersten Mal nachts nicht nach Hause gekommen* | | mit 21 | |

## Situation 16 Rollenspiel: Das Leben von Studierenden

S1: Sie sind Reporter*in einer Unizeitung in Österreich und machen ein Interview zum Thema Studierendenleben in anderen Ländern. Fragen Sie, was Ihre Partner*in gestern alles gemacht hat: am Vormittag, am Mittag, am Nachmittag und am Abend.

# Filmlektüre

## *Einmal Hans mit scharfer Soße*

FILMANGABEN

**Titel:** *Einmal Hans mit scharfer Soße*
**Genre:** Komödie
**Erscheinungsjahr:** 2013
**Land:** Deutschland
**Dauer:** 96 min
**Regisseurin:** Buket Alakuş
**Hauptrollen:** İdil Üner, Adnan Maral, Sesede Terziyan, Şiir Eloğlu, Demet Gül

### Vor dem Lesen

**A.** Beantworten Sie die folgenden Fragen.

1. Was assoziieren Sie mit *Hans* und was mit *scharfer*[3] *Soße*? Was könnte der Titel des Films bedeuten?
2. Schauen Sie sich das Foto an: Was verrät[4] es über den Film?
3. Lesen Sie die Namen der Regisseurin und der Hauptrollen. Mit welcher Sprache assoziieren Sie diese Namen? Was mag das für den Film bedeuten?

**B.** Lesen Sie die Wörter im Miniwörterbuch. Suchen Sie sie in den Fragen und im Text und markieren Sie sie.

[1]*kiss* [2]*driver's license* [3]*spicy* [4]*reveals*

*Einmal Hans mit scharfer Soße*



## Miniwörterbuch

| | |
|---|---|
| **bedeuten** | to mean |
| **jedoch** | however |
| der **Druck** | pressure |
| **vorstellen** | to introduce |
| die **Vorstellung, -en** | idea, conception |
| **(sich) streiten, gestritten** | to quarrel, fight |
| die **Fahrt, -en** | trip, drive |
| **(sich) trennen** | to separate, break up |
| **schließlich** | finally |
| **(sich) ausgeben, gibt ... aus, ausgegeben** | to pose (as), impersonate |
| **klappen** | (*coll.*) to go well, work (out) |
| die **Hochzeit, -en** | wedding |
| **teilnehmen, nimmt ... teil, teilgenommen** | to participate, attend |
| **leidtun, tut ... leid, leidgetan** | to feel sorry |
| **merken** | to notice |
| **aufnehmen, nimmt ... auf, aufgenommen** | to admit |

## Inhaltsangabe

Hatice Coscun (İdil Üner) ist eine selbstbewusste[1] Journalistin mit türkischen Wurzeln[2] und wohnt in Hamburg. Ihre Familie ist sehr traditionell und wohnt in Salzgitter. Hatices jüngere Schwester Fatma (Sesede Terziyan) ist schwanger[3] und möchte heiraten. Hatices und Fatmas Vater Ismail (Adnan Maral) jedoch besteht[4] darauf, dass die ältere Tochter zuerst heiratet. Fatma macht Druck auf Hatice, ihren Eltern einen Verlobten[5] vorzustellen, doch das ist nicht leicht. Weil Hatices Freund Stefan (Janek Rieke) sehr klischeehafte Vorstellungen von türkischer Kultur hat, streitet sie sich mit ihm auf der Fahrt nach Salzgitter und trennt sich schließlich von ihm. Hatices schwuler[6] Freund Gero (Max von Thun) soll sich als Stefan ausgeben, aber auch das klappt nicht.

Als Hatice Hannes (Steffen Groth) kennenlernt, verliebt sie sich in ihn. Sie werden ein Paar und planen, an der Hochzeit teilzunehmen. Am Abend vor der Hochzeit streiten sie sich. Weil Hatice nicht allein zur Hochzeit kommen kann, überredet[7] sie Stefan, sich als Hannes auszugeben und mit ihr zur Hochzeit zu gehen.

Doch Hannes tut es leid, dass er sich mit Hatice gestritten hat, und er kommt nun auch zur Hochzeit. Als Hatices Vater merkt, dass Hatice ihn die ganze Zeit belogen[8] hat, verstößt[9] er sie. Doch alle Frauen der Coscun-Familie halten zusammen[10] und überreden Ismail schließlich, seine Meinung zu ändern. Die Familie nimmt Hatice wieder auf und Fatma darf als erste heiraten.

## Arbeit mit dem Text

Richtig (R) oder falsch (F)? Verbessern Sie die falschen Aussagen.

_____ 1. Hatice ist schwanger und möchte heiraten.

_____ 2. Hatices Vater will, dass die ältere Tochter zuerst heiratet.

_____ 3. Hatice ist mit Stefan verlobt.

_____ 4. Stefans Vorstellungen von türkischer Kultur sind voller Klischees.

_____ 5. Weil Hatice sich von Stefan trennt, soll sich ihr Freund Gero als Stefan ausgeben.

_____ 6. Hatice verliebt sich in Gero.

_____ 7. Hatice und Hannes gehen zusammen zur Hochzeit.

_____ 8. Hatices Vater Ismail merkt, dass Hatice schwanger ist.

_____ 9. Ismail verstößt Hatice für immer.

_____ 10. Fatma darf als erste heiraten.

[1]*self-confident* [2]*roots* [3]*pregnant* [4]*insists* [5]*fiancé* [6]*gay* [7]*persuades* [8]*deceived* [9]*disowns, throws out* [10]*hold together, close ranks*

Strukturen

## 5. Past participles with and without *ge-*

Separable-prefix verbs form their past participles with **-ge-** before the verb stem. The verb stem may have vowel or consonant changes.

WEAK VERBS
prefix + **-ge-** + stem + **-(e)t**

STRONG VERBS
prefix + **-ge-** + stem + **-en**

Separable prefixes include: **an, auf, aus, ein, mit, nach, vor, weg, zu, zusammen,** and others.

Verbs ending in **-ieren** are weak: verb stem + **-t.**

A. Participles with **ge-**

German past participles usually begin with **ge-.** The past participles of separable-prefix verbs, however, begin with the prefix; the **ge-** goes between the prefix and the verb.

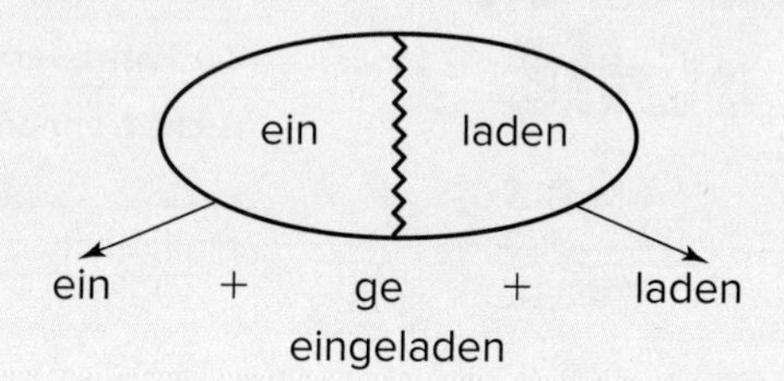


Frau Schulz **hat** Heidi und Meili zum Essen **eingeladen.** — *Frau Schulz invited Heidi and Meili to dinner.*

Here are the infinitives and past participles of some common separable-prefix verbs.

PAST PARTICIPLES WITH **haben**

| | | |
|---|---|---|
| anbieten | angeboten | *to offer* |
| anfangen | angefangen | *to start* |
| aussehen | ausgesehen | *to look* |
| einladen | eingeladen | *to invite* |
| mitnehmen | mitgenommen | *to take along* |

PAST PARTICIPLES WITH **sein**

| | | |
|---|---|---|
| ankommen | angekommen | *to arrive* |
| aufstehen | aufgestanden | *to get up* |
| auftreten | aufgetreten | *to perform* |
| ausgehen | ausgegangen | *to go out* |
| ausziehen | ausgezogen | *to move out* |

B. Participles without **ge-**

There are two types of verbs that do not add **ge-** to form the past participle: verbs that end in **-ieren** and verbs with inseparable prefixes.

1. Verbs ending in **-ieren** form the past participle with **-t: studieren → studiert.**

Karin **hat** Deutsch **studiert.** — *Karin studied German.*

Here is a list of common verbs that end in **-ieren.**

| | | |
|---|---|---|
| definieren | definiert | *to define* |
| diskutieren | diskutiert | *to discuss* |
| fotografieren | fotografiert | *to take pictures* |
| korrigieren | korrigiert | *to correct* |
| probieren | probiert | *to try, taste* |
| reparieren | repariert | *to repair* |
| studieren | studiert | *to study* |
| telefonieren | telefoniert | *to telephone* |

Verbs with inseparable prefixes may be weak or strong. The verb stem may have vowel or consonant changes.

WEAK VERBS

verb stem + **-(e)t**

STRONG VERBS

verb stem + **-en**

INSEPARABLE PREFIXES: **be-**, **er-**, **ver-**

Separable prefixes can stand alone as whole words; inseparable prefixes are always unstressed syllables.

Almost all verbs ending in **-ieren** form the perfect tense with **haben.** The verb **passieren** (*to happen*) requires **sein** as an auxiliary: **Was ist passiert?** (*What happened?*)

2. The past participles of inseparable-prefix verbs do not include **ge-**: **verstehen → verstanden.**

Steve **hat** nicht **verstanden.** — *Steve didn't understand.*

Whereas separable prefixes are words that can stand alone (**auf, aus, mit,** and so forth), inseparable prefixes are simply syllables: **be-, er-,** and **ver-.** The past participles of most inseparable-prefix verbs require **haben** as an auxiliary.

Here is a list of common inseparable-prefix verbs and their past participles.

| | | |
|---|---|---|
| beginnen | begonnen | *to begin* |
| bekommen | bekommen | *to get* |
| beobachten | beobachtet | *to observe* |
| beschreiben | beschrieben | *to describe* |
| besuchen | besucht | *to visit* |
| bewegen | bewegt | *to move* |
| erfahren | erfahren | *to experience* |
| erfüllen | erfüllt | *to fulfill* |
| (sich) erinnern | erinnert | *to remember* |
| erkennen | erkannt | *to recognize* |
| erklären | erklärt | *to explain* |
| erlauben | erlaubt | *to permit* |
| erzählen | erzählt | *to tell* |
| vergessen | vergessen | *to forget* |
| verkaufen | verkauft | *to sell* |
| verlieren | verloren | *to lose* |
| verwenden | verwendet | *to use* |
| verstehen | verstanden | *to understand* |

## Übung I. In der Türkei

Mert ist in der Türkei. Was hat er gestern gemacht? Verwenden Sie die Verben in den Kästen[1].

KASTEN FÜR a – e

**gehen** **schlafen** **trinken** **ankommen** **begrüßen**

Mert ist in der Türkei bei seinen Verwandten. Gestern _______ er um 17 Uhr _______[a]. Er _______ seine Cousins und Kusinen _______[b] und einen Tee mit ihnen _______[c]. Dann _______ er ins Gästezimmer _______[d] und _______ _______[e].

KASTEN FÜR f – j

**gehen** **sprechen** **trinken** **fragen** **gehen**

Nach einer Stunde _______ er zum Abendessen in die Küche _______[f]. Seine Kusine Hilal _______ ihn viel über das Leben der Familie in Deutschland _______[g] und Mert _______ über seine Arbeit und seine Freunde _______[h]. Sie _______ noch einen Tee _______[i] und _______ um 23 Uhr ins Bett _______[j].

[1] *boxes*

## Übung J. Ein schlechter Tag

Herr Moser hatte gestern einen schlechten Tag. Zuerst hat er seinen Wecker nicht gehört und ist zu spät aufgestanden. Dann ist er in die Küche gegangen, um Kaffee zu kochen. Die Kaffeemaschine war kaputt. Er hat sie repariert und dann gemerkt, dass er keinen Kaffee hat. Er ist mit seinem Auto in die Stadt gefahren. Er hat einen Parkplatz gefunden, ist aber erst nach zwei Stunden zurückgekommen. Herr Moser hat einen Strafzettel[1] bekommen und 20 Euro für falsches Parken bezahlt. Er ist zu seiner Mutter gefahren und hat gemerkt, dass er die Blumen für sie zu Hause vergessen hat. Auf der Fahrt nach Hause hat er die Hausschlüssel[2] verloren. Zum Glück war die Haustür offen. Herr Moser ist ins Bett gegangen und hat gelesen. Er hat Kerzen angezündet. Dann ist er eingeschlafen. Die Kerzen hat er leider nicht ausgemacht. Fünf Minuten vor Mitternacht ist das Haus abgebrannt[3].

A. Richtig (R) oder falsch (F)?

1. ______ Herr Moser ist gestern zu spät aufgestanden.
2. ______ Er hat Kaffee getrunken.
3. ______ Er hat einen Strafzettel bekommen.
4. ______ Er hat für seine Mutter Blumen mitgebracht.
5. ______ Er hat seine Schlüssel verloren.
6. ______ Er ist ins Bett gegangen und sofort eingeschlafen.
7. ______ Er hat die Kerzen ausgemacht.
8. ______ Herr Moser braucht ein neues Haus.

B. Suchen Sie die Partizipien heraus, bilden Sie die Infinitive und schreiben Sie sie auf.

| PARTIZIPIEN MIT **ge-** | INFINITIVE |
| --- | --- |
| ____________________ | ____________________ |
| ____________________ | ____________________ |
| ⋮ | ⋮ |

| PARTIZIPIEN OHNE **ge-** | INFINITIVE |
| --- | --- |
| ____________________ | ____________________ |
| ____________________ | ____________________ |
| ⋮ | ⋮ |

[1]*parking ticket* [2]*house keys* [3]*burned down*

## 6. Word formation: Feminine nouns in *-ung*

**WISSEN SIE NOCH?**

You have already learned that many German verbs have feminine noun counterparts ending in **-e,** for example, **lieben** (*to love*) → **die Liebe** (*love*).

Review **Strukturen 4** in **Kapitel 3.**

The verb stem is the infinitive form of the verb without the **-en.**

German nouns are always capitalized.

Nouns with the suffix **-ung** are feminine.

Many German verbs have a noun counterpart that ends in **-ung: bedeuten** (*to mean*) and **die Bedeutung** (*meaning*). The verb focuses on the action, while the noun generally focuses on the product of the action.

| | |
|---|---|
| Max hat etwas **beobachtet.** | *Max **observed** something.* |
| Er hat eine **Beobachtung** gemacht. | *He made an **observation.*** |

The noun is formed by attaching the suffix **-ung** to the verb stem: **beschreiben → beschreib → Beschreibung.** This pattern is the most frequent noun derivation pattern in German. Here are some verb-noun pairs based on words you have learned so far.

| Verbs | | | Nouns | |
|---|---|---|---|---|
| bedeuten | *to mean* | → | die Bedeutung | *meaning* |
| bewegen | *to move* | → | die Bewegung | *movement* |
| bilden | *to educate* | → | die Bildung | *education* |
| einführen | *to introduce* | → | die Einführung | *introduction* |
| entscheiden | *to decide* | → | die Entscheidung | *decision* |
| erfahren | *to experience* | → | die Erfahrung | *experience* |
| (sich) erinnern | *to remember* | → | die Erinnerung | *memory* |
| erzählen | *to narrate* | → | die Erzählung | *narration* |
| hoffen | *to hope* | → | die Hoffnung | *hope* |
| lösen | *to solve* | → | die Lösung | *solution* |
| meinen | *to mean* | → | die Meinung | *opinion* |
| ordnen | *to order* | → | die Ordnung | *order* |
| überraschen | *to surprise* | → | die Überraschung | *surprise* |
| wohnen | *to live, dwell* | → | die Wohnung | *apartment* |

### Übung K. Erklärungen

Ergänzen Sie die Lücken mit einem Substantiv. Die Box enthält die korrespondierenden Verben.

**hoffen** **lösen** **erinnern** **meinen** **erfahren** **erzählen** **entscheiden** **ordnen** **bedeuten** **überraschen** ~~**wohnen**~~

MODELL: Seit wann wohnst du hier? Ich finde deine *Wohnung* sehr schön.

1. Das Wort ist neu. Leider kenne ich seine ______ nicht.
2. Ein Kuchen! Danke sehr! Das ist aber eine schöne ______.
3. Ich muss dir noch etwas erzählen. Meine ______ ist aber sehr kurz.
4. Kannst du meine Frage beantworten? Deine ______ ist für mich sehr wichtig.
5. Ich habe ein Problem und suche nach einer ______. Kannst du mir helfen?
6. Jetzt können wir nur noch hoffen, aber man darf die ______ nie aufgeben.
7. Ich kann mich an nichts erinnern. Leider habe ich überhaupt keine ______, was diese Sache betrifft[1].
8. Wer lange lebt, macht viele ______, gute und schlechte.
9. Ich habe meine ______ getroffen. Ich ändere meine Meinung jetzt nicht mehr.
10. In deinem Zimmer sieht es furchtbar aus. Kannst du denn keine ______ halten?

[1]was ... *as far as this matter is concerned*

# Videoecke

## Perspektiven

Was hast du gestern Abend gemacht?

McGraw-Hill/Klic Video Productions

Gestern Abend habe ich ein Buch gelesen.

## Aufgabe 1 Gestern Abend

**Miniwörterbuch**

| | |
|---|---|
| die **Probe, -n** | rehearsal |
| **verbringen, verbracht** | to spend |
| **aufpassen** | to watch, look after |
| **unternehmen, unternimmt, unternommen** | to do, undertake |
| **zuwinken, zugewunken** | to wave |
| **ausprobieren** | to try out |
| **sich (mit etwas) beschäftigen** | to be busy (with sth.) |

Wer hat das gestern Abend gemacht? Ordnen Sie die Aussagen den Personen zu.

1. Sandra ___

2. Hend ___

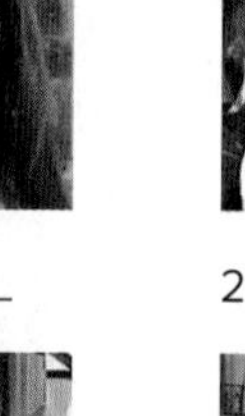

3. Martin ___

4. Simone ___

5. Sophie ___

6. Jenny ___

7. Pascal ___

8. Tina ___

McGraw-Hill/Klic Video Productions

a. Ich habe ein ägyptisches Essen gekocht.
b. Ich habe ein Buch gelesen.
c. Ich habe etwas in einer Kneipe getrunken.
d. Ich habe mit einer Freundin etwas Schönes gekocht.
e. Ich habe mir beim Chinesen etwas zu essen geholt.
f. Ich habe mit meiner Freundin Wein getrunken.
g. Ich habe zu Hause eine DVD geguckt.
h. Ich hatte Probe mit meiner Band.

## Interviews

- Wie hast du das letzte Wochenende verbracht?
- Was war das Interessanteste, was dir in den letzten Tagen passiert ist?
- Wann hast du Geburtstag?
- Wie hast du deinen letzten Geburtstag gefeiert?
- Welchen Feiertag findest du am besten? Warum?
- Was war der schönste Tag in deinem Leben?

Tanja

Felicitas

## Aufgabe 2 Tanja und Felicitas

Auf wen treffen die folgenden Aussagen zu, Tanja oder Felicitas?

| | TANJA | FELICITAS |
|---|---|---|
| 1. Letztes Wochenende bin ich zu meinem Freund nach Jena gefahren. | ☐ | ☐ |
| 2. Ich habe auf die Kinder von meiner Schwester aufgepasst. | ☐ | ☐ |
| 3. Ich habe am 2. März Geburtstag. | ☐ | ☐ |
| 4. Ich habe ein Fußballspiel der Champions League gesehen. | ☐ | ☐ |
| 5. An meinem letzten Geburtstag habe ich Sushi gegessen. | ☐ | ☐ |
| 6. An meinem letzten Geburtstag habe ich abends etwas mit Freunden unternommen. | ☐ | ☐ |
| 7. Ich finde den Tag der Deutschen Einheit am besten. | ☐ | ☐ |
| 8. Ich finde Weihnachten am schönsten. | ☐ | ☐ |
| 9. Ich habe ein Stipendium gewonnen, um in Deutschland zu studieren. | ☐ | ☐ |
| 10. Justin Timberlake hat mir zugewunken. | ☐ | ☐ |

## Aufgabe 3 Tanjas Wochenende

Was ist passiert? Bringen Sie die Sätze in die richtige Reihenfolge.

__1__ Ich bin am Samstag zu meinem Freund nach Jena gefahren.
_____ Ich habe mir einen neuen Laptop gekauft.
_____ Wir haben Programme installiert und alles ausprobiert.
_____ Am Abend haben wir uns die ganze Zeit mit dem neuen Laptop beschäftigt.
_____ Wir sind einkaufen gegangen.

## Aufgabe 4 Dies und das

Beantworten Sie die folgenden Fragen.

1. Wer hat in Tanjas Heimatstadt das Champions-League-Spiel gewonnen?
2. Wann hat Tanja Geburtstag?
3. Warum findet Tanja Weihnachten so schön?
4. Was ist am schönsten Tag in Tanjas Leben passiert?
5. Wo war Felicitas mit den Kindern ihrer Schwester?
6. Warum findet Felicitas den Tag der Deutschen Einheit so gut?
7. Was ist passiert, als Felicitas beim Justin-Timberlake-Konzert war?

# Wortschatz zum Lernen

| Der Arbeitstag | Work Day |
|---|---|
| →**an·fangen, fängt ... an, angefangen** | to start, begin |
| →**antworten** | to answer |
| **auf·brechen, bricht ... auf, ist aufgebrochen** | to leave, set out |
| **beenden** | to end |
| **belegen** | to take (a course); to document |
| →**bezahlen** | to pay (for) |
| →**dauern** | to last, take (time) |
| **ergänzen** | to complete, add |
| **erledigen** | to finish, get done |
| →**passieren, ist passiert** | to happen, take place |
| →**übernehmen, übernimmt, übernommen** | to take on, assume |
| →**verstehen, verstanden** | to understand |
| →**war, warst, waren** | was, were |
| →die **Aufgabe, -n** | assignment, task, chore |
| die **Bibliothek, -en** | library |
| →die **Freiheit, -en** | freedom, liberty |
| →die **Rede, -n** | speech |
| →die **Regel, -n** | rule |
| die **Sehnsucht, ¨-e** | longing, desire |
| die **Umfrage, -n** | survey |
| der **Bahnhof, ¨-e** | train station |
| →der **Krieg, -e** | war |
| das **Abitur** | high school graduation exam |
| das **Fest, -e** | celebration, party |
| das **Leid** | suffering, sorrow |
| →das **Opfer, -** | victim; sacrifice |
| →das **Prozent, -e** | percentage, percent |
| das **Tagebuch, ¨-er** | diary |
| das **Wunder, -** | wonder |
| →**ähnlich** | similar(ly) |
| **furchtbar** | terrible, terribly |
| →**letzte, letzter, letztes** | last |
| →**privat** | private(ly) |
| **total** | total(ly) |
| →**weitere, weiterer, weiteres** | additional, further |
| →**wenig** | little; few |
| →**abends** | evenings, in the evening |
| →**einmal** | once |
| →**erst** | first |
| **erst um vier Uhr** | not until four o'clock |
| →**etwa** | approximately |
| →**gestern** | yesterday |
| **heute früh** | this morning |
| →**meist** | mostly |
| **nachmittags** | afternoons, in the afternoon |
| →**nachts** | nights, at night |
| →**um ... zu ...** | (in order) to . . . |
| **wohin** | where (to) |

| Urlaub und Freizeit | Vacation and Leisure Time |
|---|---|
| →**enthalten, enthält, enthalten** | to contain |
| →**erscheinen, ist erschienen** | to appear |
| **fotografieren** | to take pictures, photograph |
| →**verdienen** | to earn |
| →**vergleichen, verglichen** | to compare |
| **vor·bereiten, bereitet ... vor, vorbereitet** | to prepare |
| die **Burg, -en** | castle, fortress |
| die **Haut, ¨-e** | skin |
| die **Heldin, -nen** | female hero |
| der **Held, -en** | male hero |
| der **Sand** | sand |
| der **Schatten, -** | shadow, shade |
| der **Strand, ¨-e** | beach |
| der **Urlaub, -e** | vacation |
| der **Vortrag, ¨-e** | talk, presentation, lecture |
| →das **Interview, -s** | interview |
| →das **Seminar, -e** | seminar, class |
| →**andere, anderer, anderes** | other, others |
| →**leicht** | easy, easily |
| →**politisch** | political(ly) |
| →**sozial** | social(ly) |
| →**deshalb** | therefore; that's why |
| →**sich** | oneself/himself/herself |
| →**über** | over, above; about; across, via |
| **übers Wochenende** | over the weekend |

| Geburtstage und Jahrestage | Birthdays and Anniversaries |
|---|---|
| →**entdecken** | to discover |
| →**entscheiden, entschieden** | to decide |
| **erfinden, erfunden** | to invent |
| →**fallen, fällt, ist gefallen** | to fall |
| →**feiern** | to celebrate, party |
| **gründen** | to found, establish |
| →**treten, tritt, ist getreten** | to step (up) |
| **verteilen** | to distribute |
| →**werden, wird, ist geworden** | to become |
| →die **Erinnerung, -en** | memory, remembrance |

| | |
|---|---|
| →die **Information, -en** | information |
| →die **Vorlesung, -en** | lecture |
| der **Feiertag, -e** | holiday |
| →der **Flüchtling, -e** | refugee |
| der **Tee, -s** | tea |
| der **Unfall, ¨-e** | accident |
| das **Datum, Daten** | date; data |
| →das **Mitglied, -er** | member (of an organization) |
| →das **Recht, -e** | right, law |
| das **Sprachlabor, -s** | language laboratory |
| (das) **Weihnachten** | Christmas |
| das **Zentrum, Zentren** | center |
| →**bekannt** | known |
| →**hart** | hard |
| →**hoch** | high(ly) |
| →**klar** | clear(ly) |
| **verliebt** | in love |
| **an welchem Tag?** | on what day? |
| →**entweder ... oder ...** | either . . . or . . . |
| →**nachdem** | after |
| →**statt** | instead of |
| →**vor** | before; ago |
| **vor zwei Tagen** | two days ago |
| **zum ersten Mal** | for the first time |

| Ereignisse | Events |
|---|---|
| **auf·räumen, aufgeräumt** | to tidy up |
| **beantworten** | to answer |
| →**bedeuten** | to mean, signify |
| →**denken** (**an** + *acc.*), **gedacht** | to think (of) |
| →**gewinnen, gewonnen** | to win |
| **korrigieren** | to correct, grade |
| **telefonieren** | to telephone, call |
| →**versuchen** | to try |
| →**vor·stellen, stellt ... vor** | to introduce, present |
| **weg·gehen, geht ... weg, ist weggegangen** | to leave, go away |
| →die **Einheit, -en** | unity, unit |
| →die **Entscheidung, -en** | decision |
| →die **Kultur, -en** | culture |
| die **Nachbarin, -nen** | female neighbor |
| →die **Rolle, -n** | role, part |
| →die **Vorstellung, -en** | idea; imagination |
| der **Alltag** | daily routine, everyday life |
| →der **Druck, ¨-e** | pressure |
| der **Keller, -** | basement, cellar |
| der **Nachbar, -n** | male neighbor |
| der **Nachmittag, -e** | afternoon |
| →der **Preis, -e** | prize; price |
| der **Vormittag, -e** | late morning |
| →das **Programm, -e** | program |
| →das **Thema, Themen** | theme, topic |
| →**also** | well, so, thus |
| →**jedoch** | however |
| →**um** | around; at (*time*) |
| **wen** | whom |
| →**zuerst** | (at) first |

KAPITEL 5

# Geld und Arbeit

### Themen

Dienstleistungen

Berufe

Der Arbeitsplatz

In der Küche

### Kulturelles

Kunst: Hanne Holze (*Koch mit Suppe*)

KLI: Leipzig

Musikszene: „Stadt“ (Cassandra Steen)

KLI: Ausbildung und Beruf

Videoecke: Studium und Arbeit

### Strukturen

1. Dative case: Articles and possessive determiners
2. Question pronouns: **wer, wen, wem**
3. Expressing change: The verb **werden**
4. Word formation: Masculine nouns in **-er** and feminine nouns in **-in**
5. Location: **in, an, auf** + dative case
6. Dative case: Personal pronouns

### Lektüren

Webartikel: Fünf verrückte Jobs für Studierende

Film: *Toni Erdmann* (Maren Ade)

After completing **Kapitel 5,** you will be able to . . .

- exchange information in conversations about shopping, jobs and the workplace, and daily life at home, forming sentences and series of connected sentences and asking appropriate follow-up questions
- exchange preferences, feelings, or opinions and provide basic advice with respect to shopping, jobs and the workplace, and daily life at home, forming sentences and series of connected sentences and asking appropriate follow-up questions
- understand the main idea and key information in informational and descriptive texts consisting of several paragraphs with the help of key vocabulary items
- understand the main idea and key information in popular songs and conversations related to shopping, jobs, and daily life at home
- express your viewpoint on topics related to jobs and job training and give some reasons to support it, using simple sentences and series of connected sentences in writing
- compare products and practices in your area with those in German-speaking countries with respect to jobs and job training, paying for a college education, and the workplace

Hanne Holze: *Koch mit Suppe* (2007), Privatbesitz

# KUNST UND KUNSTSCHAFFENDE

Die deutsche Künstlerin Hanne Holze malt mit sanften, aber kräftigen Farben. Sie zeigt auf ihren Bildern Menschen bei der Arbeit oder in alltäglichen[1] Situationen. Ihre Figuren sind rund und groß, manchmal ein bisschen komisch, aber immer positiv. Hanne Holze lebt seit 1998 auf der spanischen Insel Mallorca, wo viele Deutsche wohnen, weil sie die Sonne und die südliche[2] Lebensart[3] lieben.

Schauen Sie sich das Bild an und beantworten Sie die folgenden Fragen.

1. Wie ist der Mann, wie sieht er aus: braunes/blondes/graues/langes/kurzes Haar, blaue/braune/grüne Augen, jung, alt, groß, klein, dick oder dünn?
2. Wie ist er: glücklich, traurig, freundlich, sportlich, ruhig?
3. Was trägt er: eine Hose, eine Jacke, eine Mütze, einen Hut, eine Krawatte[4], ein Halstuch[5]?
4. Was hat er in der Hand: einen Löffel[6], ein Messer, einen Teller, einen Topf, eine Schüssel[7]?
5. Welche Farben hat die Künstlerin verwendet? Welchen Eindruck gibt das dem Bild?
6. Welche Assoziationen weckt das Bild?

| Miniwörterbuch | |
|---|---|
| **sanft** | soft, gentle |
| **kräftig** | strong, vigorous |
| **rund** | round |
| **komisch** | funny, strange |
| das **Messer, -** | knife |
| der **Teller, -** | plate |
| der **Topf, ¨e** | pot |
| der **Eindruck, ¨e** | impression |

[1]*everyday* [2]*Southern* [3]*lifestyle* [4]*necktie* [5]*kerchief, scarf* [6]*spoon* [7]*bowl*

# Situationen

## Dienstleistungen

1. Pedro kauft seinem Freund Miguel eine Karte für ein Konzert.

2. Yusuf bringt seinem Vater die Zeitung.

3. Michael schenkt seiner Freundin Maria eine Reise an die Ostsee.

4. Phillip gibt seiner Schwester seinen iPod.

5. Aydan kocht ihrem Stiefsohn Johannes das Abendessen.

6. Heidi verkauft ihrem Kommilitonen Steve ein Wörterbuch.

7. Julia erzählt ihrer Freundin Claire ein Geheimnis.

8. Claire schreibt ihrer Mutter einen Brief.

## Situation 1 Ist das normal?

Welches Bild gehört zu welchem Satz?

a. 

b. 

1. _______ Max gießt seiner Tante die Blumen.

   _______ Max gießt seine Tante.

a. 

b. 

2. _______ Hannah repariert ihren Bruder.

   _______ Hannah repariert ihrem Bruder das Radio.

a. 

b. 

3. _______ Phan kauft das Kind.

   _______ Phan kauft dem Kind die Schokolade.

a. 

b. 

4. _______ Herr Ruf kocht der Familie das Essen.

   _______ Herr Ruf kocht die Familie.

## Situation 2 Sagen Sie *ja, nein* oder *vielleicht.*

1. Wem geben die Studierenden ihre Hausaufgaben?
   a. dem Professor
   b. ihren Eltern
   c. dem Soldaten
   d. dem Taxifahrer
2. Wem schreibt Johannes eine E-Mail?
   a. seiner Katze
   b. dem Präsidenten
   c. seiner Mutter
   d. seinen Schwestern
3. Wem kauft Antonia das Hundefutter[1]?
   a. ihrer Mutter
   b. ihrem Freund Lukas
   c. ihrem Hund
   d. der Schauspielerin
4. Wem repariert Herr Ruf das Fahrrad?
   a. seiner Kollegin
   b. seiner Mutter
   c. der Künstlerin
   d. seinem Sohn

## Situation 3 Interaktion: Was schenkst du deiner Mutter?

Sie haben in der Lotterie 2.000 Euro gewonnen. Für 500 Euro wollen Sie Ihrer Familie und Ihren Freunden Geschenke kaufen. Was schenken Sie ihnen?

MODELL: S1: Wem schenkst du etwas?
S2: Meiner Mutter.
S1: Was schenkst du deiner Mutter?
S2: Einen/Ein/Eine ______.

der Roman (Thomas Mann *„Der Zauberberg“*)

die Pflanze

das Schiff

der Schirm

die Mütze

die Reise

die Kaffeemaschine

die Flasche Wein

das Spiel

| | ich | mein(e) Partner(in) |
|---|---|---|
| *deiner Mutter* | | |
| *deinem Vater* | | |
| *deiner Schwester* | | |
| *deinem Bruder* | | |
| *deinem Freund* | | |
| *deiner Freundin* | | |
| *deinem Arbeitskollegen / deiner Arbeitskollegin* | | |
| *deinem Professor / deiner Professorin* | | |
| *deinem Mitbewohner / deiner Mitbewohnerin* | | |
| ______ | | |

[1] *dog food*

## Situation 4 Fragen über Fragen

Welche Antwort passt auf welche Frage? Ordnen Sie zu.

1. Wer unterrichtet Deutsch in Berkeley?
2. Wen hat Veronika geheiratet?
3. Wem hat Julia ein Geheimnis erzählt?
4. Wen hat Hannah letztes Wochenende kennengelernt?
5. Wem hat Kobe gezeigt, wie man Fahrrad fährt?
6. Wer zeichnet gern Hunde?
7. Wem hat Aydan ein Abendessen gekocht?
8. Wen hat Veronika gepflegt?
9. Wem hat Lukas seinen Schreibtisch verkauft?
10. Wem hat Yamina eine Frage gestellt?

a. ihre kranke Tochter Yamina
b. Eske
c. Frau Schulz
d. ihrem Stiefsohn Johannes
e. ihren Mann Kobe
f. ihren neuen Freund Samy
g. ihrer Freundin Claire
h. seiner Freundin Nesrin
i. ihrer Mutter
j. seiner Tochter Sumita

ullstein bild - CARO/Keunecke/The Image Works

Buchmesse in Leipzig

# KULTUR ... LANDESKUNDE ... INFORMATIONEN

## LEIPZIG

### Vor dem Lesen

Beantworten Sie die folgenden Fragen.

- Wo liegt Leipzig? Suchen Sie die Stadt auf einer Landkarte[1].
- Was wissen Sie über Leipzig?
- Was wissen Sie über Johann Sebastian Bach und Richard Wagner?
- Was ist 1989 in Deutschland passiert?

### Arbeit mit dem Text

Lesen Sie den Text und suchen Sie Antworten auf die folgenden Fragen:

1. Wann hatte Leipzig die meisten Einwohner? Wie viele hat es jetzt?
2. In welchem Teil Deutschlands ist Leipzig ein wichtiges Wirtschaftszentrum?
3. Wann wurde die Universität Leipzig gegründet? Wie viele Studierende hat sie?
4. Welchen Beruf hatten die folgenden Personen: Lessing, Heisenberg, Ostwald und Wagner?
5. Wie lange war Johann Sebastian Bach Thomaskantor[2] in Leipzig?
6. Welches berühmte Festival findet jedes Jahr im Juni statt?
7. Warum nennt man Leipzig die Heldenstadt?
8. In welcher Straße gibt es besonders viele Cafés, Kneipen und Clubs?
9. Welche berühmte Messe findet jedes Jahr im März in Leipzig statt?

Sergey Kohl/Shutterstock

2009: die Leipziger Universität ist 600 Jahre alt.

| Miniwörterbuch | |
|---|---|
| der **Einwohner, -** / die **Einwohnerin, -nen** | inhabitant, people |
| die **Wirtschaft** | economy, commerce |
| **gründen** | to establish, found |
| **berühmt** | famous |
| die **Messe, -n** | trade fair |
| **friedlich** | peaceful |
| **erhalten, erhält, erhielt, erhalten** | to receive |
| der **Beginn** | beginning |
| das **Jahrhundert, -e** | century |
| der **Dichter, -** / die **Dichterin, -nen** | poet |
| der **Fall, ¨-e** | fall |
| **führen** | to lead |
| die **Möglichkeit, -en** | possibility |
| die **Straße, -n** | street |
| **bieten** | to offer |
| die **Menge, -n** | quantity, multitude |
| **gemütlich** | cozy, homey |

Leipzig ist eine der größten Städte Deutschlands. Leipzig ist die Stadt der zweitältesten Universität Deutschlands, die Stadt des Buches, die Stadt der Musik und die Stadt der friedlichen Revolution von 1989.

Leipzig erhielt 1165 das Stadtrecht[3], damals mit nur 500 Einwohnern. Vor Beginn des 1. Weltkriegs war sie mit 590.000 Einwohnern die viertgrößte Stadt Deutschlands. 1930 hatte sie mehr als 700.000 Einwohner. Heute hat sie ca. 530.000 Einwohner und ist eines der wichtigsten Wirtschaftszentren Ostdeutschlands.

Die Universität Leipzig wurde 1409 gegründet und ist nach Heidelberg die zweitälteste Universität Deutschlands. Im 19. Jahrhundert war sie eine der drei wichtigsten Universitäten Deutschlands. Hier unterrichteten die Dichter Gottsched und Lessing, der Physiker Werner Heisenberg (Nobelpreis 1932) und der Chemiker Wilhelm Ostwald (Nobelpreis 1909). Hier studierten Goethe (Jura), Nietzsche (Altphilologie), de Saussure (Indogermanistik) und die Komponisten Robert Schumann und Richard Wagner. Heute studieren an der Universität Leipzig ca. 28.000 Studentinnen und Studenten.

Eine besonders große Rolle spielt in der Geschichte Leipzigs die Musik. Johann Sebastian Bach war Thomaskantor in Leipzig und leitete den Thomanerchor von 1723 bis 1750. Jedes Jahr im Juni erinnert das Bachfest Leipzig an diesen berühmten Musiker.

1989 begannen in Leipzig die Montagsdemonstrationen, die zum Fall der Berliner Mauer und zur Wiedervereinigung[4] Deutschlands führten. Seitdem wird Leipzig auch die Heldenstadt genannt.

Es gibt in Leipzig viele Hochschulen und Studierende. Deshalb gibt es auch viele Möglichkeiten, auszugehen oder zu feiern. Jede Woche finden Partys in Studentenclubs statt. Die Karl-Liebknecht-Straße, liebevoll[5] „Karli" genannt, bietet jede Menge Cafés, Kneipen und Clubs zum gemütlichen Essen und Trinken oder zum Tanzen bis in die frühen Morgenstunden.

Leipzig hat eine lange Tradition als Messestadt. Neben vielen anderen Messen findet jedes Jahr im März die Leipziger Buchmesse statt. Sie war bis 1945 die größte Buchmesse Deutschlands, heute ist sie nach Frankfurt am Main die zweitgrößte.

[1] *map* [2] *musical director of the Thomanerchor, a boys' choir* [3] *town privileges* [4] *reunification* [5] *affectionately*

# Strukturen

## 1. Dative case: Articles and possessive determiners

**WISSEN SIE NOCH?**

The nominative case designates the subject of a sentence. The accusative case designates the object of the action of the verb.

Review **Strukturen 1** in **Kapitel 2.**

A noun or pronoun in the dative case is used to designate the person to or for whom something is done.

| | |
|---|---|
| Sofie gibt **ihrer Freundin** einen Kuss. | *Sofie gives her girlfriend a kiss.* |

Note that the dative case frequently appears in sentences with three nouns: a person who does something, a person who receives something, and the object that is passed from the doer to the receiver. The doer, the subject of the sentence, is in the nominative case; the recipient, or beneficiary, of the action is in the dative case; and the object is in the accusative case.

| DOER: NOMINATIVE CASE | VERB | RECIPIENT: DATIVE CASE | OBJECT: ACCUSATIVE CASE |
|---|---|---|---|
| Yusuf | schenkt | **seinem Vater** | ein Buch. |

The dative case indicates to or for whom.

In German, the signal for the dative case is the ending **-m** in the masculine and neuter, **-r** in the feminine, and **-n** in the plural. Here are the dative forms of the definite, indefinite, and negative articles and of the possessive determiners.

| | Masculine and Neuter | Feminine | Plural |
|---|---|---|---|
| *Definite Article* | dem | der | den |
| *Indefinite Article* | einem | einer | — |
| *Negative Article* | keinem | keiner | keinen |
| *Possessive Determiners* | meinem | meiner | meinen |
| | deinem | deiner | deinen |
| | Ihrem | Ihrer | Ihren |
| | seinem | seiner | seinen |
| | ihrem | ihrer | ihren |
| | unserem | unserer | unseren |
| | eurem | eurer | euren |

Plural nouns add **-n** in the dative.

All plural nouns add an **-n** in the dative unless they already end in **-n** or in **-s.**

| | |
|---|---|
| Max erzählt **seinen Freunden** einen Witz. | *Max is telling his friends a joke.* |

Here is a list of verbs that often take an accusative object and a dative recipient.

| | |
|---|---|
| anbieten | *to offer (something to someone)* |
| bringen | *to bring (something to someone)* |
| erklären | *to explain (something to someone)* |
| erzählen | *to tell (something to someone, especially a story)* |
| geben | *to give (something to someone)* |
| mitteilen | *to tell (something to someone)* |
| sagen | *to tell (something to someone)* |
| schenken | *to give (something to someone as a gift)* |
| schreiben | *to write (something to someone)* |
| verkaufen | *to sell (something to someone)* |

| | |
|---|---|
| vorstellen | *to introduce (someone or something to someone)* |
| zahlen | *to pay (something to someone)* |
| zeigen | *to show (something to someone)* |

Certain masculine nouns, in particular nouns denoting male persons and holders of professions, add **-(e)n** in the dative and accusative singular as well as in the plural. They are often called weak masculine nouns.

| | Singular | Plural |
|---|---|---|
| *Nominative* | der Student | die Studenten |
| *Accusative* | den Studenten | die Studenten |
| *Dative* | dem Studenten | den Studenten |

## Übung A. Was machen Sie für diese Leute?

Schreiben Sie mit jedem Verb einen Satz.

MODELL: Ich schenke meiner Mutter eine Kamera.

| | | |
|---|---|---|
| anbieten | Arbeitskollege/Arbeitskollegin | ein Abendessen |
| erklären | Bruder/Schwester | meine Bilder |
| erzählen | Freund/Freundin | einen Brief |
| geben | Kommilitone/Kommilitonin | ein Buch |
| kaufen | Mitbewohner/Mitbewohnerin | mein Deutschbuch |
| mitteilen | Onkel/Tante | 50 Dollar |
| schenken | Partner/Partnerin | eine E-Mail |
| schreiben | Professor/Professorin | ein Geheimnis |
| verkaufen | Vater/Mutter | eine Geschichte |
| zeigen | | einen Kaffee |
| | | eine Konzertkarte |
| | | einen Kuss |
| | | einen Laptop |
| | | meine Pläne |
| | | einen Witz |
| | | mein Zimmer |

## Übung B. Was machen diese Leute?

Bilden Sie Sätze.

MODELL: Heidi schreibt ihren Eltern eine Karte.

Ring (*m.*) = der Ring
Aufgabe (*f.*) = die Aufgabe
Abendessen (*n.*) = das Abendessen

| | | | |
|---|---|---|---|
| 1. Heidi | bringen | ***ihren*** Eltern | Abendessen (*n.*) |
| 2. Pedro | erklären | Freund | Aufgabe (*f.*) |
| 3. Noah | erzählen | Freundin | Geheimnis (*n.*) |
| 4. Kayla | geben | Mann | ***eine*** Karte (*f.*) |
| 5. Steve | kaufen | Partner | Ring (*m.*) |
| 6. Miguel | kochen | Partnerin | Roman (*m.*) |
| 7. Shannon | schenken | Professorin | Rucksack (*m.*) |
| 8. Frau Schulz | schreiben | Schwester | Spiel (*n.*) |
| 9. Meili | verkaufen | Tante | Zelt (*n.*) |

## 2. Question pronouns: *wer, wen, wem*

**wer** (Who is it?) = nominative
**wen** (Whom do you know?) = accusative
**wem** (To whom did you give it?) = dative

Use the pronouns **wer, wen,** and **wem** to ask questions about people: **wer** indicates the subject, the person who performs the action; **wen** indicates the accusative object; **wem** indicates the dative object.

**Wer** arbeitet heute Abend um acht? *Who is working tonight at eight?*
**Wen** triffst du heute Abend? *Whom are you meeting tonight?*
**Wem** gibst du das Zelt? *To whom are you giving the tent?*

### Übung C. Minidialoge

Ergänzen Sie **wer, wen** oder **wem.**

1. DANIEL: _______ hat meinen Schirm?
   PHAN: Ich habe ihn.
2. JULIA: _______ hast du in der Stadt gesehen?
   LEON: Malik.
3. LUKAS: _______ willst du die DVD schenken?
   SOFIE: Nesrin. Sie wünscht sie sich schon lange.
4. FRAU STEINER: Na, erzähl doch mal. _______ hast du letztes Wochenende kennengelernt?
   RICHARD: Also, sie heißt Hilal und ...
5. MERT: _______ wollt ihr denn euren neuen Computer verkaufen?
   SARAH: Schülern, Schülerinnen und Studierenden.
6. SUMITA: Weißt du, _______ heute Abend zu uns kommt?
   LYDIA: Nein, du?
   SUMITA: Onkel Mustafa, natürlich.
7. HERR WAGNER: _______ hast du die Blumen gegossen, Max?
   MAX: Tante Ines, natürlich.

# Situationen

## Berufe

1. Der Arzt hilft kranken Menschen.

2. Der Verkäufer arbeitet in einem Laden.

3. Die Anwältin verteidigt den Angeklagten.

4. Der Pilot fliegt ein Flugzeug.

5. Der Richter arbeitet im Gericht.

6. Die Politikerin hält eine Rede.

7. Die Architektin zeichnet ein Haus.

8. Die Angestellte arbeitet in einem Büro.

### Situation 5 Definitionen

Finden Sie den richtigen Beruf.

**Anwältin** **Verkäufer** **Schauspieler**
**Lehrer** **Polizist** **Pilot**
**Schriftstellerin**
**Ärztin** **Soldatin** **Wissenschaftlerin**

1. Dieser Mann unterrichtet an einer Schule. Er ist ________.
2. Diese Frau untersucht Patientinnen und Patienten im Krankenhaus. Sie ist ________.
3. Dieser Mann fliegt ein Flugzeug. Er ist ________.
4. Dieser Mann verkauft Computer in einem Laden. Er ist ________.
5. Dieser Mann sorgt für Sicherheit im Verkehr. Er ist ________.
6. Diese Frau arbeitet auf dem Gericht. Sie ist ________.
7. Diese Frau forscht an einer Universität. Sie ist ________.
8. Dieser Mann tritt in Filmen auf. Er ist ________.
9. Diese Frau schießt mit einem Gewehr[1]. Sie ist ________.
10. Diese Frau schreibt Bücher. Sie ist ________.

[1]*rifle*

## Situation 6 Bildgeschichte: Was Michael Pusch schon alles gemacht hat

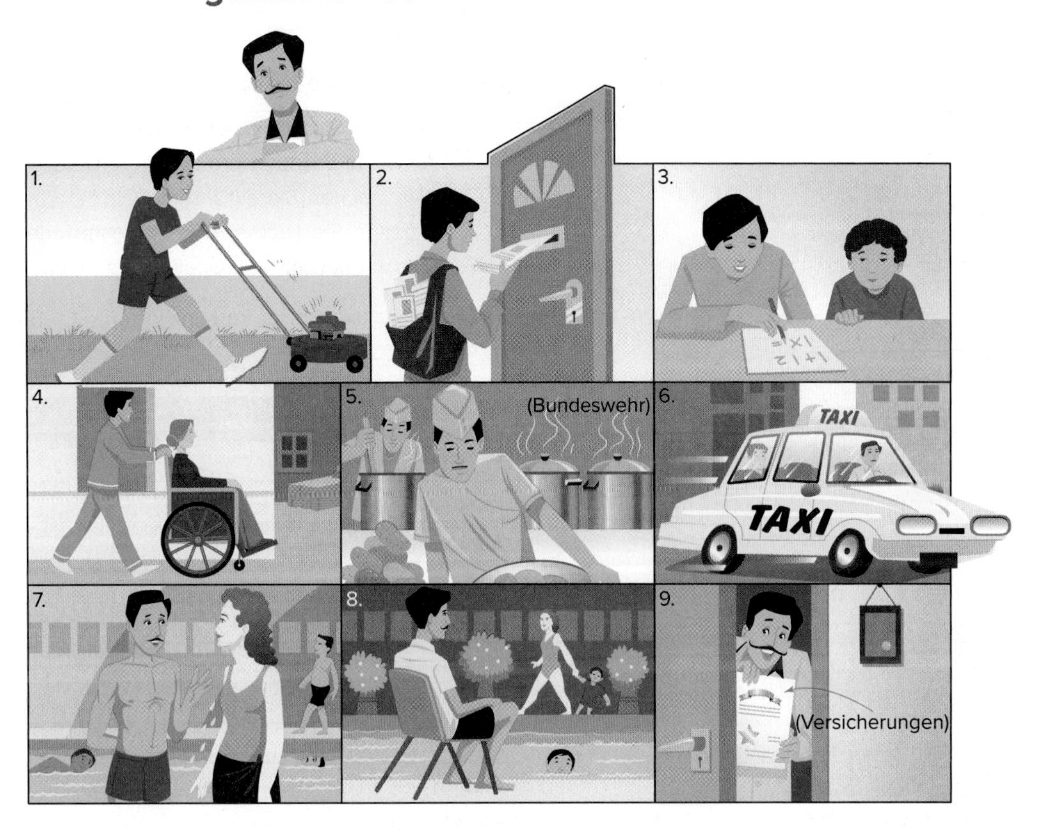


## Situation 7 Berufe

Machen Sie Listen. Suchen Sie zu jeder Frage drei Berufe.

In welchen Berufen ...

1. verdient man sehr viel Geld?
2. verdient man nur wenig Geld?
3. gibt es mehr Männer als Frauen?
4. gibt es mehr Frauen als Männer?
5. muss man gut in Mathematik sein?
6. muss man gut in Sprachen sein?
7. muss man viel reisen?
8. muss man viel Kraft haben?

## Situation 8 Interview

1. Arbeitest du? Wo? Als was? Was machst du? An welchen Tagen arbeitest du? Wann fängst du an? Wann hörst du auf?
2. Was studierst du? Wie lange dauert das Studium?
3. Was möchtest du werden? Verdient man da viel Geld? Ist das ein Beruf mit viel Prestige?
4. Was ist dein Vater von Beruf? Was hat er gelernt (studiert)?
5. Was ist deine Mutter von Beruf? Was hat sie gelernt (studiert)?

# Lektüre

## Vor dem Lesen

**A.** Beantworten Sie die folgenden Fragen.

1. Arbeiten Sie neben dem Studium? Was machen Sie?
2. Wie viele Stunden pro Woche arbeiten Sie? Warum?
3. Was machen Sie mit Ihrem Geld?
4. Arbeiten Sie auch in den Semesterferien? Was machen Sie?
5. Macht Ihnen Ihr Job Spaß? Was macht Ihnen Spaß?

**B.** Lesen Sie die Wörter im Miniwörterbuch. Suchen Sie sie im Text und markieren Sie sie.

| Miniwörterbuch | |
|---|---|
| die **Stimmung, -en** | atmosphere, mood |
| **klatschen** | to clap |
| **klingen** | to sound (like) |
| **(sich) eignen** | to lend oneself, be suitable |
| **funktionieren** | to work, function |
| der **Fehler, -** | mistake, error |
| **tatsächlich** | indeed |
| das **Unternehmen, -** | business, company |
| **kleben** | to stick, glue |
| die **Maschine, -n** | machine |
| **äußerst** | extremely |
| **gesund** | healthy |
| der **Händler, -** / die **Händlerin, -nen** | merchant, dealer |

**LESEHILFE**

Scanning a text is one way to find details without reading word for word. How many familiar words can you identify by scanning the text?

Joerg Carstensen/dpa picture alliance archive/Alamy

Dieser Student jobbt als Straßenbahnfahrer.

## Fünf verrückte Jobs für Studierende

Viele Studierende in Deutschland, Österreich und der Schweiz arbeiten neben dem Studium. Das Leben ist teuer und sie brauchen das Geld. Als Kellner*in[1] oder im Call-Center arbeiten ist beliebt, aber es gibt interessantere Jobs. Hier sind fünf coole Nebenjobs[2].

Claqueure machen bei Konzerten, Theatervorstellungen und anderen Events gute Stimmung. Sie sitzen im Publikum und klatschen. Natürlich könnte man sie auch Klatscher*innen nennen, aber das französische Wort „Claqueur" klingt besser.

Wer gern unter Leuten ist, die Faschingszeit[3] liebt und ein wenig schauspielerisches[4] Talent besitzt, eignet sich perfekt für den Job als Kostümträger*in. Kostümträger*innen sind zum Beispiel im Einkaufszentrum als Comic-Figur oder im Freizeitpark als Prinz oder Prinzessin unterwegs. Im Job als Kostümträger*in hast du immer wieder neue Rollen. Kostümträger*innen sind bei Kindern sehr beliebt, aber unter dem Kostüm kann es sehr heiß sein.

Du bist ein richtiges Party-Animal und kennst die besten Locations der Stadt? Dann ist Party-Guide der Job für dich! Party-Guides führen Gruppen in ihrer Stadt von einem Club oder einer guten Location zur nächsten. Wenn die Club-Touren bekannt genug sind, hat man Spaß und einen sehr coolen Nebenjob. Aber man muss natürlich selbst gern abends und nachts feiern.

Spieletester*in ist auch ein guter Job. Natürlich nur, wenn man Spiele mag. Kartenspiele, Brettspiele oder Computerspiele müssen getestet werden, damit sie funktionieren und keine Fehler haben. Das ist ein Nebenjob mit großem Spaßfaktor!

Apfel-Etikettierer*innen[5] – Kennst du die kleinen Obstaufkleber[6]? Es gibt doch tatsächlich Unternehmen, die Geld dafür bezahlen, dass die Etiketten von Hand auf die Äpfel geklebt werden. Da Maschinen die Außenhaut dieser äußerst gesunden Früchte[7] leicht beschädigen[8] können, lassen Apfel-Händler*innen die Arbeit lieber von Hand machen.

## Arbeit mit dem Text

Beantworten Sie die Fragen.

1. Welche Jobs sind beliebt, aber nicht so interessant?
2. Was machen Claqueure? Aus welcher Sprache kommt das Wort Claqueur?
3. Welche Talente braucht man für den Job als Kostümträger*in?
4. Welches Problem haben Kostümträger*innen vor allem im Sommer?
5. Wann arbeiten Party-Guides?
6. Was müssen Party-Guides gern tun?
7. Warum muss man Spiele testen?
8. Warum sind Apfel-Etikettierer*innen besser als eine Maschine?

[1]*waitperson* (in a restaurant) [2]*side jobs* [3]*carnival time* [4]*theatrical* [5]*apple labelers* [6]*fruit stickers* [7]*fruits* [8]*damage*

Job als Kellner*in



## Nach dem Lesen

1. Machen Sie eine Umfrage im Kurs. Stellen Sie die folgenden Fragen:
   - Welche Jobs hattest du?
   - Wie alt warst du, als du deinen ersten Job hattest?
   - Wie viel hast du gearbeitet?
   - Wie viel hast du verdient?
   - Was hast du dir von deinem Geld gekauft?

Benutzen Sie die folgende Tabelle.

| Name | Job | Alter | Stunden pro Woche | Stundenlohn | Geld für ... |
|---|---|---|---|---|---|
| | | | | | |
| | | | | | |
| | | | | | |

2. Sammeln Sie die Antworten und machen Sie ein Plakat mit dem Titel: *Die Jobs unserer Kursteilnehmer*innen.* Hängen Sie das Plakat aus.

# Strukturen

## 3. Expressing change: The verb *werden*

**werden:** e → i
**du wirst; er/sie/es wird**

Use a form of **werden** to talk about changing conditions.

Ich **werde** alt. — *I am getting old.*
Es **wird** dunkel. — *It is getting dark.*

| werden | | | |
|---|---|---|---|
| *ich* | werde | *wir* | werden |
| *du* | wirst | *ihr* | werdet |
| *Sie* | werden | *Sie* | werden |
| *er* / *sie* / *es* | wird | *sie* | werden |

In German, **werden** is also used to talk about what somebody wants to be.

Was willst du **werden?** — *What do you want to be (become)?*
Sumita will Ärztin **werden.** — *Sumita wants to be (become) a physician.*

### Übung D. Was passiert?

Bilden Sie Fragen und suchen Sie dann eine logische Antwort darauf.

MODELL: Was passiert im Winter? —Es wird kalt.

1. am Abend
2. wenn man im Fernsehen ist
3. wenn man krank wird
4. im Frühling
5. im Herbst
6. wenn Kinder älter werden
7. wenn man in der Lotterie gewinnt
8. wenn man Medizin studiert
9. am Morgen
10. im Sommer

a. Man wird Arzt oder Ärztin.
b. Man wird bekannt.
c. Die Blätter werden bunt.
d. Es wird dunkel.
e. Sie werden größer.
f. Es wird wärmer.
g. Es wird hell[1].
h. Man bekommt Fieber.
i. Die Tage werden länger.
j. Man wird reich.

### Übung E. Was werden sie vielleicht?

Suchen Sie einen möglichen Beruf für jede Person.

MODELL: Max hilft gern kranken Menschen. →
Vielleicht wird er Arzt.

1. Lydia kocht gern.
2. Damla macht gern chemische Experimente.
3. Yusuf fliegt gern.
4. Daniel hat Interesse an Politik.
5. Hannah interviewt gern Menschen.
6. Eske regelt[2] gern den Verkehr.
7. Phillip schreibt gern Gedichte.
8. Antonia tritt gern im Theater auf.

Wissenschaftler/Wissenschaftlerin
Journalist/Journalistin
Polizist/Polizistin
Schauspieler/Schauspielerin
Koch/Köchin
Dichter/Dichterin
Politiker/Politikerin
Pilot/Pilotin

[1]*bright; light* [2]*controls*

## 4. Word formation: Masculine nouns in *-er* and feminine nouns in *-in*

**WISSEN SIE NOCH?**

You have already learned that many German verbs have feminine noun counterparts ending in **-e** or in **-ung.**

Review **Strukturen 4** in **Kapitel 3** and **Strukturen 6** in **Kapitel 4.**

REMEMBER: The verb stem is the infinitive form of the verb without the infinitive ending **-en.**

Some nouns add an umlaut, for example, **kaufen → der Käufer.**

When the verb ends in **-eln,** the noun drops the **-e-** but keeps the **-l-,** for example, **handeln → der Händler.**

The suffix **-in** referring to female persons may be added to almost any noun referring to male persons, for example, **der Richter → die Richterin, der Soldat → die Soldatin.** Some also add an umlaut: **der Arzt → die Ärztin.**

**Die Anwältin spricht mit dem Anwalt.** (*The [female] lawyer speaks with the [male] lawyer.*)

Many German verbs have a noun equivalent that ends in **-er: fahren** (*to drive*) and **der Fahrer** (*driver*). The verb is an action verb and the noun often denotes a male person doing the action.

Der **Erzähler erzählt** Geschichten. *The **narrator narrates** stories.*

The noun is formed by attaching the suffix **-er** to the verb stem. In a few instances, the noun also has an umlaut, most notably with **ä** or **äu**. To refer to female persons, add the suffix **-in** to nouns referring to male persons, for example, **die Forscherin, die Sprecherin, die Zuhörerin.** Here are some verbs and nouns you have encountered so far together with their counterparts.

| VERBS | NOUNS (M/F) |
|---|---|
| anbieten *to offer* | der Anbieter / die Anbieterin *provider* |
| arbeiten *to work* | der Arbeiter / die Arbeiterin *worker* |
| besitzen *to own* | der Besitzer / die Besitzerin *owner* |
| besuchen *to visit* | der Besucher / die Besucherin *visitor* |
| erzählen *to tell* | der Erzähler / die Erzählerin *narrator* |
| fahren *to drive* | der Fahrer / die Fahrerin *driver* |
| forschen *to research* | der Forscher / die Forscherin *researcher* |
| führen *to lead* | der Führer / die Führerin *leader* |
| handeln *to act; trade* | der Händler / die Händlerin *dealer, merchant* |
| kaufen *to buy* | der Käufer / die Käuferin *buyer* |
| lehren *to teach* | der Lehrer / die Lehrerin *teacher* |
| leiten *to lead* | der Leiter / die Leiterin *leader, manager* |
| lesen *to read* | der Leser / die Leserin *reader* |
| malen *to paint* | der Maler / die Malerin *painter* |
| nutzen *to use* | der Nutzer / die Nutzerin *user* |
| spielen *to play* | der Spieler / die Spielerin *player* |
| sprechen *to speak* | der Sprecher / die Sprecherin *speaker* |
| teilnehmen *to participate* | der Teilnehmer / die Teilnehmerin *participant* |
| übersetzen *to translate* | der Übersetzer / die Übersetzerin *translator* |
| verkaufen *to sell* | der Verkäufer / die Verkäuferin *seller* |
| wählen *to select; vote* | der Wähler / die Wählerin *voter* |
| zuhören *to listen* | der Zuhörer / die Zuhörerin *listener* |

### Übung F. So nennt man diese Personen

Ergänzen Sie die Lücken mit einem Substantiv.

MODELL: Eine Frau, die eine Kandidatin wählt, ist eine Wählerin.

1. Ein Mann, der einer Rede zuhört, ist ein ______.
2. Eine Frau, die einem Fußballspiel zuschaut, ist eine ______.
3. Eine Frau, die ein Spiel spielt, ist eine ______.
4. Ein Mann, der eine App nutzt, ist ein ______.
5. Ein Mann, der etwas kauft, ist ein ______.
6. Ein Mann, der Geschichten erzählt, ist ein ______.
7. Eine Frau, die etwas beobachtet, ist eine ______.
8. Ein Mann, der jemand begleitet, ist ein ______.
9. Eine Frau, die ein Unternehmen gründet, ist eine ______.
10. Eine Frau, die Angebote macht, ist eine ______.

# Situationen

## Der Arbeitsplatz

### Situation 9 Der Arbeitsplatz

MODELL: S1: Wo arbeitet eine Anwältin?
S2: Auf dem Gericht.

**im Krankenhaus** **auf einem Schiff** **auf der Post** **auf dem Gericht** **auf der Polizei** **auf der Universität** **im Auto** **in der Fabrik** **im Labor** **auf der Bank**

1. eine Anwältin
2. ein Arzt
3. eine Forscherin
4. ein Bankangestellter
5. ein Fabrikarbeiter
6. eine Polizistin
7. ein Postbeamter
8. ein Kapitän
9. eine Professorin
10. eine Fahrerin

## MUSIKSZENE

### „Stadt“ (2009, Deutschland) *Cassandra Steen*

**Biografie** Cassandra Steen wird in der Nähe von Stuttgart geboren. Sie wächst bei ihren Großeltern auf. Ihren Vater kennt sie nicht, ihre Mutter verlässt sie als kleines Kind. Ihr Großvater ist U.S.-Soldat, ihre Großmutter ist Deutsche. Ihre ersten großen Erfolge erringt sie im Jahr 2001 mit *Glashaus*. Dann beginnt sie eine Solo-Karriere. Ihre Single *Stadt* erscheint 2009 und erreicht Platz 2 der deutschen und Platz 3 der österreichischen Hitparade. Sie singt *Stadt* mit Adel Tawil.

Luo Huanhuan/Xinhua/Alamy

Cassandra Steen

**NOTE:** For copyright reasons, the songs referenced in **MUSIKSZENE** have not been provided by the publisher. The song can be found online at various sites.

**Vor dem Hören** Woran denken Sie, wenn Sie *Stadt* hören? Welche positiven Assoziationen haben Sie, welche negativen?

**Nach dem Hören** Was singen die Sängerin und der Sänger? Welche Aussagen sind richtig (R)? Welche sind falsch (F)? Korrigieren Sie die falschen Aussagen.

_____ **1.** Es gibt zu viel Brot und Spiele.
_____ **2.** Die Straßen sind leer.
_____ **3.** Die Menschen haben kalte Bilder in ihren Herzen.
_____ **4.** Die Menschen können Gedanken lesen.
_____ **5.** Das Klima wird milder.
_____ **6.** Die Sängerin will eine Stadt nur für sich bauen.
_____ **7.** Sie baut die Stadt aus Glas und Gold.
_____ **8.** Alle Straßen führen hinein, aber keine führt hinaus.
_____ **9.** Alle Menschen sind auf der Flucht.
_____ **10.** In der Stadt, die die Sängerin baut, gibt es Vertrauen und keine Angst.

| Miniwörterbuch | |
|---|---|
| **leer** | empty |
| der **Gedanke, -n** | thought |
| **mild** | mild |
| **bauen** | to build, construct |
| das **Glas** | glass |
| das **Gold** | gold |
| **hinein** | into it |
| **hinaus** | out of it |
| die **Flucht** | flight, escape |
| das **Vertrauen** | trust, confidence |

## Situation 10 Minidialoge

Sie hören neun kurze Dialoge. Wo finden sie statt?

**in einer Maschinenfabrik** **in der Schule** **auf dem Bahnhof**
**im Restaurant**
**im Hotel** **in der Bäckerei**
**im Museum** **auf der Bank**
**auf dem Rathaus**

1. __________________
2. __________________
3. __________________
4. __________________
5. __________________
6. __________________
7. __________________
8. __________________
9. __________________

| Miniwörterbuch | |
|---|---|
| das **Konto**, die **Konten** | bank account |
| **eröffnen** | to open |
| **ich hätte gern** | I would like to have |
| **hin und zurück** | roundtrip |
| die **Maschine, -n** | machine |
| **ausstrahlen**, **strahlt ... aus** | to radiate |
| die **Wärme** | warmth, heat |
| das **Brot, -e** | bread |
| **sonst noch etwas?** | anything else? |
| der **Termin, -e** | appointment |
| die **Bürgermeisterin, -nen** | female mayor |
| **trennen** | to separate, divide |
| **getrennt** | separate(ly) |

## Situation 11 Zum Schreiben: Vor der Berufsberatung[1]

Morgen haben Sie einen Termin beim Berufsberater an Ihrer Universität. Bereiten Sie sich auf das Gespräch vor. Machen Sie sich ausführliche[2] Notizen zu den folgenden Themen.

- Interessen, Hobbys: Nennen Sie Ihre Interessen und Hobbys und schreiben Sie etwas dazu, zum Beispiel seit wann Sie das Hobby haben, was Sie schon erreicht haben und wie wichtig es für Sie ist.
- Lieblingsfächer, besondere Fähigkeiten: Nennen Sie die Fächer und besondere Fähigkeiten, die Sie haben und schreiben Sie etwas dazu, zum Beispiel welches Niveau Sie erreicht haben oder was Sie damit machen können.
- Erwartungen an den zukünftigen[3] Beruf: Schreiben Sie, was Ihnen wichtig oder vielleicht auch nicht so wichtig ist, zum Beispiel, wie viel Geld Sie verdienen, welche Arbeitszeiten Sie haben, wie viele Tage Urlaub Sie im Jahr haben möchten oder welche Aufstiegschancen[4] für Sie wichtig sind.

## Situation 12 Rollenspiel: Bei der Berufsberatung

S1: Sie arbeiten bei der Berufsberatung. Ein Student / Eine Studentin kommt in Ihre Sprechstunde[5]. Stellen Sie ihm/ihr Fragen zu diesen Themen: Ausbildung, Interessen und Hobbys, besondere Kenntnisse, Lieblingsfächer.

[1] *career counseling* [2] *detailed* [3] *future* [4] *opportunities for advancement* [5] *consultation hours*

# KULTUR ... LANDESKUNDE ... INFORMATIONEN

## AUSBILDUNG UND BERUF 

### Vor dem Lesen

Wie ist es in Ihrem Land?

- Welchen Schulabschluss braucht man für eine Berufsausbildung?
- Wie bekommt man eine Berufsausbildung?
- Wo lernt man die praktische Seite des Berufs? Wie lange dauert das?
- Wo lernt man die theoretische Seite? Wie lange dauert das?
- Macht man am Ende eine Prüfung? Was ist man dann?

| Miniwörterbuch | |
|---|---|
| der **Abschluss, ¨e** | conclusion; degree |
| die **Ausbildung, -en** | education |
| die **Seite, -n** | side; page |
| der **Betrieb, -e** | company, firm |
| **am Schluss** | in the end |

Jonas hat keine Lust auf Schule und später Studium. Wenn er die 10. Klasse schafft, hat er den Realschulabschluss[1]. Er möchte am liebsten eine Ausbildung machen, zum Beispiel als Verkäufer oder Koch, denn ein Facharbeiter[2] verdient mehr als ein ungelernter[3] Arbeiter.

Jonas lernt die praktische Seite des Berufs in einem Betrieb oder in einer Werkstatt[4]. Außerdem geht er einen oder zwei Tage in der Woche zur Berufsschule. Dort hat er Fächer wie Wirtschaftskunde[5], Mathematik oder Fachrechnen, Deutsch, Englisch, Nahrungsmittelkunde[6] und Sport.

Nach drei Jahren macht er eine praktische und eine theoretische Prüfung und ist dann Facharbeiter und bekommt einen Gesellenbrief[7].

### Arbeit mit dem Text

Wie ist es in Deutschland, Österreich und in der Schweiz? Schauen Sie die Grafik an und lesen Sie den Text.

1. Wie lange dauert eine Ausbildung oder Lehre?
2. Wo bekommt man die theoretische Ausbildung?
3. Wo lernt man die praktische Seite des Berufs?
4. Was bekommt man am Ende der Prüfung?
5. Was ist man am Schluss?

**Auszubildende[8]**

Ausbildungszeit
(3 Jahre)

Praktische Ausbildung

Thomas Kienzle/AP Photo

Betrieb/Werkstatt
(Gesellenprüfung[9])

+

Theoretische Ausbildung

Unkel/ullstein bild/Getty Images

Berufsschule
(8–10 Stunden pro Woche; Berufsspezifische Fächer, Wirtschaftskunde, Geschichte, Deutsch, Englisch, u.a.)

=

**Gesellenbrief**

Facharbeiter (m/w/d)

[1]*lower secondary school diploma* [2]*trade worker, skilled worker* [3]*unskilled* [4]*workshop, shop* [5]*economics* [6]*food science* [7]*apprenticeship certificate* [8]*those receiving a specialized education; apprentices* [9]*trade workers' examination*

# Strukturen

## 5. Location: *in, an, auf* + dative case

For location, **in, an,** and **auf** take the dative.

To express the location of someone or something, use the following prepositions with the dative case.

| | | |
|---|---|---|
| **in** (*in, at*)<br>**auf** (*on, at*)<br>**an** (*on, at*) | + | **dem/einem** ______ (*m., n.*)<br>**der/einer** ______ (*f.*)<br>**den** ______ (*pl.*) |

Kayla wohnt **in der Stadt.** — *Kayla lives in the city.*

Steve und Miguel sind **auf der Bank.** — *Steve and Miguel are at the bank.*

A. Forms and Contractions

Remember the signals for dative case.

| | Masculine and Neuter | Feminine | Plural |
|---|---|---|---|
| *Dative* | dem | der | den |
| | einem | einer | — |

**in + dem = im**
**an + dem = am**

Note that the prepositions **in** + **dem** and **an** + **dem** are contracted to **im** and **am.**

| Masculine and Neuter | Feminine | Plural |
|---|---|---|
| **im** Kino | **in der** Stadt | **in den** Wäldern |
| **in einem** Kino | **in einer** Stadt | **in** Wäldern |
| **am** Fenster | **an der** Tafel | **an den** Wänden |
| **an einem** Fenster | **an einer** Tafel | **an** Wänden |
| **auf dem** Berg | **auf der** Bank | **auf den** Tischen |
| **auf einem** Berg | **auf einer** Bank | **auf** Tischen |

B. Uses

1. Use **in** when referring to enclosed spaces.

   **im** Supermarkt — *in the supermarket* (*enclosed*)
   **in** der Stadt — *in* (*within*) *the city*

2. **An,** in the sense of English *at,* denotes some kind of border or limiting area.

   **am** Fenster — *at the window*
   **an der** Tafel — *at the board*
   **am** Park — *at the park*

3. Use **auf,** in the sense of English *on,* when referring to surfaces.

   **auf dem** Tisch — *on the table*
   **auf der** Straße — *on the street*

4. **Auf** is also used to express location in public buildings such as the bank, the post office, or the police station.

   **auf der** Bank — *at the bank*
   **auf der** Post — *at the post office*
   **auf der** Polizei — *at the police station*

## Übung G. Was macht man dort?

Stellen Sie einem Partner / einer Partnerin Fragen. Er/Sie soll eine Antwort darauf geben.

MODELL: S1: Was macht man am Strand?
S2: Man spielt Volleyball.

**Vorlesungen hören** **Volleyball spielen** **tanzen**
**Geld wechseln** **ein Buch lesen** **arbeiten**
**sein Auto parken** **einen Film sehen** **schwimmen**
**spazieren gehen** **einkaufen**

1. am Strand
2. im Kino
3. auf der Universität
4. an der Straße
5. in der Disko
6. in der Fabrik
7. auf der Bank
8. im Meer
9. in der Bibliothek
10. im Park
11. im Supermarkt

Am Strand spielt man Volleyball.

## Übung H. Wo?

Wo sind die Leute? Wo sind das Poster, der Topf und der Wein?

MODELL: Steve ist am Strand.

Steve

1. Shannon

2. Miguel

3. Heidi

4. Meili

5. Kayla

6. Noah

7. Frau Schulz

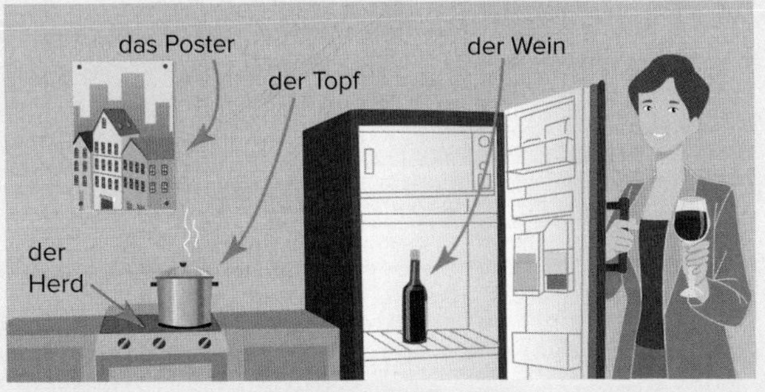


8. das Poster 9. der Topf 10. der Wein

der Herd | die Küche | die Post
der Kühlschrank | ~~der Strand~~ | die Wand
die Polizei | das Hotel | die Kirche
das Meer | das Schwimmbad

# Situationen

## In der Küche

am Fenster
an der Wand
unter dem Herd
unter der Küchenlampe
im Schrank
unter dem Schrank
im Geschirrspüler
neben dem Fenster
unter dem Kühlschrank
in der Schublade
auf dem Herd

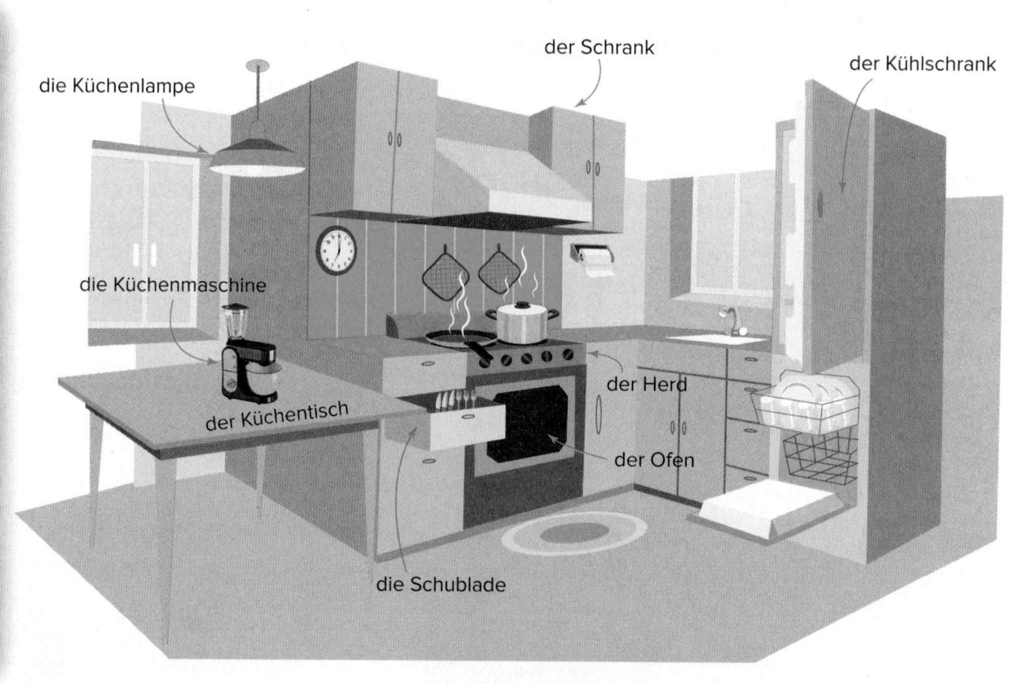


### Situation 13 **Wo ist ...?**

MODELL: S1: Wo ist der Küchentisch?
S2: Unter der Küchenlampe.

1. Wo ist der Küchentisch?
2. Wo ist die Küchenmaschine?
3. Wo ist die Küchenuhr?
4. Wo ist der Ofen?
5. Wo ist die Pfanne?
6. Wo ist der Geschirrspüler[1]?
7. Wo sind die Teller?
8. Wo ist der Topf?
9. Wo sind die Gläser?
10. Wo sind die Messer und Gabeln[2]?

[1]*dishwasher* [2]*forks*

## Situation 14 Interaktion: Küchenarbeit

MODELL: S1: Wie oft spülst du das Geschirr[1]?
S2: Fast jeden Tag.

mehrmals am Tag
jeden Tag
fast jeden Tag
einmal in der Woche
einmal im Monat
selten
nie

| Wie oft ...? | ich | mein(e) Partner(in) |
|---|---|---|
| *spülst du das Geschirr* | | |
| *gehst du einkaufen* | | |
| *kochst du* | | |
| *deckst[2] du den Tisch* | | |
| *verwendest du die Küchenmaschine* | | |
| *verwendest du den Ofen* | | |
| *machst du den Tisch sauber* | | |
| *öffnest du den Kühlschrank* | | |
| *kehrst du den Boden* | | |
| *machst du das Licht aus* | | |

## Situation 15 Dialog: Chaos in der Küche

In der Küche herrscht Chaos und Herr Ruf ist sauer[3].

HERR RUF: __________! Hannah, komm mal her!
HANNAH: Ja, Papa. Warum schreist du denn so?
HERR RUF: Weil es hier aussieht wie im Schweinestall[4]! Warum ist Marmelade __________?
HANNAH: Ich habe mir __________ gemacht und das ist dann in die Schublade gefallen.
HERR RUF: Und warum ist die Küchenmaschine __________?
HANNAH: Phillip hat __________ Platz für seine Legos gebraucht.
HERR RUF: Eine Mütze liegt __________! Unmöglich!
HANNAH: Weil es da warm ist. Sie war leider nass.
HERR RUF: Und warum ist der __________ im Geschirrspüler?
HANNAH: Keine Ahnung!
HERR RUF: Ihr glaubt wohl, dass Aufräumen[5] meine Lieblingsbeschäftigung[6] ist!
HANNAH: Ach, Papa, das ist doch nicht so schlimm. Ich __________ Phillip und dann helfen wir dir.

[1]das Geschirr spülen *to do the dishes* [2]den Tisch decken *to set the table* [3]*here: upset* [4]*pigsty* [5]*cleaning up* [6]*favorite pastime*

## Situation 16 Umfrage: Kochst du mir etwas zu essen?

MODELL: S1: Kochst du mir etwas zu essen?
S2: Ja.
S1: Unterschreib bitte hier.

| | UNTERSCHRIFT |
|---|---|
| 1. Kochst du mir etwas zu essen? | ______________ |
| 2. Liest du mir eine Geschichte vor? | ______________ |
| 3. Kaufst du mir ein Eis? | ______________ |
| 4. Schenkst du mir deinen Stift? | ______________ |
| 5. Hilfst du mir bei den Hausaufgaben? | ______________ |
| 6. Erklärst du mir die Grammatik? | ______________ |
| 7. Erfüllst du mir einen Wunsch? | ______________ |
| 8. Bezahlst du mir eine Cola? | ______________ |
| 9. Kannst du mir Geld wechseln? | ______________ |

# Filmlektüre

## *Toni Erdmann*

### Vor dem Lesen

Sony Pictures Classics/NFP/AF archive/Alamy

Szene aus dem Film *Toni Erdmann*

FILMANGABEN
**Titel:** *Toni Erdmann*
**Genre:** Komödie/Drama
**Erscheinungsjahr:** 2016
**Land:** Österreich, Deutschland
**Dauer:** 162 min
**Regisseur:** Maren Ade
**Hauptrollen:** Sandra Hüller, Peter Simonischek

**A.** Sehen Sie sich das Foto an.

1. Was verrät das Foto über den Film?
2. Wer sind die Menschen? Wo sind sie? Was machen sie?

**B.** Lesen Sie die Wörter im Miniwörterbuch. Suchen Sie sie im Text und markieren Sie sie.

| Miniwörterbuch | |
|---|---|
| **peinlich** | embarrassing |
| **merken** | to notice, realize |
| **überleben, überlebt** | to survive |
| **zurückkehren, kehrt ... zurück, ist zurückgekehrt** | to return |
| **langsam** | slow(ly) |
| **sich verändern** | to change |
| **ernst** | serious, severe |
| **verlassen, verlässt, verlassen** | to leave |

## Inhaltsangabe

Sandra Hüller ist Ines, eine sehr erfolgreiche Geschäftsfrau, die als Consultant in Bukarest in Rumänien arbeitet. Sie ist ständig am Telefon, ständig in wichtigen Meetings und hat keine Zeit für ihren Vater Winfried (Peter Simonischek), der geschieden[1] ist und allein mit seinem Hund in Aachen lebt. Als sein Hund stirbt, reist er spontan zu seiner Tochter nach Bukarest. Ein paar Tage geht es gut, aber bald kommt es zum Krach[2]. Winfried macht ständig schlechte Witze und schafft peinliche Situationen für Ines, bis Ines ihn aus ihrer Wohnung wirft.

Winfried hat aber gemerkt, dass seine Tochter sehr unglücklich ist. Um in der grausamen[3] Welt des Turbokapitalismus zu überleben, hat Ines einen Panzer[4] um ihr Herz und ihre Gefühle gelegt, der ihre Welt kalt und leer macht. Deshalb fährt er nicht nach Hause zurück, sondern kehrt in Ines' Leben in Bukarest als Toni Erdmann zurück. Er trifft sie auf Empfängen[5] und Partys und gibt sich als Consultant und Coach aus oder sogar als der deutsche Botschafter[6]. Langsam verändert sich etwas in Ines. Sie wird spontaner und ist nicht mehr so ernst und rigide. Als sie ihren Chef und ihre Kolleginnen und Kollegen zu ihrem Geburtstag nach Hause einlädt, kommt es zu weiteren peinlichen Szenen. Ines' Vater hat sich als Tier verkleidet[7]. Es kommt zum Eklat[8]. Ines' Vater verlässt die Feier, aber Ines folgt ihm. Im Park findet sie ihn. Sie ruft „Papa!" und fällt ihm in die Arme.

## Arbeit mit dem Text

Welche Aussagen sind richtig (R)? Welche sind falsch (F)? Korrigieren Sie die falschen Aussagen.

_____ 1. Ines ist eine erfolgreiche Geschäftsfrau in Deutschland.
_____ 2. Ines sorgt für ihren Vater.
_____ 3. Winfried fährt mit seinem Hund nach Bukarest.
_____ 4. Winfried schafft peinliche Situationen für seine Tochter.
_____ 5. Ines wirft Winfried aus ihrer Wohnung.
_____ 6. Ines ist sehr unglücklich.
_____ 7. Winfried wird Toni Erdmann und trifft Ines auf Empfängen und Partys.
_____ 8. Ines verändert sich langsam. Sie wird immer ernster und rigider.
_____ 9. Ines feiert ihren Geburtstag allein mit ihrem Vater.
_____10. Ines ist am Ende froh, dass ihr Vater bei ihr ist.

[1]*divorced* [2]*fight, quarrel* [3]*cruel* [4]*armor* [5]*receptions* [6]*ambassador*
[7]hat sich verkleidet *dressed up, disguised himself* [8]Es kommt zum Eklat *A confrontation erupts*

# Strukturen

## 6. Dative case: Personal pronouns

**WISSEN SIE NOCH?**

The dative case designates the person to whom or for whom something is done.

Review **Strukturen 1** in this chapter.

Personal pronouns in the dative case designate the person to or for whom something is done.

| | |
|---|---|
| Kaufst du **mir** das Buch? | *Are you buying me the book?* |
| Nein, ich schenke **dir** das Video. | *No, I'm giving you the video.* |

A. First- and Second-Person Pronouns

Here are the nominative and dative forms of the first- and second-person pronouns.

| **Singular** | | **Plural** | |
|---|---|---|---|
| *Nominative* | *Dative* | *Nominative* | *Dative* |
| ich | mir | wir | uns |
| du | dir | ihr | euch |
| Sie | Ihnen | Sie | Ihnen |

Note that German speakers use three different pronouns to express the recipient or beneficiary in the second person (English *you*): **dir, euch,** and **Ihnen.**

FRAU STEINER: Bringst du mir bitte die Tasse, Richard? (*Will you bring me the cup, Richard?*)

RICHARD: Ja, Mutti, ich bringe sie **dir.** (*Yes, Mom, I'll bring it to you.*)

HERR MOSER: Viel Spaß in Wien! (*Have fun in Vienna!*)

HERR WAGNER: Danke! Wir schreiben **Ihnen** eine Postkarte. (*Thank you! We'll write you a postcard.*)

PHILLIP: Yusuf und Antonia! Kommt in mein Zimmer! Ich zeige **euch** meine Spiele. (*Yusuf and Antonia! Come to my room! I'll show you my games.*)

de**m** → ih**m**
de**r** → ih**r**
de**n** → ihn**en**

B. Third-Person Pronouns

The third-person pronouns have the same signals as the dative articles: **-m** in the masculine and neuter, **-r** in the feminine, and **-n** in the plural.

| | **Masculine and Neuter** | **Feminine** | **Plural** |
|---|---|---|---|
| *Article* | dem | der | den |
| *Pronoun* | **ihm** | **ihr** | **ihnen** |

| | |
|---|---|
| Was kaufst du deinem Vater? | *What are you going to buy your dad?* |
| Ich kaufe **ihm** ein Buch. | *I'll buy him a book.* |
| Was schenkst du deiner Schwester? | *What are you going to give your sister?* |
| Ich schenke **ihr** eine Pflanze. | *I'll give her a plant.* |
| Was kochen Sie Ihren Kindern? | *What are you going to cook for your kids?* |
| Ich koche **ihnen** Spaghetti. | *I'm making them spaghetti.* |

Note that the dative-case pronoun precedes the accusative-case noun.

| | |
|---|---|
| Ich schreibe **dir** einen Brief. | *I'll write you a letter.* |

## Übung I. Minidialoge

Ergänzen Sie **mir, dir, uns, euch** oder **Ihnen.**

1. PHILLIP: Mutti, kaufst du ______ Schokolade?
   FRAU RUF: Ja, aber du weißt, dass du vor dem Essen nichts Süßes essen sollst.
2. MARIA: Was hat denn Frau Körner gesagt?
   MICHAEL: Das erzähle ich ______ nicht.
3. YUSUF: Mutti, kochst du Antonia und mir einen Pudding?
   FRAU WAGNER: Natürlich koche ich ______ einen Pudding.
4. HERR FUCHS: Sie schulden[1] mir noch 50 Euro, Herr Pusch.
   MICHAEL: Wofür denn?
   HERR FUCHS: Ich habe ______ doch für 100 Euro meinen alten Computer verkauft, und Sie hatten nur 50 Euro dabei.
   MICHAEL: Ach, ja, richtig.
5. FRAU KÖRNER: Mein Mann und ich gehen heute Abend aus. Können Sie ______ vielleicht ein gutes Restaurant empfehlen, Herr Pusch?
   MICHAEL: Ja, gern ...

## Übung J. Wer? Wem? Was?

Beantworten Sie die Fragen mit Hilfe der Tabelle.

MODELL: Was hat Sarah ihrem Freund geschenkt? →
Sie hat ihm ein T-Shirt geschenkt.

| | Sarah | Mert |
|---|---|---|
| *schenken* | ein T-Shirt | einen Ring |
| *bringen* | die Zeitung | die Post |
| *erzählen* | ein Geheimnis | eine Geschichte |
| *anbieten* | ihre Wohnung | eine Versicherung |
| *zeigen* | ihren Arbeitsplatz | sein neues Büro |
| *kaufen* | eine neue Brille | eine Mütze |

1. Was hat Mert seiner Freundin geschenkt?
2. Was hat Sarah ihrem Vater gebracht?
3. Was hat Mert seinem Bruder gebracht?
4. Was hat Sarah ihrem Anwalt erzählt?
5. Was hat Mert seiner Ärztin erzählt?
6. Was hat Sarah ihrer Freundin angeboten?
7. Was hat Mert seinen Angestellten angeboten?
8. Was hat Sarah ihren Kolleginnen gezeigt?
9. Was hat Mert seinem Sekretär gezeigt?
10. Was hat Sarah ihrer Großmutter gekauft?
11. Was hat Mert seinem Bruder gekauft?

[1]*owe*

# Videoecke

## Perspektiven

Wie finanzierst du dir dein Studium?

Ich bekomme BAföG.

### Aufgabe 1 Das Studium

Wer bekommt BAföG? Wer hat einen Nebenjob? Schreiben Sie auf, wie sich die Studentinnen und Studenten ihr Studium finanzieren. ACHTUNG: Manche bekommen Geld aus unterschiedlichen Quellen.

| Miniwörterbuch | |
|---|---|
| der **Nebenjob** | side job |
| **einen Kredit aufnehmen** | to take out a loan |
| **sparen** | to save |
| die **Kulturwissenschaften** | cultural sciences |
| **eigentlich** | actually |
| die **Forschung** | research |
| die **Entwicklungshilfe** | developmental aid |
| das **Fließband** | assembly line |
| **basteln** | to do crafts |

1. Judith ___

2. Susan ___

3. Shaimaa ___

4. Martin ___

5. Tina ___

6. Inna ___

7. Nadezda ___

8. Sophie ___



a. arbeiten
b. BAföG
c. einen Kredit aufnehmen
d. Eltern
e. Nebenjobs
f. Stipendium

## Interviews

- Was studierst du?
- Was gefällt dir an deinem Studium?
- Was willst du damit mal machen?
- Arbeitest du neben deinem Studium?
- Was machst du da genau?
- Wie viel Geld verdienst du damit?
- Gibt es etwas, worauf du sparst?

McGraw-Hill/Klic Video Productions

Tabea

McGraw-Hill/Klic Video Productions

Tina

### Aufgabe 2 Wer sagt was?

Wer sagt das, Tabea oder Tina?

| | TABEA | TINA |
|---|---|---|
| 1. Ich studiere Biochemie und Mathematik. | ☐ | ☐ |
| 2. Ich studiere Kulturwissenschaften. | ☐ | ☐ |
| 3. Eigentlich wollte[1] ich Medizin studieren. | ☐ | ☐ |
| 4. Ich möchte gern in die Forschung gehen. | ☐ | ☐ |
| 5. Ich möchte vielleicht in die Entwicklungshilfe gehen. | ☐ | ☐ |
| 6. Ich arbeite in den Semesterferien am Fließband. | ☐ | ☐ |
| 7. Ich passe auf ein dreijähriges Kind auf. | ☐ | ☐ |
| 8. Ich verdiene 8 Euro 50 pro Stunde. | ☐ | ☐ |
| 9. Ich möchte einmal nach Japan reisen. | ☐ | ☐ |
| 10. Ich ziehe um und brauche eine neue Küche. | ☐ | ☐ |

### Aufgabe 3 Dies und das

Beantworten Sie die folgenden Fragen.

1. Warum kann Tabea nicht Medizin studieren?
2. Was möchte Tabea machen, wenn sie in die Forschung geht?
3. Was gefällt Tina an ihrem Studium?
4. Was macht Tina mit dem dreijährigen Kind?
5. Wie viel verdient Tina?

### Aufgabe 4 Interview

Interviewen Sie eine Partnerin oder einen Partner. Stellen Sie die Interviewfragen.

[1] *wanted to*

# Wortschatz zum Lernen

| Dienstleistungen | Services |
|---|---|
| →**bieten, geboten** | to offer |
| →**erhalten, erhält, erhalten** | to receive |
| →**führen** | to lead |
| **gießen, gegossen** | to water; pour |
| **pflegen** | to attend to, nurse |
| **schenken** | to give (as a present) |
| →**statt·finden, stattgefunden** | to take place |
| **unterrichten** | to teach, instruct |
| →**wünschen** | to wish, desire, want |
| die **Einwohnerin, -nen** | female inhabitant, resident |
| die **Flasche, -n** | bottle |
| die **Köchin, -nen** | female cook |
| →die **Kollegin, -nen** | female colleague |
| →die **Menge, -n** | quantity, amount |
| →die **Möglichkeit, -en** | possibility |
| die **Mütze, -n** | cap |
| →die **Präsidentin, -nen** | female president |
| die **Schauspielerin, -nen** | actress |
| die **Soldatin, -nen** | female soldier |
| →die **Straße, -n** | street, road |
| →der **Beginn** | beginning, start |
| der **Eindruck, ¨-e** | impression |
| der **Einwohner, -** | male inhabitant, resident |
| →der **Fall, ¨-e** | fall, collapse; case |
| der **Koch, ¨-e** | male cook |
| →der **Kollege, -n** (*wk. masc.*) | male colleague |
| →der **Präsident, -en** (*wk. masc.*) | male president |
| der **Schauspieler, -** | actor |
| der **Soldat, -en** (*wk. masc.*) | male soldier |
| der **Topf, ¨-e** | pot |
| das **Geheimnis, -se** | secret |
| →das **Jahrhundert, -e** | century |
| das **Messer, -** | knife |
| das **Schiff, -e** | ship |
| →**normal** | normal(ly) |
| →**rund** | round; around |
| →**als** | than; as; when |
| **als Taxifahrer(in)** | as a taxi driver |
| **mehr als** | more than |
| **wem** | (to, for) whom |

| Berufe | Professions |
|---|---|
| →**(sich) eignen** | to lend itself, be suitable |
| →**funktionieren** | to work, function |
| →**klingen, geklungen** | to sound (like), ring |
| **mähen** | to mow |
| **schießen, geschossen** | to shoot |
| →**sorgen (für)** | to care (for), take care (of) |
| →**untersuchen** | to examine, investigate |
| die **Angestellte, -n** | female employee |
| die **Anwältin, -nen** | female lawyer |
| die **Arbeiterin, -nen** | female worker |
| die **Architektin, -nen** | female architect |
| die **Bundeswehr** | (federal) army |
| die **Fahrerin, -nen** | female driver |
| →die **Gruppe, -n** | group |
| die **Journalistin, -nen** | female journalist |
| →die **Kraft, ¨-e** | strength, power |
| die **Liste, -n** | list |
| die **Maschine, -n** | machine |
| die **Patientin, -nen** | female patient |
| die **Pilotin, -nen** | female pilot |
| die **Polizistin, -nen** | female police officer |
| die **Richterin, -nen** | female judge |
| die **Schriftstellerin, -nen** | female writer |
| die **Verkäuferin, -nen** | female salesperson |
| die **Versicherung, -en** | insurance, guarantee |
| der **Angestellte, -n** (**ein Angestellter**) | male employee |
| der **Anwalt, ¨-e** | male lawyer |
| der **Arbeiter, -** | male worker |
| der **Architekt, -en** (*wk. masc.*) | male architect |
| der **Fahrer, -** | male driver |
| →der **Fehler, -** | mistake, error |
| der **Journalist, -en** (*wk. masc.*) | male journalist |
| →der **Patient, -en** (*wk. masc.*) | male patient |
| der **Pilot, -en** (*wk. masc.*) | male pilot |
| der **Polizist, -en** (*wk. masc.*) | male police officer |
| der **Rasen, -** | lawn |
| der **Richter, -** | male judge |
| der **Schriftsteller, -** | male writer |
| der **Verkäufer, -** | male salesperson |
| der **Verkehr** | traffic |
| das **Büro, -s** | office |
| das **Gericht, -e** | courthouse; meal |
| →das **Interesse, -n** | interest |
| **Interesse haben an** (+ *dat.*) | to be interested in |
| **bunt** | colorful(ly) |
| →**dunkel** | dark(ly) |
| →**möglich** | possible |
| **reich** | rich(ly) |
| →**tatsächlich** | actual(ly), indeed |
| **als er acht Jahre alt war** | when he was eight years old |

| Der Arbeitsplatz | Employment, Workplace |
|---|---|
| →**bauen** | to build, manufacture, produce |
| **eröffnen** | to open, establish |

| | |
|---|---|
| →**erreichen** | to reach, achieve |
| →**trennen** | to separate |
| **getrennt** | separate(ly), with separate checks |
| **wechseln** | to change |
| die **Ausbildung** | specialized training |
| die **Bank, -en** | bank |
| die **Beraterin, -nen** | female counselor |
| die **Erwartung, -en** | expectation |
| die **Fabrik, -en** | factory |
| die **Kasse, -n** | ticket booth |
| die **Kenntnis, -se** | knowledge, skill |
| →die **Kirche, -n** | church |
| →die **Klasse, -n** | class, grade |
| die **Lehre, -n** | apprenticeship |
| →die **Polizei** | police; police station |
| die **Post** | mail; post office |
| →die **Seite, -n** | side; page |
| die **Tankstelle, -n** | gas station |
| die **Werkstatt, -̈en** | repair shop, workshop, garage |
| der **Berater, -** | male counselor |
| →der **Betrieb, -e** | firm, company; operation |
| →der **Gedanke, -n** (*wk. masc.*) | thought |
| der **Supermarkt, -̈e** | supermarket |
| der **Termin, -e** | appointment |
| das **Brot, -e** | bread |
| das **Gold** | gold |
| das **Konto, Konten** | (bank) account |
| das **Niveau, -s** [nivo] | level |
| →das **Unternehmen, -** | company, enterprise |
| **ausführlich** | thorough(ly) |
| →**besondere, -r, -s** | special, particular |
| →**leer** | empty |
| →**praktisch** | practical(ly), useful(ly) |
| **theoretisch** | theoretical(ly) |
| →**hinaus** | out |
| **hin und zurück** | return, roundtrip |
| **ich hätte gern** | I would like to have |
| **sonst noch etwas?** | anything else? |

## In der Küche — In the Kitchen

| | |
|---|---|
| →**holen** | to get, fetch |
| **kehren** | to sweep |
| →**merken** | to notice, realize |
| **sparen** | to save, put aside |
| →**verlassen, verlässt, verlassen** | to leave, abandon |
| **vor·lesen, liest ... vor, vorgelesen** | to read (*to someone*) |
| **zurück·kehren, kehrt ... zurück, ist zurückgekehrt** | to return |
| die **Küche, -n** | kitchen |
| die **Schublade, -n** | drawer |
| die **Sekretärin, -nen** | female secretary |
| der **Kuchen, -** | cake |
| der **Kühlschrank, -̈e** | refrigerator |
| der **Ofen, -̈** | oven |
| der **Sekretär, -e** | male secretary |
| der **Wunsch, -̈e** | wish |
| das **Chaos** | chaos |
| →das **Glas, -̈er** | glass |
| →**langsam** | slow(ly) |
| **unglaublich** | incredible, incredibly |
| **unmöglich** | impossible, impossibly |
| →**fast** | almost |
| **mehrmals** | several times |
| →**selten** | seldom, rarely |
| →**unter** | under, beneath; among |

# KAPITEL 6

# Wohnen

## Themen

Haus und Wohnung

In der Stadt

Eine Wohnung suchen

Haushalt

## Kulturelles

Kunst: Friedensreich Hundertwasser (*[630A] Mit der Liebe warten tut weh, wenn die Liebe woanders ist*)

KLI: Wohnen

KLI: Deutsch und Englisch als germanische Sprachen

Musikszene: „Us Mänsch“ (Bligg)

Videoecke: Wohnen

## Strukturen

1. Dative verbs
2. Location vs. destination: Two-way prepositions with the dative or accusative case
3. Word order: Time before place
4. Direction: **in/auf** vs. **zu/nach**
5. Word formation: Prefix verbs with **be-**, **ver-**, and **er-**
6. The prepositions **mit** and **bei** + dative
7. Separable-prefix verbs: The present tense and the perfect tense

## Lektüren

Sachtext: Städteranking 2018

Film: *Willkommen bei den Hartmanns* (Simon Verhoeven)

After completing **Kapitel 6,** you will be able to . . .

- exchange information in conversations about living arrangements, looking for a place to live, and household chores, forming sentences and series of connected sentences and asking a variety of follow-up questions
- state your viewpoint about topics related to living arrangements and household chores and give some reasons to support it, using sentences and series of connected sentences
- understand the main idea and key facts in informational and descriptive texts about living arrangements, cities in Germany, and the historical relationship between English and German, consisting of several paragraphs with the help of key vocabulary items
- understand the main idea and key information in popular songs and conversations related to places of living, living arrangements, and household chores
- describe where you live and your living situation, using simple sentences and series of connected sentences in writing
- compare products and practices in your area with those in German-speaking countries with respect to living arrangements, looking for a place to live, and household chores

Friedensreich Hundertwasser: *(630A) Mit der Liebe warten tut weh, wenn die Liebe woanders ist* (1971), Galerie Koller, Zürich

*Hundertwasser Archive, Vienna*

| Miniwörterbuch | |
|---|---|
| **aufgrund** | on account of |
| die **Erfahrung, -en** | experience |
| **aktiv** | active(ly) |
| **weiterhin** | furthermore |
| der **Schutz** | protection |
| das **Gebäude, -** | building |
| **schaffen, schuf, geschaffen** | to create |
| **gerecht** | just, suitable |
| die **Linie, -n** | line |
| **kennzeichnen, gekennzeichnet** | to mark, distinguish |
| **ausschließen, schließt ... aus, ausgeschlossen** | to exclude, lock out |

## KUNST UND KUNSTSCHAFFENDE

Friedensreich Hundertwasser (1928–2000), mit bürgerlichem Namen[1] Friedrich Stowasser, ist einer der bedeutendsten Künstler des 20. Jahrhunderts. Er war Maler und Architekt, entwarf[2] aber auch Briefmarken[3] und Bucheinbände[4]. Er war Sohn einer Jüdin. Aufgrund seiner Erfahrungen im Dritten Reich war er politisch aktiv, vor allem gegen Diktaturen. Weiterhin engagierte er sich sehr für den Umweltschutz. Mit seinen Gebäuden schuf er Beispiele für eine natur- und menschengerechte Architektur. Seine Bilder sind von kräftigen Farben, organischen Formen und einer Ablehnung[5] von geraden Linien gekennzeichnet.

Schauen Sie sich das Bild an und beantworten Sie die folgenden Fragen.

1. Welche Farben dominieren im Bild? Welche Farbe dominiert besonders? Was symbolisiert diese Farbe? Denken Sie an den Titel.
2. Was ist das Besondere an den Häusern? Laden sie ein oder schließen sie aus? Woran erkennt man das?
3. Was sehen Sie links unten im rechten Haus? Wer könnte das sein?
4. Weckt das Bild eher fröhliche[6] oder traurige Assoziationen? Warum?

[1]mit ... *born* [2]*designed* [3]*postage stamps* [4]*book covers* [5]*rejection* [6]*happy*

# Situationen

## Haus und Wohnung

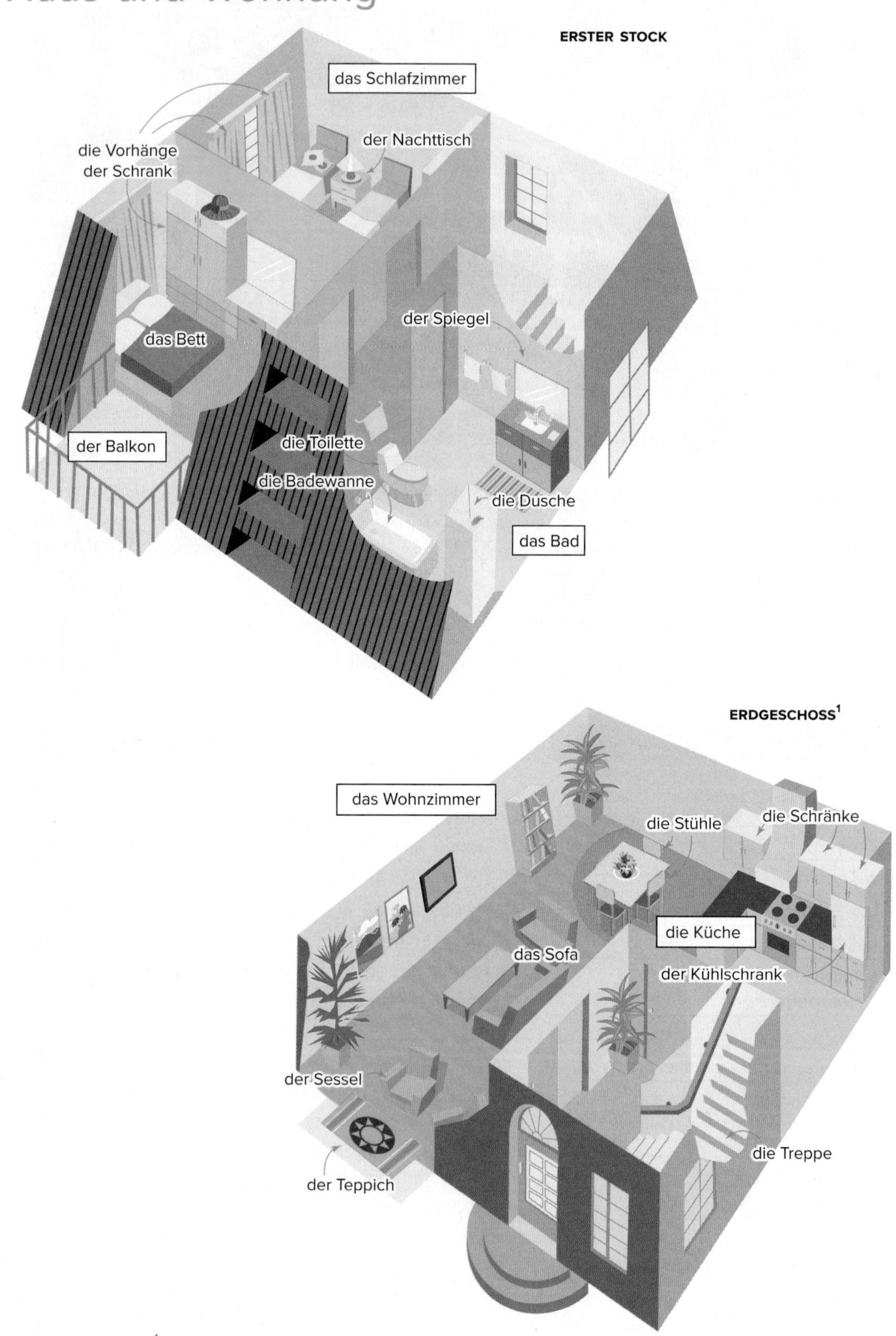


[1]*ground floor*

## Situation 1 Das Zimmer

Wählen Sie ein Bild, aber sagen Sie die Nummer nicht. Ihr Partner oder Ihre Partnerin stellt Fragen und sagt, welches Bild Sie gewählt haben.

MODELL: S1: Ist die Katze auf dem Sofa?
S2: Ja.
S1: Ist es neun Uhr?
S2: Ja.
S1: Dann ist es Bild 1.
S2: Richtig. Jetzt bist du dran.

**am Fenster** **an der Wand**
**auf dem Tisch**
**vor dem Sofa** **auf dem Sofa**
**über dem Schrank**
**neben dem Sofa** **?**
**unter dem Tisch**

## KULTUR ... LANDESKUNDE ... INFORMATIONEN

# WOHNEN

## Vor dem Hören

**In Ihrer Heimat:**

- Haben moderne Häuser in Ihrer Heimat einen Keller, eine Terrasse, einen Balkon?
- Haben sie einen Garten vor oder hinter dem Haus?
- Aus welchem Material sind die Häuser normalerweise? (aus Backstein[1], aus Beton[2], aus Holz, aus Stein)
- Gibt es einen Zaun um das ganze Grundstück[3] herum oder nur um den Garten hinter dem Haus?
- Sind Garagen üblich? Wie groß sind die Garagen? (Platz für ein Auto, zwei Autos, drei Autos)
- Aus welchem Material ist das Dach? (aus Asphaltschindeln[4], aus Holzschindeln[5], aus Ziegeln)

**In Deutschland:**

- Schauen Sie sich die Fotos an. Welche Unterschiede gibt es zu Häusern in Ihrer Heimat?

Balakate/Shutterstock

Wohnblöcke in Wien

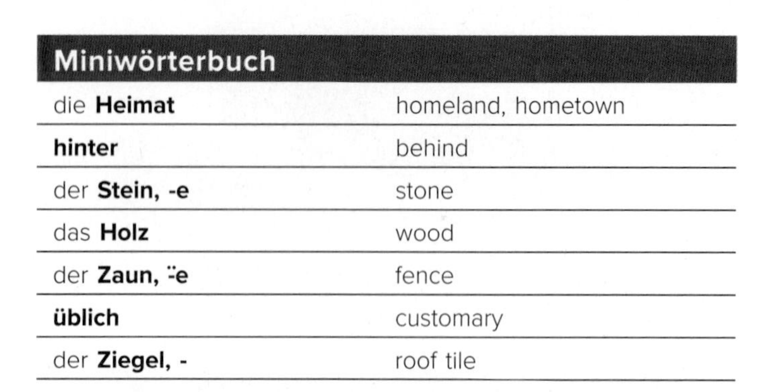

Zweifamilienhaus aus Backstein

ullstein bild/Schöning/The Image Works

Einfamilienhaus mit einem Dach aus Ziegeln

| Miniwörterbuch | |
|---|---|
| die **Heimat** | homeland, hometown |
| **hinter** | behind |
| der **Stein, -e** | stone |
| das **Holz** | wood |
| der **Zaun, ¨-e** | fence |
| **üblich** | customary |
| der **Ziegel, -** | roof tile |
| das **Einfamilienhaus, ¨-er** | single family home |
| **umgeben** | enclosed, surrounded |
| die **Miete, -n** | rent |
| **anders** | different(ly) |
| **während** | while |
| die **Hälfte, -n** | half |
| **doppelt** | double, doubly; twice |

## Arbeit mit dem Hörtext

Hören Sie den Text an und beantworten Sie die Fragen.

1. Was hat ein modernes Einfamilienhaus in Deutschland?
2. Womit ist es umgeben?
3. Woraus ist das Dach?
4. Wie viele Menschen leben in Deutschland?
5. Wie groß ist Deutschland?
6. Wie viel Prozent der Menschen in Deutschland wohnen zur Miete?
7. Wo wohnen die meisten Menschen in ihrem eigenen Haus oder in ihrer eigenen Wohnung: in Deutschland, in Österreich oder in der Schweiz?
8. Welches Land ist größer, Österreich oder die Schweiz?

[1]*brick* [2]*concrete* [3]*property, lot* [4]*asphalt shingles* [5]*wooden shingles*

## Situation 2 Interview

1. Wo wohnst du? (in einer Wohnung, im Studierendenheim[1], in einem Haus, auf dem Land, in der Stadt, ______)
2. Wohnst du allein? in einer WG[2], bei deinen Eltern, bei einer Familie, mit einem Mitbewohner[3] / einer Mitbewohnerin zusammen, ______)
3. Wie lange brauchst du zur Uni? (zehn Minuten zu Fuß, fünf Minuten mit dem Fahrrad, eine halbe Stunde mit dem Auto oder mit dem Bus, ______)
4. Was kostet dein Zimmer / deine Wohnung pro Monat?
5. Was für Möbel hast du in deinem Zimmer / in deiner Wohnung?

## Situation 3 Interaktion: In der Wohnung

Beantworten Sie die Fragen für sich selbst und schreiben Sie Ihre Antworten auf. Stellen Sie dann die gleichen Fragen an Ihren Partner oder Ihre Partnerin.

| | ich | mein(e) Partner(in) |
|---|---|---|
| *Wie gefällt dir deine Wohnung oder dein Zimmer?* | | |
| *Welches Möbelstück[4] fehlt dir?* | | |
| *Welches Möbelstück gehört dir nicht?* | | |
| *Gefällt dir das Putzen?* | | |
| *Wer hilft dir beim Putzen?* | | |

## Situation 4 Zum Schreiben: So wohne ich

Schreiben Sie einen kurzen Text darüber, wo und wie Sie wohnen. Schreiben Sie einen Absatz darüber, wo Sie wohnen und mit wem Sie wohnen, und einen Absatz darüber, wie viele Zimmer es dort gibt und was in diesen Zimmern ist. Schreiben Sie einen kurzen Schluss, in dem Sie sagen, wie es Ihnen gefällt und wie lange Sie dort noch wohnen werden.

George Hammerstein/Corbis/Glow Images

Reihenhäuser in Rheinland-Pfalz

[1]*student dorm* [2]WG = Wohngemeinschaft *shared house, apartment* [3]*roommate* [4]*piece of furniture*

# Strukturen

## 1. Dative verbs

**WISSEN SIE NOCH?**

The dative case is used primarily to indicate to whom or for whom something is done (or given).

Review **Strukturen 1** in **Kapitel 5.**

The dative object usually indicates the person to whom or for whom something is done. The dative case can be seen as the partner case. The “something” that is done (or given) is in the accusative case (it is the direct object).

| | |
|---|---|
| Ich schenke **dir einen Teppich.** | *I'll give you a rug. (I'll give a rug to you.)* |
| Ich kaufe **meinem Bruder einen Roman.** | *I'll buy my brother a novel. (I'll buy a novel for my brother.)* |

Dative verbs are verbs that require a dative object.

Certain verbs, called “dative verbs,” require only a subject and a dative object; there is no accusative object. These verbs fall into two groups. In Group 1, both the subject and the dative object are persons or other living beings.

| | |
|---|---|
| antworten | *to answer* |
| begegnen | *to meet* |
| folgen | *to follow* |
| helfen | *to help* |
| zuhören | *to listen to* |

| | |
|---|---|
| **Er** antwortete **mir** nicht. | *He didn't answer me.* |
| **Wir** begegneten **dem alten Vermieter.** | *We met the old landlord.* |
| **Der Hund** folgt **dir**. | *The dog is following you.* |
| Soll **ich Ihnen** helfen? | *Do you want me to help you?* |
| **Ich** höre **der Professorin** genau zu. | *I'm carefully listening to the professor.* |

In Group 2, the subject is usually a thing. The dative object is often a person who experiences or owns the thing.

| | |
|---|---|
| gehören | *to belong to* |
| nutzen | *to be of use* |
| passen | *to fit* |
| schaden | *to be harmful to* |
| schmecken | *to taste good to* |
| stehen | *to suit* |

| | |
|---|---|
| Diese Poster gehören **mir.** | *These posters belong to me.* |
| Nutzt **dir** das etwas? | *Is this useful to you?* |
| Diese Hose passt **mir** nicht. | *These pants don't fit me.* |
| Rauchen schadet **der Gesundheit.** | *Smoking is bad for (damages) your health.* |
| Schmeckt **Ihnen** der Fisch? | *Does the fish taste good to you?* |
| Blau steht **dir** gut. | *Blue suits you well.* |

Note that the following Group 2 verbs express ideas that are rendered very differently in English.

| | |
|---|---|
| fehlen | *to be missing* |
| gefallen | *to be to one's liking, to please* |

| | |
|---|---|
| **Mir** fehlt ein Buch. | *I'm missing a book.* |
| Gefällt **Ihnen** dieser Schrank? | *Do you like this cupboard? (Does this cupboard please you?)* |

## Übung A. Minidialoge

Ergänzen Sie das Verb.

| schaden | gefallen | passen |
|---|---|---|
| begegnen | gehören | |
| fehlen | folgen | schmecken |
| helfen | zuhören | |

1. SHANNON: Schau, ich habe mir einen neuen Ring gekauft.
   KAYLA: Der ist aber toll! Der _______ mir!
2. NESRIN: Hallo, Lukas. Sofie ist schon unterwegs. Wollen wir ihr _______?
   LUKAS: Ja, wir nehmen mein Auto.
3. FRAU RUF: Jochen, kannst du mir bitte _______? Ich kann die Vorhänge nicht allein tragen.
   HERR RUF: Ja, ich komme.
4. FRAU GRUBER: _______ Ihnen der Salat?
   HERR FUCHS: Ja, sehr gut, die Soße ist ausgezeichnet.
5. FRAU KÖRNER: Dieser Rock _______ mir nicht. Ich brauche doch Größe 42.
   VERKÄUFER: Ich sehe mal nach, ob wir Größe 42 haben.
6. DANIEL: Wem _______ denn diese neue Küchenmaschine?
   PHAN: Mir. Ich habe sie gestern gekauft.
7. FRAU SCHULZ: Was suchen Sie, Miguel? _______ Ihnen etwas?
   MIGUEL: Ja, ich kann mein Heft nicht finden.
8. FRAU KÖRNER: Wissen Sie, wer mir am Marktplatz _______ ist, Herr Fuchs?
   HERR FUCHS: Nein, wer denn?
   FRAU KÖRNER: Ingrid Schneider, die Mutter von Maria. Wir haben uns lange unterhalten.
9. ARZT: Also, Herr Ruf, Sie müssen jetzt wirklich mit dem Rauchen aufhören. Nikotin _______ Ihrer Gesundheit!
   HERR RUF: Aber, Herr Doktor, dann habe ich ja gar keine Freude mehr im Leben.
10. STEVE: Entschuldigung, Frau Schulz, ich habe Ihnen nicht _______. Können Sie das noch mal wiederholen?
    FRAU SCHULZ: Na, gut.

## Übung B. Interview

1. Haben Sie in letzter Zeit jemandem geholfen? Wem?
2. Wem sind Sie gestern oder heute begegnet?
3. Folgen Sie im Moment jemandem auf Facebook oder in den sozialen Medien? Wem?
4. Haben Sie heute jemandem nicht zugehört? Wem?
5. Welches Essen schmeckt Ihnen am besten?
6. Passt Ihnen Ihre Lieblingshose noch? Wie gut?
7. Wie gefällt Ihnen Ihre Wohnung oder Ihr Zimmer?
8. Welches Möbelstück fehlt Ihnen in Ihrer Wohnung oder in Ihrem Zimmer?

## 2. Location vs. destination: Two-way prepositions with the dative or accusative case

**Wo** asks about location. Questions about location are answered with a preposition + dative.

The prepositions **in** (*in*), **an** (*on, at*), **auf** (*on top of*), **vor** (*in front of*), **hinter** (*behind*), **über** (*above*), **unter** (*underneath*), **neben** (*next to*), and **zwischen** (*between*) are used with both the dative and accusative cases. When they refer to a fixed location, the dative case is required. In these instances, the prepositional phrase answers the question **wo** (*where* [*at*]).

**WISSEN SIE NOCH?**

The prepositions **in, an,** and **auf** use the dative case when they indicate location.

Review **Strukturen 5** in **Kapitel 5.**

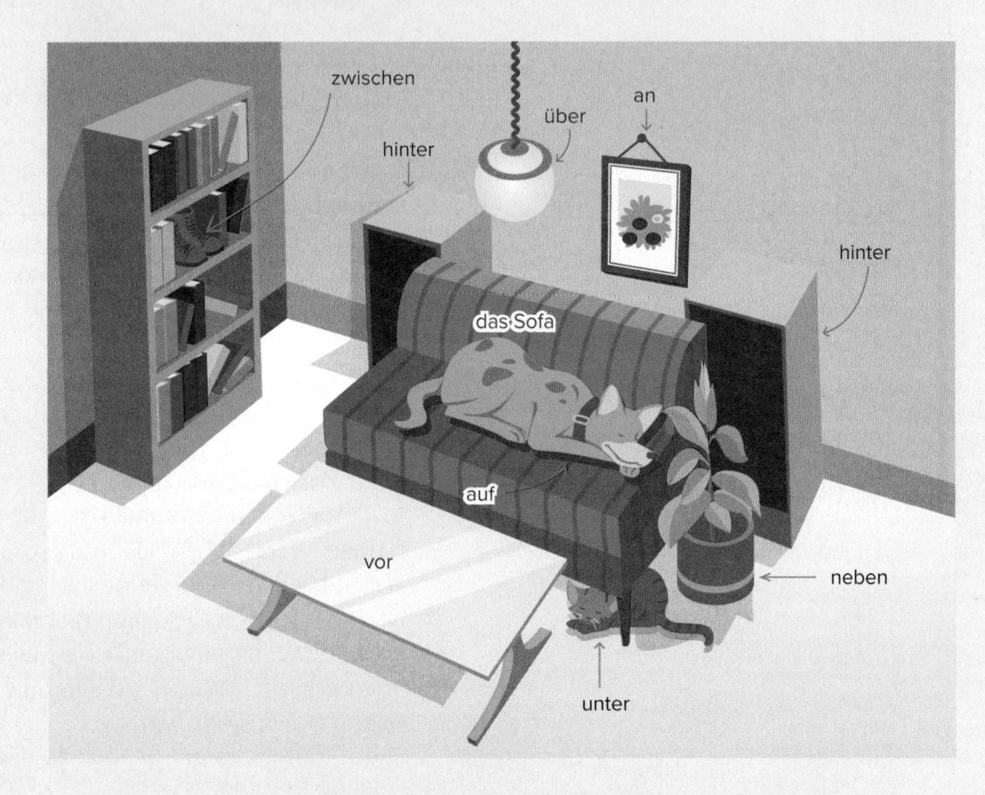


**Im Wohnzimmer** steht ein Sofa.
**Hinter dem Sofa** stehen zwei große Boxen.
**An der Wand** hängt ein Bild.
**Auf dem Sofa** liegt ein Hund.
**Unter dem Sofa** liegt eine Katze.
**Vor dem Sofa** steht ein Tisch.
**Über dem Sofa** hängt eine Lampe.
**Neben dem Sofa** steht eine große Pflanze.
**Zwischen den Büchern** stehen Schuhe.

**Wohin** asks about placement or destination. Questions about placement or destination are answered with a preposition + accusative.

When these prepositions describe movement toward a place or a destination, they are used with the accusative case. In these instances, the prepositional phrase answers the question **wohin** (*where* [*to*]).

Pedro hat das Sofa **ins Wohnzimmer** gestellt.
Die Boxen hat er **hinter das Sofa** gestellt.
Das Bild hat er **an die Wand** gehängt.
Der Hund hat sich gleich **auf das Sofa** gelegt.
Die Katze hat sich **unter das Sofa** gelegt.
Pedro hat den Tisch **vor das Sofa** gestellt.
Die Lampe hat er **über das Sofa** gehängt.
Die große Pflanze hat er **neben das Sofa** gestellt.
Und seine Schuhe hat er **zwischen die Bücher** gestellt.

**ACHTUNG!**

in + dem = im
an + dem = am

in + das = ins
an + das = ans

| | Wo? | Wohin? |
|---|---|---|
| | *Location*<br>*Dative* | *Placement/Destination*<br>*Accusative* |
| *Masculine* | Es ist auf **dem** Stuhl.<br>*It is on the table.* | Leg es auf **den** Stuhl.<br>*Put it on the table.* |
| *Neuter* | Es ist auf **dem** Bett.<br>*It is on the bed.* | Leg es auf **das** Bett.<br>*Put it on the bed.* |
| *Feminine* | Es ist an **der** Wand.<br>*It is on the wall.* | Häng es an **die** Wand.<br>*Put it on the wall.* |
| *Plural* | Es steht vor **den** Boxen.<br>*It is in front of the speakers.* | Stell es vor **die** Boxen.<br>*Put it in front of the speakers.* |

## Übung C. Miguels Zimmer

Schauen Sie sich Miguels Zimmer an.

1. Wo ist Miguel?
2. Wo ist der Spiegel?
3. Wo ist der Kühlschrank?
4. Wo ist das Deutschbuch?
5. Wo ist die Lampe?
6. Wo ist der Computer?
7. Wo sind die Schuhe?
8. Wo ist die Hose?
9. Wo ist das Poster von Berlin?
10. Wo ist die Katze?

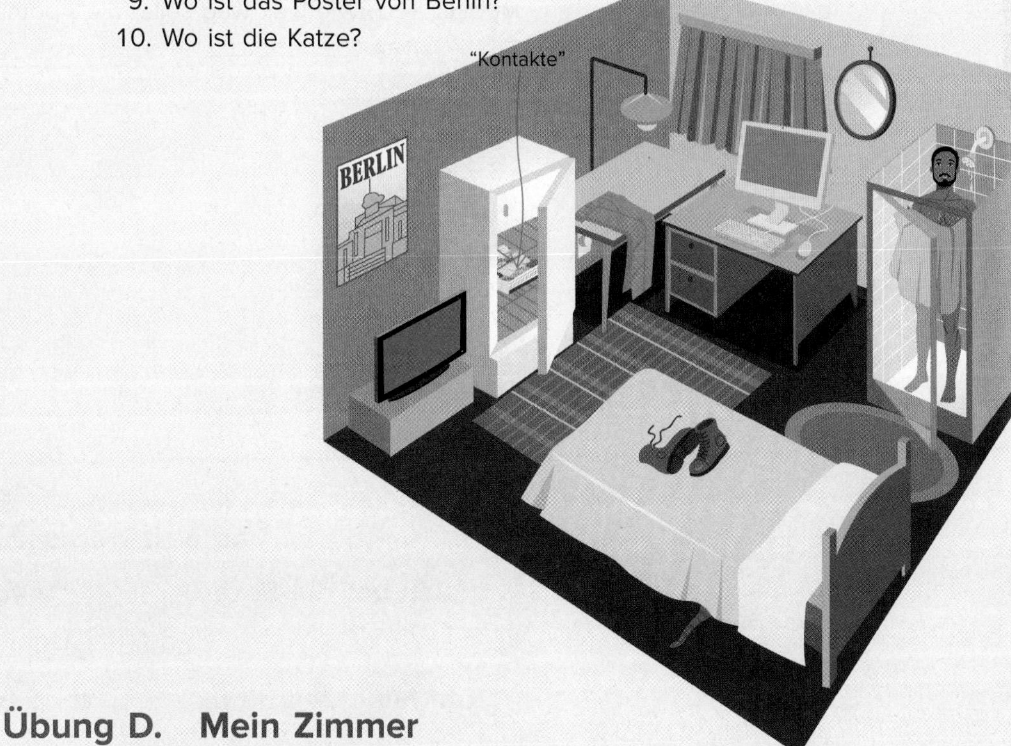


## Übung D. Mein Zimmer

Beschreiben Sie Ihr Zimmer.
Schreiben Sie acht Sätze mit verschiedenen Präpositionen.

MODELL: Das Bett ist unter dem Fenster. Rechts neben dem Bett steht ein Nachttisch ...

# Situationen

## In der Stadt

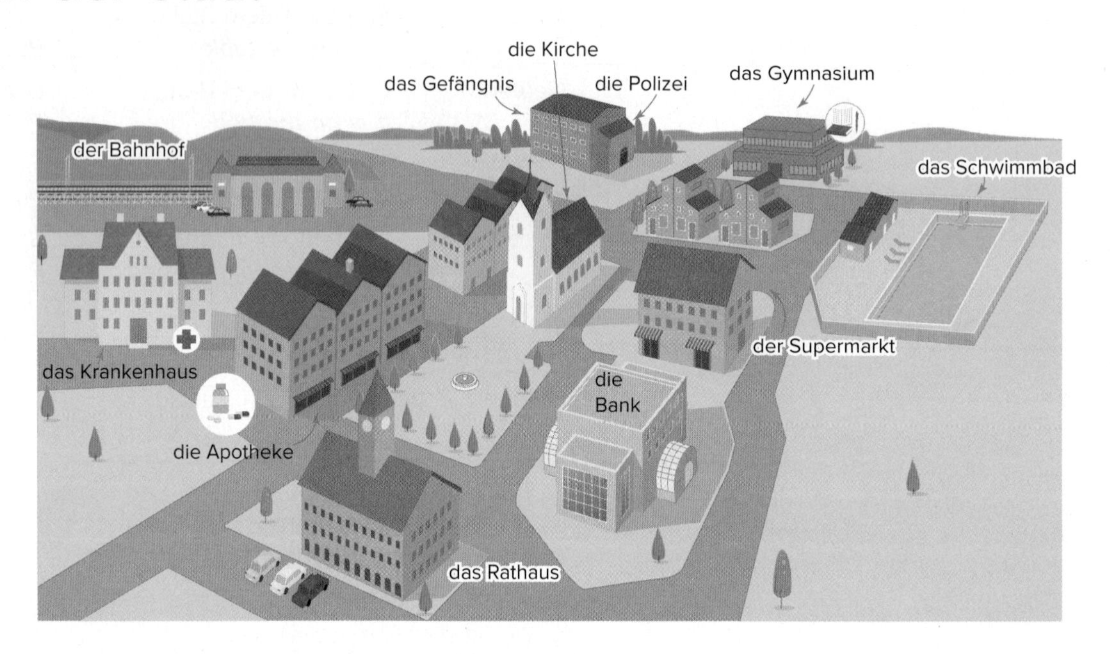


### Situation 5 **Wie weit weg?**

MODELL: S1: Wie weit weg sollte die Apotheke von deiner Wohnung sein?
S2: ___________

1. die Apotheke
2. die Universität
3. die Polizei
4. der Flughafen
5. das Kino
6. das Krankenhaus
7. das Gefängnis
8. der Kindergarten
9. der Supermarkt
10. die Kirche

**so weit weg wie möglich**
**gleich um die Ecke** **am anderen Ende der Stadt**
**gleich gegenüber**
**fünf Minuten zu Fuß** **zehn Minuten mit dem Fahrrad**
**mir egal** **zwei Straßen weiter**
**eine halbe Stunde mit dem Auto**

## Situation 6 Informationsspiel: Gestern und heute

Arbeiten Sie zu zweit und stellen Sie Fragen wie im Modell.

MODELL: S2: Heute ist hier ein Schuhgeschäft. Was war früher hier?
S1: Früher war hier eine Disko.

Früher

Heute

## Situation 7 Umfrage

MODELL: S1: Wohnst du in der Nähe der Universität?
S2: Ja.
S1: Unterschreib bitte hier.

| | UNTERSCHRIFT |
|---|---|
| 1. Wohnst du in der Nähe der Universität? | ______________ |
| 2. Übernachtest du manchmal in Hotels? | ______________ |
| 3. Gibt es in deiner Stadt ein Schwimmbad? | ______________ |
| 4. Warst du letzte Woche auf der Post? | ______________ |
| 5. Warst du gestern im Supermarkt? | ______________ |
| 6. Gibt es in deiner Stadt ein Rathaus? | ______________ |
| 7. Warst du letzten Freitag in der Disko? | ______________ |
| 8. Bist du oft in der Bibliothek? | ______________ |
| 9. Warst du letztes Wochenende im Kino? | ______________ |

## Situation 8 Wohin gehst du, wenn ...?

MODELL: S1: Wohin gehst du, wenn du ein Buch lesen willst?
S2: Wenn ich ein Buch lesen will? In die Bibliothek.

| | |
|---|---|
| 1. du schwimmen gehen möchtest? | zum Bahnhof |
| 2. du einen Brief schicken möchtest? | in die Stadt |
| 3. du Geld brauchst? | zum Flughafen |
| 4. du shoppen gehen möchtest? | zum Arzt |
| 5. du joggen gehen möchtest? | zur Bank |
| 6. du krank bist? | in den Wald |
| 7. du verreisen willst? | auf die Post |
| 8. du eine Zugfahrkarte kaufen willst? | ins Schwimmbad |
| 9. __________ ? | __________ |

# Lektüre

## Vor dem Lesen

**LESEHILFE**

This reading, **„Städteranking 2018,"** is a **Sachtext** (informational, nonfiction text). German **Sachtexte** are usually filled with passive constructions such as **wird gefragt** (*is asked*) or **wurden untersucht** (*were studied*). When you see a form of **werden** plus a past participle, it is usually a passive construction. You will learn how to create and use passive constructions in **Kapitel 10.**

**A.** Beantworten Sie die folgenden Fragen.

1. Welche Städte sind die beliebtesten Städte in Ihrem Land? Warum sind sie beliebt? Was ist Ihre Lieblingsstadt? Warum?
2. Welche Merkmale einer Stadt sind für Sie wichtig? Welche sind weniger wichtig? Sortieren Sie die folgenden Merkmale von *am wichtigsten* zu *am wenigsten wichtig:* gute Schulen, viele Arbeitsplätze, große Universität, Alter und Geschichte, Größe der Stadt, Kulturangebot, Nähe zum Meer oder zu den Bergen, geringe Kriminalität, Größe des Flughafens, öffentliche Verkehrsmittel[1].
3. Welche großen Städte kennen Sie in Deutschland, in Österreich oder in der Schweiz? Woher kennen Sie diese Städte? Was wissen Sie über sie?

**B.** Suchen Sie die Städtenamen im Text und markieren Sie sie. Suchen Sie dann die Städte auf der Landkarte.[2]

[1]*transportation* [2]*map*

## Miniwörterbuch

| | |
|---|---|
| das **Merkmal, -e** | feature |
| die **Studie, -n** | study |
| die **Entwicklung, -en** | development |
| die **Zeitschrift, -en** | journal |
| **erstellen** | to make, compile, prepare |
| **aktuell** | current |
| der **Zustand, ¨-e** | condition, circumstance |
| sich **ergeben, ergeben** | to be produced, arise |
| der **Wohlstand** | quality of life |
| **wirtschaftlich** | economic, commercial |
| der **Arbeitsmarkt, ¨-e** | job market |
| die **Leistung, -en** | accomplishment, performance |
| **außerdem** | besides, in addition |
| die **Beschäftigung, -en** | occupation, employment |
| die **Heimat** | home, homeland |
| der **Bauer, -** | builder |
| **sowie** | and, as well as |
| **schaffen, geschafft** | to manage (to do sth.) |
| **überwiegen, überwogen** | to predominate |
| die **Anzahl** | number, amount |
| die **Einrichtung, -en** | institution |
| **bewerten** | to rate |

## Städteranking 2018

***Welche deutschen Städte sind besonders zukunftsfähig[1], familienfreundlich, attraktiv für Unternehmen oder haben viele Kulturangebote? Wo sitzen die digitalsten Firmen? Das Städteranking untersucht die ökonomische und soziale Entwicklung aller Städte mit mehr als 100.000 Einwohner*innen in Deutschland.***

Die Zeitschrift *Wirtschaftswoche* hat mit IW Consult Köln und ImmobilienScout24 für das Jahr 2018 ein Städteranking erstellt. Seit 2004 erscheint jährlich eine neue Studie. Das Niveauranking zeigt den aktuellen Zustand. Das Dynamikranking zeigt, wie sich die Städte in den letzten fünf Jahren entwickelt haben. Aus dem Niveau- und dem Dynamikranking ergibt sich ein Gesamtranking. Es wird gefragt: In welcher deutschen Stadt ist der Wohlstand am größten? Und: Wo findet man die höchste wirtschaftliche Dynamik? Wichtige Faktoren sind der Arbeitsmarkt, die Wirtschaftsleistung, der Immobilienmarkt[2] und die Lebensqualität. Außerdem zählen hohe Beschäftigung und hoher Wohlstand der Menschen. 71 deutsche Städte wurden untersucht.

*Die zehn interessantesten Städte Deutschlands 2018*

Die Wirtschaft boomt, der Immobilienmarkt ist stark, die medizinische Versorgung ist perfekt – drei von vielen Aspekten im Städtetest. Das sind die Top-Ten im Niveauranking 2018.

Den ersten Platz belegt München. München ist die Landeshauptstadt von Bayern und das Zentrum der DAX-Konzerne. BMW und Siemens garantieren hochbezahlte Jobs und der Immobilienmarkt floriert. Auch auf Platz zwei steht eine bayrische Stadt, Ingolstadt, die Heimat des Autobauers Audi.

[1]*sustainable* [2]*real estate market*

**Dynamikranking, sortiert nach Platzierung**

| Platz | Stadt | Punkte |
|---|---|---|
| 1 | München | 61,1 |
| 2 | Berlin | 60,6 |
| 3 | Ingolstadt | 58,9 |
| 4 | Frankfurt am Main | 57,3 |
| 5 | Wolfsburg | 57,0 |
| 6 | Würzburg | 56,8 |
| 7 | Heilbronn | 56,7 |
| 8 | Augsburg | 56,6 |
| 9 | Regensburg | 56,2 |
| 10 | Nürnberg | 55,8 |

Viele andere süddeutsche Städte lagen beim Niveauranking auf den ersten zehn Plätzen. Die bayrischen Städte Erlangen, Würzburg und Regensburg sowie die baden-württembergischen Städte Stuttgart und Ulm schafften es unter die Top-Ten. Nur eine norddeutsche Stadt kam auf einen der ersten zehn Plätze: die Autostadt Wolfsburg in Niedersachsen. Andere große deutsche Städte schafften es nicht unter die ersten zehn. So kam Hamburg auf Platz 11, Köln auf Platz 27 und Berlin sogar nur auf Platz 36.

Auch beim Dynamikranking überwiegt die Anzahl von süddeutschen Städten unter den Top-Ten: nur Berlin, Wolfsburg und Frankfurt am Main kommen unter die ersten zehn Plätze. Berlin holt beim Dynamikranking auf[3] und landete sogar auf Platz zwei. Keine deutsche Stadt ist so attraktiv für internationale Talente. Start-ups, starke Universitäten und viele Forschungseinrichtungen sorgen für eine positive Entwicklung.

Die Bankenhauptstadt Frankfurt am Main kommt auf Platz vier. Auf zehntausend Erwerbstätige[4] kommen 71 Unternehmensgründungen[5] – das ist Top in Deutschland. Die Top-Ten des Dynamikrankings sieht man in der Grafik. Auf Platz 1 kam München wie auch beim Niveauranking. Viele große deutsche Städte folgen erst auf den hinteren[6] Plätzen: 19. Köln, 22. Hamburg, 36. Bremen, 39. Hannover, 56. Bonn und 88. Krefeld.

Invictus SARL/Alamy

In München lebt man besser.

## Arbeit mit dem Text

**A. Fragen zum Text.** Beantworten Sie die folgenden Fragen.

1. Wie viele deutsche Städte wurden im Städteranking 2018 untersucht? Wie lange gibt es das Städteranking schon?
2. Welche Faktoren sind besonders wichtig?
3. Welche Stadt liegt beim Niveauranking auf Platz 1? Warum?
4. In welchem Bundesland liegen die meisten der Top-Ten-Städte des Niveaurankings? Aus welchen anderen Bundesländern gab es weitere Top-Ten-Städte?
5. Welche Stadt liegt beim Dynamikranking auf Platz 2? Warum?
6. Welche norddeutsche Stadt ist beim Niveau- und beim Dynamikranking unter den ersten zehn? Warum?
7. In welchen Bundesländern liegen die anderen Top-Ten-Städte des Dynamikrankings?
8. Welche großen Städte werden im Dynamikranking besonders schlecht bewertet?

**B. Zeitungssprache.** In journalistischen Texten gibt es viele Komposita. Komposita setzen sich aus zwei oder mehr einfachen Wörtern zusammen. Bilden Sie aus den folgenden Wörtern Komposita und suchen Sie sie im Text. Wie sagt man das auf Englisch?

| | | |
|---|---|---|
| das Angebot | die Gründung | das Ranking |
| das Auto | die Hauptstadt | die Stadt |
| die Einrichtung | die Kultur | der Test |
| die Familie | das Land | das Unternehmen |
| die Forschung | das Leben | die Wirtschaft |
| freundlich | die Leistung | |
| gesamt | die Qualität | |

## Nach dem Lesen

Suchen Sie im Internet das aktuelle Städteranking für Deutschland, Österreich oder die Schweiz. Welche Top-Ten-Städte eines dieser Länder finden Sie am interessantesten? Tragen Sie Informationen zu dieser Stadt zusammen und präsentieren Sie sie im Kurs.

[3]aufholen *to catch up* [4]*wage and salary earners, workforce* [5]*business start-ups* [6]*lower*

# Strukturen

## 3. Word order: Time before place

Time before place

In a German sentence, a time expression usually precedes a place expression. Note that this sequence is usually reversed in English sentences.

| | TIME | PLACE | |
|---|---|---|---|
| Ich gehe | heute Abend | in die Bibliothek. | *I'm going to the library this evening.* |

### Übung E. Wo sind Sie wann?

Bilden Sie Sätze aus den Satzteilen.

MODELL: heute Abend → Ich bin heute Abend im Kino.

| WANN | WO |
|---|---|
| 1. heute Abend | bei Freundinnen/Freunden |
| 2. am Nachmittag | in der Klasse |
| 3. um 16 Uhr | bei meinen Eltern |
| 4. in der Nacht | im Bett |
| 5. am frühen Morgen | auf einer Party |
| 6. am Montag | im Urlaub |
| 7. am ersten August | am Frühstückstisch |
| 8. an Weihnachten | im Café |
| 9. im Winter | in der Bibliothek |
| 10. am Wochenende | ? |

## 4. Direction: *in/auf* vs. *zu/nach*

Direction:
**in/auf** + accusative; **zu/nach** + dative

To refer to the place where you are going, use either **in** or **auf** + accusative, **zu** + dative, or **nach** + place name.

| | |
|---|---|
| Miguel geht **in die** Kirche. | *Miguel goes to church.* |
| Kayla geht **auf die** Bank. | *Kayla goes to the bank.* |
| Heidi fährt **zum** Flughafen. | *Heidi drives to the airport.* |
| Johannes fliegt **nach** Deutschland. | *Johannes is flying to Germany.* |

A. **in** + Accusative

**in** for most buildings and enclosed spaces

In general, use **in** when you plan to enter a building or an enclosed space.

| | |
|---|---|
| Heute Nachmittag gehe ich **in die** Bibliothek. | *This afternoon I'll go to (into) the library.* |
| Abends gehe ich **ins** Kino. | *In the evening I go to (into) the movies.* |
| Morgen fahre ich **in die** Stadt. | *Tomorrow I'll drive to (into) the city.* |

**in** for countries with a definite article

Also use **in** with the names of countries that have a definite article, such as **die Schweiz, die Türkei,** and **die USA.**

| | |
|---|---|
| Herr Okonkwo fliegt oft **in die** USA. | *Mr. Okonkwo often flies to the USA.* |
| Claire fährt **in die** Schweiz. | *Claire is going to Switzerland.* |
| Mert fährt alle zwei Jahre **in die** Türkei. | *Mert goes to Turkey every two years.* |

B. **auf** + Accusative

**auf** for public buildings

Use **auf** instead of **in** when the destination is a public building such as the post office or the police station.

| | |
|---|---|
| Ich möchte einen Brief schicken. Ich gehe **auf die** Post. | *I'd like to mail a letter. I'm going to the post office.* |

C. **zu** + Dative

**zu** for specifically named buildings, places in general, open spaces, and people's places

Use **zu** to refer to destinations that are specific names of buildings, places or open spaces such as a playing field, or people.

| | |
|---|---|
| Yusuf geht **zu** McDonald's. | *Yusuf is going to McDonald's.* |
| Max geht **zum** Sportplatz. | *Max goes to the playing field.* |
| Antonia geht **zum** Arzt. | *Antonia goes to the doctor.* |

**zu Hause** = *at home*

Note that **zu Hause** (*at home*) is an exception. It does not indicate destination but rather location.

D. **nach** + Place Name

Use **nach** with names of countries and cities that have no article. Note that this applies to the vast majority of countries and cities.

| | |
|---|---|
| Sarah fliegt **nach** Paris. | *Sarah is flying to Paris.* |
| Julia fährt **nach** Österreich. | *Julia is driving to Austria.* |

**nach Hause** = *(going/coming) home*

Also use **nach** in the idiomatic construction **nach Hause** (*going/coming home*).

## Übung F. Situationen

Heute ist Montag. Wohin gehen oder fahren die folgenden Personen?

MODELL: Kayla sucht ein Buch. → Sie geht in die Bibliothek.

**ACHTUNG!**

in + das = ins
auf + das = aufs

zu + dem = zum
zu + der = zur

**zum Arzt** **zum Fußballplatz** **auf die Bank** **zum Flughafen** **ins Hotel** **ins Theater** **auf die Post** **in die Schule** **zu ihrem Freund** **in den Supermarkt** **in den Wald**

1. Miguel ist krank.
2. Max möchte Fußball spielen.
3. Frau Schulz ist auf Reisen in einer fremden[1] Stadt. Sie braucht einen Platz zum Schlafen.
4. Michael braucht Geld.
5. Herr Fuchs braucht Lebensmittel[2].
6. Herr Wagner möchte einen Brief schicken.
7. Daniel und Phan gehen Pilze[3] suchen.
8. Maria möchte mit ihrem Freund sprechen.
9. Mert muss nach Athen fliegen.
10. Sarah möchte ein Musical sehen.
11. Hannah muss ein Referat halten.

[1]here: *unfamiliar* [2]*groceries* [3]*mushrooms*

# Situationen

## Eine Wohnung suchen

das Schloss

das Einfamilienhaus

die Villa

die Wohnung unter dem Dach

ein Haus mit einem
großen Grundstück

die Hütte

eine Treppe mit vielen Stufen

das Studierendenheim

ein Garten mit einer Mauer

## Situation 9 Wo möchtest du gern wohnen?

Fragen Sie fünf Personen und schreiben Sie die Antworten auf.

MODELL: S1: Wo möchtest du gern wohnen?
S2: In einer Wohnung unter dem Dach.
S1: Und wo soll sie sein?
S2: In der Innenstadt.

| | | |
|---|---|---|
| in einer Wohnung | unter dem Dach | in einem Garten mit einer Mauer |
| in einem Häuschen | mit schönem Blick | in der Innenstadt |
| in einem Haus | mit Terrasse | auf dem Land |
| in einem Einfamilienhaus | mit Balkon | in den Bergen |
| in einem Schloss | mit alten Möbeln | an einem See |
| in einer Hütte | mit vielen Fenstern | in der Nähe der Stadt |
| in einer Villa | am Ende der Straße | in der Nähe der Uni |
| im Studierendenheim | mit einem großen Grundstück | |

## Situation 10 Umfrage

MODELL: S1: Möchtest du gern in der Innenstadt wohnen?
S2: Ja.
S1: Unterschreib bitte hier.

| | UNTERSCHRIFT |
|---|---|
| 1. Möchtest du gern in der Innenstadt wohnen? | ________________ |
| 2. Möchtest du gern am Rand der Stadt wohnen? | ________________ |
| 3. Gefällt dir ein Leben auf dem Land? | ________________ |
| 4. Möchtest du gern im Ausland wohnen? | ________________ |
| 5. Möchtest du in einer Villa wohnen? | ________________ |
| 6. Möchtest du in einem Schloss wohnen? | ________________ |
| 7. Gefällt dir eine Wohnung unter dem Dach? | ________________ |
| 8. Möchtest du gern im Studierendenheim wohnen? | ________________ |
| 9. Gefällt dir eine Treppe mit vielen Stufen? | ________________ |
| 10. Möchtest du einen Garten mit einer Mauer? | ________________ |

Peter Schickert/Alamy

Ein altes Germanenhaus am Bodensee

## KULTUR ... LANDESKUNDE ... INFORMATIONEN

# DEUTSCH UND ENGLISCH ALS GERMANISCHE SPRACHEN

### Vor dem Lesen

- Wie viele Sprachen spricht man in Ihrem Kurs? Welche? Welche dieser Sprachen sind verwandt mit dem Englischen?
- Gibt es Wörter in den Sprachen Ihres Kurses, die es auch im Englischen gibt? Sammeln Sie zwei bis drei Wörter pro Sprache.

### Arbeit mit dem Text

Lesen Sie den Text und suchen Sie die Antworten auf die folgenden Fragen:

- Zu welcher Sprachfamilie gehören Deutsch und Englisch?
- Wie viele Wörter des Englischen (in Prozent) kommen aus dem Germanischen?
- Wo lebten die Germanen um Christi Geburt[1]?
- Zu welcher Sprachfamilie gehört das Schwedische?
- Welche Sprache hat die germanischen Konsonanten *p, t, k* behalten: das Deutsche oder das Englische?
- Wie schreibt man im Deutschen die Lautkombination **ts?**
- Wo blieb das germanische *k* im Deutschen als **k** erhalten[2]: am Wortanfang oder im Wortinneren[3]?
- Wie sprach man das westgermanische *th* aus?
- Haben formal verwandte Wörter immer dieselbe Bedeutung?

| Miniwörterbuch | |
|---|---|
| die **Geburt, -en** | birth |
| die **Bedeutung, -en** | meaning |
| **gemeinsam** | in common, together |
| **daher** | from there, from the fact (that) |
| **allerdings** | however |
| der **Ursprung, ¨-e** | origin |
| **heutig** | today's, present-day |
| **sich verändern** | to change |
| die **Veränderung, -en** | change |
| **betreffen, betrifft, betroffen** | to concern |

Englisch und Deutsch haben Vieles gemeinsam. Viele Wörter wie **Pfeffer** und *pepper*, **Wasser** und *water*, **brechen** und *break* zeigen, dass beide Sprachen miteinander verwandt sind. Das kommt daher, dass das Englische und Deutsche germanische Sprachen sind.

Circa 25% des englischen Wortschatzes kommt aus dem Germanischen. In der Alltagssprache verwendet man allerdings einen viel größeren Prozentsatz. So sind die häufigsten 100 Wörter des Englischen alle germanischen Ursprungs.

Die Germanen waren indoeuropäische Völker, die um Christi Geburt im nördlichen Mitteleuropa und südlichen Skandinavien ansässig waren. Die Angeln und Sachsen eroberten[4] im 5. Jahrhundert von der heutigen deutschen Nordseeküste aus England. Aus anderen germanischen Stämmen[5] entstanden die Deutschen. Deutsch und Englisch gehören zu den westgermanischen Sprachen, Dänisch, Schwedisch und Norwegisch zu den nordgermanischen Sprachen.

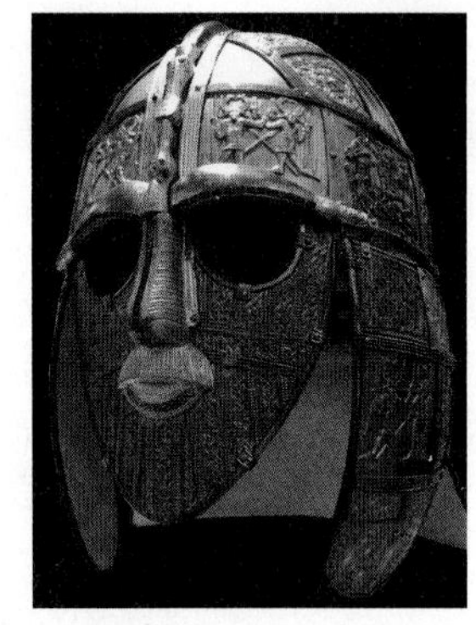

Ein Kriegerhelm aus der Germanenzeit
*World History Archive/ Newscom*

Sprachen verändern sich im Laufe der[6] Zeit. So auch die germanischen Sprachen. Sie entwickelten sich auseinander[7]. Im Englischen blieben die germanischen Konsonanten *p, t, k* erhalten. Das deutsche **pf** oder **f** kommt aus dem germanischen *p*, **ts** oder **s** aus *t* und **ch** aus *k*. Am Wortanfang oder Wortende wurde ein germanisches *p* oder *t* zu[8] **pf** oder **ts**, zwischen zwei Vokalen wurden sie zu ***f*** und ***s***. Deshalb ist das deutsche Wort **Pfeife** verwandt mit dem englischen *pipe* und **Pfanne** mit *pan*. Die Lautkombination **ts** wird im Deutschen **tz** oder **z** geschrieben. Das deutsche **Salz** ist deshalb verwandt mit Englisch *salt* und **zu** mit *to*. Das germanische *k* blieb am Wortanfang auch im Deutschen ein **k**, zwischen Vokalen und am Wortende wurde es zu **ch**. **Kuchen** ist verwandt mit *cake* und **machen** mit *make*.

Eine weitere Veränderung betrifft die westgermanischen Konsonanten *th* (gesprochen wie im Englischen) und *d*. Das deutsche **d** war im Germanischen ein *th*, das deutsche **t** war ein *d*. Deshalb ist **danken** verwandt mit Englisch *thank*, **Ding** mit *thing*, **tot** mit *dead* und **rot** mit *red*. Ein deutsches **b** zwischen zwei Vokalen schließlich war im Germanischen oft ein *v*. So ist **Nabel** verwandt mit Englisch *navel*, **Leber** mit *liver*, **leben** mit *live* und **haben** mit *have*.

Formal verwandte Wörter haben aber nicht immer dieselbe Bedeutung. So ist **Zimmer** zwar verwandt mit *timber* und **Dach** mit *thatch*, die Bedeutungen im Deutschen und Englischen allerdings sind nicht dieselben.

| | Deutsch | Englisch |
|---|---|---|
| **pf, ff, f** | **Pf**anne, o**ff**en | **p**an, o**p**en |
| **z, tz, ss, ß, s** | **S**alz, Wa**ss**er | **s**alt, wa**t**er |
| **k, ch** | **K**u**ch**en | **c**a**k**e |
| **d** | **D**ing | **th**ing |
| **t** | ro**t** | re**d** |
| **b** | Na**b**el | na**v**el |

### Nach dem Lesen

Suchen Sie weitere englische Wörter, die mit deutschen Wörtern verwandt sind und die die Lautveränderungen[9] zeigen, die der Text beschreibt.

[1]um Christi Geburt *around 0 A. D.* [2]blieb erhalten: *was preserved* [3]*middle of a word* [4]*conquered* [5]*tribes* [6]im Laufe der *over the course of* [7]sich auseinander entwickeln *to diverge* [8]wurde zu *turned into* [9]*sound changes*

## Situation 11 Dialog: Ich suche eine Wohnung

Phan ist auf Wohnungssuche.

FRAU SCHUSTER: Schuster!

PHAN: Guten Tag. Mein Name ist Phan Nguyen. Ich rufe __________ des Zimmers an. Ist es noch __________?

FRAU SCHUSTER: Ja, das ist noch zu haben.

PHAN: Das ist schön, in welchem __________ ist es denn?

FRAU SCHUSTER: Frankfurt-Süd, Waldschulstraße __________.

PHAN: Und in welchem __________ liegt das Zimmer?

FRAU SCHUSTER: Im fünften, gleich unter dem __________.

PHAN: Gibt es __________ Aufzug[1]?

FRAU SCHUSTER: Nein, leider nicht.

PHAN: __________. Was kostet denn das Zimmer?

FRAU SCHUSTER: Vierhundert Euro mit __________.

PHAN: Mit Möbeln? Was steht denn drin?

FRAU SCHUSTER: Also, ein Bett natürlich, ein Tisch mit zwei Stühlen und ein __________.

PHAN: Ist auch ein Bad __________?

FRAU SCHUSTER: Nein, aber baden könnten Sie __________. Und Sie haben natürlich Ihre eigene __________ und Toilette.

PHAN: Wann könnte ich mir denn das Zimmer mal __________?

FRAU SCHUSTER: Wenn Sie wollen, können Sie gleich vorbeikommen.

PHAN: Gut, dann komme ich gleich mal vorbei. Bis gleich. Auf Wiederhören.

FRAU SCHUSTER: Auf Wiederhören.

## Situation 12 Rollenspiel: Zimmer zu vermieten

S1: Sie sind ein Student oder eine Studentin und suchen ein schönes Zimmer, minimal 20 Quadratmeter groß. Das Zimmer soll hell und ruhig sein. Sie haben nicht viel Geld und können nur bis zu 400 Euro Miete zahlen, mit Wasser, Strom und Heizung[2]. Sie rauchen nicht und hören keine laute Musik. Fragen Sie den Vermieter oder die Vermieterin, wie groß das Zimmer ist, was es kostet, ob es im Winter warm ist, ob Sie kochen dürfen und ob Ihre Freunde Sie besuchen dürfen. Sagen Sie dann, ob Sie das Zimmer mieten möchten.

[1] *elevator* [2] *heating*

# Strukturen

## 5. Word formation: Prefix verbs with *be-*, *ver-*, and *er-*

**WISSEN SIE NOCH?**

Inseparable prefix verbs do not add **ge-** to the past participle.

Review **Strukturen 5** in **Kapitel 4.**

Many of the most frequently used German verbs are the result of prefixation, that is, a prefix is added to a simple base verb, for example: **zahlen** → **bezahlen.** Prefixes commonly change the meaning of the verb. They also often add grammatical features that are more abstract, such as changing focus or requiring an accusative (direct) object. There are dozens of different possible verb prefixes, but the three most common ones are **be-, er,** and **ver-.**

| | |
|---|---|
| Frau Gruber **bezahlt** das Essen im Restaurant. | *Mrs. Gruber pays for the meal in the restaurant.* |
| Melitta Benz hat den Kaffeefilter **erfunden.** | *Melitta Benz invented the coffee filter.* |
| Herr Fuchs hat seinen alten Computer **verkauft.** | *Mr. Fuchs sold his old computer.* |

The most frequent verb prefix is **be-.** Its most common abstract meaning is a focus on the accusative object. It turns a verb that cannot take an accusative object into one that *must* have one, and is very frequently used in writing, especially in news reporting and academic texts.

| Base Verb | | | Prefix Verb with *be-* | |
|---|---|---|---|---|
| arbeiten | *to work* | → | etwas bearbeiten | *to work on something* |
| leben | *to live* | → | jemanden beleben | *to revive someone* |
| rechnen | *to calculate* | → | etwas berechnen | *to compute something* |
| setzen | *to set* | → | etwas besetzen | *to occupy something* |
| suchen | *to seek* | → | jemanden besuchen | *to visit someone* |
| wohnen | *to live* | → | etwas bewohnen | *to inhabit something* |

The second most frequent verb prefix is **ver-.** The majority of verbs with this prefix focus on the end of an activity and the resulting condition. Some verbs in this category focus on a negative or failed outcome.

| Base Verb | | | Prefix Verb with *ver-* | |
|---|---|---|---|---|
| arbeiten | *to work* | → | etwas verarbeiten | *to process, use something* |
| kaufen | *to buy* | → | etwas verkaufen | *to sell something* |
| lernen | *to learn* | → | etwas verlernen | *to unlearn, forget something* |
| rechnen | *to calculate* | → | sich verrechnen | *to miscalculate* |
| reisen | *to travel* | → | verreisen | *to go away* |
| spielen | *to play* | → | etwas verspielen | *to squander, gamble away something* |

The verb prefix **er-** is the third most frequent. Verbs with this prefix focus on the beginning of an action that has a specific result.

| **Base Verb** | | | **Prefix Verb with *er-*** | |
|---|---|---|---|---|
| finden | *to find* | → | erfinden | *to invent* |
| kennen | *to know* | → | erkennen | *to recognize* |
| klären | *to clear* | → | erklären | *to explain* |
| leben | *to live* | → | erleben | *to experience* |
| öffnen | *to open* | → | eröffnen | *to initiate* |
| warten | *to wait* | → | erwarten | *to expect, await* |

## Übung G. Was sagt man?

Wählen Sie das Verb, das den Satz am besten ergänzt.

1. Eine Person spielt Poker und verliert ihr Geld. Sie hat ihr Geld ________.
   a. erspielt
   b. verspielt
2. Herr Moser wohnt in einem Haus. Er hat sein Haus ________.
   a. bewohnt
   b. gewohnt
3. Elif zählt Autos auf der Straße, aber sie zählt falsch. Sie hat sich ________.
   a. erzählt
   b. verzählt
4. Yamina versteht etwas nicht. Lydia ________ es und macht es klar.
   a. erklärt
   b. verklärt
5. Frau Körner hat ihren Cousin seit 50 Jahren nicht mehr gesehen. Sie ________ ihn nicht, als sie ihn sieht.
   a. erkennt
   b. verkennt
6. Ich freue mich auf deinen Besuch. Wann kann ich dich denn ________?
   a. erwarten
   b. warten
7. Wir haben schon so lange gespielt und müssen unser Spiel jetzt ________.
   a. beenden
   b. verenden
8. Herzlichen Dank für all die schönen Geschenke. Ihr habt mich so reichlich ________!
   a. beschenkt
   b. verschenkt
9. Daniel stellt einen Schrank vor die Tür. Er hat die Tür ________.
   a. bestellt
   b. verstellt
10. Sevda und Emirhan essen in einem Restaurant und möchten gehen. Aber zuerst müssen sie ihre Rechnung ________.
    a. bezahlen
    b. erzählen

## 6. The prepositions *mit* and *bei* + dative

The prepositions **mit** (*with, by*) and **bei** (*near, with*) are followed by the dative case.

| Masculine | Neuter | Feminine | Plural |
|---|---|---|---|
| mit dem Balkon | mit dem Messer | mit der Gruppe | mit den Eltern |
| beim Nachbarn | beim Fenster | bei der Nachbarin | bei den Eltern |

**Mit** corresponds to the preposition *with* in English and is used in similar ways.

Herr Wagner schneidet das Brot **mit** dem Messer. — *Mr. Wagner cuts the bread with the knife.*

Ich gehe **mit** meinen Freunden ins Kino. — *I'm going to the movies with my friends.*

Ich möchte ein Haus **mit** einem schönen Blick. — *I want a house with a pretty view.*

Use **mit** with means of transportation.

The preposition **mit** also indicates the means of transportation; in this instance it corresponds to the English preposition *by*. Note the use of the definite article in German.

Johannes fährt **mit** dem Bus zur Uni. — *Johannes goes to the university by bus.*

Sarah fährt **mit** dem Auto zur Arbeit. — *Sarah drives to work (goes to work by car).*

The preposition **bei** may refer to a place in the vicinity of another place; in this instance it corresponds to the English preposition *near*.

Bad Harzburg liegt **bei** Goslar. — *Bad Harzburg is near Goslar.*

The preposition **bei** also indicates placement with a person, a company, or an institution; in these instances it corresponds to the English preposition *with, at,* or *for*.

Ich wohne **bei** meinen Eltern. — *I'm living (staying) with my parents / at my parents'.*

Malik arbeitet **bei** BMW. — *Malik works at (for) BMW.*

| | German | English |
|---|---|---|
| *Instrument* | mit dem Messer | *with the knife* |
| *Togetherness* | mit Freunden | *with friends* |
| *Means of transportation* | mit dem Flugzeug | *by airplane* |
| *Vicinity* | beim Fenster | *near the window* |
| *Somebody's place* | bei den Eltern | *(staying) with parents* |
| *Place of employment* | bei BMW | *at BMW* |

## Übung H. Womit und mit wem?

Womit oder mit wem machen Sie die folgenden Aktivitäten?

MODELL: die Treppe kehren →
S1: Womit kehrst du die Treppe?
S2: Mit dem Besen.

**der Besen**[1] **meine Freundin / mein Freund**
**der Computer**
**das Messer** **das Fahrrad**
**die Kaffeemaschine** **meine Verwandten**
**die Hand** **???**

1. Kaffee kochen
2. Thanksgiving feiern
3. die Treppe kehren
4. das Brot schneiden
5. den Brief schreiben
6. ins Kino gehen
7. den Ball werfen
8. in die Stadt fahren

## Übung I. Minidialoge

Ergänzen Sie die Sätze mit der Präposition **mit** oder **bei.**

1. FRAU KÖRNER: Fahren Sie ______[a] dem Bus oder ______[b] dem Fahrrad zur Arbeit?

   MICHAEL PUSCH: ______[c] dem Bus. Ich arbeite jetzt ______[d] Siemens. Das ist am anderen Ende von München.
2. PEDRO: Wohnst du in Krefeld ______[a] deinem Vater und deiner Stiefmutter?

   JOHANNES: Ja, sie haben ein sehr schönes Haus ______[b] einem großen Garten.

   PEDRO: Wo liegt Krefeld? Liegt es ______[c] Göttingen?

   JOHANNES: Nein, nach Göttingen fährt man über vier Stunden ______[d] dem Zug.
3. DANIEL: Oh je, jetzt habe ich deinen Gummibaum[2] umgeworfen[3]! Soll ich die Erde[4] ______[a] dem Staubsauger[5] aufsaugen?

   PHAN: Mach es lieber ______[b] dem Besen. Er steht ______[c] der Kellertür.

[1]*broom* [2]*rubber plant* [3]*knocked over* [4]*dirt* [5]*vacuum cleaner*

# Situationen

## Haushalt

Antonia putzt ihre Schuhe.

Herr Fuchs trocknet die Wäsche auf dem Balkon.

Yusuf mäht den Rasen.

Max kehrt den Boden.

Emma saugt Staub.

Benjamin trennt den Müll.

Jochen macht die Toilette sauber.

Hannah wäscht die Wäsche.

Margret wischt den Boden.

Phillip macht sein Bett.

## Situation 13 Was macht man mit einer Kamera?

MODELL: S1: Was macht man mit einer Kamera?
S2: Man nimmt ein Video auf.

jemand anrufen
sie aufsetzen
es einschalten
die Wohnung abschließen
etwas aufschreiben
~~ein Video aufnehmen~~
sie einrichten
es ausgeben
die Wäsche waschen
Kaffee kochen

Was macht man ...

1. mit dem Telefon?
2. mit einer Brille?
3. mit einer Waschmaschine?
4. mit einem Stift?
5. mit dem Schlüssel?
6. mit einer Kaffeemaschine?
7. mit dem Licht?
8. mit einer neuen Wohnung?
9. mit seinem Geld?

## Situation 14 Angenehm oder unangenehm?

Welche Hausarbeit machen Sie gern, weniger gern oder gar nicht gern? Ordnen Sie die folgenden Tätigkeiten von sehr angenehm (1) zu sehr unangenehm (10).

_________ den Müll trennen
_________ das Bad putzen
_________ eine Einkaufsliste schreiben
_________ die Wäsche waschen
_________ Tee kochen
_________ den Boden wischen
_________ die Wäsche trocknen
_________ die Schuhe putzen
_________ das Bett machen
_________ die Fenster putzen

| **Miniwörterbuch** | |
|---|---|
| **ebenfalls** | also, likewise |
| **aufwachsen, wächst ... auf, ist aufgewachsen** | to grow up |
| der **Sprecher, - /** die **Sprecherin, -nen** | speaker |
| die **Reihe, -n** | series, range |
| die **Silbe, -n** | syllable |
| der **Anfang, ¨-e** | beginning |
| der **Geist, -er** | mind, spirit |
| der **Ausdruck, ¨-e** | expression |
| die **Botschaft, -en** | message |
| **derselbe, dieselbe, dasselbe** | the same |
| die **Seele, -n** | soul |
| der **Wähler, - /** die **Wählerin, -nen** | voter |
| der **Käufer, - /** die **Käuferin, -nen** | buyer, customer |

**NOTE:** For copyright reasons, the songs referenced in **MUSIKSZENE** have not been provided by the publisher. The song can be found online at various sites.

Oliver Gutfleisch/imageBROKER/Newscom

Bligg

## MUSIKSZENE

### „Us Mänsch" (2018, Schweiz) *Bligg*

**Biografie** Bligg ist ein Schweizer Rapper, der auf Schweizerdeutsch (Schwizerdütsch) singt. Er kommt aus Zürich. Er ist einer der erfolgreichsten Schweizer Rapper und hat viele Preise gewonnen, u.a.[1] *Best Album Urban National* der *Swiss Music Awards* 2009, 2011, und 2014 sowie *Best Album* und *Best Male Act* im Jahr 2019. Die Single *Us Mänsch (Aus Mensch)* stammt aus dem Jahr 2018 und erreichte in kürzester Zeit Gold und dann Platin. Bligg singt *Us Mänsch* zusammen mit Marc Sway, der ebenfalls aus dem Kanton Zürich kommt. Marcs Vater ist Schweizer und seine Mutter kommt aus Rio de Janeiro. Marc ist zweisprachig[2] aufgewachsen und singt auf Deutsch und Portugiesisch.

#### Vor dem Hören

**A.** Lesen Sie die Biografie und beantworten Sie die folgenden Fragen.

1. Aus welcher Stadt kommt Bligg?
2. In welcher Sprache singt Bligg?
3. Aus welchem Jahr stammt die Single *Us Mänsch*?
4. Woher kommt Marcs Vater?
5. Woher kommt seine Mutter?
6. Mit welchen Sprachen ist Marc aufgewachsen?

**B.** Die schweizerdeutsche Sprache hat circa fünf Millionen Sprecherinnen und Sprecher. Sie enthält eine Reihe von Merkmalen, die im Hochdeutschen anders sind. Zum Beispiel ...

- ein hochdeutsches *au* wird *u:* Haus – Hus,
- ein *ei* wird zu *i:* Schweiz – Schwiz und
- ein *eu* wird zu *ü:* Deutsch – Dütsch.
- Das hochdeutsche *k* wird am Silbenanfang zum *ch* und das *n* am Silbenende fällt meist weg[3]: Knochen – Chnoche.
- Ein unbetontes *e* fällt ebenfalls oft weg: geliebt – gliebt.
- Ein *st* am Silbenende wird zu *scht*: Geist – Geischt.

Ordnen Sie die schweizerdeutschen Ausdrücke den hochdeutschen Wörtern zu.

| **HOCHDEUTSCH** | | **SCHWEIZERDEUTSCH** | |
|---|---|---|---|
| 1. einfach | 5. bin | a. us | e. hüt |
| 2. ist | 6. frei | b. fri | f. Chäufer |
| 3. gefunden | 7. aus | c. bi | g. gfunde |
| 4. Käufer | 8. heute | d. isch | h. eifach |

#### Nach dem Hören

**A.** Die Botschaft von *Us Mänsch* ist, dass alle Menschen gleich sind, weil sie dieselben Körperteile[4] und Organe haben. Hören Sie sich den Refrain[5] an und markieren Sie die Körperteile und Organe, die Sie hören.

☐ Knochen ☐ Fleisch ☐ Mund ☐ Kopf ☐ Herz
☐ Körper ☐ Seele ☐ Nase ☐ Bauch ☐ Geist

**B.** Bligg singt, was er alles ist. Hören Sie die erste Strophe[6] an und markieren Sie, was er ist.

☐ Sohn ☐ Onkel ☐ Vater ☐ Großvater ☐ Cousin
☐ Bruder ☐ Wähler ☐ Käufer ☐ Verkäufer ☐ Lehrer
☐ Schüler ☐ Pilot ☐ Soldat ☐ Schlichter[7] ☐ Richter

[1]unter anderen *among others* [2]*bilingual* [3]wegfallen *to be omitted*
[4]*parts of the body* [5]*chorus* [6]*stanza* [7]*arbitrator, mediator*

## Situation 15 Bildgeschichte: Frühjahrsputz[1]

## Situation 16 Informationsspiel: Haus- und Gartenarbeit

MODELL: S2: Was macht Noah am liebsten?
S1: Er mäht am liebsten den Rasen.
S2: Was hat Meili letztes Wochenende gemacht?
S1: Sie hat die Wäsche getrocknet.
S2: Was muss Noah diese Woche noch machen?
S1: Er muss seine Wäsche waschen.

S1: Was machst du am liebsten?
S2: Ich ______________ am liebsten ______________.

| | Noah | Meili | mein(e) Partner(in) |
|---|---|---|---|
| *am liebsten* | den Rasen mähen | | |
| *am wenigsten gern* | | die Fenster putzen | |
| *jeden Tag* | | den Boden kehren | |
| *einmal in der Woche* | sein Bett machen | | |
| *letztes Wochenende* | | die Wäsche trocknen | |
| *gestern* | | ihr Zimmer in Ordnung bringen | |
| *diese Woche* | seine Wäsche waschen | | |
| *bald mal wieder* | die Flaschen wegbringen | | |

[1]*spring cleaning*

# Filmlektüre

## *Willkommen bei den Hartmanns*

FILMANGABEN

**Titel:** *Willkommen bei den Hartmanns*
**Genre:** Komödie
**Erscheinungsjahr:** 2016
**Land:** Deutschland
**Dauer:** 116 min
**Regisseur:** Simon Verhoeven
**Hauptrollen:** Senta Berger, Heiner Lauterbach, Eric Kabongo

### Vor dem Lesen

**A.** Sehen Sie sich das Foto aus dem Film an.

1. Wie viele Leute sehen Sie?
2. Wer sind sie und wie sehen sie aus?
3. Wo stehen sie?
4. Wie ist die Stimmung?
5. Was kann man über die Person links vorn sagen?

Bei den Hartmanns

**B.** Lesen Sie die Wörter im Miniwörterbuch. Suchen Sie sie im Text und markieren Sie sie. Lesen Sie dann den Text.

| Miniwörterbuch | |
|---|---|
| **ehemalig** | former |
| **aufnehmen, nimmt … auf, aufgenommen** | to receive, admit |
| der **Garten, ¨** | garden, yard |
| der **Enkel, - /** die **Enkelin, -nen** | grandson/granddaughter |
| die **Großeltern** | grandparents |
| **sich scheiden lassen** | to get divorced |
| **beruflich** | job-related, professionally |
| die **Note, -n** | grade |
| **sitzen bleiben** | to be held back a year (in school) |
| die **Flucht** | flight, escape |
| **erleben** | to experience |
| **dazu bringen, gebracht** | to make (someone) do something |
| der **Antrag, ¨-e** | application |
| **ablehnen, abgelehnt** | to refuse, reject |
| die **Verhandlung, -en** | trial, hearing |
| das **Ereignis, -se** | event |
| **auswählen, ausgewählt** | to select, choose |
| **berichten** | to report |

## Inhaltsangabe

Die ehemalige Lehrerin Angelika Hartmann (Senta Berger) und ihr Mann Richard (Heiner Lauterbach), ein Arzt, nehmen den Flüchtling Diallo (Eric Kabongo) aus Nigeria bei sich zu Hause auf. Diallo erledigt handwerkliche[1] Aufgaben in Haus und Garten, lernt mit Angelika Deutsch und wird der Freund ihres Enkels Basti. Basti ist 12. Er ist oft bei seinen Großeltern, weil seine Eltern sich scheiden lassen und sein Vater, ein Anwalt, beruflich viel unterwegs ist.

Als Basti wegen schlechter Noten in Gefahr ist, sitzen zu bleiben, hält er in der Schule eine Präsentation über Diallos Flucht. Er beschreibt, was Diallo in Nigeria erlebt hat, und bringt ihn dazu, mit in die Schule zu kommen und selbst seine Geschichte zu erzählen.

Als Diallos Asylantrag wegen eines Missverständnisses[2] abgelehnt wird, bringt Basti seinen Vater dazu, zur Gerichtsverhandlung zu kommen und seinem nigerianischen Freund zu helfen. Diallo bekommt Asyl und darf in Deutschland bleiben. Nach den turbulenten Ereignissen feiern am Ende des Films alle zusammen ein großes Fest bei den Hartmanns.

## Arbeit mit dem Text

Beantworten Sie die folgenden Fragen.

1. Welchen Beruf hatte Angelika Hartmann? Was ist ihr Mann von Beruf?
2. Woher kommt Diallo?
3. Was macht er bei den Hartmanns?
4. Warum ist Basti oft bei seinen Großeltern?
5. Warum hält Basti in der Schule eine Präsentation?
6. Wovon handelt Bastis Präsentation?
7. Was macht Diallo in der Schule?
8. Warum wird Diallos Asylantrag abgelehnt?
9. Warum kommt Bastis Vater zur Gerichtsverhandlung?
10. Wo feiern alle am Ende ein großes Fest?

## Nach dem Lesen

**A.** Recherchieren Sie im Internet über die Schauspielerin Senta Berger und den Schauspieler Heiner Lauterbach. Was finden Sie an Senta Berger interessant? Welche Filme hat Heiner Lauterbach noch gemacht? Welche Informationen finden Sie über Eric Kabongo?

**B.** Welche Preise hat „Willkommen bei den Hartmanns“ bekommen und wofür? Wählen Sie drei interessante Preise oder Nominierungen aus und berichten Sie in der Klasse darüber.

[1]*manual, technical* [2]*misunderstanding*

# Strukturen

## 7. Separable-prefix verbs: The present tense and the perfect tense

**WISSEN SIE NOCH?**

Separable-prefix verbs consist of a prefix plus a base verb. In the present tense, the verb and the prefix form the **Satzklammer.**

Review **Strukturen 5** in **Kapitel 1** and **Strukturen 5** in **Kapitel 3.**

The infinitive of a separable-prefix verb consists of a prefix such as **auf, ein,** or **zu** followed by the base verb.

| | |
|---|---|
| aufstehen | *to get up* |
| einladen | *to invite* |
| zuschauen | *to watch* |

Most prefixes are derived from prepositions and adverbs.

| | |
|---|---|
| abschließen | *to lock* |
| vorstellen | *to introduce* |

A. The Present Tense

Separable prefixes are placed at the end of the independent clause.

1. Independent clauses: In an independent clause in the present tense, the conjugated form of the base verb is in second position and the prefix is in last position.

| | |
|---|---|
| Ich **stehe** jeden Morgen um sieben Uhr **auf.** | *I get up at seven every morning.* |

Separable prefixes are "reconnected" to the base verb in dependent clauses.

2. Dependent clauses: In a dependent clause, the prefix and the base verb form a single word. It appears at the end of the clause and is conjugated.

| | |
|---|---|
| Johannes sagt, dass er jeden Morgen um sechs Uhr **aufsteht.** | *Johannes says that he gets up at six every morning.* |
| Hast du nicht gesagt, dass du heute **anrufst?** | *Didn't you say that you would call today?* |

Separable prefixes stay attached to the base of the infinitive.

3. Modal verb constructions: In an independent clause with a modal verb (**wollen, müssen,** etc.), the infinitive of the separable-prefix verb is in last position. In a dependent clause with a modal verb, the infinitive of the separable-prefix verb is in the second-to-last position, and the modal verb is in the last position.

| | |
|---|---|
| Hannah möchte ihren Freund **anrufen.** | *Hannah wants to call her boyfriend.* |
| Yusuf hat schlechte Laune, wenn er **zuhören** muss. | *Yusuf is in a bad mood when he has to pay attention.* |

**WISSEN SIE NOCH?**

The perfect tense is formed with **haben/sein** plus the past participle.

Review **Strukturen 1** in **Kapitel 4.**

Separable prefixes precede the **-ge-** marker in past participles.

B. The Perfect Tense

The past participle of a separable-prefix verb is a single word, consisting of the past participle of the base verb + the prefix.

| Infinitive | Past Participle |
|---|---|
| auf**stehen** | auf**gestanden** |
| aus**geben** | aus**gegeben** |
| ein**richten** | ein**gerichtet** |

Note that the prefix does not influence the formation of the past participle of the base verb; it is simply attached to it.

| | |
|---|---|
| Herr Wagner **hat** seine Brille **aufgesetzt.** | *Mr. Wagner put on his glasses.* |
| Ich **habe** vor einer Stunde **angerufen.** | *I called an hour ago.* |

## Übung J. Minidialoge

Ergänzen Sie die Sätze.

| | | |
|---|---|---|
| aufstehen | | mitkommen |
| ankommen | | ausmachen |
| anrufen | einladen | |
| mitnehmen | | zuhören |
| aufnehmen | einrichten | |

1. HERR WAGNER: Yusuf, aufwachen! Hast du nicht gestern gesagt, dass du heute um 7 Uhr ______?
   YUSUF: Ich bin aber noch so müde!
2. FRAU WAGNER: Antonia, jetzt ______[a] mir mal ______[b]! Sonst ______[c] ich den Fernseher sofort ______[d].
   ANTONIA: Aber, Mami, nur noch das Ende. Der Film ist doch gleich vorbei!
3. PHAN: Entschuldigen Sie bitte! Wann ______[a] der Zug aus Hamburg ______[b]?
   BAHNANGESTELLTER: Um 14.56 Uhr.
4. JANNIK: Hallo, Daniel. Ich habe gehört, dass ihr eine neue Wohnung habt. Habt ihr sie schon ______?
   DANIEL: Noch nicht ganz, aber ein paar Möbel haben wir schon.
5. NESRIN: Hallo, Lukas. Ich habe morgen Geburtstag und ich möchte dich gern zu einer kleinen Feier ______.
   LUKAS: Das ist aber nett von dir. Ich komme gern.
6. CLAIRE: Hallo, Julia. Wo ist Leon?
   JULIA: Er ist bei seinen Freunden. Sie ______[a] ein Musikvideo ______[b].
7. DANIEL: Hallo, Phan. Ich fahre heute mit dem Auto zur Uni. Willst du ______[a]?
   PHAN: Ja, gern. Schön, dass du mich ______[b].
8. HEIDI: Hier ist meine Telefonnummer. Warum ______[a] du mich nicht mal ______[b]!
   STEVE: Gut, das mach' ich mal.

Heidi und Steve

## Übung K. Am Sonntag

Gestern war Sonntag. Was haben die folgenden Personen gestern gemacht?

NÜTZLICHE WÖRTER

das Geschirr[1] abtrocknen
anrufen
einen Film anschauen
ihr Abendkleid anziehen
um zwei Uhr aufwachen
ausgehen
Freunde einladen
zurückkommen

1. Antonia

2. Pedro und Kayla

3. Heidi / Frau Schulz

4. Herr Ruf

5. Daniel

6. Hannah

7. Maria

8. Herr Moser

[1] *dishes*

# Videoecke

## Perspektiven

Wie hast du deine Wohnung gefunden?

Ich habe meine Wohnung über ein Internetportal gefunden.



### Aufgabe 1 Wohnungssuche

| Miniwörterbuch | |
|---|---|
| die **Annonce** | ad |
| das **Studentenwerk** | student services |
| **einteilen** | to arrange, divide up |
| **unsaniert** | unrenovated |
| der **Altbau** | old building |

Wie haben die Leute ihre Wohnung gefunden?

1. Albrecht ___

2. Nadezda ___

3. Simone ___

4. Jenny ___

5. Michael ___

6. Sophie ___

7. Pascal ___

8. Sandra ___



a. über eine Annonce in der Zeitung
b. durch/über einen Freund
c. über das Internet
d. über ein Internetportal
e. durch eine ehemalige Kollegin
f. durch das Studentenwerk

## Interviews

- Wo wohnst du?
- Kannst du mir deine Wohnung beschreiben?
- Was bezahlst du für deine Wohnung?
- Wohnst du gern mit Leuten zusammen?
- Wie teilt ihr euch die gemeinsame Arbeit ein?
- Gibt es da oder gab es da schon mal Probleme?

Sophie

Maria

## Aufgabe 2 Sophie oder Maria?

Sehen Sie sich das Video an und kreuzen Sie an.

| | Sophie | Maria |
|---|---|---|
| 1. Wer wohnt im Süden von Leipzig in einer kleinen Wohnung? | ☐ | ☐ |
| 2. Wer wohnt in der Nähe vom Bahnhof? | ☐ | ☐ |
| 3. Wer wohnt in einem unsanierten Altbau? | ☐ | ☐ |
| 4. Wer bezahlt 150 Euro plus Nebenkosten? | ☐ | ☐ |
| 5. Wer möchte nicht mit mehr Leuten zusammen wohnen? | ☐ | ☐ |
| 6. Wer hat einen Wochenplan? | ☐ | ☐ |

## Aufgabe 3 Sophies Wohnung

Richtig (R) oder falsch (F)? Verbessern Sie die falschen Aussagen.

1. Ihre Wohnung hat drei Zimmer, eine Küche und ein Bad.
2. Ihre Wohnung ist im zweiten Stock.
3. Die Zimmer sind sehr groß und haben jeweils zwei Fenster.
4. Das Bad ist groß.

## Aufgabe 4 Arbeiten im Haushalt

Welche Hausarbeiten nennt Sophie, welche nennt Maria, welche nennt keine von beiden?

| | Sophie | Maria | keine von beiden |
|---|---|---|---|
| 1. das Bad putzen | ☐ | ☐ | ☐ |
| 2. die Teller waschen | ☐ | ☐ | ☐ |
| 3. den Müll runterbringen | ☐ | ☐ | ☐ |
| 4. die Betten machen | ☐ | ☐ | ☐ |
| 5. den Boden wischen | ☐ | ☐ | ☐ |
| 6. die Küche putzen | ☐ | ☐ | ☐ |
| 7. kochen | ☐ | ☐ | ☐ |
| 8. sauber machen | ☐ | ☐ | ☐ |
| 9. die Wäsche trocknen | ☐ | ☐ | ☐ |
| 10. die Waschmaschine füllen | ☐ | ☐ | ☐ |

## Aufgabe 5 Interview

Interviewen Sie eine Partnerin oder einen Partner. Stellen Sie dieselben Fragen.

# Wortschatz zum Lernen

| **Haus und Wohnung** | House and Apartment |
|---|---|
| **begegnen** (+ *dat.*) | to meet |
| →**fehlen** (+ *dat.*) | to be missing |
| →**gefallen, gefällt, gefallen** (+ *dat.*) | to be to one's liking; to please |
| **es gefällt mir** | I like it |
| →**gehören** (+ *dat.*) | to belong to |
| →**helfen, hilft, geholfen** (+ *dat.*) | to help |
| **kennzeichnen, gekennzeichnet** | to characterize, label, mark |
| **putzen** | to clean |
| **schaden** (+ *dat.*) | to be harmful to |
| **schmecken** (+ *dat.*) | to taste good to |
| →**wiederholen, wiederholt** | to repeat |
| die **Badewanne, -n** | bathtub |
| die **Dusche, -n** | shower |
| →die **Erfahrung, -en** | experience |
| →die **Hälfte, -n** | half |
| die **Heimat, -en** | home, homeland |
| die **Miete, -n** | rent |
| die **Terrasse, -n** | terrace, patio |
| die **Toilette, -n** | toilet, bathroom |
| die **Treppe, -n** | stairway |
| →der **Absatz, ¨-e** | paragraph |
| der **Balkon, -e** | balcony |
| der **Schluss, ¨-e** | conclusion, end |
| der **Schutz** | protection |
| der **Spiegel, -** | mirror |
| der **Stock, Stockwerke** | floor, story |
| **im ersten Stock** | on the second floor |
| der **Vorhang, ¨-e** | curtain |
| das **Bad, ¨-er** | bathroom |
| das **Dach, ¨-er** | roof |
| das **Gebäude, -** | building |
| das **Grundstück, -e** | plot of land, property |
| →das **Land** | country (*rural area*) |
| das **Schlafzimmer, -** | bedroom |
| das **Sofa, -s** | sofa |
| das **Wohnzimmer, -** | living room |
| die **Möbel** (*pl.*) | furniture |
| →**aktiv** | active(ly) |
| **doppelt** | double, doubly; twice |
| **gerecht** | just, fair(ly) |
| →**modern** | modern |
| **üblich** | customary, customarily |
| →**allein** | alone, by oneself |
| →**anders** | different(ly) |
| →**aufgrund** | because of, on account of |
| →**darüber** | about it, above it |
| →**während** (*subord. conj.*) | while |
| →**weiterhin** | furthermore |

| **In der Stadt** | In the City |
|---|---|
| →**sich ergeben, ergibt, ergeben** | to be produced, arise |
| →**folgen** (+ *dat.*), **ist gefolgt** | to follow, come next |
| →**schicken** | to send, forward |
| **übernachten** | to stay overnight |
| **überwiegen, überwog, überwogen** | to outweigh, predominate |
| →die **Anzahl** | number (of), quantity |
| die **Apotheke, -n** | pharmacy |
| die **Ecke, -n** | corner |
| **um die Ecke** | around the corner |
| →die **Entwicklung, -en** | development |
| →die **Leistung, -en** | accomplishment, performance |
| →die **Nähe** | vicinity |
| **in der Nähe** | in the vicinity |
| →die **Studie, -n** | study |
| →der **Faktor, -en** | factor |
| der **Flughafen, ¨-** | airport |
| der **Kindergarten, ¨-** | preschool |
| der **Laden, ¨-** | shop, store |
| →der **Zustand, ¨-e** | condition, state |
| →**Bayern** | Bavaria |
| das **Gefängnis, -se** | prison, jail |
| das **Gymnasium,** (*pl.*) **Gymnasien** | high school, college preparatory school |
| das **Merkmal, -e** | feature, attribute |
| →**aktuell** | current, up-to-date |
| →**gesamt** | whole; combined |
| →**öffentlich** | public(ly) |
| →**weit** | far |
| →**wirtschaftlich** | economic, profitable |
| →**auf** (+ *dat./acc.*) | on; to; at |
| →**außerdem** | besides, in addition |
| →**egal** | equal, same |
| **das ist mir egal** | it's all the same to me |
| →**gegenüber** | opposite, across |
| **gleich gegenüber** | just across (the way) |
| →**sowie** | as well as |
| →**weg** | away |

| **Eine Wohnung suchen** | Looking for a Room or Apartment |
|---|---|
| →**betreffen, betrifft, betroffen** | to concern, deal with |
| **mieten** | to rent |

| | |
|---|---|
| →**verändern** | to change |
| **vermieten** | to let, rent |
| →die **Bedeutung, -en** | meaning; significance |
| die **Geburt, -en** | birth |
| die **Hütte, -n** | cabin, hut |
| die **Innenstadt, ¨-e** | downtown |
| die **Mauer, -n** | wall |
| die **Mieterin, -nen** | female renter |
| die **Stufe, -n** | step (of a staircase) |
| →die **Veränderung, -en** | change, transformation |
| die **Vermieterin, -nen** | landlady |
| die **Villa, Villen** | mansion |
| →der **Blick, -e** | view; glance |
| der **Garten, ¨** | garden, yard |
| der **Mieter, -** | male renter |
| der **Quadratmeter (qm), -** | square meter ($m^2$) |
| der **Rand, ¨-er** | edge, border |
| der **Stadtteil, -e** | district, neighborhood |
| der **Strom, ¨-e** | electricity, current; river |
| der **Vermieter, -** | landlord |
| das **Ausland** | foreign countries |
| **im Ausland** | abroad |
| das **Schloss, ¨-er** | palace, castle |
| →**gemeinsam** | in common, together |
| **hell** | light, bright |
| **heutig** | today's, present-day |
| →**allerdings** | however |
| →**dabei** | with it |
| →**daher** | therefore, from it |
| →**drin/darin** | in it |
| →**ob** | whether |
| **schade**! | too bad |
| →**wegen** | on account of, about |

## Haushalt — Housekeeping

| | |
|---|---|
| **ab·lehnen** | to refuse, reject |
| **ab·schließen, abgeschlossen** | to lock |
| **ab·trocknen** | to dry off |
| →**auf·nehmen, nimmt ... auf, aufgenommen** | to receive, admit; record |
| **auf·setzen** | to put on |
| **auf·wachsen, wächst ... auf, ist aufgewachsen** | to grow up |
| **aus·wählen** | to select, choose |
| →**berichten** | to report |
| **ein·richten** | to set up, furnish |
| **ein·schalten** | to switch on |
| →**erleben** | to experience |
| **Staub saugen** | to vacuum |
| **trocknen** | to dry |
| **weg·bringen, hat weggebracht** | to take away |
| **wischen** | to mop |
| **zurück·kommen, ist zurückgekommen** | to return |
| die **Botschaft, -en** | message |
| die **Flucht, -en** | flight, escape |
| die **Käuferin, -nen** | female buyer, customer |
| →die **Reihe, -n** | series, range, row |
| die **Silbe, -n** | syllable |
| →die **Sprecherin, -nen** | female speaker |
| die **Tätigkeit, -en** | activity |
| die **Wählerin, -nen** | female voter, constituent |
| →der **Anfang, ¨-e** | beginning |
| →der **Ausdruck, ¨-e** | expression |
| der **Haushalt, -e** | household, housekeeping; budget |
| der **Käufer, -** | male buyer, customer |
| der **Knochen, -** | bone |
| der **Müll** | trash, garbage |
| der **Schlüssel, -** | key |
| →der **Sprecher, -** | male speaker |
| der **Staub** | dust |
| der **Teller, -** | plate |
| der **Wähler, -** | male voter, constituent |
| das **Ereignis, -se** | event |
| **angenehm** | pleasant |
| →**ehemalig** | former |
| →**derselbe, dieselbe, dasselbe** | the same |
| →**ebenfalls** | also, likewise |

KAPITEL 7

# Unterwegs

## Themen

Geografie

Verkehrsmittel

Die Umwelt und das Auto

Auf Reisen

## Kulturelles

Kunst: Erika Giovanna Klien (*Lokomotive*)

Musikszene: „Eine Welt, eine Heimat“ (Adel Tawil)

KLI: Volkswagen

KLI: Die Schweiz

Videoecke: Ausflüge und Verkehrsmittel

## Strukturen

1. Relative clauses
2. Making comparisons: The comparative and superlative forms of adjectives and adverbs
3. Word formation: Feminine nouns in **-heit** and **-keit**
4. Referring to and asking about things and ideas: **da**-compounds and **wo**-compounds
5. The simple past tense of **haben** and **sein**
6. The perfect tense (review)

## Lektüren

Gedicht: Die Stadt (Theodor Storm)

Reiseführer: Husum

Film: *Tschick* (Fatih Akin)

After completing **Kapitel 7,** you will be able to . . .

- exchange information in conversations about geography, means of transportation, cars and their impact on the environment, and about travel arrangements and travel experiences, forming sentences and series of sentences and asking a variety of follow-up questions
- state your viewpoint, using sentences and series of connected sentences, about topics related to transportation, cars, and their impact on the environment, as well as travel arrangements and travel experiences
- understand the main idea and key information in informational and descriptive texts such as travel guides and encyclopedia articles about cities, countries, and automobile makers consisting of several paragraphs with the help of key vocabulary items, as well as understand a nature poem in some detail
- understand the main idea and key information in popular songs and conversations related to travel, mobility, and migration
- discuss travel plans and experiences using simple sentences and series of connected sentences in writing
- compare products and practices in your area with those in German-speaking countries with respect to travel, mobility and the environment

Fine Art Images/age fotostock

Erika Giovanna Klien: *Lokomotive* (1926), Privatbesitz

| Miniwörterbuch | |
|---|---|
| der **Vertreter, -** / die **Vertreterin, -nen** | representative |
| **verbinden, verbunden** | to link, join, connect |
| das **Element, -e** | element |
| der **Ansatz, ¨-e** | approach |
| die **Bewegung, -en** | movement, motion |
| **darstellen, dargestellt** | to illustrate, represent |
| **verschieden** | different, various |

## KUNST UND KUNSTSCHAFFENDE

Die österreichische Künstlerin Erika Giovanna Klien (1900 – 1957) ist eine der bedeutendsten Vertreterinnen des Kinetismus. Dieser Stil verbindet kubistische, futuristische und konstruktivistische Elemente und ist eine Variation des Expressionismus. Dieser rhythmische Ansatz, Bewegung und Dynamik darzustellen, erinnert stark an die Animation im Zeichentrickfilm[1]. Erika Giovanna Klien wurde in Österreich-Ungarn (in Borso Valsugana, heute Italien) geboren und zog dann nach Wien, um an der Universität für angewandte Kunst zu studieren. Nach ihrem Studium arbeitete sie als Grafikerin und unterrichtete an verschiedenen Schulen in Österreich und in den USA als Kunsterzieherin[2].

Schauen Sie sich das Bild an und beantworten Sie die folgenden Fragen.

1. Was sehen Sie auf dem Bild? Beschreiben Sie es.
2. Welche Farben und Linien dominieren im Bild? Welche Perspektive wird eingenommen[3]?
3. Welche Assoziationen weckt das Bild?
4. Wie wird auf dem Bild *Bewegung* dargestellt?

[1]*animated film* [2]*art teacher* [3]*assumed*

# Situationen

## Geografie

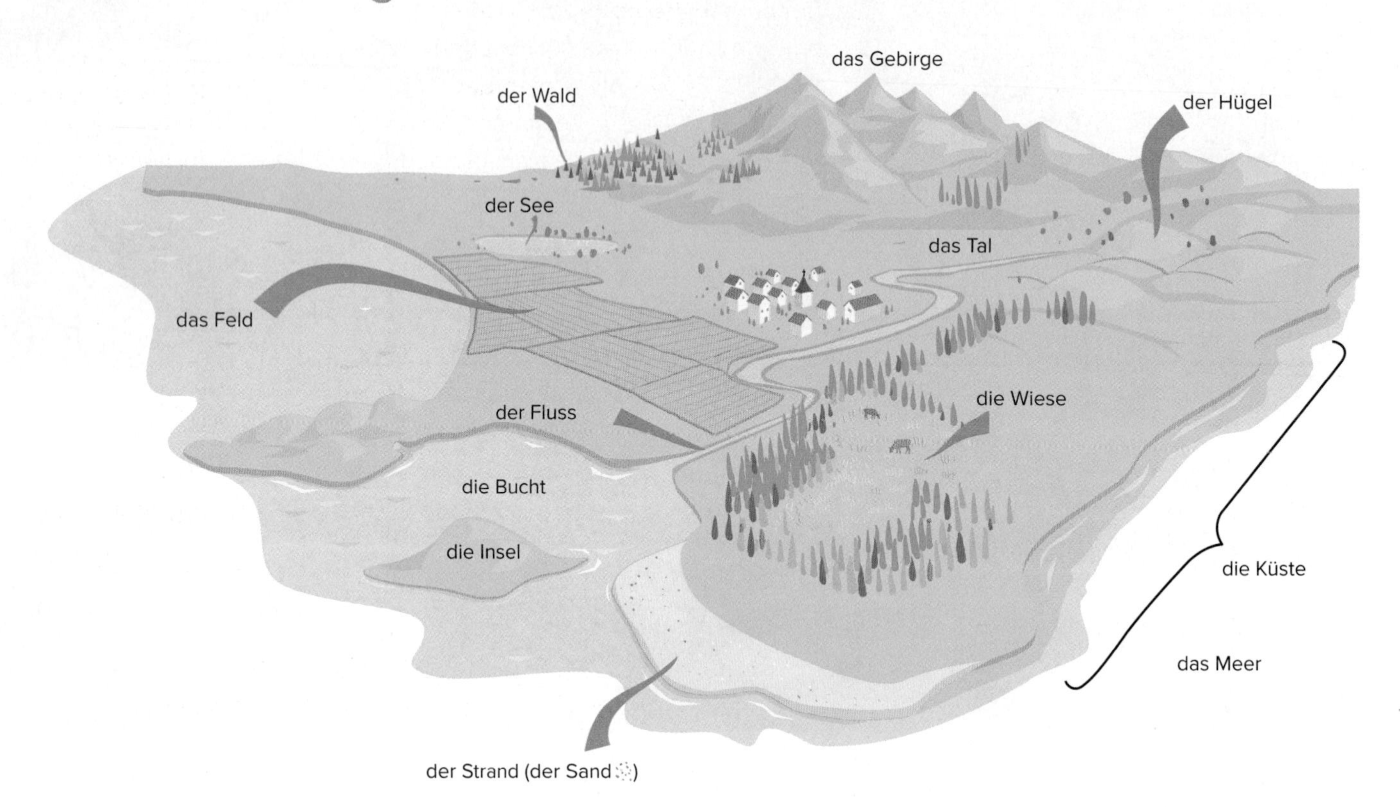


### Situation 1 Erdkunde: Wer weiß – gewinnt

1. Fluss, der durch Wien fließt
2. Wald, in dem die Germanen[1] die Römer besiegt[2] haben
3. Insel in der Ostsee, auf der weiße Kreidefelsen[3] sind
4. Berg, auf dem sich die Hexen[4] treffen
5. See, der zwischen Deutschland, Österreich und der Schweiz liegt
6. Meer, das Europa von Afrika trennt
7. Gebirge in Deutschland, Österreich und der Schweiz, in dem man sehr gut Ski fahren kann
8. berühmte Wüste, die in Ostasien liegt
9. Inseln, die vor der Küste von Ostfriesland liegen
10. Fluss, der durch Köln fließt

a. das Mittelmeer
b. der Brocken im Harz (1.141 Meter hoch)
c. die Alpen
d. der Teutoburger Wald
e. der Bodensee
f. die Wüste Gobi
g. der Rhein
h. die Donau
i. Rügen
j. die Ostfriesischen Inseln

[1]*Germanic tribes* [2]die ... *defeated the Romans* [3]*chalk cliffs* [4]*witches*

## Situation 2 Ratespiel: Stadt, Land, Fluss

1. Wie heißt der tiefste See der Schweiz?
2. Wie heißt der höchste Berg Österreichs?
3. Wie heißt der längste Fluss Deutschlands?
4. Wie heißt der kälteste Kontinent der Welt?
5. Wie heißt der größte Ozean der Welt?
6. Was ist die heißeste Wüste der Welt?
7. Wie heißt die älteste Universitätsstadt Deutschlands?
8. Wie heißt das kleinste Land, in dem man Deutsch spricht?
9. Wie heißt die berühmteste Höhle in Österreich?

a. die Dachstein-Mammuthöhle
b. die Antarktis
c. der Genfer See
d. der Großglockner
e. die Wüste Sahara
f. der Rhein
g. Liechtenstein
h. der Pazifik
i. Heidelberg

## Situation 3 Informationsspiel: Städte

Wo liegen die folgenden Städte? Schreiben Sie die Namen der Städte auf die Landkarte[1].

Aachen, Bayreuth, Bern, Dresden, Erfurt, Flensburg, Freiburg, Hannover, Magdeburg, Wien, Wiesbaden

MODELL: S2: Wo liegt Braunschweig?
S1: Braunschweig liegt im Norden.
S2: Wo genau?
S1: Südlich von Hamburg und westlich von Berlin.

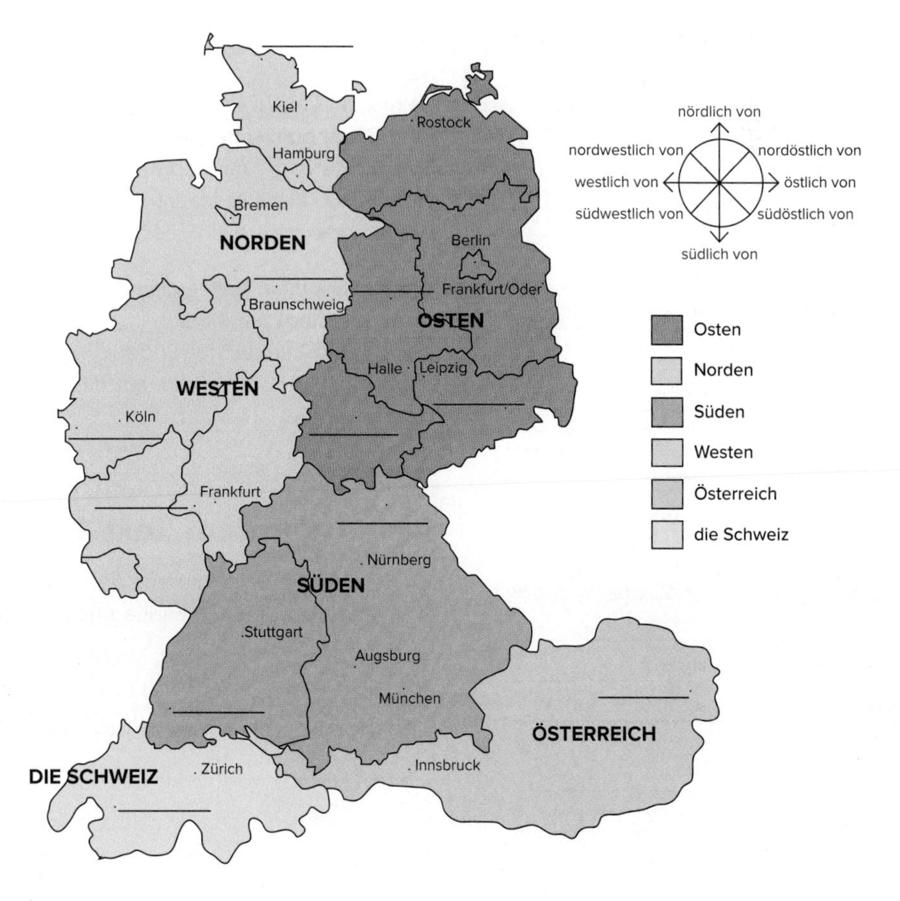


[1]*map*

## Situation 4 Interview: Landschaften

1. Warst du schon mal im Gebirge? Wo? Was hast du da gemacht? Wie heißt der höchste Berg, den du gesehen hast oder auf den du gestiegen bist?
2. Warst du schon mal am Meer? Wo und wann war das ungefähr? Bist du ins Wasser gegangen? Was hast du sonst noch gemacht?
3. Wohnst du in der Nähe von einem großen Fluss? Wie heißt er? Wie heißt der größte Fluss, an dem du schon warst? Was hast du da gemacht?
4. Wie heißt die interessanteste Stadt, in der du schon warst?
5. Warst du schon mal in der Wüste oder im Dschungel[1]? Wie war das?

# Lektüre

**LESEHILFE**

A short text like a poem usually requires intensive reading. Every single word is carefully chosen to convey the meaning and feelings one desires to express. One of the most famous poems by Theodor Storm, a well-known German poet and novelist, describes his hometown, Husum.

**Miniwörterbuch**

| | |
|---|---|
| das **Geräusch, -e** | sound, noise |
| der **Geruch, ¨-e** | scent, smell |
| der **Nebel** | fog |
| die **Stille** | silence |
| **rauschen** | to rustle |
| der **Vogel, ¨** | bird |
| der **Schrei, -e** | scream, shout |
| **vorbei** | past, by |
| **wehen** | to blow |
| **doch** | still, yet, however |
| die **Jugend** | youth |
| **ruhen** | to rest |
| **lächeln** | to smile |
| die **Landschaft, -en** | landscape, scenery |
| die **Zeile, -n** | line |
| **weiter** | additional; further |
| die **Stimmung, -en** | mood, atmosphere |
| **fröhlich** | happy, cheerful |

## Vor dem Lesen 1

Was assoziieren Sie mit den Jahreszeiten Frühling und Herbst? Schreiben Sie Gefühle, Farben, Geräusche, Gerüche, Tätigkeiten und Erinnerungen auf.

### Die Stadt

Theodor Storm

Am grauen Strand, am grauen Meer
Und seitab[2] liegt die Stadt;
Der Nebel drückt die Dächer schwer,
Und durch die Stille braust[3] das Meer
Eintönig[4] um die Stadt.

Es rauscht kein Wald, es schlägt[5] im Mai
Kein Vogel ohn' Unterlaß[6];
Die Wandergans[7] mit hartem Schrei
Nur fliegt in Herbstesnacht vorbei,
Am Strande weht das Gras.

Doch hängt mein ganzes Herz an dir,
Du graue Stadt am Meer;
Der Jugend Zauber[8] für und für[9]
Ruht lächelnd doch auf dir, auf dir,
Du graue Stadt am Meer.

*Theodor Storm, „Die Stadt", 1852*

## Arbeit mit dem Text 1

**A.** Suchen Sie Beispiele aus dem Gedicht für die folgenden Kategorien: Landschaft, Wetter/Jahreszeit[10], Fauna und Flora, Geräusche. Schreiben Sie sie in die Tabelle.

| Landschaft | Wetter/ Jahreszeit | Fauna und Flora | Geräusche |
|---|---|---|---|
| | | | |
| | | | |
| | | | |

[1]*jungle* [2]*off to the side* [3]*rages* [4]*monotonously* [5]here: *calls* [6]ohn' Unterlass *incessantly* [7]*wild goose* [8]*charm* [9]für und für *forever* [10]*season*

**B.** Kontraste

1. Die ersten beiden Zeilen der zweiten Strophe und die drei weiteren bilden einen Kontrast. Welches Bild oder welche Farbe hat man bei Wald, Mai, Vögel vor Augen und woran denkt man bei Wandergans, Herbstesnacht, Strand und Gras?
2. Die dritte Strophe steht im Kontrast zu den ersten beiden. Warum? Welches Wort ist hier sehr wichtig?

**C.** Wie ist die Stimmung in dem Gedicht? Fröhlich, melancholisch, dramatisch? Wie erreicht der Dichter das? Denken Sie an Rhythmus, Klang[1] und Lautmalerei[2].

## Nach dem Lesen 1

Sind Sie Dichter oder Dichterin? Schreiben Sie ein Gedicht über Ihre Heimatstadt, über die Natur, über die Liebe oder über sich selbst. Das Gedicht muss sich nicht reimen. Es kann auch ein modernes Gedicht sein.

## Vor dem Lesen 2

**LESEHILFE**

The next short text is in the style of a travel guide. Husum, a town of 24,000 situated on the North Sea coast in the state of Schleswig-Holstein, is best known for being the birthplace of Theodor Storm.

**A.** Was für Informationen erwartet man in einem Reiseführer[3]?

- ☐ Museen
- ☐ Restaurants und Kneipen
- ☐ Wetter und Klima
- ☐ Attraktionen
- ☐ berühmte Personen
- ☐ Hotels
- ☐ Stadtplan[4]
- ☐ Kultur und Feste
- ☐ Nachtleben
- ☐ Wörterbuch

**B.** Lesen Sie den Text „Husum" schnell und bestimmen Sie, in welcher Reihenfolge die folgenden Informationen vorkommen.

_____ Attraktionen in Husum
_____ Vorschläge für einen Stadtrundgang[5]
_____ Informationen zu Theodor Storm

**Miniwörterbuch**

| | |
|---|---|
| **bestimmen** | to determine |
| **vorkommen, ist vorgekommen** | to appear, occur |
| der **Vorschlag, ¨-e** | proposal, suggestion |
| **damals** | then, at that time |
| **sich engagieren** | to get involved, campaign |
| die **Herrschaft, -en** | rule, dominion |
| **vertreten, vertritt, vertrat, vertreten** | to represent |
| **tätig** | active, employed |
| das **Grab, ¨-er** | grave |
| **blühen** | to bloom |
| der **Hafen,** *pl.* **Häfen** | harbor, port |
| **reichen** | to reach |
| der **Markt, ¨-e** | market |
| der **Friedhof, ¨-e** | graveyard |
| **sich befinden, befunden** | to be located |

# Husum

Theodor Storm nannte Husum, die Stadt, in der er 1817 geboren wurde und über 40 Jahre lang lebte und arbeitete, die „graue Stadt am grauen Meer" in einem seiner bekanntesten Gedichte. In Husum, das damals ein Teil von Dänemark war, schrieb Storm viele seiner Gedichte und Novellen. Dort arbeitete der studierte Jurist zunächst als Anwalt. Aber als er sich gegen die dänische Herrschaft engagierte und die deutsche Sache[6] vertrat, musste er 1852 die Stadt verlassen. Erst 1864 konnte der Dichter in seine Vaterstadt zurückkehren und war dann dort als Richter tätig. Seine letzten Jahre verbrachte er in Hademarschen, wo er 1888 starb. Sein Grab jedoch liegt in Husum.

Besucher können in Husum Häuser anschauen, in denen Storm gelebt hat, und Häuser, die er in seinen Werken beschrieben hat. Weitere Attraktionen sind das Schloss mit seinen Wiesen, auf denen im Frühling Millionen von Krokussen blühen, der Hafen, der fast bis zum Marktplatz reicht, der Wasserturm, der Tine-Brunnen, die Marienkirche, sowie die kleinen Fischerhäuser in der Wasserreihe.

[1]*sound* [2]*onomatopoeia* [3]*travel guide* [4]*city street map* [5]*city walking tour* [6]hier: *cause*

Fischkutter im Hafen von Husum

Beginnen Sie Ihren Rundgang am Markt mit der Marienkirche. Gehen Sie durch den Schlossgang zur Schlossstraße und zum Schloss und dann weiter zum alten Friedhof. Gehen Sie durch den Friedhof hindurch zum „Ostenfelder Haus“, einem Freilichtmuseum mit einem Niedersachsenhaus des 16./17. Jahrhunderts. Gehen Sie dann Richtung Hafen durch das Westerende in die Wasserreihe hinein, vorbei an den kleinen Fischerhäusern zum Storm-Museum. Im Haus in der Wasserreihe 31 wohnte der Dichter zwischen 1866 und 1880. Darin befindet sich heute das Storm-Museum (täglich geöffnet von April bis Oktober).

Gehen Sie dann wieder Richtung Hafen und über die Schiffbrücke und Krämerstraße zurück zum Markt. Von der Schiffbrücke hat man einen schönen Blick auf das Neue Rathaus. Das Alte Rathaus aus dem 17. Jahrhundert steht am Markt. Zu Storms Grab kommen Sie, wenn Sie vom Markt aus durch die Norderstraße zur Klosterkirche gehen.

## Arbeit mit dem Text 2

**A.** Ein Rundgang durch Husum. Zeichnen Sie den Weg, den der Reiseführer beschreibt, in den Stadtplan ein.

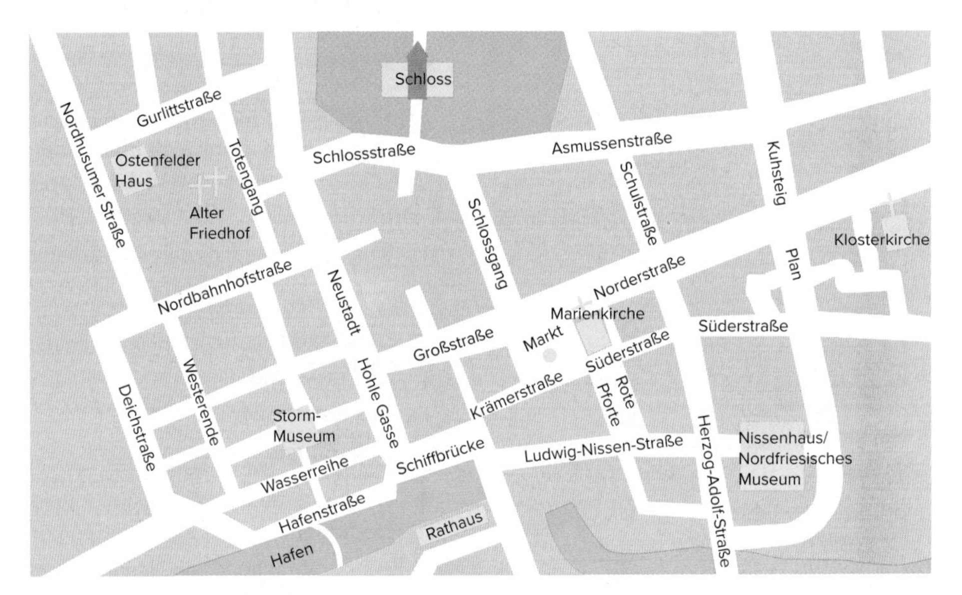


**B.** Storms Leben. Welche dieser Ereignisse stehen im Text, welche nicht? Markieren Sie sie im Text, wenn sie im Text stehen.

IM TEXT?

1. 1817 wird Theodor Storm in Husum geboren. _____
2. Er ist Anwalt in Husum. _____
3. 1846 ist die Heirat[1] mit Konstanze Esmarch. _____
4. Von 1852 bis 1864 lebt er aus politischen Gründen nicht in Husum. _____
5. Bis 1864 ist er Richter in Heiligenstadt. _____
6. Ab 1864 ist er Landvogt[2] in Husum. _____
7. Er wohnt zwischen 1866 und 1880 in der Wasserreihe 31. _____
8. 1880 wird er Dichter. _____
9. 1888 stirbt er in Hademarschen. _____

## Nach dem Lesen 2

Suchen Sie im Internet mehr Informationen über Husum und über Theodor Storm und stellen Sie sie in der Klasse vor.

[1]*marriage* [2]*governor*

# Strukturen

## 1. Relative clauses

**WISSEN SIE NOCH?**

A relative clause is a type of dependent clause. As in other dependent clauses, the conjugated verb appears at the end of the clause.

Review **Strukturen 5** in **Kapitel 3.**

Relative clauses add information about a person, place, thing, or idea already mentioned in the sentence. The relative pronoun begins the relative clause, which usually follows the noun it describes. The relative pronoun corresponds to the English words *who, whom, that,* and *which.* The conjugated verb is in the end position.

RELATIVE CLAUSE

Der Atlantik ist das Meer, das Europa und Afrika von Amerika **trennt.**

VERB IN END POSITION

*The Atlantic is the ocean that separates Europe and Africa from America.*

Do not omit the relative pronoun in the German sentence.

While relative pronouns may sometimes be omitted in English, they cannot be omitted from German sentences.

Das ist der Mantel, **den** ich letzte Woche gekauft habe.
*That is the coat (that) I bought last week.*

Relative clauses are preceded by a comma.

Likewise, the comma is not always necessary in an English sentence, but it must precede a relative clause in German. If the relative clause comes in the middle of a German sentence, it is followed by a comma as well.

Der See, **der** zwischen Deutschland und der Schweiz liegt, heißt Bodensee.
*The lake that lies between Germany and Switzerland is called Lake Constance.*

The relative pronoun and the noun it refers to have the same number and gender.

A. Relative Pronouns in the Nominative Case

In the nominative (subject) case, the forms of the relative pronoun are the same as the forms of the definite article **der, das, die.**

**Der** Fluss, **der** durch Wien fließt, heißt Donau.
Gobi heißt **die** Wüste, **die** in Innerasien liegt.

The relative pronoun has the same gender and number as the noun it refers to.

| | | |
|---|---|---|
| *Masculine* | der Mann, **der ...** | *the man who . . .* |
| *Neuter* | das Auto, **das ...** | *the car that . . .* |
| *Feminine* | die Frau, **die ...** | *the woman who . . .* |
| *Plural* | die Leute, **die ...** | *the people who . . .* |

B. Relative Pronouns in the Accusative and Dative Cases

The case of a relative pronoun depends on its function within the relative clause.

When the relative pronoun functions as an accusative object or as a dative object within the relative clause, then the relative pronoun is in the accusative or dative case, respectively.

ACCUSATIVE

| | |
|---|---|
| Nur wenige Menschen haben **den Mount Everest** bestiegen. | *Only a few people have climbed Mount Everest.* |
| Der Mount Everest ist ein Berg, **den** nur wenige Menschen bestiegen haben. | *Mount Everest is a mountain that only a few people have climbed.* |

DATIVE

| | |
|---|---|
| Ich habe **meinem Vater** nichts davon erzählt. | *I haven't told my father anything about it.* |
| Mein Vater ist der einzige Mensch, **dem** ich nichts davon erzählt habe. | *My father is the only person whom I haven't told anything about it.* |

As in the nominative case, the accusative and dative relative pronouns have the same forms as the definite article, except for the dative plural, **denen.**

| | Masculine | Neuter | Feminine | Plural |
|---|---|---|---|---|
| *Accusative* | den | das | die | die |
| *Dative* | dem | dem | der | denen |

C. Relative Pronouns Following a Preposition

The case of the relative pronoun depends on the preposition that precedes it.

When a relative pronoun follows a preposition, the case is determined by that preposition. The gender and number of the pronoun are determined by the noun.

| | |
|---|---|
| Ich spreche am liebsten **mit meinem** Bruder. | *Most of all I like to talk with my brother.* |
| Mein Bruder ist der Mensch, **mit dem** ich am liebsten spreche. | *My brother is the person (whom) I like to talk with most.* |
| **Auf der** Insel Rügen sind weiße Kreidefelsen. | *There are white chalk cliffs on the island of Rügen.* |
| Rügen ist eine Insel in der Ostsee, **auf der** weiße Kreidefelsen sind. | *Rügen is an island in the Baltic Sea on which there are white chalk cliffs.* |

Preposition + relative pronoun = inseparable unit

The preposition and the pronoun stay together as a unit in German.

| | |
|---|---|
| Wer war die Frau, **mit der** ich dich gestern gesehen habe? | *Who was the woman (whom) I saw you with yesterday?* |

## Übung A. Das kenne ich, das mag ich!

Bilden Sie Sätze!

MODELL: Richard mag Leute, die spät ins Bett gehen.

1. Ich kenne viele Leute, die ...
2. Max mag Leute, die ...
3. Ich mag eine Stadt, die ...
4. Ich mag eine Landschaft, die ...
5. Ich kenne einen Mann, der ...
6. Emma kennt einen Mann, der ...
7. Ich kenne eine Frau, die ...
8. Lukas kennt eine Person, die ...
9. Ich mag einen Urlaub, der ...
10. Ich mag ein Auto, das ...

**keine Pizza mögen** **auf einer Insel leben** **laut lachen**
**wenig kosten** **Spaß machen**
**intelligent sein** **schnell fahren** **gern im Sand spielen**
**nie lächeln** **vier Sprachen sprechen**
**immer zu spät kommen** **?**
**gern verreisen** **interessant aussehen**

## Übung B. Risiko[1]

Hier sind die Antworten. Stellen Sie die Fragen!

MODELL: Auf diesem Kontinent leben viele Kängurus. →
Wie heißt der Kontinent, auf dem viele Kängurus leben? (Australien)

1. Australien
2. Europa
3. Mississippi
4. San Francisco
5. die Alpen
6. Washington
7. das Tal des Todes
8. Ellis
9. der Pazifik
10. die Sahara
11. der Große Salzsee

a. Auf diesem See in Utah kann man segeln[2].
b. Diese Insel sieht man von New York City.
c. Diese Stadt liegt an einer Bucht.
d. Diese afrikanische Wüste kennt man aus vielen Filmen.
e. Auf diesem Kontinent leben viele Kängurus.
f. Diesem Staat in den USA hat ein Präsident seinen Namen gegeben.
g. In diesem Tal ist es sehr heiß.
h. In diesen Bergen kann man sehr gut Ski fahren.
i. Dieser Kontinent ist eigentlich eine Halbinsel[3] von Asien.
j. Über dieses Meer fliegt man nach Hawaii.
k. Von diesem Fluss erzählt Mark Twain.

# 2. Making comparisons: The comparative and superlative forms of adjectives and adverbs

### A. Comparisons of Equality: **so ... wie**

**so ... wie** = *as . . . as*

To say that two or more persons or things are alike or equal in some way, use the phrase **so ... wie** (*as . . . as*) with an adjective or adverb.

| | |
|---|---|
| Deutschland ist ungefähr **so groß wie** Montana. | *Germany is about as big as Montana.* |
| Der Mount Whitney ist fast **so hoch wie** das Matterhorn. | *Mount Whitney is almost as high as the Matterhorn.* |

Inequality can also be expressed with this formula and the addition of **nicht.**

| | |
|---|---|
| Die Zugspitze ist **nicht so hoch wie** der Mount Everest. | *The Zugspitze is not as high as Mount Everest.* |
| Österreich ist **nicht ganz so groß wie** Maine. | *Austria is not quite as big as Maine.* |

### B. Comparisons of Superiority and Inferiority

All comparatives in German are formed with **-er.**
**als** = *than*

To compare two unequal persons or things, add **-er** to the adjective or adverb. Note that the comparative form of German adjectives and adverbs always ends in **-er,** whereas English sometimes uses the adjective with the word *more.*

| | |
|---|---|
| Ein Fahrrad ist **billiger als** ein Motorrad. | *A bicycle is cheaper than a motorcycle.* |
| Sumita ist **intelligenter als** ihre Schwester. | *Sumita is more intelligent than her sister.* |
| Max läuft **schneller als** Yusuf. | *Max runs faster than Yusuf.* |

Some adjectives that end in **-el** and **-er** drop the **-e-** in the comparative form.

teuer → teu~~e~~rer
dunkel → dunk~~e~~ler

[1] *Jeopardy* [2] *sail* [3] *peninsula*

| | |
|---|---|
| Eine Wohnung in Regensburg ist teuer, aber eine Wohnung in München ist noch **teurer.** | *An apartment in Regensburg is expensive, but an apartment in Munich is even more expensive.* |
| Gestern war es dunkel, aber heute ist es **dunkler.** | *Yesterday it was dark, but today it is darker.* |

C. The Superlative

To express the superlative in German, use the contraction **am** with a predicate adjective or adverb plus the ending **-sten.**

| | |
|---|---|
| Ein Porsche ist schnell, ein Flugzeug ist schneller, und eine Rakete ist **am schnellsten.** | *A Porsche is fast, an airplane is faster, and a rocket is the fastest.* |

Superlatives: **am** + **-sten**

Unlike the English superlative, which has two forms, all German adjectives and adverbs form the superlative in this way.

| | |
|---|---|
| Phillip ist **am jüngsten.** | *Phillip is the youngest.* |
| Max ist **am aktivsten.** | *Max is the most active.* |

When the adjective or adverb ends in **-d** or **-t,** or an **s**-sound such as **-s, -ß, -sch, -x,** or **-z,** an **-e-** is inserted between the stem and the ending.

frisch → am frisch**esten**
gesund → am gesünd**esten**
heiß → am heiß**esten**
intelligent → am intelligent**esten**

| | |
|---|---|
| Um die Mittagszeit ist es oft am heißesten. | *The hottest (weather) is often around noontime.* |

**Groß** is an exception to the rule: **am größten.**

Irregular comparatives and superlatives have an umlaut whenever possible.

D. Irregular Comparative and Superlative Forms

The following adjectives have an umlaut in the comparative and the superlative.

| | | |
|---|---|---|
| alt | älter | am ältesten |
| groß | größer | am größten |
| hart | härter | am härtesten |
| jung | jünger | am jüngsten |
| kalt | kälter | am kältesten |
| kurz | kürzer | am kürzesten |
| lang | länger | am längsten |
| warm | wärmer | am wärmsten |

| | |
|---|---|
| Im März ist es oft **wärmer** als im Januar. Im August ist es **am wärmsten.** | *In March it's often warmer than in January. It's warmest in August.* |

As in English, some comparative and superlative forms are very different from their base forms:

| | | |
|---|---|---|
| gern | lieber | am liebsten |
| gut | besser | am besten |
| hoch | höher | am höchsten |
| nah | näher | am nächsten |
| viel | mehr | am meisten |

| | |
|---|---|
| Ich spreche Deutsch, Englisch und Spanisch. Englisch spreche ich **am besten** und Deutsch spreche ich **am liebsten.** | *I speak German, English, and Spanish. I speak English the best, and I like to speak German the most.* |

Superlatives before nouns in the nominative:
**der/das/die** + **-(e)ste**
**die** (*pl.*) + **-(e)sten**

E. Superlative Forms Preceding Nouns

When the superlative form of an adjective is used with a definite article (**der, das, die**) directly *before* a noun, it has an **-(e)ste** ending in all forms of the nominative singular and an **-(e)sten** ending in the plural. You will get used to the **-e/-en** distribution as you have more experience listening to and reading German. (A more detailed description of adjectives that precede nouns will follow in **Kapitel 8.**)

| Nominative | |
|---|---|
| der längs**te** | Fluss (*m.*) |
| das tiefs**te** | Tal (*n.*) |
| die größ**te** | Wüste (*f.*) |
| die höchs**ten** | Berge (*pl.*) |

| | |
|---|---|
| —Wie heißt der längste Fluss Europas? | *What is the name of the longest river in Europe?* |
| —Wolga. | *The Volga.* |
| —In welchem Land wohnen die meisten Menschen? | *What country has the most people?* |
| —In China. | *China.* |

## Übung C. Vergleiche

Vergleichen Sie.

MODELL: Wien / Göttingen / klein → Göttingen ist kleiner als Wien.

1. New York City / Zürich / groß
2. San Francisco / München / alt
3. Hamburg / Athen / warm
4. das Matterhorn / der Mount Everest / hoch
5. der Mississippi / der Rhein / lang
6. die Schweiz / Liechtenstein / klein
7. Leipzig / Kairo / kalt
8. ein Auto / ein Fahrrad / billig
9. ein Hund / ein Pferd / stark
10. ein Haus in der Stadt / ein Haus auf dem Land / schön
11. zehn Euro / zehn Cent / viel
12. eine Villa / eine Wohnung / teuer
13. ein Porsche / ein Volkswagen / schnell
14. ein Klavier / ein Stuhl / schwer
15. ein Tablet / ein Laptop / gut

## Übung D. Biografische Daten

Vergleichen Sie. [(+) = Superlativ]

MODELL: alt / Noah / Steve → Noah ist **älter** als Steve.
alt (+) → Heidi ist **am ältesten.**

| | Noah | Heidi | Steve | Shannon |
|---|---|---|---|---|
| *Alter* | 19 | 22 | 18 | 21 |
| *Größe* | 1,89 m | 1,75 m | 1,82 m | 1,69 m |
| *Gewicht* | 75 kg | 65 kg | 74 kg | 57 kg |
| *Haarlänge* | 18 cm | 17 cm | 5 cm | 30 cm |
| *Note in Deutsch* | B | A | C | B |

1. schwer / Shannon / Heidi
2. schwer (+)
3. gut in Deutsch / Noah / Steve
4. gut in Deutsch (+)
5. klein / Heidi / Steve
6. klein (+)
7. jung / Noah / Steve
8. jung (+)
9. lang / Heidis Haare / Noahs Haare
10. lang (+)
11. kurz / Shannons Haare / Heidis Haare
12. kurz (+)
13. schlecht in Deutsch / Heidi / Shannon
14. schlecht in Deutsch (+)

## Übung E. Geografie und Geschichte

MODELL: Das Tal des Todes (–86 m) liegt tiefer als das Kaspische Meer (–28 m). →
Das Tote Meer (–396 m) liegt am tiefsten.

1. In Rom (30°C) ist es im Sommer heißer als in München (23°C).
2. In Wien (1°C) ist es im Winter kälter als in Paris (3°C).
3. Liechtenstein (157 $km^2$)* ist kleiner als Luxemburg (2.586 $km^2$).
4. Österreich (1804) ist älter als Deutschland (1871).
5. Kanada (1840) ist jünger als die USA (1776).
6. Der Mississippi (6.021 km) ist länger als die Donau (2.850 km).
7. Philadelphia (40° nördliche Breite) liegt nördlicher als Kairo (30° nördliche Breite).
8. Der Mont Blanc (4.807 m) ist höher als der Mount Whitney (4.418 m).
9. Österreich (83.849 $km^2$) ist größer als die Schweiz (41.288 $km^2$).

a. Athen (31°C)
~~b. das Tote Meer (–396 m)~~
c. Deutschland (357.050 $km^2$)
d. Frankfurt (50° nördliche Breite)
e. die Schweiz (1291)
f. Monaco (1,49 $km^2$)
g. Moskau (–9°C)
h. der Mount Everest (8.848 m)
i. der Nil (6.671 km)
j. Südafrika (1884)

*$km^2$ = Quadratkilometer

# Situationen

## Verkehrsmittel

### Situation 5 Definitionen: Transportmittel

Wie nennt man ...

1. ein Transportmittel, das Waggons und eine Lokomotive hat
2. ein Transportmittel, das fliegt
3. ein kleines Transportmittel, mit dem man im Wasser fährt
4. ein Transportmittel, das unter der Erde fährt
5. ein Auto, das in Deutschland ein gelbes Schild auf dem Dach hat
6. ein Transportmittel in der Luft, das wie eine Zigarre aussieht
7. ein großes Transportmittel, mit dem man im Wasser fährt
8. ein Fahrzeug mit zwei Rädern, das ohne Benzin fährt
9. einen Wagen, in dem man Babys transportiert

a. das Flugzeug
b. die U-Bahn
c. der Zeppelin
d. das Boot
e. das Fahrrad
f. der Kinderwagen
g. das Schiff
h. der Zug
i. das Taxi

### Situation 6 Interview

1. Welche Verkehrsmittel hast du schon benutzt?
2. Fährst du oft mit der U-Bahn oder mit dem Bus? Warum (nicht)?
3. Fährst du gern mit dem Zug (oder möchtest du gern mal mit dem Zug fahren)? Welche Vorteile/Nachteile hat das Reisen mit dem Zug?

4. Fliegst du gern? Warum (nicht)? Welche Vorteile/Nachteile hat das Reisen mit dem Flugzeug?
5. Fährst du lieber mit dem Auto oder mit öffentlichen Verkehrsmitteln? Warum? Womit fährst du am liebsten?
6. Fährst du viel mit dem Fahrrad? Auch in der Dunkelheit?
7. Denkst du an die Umwelt, wenn du Verkehrsmittel benutzt?

## Situation 7 Pendeln, aber wie?

Viele Menschen pendeln. Hören Sie den folgenden Personen zu und entscheiden Sie, womit sie zur Schule, zur Arbeit oder zum Studium kommen.

**1.** Leon **2.** Veronika **3.** Margret **4.** Phan **5.** Volker

| Miniwörterbuch | |
|---|---|
| **pendeln** | to commute |
| **Regenstauf** | (a village near Regensburg) |
| **zwar** | in fact, though |
| **Thalwil** | (a village near Zurich) |
| **Küsnacht** | (a village near Zurich) |
| die **Fähre, -n** | ferry |
| **mindestens** | at least |
| das **Parken** | parking |
| die **Fahrt, -en** | trip |
| der **Fahrradweg, -e** | bicycle path |
| die **WG (Wohngemeinschaft)** | shared apartment |
| **Weende** | (a district of the city of Göttingen) |
| das **Institut, -e** | institute |
| **bergauf** | uphill |
| **anstrengend** | strenuous |
| der **Betrieb, -e** | workplace; operation |
| **Radeberg** | (a small town near Dresden) |
| der **Dienstwagen, -** | company car |

## Situation 8 Dialog: Mit der Bahn nach München

SARAH: Okay, Mert, dann lass uns mal unsere Bahnfahrt nach München __________. Bist du schon online?

MERT: Ja. Was ist __________ dein Passwort bei bahn.de?

SARAH: Renate16X.

MERT: Also, wann wollen wir denn fahren? __________ früh __________ möglich?

SARAH: Nein, wir müssen um 17 Uhr da sein. Lieber nicht zu früh.

MERT: Okay, __________ um 10.39 Uhr, __________ um 16.39 Uhr, mit ICE.

SARAH: Was kostet das?

MERT: Mit Sparpreis[1] in der zweiten Klasse, __________ 140 Euro pro Person.

SARAH: Müssen wir Sitzplätze[2] reservieren?

MERT: Um diese Zeit __________ nicht. Soll ich zwei __________ für uns buchen?

SARAH: Ja.

## Situation 9 Rollenspiel: Am Fahrkartenschalter

S1: Sie stehen am Fahrkartenschalter[3] im Bahnhof von Bremen und wollen eine Fahrkarte nach München kaufen. Sie wollen billig fahren, müssen aber vor 16.30 Uhr am Bahnhof in München ankommen. Fragen Sie, wann und wo der Zug abfährt und über welche Städte der Zug fährt.

[1]*budget price* [2]*seats* [3]*ticket counter*

## Miniwörterbuch

| | |
|---|---|
| **sich einsetzen für** | to advocate, stand up (for) |
| **gegenseitig** | mutual(ly) |
| der **Kirchentag, -e** | church congress |
| der **Auftritt, -e** | performance |
| die **Hölle, -n** | hell |
| der **Weg, -e** | way, path |
| das **Paradies** | paradise |
| das **Tor, -e** | gate |
| **reichen** | reach, extend |
| **sich** (*dat.*) **vorstellen** | to imagine |
| der **Traum, ¨-e** | dream |
| **weiterhelfen, weitergeholfen** | to help further |
| **worum** | what (is it) about? |

Pier Marco Tacca/Getty Images

Adel Tawil

Gerard Velthuizen/Alamy

Youssou N'Dour

# MUSIKSZENE

### „Eine Welt, eine Heimat" (2017, Deutschland) *Adel Tawil*

**Biografie** Adel Tawil ist seit den 1990er Jahren einer der bekanntesten deutschen Pop-Musiker. Er kommt aus Berlin. Sein Vater kommt aus Ägypten und seine Mutter aus Tunesien. Adel ist Muslim. Er wurde von seinen Eltern islamisch, aber sehr liberal erzogen[1]. Er setzt sich für die gegenseitige Akzeptanz der Religionen ein und tritt viel in der Öffentlichkeit auf, unter anderem auf evangelischen Kirchentagen[2], so auch im Juni 2019 in Dortmund. Sein Auftritt stand unter dem Motto: Flucht, Migration und Integration. Das Lied *„Eine Welt, eine Heimat"* erschien 2017. Adel singt darin auf Deutsch, Arabisch und Englisch. Youssou N'Dour singt bei dem Lied ebenfalls mit und singt auf Französisch und Wolof, das neben dem Französischen die wichtigste Sprache im Senegal ist.

**NOTE:** For copyright reasons, the songs referenced in **MUSIKSZENE** have not been provided by the publisher. The song can be found online at various sites.

**Vor dem Hören** Lesen Sie die Biografie und beantworten Sie die folgenden Fragen.

1. Woher kommt Adel Tawil, woher sein Vater und woher seine Mutter?
2. Welche Religion hat Adel Tawil?
3. Wofür setzt er sich ein?
4. In welchen Sprachen singt Adel Tawil im Lied *„Eine Welt, eine Heimat"*?
5. Wer ist noch auf der Single zu hören und in welchen Sprachen singt er?

**Nach dem Hören**

**A.** Was singt der Sänger, richtig (R) oder falsch (F)? Korrigieren Sie die falschen Sätze.

_____ **1.** Eine Tür führt in die Hölle.
_____ **2.** Der Weg ist aus Sand.
_____ **3.** Der Weg führt zum Paradies.
_____ **4.** Am Ende des Weges ist ein Tor, das offen steht.
_____ **5.** Die Menschen hinter dem Tor haben Angst.
_____ **6.** Man muss sich die Hand reichen, damit die Angst nicht die Herzen trennt.
_____ **7.** Man muss sich vorstellen, dass es einfach geht.
_____ **8.** Träume helfen nicht weiter.

**B. Diskussion.** Worum geht es in diesem Lied? Was ist die Hölle, was der Weg, was das Paradies? Warum haben die Menschen hinter dem Tor Angst? Wie ist es in Ihrem Land? Trennt die Angst die Herzen oder reichen sich die Menschen die Hände?

[1]wurde erzogen *was raised* [2]*church congress*

# Strukturen

## 3. Word formation: Feminine nouns in *-heit* and *-keit*

**WISSEN SIE NOCH?**

You have already learned that many feminine nouns are formed with the suffixes **-e, -in,** or **-ung,** and many masculine nouns are formed with the suffix **-er.**

Review **Strukturen 4** in **Kapitel 3, Strukturen 6** in **Kapitel 4,** and **Strukturen 4** in **Kapitel 5.**

The suffixes **-heit** and **-keit** are among the top five most common word formation suffixes of German nouns. These suffixes are attached to adjectives to turn them into nouns. The resulting nouns are feminine.

| | |
|---|---|
| Für viele Menschen sind **Freiheit** und **Sicherheit** die wichtigsten Werte. | *For many people, freedom and security are the most important values.* |
| Welche technischen **Möglichkeiten** gibt es noch? | *What other technical possibilities are there?* |

In general, adjectives consisting of one or two syllables that do not already have another suffix will add **-heit,** and adjectives already ending with other suffixes such as **-lich, -ig,** or **-sam** will add **-keit.** Here is a list of adjectives you have encountered so far, together with their noun counterparts.

| Adjective | | | Noun | |
|---|---|---|---|---|
| dunkel | *dark* | → | die Dunkelheit | *darkness* |
| krank | *ill* | → | die Krankheit | *illness* |
| offen | *open* | → | die Offenheit | *openness, candor* |
| schön | *beautiful* | → | die Schönheit | *beauty* |
| wahr | *true* | → | die Wahrheit | *truth* |
| ähnlich | *similar* | → | die Ähnlichkeit | *similarity* |
| öffentlich | *public* | → | die Öffentlichkeit | *public, publicity* |
| gemeinsam | *together* | → | die Gemeinsamkeit | *togetherness, commonality* |
| häufig | *frequent* | → | die Häufigkeit | *frequency* |
| tätig | *active* | → | die Tätigkeit | *activity* |

### Übung F. Definitionen

Ergänzen Sie die Lücken mit Substantiven auf **-heit** oder **-keit.**

1. Wenn alle Menschen gleich sind, spricht man von _______.
2. Wenn etwas selbstverständlich ist, spricht man von _______.
3. _______ gibt es, wenn etwas klar ist.
4. Wenn Menschen frei sind, leben sie in _______.
5. Wenn etwas möglich ist, gibt es die _______.
6. Wenn etwas wirklich ist, spricht man von der _______.
7. Wenn etwas schwierig ist, gibt es eine _______.
8. Wenn das Leben sicher ist, ist man in _______.
9. Eine _______ ist jemand, der oder die schön ist.
10. Eine _______ gibt es, wenn etwas wahrscheinlich ist.

# Situationen

## Die Umwelt und das Auto

1. Die Erde wird wärmer.

2. Der Meeresspiegel[1] steigt.

3. Elektroautos erobern die Welt.

4. Tempolimit auf der Autobahn

### Situation 10 **Definitionen: Umwelt und Auto**

1. die Batterie
2. öffentliche Verkehrsmittel
3. das Radio
4. Ozeane
5. die Sirene
6. Regen und Sturm
7. der Sitz
8. die Werkstatt
9. Wiesen und Felder

a. Man sitzt darauf.
b. Davor muss man sich schützen.
c. Darin gibt es immer weniger Insekten.
d. Damit warnt man vor Gefahren.
e. Damit fährt man, wenn man die Umwelt schützen will.
f. Damit hört man Musik und Nachrichten.
g. Damit fahren Elektroautos.
h. Darin gibt es immer weniger Fische.
i. Dorthin bringt man sein Auto, wenn es kaputt ist.

### Situation 11 **Interview: Das Auto**

1. Welche Autos findest du am schönsten?
2. Welche Autos findest du am praktischsten? Warum?
3. Welche Autos findest du am besten für die Umwelt?
4. Welche Autos findest du am ökonomischsten?
5. Welche Autos sind die kleinsten (größten)?
6. Welche Autos sind die teuersten (billigsten)?
7. Wer von deinen Freundinnen und Freunden hat das älteste Auto? Wie alt ist es ungefähr? Und wer hat das tollste (schnellste, interessanteste)?
8. Hast du ein Auto? Was für eins?
9. Möchtest du ein Auto haben? Was für ein Auto möchtest du am liebsten haben? Warum?

[1] *sea level*

## Situation 12 Informationsspiel: Ein Auto kaufen

S1: Sie wollen einen Gebrauchtwagen[1] kaufen und lesen deshalb Anzeigen im Internet. Die Anzeigen für einen BMW i3 und einen Mercedes E 53 sind interessant. Rufen Sie an und stellen Sie Fragen.

Sie haben auch eine Anzeige im Internet aufgegeben, weil Sie Ihren VW Golf oder Ihren Audi A3 e-tron verkaufen wollen. Antworten Sie auf die Fragen der Leute zu Ihren Autos.

MODELL: Guten Tag, ich rufe wegen Ihrer Anzeige an. Ich interessiere mich für den BMW i3.

1. Womit fährt der Wagen?
2. Wie alt ist er?
3. Welche Farbe hat er?
4. Wie viele Kilometer hat er?
5. Wie lange hat er noch TÜV?
6. Wie viel verbraucht er?
7. Wie viel sind das in Euro pro hundert Kilometer?
8. Was kostet der Wagen?

| | VW Golf | Audi A3 e-tron | BMW i3 | Mercedes E 53 |
|---|---|---|---|---|
| *Kategorie* | Kleinwagen | Limousine | Limousine | Cabrio |
| 1. *Kraftstoff*[2] *(Benzin, Strom oder Hybrid)* | Strom | Hybrid | | |
| 2. *Baujahr*[3] | 2018 | 2020 | | |
| 3. *Farbe* | rot | grau | | |
| 4. *Kilometerstand*[4] | 20.900 km | 58.900 km | | |
| 5. *TÜV* | 12 Monate | 18 Monate | | |
| 6. *Verbrauch*[5] *pro 100 km* | 12,7 kWh[6] | 1,5 Liter + 11 kWh | | |
| 7. *Kosten pro 100 km* | 3,81 Euro | 5,40 Euro | | |
| 8. *Preis* | 22.599 Euro | 22.900 Euro | | |

# Filmlektüre

## *Tschick*

### Vor dem Lesen

FILMANGABEN

**Titel:** *Tschick*
**Genre:** Jugendfilm, Roadmovie
**Erscheinungsjahr:** 2016
**Land:** Deutschland
**Dauer:** 93 min
**Regisseur:** Fatih Akin
**Hauptrollen:** Tristan Göbel, Anand Batbileg, Nicole Mercedes Müller

Tschick und Maik auf dem Weg in die Walachei?



[1]*used car* [2]*fuel* [3]*year of manufacture* [4]*odometer reading* [5]*(fuel) consumption*
[6]kWh = Kilowattstunden *kilowatt hours*

**A.** Beantworten Sie die folgenden Fragen.

1. Wo sind die beiden Jungen?
2. Was machen sie gerade?
3. Wie sehen sie aus? Beschreiben Sie sie.
4. Wie ist ihre Stimmung?
5. Wer ist Tschick und wer ist Maik? Was meinen Sie?

**B.** Lesen Sie die Wörter im Miniwörterbuch. Suchen Sie sie in der Inhaltsangabe und markieren Sie sie.

| Miniwörterbuch | |
|---|---|
| der **Status** | status, state |
| **stehlen, stiehlt, gestohlen** | to steal |
| das **Abenteuer, -** | adventure |
| die **Weile** | while (period of time) |
| **enden** | to end |
| **verletzen** | to injure, hurt |
| **fassen** | to seize, catch |
| **sich kümmern (um)** | to take care (of) |

## Inhaltsangabe

Maik Klingenberg (Tristan Göbel), ein 14-jähriger Schüler auf einem Berliner Gymnasium, ist ein Außenseiter[1], den alle in seiner Klasse langweilig finden. Seine Eltern wohnen in einem schönen Haus, aber die Mutter ist Alkoholikerin und der Vater, ein Immobilienhändler[2], steht vor dem finanziellen Ruin. Er hat eine Affäre mit seiner Sekretärin, für die er später die Familie verlassen wird. Beide Eltern sind sehr mit sich selbst beschäftigt und verbringen nur wenig Zeit mit ihrem Sohn. Kurz vor den Sommerferien kommt ein neuer Schüler in Maiks Klasse, der wegen seines sozialen Status auch ein Außenseiter ist. Der neue Schüler heißt Tschick, eigentlich Andrej Tschichatschow (Anand Batbileg), und kommt aus Russland. Maik und Tschick werden Freunde und Tschick nimmt Maik in einem gestohlenen Lada mit auf eine Reise in die „Walachei"[3], wo er in den Ferien einen Verwandten besuchen will. Die beiden fahren ohne Karte und ohne Führerschein[4] kreuz und quer durch[5] Ostdeutschland und erleben viele Abenteuer. Aber vor allem lernt Maik Isa (Nicole Mercedes Müller) kennen, die allein auf einer Müllkippe[6] lebt und eine Weile mit ihnen zusammen weiterfährt[7]. Alle drei werden gute Freunde, bevor die Fahrt durch einen Unfall endet, bei dem Maik und Tschick verletzt und von der Polizei gefasst werden.

## Arbeit mit dem Text

Richtig (R) oder falsch (F)? Verbessern Sie die falschen Aussagen.

_____ **1.** Maik geht auf ein Gymnasium in Berlin.
_____ **2.** Seine Mutter trinkt zu viel Alkohol.
_____ **3.** Maiks Eltern kümmern sich intensiv um ihren Sohn.
_____ **4.** Tschick kommt aus Ostdeutschland.
_____ **5.** Tschick und Maik fahren mit dem Auto von Maiks Eltern in die Walachai.
_____ **6.** Isa lebt ohne ihre Eltern auf einer Müllkippe.
_____ **7.** Tschick, Maik und Isa haben einen Unfall und alle drei werden verletzt.

anyaivanova/Shutterstock

Ostdeutsche Landschaft

## Nach dem Lesen

**A.** Suchen Sie weitere Informationen über den Regisseur Fatih Akin im Internet.

1. Woher kommt Fatih Akin?
2. Woher kommen seine Eltern?
3. Wie alt ist er?
4. Wie heißt sein erster Film?
5. Welche Preise haben seine Filme bekommen?

**B.** Sehen Sie den Trailer zum Film im Internet an und machen Sie ein Poster zum Film.

[1]*outsider* [2]*realtor, real estate agent* [3]*Walachia (region in Southern Romania)* [4]*driver's license*
[5]kreuz und quer durch *all across* [6]*landfill, dump* [7]*drives on*

## Situation 13 Verkehrsschilder

Kennen Sie diese Verkehrsschilder? Was bedeuten sie?

a.

b.

c.

d.

e.

f.

g.

h.

i.

j.

1. Dieses Verkehrsschild bedeutet „Halt".
2. Hier darf man nicht halten.
3. Wer von rechts kommt, hat Vorfahrt[1].
4. Hier darf man nur in eine Richtung fahren.
5. Hier darf man nur mit dem Rad fahren.
6. Hier darf man auf dem Fußgängerweg[2] parken.
7. Hier dürfen keine Autos fahren.
8. Achtung Radfahrer[3]!
9. Dieser Weg ist nur für Fußgänger[4].
10. Hier dürfen keine Motorräder fahren.

Cultura Creative/Alamy

Was darf man hier (nicht) machen?

[1]*right of way* [2]*sidewalk* [3]*bicyclists* [4]*pedestrians*

# KULTUR ... LANDESKUNDE ... INFORMATIONEN

## VOLKSWAGEN

### Vor dem Lesen

- Haben Sie ein Auto? Wenn ja, was für eins? Wie lange haben Sie es schon? Was gefällt Ihnen daran?
- Welche deutschen Automarken kennen Sie? Was halten Sie von deutschen Autos?

ullstein bild/Lambert/The Image Works

Ein VW-Bus von 1969 ist ein Oldtimer.

| Miniwörterbuch | |
|---|---|
| die **Marke, -n** | make, brand, model |
| **meistens** | mostly, usually |
| der **Hersteller, -** | manufacturer, maker |
| **breit** | broad, wide |
| die **Masse** | mass, masses |
| **bauen** | to build, construct |
| die **Produktion, -en** | production |
| die **Methode, -n** | method |
| das **Werk, -e** | factory, facility |
| **verhindern** | to prevent |
| **entstehen, ist entstanden** | to originate, come into being |
| **aufhalten, aufgehalten** | to impede, hinder |
| **immerhin** | at least, anyway |
| **herstellen, hergestellt** | to make, produce |

Jedes fünfte Auto in Europa ist ein Volkswagen. Der VW Golf ist das meistverkaufte Auto in Europa. Auch der VW Polo schafft es meistens auf Platz zwei oder drei. Volkswagen ist der größte Autohersteller Europas und der drittgrößte der Welt. Zum Volkswagenkonzern gehören nicht nur die Marken VW und Audi, sondern auch so schicke Autos wie Bugatti und Lamborghini, Bentley, sowie seit 2011 auch Porsche. Der Firmensitz befindet sich in Deutschland, im niedersächsischen Wolfsburg.

Den ersten Prototyp des Volkswagen Käfer[1] baute der Österreicher Ferdinand Porsche 1934. Hitler wollte[2], dass der Volkswagen ein Auto für die breite Masse wird. Um ihn möglichst billig bauen zu können, ging Porsche nach Detroit und studierte die Produktionsmethoden von Ford. Das erste Volkswagenwerk wurde[3] 1938 in Niedersachsen in der Nähe von Braunschweig gebaut. Der Ausbruch[4] des 2. Weltkriegs verhinderte die Massenproduktion des VW Käfers. Erst nach dem Krieg kam es dazu. Aus dem Volkswagenwerk entstand die Stadt Wolfsburg, in der heute fast 125.000 Menschen leben, und der Siegeszug[5] des Käfers war nicht aufzuhalten. Bis 2002 war der Käfer mit 21,5 Millionen Exemplaren das meistverkaufte Auto der Welt. Dann wurde er vom VW Golf überholt[6], der 2018 immerhin noch auf Platz drei in der Welt stand.

Der VW-Konzern hat viele Standorte in der ganzen Welt. Die größten Standorte außerhalb Europas befinden sich in Mexiko (Puebla), Brasilien (Saõ Paulo) und China (Shanghai). Weitere große Standorte befinden sich in Argentinien (Córdoba), Russland (Kaluga), Südafrika (Uitenhage), Kenia (Nairobi) und in den USA (Chattanooga).

Beliebte Modelle sind neben dem Golf und dem Polo der Passat, der Tiguan und Arteon sowie das Elektroauto e-Golf. Von 1997 bis 2010 gab es auch den New Beetle, den neuen Käfer im Retrolook, den es immer noch als Cabrio gibt. Unschlagbar[7] unter Studierenden und auf der ganzen Welt bekannt ist allerdings der VW-Bus, den es seit 1950 gibt und der immer noch hergestellt wird.

[1]*beetle* [2]*wanted* [3]*was* [4]*outbreak* [5]*triumphal march* [6]*overtaken* [7]*Unbeatable*

### Arbeit mit dem Text

Lesen Sie den Text und suchen Sie die Antworten auf die folgenden Fragen.

1. Wie viel Prozent der Autos in Europa sind Volkswagen?
2. Wo liegt der Firmensitz des Volkswagenkonzerns?
3. Wer hat den ersten Prototyp des Volkswagen Käfers gebaut?
4. Wo hat Ferdinand Porsche Produktionsmethoden von Autos studiert?
5. Welches Auto war bis 2002 das meistverkaufte Auto der Welt?
6. In welchen außereuropäischen Ländern hat VW große Standorte?
7. Wie lange gibt es den VW-Bus schon?

# Strukturen

## 4. Referring to and asking about things and ideas: *da*-compounds and *wo*-compounds

In both German and English, personal pronouns are used directly after prepositions when these pronouns refer to people or animals.

| | |
|---|---|
| Ich werde bald **mit ihr** sprechen. | *I'll talk to her soon.* |
| —Bist du mit Leon gefahren? | *Did you go with Leon?* |
| —Ja, ich bin **mit ihm** gefahren. | *Yes, I went with him.* |

**da-** or **dar-** + preposition

When the object of the preposition is a thing or concept, it is common in English to use the pronoun *it* or *them* with a preposition: *with it, for them,* and so on. In German, it is preferable to use compounds that begin with **da-** (or **dar-** if the preposition begins with a vowel).

| | | | |
|---|---|---|---|
| dadurch | *through it/them* | daraus | *out of it/them* |
| dafür | *for it/them* | darin | *in it/them* |
| dagegen | *against it/them* | darüber | *over it/them* |
| dahinter | *behind it/them* | darunter | *underneath it/them* |
| damit | *with it/them* | davon | *from it/them* |
| daneben | *next to it/them* | davor | *in front of it/them* |
| daran | *on it/them* | dazu | *to it/them* |
| darauf | *on top of it/them* | dazwischen | *between them* |

Note that the following prepositions cannot be preceded by **da(r)-: ohne, außer, seit.**

| | |
|---|---|
| —Was macht man mit einer Sirene? | *What do you do with a siren?* |
| —Man warnt andere Leute **damit.** | *You warn other people with it.* |
| —Hast du etwas gegen laute Musik? | *Do you have something against loud music?* |
| —Nein, ich habe nichts **dagegen.** | *No, I don't have anything against it.* |

Some **da**-compounds are idiomatic.

| | |
|---|---|
| Hast du Geld **dabei?** | *Do you have any money on you?* |
| **Darum** hast du auch kein Glück. | *That's why you don't have any luck.* |

Use a preposition + **wem** or **wen** to ask about people.

Questions about people begin with **wer** (*who*) or **wen/wem** (*whom*). If a preposition is involved, it precedes the question word.

| | |
|---|---|
| —Mit **wem** gehst du ins Theater? | *Who will you go to the theater with? (With whom . . . ?)* |
| —Mit Julia. | *With Julia.* |
| —In **wen** hast du dich diesmal verliebt? | *Who did you fall in love with this time? (With whom . . . ?)* |

Use **wo-** + a preposition to ask about things or ideas.

PEOPLE
mit wem, von wem, zu wem
an wen, auf wen, für wen, über wen, um wen

THINGS AND CONCEPTS
womit, wovon, wozu
woran, worauf, wofür, worüber, worum

Questions about things and concepts begin with **was** (*what*). If a preposition is involved, German speakers use compound words that begin with **wo-** (or **wor-** if the preposition begins with a vowel).

| | |
|---|---|
| —**Womit** fährst du nach Berlin? | *How are you getting to Berlin?* |
| —Mit dem Bus. | *By bus.* |
| —**Worüber** sprichst du? | *What are you talking about?* |
| —Ich spreche über den Film. | *I'm talking about the film.* |

—**Von wem** ist der Film „Tschick"? — *Who is the film* Tschick *by?*
—Von Fatih Akin. — *By Fatih Akin.*
—**Wovon** handelt dieser Film? — *What is the film about?*
—Von einer Fahrt durch Ostdeutschland. — *About a road trip through Eastern Germany.*

## Übung G. Hannahs Zimmer

dahinter
daneben
daran
darauf
darin
darüber
darunter
davor
dazwischen

Ergänzen Sie!

Rechts neben der Tür ist eine Kommode[1]. Eine Lampe steht *darauf* [a]. Rechts _______[b] steht der Schreibtisch. _______[c] steht Hannahs Tasche. An der Wand steht ein Schrank. _______[d] hängen Hannahs Sachen. Links an der Wand steht Hannahs Bett. _______[e] liegt die Katze auf dem Teppich. An der Wand _______[f] hängt ein Bild. Auf dem Bild ist eine Wiese mit einem Baum. _______[g] hängen Äpfel. Mitten im Zimmer steht ein Sessel. _______[h] sieht man Hannahs Schuhe und _______[i] hat sich Phillip versteckt[2].

## Übung H. Ein Interview mit Richard

Das folgende Interview ist nicht vollständig. Es fehlen die Fragen. Rekonstruieren Sie die Fragen aus den Antworten.

1. Ich gehe am liebsten **mit meinem Freund** ins Theater.
2. Ich arbeite zur Zeit **an einem Aufsatz**[3]**.**
3. Ich muss immer **auf meinen Freund** warten. Er kommt immer zu spät.
4. In letzter Zeit habe ich **mit meinem Physiklehrer** gesprochen.
5. Wenn ich „USA" höre, denke ich **an Hochhäuser und Disneyland, an den Grand Canyon und die Rocky Mountains und natürlich an Iowa.**
6. Zur Schule fahre ich meistens **mit dem Fahrrad, manchmal auch mit dem Bus.**
7. Ich schreibe nicht gern **über Sachen, die mich nicht interessieren, wie zum Beispiel die Vorteile und Nachteile des Kapitalismus.**
8. Meine letzte E-Mail habe ich **an einen alten Freund von mir** geschrieben. Der ist vor kurzem nach Graz gezogen, um dort Jura zu studieren.
9. Ich halte nicht viel **von Politikern.** Die versprechen immer alles, tun aber nichts.

[1]*dresser* [2]hat ... *Phillip has hidden himself* [3]*essay*

# Situationen

## Auf Reisen

Im letzten Urlaub waren Kobe Okonkwo und Veronika Frisch-Okonkwo in Italien.

1. Am Morgen sind Kobe und Veronika am Strand spazieren gegangen.

2. Dann sind sie im Meer geschwommen.

3. Zu Mittag haben sie Spaghetti gegessen.

4. Später sind sie in die Stadt gefahren.

5. Zuerst hat Veronika dort Souvenirs gekauft.

6. Dann haben sie eine Tour durch die Stadt gemacht.

7. Am Abend haben sie Wein getrunken.

### Situation 14 **Umfrage: Warst du schon mal im Ausland?**

MODELL: S1: Warst du schon mal im Ausland?
S2: Ja!
S1: Unterschreib bitte hier.

| | UNTERSCHRIFT |
|---|---|
| 1. Warst du schon mal im Ausland? | ________________ |
| 2. Hast du schon mal ein lautes Geräusch gehört? | ________________ |
| 3. Hattest du schon mal einen Unfall? | ________________ |
| 4. Warst du schon mal im Nebel auf dem Meer? | ________________ |
| 5. Hattest du schon mal einen bösen Traum? | ________________ |
| 6. Warst du schon mal in der Nacht auf dem Friedhof? | ________________ |
| 7. Hattest du schon mal ein Elektroauto? | ________________ |
| 8. Warst du schon mal auf einer Insel? | ________________ |
| 9. Hast du schon mal deinen Pass verloren? | ________________ |
| 10. Bist du schon mal auf einen Berg gestiegen? | ________________ |

 Situation 15 **Bildgeschichte: Steves Reise nach Österreich**

 Situation 16 **Zum Schreiben: Erlebnisse auf Reisen**

Hatten Sie schon mal ein interessantes Reiseerlebnis? Schreiben Sie eine Geschichte darüber! Denken Sie an die folgenden Fragen.

1. Personen:
   - Wer war dabei?
   - Was muss man über diese Personen wissen, um Ihre Geschichte besser zu verstehen?
2. Ort:
   - Wo hatten Sie das Erlebnis?
   - Was war interessant an diesem Ort?
   - Versuchen Sie den Ort zu visualisieren und beschreiben Sie ihn.
3. Zeit:
   - Wann hatten Sie das Erlebnis?
   - Vor wie vielen Jahren war es?
   - Welche Tageszeit war es?
   - War es ein besonderer Tag?
4. Handlung:
   - Was ist zuerst passiert?
   - Was haben Sie gefühlt und gedacht?
   - Was ist dann passiert?
   - Was war der Höhepunkt des Erlebnisses?
   - Was war daran besonders?
   - Wie hat es geendet?
5. Persönliche Note: Was denken Sie heute darüber?

# KULTUR ... LANDESKUNDE ... INFORMATIONEN

## DIE SCHWEIZ

### Vor dem Lesen

- Woran denken Sie, wenn Sie *Schweiz* hören?
- Kennen Sie eine Schweizer*in?
- Waren Sie schon mal in der Schweiz? Was waren Ihre Eindrücke?
- Finden Sie die Schweiz auf einer Landkarte. Lokalisieren Sie die Städte Bern, Genf, Basel und Zürich.

SFM GM World/Alamy

Die Schweiz hat ein dichtes Eisenbahnnetz.

| Miniwörterbuch | |
|---|---|
| die **Bevölkerung, -en** | population |
| **sich unterscheiden, unterschieden** | to differ, be different |
| **dagegen** | by contrast |
| **aufweisen, aufgewiesen** | to exhibit, show |
| der **Bund, ¨e** | league, union |
| **neutral** | neutral |
| der **Käse** | cheese |
| das **Kreuz, -e** | cross |
| **international** | international |
| der **Handel** | trade, deal |
| die **Gesundheit** | health |
| **dicht** | dense(ly), thick(ly) |

### Arbeit mit dem Text

Lesen Sie den Text und suchen Sie die Antworten auf die folgenden Fragen.

1. Was für ein Land ist die Schweiz?
2. Welche Sprachen spricht man dort? Wie sind sie verteilt?
3. Wie heißen die größten Städte?
4. Wann wurde die Schweiz gegründet? Wie hießen die ersten Kantone?
5. Wie ist die Schweiz politisch? Welchen Organisationen gehört sie (nicht) an?
6. Wofür ist die Schweiz bekannt?
7. Wofür ist Genf bekannt?
8. Was sagen Fußballfans, wenn sie wollen, dass die Schweiz gewinnt?

*Einer für alle, alle für einen.* So lautet das Motto der Schweiz, eines kleinen Alpenlandes, das eines der reichsten Länder der Welt ist. Nach Fläche ist die Schweiz auf Platz 135, nach Bevölkerung auf Platz 99 der Länder der Welt. Knapp 66 Prozent der Schweizer*innen sprechen Deutsch, 23% Französisch, 8% Italienisch und nur 0,5% Rätoromanisch. Diese Sprachen sind die offiziellen Sprachen der Schweiz. Französisch spricht man im Westen; Italienisch im Tessin im Südosten; Rätoromanisch im Osten; und Deutsch im Norden, in der Mitte und im Süden. Die größten Städte sind die deutschsprachigen Städte Zürich und Basel und das französischsprachige Genf. Allerdings darf man nicht glauben, dass das Deutsch der Schweizer so einfach zu verstehen ist. Die Deutschschweizer*innen sprechen alemannische Dialekte, die sich sehr von der deutschen Standardsprache unterscheiden. Die Schriftsprache dagegen weist nur wenige Unterschiede auf.

Die Schweiz besteht aus 26 Kantonen[1]. Der Legende nach entstand die Schweiz im Jahre 1291 auf dem Rütliberg, als sich die drei Kantone Uri, Schwyz und Unterwalden zu einem Bund zusammenschlossen[2]. Seit 1815 ist die Schweiz politisch neutral. Sie ist nicht Teil der EU und auch nicht in der NATO. Seit 2002 ist sie aber Mitglied in der UNO.

Wofür ist die Schweiz am bekanntesten? Für ihre Schokolade? Für ihren Käse? Für ihre Uhren? Für ihre Berge? Für ihr Eisenbahnnetz[3]? Wer kennt nicht Johanna Spyri, die Schöpferin[4] von Heidi; den Psychologen Jean Piaget; die Reformatoren Calvin und Zwingli? Die ETH (Eidgenössische Technische Hochschule) in Zürich ist eine der besten Universitäten der Welt. Die UNO-Stadt Genf ist nicht nur der Ort, wo das Rote Kreuz gegründet wurde, sondern eine sehr schöne Stadt, Sitz von 25 großen internationalen Organisationen, unter anderen die Welthandelsorganisation (WTO) und die Weltgesundheitsorganisation (WHO). Das Matterhorn ist einer der schönsten und höchsten Berge der Schweiz (4.478 m). In der Schweiz entspringen[5] der Rhein und die Rhône, die längsten Flüsse Deutschlands und Frankreichs. Das Land hat auch eines der dichtesten Eisenbahnnetze der Welt. Nicht nur im Fußball sagen deshalb viele Leute: „Hopp Schwiz!" (Los, Schweiz!)

Dhwee/Getty Images

Genf

[1]*cantons (roughly equivalent to a province or state)* [2]sich zusammenschlossen *joined together* [3]*railway network* [4]*creator* [5]*originate, have their source*

# Strukturen

## 5. The simple past tense of *haben* and *sein*

When talking about events that have already happened, people commonly use the verbs **haben** and **sein** in the simple past tense instead of the perfect tense. The conjugations appear below; notice that the **ich-** and the **er/sie/es**-forms are the same.

| | |
|---|---|
| **Warst** du schon mal im Ausland? | *Have you ever been abroad?* |
| Letzte Woche **hatte** ich einen Autounfall. | *Last week I had a car accident.* |

| **sein** | | | |
|---|---|---|---|
| *ich* | war | *wir* | waren |
| *du* | warst | *ihr* | wart |
| *Sie* | waren | *Sie* | waren |
| *er* / *sie* / *es* | war | *sie* | waren |

| **haben** | | | |
|---|---|---|---|
| *ich* | hatte | *wir* | hatten |
| *du* | hattest | *ihr* | hattet |
| *Sie* | hatten | *Sie* | hatten |
| *er* / *sie* / *es* | hatte | *sie* | hatten |

### Übung I. Minidialoge

Ergänzen Sie eine Form von **war** oder **hatte.**

1. FRAU GRUBER: Ihr Auto sieht ja so kaputt aus. _______[a] Sie einen Unfall?
   HERR MOSER: Ja, leider _______[b] ich wieder mal einen Unfall. Das ist schon der dritte in dieser Woche.
2. FRAU KÖRNER: Sie sind aber braun geworden. _______ Sie im Urlaub?
   MICHAEL PUSCH: Ja, ich war drei Wochen in der Türkei.
3. PHILLIP: Warum _______[a] ihr gestern nicht in der Schule?
   MAX UND HANNAH: Wir _______[b] keine Zeit.
4. CLAIRE: _______[a] du schon mal in Linz, Julia?
   JULIA: Ja, ich _______[b] schon ein paar Mal da.
5. MARIA SCHNEIDER: Wo warst du letzte Woche, Max?
   MAX: Ich _______ Ferien und war bei meinen Großeltern auf dem Land.
6. HANNAH: Michael, sag mal, _______ du als Kind oft böse Träume?
   MICHAEL PUSCH: Nein, nicht oft.
7. CLAIRE: Ich habe dich gestern im Kino gesehen. _______[a] du allein?
   LEON: Ja, Julia _______[b] gestern zu Hause. Sie _______[c] keine Lust, ins Kino zu gehen.

## 6. The perfect tense (review)

**WISSEN SIE NOCH?**

The perfect tense consists of a form of the present tense of **haben** or **sein** + the past participle.

Review **Strukturen 1** in **Kapitel 4.**

As you remember from **Kapitel 4,** it is preferable to use the perfect tense in oral communication when talking about past events.

Hannah **hat** es mir **versprochen.** — *Hannah promised it to me.*

To form the perfect tense, use **haben** or **sein** as an auxiliary with the past participle of the verb.

A. **haben** or **sein**

Use **haben** with most verbs.

Use **sein** if the verb:

- cannot take an accusative object
- indicates change of location or condition.

See **Appendix E** for a list of common verbs and their auxiliaries.

**Haben** is by far the more commonly used auxiliary. **Sein** is normally used only when both of the following conditions are met: (1) The verb cannot take an accusative object. (2) The verb implies a change of location or condition.

| | |
|---|---|
| Erika Klien **ist** 1957 in New York **gestorben.** | *Erika Klien died in New York in 1957.* |
| Yusuf **ist** auf einen Berg **gestiegen.** | *Yusuf climbed to the top of a mountain.* |

In spite of the fact that there is no change of location or condition, the following verbs also take **sein** as an auxiliary: **sein, bleiben, vorkommen,** and **passieren.**

| | |
|---|---|
| Letztes Jahr **bin** ich in St. Moritz **gewesen.** | *Last year I was in St. Moritz.* |
| Was **ist passiert?** | *What happened?* |

B. Forming the Past Participle

Past participles of strong verbs end in **-en;** past participles of weak verbs end in **-t** or **-et.**

There are basically two ways to form the past participle. Strong verbs add the prefix **ge-** and the ending **-en** to the stem. Weak verbs add the prefix **ge-** and the ending **-t** or **-et.**

| | | |
|---|---|---|
| rufen | hat **ge**ruf**en** | *to shout, call* |
| reisen | ist **ge**reis**t** | *to travel* |
| arbeiten | hat **ge**arbeit**et** | *to work* |

In the past-participle form, most, but not all, strong verbs have a changed stem vowel or stem.

| | | | |
|---|---|---|---|
| | gehen | ist geg**ang**en | *to walk* |
| | werfen | hat gew**o**rfen | *to throw* |
| *but:* | laufen | ist gelaufen | *to run* |

Very few weak verbs have a change in the stem vowel. Here are some common weak verbs that do change.

| | | |
|---|---|---|
| bringen | hat gebr**ach**t | *to bring* |
| denken | hat ged**ach**t | *to think* |
| dürfen | hat ged**u**rft | *to be allowed to* |
| können | hat gek**o**nnt | *to be able to* |
| müssen | hat gem**u**sst | *to have to* |
| rennen | ist ger**a**nnt | *to run* |
| wissen | hat gew**u**sst | *to know (as a fact)* |

C. Past Participles with and without **ge-**

No **ge-** with verbs ending in **-ieren** and inseparable-prefix verbs

Another group of verbs forms the past participle without **ge-.** You will recognize them because, unlike most verbs, they are not pronounced with an emphasis on the first syllable. These verbs fall into two major groups: those that end in **-ieren** and those that have inseparable prefixes.

| | | |
|---|---|---|
| passieren | ist passiert | *to happen* |
| studieren | hat studiert | *to study, go to college* |

Common inseparable prefixes:
**be-, ent-, er-, ge-, ver-**

The most common inseparable prefixes are **be-, ent-, er-, ge-,** and **ver-.**

| | | |
|---|---|---|
| besuchen | hat besucht | *to visit* |
| entdecken | hat entdeckt | *to discover* |
| erzählen | hat erzählt | *to tell* |
| gewinnen | hat gewonnen | *to win* |
| verlieren | hat verloren | *to lose* |
| versprechen | hat versprochen | *to promise* |

The past participle of separable-prefix verbs is formed by adding the prefix to the past participle of the base verb.

| | | |
|---|---|---|
| anfangen | hat angefangen | *to begin* |
| aufstehen | ist aufgestanden | *to get up* |

## Übung J. Sarah

Ergänzen Sie **haben** oder **sein.**

1. In meiner Schulzeit _______ ich nie gern aufgestanden.
2. Meine Mutter _______[a] mich immer geweckt, denn ich _______[b] nie von allein aufgewacht.
3. Jeden Morgen ______ ich ihr versprochen, dass ich am nächsten Morgen von allein aufwache.
4. Ich _______[a] dann ganz schnell etwas gegessen und _______[b] zur Schule gerannt.
5. Meistens hatte es schon zur Stunde geklingelt, wenn ich angekommen _______.
6. In der Schule war es oft langweilig; in Biologie _______ ich sogar einmal eingeschlafen.
7. Einmal in der Woche hatten wir nachmittags Sport. Am liebsten _______[a] ich Basketball gespielt und _______[b] geschwommen.
8. Auf dem Weg nach Hause _______[a] ich einmal einen Unfall gesehen. Zum Glück _______[b] nichts passiert.
9. Aber viele Leute _______[a] herumgestanden, bis die Polizei gekommen _______[b].
10. Sie _______[a] geblieben, bis eine Werkstatt die kaputten Autos abgeholt _______[b].

## Übung K. Yusuf

Yusuf war fleißig. Er hat schon alles gemacht und spielt jetzt Fußball. Übernehmen Sie seine Rolle.

MODELL: Steh bitte endlich auf! → Ich bin doch schon aufgestanden.

1. Mach bitte Frühstück!
2. Trink bitte deine Milch!
3. Mach bitte den Tisch sauber!
4. Lauf mal schnell zum Bäcker!
5. Bring bitte Brot mit!
6. Nimm bitte Geld mit!
7. Ruf bitte den Hund!
8. Mach bitte die Tür zu!

## Videoecke

### Perspektiven

Lebst du umweltbewusst? Was machst du?

Ich achte darauf, wo die Produkte herkommen.

### Aufgabe 1 Wer sagt das?

| **Miniwörterbuch** | |
|---|---|
| **umweltbewusst** | environmentally conscious |
| die **Führerschein-prüfung** | driver's license test |

Ordnen Sie die Aussagen den Personen zu.

1. Pascal ___
2. Felicitas ___
3. Nadezda ___
4. Simone ___

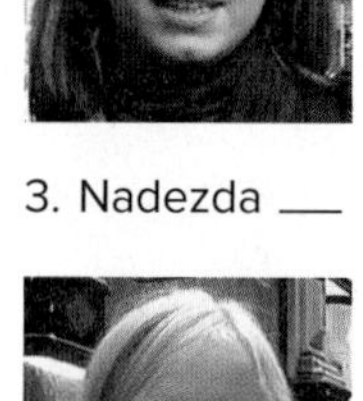

5. Michael ___
6. Hend ___
7. Sophie ___
8. Albrecht ___



a. Ich achte darauf, wo die Produkte herkommen.
b. Ich fahre viel Fahrrad und kaufe im Bioladen ein.
c. Ich habe kein Auto und ich trenne den Müll.
d. Ich mache das Wasser beim Zähneputzen aus.
e. Ich nutze wenig Wasser.
f. Ich recycle.
g. Ich trenne den Müll.
h. Nein, ich verbrauche sehr viel Wasser.

### Interviews

- Woher kommst du?
- Wo liegt das?
- Was ist dort besonders interessant?
- Wie bist du in Leipzig unterwegs?
- Hast du einen Führerschein?
- War es schwer, ihn zu bekommen?

Albrecht

Simone

## Aufgabe 2 Albrecht und Simone

Sehen Sie sich das Video an und ergänzen Sie die Tabelle.

| | Albrecht | Simone |
|---|---|---|
| Woher kommen sie? | | aus Braunschweig |
| Wo liegt die Stadt? | im Osten, südlich von Berlin | |
| Was ist dort interessant? | viele Kneipen, viel Grün | |
| Wie unterwegs? | | zu Fuß |
| Führerschein? | | ja |
| Schwer, ihn zu bekommen? | ja | |

## Aufgabe 3 Fragen

Beantworten Sie die folgenden Fragen.

1. Wie lange wohnt Albrecht schon in Leipzig?
2. Wie viele Kilometer sind es von Leipzig nach Berlin?
3. Wo gibt es viele Seen?
4. Wann fährt Albrecht mit dem Fahrrad?
5. Warum war es für Albrecht schwer, den Führerschein zu bekommen?
6. Was kann man vom Fluss Oker aus machen?
7. Wann bekommt Simone ihr Fahrrad?
8. Was hat Simone nicht?
9. Wovor hatte Simone große Angst?

## Aufgabe 4 Interview

Interviewen Sie eine Partnerin oder einen Partner. Stellen Sie dieselben Interviewfragen.

# Wortschatz zum Lernen

| Geografie | Geography |
|---|---|
| →**sich befinden, befunden** | to be located |
| →**bestimmen** | to determine |
| →**dar·stellen** | to illustrate, represent |
| **fließen, ist geflossen** | to flow |
| →**lächeln** | to smile |
| →**reichen** | to reach, extend; be sufficient |
| →**steigen, ist gestiegen** | to climb, ascend; rise |
| **vertreten, vertritt, vertreten** | to represent, stand in (for someone) |
| →**vor·kommen, ist vorgekommen** | to occur, appear |
| **wecken** | to wake |
| →die **Bewegung, -en** | movement, motion |
| die **Bucht, -en** | bay |
| die **Insel, -n** | island |
| die **Küste, -n** | coast |
| die **Landschaft, -en** | landscape, scenery |
| die **Stille** | silence, quiet |
| die **Wiese, -n** | meadow, pasture |
| die **Wüste, -n** | desert |
| →der **Ansatz, ¨e** | approach, point of departure |
| der **Fluss, ¨e** | river |
| der **Geruch, ¨e** | scent, smell |
| der **Hügel, -** | hill |
| →der **Markt, ¨e** | market |
| der **Nebel, -** | fog, mist |
| der **See, -n** | lake |
| der **Vorschlag, ¨e** | suggestion |
| →das **Element, -e** | element |
| →das **Feld, -er** | field |
| das **Gebirge, -** | (range of) mountains |
| das **Geräusch, -e** | sound, (soft) noise |
| das **Tal, ¨er** | valley |
| →das **Risiko,** *pl.* **Risiken** | risk |
| **berühmt** | famous |
| **intelligent** | intelligent(ly) |
| →**interessant** | interesting(ly) |
| →**nah** | near, nearby, close(ly) |
| **nördlich (von)** | northern, north (of) |
| **östlich (von)** | eastern, east (of) |
| →**schnell** | quick(ly), fast |
| **südlich (von)** | southern, south (of) |
| **tätig** | active(ly), employed |
| →**tief** | deep(ly), low |
| **ungefähr** | approximate(ly) |
| →**verschieden** | different(ly), various(ly) |
| →**weiter** | additional (*adj.*); further/farther, forward, along (*adv.*) |
| **westlich (von)** | western, west (of) |
| →**doch** | still, yet, however |
| →**durch** | through |
| →**mehr** | more |
| →**zwischen** | between |

| Verkehrsmittel | Means of Travel |
|---|---|
| **benutzen** | to use |
| **buchen** | to book |
| →**sich ein·setzen** | to advocate, stand up |
| →**nennen, genannt** | to name, call |
| **transportieren** | to transport |
| die **Abfahrt, -en** | departure |
| die **Ankunft, ¨e** | arrival |
| die **Bahn, -en** | railroad |
| die **Straßenbahn, -en** | streetcar |
| die **U-Bahn, -en** | subway |
| →die **Erde** | earth, dirt, ground |
| die **Fahrt, -en** | trip |
| →die **Luft, ¨e** | air |
| der **Nachteil, -e** | disadvantage |
| →der **Traum, ¨e** | dream |
| →der **Vorteil, -e** | advantage |
| der **Wagen, -** | car |
| der **Lastwagen, -** | truck |
| →der **Weg, -e** | way, path |
| das **Benzin** | gasoline |
| das **Fahrzeug, -e** | vehicle |
| das **Flugzeug, -e** | airplane |
| →das **Institut, -e** | institute |
| das **Motorrad, ¨er** | motorcycle |
| das **Schild, -er** | sign |
| →das **Tor, -e** | gate |
| **am liebsten** | (like) best (*to do something*) |
| →**hin** | there, to (*a place*) |
| **hin und zurück** | roundtrip, return |
| →**mindestens** | at least |
| →**zurück** | back |
| →**zwar** | though, to be sure |

| Die Umwelt und das Auto | The Environment and the Car |
|---|---|
| **enden** | to end |
| →**entstehen, ist entstanden** | to originate, emerge, come into being |
| **fassen** | to seize, grasp, grab; contain |
| →**her·stellen** | to make, produce, manufacture |
| →**sich interessieren für** | to be interested in |
| **verbrauchen** | to consume, spend |

| | |
|---|---|
| →**verhindern** | to delay, prevent, frustrate |
| **warnen** | to warn |
| →**warten** | to wait |
| die **Achtung** | attention |
| die **Anzeige, -n** | ad |
| die **Batterie, -n** | battery |
| die **Kategorie, -n** | category |
| die **Marke, -n** | brand, make, model |
| die **Masse, -n** | mass, masses; matter, material |
| →die **Methode, -n** | method |
| →die **Produktion, -en** | production |
| →die **Richtung, -en** | direction, way |
| die **Weile** | while (period of time) |
| der **Fisch, -e** | fish |
| der **Ozean, -e** | ocean |
| der **Regen** | rain |
| der **Sitz, -e** | seat |
| der **Sturm, ¨-e** | storm |
| das **Abenteuer, -** | adventure |
| das **Elektroauto, -s** | electric car |
| das **Insekt, -en** | insect |
| das **Rad, ¨-er** | wheel, bicycle |
| das **Tempo, -s** | speed |
| →die **Kosten** (*pl.*) | cost, costs |
| die **Nachrichten** (*pl.*) | news |
| →**best-** | best |
| →**breit** | broad(ly), wide(ly) |
| **ökonomisch** | economic(al)(ly) |
| →**am** (= **an** + **dem**) (*prep.*) | at; on; in |
| →**immerhin** | at least, anyway |
| →**links** | to/on the left |
| →**rechts** | to/on the right |
| →**sondern** | but (rather, on the contrary) |

| Auf Reisen | On the Road |
|---|---|
| →**an·sehen, sieht ... an, angesehen** | to watch, look at, inspect |
| **auf·weisen, weist ... auf, aufgewiesen** | to exhibit, show |
| **ein·schlafen, schläft ... ein, ist eingeschlafen** | to fall asleep |
| **rennen, ist gerannt** | to run |
| →**rufen, gerufen** | to call, shout |
| →**unterscheiden, unterschieden** | to differentiate, distinguish |
| **versprechen, verspricht, versprochen** | to promise |
| die **Fläche, -n** | area, surface |
| die **Wanderung, -en** | hike |
| der **Handel** | trade, commerce, deal |
| der **Höhepunkt, -e** | highlight |
| →der **Ort, -e** | place, location, town |
| der **Pass, ¨-e** | passport |
| der **Wein, -e** | wine |
| das **Erlebnis, -se** | experience |
| das **Kreuz, -e** | cross |
| das **Ticket, -s** | ticket |
| **anschließend** | subsequent(ly), afterwards |
| **böse** | bad(ly), evil |
| **dicht** | dense(ly), thick(ly) |
| →**international** | international(ly) |
| →**knapp** | scarce(ly), just, barely |
| →**dagegen** | by contrast; against it |
| →**dort** | there |
| →**einer, eine, ein(e)s** (*pron.*) | one (person); one (thing) |

KAPITEL 8

# Essen und Einladen

## Themen

Mahlzeiten

Einkaufen und Kochen

Einladungen und Veranstaltungen

Das liebe Geld

## Kulturelles

Kunst: Georg Flegel (*Stillleben mit Obst und Krebsen*)

KLI: Brot

KLI: Österreich

Musikszene: „Meine Frau" (Amanda)

Videoecke: Essen

## Strukturen

1. Adjectives: An overview
2. Attributive adjectives in the nominative and accusative cases
3. Adjectives in the dative case
4. Word formation: Participles used as adjectives and adjectives used as nouns
5. Talking about the future: The present and future tenses
6. The genitive case

## Lektüren

Film: *Bella Martha* (Sandra Nettelbeck)

Sachtext: Stichwort Fabel

Fabel: Die gebratene Ameise (Paul Scheerbart)

After completing **Kapitel 8,** you will be able to . . .

- exchange information in conversations about food and cooking, invitations and cultural events, and money matters, forming sentences and series of connected sentences and asking a variety of follow-up questions
- state your viewpoint about topics related to food and cooking, invitations and cultural events, and money matters and give some reasons to support it, using sentences and series of connected sentences
- understand the main idea and key information in informational, descriptive, and narrative texts about food and culinary traditions, human weaknesses, and money matters, consisting of several paragraphs utilizing key vocabulary items
- understand the main idea and key information in popular songs and conversations related to food and cooking, relationships and invitations, and money matters
- write a story about food, cooking, human weaknesses, or money matters, using simple sentences and series of connected sentences
- compare products and practices in your area with those in German-speaking countries with respect to food, grocery shopping, cooking, going to restaurants and cultural events, and money matters

akg-images/The Image Works

Georg Flegel: *Stillleben mit Obst und Krebsen* (ca. 1630), Nationalgalerie, Warschau

| Miniwörterbuch | |
|---|---|
| der **Tod** | death |
| der **Sinn, -e** | sense, meaning |
| die **Frucht, ¨-e** | fruit |
| die **Lebensmittel** (*pl.*) | food, groceries |
| die **Maus, ¨-e** | mouse |
| der **Krebs, -e** | crab |
| die **Birne, -n** | pear |
| die **Blaubeere, -n** | blueberry |
| die **Erdbeere, -n** | strawberry |
| die **Johannisbeere, -n** | currant |
| die **Kirsche, -n** | cherry |
| die **Weintraube, -n** | grape |

## KUNST UND KUNSTSCHAFFENDE

Georg Flegel (1566–1638) war der erste und vielleicht wichtigste Stilllebenmaler in Deutschland. Er wurde in Olmütz in Mähren (heute Tschechische Republik) geboren, arbeitete dann im österreichischen Linz in der Werkstatt des niederländischen Malers Lucas von Valckenborch und zog mit ihm um 1592 nach Frankfurt am Main, wo Flegel bis zu seinem Tod als Maler arbeitete. Seine Bilder sind ein perfektes Abbild[1] der Gegenstände, aber im Sinne des Barock haben sie ein fast magisches Eigenleben[2]. Typisch für Flegels Werke ist, dass oft ein kleines Tier in Kontrast zu den leblosen Objekten des Stilllebens tritt.

Schauen Sie sich das Bild an und beantworten Sie die folgenden Fragen.

1. Was sehen Sie auf dem Bild? Identifizieren Sie die Gegenstände und Früchte.
2. Welche Farben und Linien dominieren im Bild? Wie sind die Lebensmittel verteilt?
3. Welches Tier tritt in Kontrast zu den Gegenständen? Was macht es?
4. Welche Assoziationen und Gefühle weckt das Bild in Ihnen?

[1]*reproduction, copy* [2]*life of their own*

# Situationen

## Mahlzeiten

HERR MOSER: Meistens esse ich ein gekochtes Ei, ein frisches Brötchen[1], Butter und Marmelade zum Frühstück. Außerdem brauche ich einen starken Kaffee. Am Wochenende esse ich auch Schinken[2] und Käse und trinke einen frisch gepressten Orangensaft[3]. Als ich ein Kind war, habe ich meistens heiße Milch mit Honig[4] getrunken, später auch grünen Tee.

Zu Mittag esse ich am liebsten einen gemischten Salat, gebratenes Fleisch oder gegrillten Fisch mit gekochten Kartoffeln mit viel Salz und Pfeffer. Meistens trinke ich eine Apfelschorle. Das ist eine Mischung aus Apfelsaft und Mineralwasser. Am Sonntag trinke ich vielleicht auch mal ein Glas Wein, am liebsten Rotwein.

Am Abend esse ich gern rustikal: Brot, Butter, Schinken, Käse. Gekochten Schinken esse ich gern mit Meerrettich[5]. Manchmal mache ich mir auch ein paar warme Würstchen. Die esse ich dann mit süßem Senf[6]. Emmentaler esse ich gern mit sauren Essiggurken[7]. Dazu trinke ich entweder ein Glas Milch oder Saft mit Mineralwasser.

**das Frühstück**

**das Abendessen**

[1]*roll* [2]*ham* [3]*orange juice* [4]*honey* [5]*horseradish* [6]*mustard* [7]*pickled cucumbers*

## Situation 1 Umfrage: Schmecken dir bittere Früchte?

MODELL: S1: Schmeckt dir eiskalte Limonade?
S2: Ja!
S1: Unterschreib bitte hier!

UNTERSCHRIFT

1. Schmecken dir bittere Früchte? ________________
2. Hast du beim Essen meistens gute Laune? ________________
3. Isst du gern frische Früchte? ________________
4. Isst du gern Wurst? ________________
5. Isst du zum Frühstück gerne ein Ei? ________________
6. Findest du flüssige Ernährung gut? ________________
7. Schmeckt dir französischer Käse? ________________
8. Kaufst du oft frische Lebensmittel? ________________
9. Isst du selten zu Hause? ________________
10. Hast du schon mal ein russisches Gericht gegessen? ________________

## Situation 2 Informationsspiel: Mahlzeiten und Getränke

MODELL: S1: Was isst Steve zum Frühstück?
S2: ______

| | Frau Gruber | Steve | Antonia |
|---|---|---|---|
| *zum Frühstück essen* | gekochte Eier | | |
| *zum Frühstück trinken* | schwarzen Kaffee | | Milch |
| *zu Mittag essen* | | kalte Pizza und Kartoffelchips | |
| *zu Abend essen* | | nichts, er will abnehmen | Brot mit Wurst und Käse |
| *nach dem Sport trinken* | | | Apfelsaft |
| *auf einem Fest trinken* | | deutsches Bier | |
| *essen, wenn er/sie groß ausgeht* | etwas Gesundes | | den schönsten Kinderteller |

## Situation 3 Ratespiel: Regionale Spezialitäten

Was glauben Sie? Wo isst oder trinkt man diese regionalen Spezialitäten? Es gibt viele richtige Antworten.

1. Wo trinkt man Berliner Weiße?
2. Wo isst man selbst gemachte Chäschüechli[1]?
3. Wo isst man gebratene[2] Eier und Speck[3]?
4. Wo isst man frisch gemachte Knödel[4]?
5. Wo isst man frischen Fisch aus der Nordsee?
6. Wo trinkt man frisch gepressten Orangensaft?
7. Wo isst man frische Semmeln[5]?
8. Wo trinkt man eiskalten Eistee?
9. Wo isst man Rote Grütze[6]?
10. Wo trinkt man sächsisches Schwarzbier?

**in Österreich** **in Berlin** **überall** **in Sachsen** **in Bayern** **in den USA** **in der Schweiz** **in Norddeutschland**

A_Lein/Getty Images
Österreichischer Apfelstrudel

## Situation 4 Interview: Die Mahlzeiten

1. Was isst du normalerweise zum Frühstück? Zu Mittag?
2. Isst du viel zu Abend? Was?
3. Was ist dein Lieblingsessen? Dein Lieblingsgetränk?
4. Trinkst du viel Kaffee? Energydrinks? Warum (nicht)?
5. Isst du zwischen den Mahlzeiten? Warum (nicht)?
6. Was isst du, wenn du mitten in der Nacht großen Hunger hast?
7. Was trinkst du, wenn du auf Feste gehst?
8. Was hast du heute Morgen gegessen und getrunken?
9. Was isst du heute zu Mittag?
10. Was isst du heute zu Abend?

[1]*cheese quiche or cheese tarts* [2]*fried* [3]*bacon* [4]*dumplings* [5]*rolls* [6]Rote … *red fruit jelly*

# KULTUR ... LANDESKUNDE ... INFORMATIONEN

## BROT

### Vor dem Lesen

- Essen Sie gern Brot?
- Welche Sorten essen Sie am liebsten?
- Gibt es Sorten, die Sie nicht mögen?
- Zu welchen Mahlzeiten essen Sie Brot?
- Haben Sie schon mal Brot gebacken? Was braucht man dazu?

Lesen Sie die Wörter im Miniwörterbuch. Suchen Sie sie in den Fragen und im Text und markieren Sie sie.

| Miniwörterbuch | |
|---|---|
| **backen, bäckt, gebacken** | to bake |
| das **Nahrungsmittel, -** | food, food product |
| das **Getreide** | grain |
| **verarbeiten, verarbeitet** | to process, work, convert |
| der **Stein, -e** | stone |
| **flach** | flat |
| **ausbreiten** | to spread |
| **aufheben, aufgehoben** | to set aside, save |
| die **Erfindung, -en** | invention |
| die **Hitze** | heat |
| das **Paar, -e** | pair, couple |
| **einziehen, ist eingezogen** | to move in |
| der **Wohlstand** | prosperity |
| **christlich** | Christian |
| **jüdisch** | Jewish |
| **teilen** | to divide, split, share |
| die **Geste, -n** | gesture, touch |

Das Brotsortiment einer deutschen Bäckerei



Was Deutschen und Österreicher*innen am meisten fehlt, wenn sie im Ausland wohnen, ist ihr Brot. Vor allem in Deutschland, aber auch in Österreich, gibt es sehr viele verschiedene Brotsorten. Das ist so etwas Besonderes, dass die Vertretung[1] der Bäcker*innen in Deutschland diese Brotkultur zum Weltkulturerbe[2] erklären will.

Die meisten Sorten in Deutschland sind Mischbrote aus Roggen- und Weizenmehl[3], die mit Sauerteig[4] gebacken werden. Es gibt für viele Regionen verschiedene Spezialitäten, z. B. Heidebrot, Holzofenbrot, Vollkornbrot oder Schwarzwälder.

Sauerteig ist in Deutschland sehr wichtig zum Brotbacken. Man stellt ihn aus Hefe[5] her, die man auch in anderen Ländern zum Backen verwendet.

Schon vor vielen tausend Jahren hat man Getreide gemahlen und zu Brei[6] verarbeitet. Dann hat man etwas Brei oder Teig auf einem heißen Stein flach ausgebreitet und gebacken. So konnte man das Nahrungsmittel leichter aufheben und transportieren. Aber erst die Erfindung des Backofens hat Brot, so wie wir es heute kennen, möglich gemacht. Im Backofen kann man ein rundes Brot backen, weil der Teig von allen Seiten Hitze bekommt.

Aber Brot ist nicht nur ein Grundnahrungsmittel, es hat auch eine symbolische Bedeutung in nationalen Bräuchen[7] und religiösen Traditionen. So schenkt man einem Hochzeitspaar oder auch jemandem, der in eine neue Wohnung einzieht, Brot und Salz. Das soll Glück und Wohlstand bringen. In der christlichen Tradition ist das Brot sehr wichtig, weil Jesus beim letzten Abendmahl[8] sein Brot mit den Jüngern[9] geteilt hat. Auch in anderen Religionen, wie z. B. der jüdischen, ist das Teilen des Brotes eine wichtige Geste, die Gastfreundschaft[10] signalisiert.

Heute gibt es in Deutschland und Österreich natürlich nicht nur die traditionellen Brotsorten. Baguettes und Croissants aus Frankreich, italienisches Weißbrot und türkisches Fladenbrot sind beliebt und überall zu haben.

### Arbeit mit dem Text

Brot ist ein sehr wichtiges Nahrungsmittel. Lesen Sie den Text und suchen Sie Antworten auf die folgenden Fragen.

1. Was vermissen viele Deutsche und Österreicher*innen, wenn sie im Ausland leben?
2. Wer will die deutsche Brotkultur zum Weltkulturerbe erklären?
3. Womit stellt man Sauerteig her?
4. Welche Erfindung war sehr wichtig für das deutsche Brot?
5. Was schenkt man jemandem, der in eine neue Wohnung zieht?
6. Welche Geste signalisiert Gastfreundschaft?
7. Was braucht man, um Mischbrote aus Roggen- und Weizenmehl zu backen?
8. Nennen Sie drei weitere Brotsorten, die in Deutschland und Österreich beliebt sind.

[1]here: *representatives* [2]*world cultural heritage* [3]Roggen- ... *rye and wheat flour* [4]*sourdough* [5]*yeast, starter* [6]*mush* [7]*customs* [8]letzten ... *Last Supper* [9]*disciples* [10]*hospitality*

# Strukturen

## 1. Adjectives: An overview

Attributive adjectives precede nouns and have endings. Predicate adjectives follow the verb **sein** and a few other verbs and have no endings.

A. Attributive and Predicate Adjectives

Adjectives that precede nouns are called *attributive adjectives* and have endings similar to the forms of the definite article: **kalter, kaltes, kalte, kalten, kaltem.** Adjectives that follow the verb **sein** and a few other verbs are called *predicate adjectives* and do not have any endings.

| | | | |
|---|---|---|---|
| VERKÄUFER: | **Heiße** Würstchen! Ich verkaufe **heiße** Würstchen! | VENDOR: | *Hot dogs! I'm selling hot dogs!* |
| KUNDE: | Verzeihung, sind die Würstchen auch wirklich **heiß?** | CUSTOMER: | *Excuse me, are the hot dogs really hot?* |
| VERKÄUFER: | Natürlich, was denken Sie denn?! | VENDOR: | *Of course, what do you think?!* |

B. Attributive Adjectives with and without Preceding Article

If *no* article or article-like word (**mein, dein, dieser,** or the like) precedes the adjective, then the adjective itself has the ending of the definite article **(der, das, die).** This means that the adjective provides the information about the gender, number, and case of the noun that follows.

Ich esse gern gegrill**ten** Fisch. — **den** Fisch = masculine accusative
*I like to eat grilled fish.*

Steve isst gern frisch**es** Müsli. — **das** Müsli = neuter accusative
*Steve likes to eat fresh cereal.*

If an article or article-like word precedes the adjective but does not have an ending, the adjective—again—has the ending of the definite article. **Ein**-words (the indefinite article **ein,** the negative article **kein,** and the possessive determiners **mein, dein,** etc.) do *not* have an ending in the masculine nominative and in the neuter nominative and accusative. In these instances, the adjective again provides the information about the gender, number, and case of the noun that follows.

Ein groß**er** Topf steht auf dem Herd. — **der** Topf = masculine nominative
*There is a large pot on the stove.*

Ich esse ein gekocht**es** Ei. — **das** Ei = neuter accusative
*I am eating a boiled egg.*

If an article or article-like word with an ending precedes the adjective, the adjective ends in either **-e** or **-en.** This will be covered in **Strukturen 2** and **3** in this chapter.

Ich nehme das mexikanisch**e** Bier. — *I'll take the Mexican beer.*
Ich nehme die deutsch**en** Äpfel. — *I'll take the German apples.*

## 2. Attributive adjectives in the nominative and accusative cases

As described in **Strukturen 1** on the preceding page, adjective endings vary according to the gender, number, and case of the noun they describe and according to whether this information is already indicated by an article or article-like word. In essence, however, there are only a very limited number of possibilities. Study the following chart carefully and try to come up with some easy rules of thumb that will help you remember the adjective endings.

| | Masculine | Neuter | Feminine | Plural |
|---|---|---|---|---|
| *Nominative* | der kalt**e** Tee | das kalt**e** Bier | die kalt**e** Milch | die kalt**en** Getränke |
| | ein kalt**er** Tee | ein kalt**es** Bier | eine kalt**e** Milch | |
| | kalt**er** Tee | kalt**es** Bier | kalt**e** Milch | kalt**e** Getränke |
| *Accusative* | den kalt**en** Tee | das kalt**e** Bier | die kalt**e** Milch | die kalt**en** Getränke |
| | einen kalt**en** Tee | ein kalt**es** Bier | eine kalt**e** Milch | |
| | kalt**en** Tee | kalt**es** Bier | kalt**e** Milch | kalt**e** Getränke |

Rules of thumb for adjective endings:

1. In many instances, the adjective ending is the same as the ending of the definite article.
2. *But:* after **der** (nominative masculine) and **das,** the adjective ending is **-e.***
3. *But:* after **die** (plural), the adjective ending is **-en.**

Nouns that come from adjectives take the same endings as those adjectives.

| | |
|---|---|
| deutsch | *German* (adjective) |
| der Deutsch**e** | *the German (man)* |
| die Deutsch**e** | *the German (woman)* |
| Deutsch**e** | *Germans* |
| die Deutsch**en** | *the Germans* |
| Ich kenne einen Deutsch**en.** | *I know a German (man).* |
| Kennst du diese Deutsch**e?** | *Do you know this German (woman)?* |

### Übung A. Spezialitäten!

Jedes Land hat eine Spezialität: ein Gericht oder ein Getränk, das aus diesem Land einfach am besten schmeckt. An welche Länder denken Sie bei den folgenden Gerichten oder Getränken?

**amerikanisch** **dänisch** **deutsch** **englisch** **französisch** **griechisch** **holländisch** **italienisch** **japanisch** **kolumbianisch** **neuseeländisch** **norwegisch** **polnisch** **russisch** **ungarisch**

MODELL: Salami → Italienische Salami!

1. Steak (*n.*)
2. Kaviar (*m.*)
3. Oliven (*pl.*)
4. Sushi (*n.*)
5. Champagner (*m.*)
6. Wurst (*f.*)
7. Käse (*m.*)
8. Spaghetti (*pl.*)
9. Paprika (*m.*)
10. Marmelade (*f.*)
11. Kaffee (*m.*)
12. Kiwis (*pl.*)

*Remember this rule as "**der** (nominative masculine)" because, as you will learn in **Strukturen 3,** when **der** refers to the dative feminine, the adjective ending is **-en.**

## Übung B. Der Gourmet

Michael isst und trinkt nicht alles, sondern nur das, was er für fein hält. Übernehmen Sie Michaels Rolle.

MODELL: Kognak (*m.*) / französisch →
Ich trinke nur französischen Kognak!

1. Brot (*n.*) / deutsch
2. Kaviar (*m.*) / russisch
3. Salami (*f.*) / italienisch
4. Kaffee (*m.*) / kolumbianisch
5. Kiwis (*pl.*) / neuseeländisch
6. Wein (*m.*) / französisch
7. Bier (*n.*) / belgisch
8. Muscheln (*pl.*) / spanisch
9. Marmelade (*f.*) / englisch
10. Thunfisch (*m.*) / japanisch

Iakov Filimonov/123RF
Norwegischer Hering mit Äpfeln und Zwiebeln

## Übung C. Im Geschäft

Michael hat kein Geld, aber er möchte alles kaufen. Maria muss ihn immer bremsen[1].

MODELL: der schicke Anzug / teuer →
MICHAEL: Ich möchte den schicken Anzug da.
MARIA: Nein, der schicke Anzug ist zu teuer.

1. der graue Wintermantel / warm
2. die gelbe Hose / bunt
3. das schicke[2] Hemd / teuer
4. die rote Jacke / schwer
5. der weiße Schlafanzug[3] / dünn
6. die grünen Schuhe / groß
7. der elegante Hut / klein
8. die schwarzen Winterstiefel / leicht
9. die elegante Sonnenbrille / bunt
10. die blauen Tennisschuhe / teuer

## Übung D. Minidialoge

Ergänzen Sie die Adjektivendungen.

1. HERR RUF: Na, wie ist denn Ihr neu________[a] Auto?
   FRAU WAGNER: Ach, der alt________[b] Mercedes war mir lieber.
   HERR RUF: Dann hätte ich mir aber keinen neu________[c] Wagen gekauft!
2. KELLNER: Wie schmeckt Ihnen denn der italienisch________[a] Wein?
   MICHAEL: Sehr gut. Ich bestelle gleich noch eine weiter________[b] Flasche.
3. MICHAEL: Heute repariere ich mein kaputt________[a] Fahrrad.
   MARIA: Prima! Dann kannst du meinen alt________[b] Computer auch reparieren. Er ist schon wieder kaputt.
   MICHAEL: Na gut, aber dann habe ich wieder kein frei________[c] Wochenende.

[1]*to apply the brakes, stop* [2]*chic* [3]*pajamas*

# Situationen

## Einkaufen und Kochen

JOCHEN: Ich koche aus Leidenschaft. Wir essen nur ab und zu Fleischgerichte, und sehr selten Wurst oder Leberkäse. Stattdessen serviere ich der Familie oft Fisch, am liebsten Lachs oder Fischfilets. Ich habe ein chinesisches Fischrezept im Internet gefunden. Das Gericht ist ziemlich scharf, aber wir essen gern scharf.

das Fleisch und der Fisch

AYDAN: Am liebsten koche ich mit frischem Gemüse, vor allem mit roten, gelben und mit grünen Paprika. Mit reifen Tomaten koche ich auch sehr gerne. Blumenkohl und Rosenkohl mag ich weniger. Aber auch Gurken schmecken mir. Ich esse gerne eine kalte Suppe mit frischen Gurken und Olivenöl. Mein Gemüse bekomme ich direkt von Bauern in der Region.

das Gemüse

RICHARD: Ich mag Obst. Am liebsten esse ich Erdbeeren, klein geschnitten auf einem Butterbrot und mit etwas Zucker. Aber ich mag auch gerne einen Obstsalat mit reifen Bananen und Äpfeln. Ananas mag ich weniger gern. Die sind mir zu sauer. Obst und Gemüse kaufe ich auf dem Wochenmarkt, andere Lebensmittel im Supermarkt.

das Obst

## Situation 5 Umfrage: Einkaufen und Kochen

MODELL: S1: Kochst du gern mit frischem Gemüse?
S2: Ja!
S1: Unterschreib bitte hier.

| | UNTERSCHRIFT |
|---|---|
| 1. Kochst du gern mit frischem Gemüse? | ______________ |
| 2. Kaufst du Obst gern aus deiner Region? | ______________ |
| 3. Trinkst du deinen Kaffee gern mit frischer Milch? | ______________ |
| 4. Genießt du es, allein zu essen? | ______________ |
| 5. Isst du gern scharf? | ______________ |
| 6. Genügt dir ein Stück Zucker im Tee oder Kaffee? | ______________ |
| 7. Probierst du gern mal etwas Neues? | ______________ |
| 8. Bewunderst du Menschen, die gut kochen können? | ______________ |
| 9. Isst du gern leichte Gerichte? | ______________ |
| 10. Kochst du aus Leidenschaft? | ______________ |

Deutsche Bioeier: Bioprodukte werden immer beliebter.

## Situation 6 Informationsspiel: Präferenzen

MODELL: Womit kocht Emma gern?
Was für Saft[1] trinkt Benjamin gern?
Wie serviert Hannah Essen gern?
Wem ist Emma schon mal begegnet?
Wem hat Benjamin schon mal einen Kuchen gebacken?
Wem oder was vertraut Hannah (nicht)?

| | Emma | Benjamin | Hannah |
|---|---|---|---|
| *kocht gern ...* | mit neuen Kartoffeln | | mit chinesischen Pilzen |
| *trinkt gern Saft ...* | | aus reifen Früchten | |
| *serviert Essen gern ...* | auf eleganten Tellern | | mit angenehmen Gerüchen |
| *ist schon mal ... begegnet* | | einer berühmten Köchin | |
| *hat schon mal ... einen Kuchen gebacken* | einer alten Frau | | einem kleinen Kind |
| *vertraut ...* | | keinen billigen Internetprogrammen | |

[1] *juice*

## Situation 7 Interview: Einkaufen und Kochen

1. Kaufst du jeden Tag ein? Wenn nicht, wie oft in der Woche? An welchen Tagen? Wo kaufst du deine Lebensmittel?
2. Welche Gerichte magst du gern? Magst du eher süße oder eher scharfe Gerichte?
3. Ist eine gesunde Ernährung für dich wichtig? Wie sorgst du für eine gesunde Ernährung?
4. Kannst du kochen? Wenn ja: Kochst du oft? Was kochst du am liebsten? Hast du ein spezielles Rezept? Was braucht man dafür?

# Filmlektüre

## *Bella Martha*

Bavaria Film/AF Archive/Alamy

Szene aus dem Film *Bella Martha*

FILMANGABEN

**Titel:** *Bella Martha*
**Genre:** Komödie/Drama
**Erscheinungsjahr:** 2001
**Land:** Deutschland
**Dauer:** 109 min
**Regisseurin:** Sandra Nettelbeck
**Hauptrollen:** Martina Gedeck, Maxime Foerste, Sergio Castellitto

| Miniwörterbuch | |
|---|---|
| die **Leidenschaft, -en** | passion |
| **vornehm** | noble, elegant |
| **ertragen, erträgt, ertragen** | to tolerate |
| **herausfinden, herausgefunden** | to discover, find out |
| **einstellen** | to hire, employ |
| das **Rezept, -e** | recipe |
| **ernst** | serious(ly) |
| **bewundern** | to admire |
| das **Verhältnis, -se** | relationship |
| **sich verlieben** | to fall in love |
| **letztendlich** | in the end, eventually |
| **kündigen** | to give notice, quit |

### Vor dem Lesen

**A.** Sehen Sie sich das Foto an und beantworten Sie die folgenden Fragen.

1. Wo sind die Personen?
2. Was sind sie von Beruf? Was machen sie? Wie ist ihre Arbeit?
3. Wer, glauben Sie, ist das kleine Mädchen?

**B.** Lesen Sie die Wörter im Miniwörterbuch. Suchen Sie sie in der Inhaltsangabe und markieren Sie sie.

## Inhaltsangabe

Martha Klein (Martina Gedeck) ist eine alleinstehende[1] Frau, die nur eine Leidenschaft hat: Kochen. Als Chefköchin eines vornehmen Restaurants hat sie nichts anderes im Sinn und für niemanden Zeit. Sie ist Perfektionistin und kann es nicht ertragen, nicht die Beste zu sein. Als ihre Schwester bei einem Autounfall stirbt, nimmt Martha ihre achtjährige Nichte Lina (Maxime Foerste) bei sich auf. Über den Vater von Lina weiß sie nur, dass er Italiener ist und Giuseppe heißt. Um Lina zu helfen, verspricht Martha herauszufinden, wo ihr Vater lebt. Martha versucht, für Lina da zu sein, doch die Umstellung[2] ist für beide sehr schwer. Die dickköpfige[3] Lina vermisst ihre Mutter sehr, mag die Schule nicht und isst nur wenig.

Während Martha versucht, mit dieser neuen Situation zurechtzukommen[4], stellt das Restaurant den charmanten Mario (Sergio Castellitto) als Koch ein. Mario, ein bisschen exzentrisch und ganz anders als Martha, hat ein besonderes Rezept für sein Leben: Er nimmt das Leben nicht so ernst. Mario bewundert die Kochkünste von Martha, doch Martha ist sehr argwöhnisch[5] und mag Mario zuerst nicht. Mario aber versteht sich gut mit Lina, und schafft es, dass sie wieder anfängt zu essen. Dadurch wird das Verhältnis zwischen Mario und Martha langsam besser und sie verlieben sich.

Letztendlich findet Martha Linas Vater, der ein LKW-Fahrer aus Italien ist, und Lina zieht mit ihrem Vater nach Italien. Auch Martha wartet nicht mehr lange. Sie kündigt im Restaurant, fährt nach Italien, eröffnet dort ein Restaurant und heiratet Mario.

### Arbeit mit dem Text

Beantworten Sie die folgenden Fragen.

1. Beschreiben Sie Martha. Wie ist sie? Was macht sie von Beruf? Was macht sie gern?
2. Wie stirbt ihre Schwester?
3. Wer ist der Vater von ihrer Nichte? Woher kommt er? Was ist er von Beruf?
4. Wie ist die Beziehung zwischen Martha und Mario am Anfang?
5. Wie endet der Film?

### Nach dem Lesen

Was ist Ihre Leidenschaft im Leben? Was machen Sie gern?

[1]*single* [2]*adjustment* [3]*headstrong* [4]*to cope, manage* [5]*suspicious*

# Lektüre

Der Wolf und der Fuchs im Brunnen

Universal History Archive/Getty Images

## Vor dem Lesen 1

**A.** Kennen Sie Fabeln? Welche Tiere kommen in den Fabeln vor, die Sie kennen? Was symbolisieren sie?

**B.** Lesen Sie die Wörter im Miniwörterbuch. Suchen Sie sie im Text „Stichwort Fabel" und in den Fragen und markieren Sie sie.

**LESEHILFE**

A fable is a very short story that usually deals with animals. The animals have human characteristics and represent types or characters. At the end of the fable is a moral or message, often containing a criticism of society or of human weaknesses such as lust, greed, vanity, or stupidity.

**Miniwörterbuch**

| | |
|---|---|
| das **Stichwort, -e** | cue, keyword |
| der **Dichter, -** / die **Dichterin, -nen** | poet |
| das **Kloster, ̈-** | monastery |
| das **Mittelalter** | Middle Ages |
| die **Aufklärung** | Enlightenment |
| der **Frosch, ̈-e** | frog |
| der **Rat** | advice |
| **binden, band, gebunden** | to bind, tie |
| **indem** | as, while |
| **hinunter** | down, under |
| **sich wehren** | to defend oneself |
| **kämpfen** | to fight |
| **fangen, fängt, fing, gefangen** | to catch |
| **fressen, frisst, fraß, gefressen** | to eat |
| **vorsichtig** | cautious |
| **sich einlassen, lässt ein, eingelassen** | to engage, get involved with |
| **trauen** | to trust |
| die **Eigenschaft, -en** | characteristic, trait, attribute |

## Stichwort Fabel

Die Idee der Fabel, die die Menschen belehrt[1], ist schon sehr alt. Von dem griechischen Dichter Äsop, der ungefähr 600 Jahre vor Christus gelebt hat, wird berichtet, dass er den einfachen Leuten Fabeln erzählt hat. Äsop soll ein Sklave[2] gewesen sein.

In Europa werden die Fabeln der Antiken Welt[3] in den Klosterschulen des Mittelalters gelesen und dann im 17. und 18. Jahrhundert vor allem in Frankreich und Deutschland wiederentdeckt. Berühmte Fabeln aus der Epoche der Aufklärung gibt es z. B. von Jean de La Fontaine (1621–1695) und Gotthold Ephraim Lessing (1729–1781). Aber auch der deutsche Theologe und Reformator Martin Luther (1483–1546) hat Fabeln geschrieben.

**Von der Maus und dem Frosch**

Eine Maus wollte gerne über ein Wasser kommen und konnte doch nicht, da bat sie einen Frosch um Rat. Der Frosch war gemein[4] und sagte: »Binde deinen Fuß an meinen, so will ich schwimmen und dich hinüberziehen[5].«

Indem sie aber auf das Wasser kamen, tauchte der Frosch hinunter und wollte die Maus ertränken[6]. Aber die Maus wehrte sich und kämpfte. Da kam eine Weihe[7] und fing die Maus, zog den Frosch auch mit heraus[8] und fraß sie alle beide.

**LUTHERS LEHRE**: Sei vorsichtig, mit wem du dich einlässt. Die Welt ist falsch und man kann niemandem trauen. (Adaptiert nach Martin Luther)

## Arbeit mit dem Text 1

Beantworten Sie die folgenden Fragen.

1. Was kann die Maus nicht?
2. Was bietet der Frosch der Maus an?
3. Was macht der Frosch, um die Maus zu töten?
4. Wer frisst am Ende beide auf?
5. Um welche schlechten Eigenschaften geht es in dieser Fabel?

[1]*to instruct, teach* [2]*slave* [3]Antiken… *antiquity* [4]*mean* [5]*to pull across* [6]*to drown* [7]*harrier eagle* [8]zog heraus *pulled out*

LESEHILFE

This next short text is a more modern fable by the German author of fantasy and science fiction Paul Scheerbart (1853–1915). The small insects that are depicted in this text symbolize characteristics that are usually considered mostly positive. Ants live in highly organized societies, working collectively to support the colony. Most are workers or "soldiers", some are drones, and very few are queens. The parallels to human society, especially with respect to division of labor, communication, and problem solving, make ants ideal protagonists for fables.

**Miniwörterbuch**

| | |
|---|---|
| die **Ameise, -n** | ant |
| **herrschen** | to reign, dominate |
| der **Geist, -er** | spirit, mind |
| **übergehen** | to cross, pass over |
| **außerordentlich** | extraordinary |
| die **Ehre** | honor |
| **ehren** | to honor |
| **gestehen, gestand, gestanden** | to confess |
| **bloß** | only |
| die **Kritik** | criticism, critique |
| die **Gesellschaft** | society |

McGraw-Hill/Patrick Girouard

## Vor dem Lesen 2

**A.** Beantworten Sie die folgenden Fragen.

1. Welche Eigenschaften verbinden Sie mit Ameisen?
2. Gibt es unterschiedliche Eigenschaften für Ameisen in unterschiedlichen Kulturen?

**B.** Suchen Sie die Wörter des Miniwörterbuchs im Text und in den darauf folgenden Aktivitäten und markieren Sie sie.

# Die gebratene Ameise

von Paul Scheerbart

Bei den fleißigen[1] Ameisen herrscht eine sonderbare[2] Sitte[3]: Die Ameise, die in acht Tagen am meisten gearbeitet hat, wird am neunten Tage feierlich[4] gebraten[5] und von den Ameisen ihres Stammes[6] gemeinschaftlich[7] verspeist[8].

Die Ameisen glauben, dass durch dieses Gericht der Arbeitsgeist der Fleißigsten auf die Essenden[9] übergehe.

Und es ist für eine Ameise eine ganz außerordentliche Ehre, feierlich am neunten Tage gebraten und verspeist zu werden. Aber trotzdem ist es einmal vorgekommen, dass eine der fleißigsten Ameisen kurz vor dem Gebratenwerden noch folgende kleine Rede hielt:

»Meine lieben Brüder und Schwestern! Es ist mir ja ungemein[10] angenehm, dass ihr mich so ehren wollt! Ich muss euch aber gestehen, dass es mir noch angenehmer sein würde[11], wenn ich nicht die Fleißigste gewesen wäre[12]. Man lebt doch nicht bloß, um sich totzuschuften[13]!«

»Wozu denn?[14]«, schrien die Ameisen ihres Stammes – und sie schmissen[15] die große Rednerin schnell in die Bratpfanne[16] – sonst hätte[17] dieses dumme Tier noch mehr geredet.

*Paul Scheerbart, „Die gebratene Ameise", 1902*

## Arbeit mit dem Text 2

**A.** Die folgenden Sätze fassen den Inhalt der Fabel zusammen. Vervollständigen Sie sie.

Nach _______ [a] Tagen wählen die Ameisen die fleißigste Ameise ihres Stammes aus und braten sie. Dann essen sie sie am neunten Tag auf, damit sie auch so _______ [b] werden. Einmal ist es passiert, dass so eine sehr fleißige _______ [c] eine kleine Rede hielt, weil sie nicht verspeist werden wollte. Die anderen Ameisen schmissen sie trotzdem in die _______ [d].

**B.** Welche typische Eigenschaft der Ameisen dominiert in dieser Fabel? Kreuzen Sie an und markieren Sie im Text alle Wörter, die damit zu tun haben.

☐ Gehorsamkeit ☐ Disziplin ☐ Fleiß ☐ Kooperation

**C.** In Fabeln geht es oft um Kritik an der Gesellschaft oder an den schlechten Eigenschaften der Menschen. Die große Ehre für die fleißigste Ameise ist es zu sterben. Was will der Autor mit dieser Fabel sagen?

## Nach dem Lesen

Schreiben Sie Ihre eigene Fabel. Wählen Sie 1 oder 2.

1. Nehmen Sie einen ähnlichen Titel, z. B., „Der gebratene Hamster" oder „Der gebratene Tiger", und schreiben Sie die Geschichte noch einmal. Sie können sie auch ein bisschen verändern.
2. Schreiben Sie eine andere Fabel auf, die Sie kennen oder die Sie erfinden möchten.

[1]*industrious, hardworking* [2]*peculiar, strange* [3]*custom* [4]*solemnly* [5]*roasted* [6]*tribe* [7]*collectively* [8]*eaten* [9]*eaters* [10]*exceedingly* [11]*would* [12]gewesen ... *had been* [13]sich ... *to work oneself to death* [14]Wozu ... *Why else?* [15]*flung* [16]*frying pan* [17]*would have*

# Strukturen

## 3. Adjectives in the dative case

In the dative case, nouns are usually preceded by an article **(dem, der, den; einem, einer)** or an article-like word **(diesem, dieser, diesen; meinem, meiner, meinen).** When adjectives occur before such nouns they end in **-en.***

| | |
|---|---|
| Hannah geht mit ihr**em** neu**en** Freund spazieren. | *Hannah is going for a walk with her new friend.* |
| Max gießt sein**er** krank**en** Tante die Blumen. | *Max is watering the flowers for his sick aunt.* |
| Ich spreche nicht mehr mit dies**en** unhöflich**en** Menschen. | *I'm not talking with these impolite people any more.* |

| | Masculine | Neuter | Feminine | Plural |
|---|---|---|---|---|
| *Dative* | dies**em** lieb**en** Vater | dies**em** lieb**en** Kind | dies**er** lieb**en** Mutter | dies**en** lieb**en** Eltern |
| | mein**em** lieb**en** Vater | mein**em** lieb**en** Kind | mein**er** lieb**en** Mutter | mein**en** lieb**en** Eltern |

### Übung E. Was machen diese Leute?

**ACHTUNG!**

All nouns have an **-n** in the dative plural unless their plural ends in **-s.**

*Nominative:* die Freunde

*Dative:* den Freunde**n**, *but:* den Hobbys

Schreiben Sie Sätze.

MODELL: Max / seine alte Tante / einen Brief schreiben →
Max schreibt sein**er** alt**en** Tante einen Brief.

1. Sarah / ihr neuer Freund / ein Rezept geben
2. Phan / ihre beste Freundin / ein Buch schenken
3. Max / sein wütender Lehrer / einen Hut kaufen
4. Yusuf / der kleine Bruder von Hannah / einen Witz erzählen
5. Herr Ruf / die netten Leute von nebenan / Kaffee kochen
6. Elif / das süße Baby von nebenan / einen Kuss geben
7. Phillip / seine große Schwester / eine Ratte verkaufen
8. Hannah / die Ratte / nur ihre besten Freundinnen / zeigen

*Unpreceded adjectives in the dative case follow the same pattern as in the nominative and accusative case, that is, they have the ending of the definite article. For example, **mit frischem Obst** (*with fresh fruit*), **mit kalter Milch** (*with cold milk*).

## 4. Word formation: Participles used as adjectives and adjectives used as nouns

A. Adjectives used as nouns

When adjectives are used as nouns, they take adjective endings: **der** Alt**e** (*the old man*), **die** Alt**e** (*the old woman*), **das** Alt**e** (*the old [structure, process, etc.]*), **die** Alt**en** (*the old people*). Note that adjectives used as nouns are capitalized.

| | |
|---|---|
| Plötzlich kommt **ein** Fremd**er** in mein Zimmer. | *All of a sudden, an unknown man comes into my room.* |
| **Die** Krank**e** muss sofort ins Krankenhaus. | *The sick woman needs to be taken to the hospital immediately.* |
| Viele Menschen haben Angst vor **dem** Unbekannt**en**. | *Many people are afraid of the unknown.* |
| **Die** Groß**en** und **die** Klein**en** sitzen alle an einem Tisch. | *The big ones and the little ones are all sitting at one table.* |

**etwas, nichts, viel, wenig:** noun takes **-es**

**alles:** noun takes **-e**

Use the ending **-es** on adjectival nouns following **etwas**, **nichts**, **viel**, and **wenig**: **etwas** Ähnlich**es** (*something similar*), **nichts** Interessant**es** (*nothing interesting*), **viel** Gut**es** (*a lot of good*), **wenig** Neu**es** (*little new stuff*). Use the ending **-e** on nouns with **alles**: **alles** Gut**e** (*everything good; good luck!*)

| | |
|---|---|
| Mir ist gestern **etwas** Komisch**es** passiert. | *Something funny happened to me yesterday.* |
| Ich habe **nichts** Besonder**es** gemacht. | *I didn't do anything special.* |
| Jan hat **viel** Falsch**es** gesagt. | *Jan said a lot of things that were false.* |
| Es gab **wenig** Gesund**es** zu essen. | *There was little to eat that was healthy.* |
| Hilal hat **alles** Möglich**e** getan. | *Hilal did everything possible.* |

**WISSEN SIE NOCH?**

You have already learned how to form past participles. Weak verbs have **ge-** + verb stem + **-(e)t.** Strong verbs have **ge-** + verb stem + **-en.** Separable-prefix verbs insert the **-ge-** after the prefix, and inseparable verbs have no **ge-** at all.

Review **Strukturen 2** and **Strukturen 5** in **Kapitel 4.**

present participle = infinitive + **-d**

**alles:** noun takes **-e**

B. Participles used as adjectives or nouns

There are two types of participles: past participles and present participles. You already know how to form past participles. Present participles are formed by adding **-d** to the infinitive: **folgen** → **folgend** (*to follow* → *following*), **fehlen** → **fehlend** (*to miss* → *missing*). Note that in English, present participles are formed with *-ing*.

When participles are used as adjectives or nouns, they also take adjective endings: **die** gebraten**e** Ameise (*the roasted ant*), **der** Gesucht**e** (*the wanted man*).

| | |
|---|---|
| **Schlafende** Hunde soll man nicht wecken. | *Don't wake sleeping dogs. (i.e., Let sleeping dogs lie.)* |
| Die **Reisenden** sind im Hotel angekommen. | *The travelers arrived at the hotel.* |
| **Geteiltes** Leid ist halbes Leid. | *A sorrow shared is a sorrow halved.* |
| Der **Gefangene** sitzt jetzt im Gefängnis. | *The captive is now in prison.* |

## Übung F. Minidialoge

Ergänzen Sie die Dialoge. Verwenden Sie die Wörter im Kasten. Achten Sie auf die Adjektivendungen.

| | | |
|---|---|---|
| **gebrauchte** | **gespartes** | |
| **gebrauchtes** | **Auszubildenden** | |
| **Tolles** | **gesparte** | |
| **Tolle** | **Auszubildende** | |
| **Süßes** | **Süße** | |
| **Studierenden** | **Bekannten** | |
| **Studierende** | **getretenen** | |
| **getretene** | **Bekannte** | |
| **Blonder** | **Bekannter** | |
| **Süßer** | **Blonden** | |

1. JOHANNES: Die ________ der Universität Berkeley sind politisch viel aktiver als die von Göttingen.
   PHAN: Ach, wirklich?
2. VERONIKA: Kobe, du bist mein ________.
   KOBE: Veronika, und du bist meine Süße.
3. ANTONIA: Du, Elif, ich muss dir etwas ganz ________ erzählen.
   ELIF: Na, da bin ich aber neugierig.
4. MIGUEL: Und, hast du jetzt ein neues Fahrrad?
   STEVE: Ja, ich habe das ________ Fahrrad gekauft.
5. HEIDI: Du, Shannon, hast du schon gehört? Noah hat sein ganzes ________ Geld verloren.
   SHANNON: Ja, er tut mir ja so leid.
6. PHILLIP: Ich geh mal schnell in den Supermarkt. Ich muss mir etwas ________ kaufen.
   HANNAH: Alles klar. Bring mir auch etwas mit.
7. FRAU GRUBER: Herr Pusch, treten Sie den Hund nicht! ________ Hunde sind gefährlich.
   MICHAEL: Keine Sorge, Frau Gruber, so etwas mache ich doch nicht.
8. JULIA: Claire, wir haben morgen ein Fest. Hast du Lust zu kommen?
   CLAIRE: Ja, gerne. Kann ich eine ________ mitbringen?
9. KAYLA: Du, Meili, kennst du den ________ da drüben?
   MEILI: Meinst du den Blonden mit dem Hut?
   KAYLA: Ja, genau, den mein ich. Kennst du ihn?
10. PEDRO: Heidi, im Kurs haben wir doch über Azubis gesprochen. Was sind die noch mal?
    HEIDI: Das sind die ________.

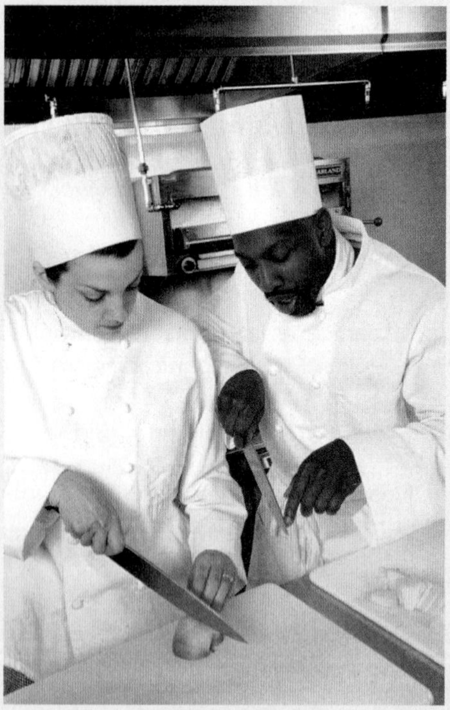

Eine Auszubildende im Restaurant

# Situationen

## Einladungen und Veranstaltungen

a. —FRAU GRUBER: Ist hier noch frei?
—FRAU AM TISCH: Ja, bitte schön.

b. LEON: Diese Form ist sehr abstrakt. Hast du eine Vorstellung, was sie darstellen soll?

c. Im Theater herrscht eine sehr gute Stimmung. Das Publikum ist begeistert.

d. MARIA: Heute Abend kommt ein interessanter Bericht im Fernsehen. Den sollten wir uns ansehen.

e. MIGUEL: An der Veranstaltung im Museum werde ich mich wahrscheinlich nicht beteiligen können.

f. —HERR MOSER: Darf ich Sie noch zu einem Kaffee einladen?
—FRAU KÖRNER: Das ist nett, aber leider muss ich jetzt gehen.

## Situation 8 Was sagen Sie?

Wählen Sie für jede Situation eine passende Aussage.

1. Sie sitzen an einem Tisch im Restaurant. Sie haben Hunger, aber noch keine Speisekarte[1]. Sie sehen die Kellnerin und sagen: _______
2. Sie haben mit Ihren Freunden im Restaurant gegessen. Sie möchten zahlen. Sie rufen die Kellnerin und sagen: _______
3. Ihr Essen und Trinken hat 18 Euro 80 gekostet. Sie haben der Kellnerin einen Zwanzig-Euroschein gegeben. 1 Euro und 20 Cent sind Trinkgeld[2]. Sie sagen: _______
4. Sie essen mit Ihren Eltern in einem feinen Restaurant. Da stellen Sie fest, dass eine Fliege in der Suppe schwimmt. Sie rufen den Kellner und sagen: _______
5. Sie haben einen Sauerbraten[3] bestellt. Die Kellnerin bringt Ihnen einen Schweinebraten[4]. Sie sagen: _______

**Nein, danke.** **Ja, bitte sehr.** **Die Rechnung, bitte!**
**Das kann nicht stimmen. Ich habe doch einen Sauerbraten bestellt.**
**Morgen fliege ich in die USA.** **Leider habe ich kein Geld.**
**Herr Kellner, bitte, sehen Sie sich das mal an.** **Das stimmt so.**
**Die Speisekarte, bitte.** **Ich liebe Schweinebraten.**

## Situation 9 Vorhersagen

MODELL: S1: Die Stimmung im Theater ist gut.
S2: Die Schauspieler werden zufrieden sein.

1. Die Stimmung im Theater ist gut.
2. Die Schauspieler haben viel geübt.
3. Die Schauspieler wünschen sich viel Applaus.
4. Heute Abend kommt ein interessanter Bericht im Fernsehen.
5. Phillip möchte sich etwas Süßes kaufen.
6. Lukas hat Nesrin auf eine Party eingeladen.
7. Es ist leider nicht mehr viel Brot übrig.
8. Leon und Julia möchten mal wieder eine Ausstellung sehen.
9. Steve hat keine Zeit zu lernen. Er möchte aber trotzdem eine gute Klausur[5] schreiben.

a. es ... ihm nicht gelingen
b. sie ... den Applaus bekommen
c. er ... wahrscheinlich in den Supermarkt gehen
d. sie ... ihre Partnerin mitbringen
e. Maria ... heute Abend fernsehen
f. Schauspieler ... zufrieden sein
g. wir ... es ehrlich teilen
h. sie ... wohl ins Museum gehen
i. Veranstaltung ... ein voller Erfolg werden

[1]*menu* [2]*tip* [3]*marinated and braised beef* [4]*roast pork* [5]*test*

# KULTUR ... LANDESKUNDE ... INFORMATIONEN

## ÖSTERREICH

### Vor dem Lesen

- Was wissen Sie über Österreich? Wofür[1] ist es bekannt?
- Wo liegt es? Was ist die Hauptstadt?
- Welche berühmten Österreicherinnen und Österreicher kennen Sie?
- Waren Sie schon mal in Österreich? Erzählen Sie!

| Miniwörterbuch | |
|---|---|
| **ursprünglich** | original(ly) |
| **verweisen, verwies, verwiesen** | to refer, point to |
| **erwähnen** | to mention |
| der **Kaiser, - /** die **Kaiserin, -nen** | emperor/empress |
| **erheben, erhob, erhoben** | to raise, elevate |
| **umfassen, umfasst** | to comprise, cover |
| die **Grenze, -n** | border |
| der **Weltkrieg** | world war |
| die **Währung, -en** | currency |
| die **Lage** | location, position |
| **klettern, ist geklettert** | to climb, scramble |
| **klassisch** | classic(al) |
| **sowohl ... als auch** | both . . . and |
| **einige** | some, a few |
| **wirken** | to act, operate, work |

Felix Austria! „Andere mögen[2] Kriege führen, du, glückliches Österreich, heirate!" Ein Motto, das ursprünglich auf die Heiratspolitik der Habsburger verwies, drückt das Lebensgefühl[3] eines Landes aus, das zum Großteil[4] (ca. 60 Prozent) in den Alpen liegt und zum anderen Teil an der Donau.

Österreich wurde 976 als Ostarrîchi zum ersten Male urkundlich erwähnt[5]. 1156 wurde es ein eigenes Herzogtum[6]. Die Habsburger, die über viele Jahrhunderte hinweg[7] die deutschen Könige[8] und Kaiser waren, erhoben es 1278 zum Erzherzogtum. In der frühen Neuzeit (15.–17. Jahrhundert) musste sich Österreich vor allem gegen das türkische Reich[9] wehren, das zweimal Wien belagerte[10]. 1804 wurde das Kaiserreich Österreich gegründet und 1867 die kaiserlich-königliche (k. u. k.) Monarchie Österreich-Ungarn, die neben Österreich und Ungarn auch die heutigen Länder Tschechien, die Slowakei, Slowenien, Kroatien, Bosnien sowie Teile Italiens, Rumäniens, Polens und der Ukraine umfasste. Nach dem Ersten Weltkrieg wurde der Vielvölkerstaat[11] Österreich-Ungarn zerschlagen[12] und Österreich wurde in seinen jetzigen[13] Grenzen gegründet. Nach dem Zweiten Weltkrieg wurde Österreich zehn Jahre lang von den Alliierten verwaltet und erst 1955 entstand die jetzige Zweite Republik.

Österreich ist ein relativ kleines Land, etwas größer als die Schweiz, und steht auf Platz 113 der Länder der Welt von der Fläche und auf Platz 92 von der Bevölkerung her. Von den 8,4 Millionen Einwohnern wohnen 2,4 Millionen in der Metropolregion Wien. Die Bundesländer Vorarlberg, Tirol, Salzburg, Kärnten und die Steiermark liegen in den Alpen und die Bundesländer Oberösterreich, Niederösterreich und Wien an der Donau. Das Burgenland liegt im Südosten an der Grenze zu Ungarn. Seit 1995 ist Österreich Mitglied der EU; seine Währung ist der Euro.

Die zentrale Lage in Europa, seine wunderschönen Berg- und Flusslandschaften und seine historischen Städte machen Österreich zu einem Reiseland *par excellence*. In Europa liegt Österreich auf Platz 2 der Länder, die durch den Tourismus besonders viel Geld verdienen. Die meisten Touristen kommen aus Deutschland. Im Winter kommen viele Leute zum Skifahren oder Snowboarden. Im Sommer gibt es viele Touristen, die wandern oder klettern. Im 18. und 19. Jahrhundert war Wien das Zentrum klassischer Musik. Die Wiener Klassik um Joseph Haydn und Wolfgang Amadeus Mozart zog den in Bonn geborenen Ludwig van Beethoven an[14], die Romantik um Franz Schubert und Anton Bruckner den in Hamburg geborenen Johannes Brahms. Sowohl Beethoven als auch Brahms lebten bis zu ihrem Lebensende in Wien.

Kulinarisch ist Österreich für vieles bekannt. Das Wiener Schnitzel, die Sachertorte, der Apfelstrudel, der Kaiserschmarren und die Palatschinke sind nur einige wenige Beispiele für österreichische Köstlichkeiten. Eine der schönsten Erfindungen sind jedoch die Wiener Kaffeehäuser, in denen man stundenlang vor einer Kaffeespezialität sitzen und Zeitung lesen oder sich unterhalten[15] kann.

### Arbeit mit dem Text

Beantworten Sie die folgenden Fragen.

1. Wann wurde der Name Österreich zum ersten Mal erwähnt?
2. Was geschah 1804?
3. Welche heutigen Länder umfasste die k. u. k. Monarchie?
4. Wie lange wurde Österreich nach dem Zweiten Weltkrieg von den Alliierten verwaltet[16]?
5. Wo wohnen die meisten Österreicher?
6. Aus welchen Bundesländern besteht Österreich?
7. Wofür ist das Reiseland Österreich vor allem bekannt?
8. Welche deutschen Komponisten wirkten in Wien?
9. Für welche kulinarischen Köstlichkeiten[17] ist Österreich bekannt?

[1]*for what* [2]*may* [3]*attitude to life* [4]zum ... *in large part* [5]urkundlich ... *mentioned in a document* [6]*duchy* [7]*away, over* [8]*kings* [9]*empire* [10]*laid siege to* [11]*multinational state* [12]*broken apart* [13]*present* [14]zog an *attracted* [15]sich ... *converse, chat* [16]*governed* [17]*delicacies*

## Situation 10 Bildgeschichte: Abendessen mit Hindernissen[1]

## Situation 11 Interview

1. Gehst du oft essen? Wie oft in der Woche isst du nicht zu Hause? Wirst du heute Abend zu Hause essen?
2. In welchem Restaurant schmeckt es dir am besten? Gibt es ein Restaurant, in dem du oft isst? Wie heißt es? Was isst du da? Wirst du diese Woche hingehen?
3. Warst du schon mal in einem deutschen Restaurant? Wenn ja, was hast du gegessen? Wenn nein, was wirst du bestellen, wenn du mal in einem deutschen Restaurant bist?
4. Was ist das feinste Restaurant in unserer Stadt? Wie viel muss man da für ein gutes Essen bezahlen?
5. Gehst du gern ins Theater oder ins Museum? Wo warst du vor Kurzem? Was hast du dir angesehen? Was war das Beste, was du im Theater oder Museum gesehen hast?
6. Bist du künstlerisch aktiv? Was machst du? Gelingt dir alles, was du unternimmst?
7. Was siehst du gern im Fernsehen? Hast du vor Kurzem einen interessanten Bericht gesehen? Worüber?

[1]*obstacles*

# Strukturen

## 5. Talking about the future: The present and future tenses

future tense = **werden** + infinitive

You already know that **werden** is the equivalent of English *to become.*

| | |
|---|---|
| Ich möchte Ärztin **werden.** | *I'd like to become a physician.* |

You can also use a form of **werden** plus infinitive to talk about future events.

| | |
|---|---|
| Wo **wirst** du morgen sein? | *Where will you be tomorrow?* |
| Morgen **werde** ich wahrscheinlich zu Hause sein. | *Tomorrow I will probably be at home.* |

When an adverb of time is present or when it is otherwise clear that future actions or events are indicated, German speakers normally use the present tense rather than the future tense to talk about what will happen in the future.

| | |
|---|---|
| Nächstes Jahr **fahren** wir nach Schweden. | *Next year we're going to Sweden.* |
| Was **machst** du, wenn du in Schweden bist? | *What are you going to do when you're in Sweden?* |

Use **wohl** with the future tense to express present or future probability.

The future tense with **werden** can express present or future probability. In such cases, the sentence often includes an adverb such as **wohl** (*probably*).

| | |
|---|---|
| Anna wird jetzt **wohl** zu Hause sein. | *Anna should be home now.* |
| Morgen Abend werden wir **wohl** zu Hause bleiben. | *Tomorrow evening we'll probably stay home.* |

Don't forget to put **werden** at the end of the dependent clause.

| | |
|---|---|
| Ich weiß nicht, ob ich einmal heiraten **werde.** | *I don't know if I'm ever going to get married.* |

### Übung G. Gute Vorsätze[1]

Sie wollen ein neues Leben beginnen? Schreiben Sie sechs Dinge auf, die Sie ab morgen machen werden oder nicht mehr machen werden.

MODELL: Ich werde nicht mehr so oft in Fast-Food-Restaurants gehen. Ich werde mehr Obst und Gemüse essen.

**weniger/mehr fernsehen** **weniger/mehr Kurse belegen**
**weniger oft / öfter selbst kochen**
**weniger/mehr Süßes essen**
**weniger/mehr arbeiten** **weniger/mehr lernen**
**weniger oft / öfter ins Kino gehen**
**weniger/mehr SMS schicken** **früher/später ins Bett gehen**
**weniger gesund / gesünder essen**
**politisch aktiver / weniger aktiv sein**

[1] *resolutions*

## Übung H. Morgen ist Samstag

Was machen Frau Schulz und ihre Studierenden morgen?

MODELL: Kayla geht morgen ins Kino.

Kayla

1. Frau Schulz

2. Heidi

3. Pedro

4. Shannon

5. Steve

6. Meili

7. Miguel

8. Noah

## Übung I. Vorhersagen

Machen Sie sechs Vorhersagen[1], die in diesem oder im nächsten Jahr eintreffen werden.

MODELL: Dieses Jahr werden die Patriots den Superbowl gewinnen. Nächstes Jahr werden wir eine neue Präsidentin wählen.

**mit dem Studium fertig sein**
**einen tollen Job bekommen**
**die Studiengebühren[2] fallen/steigen**
**der Papst[3] nach China fliegen**
**in eine andere Wohnung ziehen**
**weniger/mehr Steuern bezahlen**
**gute Noten bekommen**
**die Wimbledon-Spiele gewinnen**

[1]*predictions* [2]*(college) tuition* [3]*pope*

# Situationen

## Das liebe Geld

—Ich möchte gerne ein Konto eröffnen.
—Gerne. Füllen Sie bitte diesen Antrag aus.

Banken bieten viele finanzielle Produkte an.

Wenn man Geld auf der Bank hat, bekommt man Zinsen.

Wenn man Schulden hat, muss man Zinsen zahlen.

Reine Online-Konten können sehr günstig sein.

Wenn man mehr Zinsen bekommen möchte, muss man sein Geld langfristig anlegen.

### Situation 12 **Wer weiß – gewinnt: Geld**

1. der Ort, an dem mit Aktien gehandelt wird
2. der Teil, den man hat, wenn man nicht alles hat
3. die zahlt man, wenn man Schulden hat
4. der Kurs, zu dem man ausländische Währungen kaufen oder verkaufen kann
5. die zahlt man an den Staat, wenn man Geld verdient
6. das, was man betreibt, wenn man Tiere und Pflanzen für die Ernährung produziert
7. das offizielle Zahlungsmittel eines Landes
8. das ist das, was man macht, wenn man etwas teurer verkauft als man es gekauft hat
9. das, was man macht, wenn man am Ende weniger hat als am Anfang
10. das macht man, wenn man bei einer Bank neu ist

a. die Steuern
b. der Gewinn
c. die Landwirtschaft
d. der Wechselkurs
e. die Börse
f. der Anteil
g. die Währung
h. die Zinsen
i. ein Konto eröffnen
j. der Verlust

## Situation 13 Dialog: Auf der Bank

STEVE: Guten Tag, ich möchte ein Konto eröffnen.

BANKANGESTELLTE: Gerne. Haben Sie Ihren ____________ dabei?

STEVE: Ja, den habe ich. Bekomme ich bei dem Konto auch eine Kreditkarte?

BANKANGESTELLTE: Die müssen Sie extra beantragen, aber das ist kein Problem, wenn Sie ____________ auf das Konto einzahlen[1].

STEVE: Ich bekomme ein Stipendium. Das möchte ich auf dieses Konto einzahlen.

BANKANGESTELLTE: Wie hoch ist denn der Betrag, den Sie bekommen?

STEVE: Es sind monatlich ein Tausend Euro.

BANKANGESTELLTE: Ja, das ____________. Die EC-Karte und Ihre ____________ bekommen Sie dann mit der Post. Mit der EC-Karte können Sie Geld am Automaten[2] abheben und wie mit einer Kreditkarte bezahlen.

STEVE: Bekomme ich auch ____________?

BANKANGESTELLTE: Nein, Zinsen gibt es nur auf Sparkonten[3].

STEVE: Habe ich auch per Internet ____________ zu meinem Konto?

BANKANGESTELLTE: Ja, das können wir gerne so einrichten. So können Sie Ihre Überweisungen übers Internet ausführen. Interessieren Sie sich vielleicht für weitere ____________ Produkte?

STEVE: Nein, danke. Zuerst einmal nicht. Noch einmal danke und auf Wiedersehen.

BANKANGESTELLTE: Auf Wiedersehen.

## Situation 14 Interview

1. Hast du ein Konto bei der Bank? Welche Konten hast du?
2. Hast du eine Kreditkarte? Wie viel kannst du damit ausgeben? Wie viel Zinsen musst du bezahlen?
3. Wie viel sparst du im Monat? Worauf sparst du? Wenn du jetzt nicht sparen kannst, worauf wirst du sparen, wenn du es mal kannst?
4. Womit zahlst du meistens: mit Schecks, mit Kreditkarte, mit Bargeld oder mit dem Smartphone?
5. Wie viel Geld hast du im Monat? Wie viel Geld gibst du aus? Wofür gibst du das meiste Geld aus?
6. Hast du schon einmal einen Kredit aufgenommen? Wie hast du das gemacht?

## Situation 15 Rollenspiel: Auf der Bank

S1: Sie haben ein Stipendium für ein Jahr an der Universität Leipzig bekommen. Sie wollen bei der Leipziger Sparkasse ein Konto für den täglichen Gebrauch eröffnen. Fragen Sie nach den Zinsen, nach Online-Zugang, Bank- und Kreditkarten und wie viel es kostet, Geld aus Ihrem Land auf Ihr Konto zu überweisen.

[1]*deposit* [2]*ATM* [3]*savings accounts*

## MUSIKSZENE

### „Meine Frau“ (2017, Deutschland) *Amanda*

**Biografie** Amanda Murray wächst in der Rap-Szene Berlins des frühen 21. Jahrhunderts auf. Ihre Mutter singt Soul, ihr Vater ist Amerikaner. Amanda nennt sich She-Raw in Anlehnung an die Superheldin She-Ra, eine Action-Figur aus der Serie *Masters of the Universe*. Sie singt im Vorprogramm von Kanye West und LL Cool J und tritt später mit Sido auf. Als Amanda veröffentlicht sie 2017 ihr Album *Karussell*, auf dem *Meine Frau* enthalten ist. *Meine Frau* ist eine Liebeserklärung an ihre beste Freundin.

Florian Ebener/Getty Images

Amanda Murray

**NOTE:** For copyright reasons, the songs referenced in **MUSIKSZENE** have not been provided by the publisher. The song can be found online at various sites.

**Vor dem Hören** Woran denken Sie, wenn Sie an Ihre beste Freund*in denken? Was gefällt Ihnen an ihm oder ihr? Was macht er oder sie? Was finden Sie cool?

**Nach dem Hören** Was singt die Sängerin? Ist das richtig (R) oder falsch (F)? Korrigieren Sie die falschen Sätze.

______ **1.** Die Sängerin ist immer da, wenn die Freundin sie braucht.
______ **2.** Die Freundin kennt alle Gesichter der Sängerin.
______ **3.** Die Freundin kriegt immer die ganze Geschichte.
______ **4.** Die Freundin hört immer auf sie.
______ **5.** Die Freundin kriegt ihre guten Tipps.
______ **6.** Die Sängerin baut die Freundin auf, wenn sie *down* ist.
______ **7.** Die Freundin hat immer gute Laune.
______ **8.** Die Sängerin ist glücklich, wenn sie die Freundin sieht.
______ **9.** Die Sängerin vertraut der Freundin so leicht.
______ **10.** Sie und ihre Freundin sind wichtiger als der Rest.
______ **11.** Ihre Freundin feiert mit, wenn jemand die Sängerin *liket*.
______ **12.** Die Sängerin lässt ihre Freundin auch mal schreien, wenn es sein muss.

| Miniwörterbuch | |
|---|---|
| **veröffentlichen** | to publish |
| die **Erklärung, -en** | declaration; explanation |
| **kriegen** | to get, receive |
| **aufbauen** | to build up, support |
| die **Laune** | mood |
| **vertrauen** | to trust |
| der **Rest, -e** | rest, remainder |
| **lassen, lässt, gelassen** | to let, permit |

# Strukturen

## 6. The genitive case

**WISSEN SIE NOCH?**

You can show possession by using possessive determiners, such as **mein** (*my*), **dein** (*your*), and **sein** (*his/its*), or by placing an **-s** after someone's name, for example **Julias Buch.**

Review **Strukturen 7** in **Einführung B** and **Strukturen 5** in **Kapitel 2.**

Spoken German: Possession may be indicated by **von.**

Written German: Use the genitive case to indicate possession.

As you have learned, the preposition **von** followed by the dative case is commonly used in spoken German to express possession.

Das ist das Haus **von meinen Eltern.** *This is my parents' house.*

In writing, and sometimes in speech, this relationship between two noun phrases may also be expressed with the genitive case. The genitive case in German is equivalent to both the *of*-phrase and the possessive with *'s* in English.

| | |
|---|---|
| Österreich ist seit 1995 Mitglied **der EU**. | *Austria has been a member* ***of the EU*** *since 1995.* |
| Sie wächst im Berlins **des frühen 21. Jahrhunderts** auf. | *She's growing up in the Berlin* ***of the early 21st century.*** |

The genitive is also required by certain prepositions. The most common ones are these:

| | |
|---|---|
| **(an)statt** | *instead of* |
| **trotz** | *in spite of* |
| **während** | *during* |
| **wegen** | *because of* |

| | |
|---|---|
| Viele Deutsche haben eine EC-Karte **statt einer Kreditkarte.** | *Many Germans have EC-cards instead of credit cards.* |
| **Trotz seines Studiums** verdient Tim nur wenig. | *In spite of his college degree, Tim does not earn much.* |
| **Während des Semesters** habe ich nicht viel Zeit. | *During the semester, I don't have much time.* |
| Natalia ruft **wegen des Zimmers** an. | *Natalia is calling about the room.* |

English tends to use the possessive *'s* with nouns denoting people (for example, *the girl's mother*). In German, **-s** (without the apostrophe) is added only to *proper names* of people and places.

| | |
|---|---|
| Meili**s** Vater | *Meili's father* |
| England**s** Rettung | *England's salvation* |

A. Nouns in the Genitive

Feminine nouns and plural nouns do not add any endings in the genitive case. In the singular genitive, masculine and neuter nouns of more than one syllable add **-s** and those of one syllable add **-es: die Höhe des Kontos, die Größe des Hauses.**

| Masculine | Neuter | Feminine | Plural |
|---|---|---|---|
| des Vater**s** | des Kind**es** | der Mutter | der Eltern |

B. Articles and Article-like Words in the Genitive

In the genitive case, all determiners (**der**-words and **ein**-words) end in **-es** in the masculine and neuter singular, and in **-er** in the feminine singular and all plural forms.

| Masculine | Neuter | Feminine | Plural |
|---|---|---|---|
| d**es** Staates | d**es** Kontos | d**er** Bank | d**er** Schulden |
| ein**es** Staates | ein**es** Kontos | ein**er** Bank | kein**er** Schulden |
| mein**es** Staates | mein**es** Kontos | mein**er** Bank | mein**er** Schulden |
| dies**es** Staates | dies**es** Kontos | dies**er** Bank | dies**er** Schulden |

C. Adjectives in the Genitive

In the genitive, all adjectives end in **-en** when preceded by a determiner.*

| Masculine and Neuter | Feminine and Plural |
|---|---|
| des arm**en** Mannes | der arm**en** Frau |
| des arm**en** Kindes | der arm**en** Leute |

Viele Menschen lesen die Fabeln der **antiken** Welt immer noch sehr gern. — *Many people still enjoy reading the fables of the ancient world.*

Image Source/Alamy

Die Währung der Schweiz: der Franken

*Unpreceded masculine and neuter adjectives also end in **-en;** unpreceded feminine and plural adjectives end in **-er.** Unpreceded adjectives, however, rarely occur in the genitive.

## Übung J. Minidialoge

Ergänzen Sie die richtige Form der Wörter in Klammern. Achten Sie auf die Deklination!

1. KAYLA: Ist das dein Auto?
   MIGUEL: Nein, das ist das Auto _______ Bruders. (mein)
2. ANGESTELLTER: Was ist die Höhe _______ Einkommens? (Ihr)
   FRAU FRISCH-OKONKWO: Knapp fünf tausend Franken im Monat.
3. FRAU SCHULZ: Wie war die Rede _______ Präsidentin? (die)
   NOAH: Ich fand sie gut und sie hat viel Applaus erhalten.
4. SHANNON: Möchtest du mit mir in die Berge fahren? Meine Eltern haben da ein Wochenendhaus.
   JOHANNES: Wo ist denn das Wochenendhaus _______ Eltern? (dein)
   SHANNON: In der Nähe von Lake Tahoe.
5. HEIDI: Arbeiter sollten einen Teil des Gewinns _______ Unternehmens bekommen. (ein)
   JOHANNES: Ja, das finde ich auch.
6. FRAU AM TELEFON: Hallo!
   STEVE: Hallo! Ich rufe wegen des _______ e-Golf an. (gebraucht)
7. FRAU GRUBER: Wer ist denn das?
   FRAU KÖRNER: Das ist die zweite Frau meines _______ Mannes. (erst-)
8. FRAU STEINER: 24352 – was ist denn das für eine Telefonnummer?
   RICHARD: Das ist die Telefonnummer meines _______ Freundes. (neu)

## Übung K. Worüber sprechen sie?

Bilden Sie Sätze.

MODELL: Pedro sagt, dass sein Auto rot ist. →
Pedro spricht über die Farbe seines Autos.

| | | |
|---|---|---|
| das Alter | ~~die Farbe~~ | die Fabeln |
| die Kleidung | der Beruf | die Währung |
| die Höhe | die Sprache | die Länge |

1. Shannon sagt, dass ihre Schwester Ärztin ist.
2. Pedro sagt, dass die Dichter der antiken Welt viele Fabeln geschrieben haben.
3. Heidi sagt, dass ihre Kusinen fünf und acht Jahre alt sind.
4. Noah sagt, dass sein Studium insgesamt fünf Jahre dauert.
5. Miguel sagt, dass seine Großeltern auch Englisch sprechen.
6. Meili sagt, dass ihr Freund gern Jeans und lange Pullover trägt.
7. Kayla sagt, dass man in der Schweiz mit Franken bezahlt.
8. Steve sagt, dass sein Stipendium relativ hoch ist.

## Übung L. Minidialoge

Ergänzen Sie **statt, trotz, während** oder **wegen.**

1. KAYLA: Bist du _______ des Regens spazieren gegangen?
   HEIDI: Ja, so ein bisschen Regen macht doch nichts.
2. SHANNON: Ich habe gehört, du hast dein ganzes gespartes Geld verloren.
   NOAH: Ja, so viel war es gar nicht. _______ des Verlusts geht es mir finanziell ganz gut.
3. MIGUEL: Was hast du _______ der Rede der neuen Präsidentin gemacht?
   PEDRO: Ich habe sie leider gar nicht gehört. Ich war so müde und bin eingeschlafen.
4. DANIEL: Ich bin so müde, aber ich habe Emil versprochen, mit ihm ins Kino zu gehen.
   PHAN: _______ ins Kino solltest du lieber ins Bett gehen!
5. PEDRO: Fährst du nächste Woche weg?
   KAYLA: Ich kann doch _______ des Semesters nicht verreisen!
6. JOCHEN: Warum bist du mit dem Bus gefahren?
   HANNAH: _______ des schlechten Wetters.
7. MARIA: Na, hast du nun ein Konto bei der Sparkasse?
   MICHAEL: Nein, _______ der Sparkasse habe ich ein Konto bei der Deutschen Bank eingerichtet.
8. KAYLA: Steve, hast du schon Euro für deine Reise nach Leipzig gekauft?
   STEVE: Nein, noch nicht. _______ des schlechten Wechselkurses warte ich noch ein bisschen.

*Image Source*

Ist der Wechselkurs schlecht?

# Videoecke

## Perspektiven

Was ist für dich *gesundes Essen*?

Lebensmittel vom Biomarkt

### Aufgabe 1 Fleisch oder Gemüse?

Was ist für diese Leute *gesundes Essen?*

1. Sandra ___

2. Simone ___

3. Hend ___

4. Martin ___

5. Tina ___

6. Nadezda ___

7. Felicitas ___

8. Pascal ___



a. das Essen genießen
b. Joghurt und Vollkornbrot[1]
c. keine Pommes[2]
d. Lebensmittel vom Biomarkt
e. nicht zu viel Fleisch
f. Obst und Gemüse
g. ökologisches Essen
h. viel Obst und möglichst wenig Schokolade
i. wenig Fett und wenig Zucker
j. viel selber anbauen[3]

[1]*whole wheat bread* [2]*French fries* [3]*to grow*

## Interviews

- Was isst du zum Frühstück?
- Was isst du zu Mittag?
- Wie oft gehst du essen?
- Wo isst du am liebsten?
- Was isst du da?
- Was isst du nicht gerne?
- Was kannst du besonders gut kochen?
- Wie macht man das?

McGraw-Hill/Klic Video Productions

Tanja

McGraw-Hill/Klic Video Productions

Susan

### Aufgabe 2 Tanja oder Susan?

Sehen Sie sich das Video an und kreuzen Sie an.

| | TANJA | SUSAN |
|---|---|---|
| 1. Wer isst zum Frühstück etwas Süßes vom Bäcker? | ☐ | ☐ |
| 2. Wer isst zum Frühstück einen Joghurt? | ☐ | ☐ |
| 3. Wer isst zu Mittag normalerweise einen Salat oder eine Suppe? | ☐ | ☐ |
| 4. Wer geht jeden Tag in der Mensa essen? | ☐ | ☐ |
| 5. Wer isst am liebsten in der Mensa? | ☐ | ☐ |
| 6. Wer isst am liebsten in Auerbachs Keller? | ☐ | ☐ |
| 7. Wer isst gern Kassler[4] mit Sauerkraut und Klößen[5]? | ☐ | ☐ |
| 8. Wer mag kein Rindfleisch[6]? | ☐ | ☐ |
| 9. Wer mag keinen Rosenkohl[7] und keinen Spinat[8]? | ☐ | ☐ |

### Aufgabe 3 Nudeln mit Shrimps

Susan macht Nudeln mit Shrimps. Bringen Sie die Sätze in die richtige Reihenfolge.

_____ Am Ende kommt noch Sahne[9] dazu.

_____ Dann gebe ich die Shrimps hinein.

_____ Dann würze[10] ich es mit Chili, Salz und Pfeffer.

_____ Ganz zum Schluss kommt oben drauf noch Parmesan-Käse.

_____ Zuerst brate ich die Zwiebeln an[11].

### Aufgabe 4 Interview

Interviewen Sie eine Partnerin oder einen Partner. Stellen Sie dieselben Fragen.

[4]*smoked pork chops* [5]*dumplings* [6]*beef* [7]*Brussels sprouts* [8]*spinach* [9]*cream* [10]*season* [11]brate an *sauté*

# Wortschatz zum Lernen

## Mahlzeiten — Meals

| | |
|---|---|
| →**ab·nehmen, nimmt ... ab, abgenommen** | to remove; lose weight |
| **auf·heben, aufgehoben** | to set aside, save; pick up |
| **backen, bäckt, gebacken** | to bake |
| **ein·ziehen, ist eingezogen** | to move in |
| **mischen** | to mix |
| **pressen** | to press, squeeze |
| →**teilen** | to divide, split, share |
| **verarbeiten, verarbeitet** | to process, treat, convert |
| **vermissen** | to miss, want |
| die **Butter** | butter |
| die **Ernährung** | food, nourishment, diet |
| die **Frucht, ̈-e** | fruit |
| die **Hitze** | heat |
| die **Kartoffel, -n** | potato |
| die **Mahlzeit, -en** | meal |
| die **Maus, ̈-e** | mouse |
| die **Milch** | milk |
| die **Mischung, -en** | mix, mixture, blend |
| die **Wurst, ̈-e** | sausage, cold cut |
| der **Apfel, ̈** | apple |
| der **Käse** | cheese |
| der **Krebs, -e** | crab; cancer |
| →der **Sinn, -e** | sense; meaning |
| →der **Stein, -e** | stone |
| →das **Ei, -er** | egg |
| →das **Fleisch** | meat |
| das **Gemüse** (*sg.*) | vegetable(s) |
| →das **Gericht, -e** | dish, meal; court (*judicial*) |
| das **Getränk, -e** | beverage |
| →das **Paar, -e** | pair, couple |
| das **Salz** | salt |
| die **Lebensmittel** (*pl.*) | groceries |
| **bitter** | bitter(ly) |
| **elegant** | elegant(ly) |
| **flach** | flat |
| **flüssig** | fluid, liquid |
| →**frisch** | fresh(ly) |
| **japanisch** | Japanese |
| **regional** | regional(ly) |
| →**russisch** | Russian |
| →**dazu** | in addition; with it |
| →**meistens** | mostly, usually |
| **normalerweise** | normally, usually |

## Einkaufen und Kochen — Shopping and Cooking

| | |
|---|---|
| **bewundern** | to admire |
| →**binden, gebunden** | to bind, tie |
| →**ehren** | to honor |
| →**ein·stellen** | to hire |
| **ertragen, erträgt, ertragen** | to tolerate |
| →**fangen, fängt, gefangen** | to catch, capture |
| →**genießen, genossen** | to enjoy, savor |
| **heraus·finden, herausgefunden** | to find out |
| →**herrschen** | to govern, rule, reign |
| →**kämpfen** | to fight |
| **trauen** (+ *dat.*) | to trust |
| **(sich) wehren** | to defend (oneself) |
| →die **Autorin, -nen** | female author |
| die/der **Bekannte** (*adj. noun*) | acquaintance |
| →die **Dichterin, -nen** | female poet |
| die **Ehre** | honor, privilege |
| →die **Eigenschaft, -en** | characteristic, feature, property |
| →die **Kritik, -en** | criticism, critique |
| die **Leidenschaft, -en** | passion |
| →die **Region, -en** | region |
| →die **Sorge, -n** | concern, worry |
| →der **Autor, -en** | male author |
| →der **Dichter, -** | male poet |
| →der **Geist, -er** | mind; spirit; ghost |
| der **Pilz, -e** | mushroom |
| der **Rat,** *pl.* **Ratschläge** | advice, suggestion |
| der **Zucker** | sugar |
| das **Obst** | fruit |
| das **Öl, -e** | oil |
| das **Rezept, -e** | recipe, formula; prescription |
| →das **Stück, -e** | piece, chunk, slice |
| →das **Verhältnis, -se** | relationship |
| →**bloß** | bare(ly), mere(ly), only |
| →**chinesisch** | Chinese |
| →**ernst** | serious(ly) |
| →**gefährlich** | dangerous(ly) |
| **neugierig** | curious(ly), intrigued |
| **reif** | ripe; mature(ly) |
| **sauer** | sour, tart |
| →**scharf** | sharp(ly); (spicy) hot |
| →**speziell** | special(ly), especially |
| →**stattdessen** | instead |
| →**unbekannt** | unknown |
| **vornehm** | noble/nobly, elegant(ly) |
| →**vorsichtig** | cautious(ly) |
| →**indem** (*conj.*) | as, while, by (. . .ing) |

## Einladungen und Veranstaltungen — Invitations and Events

| | |
|---|---|
| →**begeistern** | to thrill, excite, inspire |
| **begeistert** | thrilled, enthusiastic |
| →**berechnen** (+ *dat.*) | to charge (someone) |
| **sich beschweren (bei)** | to complain (to) |

| | |
|---|---|
| →**sich beteiligen (an** + *dat.*) | to take part, join (in) |
| →**erheben, erhoben** | to raise, elevate |
| →**erwähnen** | to mention |
| →**fest·stellen** | to realize, establish |
| →**gelingen** (+ *dat.*), **ist gelungen** | to succeed, be successful |
| **Es ist mir/ihr/ihm gelungen.** | I/She/He succeeded. |
| **klettern, ist geklettert** | to climb, scramble |
| →**stimmen** | to be right |
| **das stimmt so** | that's right; keep the change |
| →**üben** | to practice, rehearse |
| →**umfassen, umfasst** | to comprise, span, cover |
| →**verweisen, verwiesen** | to refer, point |
| →**(sich) wünschen** | to wish, wish for |
| die **Fliege, -n** | fly |
| →die **Form, -en** | form, shape |
| die **Geschäftsführerin, -nen** | female manager |
| die **Kaiserin, -nen** | empress |
| die **Kellnerin, -nen** | female waitperson |
| →die **Stimmung, -en** | mood, atmosphere |
| →die **Veranstaltung, -en** | event, performance |
| der **Applaus** | applause |
| →der **Bericht, -e** | report |
| →der **Erfolg, -e** | success |
| der **Geschäftsführer, -** | male manager |
| der **Kaiser, -** | emperor |
| der **Kellner, -** | male waitperson |
| der **Schein, -e** | banknote; certificate; shine; appearance |
| →der **Weltkrieg, -e** | world war |
| das **Café, -s** | café |
| →das **Fernsehen** | television |
| →das **Publikum** | audience |
| das **Schwein, -e** | pig |
| →**ehrlich** | honest(ly) |
| →**fein** | fine(ly) |
| →**gesund** | healthy, healthily |
| →**klassisch** | classic(al)(ly) |
| **künstlerisch** | artistic(ally) |
| →**ursprünglich** | original(ly) |
| →**zufrieden** | content(edly), satisfied |
| →**danach** | after that, afterwards |
| →**einige** | some, several, a few |
| →**sowohl ... als auch** | both . . . and |
| →**zweimal** | twice |

## Das liebe Geld — Good Old Money

| | |
|---|---|
| **ab·heben, (ist) abgehoben** | to withdraw; (*with* ***ist***) take off, lift off |
| →**an·legen** | to invest; to install, apply |
| →**auf·bauen** | to build (up); assemble, construct |
| **aus·führen** | to carry out, execute |
| →**aus·reichen** | to be enough, suffice |
| **beantragen, beantragt** | to apply for, request, petition |
| →**betreiben, betrieben** | to run, operate, pursue |
| →**kriegen** | to get (*colloquial*) |
| →**lassen, lässt, gelassen** | to let |
| →**produzieren** | to produce |
| →**veröffentlichen** | to publish |
| →**vertrauen** (+ *dat.*) | to trust |
| die **Aktie, -n** | share, stock |
| die **Börse, -n** | stock exchange |
| →die **Erklärung, -en** | declaration; explanation |
| die **Landwirtschaft** | agriculture |
| die **Laune, -n** | mood |
| →die **Steuer, -n** | tax |
| die **Währung, -en** | currency |
| →die **Zahl, -en** | number |
| die **Geheimzahl, -en** | secret PIN (personal identification number) |
| →der **Anteil, -e** | share, portion, part |
| →der **Antrag, ¨-e** | application, request |
| der **Ausweis, -e** | identification (card) |
| der **Betrag, ¨-e** | amount |
| der **Gebrauch, ¨-e** | use |
| →der **Gewinn, -e** | profit, yield, earnings |
| →der **Rest, -e** | rest, remainder |
| →der **Staat, -en** | state, country, government |
| →der **Verlust, -e** | loss, deficit |
| der **Wechselkurs, -e** | exchange rate |
| →der **Zins, -en** | interest |
| →der **Zugang** | access |
| →das **Einkommen, -** | income |
| das **Fett** | fat |
| →das **Mittel, -** | means, medium; (*financial*) instrument |
| →das **Produkt, -e** | product |
| das **Zahlungsmittel, -** | means of payment |
| die **Schulden** (*pl.*) | debt |
| →**finanziell** | financial(ly) |
| **geheim** | secret(ly) |
| →**günstig** | favorable/favorably, convenient(ly) |
| →**langfristig** | long-term |
| →**nun** | now |
| →**offiziell** | official(ly) |
| →**regelmäßig** | regular(ly) |
| →**rein** | clean(ly), pure(ly) |
| →**tausend** | thousand |

KAPITEL 9

# Kindheit und Jugend

## Themen

Kindheit

Jugend

Geschichten

Märchen

## Kulturelles

Kunst: Irene Brandt (*Sonntag am Strand*)

KLI: Gebrüder Grimm

Musikszene: „Wenn sie tanzt“ (Max Giesinger)

KLI: 1989

Videoecke: Schule

## Strukturen

1. The conjunction **als** with dependent-clause word order
2. Word formation: Compound nouns (part two)
3. The simple past tense of **werden, wissen,** and the modal verbs
4. Time: **als, wenn, wann**
5. The simple past tense of weak and strong verbs (receptive)
6. Sequencing events in past narration: Past perfect tense and the conjunction **nachdem** (receptive)

## Lektüren

Film: *Nordwand* (Philipp Stölzl)

Märchen: *Rotkäppchen – Ein Märchen der Gebrüder Grimm*

After completing **Kapitel 9**, you will be able to . . .

- exchange information in conversations about life growing up and adventures you have had, forming sentences and series of connected sentences and asking a variety of follow-up questions
- state your viewpoint about topics related to childhood and adolescence and give some reasons to support it, using sentences and series of connected sentences
- follow the main message or story and actions expressed in various time frames in paragraph-length informational and fictional texts with the help of key vocabulary items
- understand the main idea and flow of events expressed in various time frames in popular songs, conversations, and discussions related to childhood memories, historical events, and children's stories
- write a story or tale, using a few short paragraphs, often across various time frames
- compare products and practices in your area with those in German-speaking countries with respect to child-rearing and historical events

Irene Brandt: *Sonntag am Strand (2006),* Museo Rómulo Raggio, Buenos Aires



**Miniwörterbuch**

| | |
|---|---|
| **malen** | to paint |
| **positiv** | positive(ly) |
| die **Sicht, -en** | view |
| **vermitteln** | to convey |
| **verbreiten** | to spread |
| **betrachten** | to observe |
| der **Betrachter, -** / die **Betrachterin, -nen** | observer |
| **deswegen** | therefore |
| **dominieren** | to dominate |
| **hervorrufen** | to call forth |

**HILFREICHE WÖRTER**

der **Leuchtturm, ¨-e** *lighthouse*
der **Sonnenschirm, -e** *sunshade*
das **Papierboot, -e** *paper boat*
**paddeln** *to paddle*
das **Schilfgras** *reed*
die **Heiterkeit** *serenity*

## KUNST UND KUNSTSCHAFFENDE

Irene Brandt (geb. 1955) ist eine Malerin der Naiven Kunst. Sie malt seit ihrer Kindheit und ist Autodidaktin. Mit ihren bunten, heiteren[1] Bildern möchte sie eine positive Weltsicht vermitteln und Freude verbreiten. Ihre Ideen zum Malen kommen oft von Erinnerungen an eine glückliche Kindheit. Sie möchte die Betrachter zum Lächeln bringen, deswegen gibt es oft humorvolle oder surrealistische Elemente in ihren Bildern. Die Farben der Natur, blau und grün, sind wichtig für Irene Brandt.

Schauen Sie sich das Bild an und beantworten Sie folgende Fragen.

1. Was sehen Sie auf dem Bild? Beschreiben Sie es.
2. Welche Farben dominieren auf dem Bild?
3. Welche Stimmung ruft das Bild hervor?
4. Welche Erinnerungen ruft das Bild bei Ihnen hervor?
5. Was ist auf dem Bild nicht real, sondern eher surreal?

[1] *cheerful*

# Situationen

## Kindheit

Judith hat ständig mit ihren Geschwistern gestritten.

Veronika hat sich für Flüchtlinge eingesetzt.

Richard hat mit seiner Mutter Kuchen gebacken.

Aydan hat gegen hohe Mieten protestiert.

Lukas hat seiner Großmutter die Blumen gegossen.

Jochen hat seinem kleinen Bruder Geschichten vorgelesen.

### Situation 1 Julias erstes Haustier

Als Julia sechs Jahre alt war, hat sie einen Hund zum Geburtstag bekommen. Sie hat ihn Bruno genannt. Was hat sie wohl am nächsten Tag mit ihm gemacht? Ordnen Sie die Aktivitäten den Zeiten zu.

MODELL: Um sechs Uhr ist sie gemeinsam mit Bruno aufgestanden.

**6.00 Uhr** **6.30 Uhr** **7.00 Uhr** **10.00 Uhr** **10.15 Uhr** **12.00 Uhr** **14.30 Uhr** **15.00 Uhr** **16.00 Uhr** **19.30 Uhr**

1. Sie ist zusammen mit Bruno eingeschlafen.
2. Sie hat mit ihm gespielt.
3. Sie hat Brunos Korb[1] sauber gemacht.
4. Sie ist mit Bruno spazieren gegangen.
5. Sie ist gemeinsam mit Bruno aufgestanden.
6. Sie hat Bruno gefüttert.

[1]*basket*

7. Sie hat ihn ihren Freundinnen gezeigt.
8. Sie hat ihm eine Schleife[1] ins Haar gebunden.
9. Sie hat Bruno in der Badewanne gewaschen.
10. Sie hat ihm einen großen Knochen[2] gekauft.

## Situation 2 Umfrage: Kindheit

MODELL: S1: Hast du als Kind Computerspiele gespielt?
S2: Ja.
S1: Unterschreib bitte hier.

| | UNTERSCHRIFT |
|---|---|
| 1. Computerspiele gespielt | ____________ |
| 2. viel ferngesehen | ____________ |
| 3. mit deinen Geschwistern gestritten | ____________ |
| 4. einen Hund oder eine Katze gehabt | ____________ |
| 5. gegen den Klimawandel protestiert | ____________ |
| 6. jemanden bewundert | ____________ |
| 7. von etwas geträumt | ____________ |
| 8. auf Bäume geklettert | ____________ |
| 9. viel Zeit mit Facebook verbracht | ____________ |

## Situation 3 Interaktion: Als ich 12 Jahre alt war ...

Wie oft haben Sie das gemacht, als Sie 12 Jahre alt waren: **oft, manchmal, selten** oder **nie?**

1. Freundinnen oder Freunde eingeladen
2. gegen etwas protestiert
3. Liebesromane gelesen
4. Hunde gefüttert
5. heimlich jemanden geliebt
6. Botschafter/in für eine gute Sache gewesen
7. im Unterricht geschlafen
8. mit Freundinnen oder Freunden gestritten
9. Unrecht ertragen

## Situation 4 Interview

Als du acht Jahre alt warst ...

1. Wo hast du gewohnt? Hattest du Geschwister?
2. Wo haben dein Vater oder deine Mutter, deine Väter oder deine Mütter gearbeitet?
3. In welche Schule bist du gegangen? Wann hat die Schule angefangen? Wann hat sie aufgehört?
4. Welchen Lehrer / Welche Lehrerin hattest du am liebsten? Welche Fächer hattest du am liebsten? Was hast du in den Pausen gespielt? Was hast du nach der Schule gemacht?
5. Hast du viel ferngesehen? Was hast du am liebsten gesehen?
6. Hast du gern gelesen? Was?
7. Hast du Sport getrieben? Was?
8. Was hast du gern gegessen?
9. Hattest du Freundinnen oder Freunde? Was hast du mit deinen Freundinnen und Freunden gemacht? Was hast du gar nicht gern gemacht?

[1]*bow* [2]*bone*

# KULTUR ... LANDESKUNDE ... INFORMATIONEN

## GEBRÜDER GRIMM

### Vor dem Lesen

- Was assoziieren Sie mit den Gebrüdern Grimm?
- Kennen Sie Märchen der Gebrüder Grimm? Welche?
- Haben Sie ein Lieblingsmärchen? Wie heißt es auf Deutsch?

Lesen Sie die Wörter im Miniwörterbuch. Suchen Sie sie im Text und in den Fragen und markieren Sie sie.

| Miniwörterbuch | |
|---|---|
| **allgemein** | general(ly), universal(ly) |
| **mündlich** | oral(ly) |
| der/die **Wissenschaftler/in** | scholar, scientist |
| der **Wandel** | change, modification |
| die **Meinung, -en** | opinion |
| die **Verfassung, -en** | constitution |
| der **Kampf, ¨-e** | fight |
| die **Menschenrechte** (*pl.*) | human rights |
| der **Dienst, -e** | service |
| die **Herkunft** | origin |
| der **Buchstabe, -n** | letter (*of alphabet*) |
| der **Beitrag, ¨-e** | contribution, *here:* article |
| **insgesamt** | overall, altogether |
| **lehren** | to teach |
| **übersetzen, übersetzt** | to translate |
| **früher** | in earlier times |
| **weitergeben, weitergegeben** | to pass, hand down |
| **außer** | besides, in addition to |
| **begründen** | to establish, found |
| der **Band, ¨-e** | volume, tome |

Man kennt die Brüder Jacob (1785–1863) und Wilhelm Grimm (1786–1859) allgemein als Sammler[1] und Herausgeber[2] der berühmten *Kinder- und Hausmärchen*, die 1812 auf Deutsch erschienen und bereits 1823 ins Englische übersetzt wurden. Sie sind rund um die Welt bekannt. Vor den Grimms wurden Märchen vor allem mündlich erzählt. Die Brüder Grimm begründeten mit ihrem Werk die Märchenkunde[3] als Wissenschaft.

Die Grimms wurden in Hanau, in der Nähe von Frankfurt geboren. Sie sind bekannte Sprach- und Literaturwissenschaftler und werden als Begründer der modernen Germanistik angesehen[4]. Jacob Grimm zum Beispiel beschäftigte sich in seinem Werk *Die Deutsche Grammatik* mit den indoeuropäischen Sprachen, verglich Flexion[5], Wort- und Lautbildung[6] und den Laut- und Bedeutungswandel[7]. Er beschrieb Entwicklungsstufen[8] der Sprachen und die erste Lautverschiebung[9], die in der angelsächsischen Welt als „Grimm's Law" bekannt ist.

FineArt/Alamy

Eine Vorlesung bei Jacob Grimm

Nach dem Jurastudium in Marburg lebten und arbeiteten die Grimms zunächst als Bibliothekare[10] und Gelehrte[11] in Kassel. Dann gingen sie nach Göttingen, wo Jacob und später auch Wilhelm Professoren an der Georg-August-Universität wurden.

Die Grimms waren aber auch politisch tätig. Im Jahr 1837 beteiligten sich beide zusammen mit fünf anderen bekannten Professoren aus Göttingen am Protest gegen König Ernst August von Hannover. Dieser hatte ihrer Meinung nach unrechtmäßig[12] die Verfassung aufgehoben. „Die Göttinger Sieben" verloren ihre Professuren und mussten das Land verlassen, aber durch ihren Kampf für mehr Freiheit und Menschenrechte wurden sie in ganz Deutschland bekannt.

Jacob und Wilhelm Grimm gingen nach ihrer Entlassung[13] aus dem Universitätsdienst zurück nach Kassel und begannen 1838 ihr Hauptwerk, das *Deutsche Wörterbuch*. Mit diesem Werk wollten die Grimms die Herkunft und den Gebrauch für jedes deutsche Wort dokumentieren. Das war in einer Zeit, in der Deutschland aus vielen Kleinstaaten bestand, auch von nationaler Bedeutung. Das *Deutsche Wörterbuch* war eine unglaublich große Aufgabe. Wilhelm arbeitete bis zu seinem Tod am Buchstaben D und Jacob Grimm schrieb die Beiträge für A, B, C und E. Er starb bei der Arbeit am Buchstaben F. Der erste Band[14] des Wörterbuches wurde 1854 veröffentlicht. Insgesamt hat das *Deutsche Wörterbuch* 32 Bände, und es dauerte 123 Jahre, bis es fertig war. Dann begann man sofort mit einer Neubearbeitung[15].

Die Brüder Grimm lebten von 1841 bis zu ihrem Tod in Berlin, lehrten anfangs dort auch an der Universität und waren Mitglieder der Akademie der Wissenschaften.

[1]*collectors* [2]*editors* [3]*study of fairy tales* [4]werden angesehen *are considered* [5]*inflection* [6]Wort- ... *morphology and phonetics* [7]*semantic change* [8]*developmental stages* [9]*sound shift* [10]*librarians* [11]*scholars* [12]*illegally* [13]*dismissal, discharge* [14]*volume* [15]*revised edition*

## Arbeit mit dem Text

Lesen Sie den Text und suchen Sie die Antworten auf diese Fragen.

1. Wann wurden die *Kinder- und Hausmärchen* der Gebrüder Grimm ins Englische übersetzt?
2. Wie wurden Märchen früher weitergegeben?
3. Was haben die Gebrüder Grimm außer der Märchenkunde noch begründet?
4. Wie heißt die erste Lautverschiebung auf Englisch?
5. Wo studierten die Gebrüder Grimm?
6. Wer waren die „Göttinger Sieben" und gegen was protestierten sie?
7. Wohin gingen Jacob und Wilhelm Grimm nach ihrer Entlassung?
8. Was sollte das „Deutsche Wörterbuch" dokumentieren?
9. Wie viele Bände hat das Wörterbuch?
10. Wie lange brauchte man, bis es fertig war?
11. In welcher Stadt starben die Gebrüder Grimm?

### Miniwörterbuch

| | |
|---|---|
| **einzeln** | single |
| **bereits** | as early as |
| **erziehen, erzieht, erzog, erzogen** | to raise |
| **(sich) engagieren** | to get involved |
| der **Botschafter, -** / die **Botschafterin, -nen** | ambassador |
| **unterstützen** | to support |
| **erfahren, erfährt, erfuhr, erfahren** | to learn |
| die **Kindheit** | childhood |
| **handeln von** | to be about |
| **wäre** | would be |

Max Giesinger

Tristar Media/Getty Images

## MUSIKSZENE

### „Wenn sie tanzt" (2016, Deutschland) *Max Giesinger*

**Biografie** Max Giesinger wuchs als Einzelkind bei seiner Mutter in der Nähe von Karlsruhe auf. Bereits mit 13 spielte er in seiner ersten Band. 2016 bekam er den Goldene-Henne-Preis für Aufsteiger[1] des Jahres und den MTV *Europe Music Award* in der Kategorie *Best German Act* vor allem für seinen Hit *80 Millionen*, welches das inoffizielle Lied der deutschen Mannschaft bei der Europameisterschaft im Fußball 2016 wurde und innerhalb weniger Wochen Platz 2 der deutschen Hitparade erreichte. Der Hit *Wenn sie tanzt* erschien ebenfalls 2016 und erreichte ebenfalls die Top Ten der deutschen Hitparade sowie die Top 20 in Österreich und in der Schweiz. Das Lied ist eine Hommage an seine Mutter und an alle Frauen, die ihre Kinder allein erziehen. Max Giesinger engagiert sich sehr für Kinder und Jugendliche, die diskriminiert werden, und ist Botschafter für *Herzenssache*, einen Verein, der die Kinder- und Jugendarbeit im Südwesten Deutschlands unterstützt.

**NOTE:** For copyright reasons, the songs referenced in **MUSIKSZENE** have not been provided by the publisher. The song can be found online at various sites.

**Vor dem Hören** Lesen Sie die Biografie und beantworten Sie die folgenden Fragen.

- Was erfahren Sie über die Kindheit von Max Giesinger?
- Wann erschien das Lied *Wenn sie tanzt*?
- Für wen ist das Lied?
- Wofür engagiert sich Max Giesinger? Warum, glauben Sie, tut er das?

**Nach dem Hören** Was ist richtig? Korrigieren Sie die falschen Aussagen!

______ **1.** Das Lied handelt von einer Frau, die ihre Kinder allein erzieht.
______ **2.** Eine 40-Stunden-Woche ist für die Frau normal.
______ **3.** Wenn sie heimkommt[2], muss sie erst mal für die Kinder kochen.
______ **4.** Manchmal fragt sie sich, wie ihr Leben ohne Kinder wäre.
______ **5.** Dann macht sie ihre Augen zu und träumt.
______ **6.** Wenn sie tanzt, ist sie selber ein Kind.
______ **7.** Wenn sie tanzt, ist sie ein anderer Mensch.
______ **8.** Sie schwimmt allein durch New York und geht barfuß[3] in Alaska.
______ **9.** Sie geht jede Woche auf ein Date.
______ **10.** Sie zieht ihr Lieblingskleid an, wenn sie auf ein Date geht.

[1]*rising star, newcomer* [2]*comes home* [3]*barefoot*

# Strukturen

## 1. The conjunction *als* with dependent-clause word order

The conjunction **als** (*when*) is commonly used to express that two events or circumstances happened at the same time. The **als-**clause establishes a point of reference in the past for an action or event described in the main clause.

| | |
|---|---|
| **Als** ich zwölf Jahre alt war, bin ich zum ersten Mal allein verreist. | *When I was twelve years old, I traveled alone for the first time.* |

When an **als-**clause introduces a sentence, it occupies the first position. Consequently, the conjugated verb in the main clause occupies the second position and the subject of the main clause is in the third position.

| 1 | 2 | 3 | |
|---|---|---|---|
| Als ich 12 Jahre alt **war,** | **bin** | **ich** | zum ersten Mal allein verreist. |

Note that the conjugated verb in the **als-**clause appears at the end of that clause.

**WISSEN SIE NOCH?**

An **als-**clause is a type of dependent clause. As in other dependent clauses, the conjugated verb appears at the end of the clause.

Review **Strukturen 5** in **Kapitel 3** and **Strukturen 1** in **Kapitel 7.**

### Übung A. Meilensteine

Schreiben Sie 10 Sätze über Ihr Leben. Beginnen Sie jeden Satz mit **als.**

MODELL: Als ich eins war, habe ich laufen gelernt.
Als ich zwei war, habe ich sprechen gelernt.
Als ich fünf war, bin ich in die Schule gekommen.
Als ich ...

Rido/Shutterstock

## 2. Word formation: Compound nouns (part two)

> **WISSEN SIE NOCH?**
>
> The gender of a compound noun is the same as the gender of the last noun of the compound. The first noun, which modifies the meaning of the compound noun, commonly receives the main stress.
>
> Review **Strukturen 4** in **Kapitel 2.**

There are many compound nouns in German. As you have learned, the gender of the compound noun is determined by the final noun, while the first noun commonly receives the main stress. For example, **Sonnenschirm** is masculine because **Schirm** is masculine, and the main stress is on **Sonn-**.

| | |
|---|---|
| Wenn die Sonne scheint, braucht man einen **Sọnnenschirm.** | *When the sun shines, you need a sunshade.* |

Most compound nouns (70%) simply consist of the two or more words of the compound, for example, **Weltsicht** (*world view*). In about 30% of cases, however, additional elements are added, such as the **-n-** in **Sonnenschirm.** These elements are called linking elements (**Fugenelemente**). They make pronunciation easier or highlight the end of the first word of the compound. They generally have no meaning. The most common linking elements are **-e-**, **-(e)s-**, **-(e)n-**, and **-er-**.

| | | | | | |
|---|---|---|---|---|---|
| baden (STEM: bad) | + | die Wanne | → | die Bad**e**wanne | *bathtub* |
| der Tag | + | die Mutter | → | die Tag**es**mutter | *day nanny* |
| das Leben | + | die Mittel | → | die Leben**s**mittel | *groceries* |
| der/die Kranke | + | das Haus | → | das Kank**en**haus | *hospital* |
| die Woche | + | das Ende | → | das Woche**n**ende | *weekend* |
| das Kind | + | die Arbeit | → | die Kind**er**arbeit | *child labor* |

Verbs that appear as the first element of a compound noun usually drop the infinitive ending **-en,** for example:

| | | | | | |
|---|---|---|---|---|---|
| fahren | + | das Rad | → | das Fahrrad | *bicycle* |
| schlafen | + | das Zimmer | → | das Schlafzimmer | *bedroom* |
| schreiben | + | der Tisch | → | der Schreibtisch | *desk* |

Some compounds consisting of a verb and a noun, however, add the linking element **-e-** to the verb stem, for example:

| | | | | | |
|---|---|---|---|---|---|
| warten | + | das Zimmer | → | das Wartezimmer | *waiting room* |
| reden | + | die Freiheit | → | die Redefreiheit | *freedom of speech* |
| pflegen | + | das Kind | → | das Pflegekind | *foster child* |

| | |
|---|---|
| Nehmen Sie bitte im **Wartezimmer** Platz. | *Please have a seat in the waiting room.* |

The linking element **-s-** follows feminine nouns ending in **-ung, -heit, -keit, -ion, -schaft**, and, in addition, feminine nouns ending in **-t** that have more than one syllable, for example:

| | | | | | |
|---|---|---|---|---|---|
| die Bedeutung | + | der Wandel | → | der Bedeutung**s**wandel | *change of meaning* |
| die Kindheit | + | die Erinnerung | → | die Kindheit**s**erinnerung | *childhood memory* |
| die Tätigkeit | + | der Bericht | → | der Tätigkeit**s**bericht | *activity report* |
| die Religion | + | die Freiheit | → | die Religion**s**freiheit | *freedom of religion* |
| die Wirtschaft | + | die Wissenschaft | → | die Wirtschaft**s**wissenschaft | *economic science* |
| die Arbeit | + | der Markt | → | der Arbeit**s**markt | *job market* |

| | |
|---|---|
| Ich habe sehr viele schöne **Kindheitserinnerungen.** | *I have many happy childhood memories.* |

The linking element **-(e)n-** generally follows weak masculine nouns and other masculine and neuter nouns whose plural ending is **-(e)n.** In addition, it follows adjectives and participles used as nouns referring to people, for example:

| | | | | | | |
|---|---|---|---|---|---|---|
| der Mensch | + | das Recht | → | das Mensch**en**recht | *human right* |
| das Auge | + | das Licht | → | das Auge**n**licht | *eyesight* |
| der/die Reiche | + | die Steuer | → | die Reiche**n**steuer | *tax for the wealthy* |
| der/die Angestellte | + | das Verhältnis | → | das Angestellte**n**verhältnis | *employment* |

Man muss sich immer für die **Menschenrechte** einsetzen. — *People must always stand up for human rights.*

The linking element **-er-** is used when the first noun ends in **-er** in the plural, for example:

| | | | | | |
|---|---|---|---|---|---|
| das Wort | + | das Buch | → | das Wört**er**buch | *dictionary* |
| der Geist | + | das Haus | → | das Geist**er**haus | *haunted house* |
| das Kind | + | der Garten | → | der Kind**er**garten | *nursery school* |

**Kindergärten** nehmen Kinder im Alter von 2 bis 5 Jahren auf. — *Nursery schools accept children from ages 2 to 5.*

The linking element **-er** commonly implies a multitude of the first noun, but not always: for example, **der Bilderrahmen** (*picture frame*) or **die Eierschale** (*eggshell*).

## Übung B. Definitionen

Was ist das? Ergänzen Sie die Lücken mit Wörtern aus dem Wortkasten.

MODELL: Einen Bund von Staaten bezeichnet man als *Staatenbund*.

1. Die Stufe der Entwicklung ist die ___________.
2. Ein System, das Informationen organisiert, ist ein ___________.
3. Einen Schrank für Kleider nennt man einen ___________.
4. Der Tag, an dem man geboren ist, ist der ___________.
5. Wenn man um die Freiheit kämpft, dann bezeichnet man es als ___________.
6. Der Grad, wie schwierig etwas ist, ist der ___________.
7. Wenn man Politik für die Wirtschaft macht, nennt man es ___________.
8. Die Zeit, die man mit Warten verbringt, bezeichnet man als ___________.
9. Die Kosten, die auf die ursprünglichen folgen, nennt man die ___________.

**ACHTUNG!**

Das Wort mit dem Fugenelement ist das jeweils erste Wort im Kompositum.

**Politik** **System** **Wirtschafts** **Schwierigkeits** **Kampf** **Freiheits** ~~**Staaten**~~ **Schrank** **Stufe** **Zeit** **Informations** **Kleider** **Geburts** ~~**Bund**~~ **Entwicklungs** **Grad** **Warte** **Kosten** **Tag** **Folge**

# Situationen

## Jugend

1. Maike Gruber war sehr begabt[1]. In der Schule wusste sie immer alles.

2. Sie brauchte für die Klassenarbeiten nicht viel zu lernen.

3. Sie konnte auch sehr gut tanzen und wollte Tänzerin werden.

4. Dreimal in der Woche musste sie zum Ballettunterricht.

5. Als sie in der letzten Klasse war, hatte sie einen Freund.

6. Ihr Vater durfte nichts davon wissen, denn er war sehr streng.

7. Eines Tages hat sie ihren Freund ihren Eltern vorgestellt.

8. Aber ihr Vater mochte ihn nicht und sie mussten sich trennen.

### Situation 5 Dialog: Jugendsünden

Michael Pusch trifft seinen alten Freund Alexander. Die beiden sprechen über ihre gemeinsame Schulzeit.

MICHAEL: Schön, dich mal wieder zu sehen, Alex. Was hast du eigentlich nach dem Abi ________?

ALEXANDER: Ich habe eine Tanzschule ________.

MICHAEL: Nicht schlecht. Gern und gut ________ hast du ja früher schon.

ALEXANDER: Stimmt. Erinnerst du dich an das Drama mit Frau Müller ________?

MICHAEL: Ach, als wir in ihrem Deutschunterricht laut Musik ________ und getanzt haben?

ALEXANDER: Genau. Sie war noch nicht in der Klasse, uns war langweilig und Thomas hatte ________ ein bisschen Musik dabei.

MICHAEL: Und als Frau Müller hereinkam, haben alle wild getanzt und ________. Das war ein Spaß.

ALEXANDER: Danach hat es nur leider viel ________ mit dem Direktor gegeben.

MICHAEL: Richtig. Dabei hatten wir diese Sache noch nicht einmal ________.

ALEXANDER: Und als wir Herrn Riedel die Geschichtsklausuren[2] ________ oder das Auto der Französischlehrerin Frau Özdemir mit Toilettenpapier eingepackt haben ...

MICHAEL: Es war eigentlich eine schöne Zeit auf dem Gymnasium.

ALEXANDER: Na ja. Denk doch nur an die vielen Klassenarbeiten!

[1]*gifted* [2]*history exams*

# KULTUR ... LANDESKUNDE ... INFORMATIONEN

## 1989

### Vor dem Lesen

- Was geschah 1989?
- Wo liegt Leipzig? Wie alt ist Leipzig? Wie viele Einwohner*innen hat Leipzig?
- Was wissen Sie sonst noch über Leipzig?

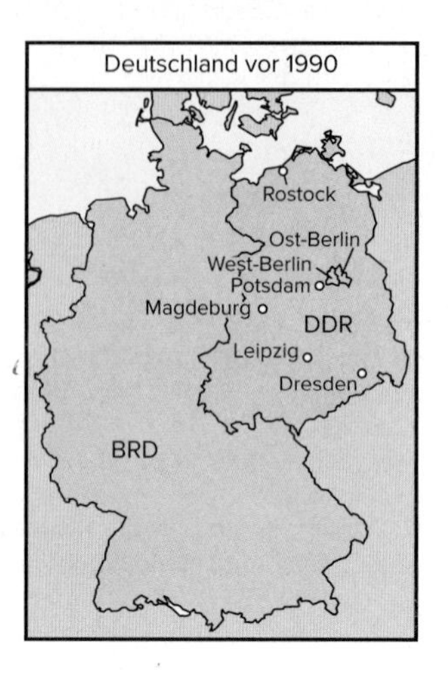

Lutz Schmidt/AP Photo

Die Mauer ist gefallen.

### Miniwörterbuch

| | |
|---|---|
| die **Grenze, -n** | border |
| **teilnehmen, nahm teil, teilgenommen** | to take part, participate |
| **demonstrieren** | to demonstrate, rally |
| **friedlich** | peaceful |
| **besetzen** | to occupy |
| **deutlich** | clear(ly) |
| **gesellschaftlich** | social(ly) |
| der/die **Bürger/in** | citizen, member of the public |
| **verbieten, verbot, verboten** | to forbid, prohibit |
| **insbesondere** | especially |
| **fliehen, floh, ist geflohen** | to flee |
| **erschießen, erschoss, erschossen** | to shoot dead, kill |
| der **Anschluss** | connection |
| die **Mitte** | middle |
| **anschließen, schloss an, angeschlossen** | to connect, join |
| **vorgehen, ging vor, ist vorgegangen** | to go on, advance, act |
| das **Volk, ¨-er** | people, public |
| die **Regierung, -en** | government |
| **zurücktreten, trat zurück, ist zurückgetreten** | to step down, resign |
| die **Wahl, -en** | election |
| **ebenso** | equally, similarly |

### Arbeit mit dem Text

Lesen Sie den Text und suchen Sie die Antworten auf die folgenden Fragen:

1. Wie nennt man in Deutschland das Jahr 1989?
2. Wie lange war Deutschland geteilt[1]?
3. Wie hieß der östliche Teil Deutschlands? Wann wurde er gegründet?
4. Was war mit West-Berlin?
5. Wie ging es der DDR in den 1980er Jahren wirtschaftlich?
6. Was empörte[2] die DDR-Bürger*innen besonders?
7. Welches sozialistische Land öffnete seine Grenzen als erstes?
8. Wo fanden die Montagsdemonstrationen statt?
9. War es gefahrlos[3], an den Montagsdemonstrationen teilzunehmen?
10. Wie viele Menschen demonstrierten am 9. Oktober?
11. Wann fiel die Berliner Mauer?
12. An welches Ereignis erinnert der deutsche Nationalfeiertag?
13. Was findet jedes Jahr am 9. Oktober in Leipzig statt?

1989 ist als das Wendejahr[4] bekannt, das Jahr der friedlichen Revolution. Nach dem verlorenen Zweiten Weltkrieg war Deutschland zuerst vier Jahre lang besetzt und dann 40 Jahre lang geteilt. 1949 schlossen sich die Besatzungszonen[5] der Westalliierten zur Bundesrepublik Deutschland (BRD) zusammen und aus der sowjetischen Besatzungszone wurde die Deutsche Demokratische Republik, die DDR. Der Kalte Krieg zwischen den USA und der Sowjetunion teilte nicht nur Deutschland, sondern Europa und die ganze Welt. Westdeutschland war eine Demokratie und Teil des kapitalistischen Westens und die DDR war eine Diktatur und Teil des sozialistischen Ostens. West-Berlin war eine westdeutsche Insel in der DDR.

1989 wurde immer deutlicher, dass das totalitärische sozialistische System der DDR zum Scheitern verurteilt[6] war. Wirtschaftlich stand das Land vor dem Staatsbankrott, die Altstädte verfielen[7] und die Umwelt verkam[8]. Gesellschaftlich empörten sich immer mehr Menschen über den Überwachungsstaat[9], der seine Bürger*innen in Unmündigkeit[10] hielt und ihnen Vieles verbot, insbesondere den Kontakt zum Westen. Viele Leute kamen ins Gefängnis und wurden dort auch gefoltert[11]. Mindestens 200 DDR-Bürger*innen, die versuchten, über die Grenze zu fliehen, wurden erschossen.

1989 flohen immer mehr Bürger*innen der DDR über Ungarn, das als erstes seine Grenzen öffnete, in den Westen. Am 4. September fand die erste Montagsdemonstration in

[1]*divided* [2]*outraged* [3]*without danger* [4]*turning-point year* [5]*occupied zones* [6]*zum ... doomed to collapse* [7]*were falling into disrepair* [8]*was deteriorating* [9]*surveillance state* [10]*dependency* [11]*tortured*

Leipzig statt. Sie begann im Anschluss an die Friedensgebete[1] in der Nikolaikirche, die seit Mitte der 1980er Jahre immer montags um 17 Uhr stattfanden. Diesen Montagsdemonstrationen schlossen sich von Woche zu Woche immer mehr Menschen an, obwohl die Sicherheitskräfte[2] der DDR brutal gegen die Demonstrierenden vorgingen. Auch in anderen Städten der DDR kam es zu Demonstrationen. Am 9. Oktober demonstrierten 70.000 Menschen in Leipzig unter der Parole[3]: Wir sind das Volk. Eine Woche später waren es bereits 120.000 und an den folgenden Montagen waren es jeweils 300.000. Am 7. November trat die gesamte DDR-Regierung zurück und am 9. November wurde die Berliner Mauer geöffnet. Die Bürger*innen der DDR waren frei.

Am 18. März 1990 gab es die ersten freien Wahlen in der DDR und am 3. Oktober 1990 trat die DDR der Bundesrepublik Deutschland bei[4]. Deutschland war wiedervereinigt[5]. Der 3. Oktober wurde zum Nationalfeiertag Deutschlands. In Leipzig wird jedes Jahr am 9. Oktober ein großes Lichtfest gefeiert, in Erinnerung an die *friedliche Revolution,* bei dem ebenso wie 1989 viele Menschen mit Kerzen durch die Innenstadt Leipzigs ziehen.

## Nach dem Lesen

Eine Frage an Sie persönlich: Welche historischen Ereignisse des 20. Jahrhunderts waren für Sie und Ihre Familie wichtig?

---

## Situation 6 Interview

1. Was wolltest du werden, als du ein Kind warst?
2. Musstest du früh aufstehen, als du zur Schule gegangen bist? Wann?
3. Konntest du zu Fuß zur Schule gehen?
4. Wann musstest du von zu Hause aufbrechen?
5. Wolltest du manchmal lieber zu Hause bleiben? Warum?
6. Durftest du an vielen extracurricularen Aktivitäten teilnehmen? An welchen?
7. Musstest du im Sprachunterricht viel übersetzen?
8. Durftest du abends lange fernsehen oder im Internet surfen, auch wenn du morgens früh aufstehen musstest?
9. Durftest du abends ausgehen? Wann musstest du zu Hause sein?

## Situation 7 Geständnisse[6]

Sagen Sie, was in diesen Situationen passiert ist oder was Sie gemacht haben.

MODELL: Als ich zum ersten Mal allein eine Reise gemacht habe, habe ich meinen Teddy mitgenommen.

1. Als ich zum ersten Mal allein eine Reise gemacht habe
2. Als ich zum ersten Mal Kaffee getrunken habe
3. Wenn meine Eltern mich geschimpft haben
4. Als ich in der Schule mein erstes F bekommen habe
5. Wenn ich keine Hausaufgaben gemacht habe
6. Wenn ich total verliebt war
7. Als ich zum ersten Mal verliebt war
8. Als ich einmal meinen Hausschlüssel verloren habe
9. Wenn meine Eltern mir etwas verboten haben
10. Als ich einmal an einer Demonstration teilgenommen habe

## Situation 8 Rollenspiel: Das Klassentreffen

S1: Sie sind auf einem Klassentreffen[7] Ihrer alten High-School-Klasse. Sie unterhalten sich mit einem alten Schulfreund / einer alten Schulfreundin. Fragen Sie, was er/sie nach Abschluss der High School gemacht hat, was er/sie jetzt macht und was seine/ihre Pläne für die nächsten Jahre sind. Sprechen Sie auch über die gemeinsame Schulzeit.

[1]*prayers for peace* [2]*security forces* [3]*slogan* [4]trat bei *joined* [5]*reunited* [6]*confessions* [7]*class reunion*

# Strukturen

## 3. The simple past tense of *werden, wissen,* and the modal verbs

**WISSEN SIE NOCH?**

You have already learned the simple past tense of the verbs **haben** and **sein.**

Review **Strukturen 5** in **Kapitel 7.**

Use the simple past tense of **haben, sein, werden, wissen,** and the modal verbs in both writing and conversation.

The simple past tense is preferred over the perfect tense with some frequently used verbs, even in conversational German. These verbs include **haben, sein, werden, wissen,** and the modal verbs.

| | |
|---|---|
| Maike Gruber **war** in der Schule sehr gut. | *Maike Gruber was very good in school.* |
| Sie **wusste** immer alles. | *She always knew everything.* |
| Sie **hatte** viele Freundinnen und Freunde. | *She had many friends.* |

The simple past conjugations of **werden, wissen,** and the modal verbs are shown. For **haben** and **sein,** refer back to **Strukturen 5** in **Kapitel 7.** Notice that for each of these verbs, the **er/sie/es**-form is the same as the **ich**-form.

A. The Verb **werden**

| | |
|---|---|
| Alexander **wurde** Tanzlehrer. | *Alexander became a dance instructor.* |
| Im August **wurde** er sehr krank. | *In August he became very sick.* |

| **werden** | | | |
|---|---|---|---|
| *ich* | wurde | *wir* | wurden |
| *du* | wurdest | *ihr* | wurdet |
| *Sie* | wurden | *Sie* | wurden |
| *er/sie/es* | wurde | *sie* | wurden |

B. The Verb **wissen**

The forms of the verb **wissen** are similar to those of the modal verbs.

| | |
|---|---|
| Ich **wusste** nicht, dass du keine Erdbeeren magst. | *I didn't know that you don't like strawberries.* |

Here are the simple past-tense forms.

| **wissen** | | | |
|---|---|---|---|
| *ich* | wusste | *wir* | wussten |
| *du* | wusstest | *ihr* | wusstet |
| *Sie* | wussten | *Sie* | wussten |
| *er/sie/es* | wusste | *sie* | wussten |

C. Modal Verbs

To form the simple past tense of modal verbs, use the stem, drop any umlauts, and add **-te-** plus the appropriate ending: können → könn → konn → konn**te** → du konnte**st.**

| | |
|---|---|
| Wir **wollten** mitkommen. | *We wanted to come along.* |
| Mert **musste** jeden Tag um sechs aufstehen. | *Mert had to get up at six every morning.* |

Eske und Damla **durften** mit fünf Jahren noch nicht fernsehen. — *When they were five, Eske and Damla weren't yet allowed to watch TV.*

Here are the simple past-tense forms of the modal verbs.

| | **können** | **müssen** | **dürfen** | **sollen** | **wollen** | **mögen** |
|---|---|---|---|---|---|---|
| *ich* | konnte | musste | durfte | sollte | wollte | mochte |
| *du* | konntest | musstest | durftest | solltest | wolltest | mochtest |
| *Sie* | konnten | mussten | durften | sollten | wollten | mochten |
| *er*<br>*sie*<br>*es* | konnte | musste | durfte | sollte | wollte | mochte |
| *wir* | konnten | mussten | durften | sollten | wollten | mochten |
| *ihr* | konntet | musstet | durftet | solltet | wolltet | mochtet |
| *Sie* | konnten | mussten | durften | sollten | wollten | mochten |
| *sie* | konnten | mussten | durften | sollten | wollten | mochten |

Note the consonant change in the past tense of **mögen: mo*ch*te.**

## Übung C. Fragen und Antworten

Hier sind die Fragen. Was sind die Antworten?

MODELL: Lydia, warum bist du nicht mit ins Kino gegangen? (nicht können) → Ich konnte nicht.

1. Yusuf, warum bist du nicht mit zum Schwimmen gekommen? (nicht dürfen)
2. Maria, warum bist du nicht gekommen? (nicht wollen)
3. Max, gestern war Hannahs Geburtstag! (das / nicht wissen)
4. Hannah, warum hast du nicht protestiert? (es / nicht wollen)
5. Jochen, warum hast du nicht geschimpft? (das doch / nicht sollen)

## Übung D. Minidialoge

Setzen Sie Modalverben oder **wissen** ein.

1. PHAN: Was hast du gemacht, wenn du nicht zur Schule gehen _______[a]?
   DANIEL: Ich habe gesagt: „Ich bin krank."
   PHAN: Haben deine Eltern das geglaubt?
   DANIEL: Nein, meine Mutter _______[b] immer, was los war.
2. YUSUF: Phillip, warum bist du gestern nicht auf den Spielplatz gekommen?
   PHILLIP: Ich _______[a] nicht. Ich habe eine Fünf in Mathe geschrieben und _______[b] zu Hause bleiben.
   YUSUF: Schade. Wir _______[c] Fußball spielen, aber dann _______[d] wir nicht genug Spieler finden.
3. HERR RUF: Guten Tag, Frau Gruber. Tut mir leid, dass ich neulich nicht zu Ihrer kleinen Feier kommen _______[a]. Aber ich _______[b] meine alte Tante in Würzburg besuchen.
   FRAU GRUBER: Ja, wirklich schade. Ich _______[c] gar nicht, dass Sie eine Tante in Würzburg haben.
   HERR RUF: Sie zieht diese Woche nach Düsseldorf zu ihrer Tochter, und ich _______[d] sie noch einmal besuchen.

## 4. Time: *als, wenn, wann*

**Als** refers to a circumstance (time period) in the past or to a single event (point in time) in the past or present, but never in the future.

TIME PERIOD

Als ich 15 Jahre alt war, sind meine Eltern nach Texas gezogen.
*When I was 15 years old, my parents moved to Texas.*

POINT IN TIME

Als wir in Texas angekommen sind, war es sehr heiß.
*When we arrived in Texas, it was very hot.*

Als Veronika ins Zimmer kommt, klingelt das Telefon.
*When (As) Veronika comes into the room, the phone rings.*

**Wenn** has three distinct meanings: a conditional meaning and two temporal meanings. In conditional sentences, **wenn** means *if.* In the temporal sense, **wenn** may be used to describe events that happen or happened more than once (*when*[*ever*]) or to describe events that will happen in the future (*when*).

CONDITION

Wenn man auf diesen Knopf drückt, öffnet sich die Tür.
*If you press this button, the door will open.*

REPEATED EVENTS

Wenn Herr Wagner nach Hause kam, freuten sich die Kinder.
*When*(*ever*) *Mr. Wagner came home, the children were happy.*

Wenn Herr Wagner nach Hause kommt, freuen sich die Kinder.
*When*(*ever*) *Mr. Wagner comes home, the children are happy.*

FUTURE EVENT

Wenn ich in Frankfurt ankomme, rufe ich dich an.
*When I arrive in Frankfurt, I'll call you.*

In the simple past, **wenn** refers to a habit or an action or event that happened repeatedly or customarily; **als** refers to a specific action or event that happened once, either over a particular time period or at a particular point in time in the past.

| | |
|---|---|
| **Wenn** ich nicht zur Schule gehen wollte, habe ich gesagt, dass ich krank bin. | *When*(*ever*) *I didn't want to go to school, I said that I was sick.* |
| **Als** ich mein erstes F bekommen habe, habe ich geweint. | *When I got my first F, I cried.* |

**Wann** is an adverb of time meaning *at what time.* It is used in both direct and indirect questions.

| | |
|---|---|
| **Wann** hast du deinen ersten Kuss bekommen? | *When did you get your first kiss?* |
| Ich weiß nicht, **wann** der Zug kommt. | *I don't know when the train is coming.* |

Note that when **wann** is used in an indirect question, the conjugated verb comes at the end of the clause.

| *When* | |
|---|---|
| Single event in past or present (*at one time*) | **als** |
| Circumstance in the past | |
| Condition (*if*) | **wenn** |
| Repeated event in past, present, or future (*whenever*) | |
| Single event in the future (*when*) | |
| Adverb of time (*at what time?*) | **wann** |

## Übung E. Minidialoge

**Wann, wenn** oder **als?**

1. YUSUF: _______[a] darf ich fernsehen?
   FRAU WAGNER: _______[b] du deine Hausaufgaben gemacht hast.
2. JOHANNES: Oma, _______[a] hast du Opa kennengelernt?
   OMA: _______[b] ich siebzehn war.
3. STEVE: Was habt ihr gemacht, _______ ihr in München wart?
   MEILI: Wir haben sehr viele Filme gesehen.
4. NESRIN: _______[a] hast du Sofie getroffen?
   LUKAS: Gestern, _______[b] ich an der Uni war.
5. MIGUEL: _______[a] fliegst du nach Europa?
   PEDRO: _______[b] ich genug Geld habe.
6. SHANNON: Du spielst sehr gut Tennis. _______[a] hast du das gelernt?
   HEIDI: _______[b] ich noch klein war.

## Übung F. Eine Mail

**Wann, wenn** oder **als?**

Liebe Tina, gestern Nachmittag musste ich meiner Oma mal wieder Kuchen und Wein bringen. Immer _______[a] ich mich mit meinen Freunden verabrede[1], will mein Vater etwas von mir. Ich war ganz schön wütend. _______[b] ich den Korb[2] gepackt habe, habe ich leise geschimpft. _______[c] ich meine Oma besuche, muss ich immer ein bisschen bleiben und mich mit ihr unterhalten. Das ist langweilig und anstrengend[3], denn die Oma hört nicht mehr so gut. Außerdem wohnt sie am anderen Ende der Stadt. Auch _______[d] ich mit dem Bus fahre, dauert es mindestens zwei Stunden.

_______[e] ich aus dem Haus gekommen bin, habe ich an der Ecke Samy auf seinem Moped gesehen. _______[f] ich ihn das letzte Mal gesehen habe, haben wir uns wunderbar unterhalten.

„_______[g] kommst du mal wieder ins Jugendzentrum?" hat Samy gerufen. „Vielleicht heute gegen Abend", habe ich geantwortet. _______[h] ich mich auf den Weg gemacht habe, hat es auch noch angefangen zu regnen. Und natürlich ... wie immer ... _______[i] es regnet, habe ich keinen Regenschirm[4] dabei.

Liebe Grüße

Hannah

[1]*make plans* [2]*basket* [3]*strenuous, tiring* [4]*umbrella*

# Situationen

## Geschichten

Als Lukas mal allein zu Hause war ...

**Miniwörterbuch**

| | |
|---|---|
| der **Schatten** | shadow |
| der **Einbrecher** | burglar |
| die **Taschen-lampe** | flashlight |

### Situation 9 Informationsspiel: Was ist passiert?

MODELL: Was ist Sofie passiert? / Was ist dir passiert?
Wann ist es passiert?
Wo ist es passiert?
Warum ist es passiert?

| | Sofie | Mert | Yusuf | mein Partner / meine Partnerin |
|---|---|---|---|---|
| *Was?* | | hat seinen Flug verpasst | | |
| *Wann?* | als sie im Kino war | | als er über den Zaun geklettert ist | |
| *Wo?* | | in Berlin | | |
| *Warum?* | weil ihre Jackentasche ein Loch hatte | | weil der Zaun zu hoch war | |

## Situation 10 Und dann?

Suchen Sie für jede Situation eine logische Folge.

MODELL: Hannah konnte ihren Hausschlüssel nicht finden und kletterte durch das Fenster.

| | |
|---|---|
| 1. Yusuf machte das Fenster kaputt | a. machte dann Urlaub in Spanien. |
| 2. Max reparierte[1] sein Fahrrad | b. fuhr gleich gegen einen Baum. |
| 3. Richard sparte ein ganzes Jahr | c. kaufte sich ein Motorrad. |
| 4. Claire kam in Innsbruck an | d. kaufte sich neue Schuhe. |
| 5. Michael bekam ein neues Fahrrad | e. lief weg. |
| 6. Johannes lernte sechs Jahre Spanisch | f. machte eine Radtour. |
| 7. Leon arbeitete drei Monate im Krankenhaus | g. flog dann nach Amerika. |
| | h. sagte leise: „Oh, mein Gott!" |
| 8. Phan wohnte zwei Semester allein | i. zog dann in eine WG[2]. |
| 9. Julia bekam ihren ersten Kuss | j. ? |

## Situation 11 Bildgeschichte: Michael beim Zirkus

**Miniwörterbuch**

| | |
|---|---|
| der **Zirkus** | circus |
| der **Clown** | clown |
| der **Elefant** | elephant |
| die **Seiltänzerin** | female tightrope artist |

[1] *repaired* [2] WG = Wohngemeinschaft *shared apartment/house*

# Filmlektüre

## *Nordwand*

### Vor dem Lesen

**A.** Beantworten Sie die folgenden Fragen.

1. Wer sind die Personen auf dem Poster? Wie alt sind sie? Was haben sie vor?
2. Schauen Sie sich den Hintergrund an. Wie finden Sie das, was sie vorhaben?
3. Suchen Sie im Internet. Auf welchem Berg finden Sie die berühmte „Nordwand“? Wie heißt das Gebirge? In welchem Land ist dieser Berg?

FILMANGABEN

**Titel:** *Nordwand*
**Genre:** Drama
**Erscheinungsjahr:** 2008
**Land:** Deutschland, Österreich, Schweiz
**Dauer:** 126 min
**Regisseur:** Philipp Stölzl
**Hauptrollen:** Benno Fürmann, Florian Lukas, Johanna Wokalek, Georg Friedrich, Simon Schwarz, Ulrich Tukur

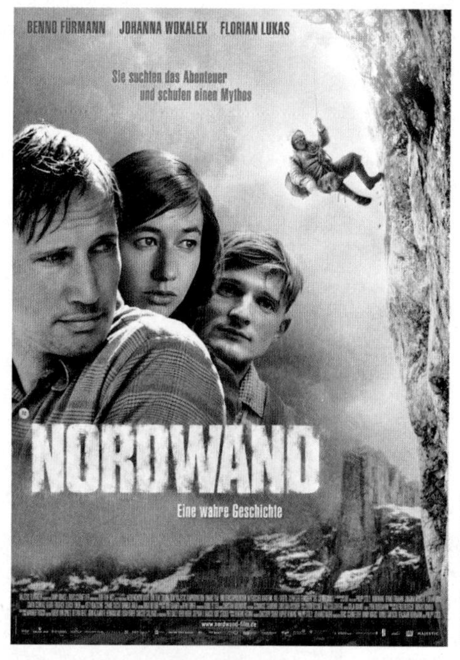

TCD/Prod.DB/Alamy

**B.** Lesen Sie die Wörter im Miniwörterbuch. Suchen Sie sie im Text und markieren Sie sie.

| Miniwörterbuch | |
|---|---|
| **basieren** | to be based |
| **spannend** | suspenseful |
| **dramatisch** | dramatic |
| das **Ziel, -e** | goal |
| die **Nordwand** | north wall; *here:* north face |
| **extrem** | extreme(ly) |
| der **Mord, -e** | murder |
| **bisher** | as yet, so far |
| **aufrufen, rief auf, aufgerufen** | to call on (someone to do something) |
| **überzeugen, überzeugt** | to convince |
| **vorhaben, hatte vor, vorgehabt** | to plan, have in mind |
| die **Vorbereitung, -en** | preparation |
| **bald** | soon |
| der **Aufstieg** | ascent |
| das **Rennen** | race |
| **zunächst** | initially, at first |
| **verletzen** | to injure |
| der **Lauf** | course |
| **seinen/ihren Lauf nehmen** | to take its course |
| der **Punkt, -e** | point |
| der **Nullpunkt** | zero point on a scale measuring degrees Celsius |
| **drohen** | to threaten |
| das **Streben** | pursuit |

## Inhaltsangabe

Der Film basiert auf einer wahren Geschichte und berichtet von dem spannenden und dramatischen Abenteuer einer Expedition, die 1936 stattgefunden hat. Das Ziel war es, die Eiger-Nordwand, die nicht nur extrem gefährlich sondern auch unter dem Namen „die Mordwand" bekannt war, zu erklettern[1]. Schon viele hatten es probiert, doch bisher hatte es noch niemand geschafft, diese Wand zu besteigen[2]. Als im Jahre 1936, kurz vor den Olympischen Spielen, die Nazis dazu aufrufen, wird es der Traum von vielen Bergsteigern[3] aus ganz Europa. Auch die erfahrenen Kletterer Toni Kurz (Benno Fürmann) aus Berchtesgaden und Andreas Hinterstoißer (Florian Lukas) denken an nichts anderes und sind davon überzeugt, dass sie den Berg bezwingen[4] können. Zwei ehrgeizige[5] Österreicher, Willy (Simon Schwarz) und Edi (Georg Friedrich), haben es ebenso vor, und glauben, die ersten zu sein.

Während der Vorbereitungen am Fuß der Nordwand treffen Toni und Andi überraschend auf Luise (Johanna Wokalek), die sie schon aus ihrer frühen Kindheit kennen. Luise arbeitet jetzt als Fotoreporterin für eine Berliner Zeitung und soll über die Erstbesteigung[6] berichten. Luise merkt bald, dass sie in Toni verliebt ist. Dann beginnt der Aufstieg und das Rennen beginnt. Zunächst läuft alles hervorragend, und beide Teams kommen schnell voran[7]. Doch bereits am Anfang hat Willy einen Unfall. Ein Stein verletzt ihn am Kopf. Die Katastrophe nimmt ihren Lauf, als das Wetter umschlägt[8]. Die Temperaturen fallen tief unter den Nullpunkt. Ein Schneesturm tobt[9]. Lawinen[10] drohen. Das Streben nach Ruhm[11] und Erfolg führt zu einem Kampf auf Leben und Tod.

## Arbeit mit dem Text

Richtig oder falsch? Verbessern Sie die falschen Aussagen.

_____ 1. Der Film ist eine erfundene Geschichte.

_____ 2. Bergsteigen war Teil der Olympischen Spiele.

_____ 3. Luise lernt Toni und Andi während der Vorbereitungen am Fuß der Nordwand kennen.

_____ 4. Toni hat sich sehr früh verletzt.

_____ 5. Die Österreicher glauben, dass sie schneller sind als Toni und Andi.

_____ 6. Viele Bergsteiger haben schon versucht, die Nordwand zu besteigen.

_____ 7. Luise ist in Toni verliebt.

## Nach dem Lesen

Beantworten Sie die folgenden Fragen.

1. Haben Sie schon einmal einen Berg bestiegen? Wie war dieses Erlebnis?
2. Hatten Sie schon einmal ein Erlebnis, das sehr spannend oder gefährlich war? Erzählen Sie!
3. Suchen Sie im Internet. Wie viele Menschen haben versucht, die Eiger-Nordwand zu besteigen? Wie viele sind dabei gestorben?

[1]*to climb* [2]*to ascend* [3]*mountain climbers* [4]*to vanquish, conquer* [5]*ambitious* [6]*first ascent*
[7]kommen ... *advance, make quick progress* [8]*changes* [9]*rages* [10]*avalanches* [11]*glory*

# Strukturen

## 5. The simple past tense of weak and strong verbs (receptive)

In written texts, the simple past tense is commonly used instead of the perfect to refer to past events.

Hannah **fuhr** allein in Urlaub. *Hannah went on vacation alone.*
Ihr Vater **brachte** sie zum Bahnhof. *Her father took her to the train station.*

In the simple past tense, just as in the present tense, separable-prefix verbs are separated in independent clauses but joined in dependent clauses.

Johannes **stand** um acht Uhr **auf.** *Johannes got up at eight.*
Es war selten, dass er so früh **aufstand.** *It was rare that he got up so early.*

weak verbs = **-(e)te-**

A. Weak Verbs

You can recognize the simple past of weak verbs by the **-(e)te-** that is inserted between the stem and the ending.

| PRESENT | | SIMPLE PAST |
|---|---|---|
| du sagst | : | du sag**te**st |
| sie arbeitet | : | sie arbeit**ete** |

Wir bad**ete**n, bau**te**n Sandburgen und spiel**te**n Volleyball. *We went swimming, built sand castles, and played volleyball.*

Like modal verbs, simple past-tense forms do not have an ending in the **ich**- or the **er/sie/es**-forms: **ich sagte, er sagte.** Here are the simple past-tense forms of the verb **machen.**

| **machen** | | | |
|---|---|---|---|
| *ich* | machte | *wir* | machten |
| *du* | machtest | *ihr* | machtet |
| *Sie* | machten | *Sie* | machten |
| *er*<br>*sie*<br>*es* | machte | *sie* | machten |

irregular weak verbs = stem-vowel change + **-te-**

For a few irregular weak verbs, the stem of the simple past is the same as the one used to form the past participle.

| PRESENT | SIMPLE PAST | PERFECT | |
|---|---|---|---|
| bringen | brachte | hat gebracht | *to bring* |
| denken | dachte | hat gedacht | *to think* |
| kennen | kannte | hat gekannt | *to know, be acquainted with* |
| nennen | nannte | hat genannt | *to name* |
| rennen | rannte | ist gerannt | *to run* |
| wissen | wusste | hat gewusst | *to know* (*as a fact*) |

strong verbs = stem-vowel change

B. Strong Verbs

All strong verbs have a different stem in the simple past: **schwimmen/ schwamm, singen/sang, essen/aß.** Since English also has a number of verbs with irregular stems in the past (*swim/swam*, *sing/sang*, *eat/ate*), you will usually have no trouble recognizing simple past stems. You will also recognize the **ich-** and **er/sie/es-**forms of strong verbs easily, because they do not have an ending.

Through practice reading texts in the simple past, you will gradually become familiar with the various patterns of stem change that exist. Here are some common past-tense forms you are likely to encounter in your reading.* A more complete list of irregular verbs, including stem-changing verbs, can be found in **Appendix E**.

| | | |
|---|---|---|
| bleiben | blieb | *to stay* |
| essen | aß | *to eat* |
| fahren | fuhr | *to drive* |
| fliegen | flog | *to fly* |
| geben | gab | *to give* |
| gehen | ging | *to go* |
| lesen | las | *to read* |
| nehmen | nahm | *to take* |
| rufen | rief | *to call* |
| schlafen | schlief | *to sleep* |
| schreiben | schrieb | *to write* |
| sehen | sah | *to see* |
| sprechen | sprach | *to speak* |
| stehen | stand | *to stand* |
| tragen | trug | *to carry* |
| waschen | wusch | *to wash* |

| | |
|---|---|
| Herr Neefe **fuhr** zu schnell. | *Mr. Neefe drove too fast.* |
| Sechs Kinder **schliefen** in einem Zimmer. | *Six children were sleeping in one room.* |
| Hannah **aß** frische Krabben. | *Hannah ate fresh shrimp.* |

## Übung G. Die Radtour

Setzen Sie die Verben ein:

**aßen** **gingen** **kamen** **schwammen** **standen** **schliefen** **fuhren** **hielten** **sprangen**

Nesrin und Sofie wollten eine Radtour machen, aber ihre Räder waren kaputt. Sie mussten sie reparieren, bevor sie losfahren konnten. Am Morgen der Tour _______[a] sie um sechs Uhr auf, _______[b] in die Garage, wo die Räder waren, und machten sich an die Arbeit. Gegen acht waren sie fertig. Sie frühstückten noch und dann _______[c] sie los. Gegen elf _______[d] sie an einen kleinen See. Sie _______[e] an und setzten sich ins Gras. Sofies Mutter hatte ihnen Essen eingepackt. Sie hatten Hunger und _______[f] alles auf. Sie _______[g] im See und legten sich dann in den Schatten und _______[h]. Am späten Nachmittag _______[i] sie noch mal ins Wasser und radelten dann zurück nach Hause.

*It is fairly easy to make an educated guess about the form of the infinitive when encountering new simple past-tense forms. If the simple-past form has the vowel **a** in it, then the infinitive probably has the vowel **e** or **i**, for example, **gab < geben, fand < finden.** On the other hand, if the simple-past form has an **i** or **ie,** then the infinitive probably has an **a** or **ei,** for example, **ritt < reiten, hielt < halten, schrieb < schreiben.**

## Übung H. Hänsel und Gretel

Ergänzen Sie die Verben.

1. Vor einem großen Wald ________ eine arme Familie mit den beiden Kindern Hänsel und Gretel.

2. Als sie eines Tages nichts mehr zu essen hatten, ________ die Eltern die Kinder in den Wald.

3. Die Kinder ________ ein und als sie aufwachten, waren sie allein.

4. Dann ________ sie durch den Wald, bis sie an ein kleines Haus ________.

5. Durch das Fenster ________ sie eine alte Frau, die vor dem Feuer am Kamin[1] ________ und strickte[2].

6. Als die Alte die Kinder bemerkte, holte sie sie herein[3] und ________ ihnen etwas zu essen. Die Kinder ________ die Frau sehr freundlich.

7. Aber leider war sie eine böse Hexe[4]. Sie packte[5] Hänsel, ________ ihn in einen Käfig und ________ die Tür. Er sollte dick werden, damit sie ihn fressen konnte.

8. Gretel weinte und versuchte, Hänsel zu helfen. Sie ________ die Hexe und ________ mit Hänsel weg.

**brachten** **fanden** **gab** **kamen** **liefen** **rannte** **sahen** **saß** **schliefen** **schloss** **tötete** **trug** **wohnte**

[1]*hearth* [2]*was knitting* [3]holte ... *she brought them inside* [4]*witch* [5]*grabbed*

# Situationen

## Märchen

der König und die Königin

die böse Hexe

der Frosch

der Schatz

die gute Fee[1]

das Schloss

der Jäger

Die böse Stiefmutter vergiftet[2] Schneewittchen.

Der Prinz rettet die Prinzessin.

Der Prinz tötet den Drachen.

[1]*fairy* [2]*poisons*

## Situation 12 Schneewittchen

Bringen Sie die Sätze in die richtige Reihenfolge.

_____ Die Königin starb bald darauf, und der König heiratete wieder.

_____ Der Prinz und Schneewittchen heirateten, aber die böse Stiefmutter musste sterben.

_____ Ein Jäger brachte Schneewittchen in den dunklen Wald.

_____ Eines Tages kam ein Königssohn. Als er Schneewittchen sah, verliebte er sich in sie und wollte sie mit nach Hause nehmen.

_____ Die böse Stiefmutter hasste Schneewittchen, weil sie so schön war.

_____ Schneewittchen blieb bei den Zwergen[1] und führte ihnen den Haushalt.

_____ Es war einmal eine Königin, die bekam eine Tochter, die so weiß war wie Schnee, so rot wie Blut und so schwarzhaarig wie Ebenholz[2].

_____ Die Stiefmutter hörte bald von ihrem Spiegel, dass Schneewittchen noch am Leben war.

_____ Schneewittchen lief durch den Wald und kam zu den sieben Zwergen.

_____ Die Zwerge weinten und legten sie in einen gläsernen Sarg[3].

_____ Als seine Diener[4] den Sarg wegtrugen[5], stolperte[6] ein Diener. Das giftige Apfelstück rutschte aus Schneewittchens Hals und sie wachte auf.

_____ Die Stiefmutter schenkte Schneewittchen einen giftigen Apfel, Schneewittchen biss hinein und fiel tot um[7].

[1]*dwarves* [2]*ebony* [3]gläsernen ... *glass coffin* [4]*servants* [5]*carried away* [6]*tripped* [7]fiel ... *fell over dead*

## Situation 13 Bildgeschichte: Dornröschen

**Miniwörterbuch**

| | |
|---|---|
| die **Fee** | fairy |
| **verwünschen** | to curse |
| die **Spindel** | spindle |
| **stechen** | to prick |
| die **Hecke** | hedge |
| der **Dorn** | thorn |

## Situation 14 Was ist passiert?

1. Nachdem Schneewittchen den giftigen Apfel gegessen hatte,
2. Nachdem Hänsel und Gretel durch den dunklen Wald gelaufen waren,
3. Nachdem die Prinzessin den Frosch geküsst hatte,
4. Nachdem die Müllerstochter[1] keinen Schmuck[2] mehr hatte,
5. Nachdem Aschenputtel alle Linsen[3] eingesammelt[4] hatte,
6. Nachdem der Wolf die Großmutter gefressen hatte,
7. Nachdem der Prinz Dornröschen geküsst hatte,
8. Nachdem Rumpelstilzchen seinen Namen gehört hatte,

a. legte er sich in ihr Bett.
b. wurde er sehr wütend.
c. wachte sie auf.
d. fiel sie tot um.
e. verwandelte er sich in einen Prinzen.
f. ging sie auf den Ball.
g. kamen sie zum Haus der Hexe.
h. versprach sie Rumpelstilzchen ihr erstes Kind.

[1]der Müller *miller* [2]*jewelry* [3]*lentils* [4]*gathered*

## Situation 15 Wer weiß – gewinnt

Aus welchem Märchen ist das?

Dornröschen

Rumpelstilzchen

Aschenputtel

Der Froschkönig

Rotkäppchen

Hänsel und Gretel

Schneewittchen

**1.**
**„Knusper, knusper, knäuschen, wer knuspert[1] an meinem Häuschen?" „Der Wind, der Wind, das himmlische[2] Kind."**

**2.**
**„Spieglein, Spieglein an der Wand, wer ist die Schönste im ganzen Land?"**
**„Frau Königin, Ihr seid die Schönste hier, aber die junge Königin ist tausendmal schöner als Ihr."**

**3.**
**„Ei, Großmutter, was hast du für große Ohren!"**
**„Damit ich dich besser hören kann."**
**„Ei, Großmutter, was hast du für große Augen!"**
**„Damit ich dich besser sehen kann."**
**„Ei, Großmutter, was hast du für ein großes Maul[5]!"**
**„Damit ich dich besser fressen kann!"**

**4.**
**„Die Königstochter soll an ihrem fünfzehnten Geburtstag in einen tiefen Schlaf fallen, der hundert Jahre dauert."**

**5.**
**„Wenn ich am Tisch neben dir sitzen und von deinem Teller essen und aus deinem Becher[3] trinken und in deinem Bett schlafen darf, dann will ich deinen goldenen Ball aus dem Brunnen[4] heraufholen."**

**6.**
**„Rucke di guh, rucke di guh, Blut ist im Schuh: Der Schuh ist zu klein, die rechte Braut[6] sitzt noch daheim."**

**7.**
**„Heute back' ich, morgen brau[7] ich, übermorgen[8] hol' ich der Königin ihr Kind: ach, wie gut, dass niemand weiß, dass ich _______ heiß'!"**

[1]*is nibbling* [2]*heavenly* [3]*cup* [4]*well* [5]*mouth* [6]*bride* [7]*brew* [8]*day after tomorrow*

## Situation 16 Zum Schreiben: Es war einmal ...

Schreiben Sie ein Märchen. Wählen Sie aus jeder der vier Kategorien etwas aus oder erfinden Sie etwas.

| DIE GUTEN | DIE BÖSEN |
| --- | --- |
| eine schöne Prinzessin | eine böse Hexe |
| ein armer Student | eine grausame[2] Professorin |
| eine mutige Königin | ein hungriger Drache[3] |
| ein treuer Diener[1] | ein böser Stiefvater |
| ? | ? |

| DIE SITUATION | DIE AUFGABE |
| --- | --- |
| frisst Menschen und Tiere | drei Rätsel lösen |
| hat lange Zeit geschlafen | mit einem Riesen[4] kämpfen |
| bekommt immer nur Fs | etwas Verlorenes wiederfinden |
| vergiftet das Wasser | eine List[5] erfinden |
| ? | ? |

# Lektüre

## Vor dem Lesen

### LESEHILFE

The fairy tale "Rotkäppchen" is one of many fairy tales that are well-known across cultures. Just as in English, a fairy tale in German typically contains certain formulaic expressions or phrases. English fairy tales often begin with the phrase *Once upon a time.* Look at the beginning of this fairy tale to see how German fairy tales typically begin.

Fairy tales in German are typically written and told in the simple past tense. As you read this one, you will encounter many such verb forms. Avoid the temptation to look them up upon the first reading; you will deal with them during the **Arbeit mit dem Text** activities at the end of the reading.

Lebrecht Music & Arts/Alamy

[1]*servant* [2]*cruel* [3]*dragon* [4]*giant* [5]*ruse, trick*

**A. Märchenfiguren.** Märchen, auch wenn man sie nicht kennt, sind vorhersagbar[1]. Im Märchen vom Rotkäppchen kommen vier wichtige Figuren vor: ein kleines Mädchen namens Rotkäppchen, ihre Großmutter, der Wolf und der Jäger. Welche Eigenschaften und Tätigkeiten sind typisch für jede Figur? Schreiben Sie neben jede Eigenschaft oder Tätigkeit, ob sie für Rotkäppchen, die Großmutter, den Wolf oder den Jäger typisch ist.

1. Er hat große Ohren und ein großes Maul[2].
2. Er ist listig[3].
3. Er schießt mit seinem Gewehr[4].
4. Er schnarcht[5] sehr laut.
5. Er schneidet dem Wolf den Bauch auf[6].
6. Er sieht nach[7], ob jemandem etwas fehlt[8].
7. Er verschlingt[9] die Großmutter.
8. Er zieht ihm den Pelz ab[10].
9. Er zieht ihre Kleider an.
10. Jeder hat sie lieb.
11. Sie guckt sich gern um[11].
12. Sie hört gern die Vöglein singen.
13. Sie ist klein und süß.
14. Sie ist krank und schwach.
15. Sie pflückt[12] gern Blumen.
16. Sie trinkt gern Wein und isst gern Kuchen.
17. Sie wohnt draußen im Wald.

**B.** Suchen Sie die Wörter aus dem Miniwörterbuch in den Aktivitäten und im Text und markieren Sie sie.

**Miniwörterbuch**

| | |
|---|---|
| die **Figur, -en** | figure |
| **lieb haben** | to be fond of, love |
| **schwach** | weak |
| **draußen** | out there |
| **dadurch** | thereby, thus |
| das **Dorf, ¨-er** | village |
| **fürchten** | to be afraid of, fear |
| **stärken** | to strengthen |
| **zart** | tender |
| **fett** | fat |

## Rotkäppchen – Ein Märchen der Gebrüder Grimm

Es war einmal ein kleines, süßes Mädchen, das hatte jeder lieb, der sie nur ansah, am allerliebsten aber ihre Großmutter, die wusste gar nicht, was sie dem Kind alles geben sollte. Einmal schenkte sie dem Mädchen ein Käppchen[13] aus rotem Samt, und weil es Rotkäppchen so gut stand und sie nichts anders mehr tragen wollte, hieß sie nur das Rotkäppchen. Eines Tages sprach ihre Mutter zu ihr: „Komm, Rotkäppchen, da hast du ein Stück Kuchen und eine Flasche Wein, bring das der Großmutter hinaus; sie ist krank und schwach. Dadurch wird sie zu Kräften kommen. Gehe los, bevor es heiß wird, und wenn du aus dem Dorf gehst, so geh anständig und komm nicht vom Weg ab, sonst fällst du und zerbrichst[14] das Glas, und die Großmutter hat nichts. Und wenn du in ihr Haus kommst, vergiss nicht, guten Morgen zu sagen."

„Ich werde schon alles richtig machen", sagte Rotkäppchen zur Mutter und gab ihr die Hand darauf. Die Großmutter aber wohnte draußen im Wald, eine halbe Stunde vom Dorf. Als Rotkäppchen in den Wald kam, begegnete ihr der Wolf. Rotkäppchen aber wusste nicht, was das für ein böses Tier war, und fürchtete sich nicht vor ihm. „Guten Tag, Rotkäppchen", sprach er. „Guten Tag, Wolf." „Wo gehst du so früh hin, Rotkäppchen?" „Zur Großmutter." „Was trägst du in deinem Korb[15]?" „Kuchen und Wein: gestern haben wir gebacken, davon soll sich die kranke und schwache Großmutter etwas stärken." „Rotkäppchen, wo wohnt deine Großmutter?" „Noch eine gute Viertelstunde weiter im Wald hinein, unter den drei großen Eichbäumen, da steht ihr Haus. Da unten sind die Nusshecken[16], das wirst du ja kennen", sagte Rotkäppchen. Der Wolf dachte bei sich: „Das junge zarte Ding, das ist ein fetter Bissen[17], der wird noch

[1]*predictable* [2]*mouth (of animals)* [3]*cunning* [4]*rifle* [5]*snores* [6]schneidet auf *cuts open, slits* [7]sieht ... *checks, inspects* [8]ob ... *whether anyone needs anything* [9]*devours* [10]zieht den Pelz ab *skins* [11]guckt sich um *explores* [12]*picks, gathers* [13]*little cap, hood* [14]*break* [15]*basket* [16]*hazelnut bushes* [17]*bite, mouthful*

## Miniwörterbuch

| | |
|---|---|
| **überall** | anywhere, everywhere |
| **dorthin** | there |
| **geraten, geriet, ist geraten** | to get (*into something*) |
| **klopfen** | to knock |
| **sammeln** | to gather, collect |
| **einfallen, fiel ein, ist eingefallen** (+ *dat.*) | *here:* to occur, come to mind |
| **sich wundern** | to wonder |
| **seltsam** | strange, odd |
| **darauf** | thereupon |
| **zurückziehen, zog zurück, zurückgezogen** | to draw back |
| **packen** | to seize, grab |
| **kaum** | barely, hardly |
| **retten** | to save, rescue |
| **leuchten** | to shine, glow |
| **erschrecken, erschrak, ist erschrocken** | to be frightened, alarmed |
| **lebendig** | alive |
| **atmen** | to breathe |
| **verraten, verriet, verraten** | to betray, give something away |
| **umbringen, brachte um, umgebracht** | to kill |
| der **Zeuge, -n** / die **Zeugin, -nen** | witness |
| das **Urteil, -e** | judgment |

besser schmecken als die Alte: ich muss es listig anfangen, damit ich beide bekomme." Da ging er eine Weile neben Rotkäppchen her, dann sprach er: „Rotkäppchen, sieh einmal die schönen Blumen, die hier überall stehen, warum guckst du dich nicht um? Ich glaube, du hörst gar nicht, wie die Vöglein so lieblich[18] singen? Du läufst, als wärst du auf dem Weg zur Schule. Dabei ist es so lustig im Wald!"

Rotkäppchen schlug die Augen auf[19], und als sie sah, wie die Sonnenstrahlen[20] durch die Bäume hin und her tanzten und alles voll schöner Blumen war, dachte sie: „Wenn ich der Großmutter einen frischen Strauß[21] mitbringe, der wird ihr auch Freude machen. Es ist noch so früh am Tag, dass ich doch nicht zu spät komme." Rotkäppchen lief vom Weg in den Wald hinein und suchte Blumen. Und wenn sie eine Blume gepflückt hatte, meinte sie, weiter im Wald steht eine schönere, lief dorthin, und geriet immer tiefer in den Wald hinein. Der Wolf aber ging geradewegs[22] zum Haus der Großmutter und klopfte an die Tür. „Wer ist da?" „Rotkäppchen, ich bringe Kuchen und Wein. Mach auf!" „Die Tür ist offen, komm herein", rief die Großmutter, „ich bin zu schwach und kann nicht aufstehen." Der Wolf drückte auf die Klinke[23], die Tür sprang auf[24]. Er ging, ohne ein Wort zu sagen, direkt zum Bett der Großmutter und verschluckte[25] sie. Dann zog er ihre Kleider an, setzte ihre Haube[26] auf, legte sich in ihr Bett und zog die Vorhänge zu.

Rotkäppchen aber suchte immer noch Blumen, und als sie so viele gesammelt hatte, dass sie keine mehr tragen konnte, fiel ihr die Großmutter wieder ein, und sie machte sich auf den Weg zu ihr. Sie wunderte sich, dass die Tür von Großmutters Haus offen stand. Als sie in das Haus trat, kam es ihr seltsam darin vor. Rotkäppchen dachte: „Ach, du meine Güte! Warum graut es mich heute so, obwohl ich sonst so gerne bei der Großmutter bin?" Rotkäppchen rief „Guten Morgen", bekam aber keine Antwort. Darauf ging sie zum Bett und zog die Vorhänge zurück. Da lag die Großmutter und hatte die Haube tief ins Gesicht gezogen und sah so wunderlich[27] aus. „Ei, Großmutter, was hast du so große Ohren!" „Dass ich dich besser hören kann." „Ei, Großmutter, was hast du für große Augen!" „Dass ich dich besser sehen kann." „Ei, Großmutter, was hast du für große Hände!" „Dass ich dich besser packen kann." „Aber, Großmutter, was hast du für ein entsetzlich[28] großes Maul!" „Dass ich dich besser fressen kann." Kaum hatte der Wolf das gesagt, sprang er aus dem Bett und verschlang das arme Rotkäppchen.

Als der Wolf seine Gelüste gestillt[29] hatte, legte er sich wieder ins Bett, schlief ein und fing an, sehr laut zu schnarchen. Da ging der Jäger an dem Haus vorbei und dachte: „Wie die alte Frau schnarcht, ich muss mal sehen, ob ihr etwas fehlt." Da trat er in das Haus, und als er zum Bett kam, sah er, dass der Wolf darin lag. „Finde ich dich hier, du alter Sünder", sagte er, „ich habe dich lange gesucht." Nun wollte er sein Gewehr anlegen, da fiel ihm ein, dass der Wolf die Großmutter vielleicht gefressen hatte und er könnte sie noch retten. Der Jäger schoss nicht, sondern nahm eine Schere[30] und begann, dem schlafenden Wolf den Bauch aufzuschneiden. Als er ein paar Schnitte gemacht hatte, sah er das rote Käppchen leuchten, und noch ein paar Schnitte, da sprang das Mädchen heraus und rief: „Ach, wie war ich erschrocken! Es war so dunkel in dem Bauch des Wolfes!" Und dann kam die alte Großmutter auch noch lebendig heraus und konnte kaum atmen. Rotkäppchen aber holte schnell große Steine. Damit füllten sie den Leib[31] des Wolfes, und als er aufwachte, wollte er davon springen. Aber die Steine waren so schwer, dass er zurück in das Bett fiel und nie wieder aufwachte.

Da waren alle drei vergnügt[32]: Der Jäger zog dem Wolf den Pelz ab und ging damit nach Hause. Die Großmutter aß den Kuchen und trank den Wein, den Rotkäppchen ihr gebracht hatte, und erholte sich[33] wieder. Rotkäppchen aber dachte: „Ich werde nie wieder allein vom Weg in den Wald laufen, wenn die Mutter es mir verboten hat."

—frei nach den Gebrüdern Grimm

[18]*lovely* [19]schlug auf *opened* [20]*sun's rays* [21]*bouquet* [22]*straight* [23]*latch* [24]sprang ... *burst open* [25]*swallowed* [26]*cap, bonnet* [27]*strange* [28]*appallingly* [29]seine ... *had quenched his cravings* [30]*pair of scissors* [31]*body* [32]*merry* [33]erholte ... *recuperated*

*Rotkäppchen* von Eugen Klimsch (1839–1896)

## Arbeit mit dem Text

**A. Wer sagt das?** Lesen Sie den Text und finden Sie heraus, wer die folgenden Sätze denkt oder sagt.

1. Geh anständig[1] und komm nicht vom Weg ab[2], sonst fällst du und zerbrichst das Glas.
2. Ich werde schon alles richtig machen.
3. Was trägst du in deinem Korb?
4. Ihr Haus steht unter den drei großen Eichbäumen[3].
5. Das junge, zarte Ding, das wird noch besser schmecken als die Alte.
6. Ich muss es listig anfangen, damit ich beide bekomme.
7. Du läufst, als wärst du[4] auf dem Weg zur Schule.
8. Es ist noch so früh am Tag, dass ich doch nicht zu spät komme.
9. Die Tür ist offen, komm herein.
10. Ach, du meine Güte[5]! Warum graut es mich[6] heute so?
11. Was hast du für große Augen!
12. Dass ich dich besser packen kann.
13. Wie die alte Frau schnarcht, ich muss mal sehen, ob ihr etwas fehlt.
14. Finde ich dich hier, du alter Sünder[7], ich habe dich lange gesucht.
15. Ach, wie war ich erschrocken!
16. Ich werde nie wieder allein vom Weg in den Wald laufen.

**B. Richtig oder falsch?** Verbessern Sie die falschen Aussagen.

_______ 1. Die Mutter schenkte ihrer Tochter ein Käppchen aus rotem Samt[8].
_______ 2. Rotkäppchen versprach ihrer Mutter, dass sie alles richtig machen wird.
_______ 3. Die Großmutter wohnte draußen im Wald, eine Stunde vom Dorf.
_______ 4. Rotkäppchen hatte Angst vor dem Wolf.
_______ 5. Rotkäppchen verriet dem Wolf, wo ihre Großmutter wohnt.
_______ 6. Der Wolf fraß Rotkäppchen und ging dann zum Haus ihrer Großmutter.
_______ 7. Rotkäppchen lief immer tiefer in den Wald hinein, weil sie immer mehr Blumen pflücken wollte.
_______ 8. Der Wolf machte die Tür zu und legte sich ins Bett der Großmutter.
_______ 9. Als Rotkäppchen zum Haus der Großmutter kam, war die Tür verschlossen.
_______ 10. Als der Jäger zum Haus der Großmutter kam, war alles ruhig.
_______ 11. Der Jäger schoss den Wolf in den Bauch.
_______ 12. Als die Großmutter aus dem Bauch des Wolfes heraus kam, konnte sie kaum noch atmen.
_______ 13. Rotkäppchen füllte den Leib des Wolfes mit großen Steinen.
_______ 14. Der Wolf lief davon und wurde[9] nie wieder gesehen.
_______ 15. Rotkäppchen wollte nie wieder etwas tun, was ihr ihre Mutter verboten hatte.

[1]*properly* [2]komm ab *deviate* [3]*oak trees* [4]als wärst du *as though you were* [5]*goodness* [6]graut ... *am I afraid* [7]du ... *you old rascal* [8]*velvet* [9]*was*

**C.** Suchen Sie die folgenden Wörter im Text und markieren Sie sie. Ergänzen Sie die Tabelle mit Infinitiv und englischer Übersetzung.

| Präteritum | Infinitiv | Englisch |
|---|---|---|
| wusste | | |
| stand | | |
| sprach | | |
| gab | | |
| kam | | |
| dachte | | |
| ging | | |
| lief | | |
| geriet ... hinein | | |
| rief | | |
| zog ... an | | |
| fiel ... ein | | |
| trat | | |
| kam ... vor | | |
| bekam | | |
| zog ... zurück | | |
| lag | | |
| sah ... aus | | |
| schlief ... ein | | |
| fing ... an | | |
| schoss | | |
| begann | | |
| fiel | | |
| aß | | |
| trank | | |

## Nach dem Lesen

**Vor Gericht (Alternativende).** Der Wolf hat überlebt und bringt Rotkäppchen vor Gericht. Sie soll ins Gefängnis, weil sie seinen Bauch mit Steinen gefüllt hat und ihn umbringen wollte. Spielen Sie die Szene im Gericht mit verteilten Rollen. Sie brauchen einen Richter, der die Fragen stellt. Rotkäppchen erzählt ihre Geschichte, der Wolf erzählt seine Geschichte. Die Großmutter und der Jäger sind die Zeugen und erzählen, was sie gesehen und erlebt haben. Am Ende spricht der Richter sein Urteil.

# Strukturen

## 6. Sequencing events in past narration: Past perfect tense and the conjunction *nachdem* (receptive)

### A. Uses of the Past Perfect Tense

The past perfect tense is used to describe past actions and events that were completed before other past actions and events.

| | |
|---|---|
| Nachdem Luca zwei Stunden **ferngesehen hatte,** ging er ins Bett. | *After Luca had watched TV for two hours, he went to bed.* |
| Nachdem Sevda mit ihrer Freundin **telefoniert hatte,** machte sie ihre Hausaufgaben. | *After Sevda had talked with her friend on the phone, she did her homework.* |

The past perfect tense is often used in the clause with **nachdem.** The simple past tense is then used in the concluding (main) clause.

The past perfect tense often occurs in a dependent clause with the conjunction **nachdem** (*after*); the verb of the main clause is in the simple past or the perfect tense.

| | |
|---|---|
| Nachdem Max seinen ersten Kaffee **getrunken hatte, wurde** ihm schlecht. | *After Max had drunk his first coffee, he got sick.* |

A dependent clause introduced by **nachdem** usually precedes the main clause. This results in the pattern "verb, verb."

| DEPENDENT CLAUSE | MAIN CLAUSE |
|---|---|
| 1 | 2 |
| Nachdem ich die Schule **beendet hatte,** | **machte** ich eine Lehre. |

*After I had finished school, I learned a trade.*

The conjugated verb of the dependent clause is at the end of the dependent clause; the conjugated verb of the main clause is at the beginning of the main clause. Because the entire dependent clause holds the first position in the sentence, the verb-second rule applies here.

### B. Formation of the Past Perfect Tense

past perfect tense = **hatte/war** + past participle

The past perfect tense of a verb consists of the simple past tense of the auxiliary **haben** or **sein** and the past participle of the verb.

| | |
|---|---|
| Ich **hatte** schon **bezahlt** und wir konnten gehen. | *I had already paid, and we could go.* |
| Als wir ankamen, **waren** sie schon **weggegangen.** | *When we arrived, they had already left.* |

## Übung I. Was ist zuerst passiert?

Bilden Sie logische Sätze mit Satzteilen aus beiden Spalten.

MODELL: Nachdem Hannah den Schlüssel verloren hatte, kletterte sie durch das Fenster.

1. Nachdem Hannah den Schlüssel verloren hatte,
2. Nachdem Yusuf das Fenster eingeworfen hatte,
3. Nachdem Claire angekommen war,
4. Nachdem Phillip seine Hausaufgaben gemacht hatte,
5. Nachdem Max sein Fahrrad repariert hatte,
6. Nachdem Michael die Seiltänzerin[1] gesehen hatte,
7. Nachdem Richard ein ganzes Jahr gespart hatte,
8. Nachdem Phan zwei Semester allein gewohnt hatte,
9. Nachdem Lukas ein Geräusch gehört hatte,

a. flog er nach Australien.
b. ging er ins Bett.
c. kletterte sie durch das Fenster.
d. lief er weg.
e. machte er eine Radtour.
f. rief er den Großvater an.
g. rief sie Julia an.
h. war er ganz verliebt.
i. zog sie in eine WG.

[1]*tightrope walker*

# Videoecke

## Perspektiven

Was ist gut, was ist schlecht an der Schule in Deutschland?

McGraw-Hill/Klic Video Productions

Gut finde ich, dass man nicht dafür bezahlen muss.

### Aufgabe 1 Gut oder schlecht?

Was finden die Leute gut, was finden sie schlecht? Schreiben Sie *gut* oder *schlecht* neben die Aussagen.

1. Die Materialien sind kostenlos.
2. Es gibt unterschiedliche Systeme in den Bundesländern.
3. Man lernt Inhalte, die für das spätere Leben nicht so nützlich sind.
4. Jeder kann die Schule besuchen, die er will.
5. Es werden immer weniger Lehrer eingestellt.
6. Die Klassen sind groß.
7. Die Lehrer sind gut ausgebildet.
8. Es gibt keine Schuluniformen.
9. Die Schulen sind öffentlich.
10. Es gibt ein dreigliedriges[1] Schulsystem.

| Miniwörterbuch | |
|---|---|
| der **Inhalt, -e** | content |
| **nützlich** | useful |
| **ausbilden** | to educate |
| die **Entstehung** | emergence, formation |
| **beeinflussen, beeinflusst** | to influence |

## Interviews

- Wann hast du Abitur gemacht?
- Hattest du gute Noten?
- In welchen Fächern warst du besonders gut?
- Was hat dir daran gefallen?
- Welchen Lehrer oder welche Lehrerin fandest du besonders gut? Warum?
- Erzähl etwas, was dieser Lehrer gemacht hat.

[1]*three-tier*

Carolyn

Martin

## Aufgabe 2 Die Lehrergeschichte

Auf wen treffen die folgenden Aussagen zu, auf den Lehrer von Carolyn oder auf den Lehrer von Martin? Schreiben Sie **C** für Carolyn oder **M** für Martin neben die Aussagen.

1. Er war sehr engagiert.
2. Er hat auf Schulfesten immer aufgepasst.
3. Er war mit seinen Schülern auf Klassenfahrt in Amsterdam.
4. Einmal hat ihm die Musik sehr gut gefallen.
5. Er hat im Hotel ein Bier ausgegeben.
6. Er ist mit ihm/ihr ins Gespräch gekommen.
7. Er hat auf der Tanzfläche[2] eine ganze Nacht lang getanzt.
8. Auch Lehrer sind nur Menschen.

## Aufgabe 3 Abitur

Carolyn und Martin haben Abitur gemacht. Sehen Sie sich das Video an und schreiben Sie ihre Antworten auf.

| | Carolyn | Martin |
|---|---|---|
| Hatte sie/er gute Noten? | | |
| In welchen Fächern war sie/er besonders gut? | | |
| Was hat ihr/ihm daran gefallen? | | |
| Welche/n Lehrer/in fand sie/er besonders gut? | | |
| Warum? | | |

## Aufgabe 4 Interview

Interviewen Sie eine Partnerin oder einen Partner. Stellen Sie dieselben Fragen.

[2]*dance floor*

# Wortschatz zum Lernen

| Kindheit | Childhood |
|---|---|
| →**begründen** | to establish, substantiate, justify |
| →**betrachten** | to observe |
| →**bezeichnen** | to name, call, designate |
| **dokumentieren** | to document |
| **dominieren** | to dominate |
| →**sich engagieren** | to be engaged, commit oneself |
| →**erfahren, erfährt, erfuhr, erfahren** | to discover, learn, experience |
| **erziehen, erzieht, erzog, erzogen** | to raise, bring up, parent |
| **füttern** | to feed |
| →**handeln** | to act; to negotiate |
| **handeln von** | to be about |
| **hervor·rufen, ruft ... hervor, rief ... hervor, hervorgerufen** | to call forth, elicit |
| **lehren** | to teach |
| **protestieren** | to protest |
| **(sich) streiten, streitet, stritt, gestritten** | to argue, quarrel |
| →**übersetzen, übersetzt** | to translate |
| →**verbreiten** | to spread, disseminate |
| →**vermitteln** | to convey, communicate; arbitrate |
| **weiter·geben, gibt ... weiter, gab ... weiter, weitergegeben** | to relay, pass, hand down |
| die **Botschafterin, -nen** | female ambassador |
| die **Herkunft, ¨-e** | origin, extraction |
| die **Kindheit** | childhood |
| →die **Mannschaft, -en** | team |
| →die **Meinung, -en** | opinion |
| **meiner Meinung nach** | in my opinion |
| →die **Schwierigkeit, -en** | difficulty, challenge |
| →die **Sicht, -en** | view; vision; visibility |
| die **Verfassung, -en** | constitution; state (of mind) |
| →der **Band, ¨-e** | volume, tome |
| →der **Baum, ¨-e** | tree |
| →der **Beitrag, ¨-e** | contribution, input; article |
| der **Botschafter, -** | male ambassador |
| der **Buchstabe, -n** | letter, alphabetic character |
| →der **Dienst, -e** | service, work |
| →der **Kampf, ¨-e** | fight |
| →der **Unterricht** | class, instruction |
| der **Wandel** | change |
| das **Klima** | climate |
| das **Unrecht** | injustice |
| →**allgemein** | general(ly), common(ly) |
| →**einzeln** | single/singly |
| **heimlich** | secret(ly) |
| **mündlich** | oral(ly), verbal(ly) |
| →**national** | national(ly) |
| →**positiv** | positive(ly) |
| →**außer** (+ *dat.*) | besides, apart from |
| →**bereits** | already |
| →**deswegen** | therefore |
| →**fertig** | ready, finished |
| →**gegen** (+ *acc.*) | against; about (*with time*) |
| →**innerhalb** | within |
| →**insgesamt** | overall, altogether |

| Jugend | Youth |
|---|---|
| **an·schließen, schließt ... an, schloss ... an, angeschlossen** | to connect, join |
| →**besetzen** | to occupy |
| **demonstrieren** | to rally; to demonstrate |
| →**sich erinnern an** (+ *acc.*) | to remember |
| **jemanden an etwas erinnern** | to remind someone about something |
| **erschießen, erschießt, erschoss, erschossen** | to shoot dead, kill |
| **fliehen, flieht, floh, ist geflohen** | to flee |
| →**planen** | to plan |
| **schimpfen** | to cuss, scold |
| **stehlen, stiehlt, stahl, gestohlen** | to steal |
| →**teil·nehmen, nimmt ... teil, nahm ... teil, teilgenommen** | to take part, participate |
| →**sich unterhalten, unterhält, unterhielt, unterhalten** | to talk, have a conversation |
| →**verbieten, verbietet, verbot, verboten** | forbid, prohibit |
| **vor·gehen, geht ... vor, ging ... vor, ist vorgegangen** | to go on, advance; act |
| **zurück·treten, tritt ... zurück, trat ... zurück, ist zurückgetreten** | to step down, resign |
| →die **Bürgerin, -nen** | female citizen |
| die **Direktorin, -nen** | female (school) principal, director |
| die **Jugend** | youth |
| →die **Mitte** | middle |
| →der **Abschluss, ¨-e** | conclusion; degree |
| der **Anschluss, ¨-e** | connection, annexation |
| der **Ärger** | trouble |
| →der **Bürger, -** | male citizen |
| der **Direktor, -en** | male (school) principal, director |
| der **Gruß, ¨-e** | greeting |

| | |
|---|---|
| →**deutlich** | clear(ly), distinct(ly) |
| **friedlich** | peaceful(ly) |
| →**leise** | quiet(ly) |
| →**streng** | strict(ly) |
| →**zufällig** | fortuitous(ly), by chance |
| →**ach** | oh |
| →**damals** | back then |
| →**davon** | thereof, of it |
| →**denn** | because |
| →**ebenso** | equally, similarly, likewise |
| →**insbesondere** | particularly |
| **neulich** | recently |

## Geschichten — Stories

| | |
|---|---|
| **auf·rufen, ruft ... auf, rief ... auf, aufgerufen** | to call on |
| **basieren** | to base, be based |
| →**bemerken** | to notice, spot, perceive |
| →**drohen** (+ *dat.*) | to threaten |
| **los·fahren, fährt ... los, fuhr ... los, ist losgefahren** | to drive/ride off |
| →**töten** | to kill |
| →**überzeugen, überzeugt** | to convince |
| **verpassen** | to miss |
| →**(sich) verstecken** | to hide |
| →**vor·haben, hat ... vor, hatte ... vor, vorgehabt** | to plan, have in mind |
| **zerreißen, zerreißt, zerriss, zerrissen** | to tear |
| →die **Folge, -n** | order, sequence; consequence |
| die **Vorbereitung, -en** | preparation |
| der **Aufstieg, -e** | ascent |
| der **Flug, ¨-e** | flight |
| →der **Lauf, ¨-e** | run, course |
| der **Mord, -e** | murder |
| →der **Punkt, -e** | point, spot, period |
| der **Zaun, ¨-e** | fence |
| →das **Feuer, -** | fire |
| →das **Loch, ¨-er** | hole |
| das **Rennen, -** | race |
| →**arm** | poor |
| **dramatisch** | dramatic(ally) |
| →**extrem** | extreme(ly) |
| →**plötzlich** | sudden(ly) |
| →**spannend** | exciting, suspenseful(ly) |
| →**bald** | soon |
| →**bisher** | as yet, so far |
| →**zunächst** | initially, at first |

## Märchen — Fairy Tales

| | |
|---|---|
| →**ändern** | to change |
| →**beeinflussen, beeinflusst** | to influence |
| **beißen, beißt, biss, gebissen** | to bite |
| →**ein·fallen, fällt ... ein, fiel ... ein, ist eingefallen** (+ *dat.*) | to come to mind, occur (*to someone*) |
| **fressen, frisst, fraß, gefressen** | to eat (*said of an animal*) |
| →**geraten, gerät, geriet, ist geraten** | to get (*into something*) |
| **hassen** | to hate |
| **klopfen** | to knock |
| **küssen** | to kiss |
| →**leuchten** | to shine, glow |
| →**retten** | to save, rescue |
| **rutschen, ist gerutscht** | to slide |
| **sich verlieben (in** + *acc.*) | to fall in love (with) |
| →**verraten, verrät, verriet, verraten** | to betray; to reveal |
| **(sich) verwandeln in** (+ *acc.*) | to change (oneself) into |
| →**wachsen, wächst, wuchs, ist gewachsen** | to grow |
| **sich wundern** | to wonder |
| →die **Königin, -nen** | queen |
| die **Note, -n** | grade |
| die **Prinzessin, -nen** | princess |
| der **Frosch, ¨-e** | frog |
| →der **Hals, ¨-e** | neck, throat |
| →der **Inhalt, -e** | content |
| der **Jäger, -** | hunter |
| →der **König, -e** | king |
| der **Prinz, -en** (*wk. masc.*) | prince |
| der **Schatz, ¨-e** | treasure |
| der **Schlaf** | sleep |
| →der **Schnee** | snow |
| →das **Blut** | blood |
| →das **Dorf, ¨-er** | village |
| das **Märchen, -** | fairy tale |
| das **Rätsel, -** | puzzle, riddle |
| →das **Urteil, -e** | judgment |
| **fett** | fat |
| **giftig** | poisonous |
| →**lieb** | dear, good, beloved |
| **lieb haben** | to love, be fond of |
| **mutig** | brave(ly) |
| **nützlich** | useful(ly) |
| →**schwach** | weak(ly) |
| →**seltsam** | strange(ly), odd(ly) |
| →**tot** | dead |
| **treu** | loyal(ly), true |
| **zart** | tender(ly) |
| **bald darauf** | soon thereafter |
| →**dadurch** | thereby, thus |
| →**darauf** | thereupon, afterward |
| →**draußen** | outside, outdoors, out there |
| **hinein** | in(ward); into it |
| →**kaum** | barely, hardly |
| →**vorbei** | past, over |

KAPITEL 10

# Tourismus

## Themen

Urlaub

Nach dem Weg fragen

Am Strand und im Hotel

Tiere

## Kulturelles

Kunst: Franz Marc (*Turm der blauen Pferde*)

KLI: Universitätsstadt Göttingen

KLI: Die deutsche Einwanderung in die USA

Musikszene: „Religion“ (Celina Bostic)

Videoecke: Urlaub

## Strukturen

1. Dative prepositions
2. Requests and instructions: The imperative (summary review)
3. Word formation: Verbs with **hin-** and **her-**
4. Being polite: The subjunctive form of modal verbs
5. Accusative prepositions
6. Focusing on the action: The passive voice

## Lektüren

Kurzgeschichte: „Vater im Baum“ (Margret Steenfatt)

Film: *Ich bin dann mal weg* (Julia von Heinz)

After completing **Kapitel 10**, you will be able to . . .

- ask for and provide information and ask for directions, form sentences and series of connected sentences, and ask a variety of follow-up questions while preparing for a trip and while traveling
- tell stories about past travel experiences, pets, and encounters with animals, using sentences and series of connected sentences
- identify the main message or story and most supporting details across major time frames in informational and fictional texts with the help of key vocabulary items
- understand the main idea and flow of events expressed in various time frames in popular songs, conversations, and discussions related to travel and travel experiences
- write a story or tale about travel experiences and experiences with pets and other animals, using a few short paragraphs, often across various time frames
- compare products and practices in your area with those in German-speaking countries with respect to travel and travel arrangements as well as the place and role of pets and other animals

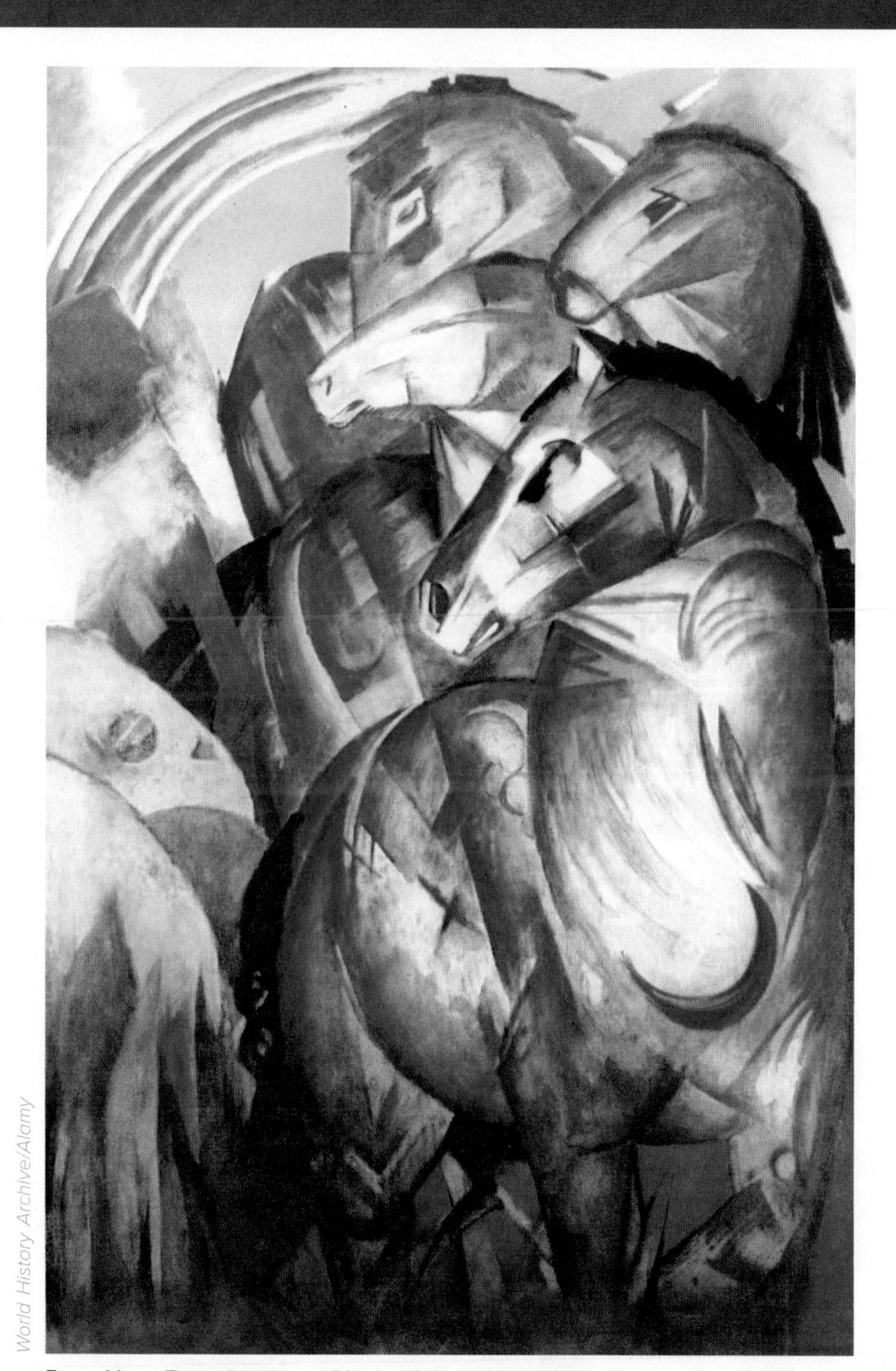



Franz Marc: *Turm der blauen Pferde* (1913), verschollen

## KUNST UND KUNSTSCHAFFENDE

Franz Marc (1880–1916) ist ein führender Vertreter des deutschen Expressionismus. Er studierte an der Münchner Kunstakademie und war Mitbegründer[1] des Kunstalmanachs *Der Blaue Reiter,* für den er auch Artikel über Kunsttheorie schrieb. Im August 1914 meldete er sich freiwillig zum Kriegsdienst. Er fiel 1916 bei seinem letzten Einsatz nahe Verdun in Frankreich. Die Nazis bezeichneten sein Werk als „Entartete[2] Kunst". Manche seiner Bilder wurden anschließend ins Ausland verkauft oder zerstört. Viele seiner Bilder sind von geometrischen und abstrakten Formen gekennzeichnet und stellen oft Tiermotive, zum Beispiel Pferde, dar. Die Farben Blau, Gelb und Rot hatten für ihn eine symbolische Bedeutung. Blau steht für das Männliche, Herbe[3] und Geistige, Gelb für das Weibliche, Sanfte, Heitere[4] und Sinnliche[5], und Rot für das Brutale und Schwere.

Schauen Sie sich das Bild an und beantworten Sie die folgenden Fragen.

1. Welche Farben überwiegen im Bild?
2. Beschreiben Sie die Atmosphäre des Bildes und gehen Sie dabei auf Marcs Farbensymbolik ein.
3. Was könnte die Körperhaltung[6] des Pferds im Vordergrund ausdrücken[7]?
4. Stellen Sie sich vor, Sie wären der Künstler oder die Künstlerin. Welche Farbe hätten Sie dem Pferd gegeben, Blau oder Gelb? Warum?

[1]*co-founder* [2]*degenerate* [3]*harsh* [4]*cheerful* [5]*sensual* [6]*posture* [7]*express*

### Miniwörterbuch

| | |
|---|---|
| der **Vertreter, -** / die **Vertreterin, -nen** | representative |
| der **Artikel, -** | article |
| die **Theorie, -n** | theory |
| **sich freiwillig melden** | to volunteer |
| **freiwillig** | voluntary, voluntarily |
| der **Einsatz, ¨-e** | mission, sortie |
| **zerstören** | to destroy |
| das **Motiv, -e** | motif |
| **männlich** | masculine |
| **geistig** | mental(ly); spiritual(ly) |
| **eingehen (auf), ging ... ein, ist eingegangen** | to go (into), respond (to) |

# Situationen

## Urlaub

LUKAS: Wo wart ihr in eurem letzten Urlaub?
NESRIN: Sofie und ich waren in Schweden.

LUKAS: Was habt ihr dort gemacht?
NESRIN: Wir sind Kanu gefahren und viel gewandert.

LUKAS: Seid ihr geflogen?
NESRIN: Nein, wir sind mit dem Auto gefahren und waren die ganzen zwei Wochen dort auch mit dem Auto unterwegs.

LUKAS: Wo habt ihr übernachtet?
NESRIN: Wir haben im Zelt geschlafen.

NOAH: Ich will nächsten Sommer nach Australien fliegen.
PEDRO: Das ist aber weit. Wie lange bist du da in der Luft?

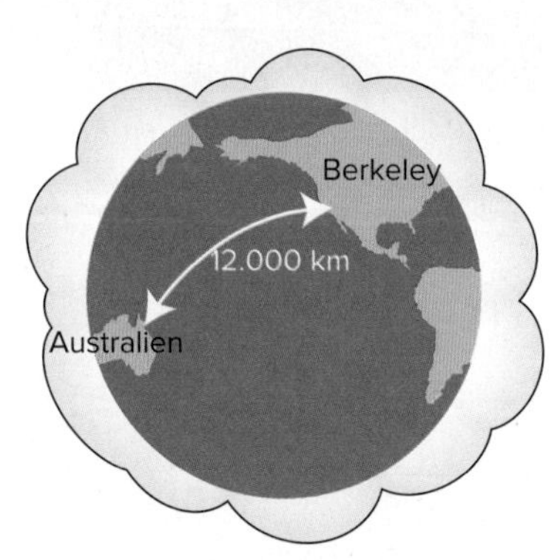


NOAH: So knapp fünfzehn Stunden. Aber es gibt recht billige Flüge.
PEDRO: Billig vielleicht für dich, aber teuer für die Umwelt.

NOAH: Ach, sei keine Spaßbremse[1]. Ich möchte Kängurus in der freien Natur sehen.
PEDRO: Tja – und was ist mit dem Klimawandel?

NOAH: Wenn ich in Australien bin, trampe[2] ich und übernachte bei Freunden.
PEDRO: Na, dann viel Spaß.

## Situation 1 Im Urlaub

Wer ist das, Nesrin und Sofie oder Noah?

_____ sind/ist Kanu gefahren und viel gewandert.
_____ möchten/möchte Kängurus sehen.
_____ waren/war in Schweden.
_____ haben/hat im Zelt geschlafen.
_____ werden/wird 15 Stunden in der Luft sein.
_____ waren/war mit dem Auto unterwegs.
_____ wollen/will einen billigen Flug finden.
_____ wollen/will bei Freunden übernachten.

## Situation 2 Informationsspiel: Reisen

MODELL: S2: Woher kommt Richard?
S1: Aus Innsbruck.
S2: Wohin fährt er?
S1: Nach Frankreich. Wie kommt er dahin?
S2: Mit dem/der _______. Wo wohnt er?
S1: Bei einer Gastfamilie[3]. Was macht er da?
S2: Er _______.

| | Richard | Sofie | Mert | Pedro | Daniel | mein(e) Partner(in) |
|---|---|---|---|---|---|---|
| *Woher?* | aus Innsbruck | | aus Solingen | | aus Bad Harzburg | |
| *Wohin?* | nach Frankreich | | nach Italien | | in die Alpen | |
| *Wie?* | | mit der Bahn | | mit dem Flugzeug | mit dem Auto | |
| *Wo?* | bei einer Gastfamilie | | | bei seiner Schwester | | |
| *Was?* | | an einer Demo gegen Klimawandel teilnehmen | | das ganze touristische Programm absolvieren | | |

[1]*spoilsport, party pooper* [2]*hitchhike* [3]*host family*

# KULTUR ... LANDESKUNDE ... INFORMATIONEN

## UNIVERSITÄTSSTADT GÖTTINGEN

### Vor dem Lesen

- Welche Personen in ***Kontakte*** studieren in Göttingen?
- Welche Person wohnt in den Ferien bei ihrer Mutter in Göttingen?
- Welches Tier sehen Sie im Wappen[1] der Stadt Göttingen?
- Was wissen Sie über die Stadt?

Lesen Sie die Wörter im Miniwörterbuch. Suchen Sie sie in den Fragen und im Text und markieren Sie sie.

| Miniwörterbuch | |
|---|---|
| der **Löwe, -n** | lion |
| **benennen, benannte, benannt** | to name |
| der **Wissenschaftler, -** / die **Wissenschaftlerin, -nen** | scholar, scientist |
| **entfernt** | away, distant |
| **profitieren** | to profit |
| die **Lage, -n** | location |
| die **Hochschule, -n** | college, university |
| **bedeutend** | major, prominent |

Tibor Bognar/Alamy

Wappen der Stadt Göttingen

### Arbeit mit dem Text

Lesen Sie den Text und suchen Sie die Antworten auf diese Fragen.

1. Wofür ist Göttingen vor allem bekannt?
2. Wer besuchte im Mittelalter[2] die Pfalz[3] Grona?
3. Wann wurde die Universität Göttingen offiziell eingeweiht[4]?
4. Nach wem ist die Universität benannt?
5. Wer arbeitete in der Göttinger Sternwarte[5]?
6. Wer protestierte gegen König Ernst August von Hannover?
7. In welchen Fächern erhielten sechs Wissenschaftler der Universität den Nobelpreis?
8. Wogegen war die „Göttinger Erklärung[6]" aus dem Jahr 1957?

Die Stadt Göttingen liegt ziemlich genau in der Mitte von Deutschland und ist vor allem bekannt für ihre Universität. Die traditionsreiche „Georgia Augusta" ist die größte und älteste Universität in Niedersachsen und die Zahl der Studierenden macht 20 Prozent der Bevölkerung aus.

Das heutige Göttingen kann man bis ins 7. Jahrhundert zurückverfolgen[7]. Es gab ein Dorf Gutingi, über das man nicht viel weiß, und die Pfalz Grona, die zwei Kilometer entfernt lag. Diese Pfalz wurde im Mittelalter von Kaisern und Königen besucht. Heinrich II. und seine Frau Kunigunde liebten Grona, heute ein Stadtteil Göttingens, und Heinrich starb dort im Jahre 1024.

Später profitierte Göttingen wirtschaftlich von seiner guten Lage zwischen Lübeck und Frankfurt am Main und war zeitweise[8] sogar Mitglied der Hanse*.

Im Jahre 1734 wurden in Göttingen die ersten Studenten unterrichtet und 1737 wurde die Universität feierlich eingeweiht. Georg II. August von Großbritannien, der auch Kurfürst[9] von Braunschweig-Lüneburg war, gab der neuen Hochschule seinen Namen.

imageBROKER/Alamy

Das Gänseliesel

*the Hanseatic League, a medieval trade organization based around cities of northern Europe

[1]*coat of arms* [2]*Middle Ages* [3]*imperial residence* [4]*inaugurated* [5]*astronomical observatory* [6]*declaration* [7]*trace back* [8]*temporarily* [9]*elector*

Neben der Universität hatte Göttingen auch eine Akademie der Wissenschaften, die 1766 von Benjamin Franklin besucht wurde, und eine Sternwarte, in der der berühmte Mathematiker und Physiker Carl Friedrich Gauß (1777–1855) arbeitete.

Bekannt wurde Göttingen im 19. Jahrhundert durch den Protest der „Göttinger Sieben" gegen König Ernst August von Hannover, der die recht freiheitliche[10] Verfassung aufgehoben hatte. Zu den sieben Professoren, die protestierten, gehörten auch die Germanisten Jacob und Wilhelm Grimm.

Im 20. Jahrhundert erhielten sechs Wissenschaftler der Georgia Augusta den Nobelpreis in Chemie oder Physik. Aber auch in anderen akademischen Fächern studierten und lehrten bedeutende Wissenschaftler in Göttingen, z. B. die Philosophin Edith Stein und der Mediziner Robert Koch. Im Jahr 1957 veröffentlichten bedeutende Wissenschaftler, unter anderem Otto Hahn, Werner Heisenberg und Carl Friedrich von Weizsäcker aus Göttingen, die „Göttinger Erklärung" gegen die atomare Bewaffnung[11] der Bundeswehr. Das Wahrzeichen[12] der Stadt Göttingen ist das „Gänseliesel", eine Brunnenfigur auf dem Marktplatz, die Göttinger Doktoranden[13] küssen müssen, wenn sie ihren Doktorhut erhalten.

[10]*liberal* [11]*armament* [12]*symbol* [13]*doctoral graduates*

---

## Situation 3 **Dialog: Im Bahnhof**

Phan möchte mit dem Zug von Göttingen nach München fahren.

ANGESTELLTER: Bitte schön?
PHAN: Eine Fahrkarte nach München, bitte.
ANGESTELLTER: Einfach[1] oder __________ und zurück?
PHAN: Hin und zurück bitte, mit BahnCard zweiter Klasse.
ANGESTELLTER: Wann wollen Sie fahren?
PHAN: Ich würde gern __________ in München ankommen.
ANGESTELLTER: Wenn Sie um 8.06 Uhr losfahren, sind Sie um 12.11 Uhr in München.
PHAN: Das ist gut. Wissen Sie, wo der Zug __________ ?
ANGESTELLTER: __________ Gleis[2] 10.
PHAN: Ach ja, ich würde gern mit Kreditkarte bezahlen. ________ ?
ANGESTELLTER: __________ . Das macht dann 115 Euro 20.
PHAN: Vielen Dank.

Egon Bömsch/imageBROKER/Alamy

## Situation 4 **Interview**

1. Wo machst du gern Urlaub? Was gefällt dir daran? Wie oft warst du da?
2. Fährst du gern mit dem Auto oder dem Zug? Fährst du weite Strecken? Was gefällt dir daran? Stört dich etwas daran? Was?
3. Fliegst du gern? Was gefällt dir daran? Stört dich etwas beim Fliegen? Was?
4. Wie suchst du dir deine Urlaubsziele aus? Wie und wo kaufst du deine Tickets?
5. Wie packst du für eine Reise? Was nimmst du alles mit?
6. Erzähl von einer deiner letzten Reisen. Wo warst du? Wie bist du dahin gekommen? Warst du allein? Hast du jemanden kennengelernt? Was hast du gemacht? Was war das Interessanteste, was dir passiert ist?

[1]*one way* [2]*rail track;* here: *platform*

# Strukturen

## 1. Dative prepositions

**WISSEN SIE NOCH?**

You previously learned that the prepositions **aus, bei, mit, nach, von,** and **zu** take the dative case.

Review **Strukturen 6** in **Einführung B** as well as **Strukturen 4** and **6** in **Kapitel 6.**

The prepositions **aus, bei, mit, nach, von,** and **zu** are among the 40 most frequently used German words, **seit** and **gegenüber** the most frequent 500 words, and **ab, laut,** and **außer** the most frequent 1,000 words.

The most common dative prepositions are **ab** (*from*), **aus** (*out of, from*), **außer** (*besides, except*), **bei** (*near, by, at*), **gegenüber** (*opposite, across from*), **laut** (*according to*), **mit** (*with*), **nach** (*after, toward, to*), **seit** (*since, for*), **von** (*of, from*), and **zu** (*to, toward*).

A. **Prepositions Indicating Place**

| Woher (kommt sie?) | Wo (ist sie?) | Wohin (geht/fährt sie?) |
|---|---|---|
| aus Spanien | | nach Spanien |
| aus der Türkei | | in die Türkei |
| aus dem Zimmer | zu Hause | nach Hause |
| von rechts | | nach links |
| von Erika | bei Erika | zu Erika |
| vom Strand | | zum Strand |
| vom Markt | gegenüber dem Rathaus | bis zur Ecke |

1. **MOVEMENT FROM:** The Prepositions **aus** and **von**

**aus:** enclosed spaces
countries
towns
buildings

- Use **aus** to indicate that someone or something comes from an enclosed or defined space, such as a country, a town, or a building.

  Diese Fische kommen **aus der Donau.** — *These fish come from the Danube River.*
  Max kam **aus seinem Zimmer.** — *Max came out of his room.*

  Most country and city names are neuter; no article is used with these names.

  Leon kommt **aus Deutschland.** — *Leon comes from Germany.*

  However, the article is included when the country name is masculine, feminine, or plural.

  Richards Freund Ali kommt **aus dem Iran.** — *Richard's friend Ali comes from Iran.*
  Merts Familie kommt **aus der Türkei.** — *Mert's family comes from Turkey.*
  Claire kommt **aus den USA.** — *Claire comes from the USA.*

**ACHTUNG!**

von + dem = vom
bei + dem = beim
zu + dem = zum
zu + der = zur

**von:** open spaces
directions
persons

- Use **von** to indicate that someone or something comes not from an enclosed space but from an open space, from a particular direction, or from a person.

  Julia kommt gerade **vom Markt** zurück. — *Julia's just returning from the market.*
  Das rote Auto kam **von rechts.** — *The red car came from the right.*
  Michael hat es mir gesagt. Ich weiß es **von ihm.** — *Michael told me. I know it through (from) him.*

2. **LOCATION:** The Prepositions **bei** and **gegenüber**

**bei:** places of work
residences

- Use **bei** before the name of a place where someone works or a place where someone lives or is staying.

  Aaron arbeitet **bei McDonald's.** — *Aaron works at McDonald's.*
  Jan wohnt **bei einer Familie.** — *Jan is staying with a family.*
  Treffen wir uns **bei Kayla.** — *Let's meet at Kayla's.*

**gegenüber:** opposite
contrast

- Use **gegenüber** to indicate that something is located across from or opposite. It is also used in contrasting comparisons.

| | |
|---|---|
| Daniel wohnt **gegenüber dem Rathaus**. | *Daniel lives across from City Hall.* |
| **Gegenüber letztem Jahr** verdient Sarah mehr Geld. | *Compared with last year, Sarah is making more money.* |

3. **DESTINATION:** The Prepositions **nach** and **zu**

**nach:** cities
countries without articles
directions
**nach Hause** (*idiom*)

- Use **nach** with neuter names of cities and countries (no article), to indicate direction, and in the idiom **nach Hause** ([*going*] *home*).

| | |
|---|---|
| Margret fährt morgen **nach Nürnberg.** | *Margret is going to Nürnberg tomorrow.* |
| Fahren Sie an der Ampel **nach links.** | *Turn left at the light.* |
| Gehen Sie **nach Westen.** | *Go west.* |
| Ich muss jetzt **nach Hause.** | *I have to go home now.* |

**zu:** places
persons
**zu Hause** (*idiom*)
**bis zu:** end points

- Use **zu** to indicate movement toward a place or a person, and in the idiom **zu Hause** (*at home*).

| | |
|---|---|
| Er fährt **zum Hafen.** | *He's driving to the harbor.* |
| Wir gehen morgen **zu Tante Julia.** | *We'll go to Aunt Julia's tomorrow.* |
| Johannes ist nicht **zu Hause.** | *Johannes is not at home.* |

**in (+ *acc*):** countries with articles

Use **bis zu** (*as far as, up to*) to indicate movement toward a specific end point.

| | |
|---|---|
| Steve und Pedro sind **bis zum Gipfel** aufgestiegen. | *Steve and Pedro climbed up to the summit.* |

NOTE: Remember to use **in** + *acc*. with countries that are masculine (**der Sudan**), feminine (**die Schweiz**), or plural (**die USA**).

| | |
|---|---|
| Julia fährt **in die Schweiz**. | *Julia is driving to Switzerland.* |

tomazl/Getty Images

Sie sind bis zum Gipfel aufgestiegen!

B. **Prepositions Indicating Time**

**ab:** beginning (when)
**seit:** since (when)
**nach:** after

- Use **ab** to express a span of time with focus on the beginning.

| | |
|---|---|
| **Ab dem 1. Januar** kosten die Flüge mehr. | *Starting January 1, flights will cost more.* |

- Use **seit** to focus on how long something has lasted.

| | |
|---|---|
| **Seit mehreren Tagen** schläft Noah schlecht. | *Noah has been sleeping poorly for several days.* |
| **Seit dem letzten Mal** hat sich nichts geändert. | *Nothing has changed since the last time.* |

- Use **nach** to focus on a point in time after something.

| | |
|---|---|
| **Nach der Schule** lief Michael zurück zum Zirkus. | *After school Michael ran back to the circus.* |

C. **Prepositions Indicating Other Relationships**

**mit:** inclusion
**außer:** exclusion
**laut:** correspondence, accord

The preposition **mit** expresses communality and inclusion, **außer** expresses exception and exclusion, and **laut** expresses correspondence and accord.

| | |
|---|---|
| Fährst du **mit mir**? | *Are you riding with me?* |
| **Alle außer der Lehrerin** sind gekommen. | *Everyone came except for the teacher.* |
| **Laut ihrem Bericht** war sie die meiste Zeit zu Hause. | *According to her report, she was home most of the time.* |

## Übung A. Die Familie Ruf

Kombinieren Sie Fragen und Antworten.

1. Hier kommt Herr Ruf. Er hat seine Hausschuhe an. Woher kommt er gerade?
2. Phillip hat noch seine Schultasche auf dem Rücken. Woher kommt er?
3. Frau Ruf kommt mit zwei Taschen voll Obst und Gemüse herein. Woher kommt sie?
4. Hannah kommt herein. Sie hat eine neue Frisur[1]. Woher kommt sie?
5. Gestern Abend war Hannah nicht zu Hause. Wo war sie?
6. Ihre Mutter war auch nicht zu Hause. Wo war sie?
7. Morgen geht Herr Ruf aus. Wohin geht er?
8. Phillip fährt am Wochenende weg. Wohin fährt er?
9. Frau Ruf ist am Wochenende geschäftlich unterwegs. Wohin fährt sie?
10. Hannah möchte mit ihrem Freund einen Skiurlaub machen. Wohin wollen sie?

a. Aus der Schule.
b. Aus seinem Zimmer.
c. Bei ihrem Freund.
d. Bei Frau Körner.
e. Nach Innsbruck.
f. Nach Berlin.
g. Vom Friseur[2].
h. Vom Markt.
i. Zu Herrn Moser, Karten spielen.
j. Zu seiner Tante.

## Übung B. Julias Reise in die Schweiz

Beantworten Sie Claires Fragen an Julia. Verwenden Sie jeweils eine Präposition aus dem Kasten.

MODELL: CLAIRE: Wann bist du losgefahren? (das Frühstück) →
JULIA: Nach dem Frühstück.

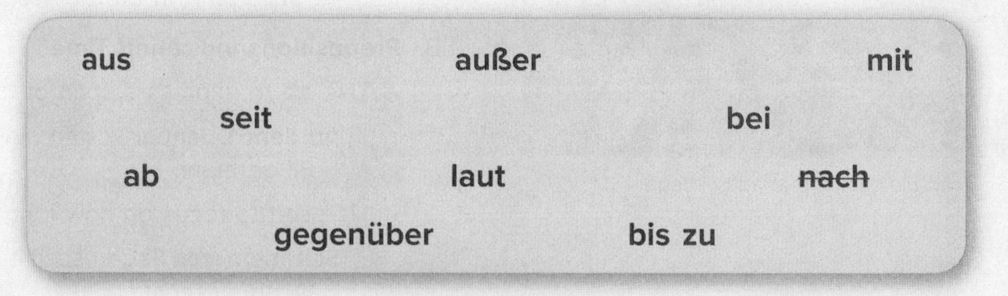

aus
außer
mit
seit
bei
ab
laut
~~nach~~
gegenüber
bis zu


1. Bist du allein gefahren? (nein / meine Freundin Fatima)
2. Woher kommt Fatima? (Regensburg)
3. Wie lange hattet ihr das schon geplant? (ein Monat)
4. Wo hast du Fatima abgeholt? (ihr Freund)
5. Wo wohnt ihr Freund? (das Rathaus)
6. Wann seid ihr angekommen? (mein Tagebuch / am frühen Abend)
7. Ihr habt in einer Hütte übernachtet, richtig? Waren viele Leute in der Hütte? (nein / ich und Fatima / niemand)
8. Dort gibt es viele Kühe, nicht? Ab wann haben euch ihre Glocken gestört? (der frühe Morgen)
9. Ihr seid dann den Berg hinaufgestiegen. Wie weit seid ihr gekommen? (der Gipfel)

[1]*hairstyle* [2]*hair stylist*

# Situationen

## Nach dem Weg fragen

Fahren Sie an der Ampel nach links.

Gehen Sie über die Straße.

Gehen Sie geradeaus, bis Sie eine Kirche sehen.

Gehen Sie an der Kirche vorbei, immer geradeaus.

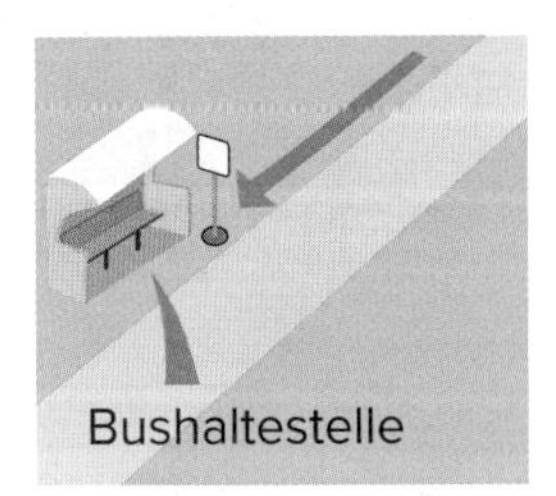


Gehen Sie die Goetheallee entlang bis zur Bushaltestelle.

Gehen Sie über die Brücke. Auf der linken Seite ist dann das Rathaus.

Die U-Bahnhaltestelle ist gegenüber dem Markthotel.

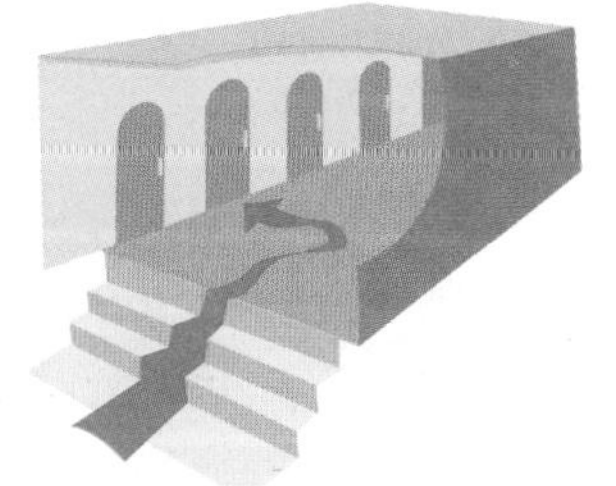

Gehen Sie die Treppe hinauf und dann ist es die zweite Tür links.

### Situation 5 **Dialoge**

1. Phan ist bei Daniels Mutter zum Geburtstag eingeladen.

PHAN: Wie komme ich denn zu eurem Haus?

DANIEL: Das ist ganz einfach. Wenn du __________ Bahnhof herauskommst, siehst du rechts __________ einen Supermarkt. Geh __________ Straße, links __________ Supermarkt vorbei, und wenn du einfach geradeaus weitergehst, kommst du __________ Bismarckstraße. Die musst du nur ganz hinaufgehen, bis du __________ Kreisverkehr kommst. Direkt __________ anderen Seite ist unser Haus.

2. Claire und Julia sind in Göttingen und suchen die Universitätsbibliothek.

JULIA: Entschuldige, kannst du uns sagen, wo die Universitätsbibliothek ist?

STUDENT: Ach, da seid ihr aber ganz schön falsch. Also, geht erst die Straße mal wieder zurück __________ großen Kreuzung. __________ Kreuzung hinüber und __________ Fußgängerzone[1] __________. Immer geradeaus __________ Fußgängerzone __________ Prinzenstraße. Da rechts. __________ rechten Seite seht ihr dann die Post. Direkt __________ Post ist die Bibliothek.

JULIA UND CLAIRE: Danke.

[1] *pedestrian zone*

3. Frau Frisch-Okonkwo findet ein Zimmer im Rathaus nicht.

FRAU FRISCH-OKONKWO: Entschuldigen Sie, ich suche Zimmer 204.

SEKRETÄRIN: Das ist ________ dritten Stock. Gehen Sie den Gang entlang ________ Treppenhaus[1]. Dann eine Treppe ________ und oben links. Zimmer 204 ist die zweite Tür ________ rechten Seite.

FRAU FRISCH-OKONKWO: Vielen Dank. Da hätte ich ja lange suchen können ...

## Situation 6 Wie komme ich dahin?

MODELL: S1: Wie muss ich fahren?
S2: Immer den Fluss entlang.

NÜTZLICHE AUSDRÜCKE
entlang
an ... vorbei
gegenüber
bis zu
über

1. Wie muss ich fahren?

2. Wie muss ich gehen?

3. Wie muss ich gehen?

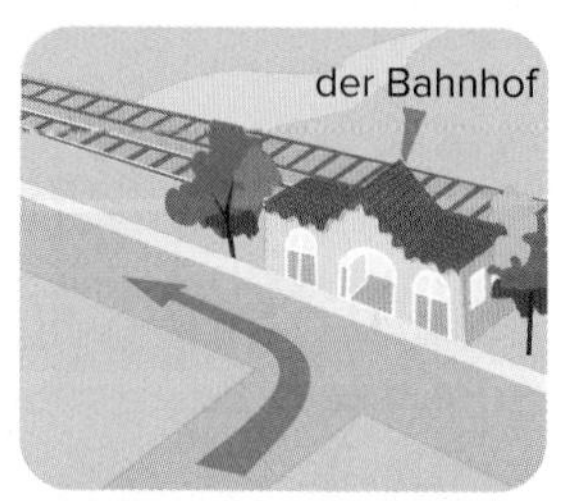


4. Wie muss ich fahren?

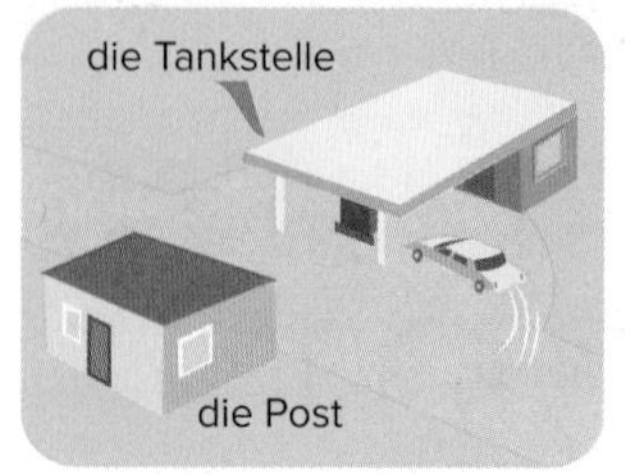


5. Wo ist die Tankstelle?

6. Wie komme ich zum Zug?

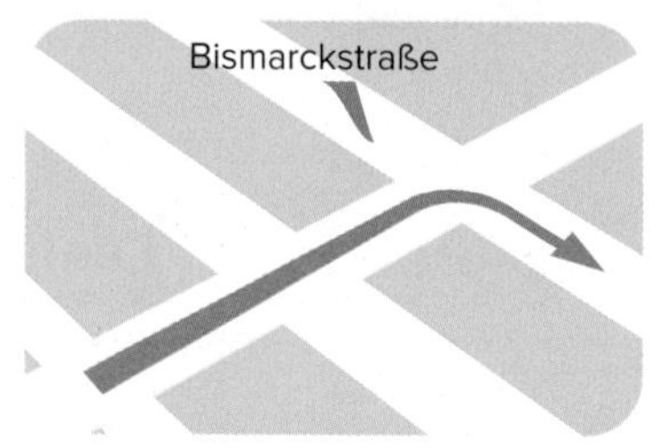


7. Immer geradeaus?

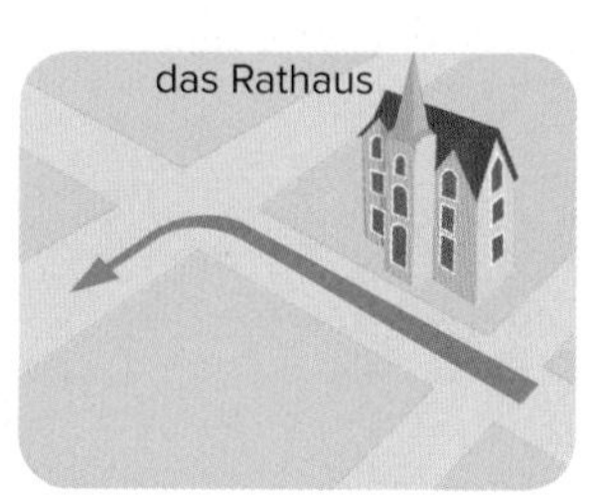


8. Vor dem Rathaus links?

9. Wo ist das Hotel „Zum Patrizier"?

10. Wie komme ich nach Nürnberg?

## Situation 7 Wie komme ich ...?

**Miniwörterbuch**

| | |
|---|---|
| der **Aufzug** | elevator |
| der **Rollstuhl** | wheelchair |

Beschreiben Sie Ihrem Partner / Ihrer Partnerin,

1. wie man im Rollstuhl zu Ihrem Zimmer oder zu Ihrer Wohnung kommt.
2. wo die nächste Post ist und wie man dahin kommt.
3. wo die beste Kneipe in der Stadt ist und wie man dahin kommt.
4. wie man zum Schwimmbad kommt.
5. wie man zur Bibliothek kommt.
6. wo es in Ihrer Nähe die beste Aussicht gibt und wie man dahin kommt.
7. wie man zum Zimmer von Ihrer Dozent*in kommt.
8. wo das nächste Krankenhaus ist und wie man dahin kommt.

[1] *stairwell*

## Situation 8 Mit dem Stadtplan[1] unterwegs in Regensburg

| Miniwörterbuch | |
|---|---|
| der **Markt** | market |
| der **Dom** | cathedral |
| der **Platz** | place, square |
| die **Gasse** | narrow street, alley |
| der **Weg** | way |
| der **Schritt, -e** | step, pace |

Suchen Sie sich ein Ziel in Regensburg aus dem Stadtplan aus. Beschreiben Sie Ihrem Partner / Ihrer Partnerin den Weg, ohne das Ziel zu verraten. Wenn er/sie dort richtig ankommt, bekommen Sie einen Punkt und es wird gewechselt.

MODELL: Also, wir sind jetzt an der Steinernen Brücke, auf dem Stadtplan oben in der Mitte. Siehst du die Steinerne Brücke? Gut. Von der Steinernen Brücke aus geh bitte links in die Goldene-Bären-Straße hinein und die nächste Straße gleich wieder rechts. Du kommst dann zum Krauterermarkt und zum Dom. Geh geradeaus über den Krauterermarkt hinüber und durch die Residenzstraße zum Neupfarrplatz. Geh dort bitte wieder links, durch die Schwarze-Bären-Straße und über die Maximilianstraße hinüber. Noch ein paar Schritte weiter und du bist am ______.

NÜTZLICHE AUSDRÜCKE

links/rechts die (Goliath)straße entlang
links/rechts in die (Kram)gasse hinein
geradeaus über den (Krauterer)markt / über die (Kepler)straße hinüber
weiter bis zum/zur ______
an der (Steinernen Brücke) vorbei

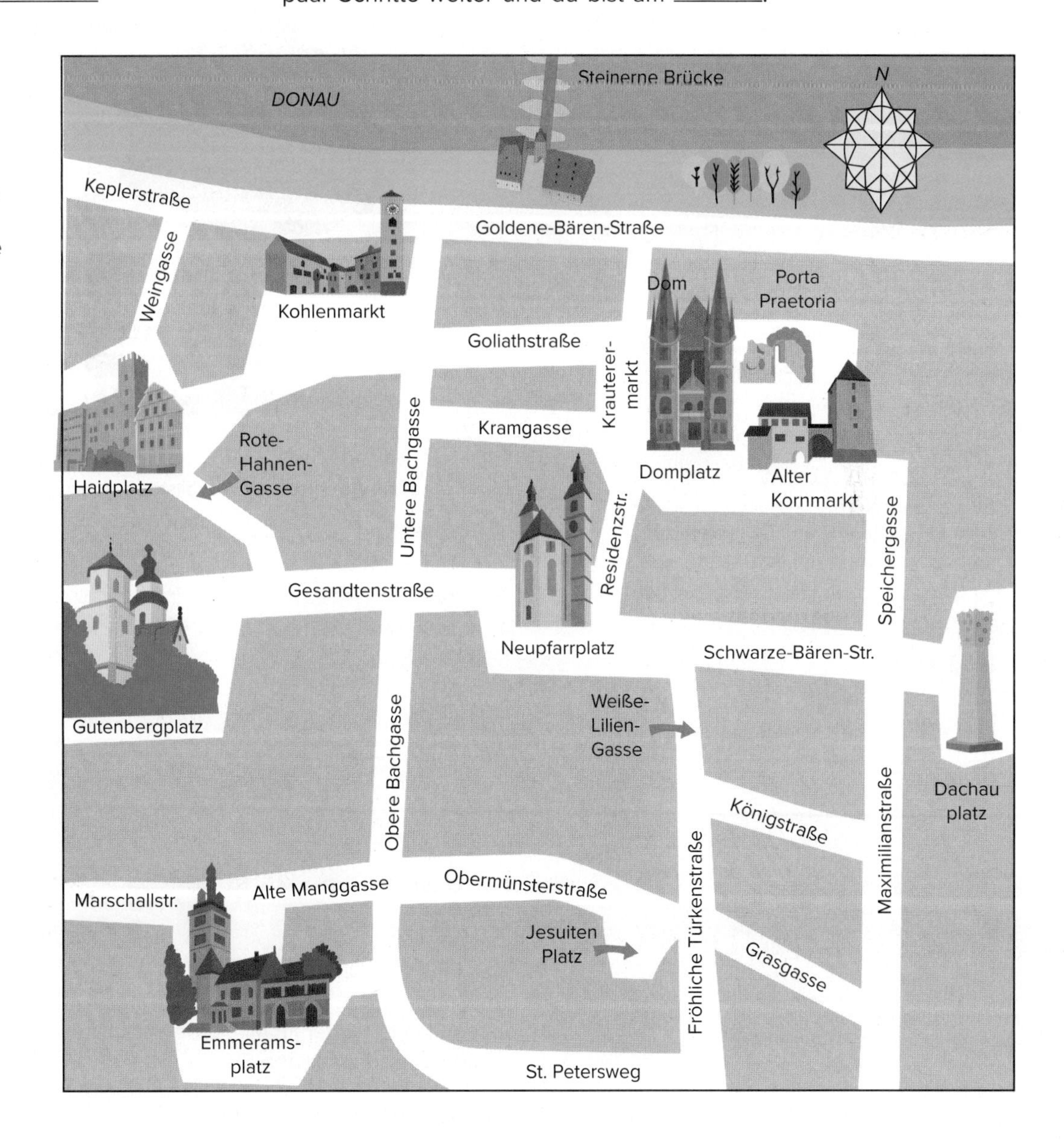


[1] *city street map*

# Lektüre

## Vor dem Lesen

**LESEHILFE**

As you learned in **Kapitel 3**, it is often useful to first read the title, glance over the complete text, and look at the images in order to get a general idea of what a text will be about. "Vater im Baum" is the title of this fictional text for young readers. Write down any questions that come to mind when you consider the title of this text. Then read the text and complete the activities.

**A. Eigenschaften von Tieren.** Vervollständigen Sie die Sätze mit den Adjektiven.

1. Füchse[1] sind ____________.
2. Hunde sind ____________.
3. Vögel sind ____________.
4. Katzen sind ____________.
5. Löwen sind ____________.
6. Bären sind ____________.

| | | |
|---|---|---|
| **mutig** | | **schlau[2]** |
| | **stark** | |
| **unabhängig** | | **treu** |
| | **frei** | |

**B.** Lesen Sie die Wörter im Miniwörterbuch. Dann suchen Sie sie im Text und in den Aktivitäten und markieren Sie sie.

[1]*foxes* [2]*clever, crafty*

## Miniwörterbuch

| | |
|---|---|
| **unabhängig** | independent |
| **stark** | strong |
| die **Wahrheit, -en** | truth |
| **hinausgehen, ging ... hinaus, ist hinausgegangen** | to go outside |
| **zuschlagen, schlägt ... zu, schlug ... zu, zugeschlagen** | to slam |
| **sich beugen** | to bend over |
| **flüstern** | to whisper |
| **sich schwingen, schwang, geschwungen** | to vault |
| **sich rühren** | to stir, budge |
| der **Himmel** | sky |
| das **Gerät, -e** | device, gadget |
| **sammeln** | to collect, gather |
| **verschwinden, verschwand, ist verschwunden** | to disappear |
| **sich kümmern (um)** | to take care (of), look after |
| der **Quatsch** | nonsense |
| **heben, hob, gehoben** | to raise |
| **senken** | to lower |
| **sich aufrichten** | to straighten up |
| **fort** | away |

# Vater im Baum

von Margret Steenfatt

„Mama, Vater sitzt im Baum!"

„Erzählt doch keine Märchen, Kinder. Papa wäscht den Wagen!"

„Nein, Mama, er sitzt im Baum!"

„Lasst mich in Ruhe mit euren Scherzen[3]. Wir wollen gleich in die Stadt fahren. Ich habe noch zu tun."

„Aber es ist die Wahrheit, Mama. Er will nicht herunterkommen."

„Jetzt wird es mir zu bunt[4]. Geht hinaus und spielt." Die Mutter schlägt die Haustür zu.

„Sie will uns nicht glauben", sagt Christian zu Sabine. „Was tun wir jetzt?"

„Nichts."

„Und Papa?"

„Den kriegen wir schon 'runter."

„Wie denn?"

„Ich sag's dir ins Ohr." Sabine beugt sich zum Bruder und flüstert etwas. Gleich darauf stürmen beide Kinder zur Garage.

Der neue Ford steht vor der Tür. Christian und Sabine schwingen sich aufs Autodach. Sie rufen laut zum Baum hinüber: „Papa, schau her!" Dann trampeln sie vereint mit ungeheurem Getöse[5] auf dem Blechdach herum. Nach einer Weile beginnt der Lack[6] zu splittern[7]. Es zeigen sich Beulen[8] im Dach. „Papa!", brüllen die Kinder aus vollem Halse. „Schau doch, Papa!"

Auf dem Baum rührt sich nichts. Ein paar Pfeifenwölkchen[9] schweben zum Himmel.

„Sabine, dein Plan taugt nichts[10]", sagt Christian. „Ich weiß was Besseres, warte!" Er rutscht vom Autodach und läuft ins Haus. Ein paar Minuten später schleppt er den Fernseher herbei und setzt ihn unter den Baum. Er schaltet das Gerät ein und stellt es auf volle Lautstärke[11]. „Komm endlich, Vater, 'n Krimi[12] gibt's."

Aber noch immer regt sich[13] droben nichts.

Die Kinder sammeln Steine, kleine zunächst, und werfen. Sie zielen nicht sehr gut. „Jetzt wird er gleich heruntersteigen, weil er uns prügeln[14] will", sagt Sabine. „Dann müssen wir schnell verschwinden!"

Sie nehmen größere Steine und treffen hin und wieder. Doch der Vater im Baum gibt keinen Laut von sich[15] und die Kinder sehen ein[16], dass er nicht mehr herabkommen wird. Sie toben und kreischen und brüllen[17].

Da kommt die Mutter aus dem Haus, reisefertig, mit Koffer und Tasche. Sie geht zur Garage und erblickt das zerbeulte Auto. Sie sieht die Kinder mit Steinen in den Händen und im Baum den Vater, ihren Mann. „Was soll das bedeuten?", fragt sie fassungslos[18].

„Vater sitzt im Baum!", schreit Christian. „Er will nicht herunter!"

„Das ist unmöglich", sagt die Mutter. „Euer Vater sitzt nicht in Bäumen."

„So sieh ihn doch an, wie er dort sitzt und sich um nichts kümmert!", kreischt Sabine.

„Eduard!", ruft die Mutter beschwörend, „lass diese Albernheiten[19]. Wir müssen fahren!" – „Eduard, so komm doch endlich herunter!" – „Warum antwortest du denn nicht?"

„Steigt doch mal hinauf, Kinder!", bittet die Mutter. „Ich verstehe das alles nicht."

Sabine und Christian beginnen zu klettern. Der Baum ist ziemlich hoch. Oben in der Krone sitzt der Vater. Er sagt kein Wort und rührt sich nicht. Christian steigt schneller als Sabine. Er kommt dem Vater immer näher. Fast hat er ihn erreicht. „Papa, was soll der Quatsch!", ruft Christian.

Mit einem Mal hebt der Vater die Arme, hebt und senkt sie, richtet sich auf und fliegt wie ein Vogel davon, fort vom Baum, fort vom Haus, fort von der Familie.



[3]*hoaxes* [4]wird ... *this is getting to be too much for me* [5]*noise, racket* [6]*varnish* [7]*chip* [8]*dents* [9]*little clouds of pipe smoke* [10]taugt ... *is no good* [11]*volume* [12]*murder mystery* [13]regt ... *moves* [14]*spank* [15]gibt ... *makes no sound* [16]sehen ... *realize* [17]toben ... *romp and scream and yell* [18]*perplexed* [19]*absurdities*

## Arbeit mit dem Text

**A. Personen.** Wer macht was?

| | VATER | MUTTER | KINDER |
|---|---|---|---|
| 1. davonfliegen | ☐ | ☐ | ☐ |
| 2. die Haustür zuschlagen | ☐ | ☐ | ☐ |
| 3. flüstern | ☐ | ☐ | ☐ |
| 4. im Baum sitzen | ☐ | ☐ | ☐ |
| 5. in den Baum klettern | ☐ | ☐ | ☐ |
| 6. keinen Laut von sich geben | ☐ | ☐ | ☐ |
| 7. mit Koffer aus dem Haus kommen | ☐ | ☐ | ☐ |
| 8. Pfeife[20] rauchen | ☐ | ☐ | ☐ |
| 9. Steine sammeln | ☐ | ☐ | ☐ |
| 10. trampeln | ☐ | ☐ | ☐ |
| 11. zum Baum hinüberrufen | ☐ | ☐ | ☐ |
| 12. zur Garage stürmen | ☐ | ☐ | ☐ |

**B. Handlung.** Die folgenden Sätze fassen die Handlung zusammen. Bringen Sie sie in die richtige Reihenfolge.

_____ Beide Kinder stürmen zur Garage.
_____ Die Mutter schlägt die Haustür zu.
__*1*__ Der Vater sitzt im Baum.
_____ Sie trampeln auf dem Blechdach herum.
_____ Christian holt den Fernseher.
_____ Die Kinder toben, kreischen und machen viel Lärm.
_____ Der Vater will nicht herunterkommen.
_____ Die Kinder werfen Steine.
_____ Die Mutter sagt, sie wollen gleich in die Stadt fahren.
_____ Der Vater fliegt wie ein Vogel davon.
_____ Es gibt einen Krimi.
_____ Der Vater raucht Pfeife.
_____ Die Mutter kommt wieder aus dem Haus.
_____ Die Kinder klettern in den Baum.

**C. Inhalt.** Warum sitzt der Vater im Baum? Schreiben Sie drei Möglichkeiten auf.

Der Vater sitzt im Baum, ...

weil _______.
weil _______.
weil _______.

## Nach dem Lesen

Beantworten Sie die folgenden Fragen.

1. Warum glaubt die Mutter nicht, dass der Vater im Baum sitzt?
2. Der Vater fliegt davon wie ein Vogel. Was symbolisiert das?
3. Wie ist das Leben des Vaters, bevor er auf den Baum klettert?
4. Wie geht das Leben weiter? Das Leben der Kinder, das Leben der Mutter, das Leben des Vaters?

[20] *pipe*

# Strukturen

## 2. Requests and instructions: The imperative (summary review)

**WISSEN SIE NOCH?**

The imperative is used to form commands, sentences in which you tell others to do something.

Review **Strukturen 7** in **Kapitel 2.**

As you have already learned, the imperative (command form) in German is used to make requests, to give instructions and directions, and to issue orders. To soften requests or to make them more polite, words such as **doch, mal,** and **bitte** are often included in imperative sentences.

| | |
|---|---|
| **Mach mal** das Fenster **zu!** | *Close the window!* |
| **Bringen Sie** mir **bitte** noch einen Kaffee. | *Bring me another cup of coffee, please.* |

The imperative has four forms: the familiar singular (**du**), the familiar plural (**ihr**), the polite (**Sie**), and the first-person plural (**wir**).

A. **Sie** and **wir.** In both the **Sie-** and the **wir-**forms, the verb begins the sentence and the pronoun follows.

| | |
|---|---|
| **Kontrollieren Sie** bitte das Öl. | *Please check the oil.* |
| **Gehen wir** doch heute ins Kino! | *Let's go to the movies today.* |

B. **ihr.** The familiar plural imperative consists of the present-tense **ihr-**form of the verb but does not include the pronoun **ihr.**

| | |
|---|---|
| Lydia und Yamina, **kommt her** und **hört** mir **zu**! | *Lydia and Yamina, come here and listen to me.* |
| **Sagt** immer die Wahrheit! | *Always tell the truth.* |

recep-bg/Getty Images

Gehen Sie geradeaus, bis Sie eine Kirche sehen.

C. **du.** The familiar singular imperative consists of the present-tense **du-**form of the verb without the **-(s)t** ending and without the pronoun **du.**

| | |
|---|---|
| du kommst | **Komm!** |
| du tanzt | **Tanz!** |
| du isst | **Iss!** |

In written German, you will sometimes see a final **-e (komme, gehe),** but this **-e** is usually omitted in the spoken language for all verbs except those for which the present-tense **du-**form ends in **-est.**

| | |
|---|---|
| du arbeitest | **Arbeite!** |
| du öffnest | **Öffne!** |

Verbs that have a stem-vowel change from **-a-** to **-ä-** or **-au-** to **-äu-** do not have an umlaut in the **du-**imperative.

| | |
|---|---|
| du fährst | **Fahr!** |
| du läufst | **Lauf!** |

D. **sein.** The verb **sein** has irregular imperative forms.

| | | |
|---|---|---|
| du → **Sei** leise! | *Be quiet!* | *(Paul!)* |
| ihr → **Seid** leise! | *Be quiet!* | *(You two!)* |
| Sie → **Seien Sie** leise! | *Be quiet!* | *(Mrs. Smith!)* |

| | |
|---|---|
| wir → **Seien wir** leise! | *Let's be quiet!* |
| **Sei** so gut und gib mir die Butter, Antonia. | *Be so kind and pass me the butter, Antonia.* |
| **Seid** keine Egoisten! | *Don't be such egotists!* |

## Übung C. Phillip und sein Vater

Phillip und sein Vater sind zu Hause. Phillip fragt seinen Vater, was er tun darf oder tun muss. Spielen Sie die Rolle seines Vaters. Sagen Sie auch, warum Phillip etwas tun muss oder nicht tun darf.

MODELL: Darf ich den Fernseher einschalten? →
Ja, schalte ihn ein. Es kommt ein guter Film.
*oder* Nein, schalte ihn nicht ein. Ich möchte Musik hören.

1. Muss ich jetzt Klavier üben?
2. Darf ich Max anrufen?
3. Darf ich das Fenster aufmachen?
4. Muss ich jetzt das Buch lesen?
5. Kann ich mit dir reden?
6. Muss ich jetzt meine Schultasche packen?
7. Darf ich in den Garten gehen?
8. Darf ich morgen mit dem Fahrrad in die Schule fahren?

## Übung D. Bitten

Sie sind die erste Person in jeder Zeile. Was sagen Sie?

MODELL: Frau Wagner: Max und Yusuf / Schultaschen packen →
Max und Yusuf, packt eure Schultaschen!

1. Herr Wagner: Max und Yusuf / nicht so laut sein
2. Michael: Maria / bitte an der nächsten Kreuzung halten
3. Frau Wagner: Benjamin / an der nächsten Straße nach links fahren
4. Herr Ruf: Hannah / mehr Obst essen
5. Herr Fuchs: Herr Pusch / nicht so schnell fahren
6. Hannah: Max / an der Ecke auf mich warten
7. Frau Frisch-Okonkwo: Sumita und Yamina / nicht so ungeduldig[1] sein
8. Herr Moser: Antonia und Elif / euren Vater von mir grüßen
9. Frau Ruf: Yusuf / mal schnell zu Papa laufen
10. Aydan: Eske und Damla / jeden Tag die Zeitung lesen

## Übung E. Minidialoge

**helfen** **machen**
**vergessen**
**warten** **sprechen**

Verwenden Sie die Verben im Kasten.

1. FRAU RUF: Ich sitze jetzt schon wieder seit sechs Stunden vor dem Computer.
   HERR RUF: Du arbeitest zu viel. _____ mal eine Pause.
2. HERR FUCHS: _____ bitte lauter, ich verstehe Sie nicht.
   MARIA: Ja, wie laut soll ich denn sprechen? Wollen Sie, dass ich schreie?
3. MICHAEL: Na, was ist? Kommen Sie nun oder kommen Sie nicht?
   FRAU KÖRNER: Ich bin ja gleich fertig. Bitte _____ doch noch einen Moment.
4. YUSUF: Kann ich mit euch zum Schwimmen gehen?
   MAX: Ja, komm und _____ deine Badehose[2] nicht.
5. AYDAN: _____ mir bitte, ich kann die Koffer nicht allein tragen.
   ESKE UND DAMLA: Aber natürlich, Mama, wir helfen dir doch gern.

# 3. Word formation: Verbs with *hin-* and *her-*

**WISSEN SIE NOCH?**

You learned about **woher** and **wohin** in **Einführung B** and **Kapitel 6.**

The adverbs **hin** and **her** are often combined with verbs of motion (e.g., **gehen, kommen, fahren)** and verbs of conveyance or transfer (e.g., **bringen, tragen, werfen, setzen**) to indicate direction. The adverb **hin** indicates the

[1]*impatient* [2]*swimming trunks*

direction towards something *away from* the speaker or a person the speaker is focusing on.

Geh bitte zum Tisch **hin**. — *Please go to the table.*

The adverb **her** indicates the direction *towards* the speaker or something the speaker is focusing on.

Komm bitte zu mir **her**. — *Please come to me.*

herunter hinauf

herauf hinunter

The simple adverbs **hin** and **her** often combine with prepositions to form complex adverbs, such as **hinauf** or **herunter.** This narrows the meaning of the preposition to indicate the direction away from or towards the focus of the speaker.

| AWAY FROM | | TOWARDS | |
|---|---|---|---|
| hinauf | *(going) up* | herauf | *(coming) up* |
| hinunter | *(going) down* | herunter | *(coming) down* |
| hinaus | *(going) out(side)* | heraus | *(coming) out(side)* |
| hinein | *(going) in(side)* | herein | *(coming) in(side)* |
| hinüber | *(going) over/across* | herüber | *(coming) over/across* |
| | | herum | *(coming) around* |

Both simple and complex adverbs may combine with verbs of motion, conveyance, and transfer to specify the direction of the action. Adverbs used in this way are separable prefixes.

| | | |
|---|---|---|
| **hinauf·gehen** | **Gehen** Sie die Treppe **hinauf.** | *Go up the stairs.* |
| **hin·legen** | **Legen** Sie sich bitte **hin.** | *Please lie down.* |
| **herein·kommen** | Der Hund ist **hereingekommen.** | *The dog came inside.* |
| **heraus·nehmen** | **Nimm** es bitte **heraus.** | *Please take it out (of it).* |

## Übung F. Hin und her: Minidialoge

**hinzukommen**
**herumlaufen**[1]
**herunterkommen**
**hinlegen**
**herausgeben**[2]
**hinausgehen**
**herausfinden**
**~~herauskommen~~**
**herausnehmen**[3]

**ACHTUNG!**

When combined with verbs, **heraus** and **hinaus** often equate with *out,* and **herum** with *around.*

Ergänzen Sie mit Verben aus dem Kasten.

MODELL: HEIDI: Hast du Steve gesehen?
SHANNON: Ja, er ist gerade aus der Bibliothek <u>herausgekommen</u>.

1. MUTTER: Wo bleibt die Katze?
   KIND: Sie sitzt im Baum und will nicht _____.
2. ANTONIA UND ELIF: Können wir dir helfen, Mutti?
   FRAU WAGNER: _____ bitte lieber _____ und spielt.
3. KAYLA: Hi, Miguel. Was gibt's?
   MIGUEL: Ich habe _____, dass der Flug nach Australien 15 Stunden dauert.
4. FRAU KÖRNER: Wir sind in der Stadt so viel herumgelaufen. Ich bin erschöpft!
   FRAU GRUBER: _____ Sie sich kurz _____. Ich koche uns einen Kaffee.
5. PHAN: Euer Garten ist ja wirklich sehr groß!
   DANIEL: Ja, unser Hund kann darin frei _____.
6. HEIDI: Professor Schulz, ist das deutsche Wörterbuch fast fertig?
   FRAU SCHULZ: Nein, aber der Verlag _____ in diesem Jahr einen weiteren Band _____.
7. MALIK: Können wir mitspielen?
   MAX: Ihr könntet gerne noch _____. Wir sind erst drei und brauchen noch Spieler.
8. HANNAH: Papa, ist der Kuchen fertig?
   HERR RUF: Ja, kannst du ihn bitte aus dem Ofen _____?

[1]*to run around* [2]*to publish* [3]*to take out*

# Situationen

## Am Strand und im Hotel

### Situation 9 Umfrage: Urlaubserlebnisse

MODELL: S1: Hast du schon mal dein Gepäck verloren?
S2: Ja.
S1: Unterschreib bitte hier.

| | UNTERSCHRIFT |
|---|---|
| 1. Hast du schon mal dein Gepäck verloren? | ____________ |
| 2. Warst du schon mal in einer großen Höhle? | ____________ |
| 3. Schwimmst du gern in hohen Wellen? | ____________ |
| 4. Hast du beim Starten und Landen eines Flugzeugs Angst? | ____________ |
| 5. Sammelst du gern Steine oder Muscheln? | ____________ |
| 6. Warst du schon mal bei heftigem Wind im Wasser? | ____________ |
| 7. Schaust du gern Wolken hinterher[1]? | ____________ |
| 8. Gehst du gern auf Abenteuer? | ____________ |
| 9. Bist du schon mal in der Dunkelheit gewandert? | ____________ |
| 10. Beobachtest du gern den Mond und die Sterne? | ____________ |

[1]schaust hinterher *follow with your eyes*

## Situation 10 Informationsspiel: Wo wollen wir übernachten?

MODELL: Wie viel kostet ______?
Haben die Zimmer im (in der) ______ Dusche und Toilette?
Gibt es im (in der) ______ Einzelzimmer?
Gibt es im (in der, auf dem) ______ einen Fernseher?
Ist das Frühstück im (in der, auf dem) ______ inklusive?
Ist die Lage von dem (von der) ______ zentral/ruhig?
Gibt es im (in der, auf dem) ______ Internet?

| | das Hotel Strandpromenade | das Hotel Ostseeblick | die Jugendherberge[1] | der Campingplatz |
|---|---|---|---|---|
| *Preis pro Person* | 88,- Euro | | 18,50 Euro | 16,- Euro |
| *Dusche/Toilette* | ja | ja | | |
| *Einzelzimmer* | ja | ja | nein | |
| *Fernseher* | | | im Zimmer | |
| *Frühstück* | | inklusive | | |
| *zentrale Lage* | ja | | im Wald | direkt am Strand |
| *ruhige Lage* | ja | ja | | |
| *Internet* | | | kostet extra | |

## Situation 11 Dialog: Im Hotel

Herr und Frau Ruf suchen ein Zimmer.

HERR RUF: Guten Tag, haben Sie noch ein Doppelzimmer mit Dusche frei?
WIRTIN: Wie lange möchten Sie denn ______?
HERR RUF: ______.
WIRTIN: Ja, da habe ich ein Zimmer ______ und Toilette.
FRAU RUF: Könnten wir ein ruhiges Zimmer haben?
WIRTIN: Natürlich. Unsere Zimmer sind alle ruhig.
FRAU RUF: ______ das Zimmer denn?
WIRTIN: 54 Euro ______.
HERR RUF: Ist Frühstück dabei?
WIRTIN: Selbstverständlich ist Frühstück dabei.
FRAU RUF: Wann ist Check-out?
WIRTIN: Sie sollten so gegen 12 Uhr das Zimmer verlassen.
FRAU RUF: Gut, wir nehmen das Zimmer.
HERR RUF: Und wann können wir ______?
WIRTIN: ______ im Frühstückszimmer. Gehen Sie hier einfach durch die Lobby und dann links.

## Situation 12 Rollenspiel: Im Hotel

S1: Sie sind im Hotel und möchten ein Zimmer mit Dusche und Toilette. Außerdem möchten Sie ein ruhiges Zimmer. Fragen Sie auch nach Preisen, Frühstück, Internet und wann Sie morgens abreisen müssen.

[1] *youth hostel*

# KULTUR ... LANDESKUNDE ... INFORMATIONEN

## DIE DEUTSCHE EINWANDERUNG IN DIE USA

### Vor dem Lesen

- Gibt es in Ihrer Nähe Orte, Städte oder Stadtteile mit deutschem Namen? Wie heißen sie? Wann wurden sie gegründet?
- Gibt es in Ihrer Stadt ein Viertel mit deutschen Geschäften und Restaurants?
- Welche deutschen Einwanderer*innen[1] spielten eine wichtige Rolle in der Geschichte der USA (oder Ihres Landes)?

| Miniwörterbuch | |
|---|---|
| das **Viertel** | quarter, neighborhood |
| die **Siedlung, -en** | settlement |
| **angehören, gehört ... an, angehört** | to belong |
| die **Industrie, -n** | industry |
| **zahlreich** | numerous |
| die **Basis,** *pl.* **Basen** | basis |
| der **Dialekt, -e** | dialect |
| **scheitern, ist gescheitert** | to fail |
| der **Jude, -n** / die **Jüdin, -nen** | Jew |
| der **Ursprung, ¨-e** | origin |
| **wiederum** | again |
| **jüdisch** | Jewish |

### Arbeit mit dem Text

Lesen Sie den Text und suchen Sie die Antworten auf diese Fragen:

1. Aus welchem Land kamen die meisten Einwanderer*innen in die USA? Und die zweitmeisten?
2. Wie viele Millionen US-Amerikaner*innen sagen, dass *Deutsch* ihre Hauptabstammung[2] ist?
3. Wie hieß die erste deutsche Siedlung in Nordamerika? Wo lag sie? Wann wurde sie gegründet?
4. Welchen Religionen gehörten viele Deutsche an, die im 18. Jahrhundert in Pennsylvania einwanderten[3]?
5. Warum hieß eine besonders große Einwanderergruppe die *Forty-Eighters*?
6. Welche Region wurde der *German Belt* genannt?
7. Wie viel Prozent der Einwohner*innen San Antonios sprach im 19. Jahrhundert Deutsch?
8. Welche Industrie wurde besonders von Deutschen dominiert?
9. Welche Berufsgruppe und welche Religionsgruppe wanderte in den 1930er Jahren vor allem nach Amerika aus[4]?

**Einwanderung in die USA: Die Top-12 Länder 1820–2017 nach Herkunftsland**

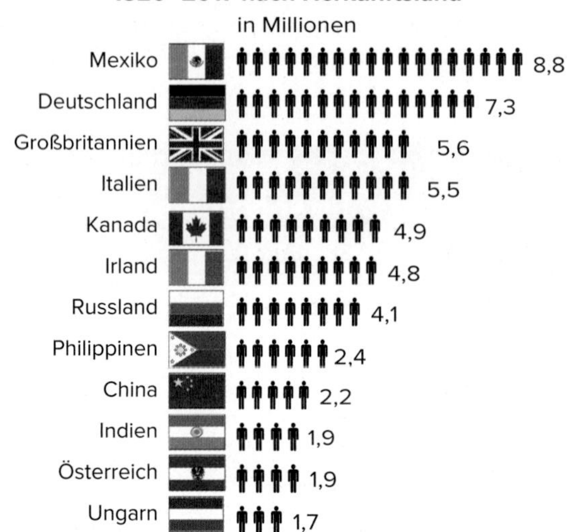


*Source: Yearbook of Immigration Statistics, U.S. Department of Homeland Security, http://www.dhs.gov*

Die USA sind eines der großen Einwanderungsländer. Jedes Jahr wandern zahlreiche Personen in die USA ein. Deutschland steht hoch auf der Liste der Einwanderungsnationen. Allein in New York City leben circa 300.000 Deutschstämmige[5]. Bei einer Volkszählung[6] im Jahr 2015 gaben fast 50 Millionen US-Amerikaner*innen *Deutsch* als ihre Hauptabstammung an.

Die deutsche Einwanderung in die USA hat eine lange Tradition. 1683 wurde in Pennsylvanien die erste deutsche Siedlung mit dem Namen „Germantown" gegründet. 90 Jahre später war ein Drittel der pennsylvanischen Bevölkerung deutschstämmig. Sie gehörten größtenteils[7] protestantischen Religionen an. Auf der Basis pfälzischer[8] Dialekte entwickelten die Deutschamerikaner*innen eine eigene Sprache – das Pennsylvania Dutch. Dieser Dialekt wird auch heute noch in einigen Teilen Pennsylvaniens gesprochen.

Im 19. Jahrhundert wanderten fast 8 Millionen deutschsprachige Menschen in die USA ein, aus allen deutschsprachigen Ländern: aus der Schweiz, aus Österreich-Ungarn und aus dem Deutschen Reich. Viele kamen nach der gescheiterten deutschen Revolution von 1848. Diese Einwander*innen hießen die *Forty-Eighters*. Unter ihnen befanden sich viele Intellektuelle und Bürgerrechtskämpfer[9], ebenso wie viele Juden und Jüdinnen, wie zum Beispiel Abraham Jacobi, der 1860 das erste Kinderkrankenhaus der USA eröffnete und Emil Berliner, der Erfinder der Schallplatte. Sehr viele Deutsche ließen sich in den darauffolgenden Jahrzehnten im Mittleren Westen nieder[10], insbesondere in der Region zwischen Cincinnati, St. Louis und Milwaukee, die der *German Belt* genannt wurde. 1890 waren 69% der Einwohner*innen Milwaukees deutschstämmig, in Cincinnati waren es zu Beginn des 20. Jahrhunderts 60%. Auch in Texas wanderten sehr viele Deutsche ein. Ein Drittel der Einwohner*innen von San Antonio sprach 1870 Deutsch.

[1]*immigrants* [2]*primary ancestry* [3]*immigrated* [4]wanderte aus *emigrated* [5]*people of German descent* [6]*census* [7]*for the most part* [8]*Palatine (region in Southwestern Germany from which the Amish immigrated to the US in the 18th century)* [9]*civil rights activists* [10]ließen sich nieder *settled*

Viele berühmte Amerikaner*innen waren deutscher Abstammung. John Jacob Astor kam 1784 als junger Mann nach New York. Der Chemiker Karl Pfizer gründete 1849 in Brooklyn ein Pharmaunternehmen, das es heute noch gibt. Levi Strauss, der Erfinder der Jeans, wanderte 1853 aus Bayern ein. Ein Monopol hatten deutsche Einwanderer*innen in der Bierindustrie: Yuengling, Anheuser-Busch, Joseph Schlitz und Coors wurden alle im 19. Jahrhundert gegründet. Auch Hamburger, Frankfurter, Bratwurst, Schnitzel, Strudel und Brezel sind deutschen Ursprungs.

Nach der Machtergreifung[11] der Nazis in den 1930er Jahren verließen wiederum viele Deutsche ihre Heimat, vor allem Akademiker*innen und vor allem jüdische Akademiker*innen. Zu den Auswander*innen gehörten der Physiker Albert Einstein, die Mathematikerin Emmy Noether, die Philosophin Hannah Arendt, der Schriftsteller Thomas Mann, der Architekt Walter Gropius und die Schauspielerin Marlene Dietrich.

[11]*takeover*

---

## Miniwörterbuch

| | |
|---|---|
| **einzig** | sole(ly), only |
| **nackt** | naked |
| der **Feind, -e** | enemy |
| das **Kissen, -** | pillow |
| die **Schlacht, -en** | fight, battle |

*Marc Pfitzenreuter/Redferns/Getty Images*

Celina Bostic

## MUSIKSZENE

### „Religion" (2015, Deutschland) *Celina Bostic*

**Biografie** Celina Bostic ist 1979 in Berlin geboren. Ihre Mutter, Maria, kommt aus Berlin, ihr Vater, Earl, wuchs in Detroit auf und kam mit 25 Jahren nach Berlin. Earl hatte afrikanische und Cherokee-Vorfahren[1]. Celina war im Kindergarten die einzige Schwarze und fühlte sich im Kindergarten und in der Schule immer als Außenseiterin[2]. Heute engagiert sie sich für Flüchtlinge. Sie spielt Klavier und Gitarre und schreibt ihre Lieder selbst. Sie tritt oft alleine auf, manchmal aber auch mit ihrer Schwester Leila. Celina macht Gute-Laune-Musik, tritt aber immer wieder auch auf politischen Veranstaltungen auf, so z. B. am 1. Mai 2019 in Erfurt, um gegen eine Großdemonstration der AfD[3] zu protestieren. Ihr Lied *Religion* erschien 2015. Sie singt darin von ihrer Religion, den Tag zu nutzen und das „Leben vor dem Tod" zu genießen.

**NOTE:** For copyright reasons, the songs referenced in **MUSIKSZENE** have not been provided by the publisher. The song can be found online at various sites.

**Vor dem Hören** Woran denken Sie, wenn Sie an *carpe diem* denken? Was bedeutet das für Sie? Was macht man, wenn man eine Carpe-diem-Mentalität hat? Finden Sie das gut oder schlecht?

**Nach dem Hören** Was glaubt die Sängerin? Richtig (R) oder falsch (F)? Korrigieren Sie die falschen Sätze.

1. Es ist wichtig, dass man das macht, was man machen soll.
2. Man soll nicht davon träumen, einmal nackt im Regen zu stehen.
3. Sie glaubt an den Moment und an ein Leben vor dem Tod.
4. Das Leben ist zu schnell vorbei.
5. Man sollte nicht auf der Straße tanzen.
6. Man kann seine Feinde zur Kissenschlacht einladen.
7. Man kann auch auf einem Leichenschmaus[4] jemandem zum Lachen bringen.
8. Sie glaubt nicht, dass es wahre Freunde gibt.
9. Man soll sich eine schöne Zeit machen.
10. Jeder Tag ist ein Geschenk.

[1]*ancestors* [2]*outsider* [3]Alternative für Deutschland *(far-right German political party)* [4]*funeral reception*

# Strukturen

## 4. Being polite: The subjunctive form of modal verbs

Use the subjunctive form of modal verbs to be more polite.

| | |
|---|---|
| **Könnten** Sie mir bitte dafür eine Quittung geben? | *Could you please give me a receipt for that?* |
| Ich **müsste** mal telefonieren. | *I have to make a phone call.* |
| **Dürfte** ich Ihr Telefon benutzen? | *Could I use your phone?* |

The subjunctive is formed from the simple past-tense stem. Add an umlaut if there is an umlaut in the infinitive.

To form the subjunctive of a modal verb, add an umlaut to the simple past form if there is also one in the infinitive. If the modal verb has no umlaut in the infinitive (**sollen** and **wollen**), the subjunctive form is the same as the simple past form.

| Infinitive | Simple Past | Subjunctive |
|---|---|---|
| dürfen | ich durfte | ich d**ü**rfte |
| können | ich konnte | ich k**ö**nnte |
| mögen | ich mochte | ich m**ö**chte |
| müssen | ich musste | ich m**ü**sste |
| sollen | ich sollte | ich sollte |
| wollen | ich wollte | ich wollte |

Below are the subjunctive forms of **können** and **wollen.**

| können | | | |
|---|---|---|---|
| *ich* | könnte | *wir* | könnten |
| *du* | könntest | *ihr* | könntet |
| *Sie* | könnten | *Sie* | könnten |
| *er* / *sie* / *es* | könnte | *sie* | könnten |

| wollen | | | |
|---|---|---|---|
| *ich* | wollte | *wir* | wollten |
| *du* | wolltest | *ihr* | wolltet |
| *Sie* | wollten | *Sie* | wollten |
| *er* / *sie* / *es* | wollte | *sie* | wollten |

In modern German, **möchte,** the subjunctive form of **mögen,** has become almost a synonym of **wollen.**

| | |
|---|---|
| —Wohin wollen Sie fliegen? | *Where do you want to go (fly)?* |
| —Wir möchten nach Brasilien fliegen. | *We want / would like to fly to Brazil.* |

Another polite form, **hätte gern,** is often used instead of **möchte**, especially in conversational exchanges involving goods and services.

| | |
|---|---|
| Ich hätte gern eine Cola, bitte. | *I'd like a cola, please.* |
| Wir hätten gern die Speisekarte, bitte. | *We'd like the menu, please.* |

## Übung G. Überredungskünste

Versuchen Sie, jemanden zu überreden[1], etwas anderes zu machen als das, was er/sie machen will.

MODELL: S1: Ich fahre jetzt. (bleiben)
S2: Ach, könntest du nicht bleiben?

1. Ich koche Kaffee. (Tee, Suppe, ?)
2. Ich lese jetzt. (später, morgen, ?)
3. Ich sehe jetzt fern. (etwas Klavier spielen, mit mir sprechen, ?)
4. Ich rufe meine Mutter an. (deinen Vater, deine Tante, ?)
5. Ich gehe nach Hause. (noch eine Stunde bleiben, bis morgen bleiben, ?)

MODELL: S1: Wir fahren nach Spanien. (Italien)
S2: Könnten wir nicht mal nach Italien fahren?

6. Wir übernachten im Zelt. (Hotel, Campingbus, ?)
7. Wir kochen selbst. (essen gehen, fasten, ?)
8. Wir gehen jeden Tag wandern. (schwimmen, ins Kino, ?)
9. Wir schreiben viele Briefe. (nur eine E-Mail, nur Postkarten, ?)
10. Wir sehen uns alle Museen an. (in der Sonne liegen, viel schlafen, ?)

## Übung H. Eine Autofahrt

Sie wollen mit einem Freund oder einer Freundin ausgehen und fahren in seinem/ihrem Auto mit. Stellen Sie Fragen. Versuchen Sie, besonders freundlich und höflich zu sein.

MODELL: wir / jetzt nicht fahren können →
Könnten wir jetzt nicht fahren?

1. du / nicht noch tanken[2] müssen
2. wir / nicht Ahmed abholen sollen
3. zwei Freunde von mir / auch mitfahren können
4. wir / nicht zuerst in die Stadt fahren sollen
5. du / nicht zur Bank wollen
6. du / etwas langsamer fahren können
7. ich / das Autoradio einschalten dürfen
8. ich / das Fenster aufmachen dürfen

[1]*convince* [2]*get gas*

## 5. Accusative prepositions

The prepositions **für, um, durch,** and **bis** belong to the most frequent 80 words, and the prepositions **gegen** and **ohne** to the most frequent 120 words of German.

**WISSEN SIE NOCH?**

The two-way prepositions **an** (*on, at*), **auf** (*on top of*), **hinter** (*behind*), **über** (*above*), **unter** (*underneath*), and **vor** (*before*) are used with the accusative case when they describe movement toward a place or a destination.

Review **Strukturen 2** in **Kapitel 6.**

The most common accusative prepositions are: **bis** (*until, up to*), **durch** (*through, across*), **für** (*for, in favor of*), **gegen** (*against, toward*), **ohne** (*without*), and **um** (*at, around*).

| | |
|---|---|
| Wir bleiben **bis nächsten Montag** hier. | *We'll stay until next Monday.* |
| Sie rannten **durch den dunklen Wald.** | *They ran through the dark forest.* |
| Ich suche ein Zimmer **für eine Nacht.** | *I'm looking for a room for one night.* |
| Die Partei hat **gegen den Antrag** gestimmt. | *The party voted against the proposition.* |
| Max fuhr **ohne seine Eltern** in Urlaub. | *Max went on vacation without his parents.* |
| **Um das Haus** stehen viele Bäume. | *There are many trees around the house.* |

The preposition **bis** often combines with another preposition such as **zu** or a two-way preposition such as **an, auf, hinter, über, unter** and **vor.** The second preposition governs the case of the noun, the dative after **zu** and usually the accusative after two-way prepositions.

| | |
|---|---|
| Fahren Sie bitte **bis zum nächsten Haus.** | *Please drive to the next house.* |
| Das Regal reichte **bis unter die Decke.** | *The bookshelf reached up to the ceiling.* |

### Übung I. Minidialoge

Ergänzen Sie die folgenden Präpositionen: **bis, durch, für, gegen, ohne, um.**

1. HERR FUCHS: Ich habe gehört, Sie hatten einen Unfall.
   MICHAEL: Ja, leider. Ich bin _______ einen Baum gefahren.
2. HANNAH: Hallo, Michael, hast du einen Euro? Ich sammle Geld _______ einen guten Zweck.
3. MICHAEL: Maria, wusstest du, dass die Menschen schon _______ zum Mond geflogen sind?
4. STEVE: Wo ist meine Brille? _______ sie sehe ich nichts.
   HEIDI: Sie ist hier auf dem Tisch.
5. PEDRO: Siehst du den Mond?
   MIGUEL: Nur ein bisschen. Es sind zu viele Wolken _______ ihn herum.
6. YUSUF: Warum hast du so lange gebraucht? Bist du nicht mit dem Fahrrad gefahren?
   MAX: Ich bin _______ den Wind gefahren und das hat gedauert.
7. VERONIKA: Hänsel und Gretel liefen _______ den dunklen Wald.
   LYDIA: Aber, Mama, es war doch heller Tag!

# Situationen

## Tiere

Bienen werden wegen ihrer Honigproduktion geschätzt.

Yusufs Hamster wird oft gebadet.

Delfine werden oft wegen ihrer Intelligenz bewundert.

In der Wüste muss man aufpassen, dass man nicht von einer Schlange gebissen wird.

Gestern wurde Phan von einer Biene gestochen.

Als Leon und Julia gestern beim Baden waren, wurden sie von tausend Mücken gestochen.

### Situation 13 **Ratespiel**

die Klapperschlange

die Schildkröte

die Schnecke

der Kolibri

der Gepard

die Fledermaus

1. Das größte Landsäugetier[1]: Es hat einen Rüssel[2] und zwei Stoßzähne[3] aus Elfenbein[4]; wegen des Elfenbeins wird es oft illegal gejagt.
2. Die schnellste Katze der Welt: Sie läuft mindestens 80 Kilometer in der Stunde.
3. Das schwerste Tier: Es lebt im Wasser, aber es ist kein Fisch.
4. Das langsamste Tier: Es trägt oft ein Haus auf seinem Rücken und hat keine Beine.
5. Es sieht aus wie ein Hund, ist aber nicht so zahm[5].
6. Dieses Tier lebt länger als der Elefant.
7. Das ist die giftigste Schlange in Nordamerika.
8. Dieser Wasservogel hat eine Spannweite[6] von mehr als drei Metern.
9. Dieses Tier hat die höchste Herzfrequenz, mit zirka 1.000 Schlägen pro Minute.
10. Dieses Tier hört besser als ein Delfin.

a. der Kolibri
b. der Elefant
c. die Riesenschild-kröte
d. die Schnecke
e. die Fledermaus
f. der Blauwal
g. der Gepard[7]
h. die Klapper-schlange
i. der Albatros
j. der Wolf

der Blauwal

[1]*land mammal* [2]*trunk* [3]*tusks* [4]*ivory* [5]*tame* [6]*(wing) span* [7]*cheetah*

## Situation 14 Informationsspiel: Tiere

MODELL: Welche Tiere findet ___ am tollsten?
Vor welchem Tier hat ___ am meisten Angst?
Welches Tier hätte ___ gern als Haustier?
Welche wilden Tiere sollten seiner/ihrer Meinung nach nicht gejagt werden?
Welche Art sollte seiner/ihrer Meinung nach besser geschützt werden?
Von welchem Tier möchte ___ nicht gefressen werden?
Welche Tiere bewundert ___ am meisten?
Welchem Tier möchte ___ nicht im Wald begegnen?

| | Yusuf | Maria | mein(e) Partner(in) |
|---|---|---|---|
| *Lieblingstier* | | Pferde | |
| *Angst* | vor dem Hund von nebenan | | |
| *Haustier* | eine Schlange | | |
| *nicht gejagt werden* | | Löwen | |
| *besser geschützt werden* | Fische | | |
| *nicht gefressen werden* | | von einem Wolf | |
| *bewundern* | weiße Haie[1] | | |
| *nicht begegnen* | einem Wolf | | |

## Situation 15 Bildgeschichte: Lydias Hamster

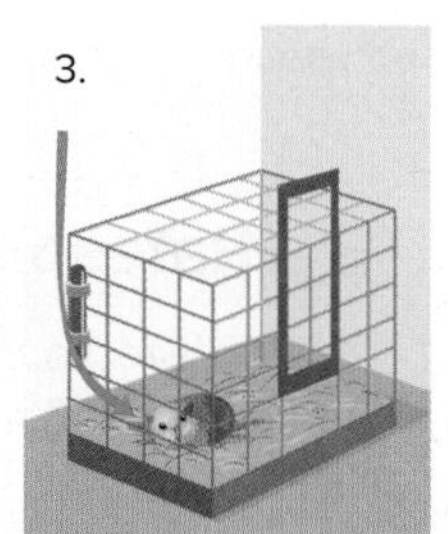


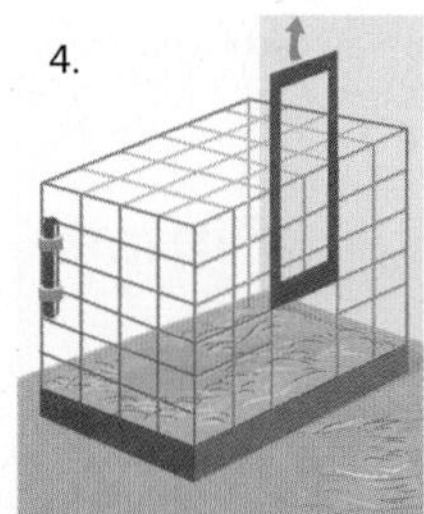


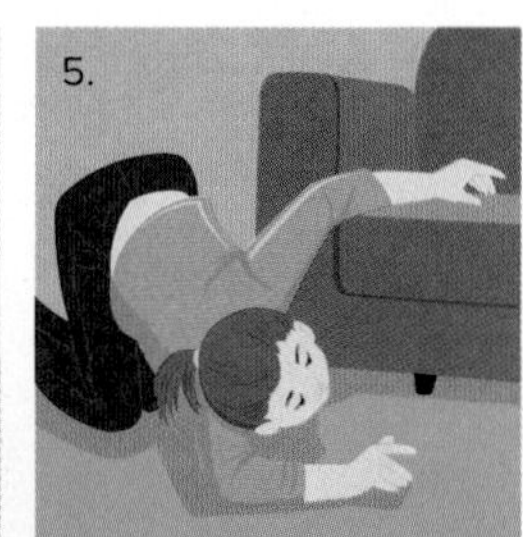

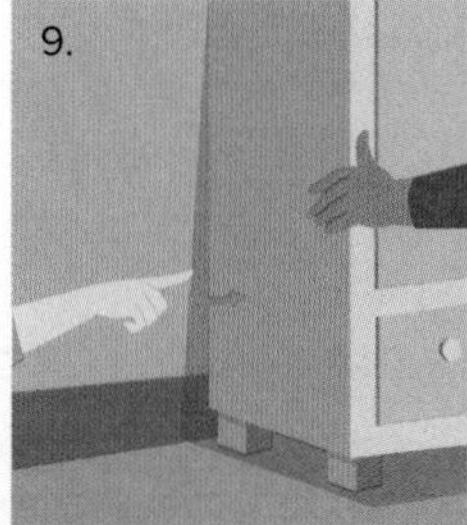

**Miniwörterbuch**

| | | | |
|---|---|---|---|
| der **Käfig** | cage | **schließlich** | finally |
| **anfressen** | to nibble | das **Nest** | nest |
| **überall** | everywhere | | |

[1]*sharks*

## Situation 16 Tiere in Sprichwörtern

In vielen Sprachen gibt es Sprichwörter[1], in denen Tiere vorkommen. Welche Sprichwörter fallen Ihnen auf Englisch ein? Ordnen Sie jeder Zeichnung das passende Sprichwort (1 – 6) zu.

1. Wenn dem Esel[2] zu wohl[3] ist, geht er aufs Eis.
2. Einem geschenkten Gaul[4] sieht man nicht ins Maul[5].
3. Kaum ist die Katze aus dem Haus, tanzen die Mäuse auf dem Tisch.
4. Den letzten beißen die Hunde.
5. In der Not frisst der Teufel Fliegen.
6. Ein blindes Huhn findet auch mal ein Korn[6].

| Miniwörterbuch | |
|---|---|
| die **Zeichnung, -en** | drawing |
| die **Not** | need, emergency |
| der **Teufel** | devil |
| das **Huhn, ¨er** | chicken |
| **blind** | blind |
| **kritisch** | critical(ly) |
| **dringend** | urgent(ly) |
| **gelingen, gelang, ist gelungen** | to succeed, manage |

Was bedeuten die Sprichwörter? Kombinieren Sie die Definitionen (a – f) mit den Sprichwörtern (1 – 6).

a. Wenn man etwas geschenkt bekommt, sollte man nicht zu kritisch damit sein.
b. Wenn man etwas dringend braucht, muss man nehmen, was da ist.
c. Wenn der Chef nicht da ist, machen die Angestellten, was sie wollen.
d. Jemandem, der sonst wenig Erfolg hat, kann auch etwas gelingen.
e. Wenn man nicht schnell genug ist, passiert einem etwas Schlechtes.
f. Leute, die zu viel Erfolg oder Glück haben, werden übermütig[7].

[1] *proverbs* [2] *donkey* [3] *well* [4] Pferd [5] Mund [6] *grain* [7] *cocky*

## Situation 17 Interview: Tiere

1. Was ist dein Lieblingstier? Warum?
2. Vor welchen Tieren fürchtest du dich?
3. Welches Tier findest du am interessantesten?
4. Welches Tier findest du nicht besonders schön?
5. Welches Tier wärst du am liebsten? Warum?
6. Hast du oder hattest du ein Haustier? Was für eins? Wie heißt oder wie hieß es? Beschreib es. Erzähl eine Geschichte von ihm!
7. Findest du es wichtig, dass Kinder mit Tieren aufwachsen? Wenn ja, mit welchen? Warum?

# Filmlektüre

## *Ich bin dann mal weg*

FILMANGABEN

**Titel:** *Ich bin dann mal weg*
**Genre:** Komödie
**Land:** Deutschland
**Erscheinungsjahr:** 2015
**Dauer:** 92 Min.
**Regisseur:** Julia von Heinz
**Hauptrollen:** Devid Striesow, Martina Gedeck, Karoline Schuch, Katharina Thalbach

### Vor dem Lesen

**A.** Schauen Sie sich das Foto an.

1. Welche Personen sehen Sie auf dem Foto? Wer der beiden Männer, glauben Sie, ist der Filmschauspieler und wer ist der Buchautor?
2. Zwei der Frauen spielen die weiblichen Hauptrollen im Film, Lena und Stella. Wer, glauben Sie, spielt Lena und wer spielt Stella?

AEDT/WENN.com/age fotostock

Bei der Premiere in Berlin

**B.** Lesen Sie die Wörter im Miniwörterbuch. Suchen Sie sie im Text und markieren Sie sie.

| Miniwörterbuch | |
|---|---|
| die **Bühne, -n** | stage |
| **zusammenbrechen, bricht ... zusammen, ist zusammengebrochen** | to break down, collapse |
| **operieren** | to operate, perform surgery |
| **beschließen, beschloss, beschlossen** | to decide |
| der **Pilger, -** / die **Pilgerin, -nen** | pilgrim |
| **beruflich** | professional, job-related |
| **trotz** | despite |
| **großartig** | gorgeous, magnificent |
| die **Handlung, -en** | plot, action |
| die **Szene, -n** | scene |
| **prägen** | to shape, mold |
| **stürzen, ist gestürzt** | to fall |
| **sich verletzen** | to get injured, hurt |
| **zuletzt** | most recently, last |
| **abbrechen, bricht ... ab, brach ... ab, abgebrochen** | to cancel, abandon |
| **erkranken, ist erkrankt** | to fall ill |

## Inhaltsangabe

Als der erfolgreiche Komiker und Entertainer Hape Kerkeling (Devid Striesow) auf der Bühne zusammenbricht und operiert werden muss, verschreibt[1] ihm der Arzt eine monatelange Pause von Bühne und Fernsehen. Hape (eigentlich Hans-Peter) beschließt, auf dem Jakobsweg[2] über die Pyrenäen nach Santiago de Compostela zu wandern. 769 Kilometer zu Fuß. Er will sich selbst finden und vielleicht Gott begegnen. Seine katholische Großmutter, Oma Bertha (Katharina Thalbach), hat ihn auf diese Idee gebracht.

Hape ist aber nicht sehr sportlich, eher eine Couch-Potato, und alle halten ihn für verrückt. Er kauft sich einen Rucksack und Pilger-Outfit und fährt nach Saint-Jean-Pied-de-Port in Frankreich. Dort lernt er die britische Journalistin Lena (Karoline Schuch) kennen, die aus beruflichen Gründen wandert, und Stella (Martina Gedeck), die wenig von sich erzählt. Trotz der Bekanntschaft[3] wandert jeder für sich allein. Die drei treffen sich allerdings immer wieder auf dem Weg durch großartige Landschaften. Hape fällt das Wandern sehr schwer und immer wieder denkt er daran, aufzugeben. Auch die Herbergen[4] mit ihren sehr einfachen Betten gefallen ihm nicht. Dann geht er ins Hotel oder fährt auch mal per Anhalter[5] oder mit dem Bus.

Während der Haupthandlung des Films sieht man immer wieder Szenen aus Hapes Kindheit und Jugend im Ruhrgebiet[6] der 1970er Jahre, die vor allem von seiner Oma geprägt sind. Kurz vor dem Ziel trifft Hape wieder auf Stella, die schwer gestürzt ist und sich verletzt hat. Er erfährt, dass sie den Jakobsweg schon mehrmals gegangen ist, zuletzt mit ihrer Tochter, den Weg dann aber abbrechen musste, weil ihre Tochter an Krebs erkrankte und daran dann auch starb. Stella ist so deprimiert[7], dass sie den Weg erneut abbrechen möchte. Zusammen mit Lena schafft Hape es, Stella zu überreden[8], nicht aufzugeben. Am Ende stehen alle drei vor der Kathedrale in Santiago de Compostela. Sie haben es geschafft.

## Arbeit mit dem Text

Richtig oder falsch? Verbessern Sie die falschen Aussagen.

1. Hape Kerkeling ist ein erfolgreicher Journalist.
2. Hape bricht auf dem Weg nach Santiago zusammen und muss operiert werden.
3. Hape will zu sich selbst finden und vielleicht Gott begegnen.
4. Hapes Schwester hat ihn auf diese Idee gebracht.
5. Das Wandern fällt Hape schwer, denn er ist nicht sehr sportlich.
6. Hape lernt zwei Frauen kennen und wandert mit ihnen.
7. Hape übernachtet gern in den einfachen Herbergen und schläft gern in den einfachen Betten.
8. Stella wandert, weil sie den Tod ihrer Tochter verarbeiten muss.
9. Kurz vor dem Ziel stürzt Stella schwer und muss die Wanderung abbrechen.
10. Am Ende steht Hape allein vor der Kathedrale in Santiago.

## Nach dem Lesen

Beantworten Sie die folgenden Fragen.

1. Kennen Sie jemanden, der eine Pilgerwanderung gemacht hat? Was halten Sie von einer Pilgerwanderung? Können Sie sich vorstellen, selbst so eine Wanderung zu machen? Warum? Warum nicht?
2. Der Film basiert auf dem Sachbuch „Ich bin dann mal weg", in dem Hape Kerkeling seine Wanderung nach Santiago de Compostela im Jahr 2001 beschrieben hat. Recherchieren Sie zu Hape Kerkeling. Wofür ist er bekannt?

[1]*prescribes* [2]*Way of St. James* [3]*acquaintance* [4]*hostels* [5]fährt per Anhalter *hitchhikes* [6]*Ruhr Region (area around Dortmund, Bochum, Essen, and Duisburg)* [7]*depressed* [8]*persuade*

# Strukturen

## 6. Focusing on the action: The passive voice

The passive voice is used in German to focus on the action of the sentence itself rather than on the person or thing performing the action.

ACTIVE VOICE
**Yusuf badet** den Hamster. — *Yusuf bathes the hamster.*

PASSIVE VOICE
Der Hamster **wird gebadet.** — *The hamster is (being) bathed.*

Note that the accusative (direct) object of the active sentence, **den Hamster,** becomes the nominative subject of the passive sentence, **der Hamster**.

In passive sentences, the agent of the action is often unknown or unspecified. In the following sentences, there is no mention of who performs each action.

Schlangen werden manchmal als Haustiere gehalten. — *Snakes are sometimes kept as pets.*
1088 wurde die erste Universität gegründet. — *The first university was founded in 1088.*

**WISSEN SIE NOCH?**

In addition to the passive auxiliary, **werden** can be used as a main verb meaning "to become" or as a future auxiliary with an infinitive to form the future tense.

Review **Strukturen 3** in **Kapitel 5** and **Strukturen 5** in **Kapitel 8.**

passive = **werden** + past participle

The passive voice is formed with the auxiliary **werden** and the past participle of the verb. The present-tense and simple past-tense forms are the tenses you will encounter most frequently in the passive voice.

| Passive Voice, Present Tense (Verb: fragen) | | | |
|---|---|---|---|
| *ich* | werde gefragt | *wir* | werden gefragt |
| *du* | wirst gefragt | *ihr* | werdet gefragt |
| *Sie* | werden gefragt | *Sie* | werden gefragt |
| *er/sie/es* | wird gefragt | *sie* | werden gefragt |

| Passive Voice, Simple Past Tense (Verb: fragen) | | | |
|---|---|---|---|
| *ich* | wurde gefragt | *wir* | wurden gefragt |
| *du* | wurdest gefragt | *ihr* | wurdet gefragt |
| *Sie* | wurden gefragt | *Sie* | wurden gefragt |
| *er/sie/es* | wurde gefragt | *sie* | wurden gefragt |

Passive agents are indicated by **von** + noun.

In most passive sentences in German, the agent (the person or thing performing the action) is not mentioned. When the agent is expressed, the construction **von** (+ *dat.*) is used.

ACTIVE VOICE
**Die Kinder** füttern die Tiere. — *The children are feeding the animals.*

PASSIVE VOICE WITH AGENT: **von** + DATIVE
Die Tiere werden **von den Kindern** gefüttert. — *The animals are being fed by the children.*

## Übung J. Geschichte

Hier sind die Antworten. Was sind die Fragen?

MODELL: 1930 → Wann wurde der Planet Pluto entdeckt?

1. um 2500 v. Chr.[1]
2. 44 v. Chr.
3. 1088 n. Chr.[2]
4. um 1450
5. 1787
6. 1901
7. 1945
8. 1990
9. 2001
10. 2002

a. Deutschland wiedervereinigen
b. den Australischen Bund gründen
c. die US-amerikanische Verfassung unterschreiben
d. die erste Universität (Bologna) einrichten
e. Europa von Hitler befreien
f. die ersten Pyramiden bauen
g. Cäsar ermorden
h. das World Trade Center zerstören
i. den Euro einführen
j. die Irokesen-Konföderation gründen

## Übung K. Der Mensch und das Tier

MODELL: die Giraffe / langsam aus ihrem Lebensraum verdrängt →
Die Giraffe wird langsam aus ihrem Lebensraum verdrängt.

MODELL: die Giraffe

1. Mäuse

2. Hamster (*pl.*)

3. Bienen

4. Mücken

5. die Fledermaus

6. Schnecken (*pl.*)

7. der Gepard

8. die meisten Papageien[3]

9. Delfine (*pl.*)

10. viele Haie[4]

a. jedes Jahr gefischt
b. in der Wildnis gefangen
c. wegen ihrer Intelligenz bewundert
d. durch Parfum und Kosmetikprodukte angelockt[5]
e. in vielen Labortests benutzt
f. oft mit Knoblauchsoße[6] gegessen
g. oft als Haustiere gehalten
h. wegen ihrer Honigproduktion geschätzt
✓ i. langsam aus ihrem Lebensraum verdrängt
j. immer noch für seinen Pelz[7] getötet
k. in vielen Kulturen mit Vampiren assoziiert

[1]vor Christus [2]nach Christus [3]*parrots, parakeets* [4]*sharks* [5]*attracted* [6]*garlic sauce* [7]*fur*

# Videoecke

## Perspektiven

Was machst du gern im Urlaub?

Ich wandere gerne und mache viel Sport.



### Aufgabe 1 Wer sagt das?

Ordnen Sie die Aussagen den Personen zu.

1. Sandra ___

2. Shaimaa ___

3. Tina ___

4. Jenny ___

5. Nadezda ___

6. Pascal ___

7. Simone ___

8. Michael ___



a. Ich entspanne am liebsten am Strand.
b. Ich erhole mich gern.
c. Ich fahre am liebsten ans Meer.
d. Ich gucke mir Gebäude an und treffe Menschen, die dort leben.
e. Ich mache gerne gar nichts.
f. Ich schwimme sehr gerne.
g. Ich wandere gerne.
h. Reisen und schlafen.

| Miniwörterbuch | |
|---|---|
| **sich erholen** | to relax, recover |
| **angucken** | to look at |
| **klauen** | to steal, snitch |
| der **Hase** | hare |

## Interviews

- Wohin fährst du gern in Urlaub?
- Was war dein bisher schönster Urlaub?
- Was war daran so besonders?
- Gab es mal einen Urlaub, in dem etwas schief ging?
- Hast du oder hattest du ein Haustier?
- Gibt es über dein Haustier eine lustige Geschichte?

McGraw-Hill/Klic Video Productions

Tina

McGraw-Hill/Klic Video Productions

Tabea

## Aufgabe 2 Tina oder Tabea?

Sehen Sie sich das Video an und schreiben Sie *Tina* oder *Tabea* neben die Aussagen.

1. Mein schönster Urlaub war meine Reise nach Spanien.
2. Mein schönster Urlaub war am Meer.
3. Wir haben den tollen Sternenhimmel gesehen.
4. Ich habe dort drei Monate gearbeitet.
5. Mir wurde einmal die Tasche geklaut.
6. Wir haben Flusskrebse[1] gebraten.
7. Wir haben die Hälfte des Essens vergessen.
8. Ich hatte ein Zwergkaninchen[2].
9. Ich hatte einen Hasen namens Milan.
10. Ich dachte immer, es wär ein Junge.

## Aufgabe 3 Tinas Tasche

Tina wird die Tasche geklaut. Hören Sie sich die Geschichte an und erzählen Sie sie dann mithilfe der folgenden Notizen.

**Tasche neben sich stellen** **im Bus sitzen**
**einen Moment unachtsam[3]**
**gut aufpassen** **problematisch**
**Tasche weg** **Personalausweis und Portemonnaie[4] drin**

## Aufgabe 4 Tinas Hase

Tina hatte einen Hasen. Hören Sie sich die Geschichte an, machen Sie sich Notizen und erzählen Sie dann die Geschichte mithilfe Ihrer Notizen.

## Aufgabe 5 Interview

Interviewen Sie eine Partnerin oder einen Partner. Stellen Sie dieselben Fragen.

[1]*crawfish* [2]*dwarf rabbit* [3]*unguarded* [4]*purse, wallet*

# Wortschatz zum Lernen

| Urlaub | Vacation |
|---|---|
| **absolvieren** | to complete; pass |
| **auf·steigen, stieg ... auf, ist aufgestiegen** | to climb up |
| **aus·suchen** | to choose, select |
| **benennen, benannte, benannt** | to name |
| →**ein·gehen (auf +** *acc.***), ging ... ein, ist eingegangen** | to go (into), respond (to), agree (to) |
| **(sich) entspannen** | to relax |
| →**melden** | to report, notify, register |
| →**packen** | to pack |
| →**profitieren** | to profit |
| →**zerstören** | to destroy |
| die **Aussicht, -en** | outlook, view, vista |
| die **Glocke, -n** | bell |
| →die **Hochschule, -n** | college |
| die **Kuh, ¨-e** | cow |
| →die **Lage, -n** | place, position |
| →die **Strecke, -n** | distance, route |
| →die **Theorie, -n** | theory |
| →die **Vertreterin, -nen** | female representative |
| die **Wirtin, -nen** | female host, innkeeper; barkeeper |
| →der **Artikel, -** | article |
| →der **Einsatz, ¨-e** | mission, sortie |
| der **Hafen, ¨** | harbor, port |
| der **Klimawandel** | climate change |
| →der **Vertreter, -** | male representative |
| der **Wirt, -e** | male host, innkeeper; barkeeper |
| →das **Ziel, -e** | destination |
| **bedeutend** | major, prominent(ly), significant(ly) |
| →**entfernt** | distant, away |
| →**freiwillig** | voluntary, voluntarily |
| →**geistig** | mental(ly), intellectual(ly) |
| **männlich** | masculine, male |
| **touristisch** | touristic(ally) |
| →**ab** | from, as of |
| →**aus** | out, from, out of |
| →**bis zu** | as far as, up to |
| →**laut** | according to, as per |
| →**mehrere** | several |
| →**selbstverständlich** | of course |

| Nach dem Weg fragen | Asking Directions |
|---|---|
| **sich beugen** | to bend over, bow down |
| →**entschuldigen** | to excuse |
| **Entschuldigen Sie!** | Excuse me! |
| **flüstern** | to whisper |
| **grüßen** | to greet, say hi to |
| →**heben, hob, gehoben** | to raise, lift |
| **heraus·kommen, kam ... heraus, ist herausgekommen** | to come out, appear |
| **herein·kommen, kam ... herein, ist hereingekommen** | to come in |
| **her·kommen, kam ... her, ist hergekommen** | to come this way |
| **hinaus·gehen, ging ... hinaus, ist hinausgegangen** | to go outside |
| **hin·gehen, ging ... hin, ist hingegangen** | to go that way |
| **hin·legen, legte ... hin, hingelegt** | to lay down |
| **hinzu·kommen, kam ... hinzu, ist hinzugekommen** | to come along, get added |
| →**kontrollieren** | to check, control |
| **(sich) rühren** | to stir, move, budge |
| **senken** | to lower |
| →**verschwinden, verschwand, ist verschwunden** | to disappear |
| **vorbei·gehen an** (+ *dat.*), **ging ... vorbei, ist vorbeigegangen** | to go by |
| →**weiter·gehen, ging ... weiter, ist weitergegangen** | to keep on walking |
| →die **Brücke, -n** | bridge |
| die **Gasse, -n** | narrow street, alley |
| die **Kreuzung, -en** | intersection |
| →die **Stelle, -n** | place, position; job |
| die **Haltestelle, -n** | stop |
| →die **Wahrheit, -en** | truth |
| die **Zeile, -n** | line (*of text*) |
| →der **Dank** | gratitude |
| **Vielen Dank!** | Many thanks! |
| →der **Gang, ¨-e** | hallway, aisle |
| →der **Himmel, -** | sky; heaven |
| →der **Kreis, -e** | circle |
| der **Kreisverkehr** | traffic circle, roundabout |
| der **Quatsch** | nonsense |
| →der **Verlag, -e** | publishing company, publisher |
| →das **Gerät, -e** | device, gadget, appliance |
| →**linke, linker, linkes** | left |
| →**nächste, nächster, nächstes** | next |
| →**unabhängig** | independent(ly) |

| | |
|---|---|
| →**an ... vorbei** | by |
| →**entlang** | along |
| **geradeaus** | straight ahead |
| →**her** | this way |
| →**heraus** | out this way |
| **herein** | in this way |
| **herum** | around |
| **herunter** | down this way |
| →**hin** | that way |
| **hinauf** | up that way |
| **hinunter** | down that way |
| **hinzu** | in addition |
| →**oben** | above |

## Am Strand und im Hotel — At the Beach and at the Hotel

| | |
|---|---|
| **ab·reisen, reist ... ab, ist abgereist** | to depart, check out |
| →**landen, ist gelandet** | to land, touch down |
| →**sammeln** | to collect |
| →**starten, ist gestartet** | to start, launch, take off |
| →die **Basis,** *pl.* **Basen** | basis, foundation |
| die **Dunkelheit** | darkness |
| die **Höhle, -n** | cave |
| →die **Industrie, -n** | industry |
| →die **Jüdin, -nen** | female Jew |
| →die **Partei, -en** | (political) party |
| →die **Welle, -n** | wave |
| die **Wolke, -n** | cloud |
| der **Dialekt, -e** | dialect |
| →der **Jude, -n** | male Jew |
| der **Mond, -e** | moon |
| →der **Stern, -e** | star |
| der **Ursprung, ¨-e** | origin |
| →der **Wind, -e** | wind |
| →der **Zweck, -e** | cause, purpose |
| →das **Jahrzehnt, -e** | decade |
| →das **Viertel, -** | quarter, neighborhood |
| →**einzig** | sole(ly), only |
| →**heftig** | heavy, heavily; severe(ly), fierce(ly) |
| **jüdisch** | Jewish |
| →**nackt** | naked |
| →**zahlreich** | numerous |
| →**zentral** | central(ly) |
| **extra** | extra |
| **inklusive** | including, inclusive of |
| →**wiederum** | again |

## Tiere — Animals

| | |
|---|---|
| **ab·brechen, bricht ... ab, brach ... ab, abgebrochen** | to break, snap; to interrupt, cancel |
| **an·gucken** | to look at (*coll.*) |
| **befreien** | to liberate, free |
| →**beschließen, beschloss, beschlossen** | to decide |
| →**einführen, eingeführt** | to introduce |
| **ermorden** | to murder, kill |
| →**sich fürchten** | to fear, be afraid |
| **jagen** | to hunt |
| **klauen** | to steal, snitch (*coll.*) |
| →**prägen** | to form, shape, mold |
| →**schätzen** | to value, appreciate; estimate |
| **stechen, sticht, stach, gestochen** | to sting, bite (insects); to prick, pierce |
| →**stürzen, ist gestürzt** | to fall, tumble, plummet |
| **verdrängen** | to replace, displace |
| →**vereinigen** | to unite, unify |
| →die **Art, -en** | kind, type; species |
| die **Biene, -n** | bee |
| →die **Bühne, -n** | stage |
| →die **Chefin, -nen** | female boss |
| die **Handlung, -en** | plot, act; action |
| die **Mücke, -n** | midge, mosquito |
| die **Not, ¨-e** | need, hardship; emergency, distress |
| die **Ratte, -n** | rat |
| die **Schlange, -n** | snake |
| →die **Szene, -n** | scene |
| der **Bär, -en** (*wk. masc.*) | bear |
| →der **Chef, -s** | male boss |
| der **Hase, -n** (*wk. masc.*) | hare |
| der **Löwe, -n** (*wk. masc.*) | lion |
| →der **Raum, ¨-e** | room, space |
| der **Schlag, ¨-e** | beat, blow, hit |
| →der **Vogel, ¨** | bird |
| das **Huhn, ¨-er** | chicken |
| →**beruflich** | professional(ly), job-related |
| **blind** | blind(ly) |
| →**dringend** | urgent(ly) |
| **gemütlich** | cozy, cozily |
| **großartig** | great, magnificent(ly) |
| →**komisch** | funny, strange(ly) |
| →**kritisch** | critical(ly) |
| →**wild** | wild(ly) |
| **nebenan** | next door, neighboring |
| →**überall** | everywhere |
| →**zirka, ca.** | circa, approximately |
| →**zuletzt** | last(ly), in a final step |

KAPITEL 11

# Gesundheit und Krankheit

## Themen

Krankheit

Körperpflege

Arzt, Apotheke, Krankenhaus

Unfälle

## Kulturelles

Kunst: Anna Marie Wirth (*Blick in eine Apotheke*)

KLI: Hausmittel

Musikszene: „Liebe auf Distanz" (Revolverheld und Antje Schomaker)

KLI: Geschichte der Psychiatrie

Videoecke: Krankheiten

## Strukturen

1. Accusative reflexive pronouns
2. Dative reflexive pronouns
3. Word order of accusative and dative objects
4. Word formation: Verbs with **ab, an, auf, aus,** and **ein**
5. Indirect questions: **Wissen Sie, wo ...?**
6. Coordinating and subordinating conjunctions (summary review)

## Lektüren

Film: *Das Leben der Anderen* (Florian Henckel von Donnersmarck)

Kurzgeschichte: 10-Jähriger vom PKW erfasst

After completing **Kapitel 11**, you will be able to . . .

- exchange opinions and information in conversations about illnesses, accidents, emergencies, and health in general, forming sentences and series of connected sentences and asking a variety of follow-up questions
- tell a story about illnesses, emergencies, or accidents you have had, using sentences and series of connected sentences
- identify the main message or story and most supporting details across major time frames in informational and fictional texts with the help of key vocabulary items
- understand the main message and some supporting details expressed in various time frames in popular songs, conversations, and discussions related to health issues, emergencies, and accidents with the help of key vocabulary items
- write a story or tale about health issues, accidents, and emergencies, using a few short paragraphs, often across various time frames
- compare products and practices in your area with those in German-speaking countries with respect to health issues, accidents, emergencies, and hospitalization

Historical Views/age fotostock

Anna Marie Wirth: *Blick in eine Apotheke mit wartenden Kunden und Apotheker* (ca. 1900), Provenienz unbekannt

**HILFREICHE WÖRTER**

der **Apotheker, -** *male pharmacist*
der **Gehstock, ¨-e** *walking cane*
das **Kopftuch, ¨-er** *headscarf*
der **Krug, ¨-e** *jug*
das **Marienbild** *image of Madonna*
die **Schachtel, -n** *compartment*
die **Vase, -n** *vase*
die **Waage, -n** *scales*

## KUNST UND KUNSTSCHAFFENDE

Anna Maria Wirth (1846-1922) ist eine Künstlerin, die im russischen St. Petersburg geboren wurde und in Wien und München lebte. Sie studierte in Wien bei dem Historien- und Porträtmaler Hans Canon. In ihren Genrebildern stellt Anna Maria Wirth Szenen aus dem Alltagsleben von Stadtbürgern, Adligen[1] oder einfachen Leuten des 19. Jahrhunderts dar. Auch Stillleben und Jagdszenen[2] gehören zum typischen Repertoire ihrer Genremalerei.

Schauen Sie sich das Bild an und beantworten Sie folgende Fragen.

1. Welche Personen sehen Sie auf dem Bild?
2. Wo sind die Personen?
3. Welche Gegenstände fallen Ihnen auf?
4. Was steht auf dem Ladentisch?
5. Was ist der Mann hinter dem Ladentisch von Beruf?
6. Welche Kleidung trägt die Frau vor dem Ladentisch?
7. Welche Kleidung trägt der Mann auf dem Stuhl?
8. Welche Farben dominieren in dem Bild?
9. Welche Stimmung ruft das Bild hervor?

[1]*aristocrats* [2]*hunting scenes*

# Situationen

## Krankheit

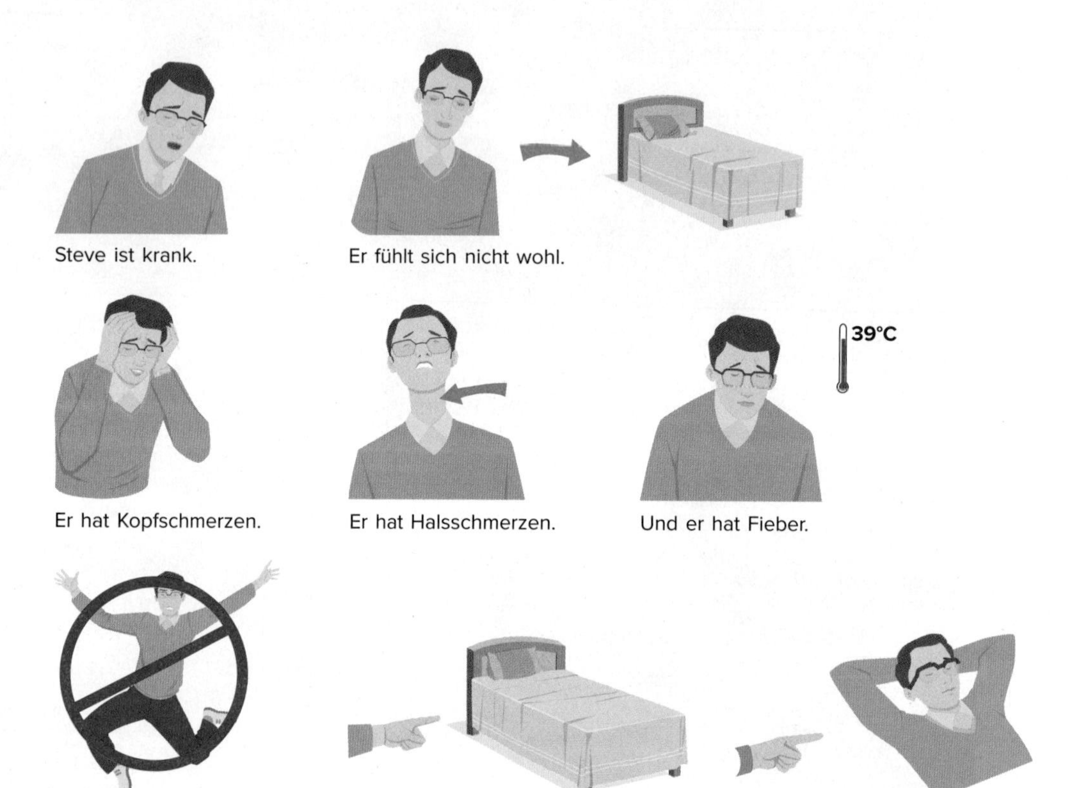


Steve ist krank.

Er fühlt sich nicht wohl.

Er hat Kopfschmerzen.

Er hat Halsschmerzen.

Und er hat Fieber.

Er darf sich nicht aufregen.

Er muss sich ins Bett legen.

Er muss sich erholen.

### Situation 1 **Gesundheit**

Was machst du immer, manchmal, nie?

1. Wenn ich Fieber habe,
   a. lege ich mich ins Bett.
   b. nehme ich zwei Aspirin.
   c. gehe ich zum Arzt.
   d. rege ich mich auf.
2. Wenn ich Halsschmerzen habe,
   a. halte ich den Hals warm.
   b. trinke ich heißen Tee mit Zitrone.
   c. rauche ich eine Zigarette.
   d. lege ich mich ins Bett.
3. Wenn ich krank bin,
   a. gehe ich schwimmen.
   b. ruhe ich mich aus.
   c. gehe ich in die Sauna.
   d. ärgere ich mich furchtbar.
4. Wenn ich Kopfschmerzen habe,
   a. gehe ich zum Sportplatz.
   b. nehme ich Kopfschmerztabletten.
   c. bleibe ich im Bett.
   d. nehme ich ein heißes Bad.
5. Wenn ich Zahnschmerzen habe,
   a. trinke ich heißen Kaffee.
   b. gehe ich zum Zahnarzt.
   c. nehme ich Schmerztabletten.
   d. setze ich mich aufs Sofa.
6. Wenn ich mich verletzt habe,
   a. desinfiziere ich die Wunde.
   b. lege ich einen Verband an.
   c. fahre ich ins Krankenhaus.
   d. ziehe ich mich aus.

7. Wenn mir die Muskeln wehtun,
   a. lasse ich mich massieren[1].
   b. gehe ich zum Arzt.
   c. mache ich Muskeltraining.
   d. ruhe ich mich aus.
8. Wenn ich mich in den Finger geschnitten habe,
   a. ärgere ich mich furchtbar.
   b. hole ich einen Verband.
   c. trinke ich ein Glas Milch.
   d. desinfiziere ich die Wunde.
9. Wenn ich einen Kater[2] habe,
   a. gehe ich ins Krankenhaus.
   b. trinke ich viel Wasser.
   c. schlafe ich den ganzen Tag.
   d. gehe ich joggen.
10. Wenn ich Magenschmerzen habe,
   a. lege ich mich aufs Sofa.
   b. trinke ich Kamillentee.
   c. halte ich den Bauch warm.
   d. esse ich viel Schokolade.

## Situation 2 Was tut dir weh?

MODELL: Du warst in einem Rockkonzert. →
Ich habe Ohrenschmerzen.

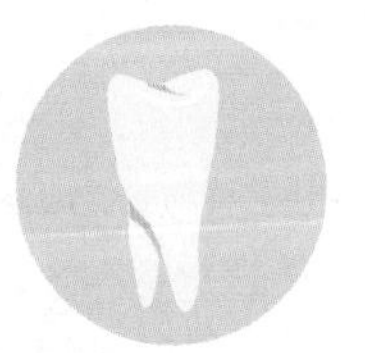

Zahnschmerzen

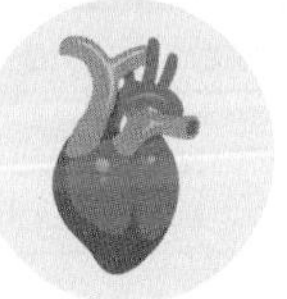

Herzschmerzen

AUCH
Kopfschmerzen
Halsschmerzen

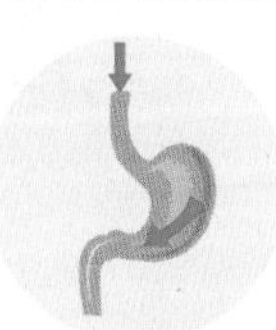

Magenschmerzen

Mir tut die Zunge weh.

AUCH
Mir tut die Nase weh.
Mir tut der Rücken weh.
Mir tun die Augen weh.
Mir tun die Füße weh.

1. Du hast den ganzen Tag in der Bibliothek gesessen und Bücher gelesen.
2. Du hast zwei große Teller Chili gegessen.
3. Jemand hat dich auf die Nase geschlagen.
4. Du bist 20 Kilometer gewandert.
5. Du hast gestern Abend zu viel Kaffee getrunken.
6. Du warst bei einem Basketballspiel und hast viel geschrien.
7. Du hast zu viel Eis gegessen.
8. Du hast furchtbaren Liebeskummer[3].
9. Du hast zwei Stunden Schnee geschaufelt[4].
10. Der Kaffee, den du getrunken hast, war zu heiß.

[1]lasse ... *get a massage* [2]*hangover* [3]*lovesickness* [4]*shoveled*

# KULTUR ... LANDESKUNDE ... INFORMATIONEN

## HAUSMITTEL

### Vor dem Lesen

1. Welche von diesen Hausmitteln[1] kennen Sie? Wogegen[2] helfen sie?
   - ☐ Eisbeutel[3]
   - ☐ grüner Tee
   - ☐ heißer Tee mit Zitrone[4]
   - ☐ Hühnersuppe
   - ☐ Kamillentee
   - ☐ Salzwasser
   - ☐ warme Umschläge[5]
2. Benutzen Sie Hausmittel, wenn Sie sich nicht wohl fühlen? Wenn ja, welche?

| Miniwörterbuch | |
|---|---|
| **ausprobieren, ausprobiert** | to try (out) |
| **reduzieren** | to reduce |
| **flüssig** | liquid |
| der **Honig** | honey |
| **hinzufügen, hinzugefügt** | to add |
| **reiben, rieb, gerieben** | to rub |
| die **Scheibe, -n** | slice |
| **heilen** | to heal, cure |
| **vermindern** | to lessen, reduce |
| **abbauen, abgebaut** | to bring down, reduce |
| die **Entzündung, -en** | inflammation |
| **hemmen** | to inhibit, slow |
| die **Verletzung, -en** | injury |

Arnika ist eine beliebte Heilpflanze.

### Arbeit mit dem Text

A. Lesen Sie die drei Zeitungstexte. Kennen Sie diese Hausmittel? Welche Hausmittel haben Sie selbst schon ausprobiert? Haben Sie geholfen? Welches Hausmittel finden Sie am besten?

Bei Husten[6] warmes Zuckerwasser mit Eidotter[7] vermischen. Das reduziert den Hustenreiz[8]. Oder Hustenbier trinken: Einen halben Liter Bier erhitzen, fünf Löffel flüssigem Honig hinzufügen und vor dem Ins-Bett-Gehen trinken.

Wenn die Augen müde sind, Hände reiben bis sie warm sind, sie auf die geschlossenen Augen legen und an die Farbe Schwarz denken.

Bei Fieber Zitronenscheiben auf die Schläfen[9] legen. Oder eine Kette aus Rettichscheiben[10] über Nacht um den Hals binden.

B. Hausmittel stehen oftmals der Pflanzenheilkunde[11] nahe[12]. Die Arnikapflanze ist nur ein Beispiel. Lesen Sie den kurzen Text und beantworten Sie die Fragen.
   1. Wo wächst die Arnika?
   2. Wofür wird Arnika verwendet?
   3. In welcher Form kann man heute Arnika bekommen?

Die Arnika wächst in den Alpen. Schon immer wird die Alpenpflanze von den Menschen in den Bergen bei Prellungen[13], Stauchungen[14] und schmerzenden Beinen verwendet. Man hat herausgefunden, dass die Arnika die Beine besonders gut durchblutet[15], Schmerzen vermindert, Schwellungen[16] abbaut und Entzündungen hemmt. Deshalb eignet sich Arnika bei Sportverletzungen sehr gut. Heute kann man Arnika-Salben[17], -Gels und -Beinsprays kaufen.

[1]*home remedies* [2]*against what* [3]*ice pack* [4]*lemon* [5]*compresses* [6]*cough* [7]*egg yolk* [8]*irritation of the throat* [9]*temples* [10]*radish slices* [11]*herbal medicine* [12]nahestehen *to be closely connected to* [13]*bruises* [14]*sprains* [15]*supply with blood* [16]*swelling* [17]*salves*

## Situation 3 Umfrage

MODELL: S1: Legst du dich ins Bett, wenn du Fieber hast?
S2: Ja.
S1: Unterschreib bitte hier.

| | UNTERSCHRIFT |
|---|---|
| 1. Ruhst du dich aus, wenn du Kopfschmerzen hast? | _____________ |
| 2. Ärgerst du dich, wenn du in den Ferien krank wirst? | _____________ |
| 3. Legst du dich ins Bett, wenn du krank bist? | _____________ |
| 4. Kümmerst du dich um Menschen, wenn sie krank sind? | _____________ |
| 5. Erinnerst du dich an das letzte Mal, als du beim Arzt warst? | _____________ |
| 6. Beschwerst du dich oft bei deinen Lehrerinnen/Lehrern? | _____________ |
| 7. Verletzt du dich oft? | _____________ |
| 8. Regst du dich auf, wenn du dich verletzt hast? | _____________ |
| 9. Unterhältst du dich mit anderen oft über Gesundheit und Krankheiten? | _____________ |
| 10. Trägst du einen Hut, wenn die Sonne scheint? | _____________ |

## Situation 4 Interaktion: Ich bin krank

Ein Kommilitone / Eine Kommilitonin ist krank. Was raten Sie ihm/ihr?

MODELL: S1: Ich habe Fieber.
S2: Leg dich ins Bett.

1. Ich habe Fieber.
2. Ich habe Kopfschmerzen.
3. Ich fühle mich nicht wohl.
4. Mir tut der Rücken weh.
5. Ich habe mich in den Finger geschnitten.
6. Ich habe Halsschmerzen.
7. Ich habe Zahnschmerzen.
8. Ich bin allergisch gegen Katzen.
9. Mir tun die Augen weh.
10. Ich habe Magenschmerzen.

a. Geh zum Arzt.
b. Geh dich bewegen.
c. Leg dich ins Bett.
d. Geh nach Hause.
e. Kauf dir Kopfschmerztabletten.
f. Ruh dich aus.
g. Nimm ein warmes Bad.
h. Zieh dich warm an.
i. Verkauf deine Katze.
j. Geh zum Zahnarzt.
k. Kauf dir eine Brille.
l. Trink Salzwasser.
m. _____ ?

# Strukturen

## 1. Accusative reflexive pronouns

Reflexive pronouns are generally used to express the fact that someone is doing something to or for himself or herself.

| | |
|---|---|
| Ich lege das Baby ins Bett. | *I'm putting the baby to bed.* |
| Ich lege mich ins Bett. | *I'm putting myself to bed (lying down).* |

Some verbs are always used with a reflexive pronoun in German, whereas their English counterparts may not be.

| | |
|---|---|
| Michael verhält sich wie ein Kind. | *Michael acts like a child.* |
| Warum regst du dich auf? | *Why are you getting excited?* |

Here are some common reflexive verbs.

| | |
|---|---|
| sich anziehen | *to get dressed* |
| sich ärgern | *to get angry* |
| sich aufregen | *to get upset* |
| sich ausruhen | *to rest* |
| sich ausziehen | *to undress, get undressed* |
| sich befinden | *to be (located/situated)* |
| sich eignen (für) | *to be suitable (for)* |
| sich erinnern an | *to remember* |
| sich freuen (auf)/(über) | *to look forward (to) / to be happy (about)* |
| sich (wohl) fühlen | *to feel (well)* |
| sich hinlegen | *to lie down* |
| sich sorgen | *to worry, fret* |
| sich verhalten | *to behave* |
| sich verlaufen | *to get lost, lose one's way* |
| sich verletzen | *to get hurt* |

In most instances the forms of the reflexive pronoun are the same as those of the personal object pronouns. The only reflexive form that is distinct is **sich,** which corresponds to **er, sie** (*she*), **es, sie** (*they*), and **Sie*** (*you*).

| Accusative Reflexive Pronouns | |
|---|---|
| ich → mich | wir → uns |
| du → dich<br>Sie → sich | ihr → euch<br>Sie → sich |
| er<br>sie → sich<br>es | sie → sich |

| | |
|---|---|
| Ich fühle mich nicht wohl. | *I don't feel well.* |
| Heidi hat sich verletzt. | *Heidi hurt herself.* |

Verbs with reflexive pronouns use the auxiliary **haben** in the perfect and past perfect tenses.

| | |
|---|---|
| Hannah hat sich in den Finger geschnitten. | *Hannah cut her finger.* |

*Even when it refers to **Sie,** the polite form of *you,* **sich** is not capitalized.

Verbs that describe actions in which people do things to or with each other or feel things about each other, such as **sich kennen** (*to know each other*), **sich küssen** (*to kiss each other*), **sich lieben** (*to love each other*), **sich treffen** (*to meet each other*) or **sich unterhalten** (*to talk to each other*), also use reflexive pronouns in German.

| | |
|---|---|
| Wo wollen wir uns treffen? | *Where do we want to meet?* |
| Mit dir unterhalte ich mich gern. | *I enjoy talking to you.* |

## Übung A. Minidialoge

Ergänzen Sie das Verb und das Reflexivpronomen.

sich ärgern (geärgert)
sich aufregen (aufgeregt)
sich ausruhen (ausgeruht)
sich freuen (gefreut)
sich fühlen (gefühlt)
sich legen (gelegt)
sich schneiden (geschnitten)
sich verletzen (verletzt)

1. PHAN: Ich _____ _____[a] gar nicht wohl.
   DANIEL: Was ist denn los?
   PHAN: Ich habe Magenschmerzen.
   DANIEL: Du Ärmste! Du musst _____ gleich ins Bett _____[b].
2. MICHAEL: Du, weißt du, dass Herr Moser einen Herzinfarkt[1] hatte?
   MARIA: Kein Wunder, er hat _____ auch immer so furchtbar _____[a].
   MICHAEL: Na, jetzt muss er _____ erst mal ein paar Wochen _____[b].
3. FRAU RUF: Du blutest[2] ja! Hast du _____ _____[a]?
   HERR RUF: Ja, ich habe _____ in den Finger _____[b].
4. HEIDI: Warum _____ du _____[a], Steve?
   STEVE: Ich habe in meiner Prüfung ein D bekommen.
   HEIDI: Du solltest _____ _____[b], dass du kein F bekommen hast!

PeopleImages/Getty Images

[1]*heart attack* [2]*are bleeding*

# Situationen

## Körperpflege

Ich wasche mich.

Ich wasche mir die Haare.

Ich trockne mich ab.

Ich trockne mir die Hände.

Ich schneide mir die Haare.

Ich putze mir die Zähne.

Ich ziehe mich an.

### Situation 5 Körperteile

**greifen sprechen denken atmen küssen kauen[1] hören fühlen riechen gehen**

MODELL: S1: Was macht man mit den Augen?
S2: Mit den Augen sieht man.

1. mit den Ohren
2. mit den Händen
3. mit dem Gehirn
4. mit der Nase
5. mit der Lunge
6. mit den Zähnen
7. mit den Lippen
8. mit den Beinen
9. mit dem Mund
10. mit dem Herzen

### Situation 6 Bildgeschichte: Maria hat ein Date.

| Miniwörterbuch | |
|---|---|
| **abtrocknen** | to dry off |

[1] *to chew*

## Situation 7 Körperpflege

1. Wenn meine Fingernägel lang sind,
   a. bade ich mich.
   b. schneide ich sie mir.
   c. beiße ich sie ab.
2. Wenn meine Haare schmutzig sind,
   a. putze ich mir die Zähne.
   b. schneide ich sie mir.
   c. wasche ich sie mir.
3. Wenn ich ins Theater gehe,
   a. ziehe ich mich schön an.
   b. dusche ich mich.
   c. schneide ich mir die Haare.
4. Wenn ich ins Bett gehe,
   a. ziehe ich mir warme Schuhe an.
   b. putze ich mir die Zähne.
   c. schneide ich mir die Fingernägel.
5. Wenn ich mir die Haare gewaschen habe,
   a. ziehe ich mich aus.
   b. trockne ich sie mir.
   c. schneide ich sie mir.
6. Wenn ich mich erholen will,
   a. gehe ich in die Sauna.
   b. wasche ich mir die Füße.
   c. nehme ich Tabletten.
7. Wenn es draußen kalt ist,
   a. dusche ich mich heiß.
   b. ziehe ich mir eine warme Hose an.
   c. ziehe ich mich aus.
8. Wenn ich ein Date habe,
   a. ziehe ich mir schöne Sachen an.
   b. wasche ich mir die Haare.
   c. esse ich viel Knoblauch[1].

## Situation 8 Interview: Körperpflege

1. Schminkst[2] du dich? Wie oft?
2. Rasierst[3] du dich? Wie oft?
3. Wenn du einen Bart hast: Seit wann hast du einen Bart? Hattest du schon mal einen Bart? Wie war das?
4. Wäschst du dir jeden Tag die Haare? Wie trocknest du sie dir?
5. Wie oft putzt du dir die Zähne? Gehst du oft zum Zahnarzt?
6. Gehst du zum Friseur[4]? Oder schneidest du dir die Haare? Wie oft? Sind deine Haare zu kurz? Zu lang?
7. Treibst du regelmäßig Sport? Was machst du? Wie oft? Gehst du manchmal in die Sauna oder ins Fitnessstudio?

[1]*garlic* [2]sich schminken *to apply makeup* [3]*shave* [4]*hair stylist*

# Filmlektüre

## *Das Leben der Anderen*

### Vor dem Lesen

FILMANGABEN

**Titel:** *Das Leben der Anderen*
**Genre:** Drama
**Erscheinungsjahr:** 2006
**Land:** Deutschland
**Dauer:** 137 min
**Regisseur:** Florian Henckel von Donnersmarck
**Hauptrollen:** Ulrich Mühe, Sebastian Koch, Thomas Thieme, Martina Gedeck

Der Lauscher auf dem Dachboden

**A.** Beantworten Sie die folgenden Fragen.

1. Was macht der Mann auf dem Bild? Warum macht er das?
2. Beschreiben Sie das Gesicht des Mannes. Was hört er vielleicht?
3. Was wissen Sie über die DDR und die Rolle der Stasi[1]?

**B.** Lesen Sie die Wörter im Miniwörterbuch. Suchen Sie sie im Text oder in den Aufgaben und markieren Sie sie.

## Inhaltsangabe

Ost-Berlin 1984. Der pflichtbewusste Stasi-Mitarbeiter Gerd Wiesler (Ulrich Mühe) soll den bekannten und angeblich regimetreuen Dramaturgen Georg Dreyman (Sebastian Koch) bespitzeln[2]. Wiesler hat einen guten Instinkt und glaubt, dass Dreyman nicht so treu ist, wie er tut. Kulturminister Hempf (Thomas Thieme) unterstützt die Überwachung des Theaterschriftstellers, weil er ihn aus dem Weg schaffen will, um freie Bahn[3] bei dessen Freundin, der Schauspielerin Christa-Maria Sieland (Martina Gedeck) zu haben.

Dreymans Wohnung wird verwanzt[4], und auf dem Dachboden[5] des Hauses installiert Wiesler Abhörgeräte[6]. Wiesler, der allein in einer Neubauwohnung lebt und kein aufregendes Privatleben hat, erlebt durch die Überwachung Dreymans eine für ihn völlig neue Welt: nämlich die der Kunst, der Literatur, des freien Geistes und der Liebe. Das Leben des Dramaturgen und der Schauspielerin beeindruckt den Stasi-Mann so sehr, dass er aufhört, belastendes Material über Dreyman zu sammeln. Wieslers Berichte über den Theaterschriftsteller sind trivial. Er unternimmt auch nichts, als Dreyman nach dem Selbstmord[7] eines befreundeten Regisseurs anonym einen Essay über die hohe Selbstmordrate in der DDR veröffentlicht. Wiesler schützt Dreyman sogar, indem er die Schreibmaschine[8], auf der Dreyman den Essay für den *Spiegel* geschrieben hat, aus ihrem Versteck nimmt und verschwinden lässt.

[1]Ministerium für Staatssicherheit [2]*spy on* [3]freie ... *free rein, a free hand* [4]*bugged* [5]*attic* [6]*listening devices* [7]*suicide* [8]*typewriter*

| Miniwörterbuch | |
|---|---|
| **bewusst** | conscious, aware |
| der **Mitarbeiter, -** / die **Mitarbeiterin, -nen** | employee, staff |
| **angeblich** | alleged(ly), supposed(ly) |
| **unterstützen, unterstützt** | to support, assist |
| die **Überwachung** | monitoring, surveillance |
| **räumen** | to clear |
| **dessen** | whose; *here:* his |
| **völlig** | full(y), complete(ly) |
| **nämlich** | namely |
| **beeindrucken, beeindruckt** | to impress |
| **belasten** | to charge, incriminate |
| das **Material,** *pl.* **Materialien** | material, substance, matter |
| der **Regisseur, -** / die **Regisseurin, -nen** | (film) director |
| **dennoch** | nevertheless, however |
| die **Wende, -n** | change, turn, revolution |
| die **Einsicht, -en** | inspection, access, insight |
| die **Akte, -n** | file |
| **dankbar** | grateful, thankful |
| der **Auftrag, ¨-e** | order, instruction |
| **sich verhalten, verhält, verhielt, verhalten** | to behave, act |
| die **Wiedervereinigung** | reunification |

Ein Opfer gibt es dennoch: Die psychisch labile[9] Schauspielerin Christa-Maria Sieland verrät der Stasi, dass Dreyman den Essay geschrieben hat und wo die Schreibmaschine versteckt ist. Dann flüchtet sie, läuft vor ein Auto und stirbt. Als Dreyman nach der Wende Einsicht in seine Stasi-Akten bekommt, erfährt er, dass ein Stasi-Mitarbeiter ihn geschützt hat. Seine Erinnerungen schreibt Dreyman in einem Roman nieder. Sein Buch widmet er seinem Stasi-Spitzel Wiesler unter dessen Stasi-Deckcode-Namen HGW XX/7 in Dankbarkeit.

## Arbeit mit dem Text

Welche Aussagen sind falsch? Verbessern Sie die falschen Aussagen.

1. „Das Leben der Anderen" spielt vor dem Fall der Berliner Mauer.
2. Der Dramaturg Dreyman scheint ein Fan des DDR-Regimes zu sein.
3. Gerd Wiesler arbeitet für die Polizei und den Kulturminister.
4. Wiesler hat den Auftrag, den Dramaturgen Dreyman und dessen Freundin zu überwachen.
5. Dreyman unterschreibt den Essay im *Spiegel* mit seinem Namen.
6. Wiesler meldet seinem Chef, dass sich Dreyman nicht regimetreu verhält.
7. Christa-Maria Sieland schützt Dreyman und muss deshalb sterben.
8. Nach der Wiedervereinigung schreibt Dreyman ein Buch über seine Erinnerungen.

## Nach dem Lesen

Georg Dreymans Tagebuch: Schreiben Sie zu einer der folgenden Situationen einen Eintrag aus Dreymans Perspektive.

a. nach der Veröffentlichung des Essays im *Spiegel*
b. nach dem Unfall von Christa-Maria Sieland
c. nach Einsicht in die eigenen Stasi-Akten nach der Wende

Everett Historical/Shutterstock

Bernauerstraße in Berlin im Jahr 1962

[9] *unstable*

| Miniwörterbuch | |
|---|---|
| der **Musiker, -** / die **Musikerin, -nen** | musician |
| die **Distanz** | distance |
| **widmen** | to dedicate |
| **fern** | far, distant |
| der **Tourist, -en** / die **Touristin, -nen** | tourist |
| das **Zuhause** | home |
| **stundenlang** | for hours |
| die **Trennung** | separation |
| **wahnsinnig** | crazy |

## MUSIKSZENE

### „Liebe auf Distanz" (2018, Deutschland)

***Revolverheld und Antje Schomaker***

**Biografie** Revolverheld ist eine Gruppe aus Hamburg. Sie besteht aus vier Musikern. Ihr Sänger, Johannes Strate, kommt aus Bremen. 2014 gewannen sie den Bundesvision Song Contest und erhielten als Best German Act einen der begehrten[1] MTV Europe Music Awards. Über vier Jahre lebte Johannes Strate über 400 km von seiner Partnerin entfernt. Sein Lied „Liebe auf Distanz" erzählt diese Geschichte. Er singt das Lied zusammen mit Antje Schomaker, die jetzt ebenfalls in Hamburg wohnt, die aber ursprünglich aus Rheurdt kommt, einem kleinen Ort in der Nähe von Düsseldorf. Rheurdt bezeichnet sich selbst als das Ökodorf am Niederrhein. „Liebe auf Distanz" ist 2018 erschienen und ist allen Menschen gewidmet, die eine Fernbeziehung erdulden[2] müssen.

dpa picture alliance/Alamy

Revolverheld und Antje Schomaker

**NOTE:** For copyright reasons, the songs referenced in **MUSIKSZENE** have not been provided by the publisher. The song can be found online at various sites.

**Vor dem Hören** Woran denken Sie, wenn Sie an eine Fernbeziehung denken? Hatten oder haben Sie eine Fernbeziehung? Erzählen Sie! Wenn Sie noch keine Fernbeziehung hatten, wie stellen Sie sich eine Fernbeziehung vor?

**Nach dem Hören**

Was sagen der Sänger und die Sängerin? Richtig (R) oder falsch (F)? Korrigieren Sie die falschen Sätze.

1. Jedes Mal, wenn wir uns sehen, sind wir uns wieder ein bisschen fremd.
2. Er ist in ihrer Stadt nur Tourist und hat dort kein Zuhause.
3. Manchmal denkt er, es wäre besser, getrennt zu leben.
4. Sie telefoniert gern mit ihm.
5. Er sitzt stundenlang im Auto.
6. Sie haben sich zwar nur kurz, dafür aber ganz.
7. Die Trennung macht sie wahnsinnig.
8. Sie wissen, dass sie es schaffen werden.

[1]*coveted* [2]*endure*

# Strukturen

## 2. Dative reflexive pronouns

When a clause contains another object in addition to the reflexive pronoun, then the reflexive pronoun is in the dative case; the other object, usually a thing or a part of the body, is in the accusative case.

| | |
|---|---|
| Ich ziehe mir (DAT.) den Mantel (ACC.) aus. | *I'm taking off my coat.* |

Note that the accusative object (the piece of clothing or part of the body) is preceded by the definite article.

| | |
|---|---|
| Wäschst du dir jeden Tag **die** Haare? | *Do you wash your hair every day?* |
| Sumita hat sich **den** Arm gebrochen. | *Sumita broke her arm.* |

Only the reflexive pronouns that correspond to **ich** and **du** have different dative and accusative forms.

**Reflexive Pronouns**

| | | *Accusative* | *Dative* |
|---|---|---|---|
| SINGULAR | *ich* → | **mich** | **mir** |
| | *du* → | **dich** | **dir** |
| | *Sie* → | **sich** | |
| | *er/sie/es* → | | |
| PLURAL | *wir* → | **uns** | |
| | *ihr* → | **euch** | |
| | *Sie* → | **sich** | |
| | *sie* → | | |

### Übung B. Meine Morgentoilette

In welcher Reihenfolge machen Sie das?

MODELL: Erst stehe ich auf. Dann stelle ich mich unter die Dusche. Dann ...

aufstehen
einen Bademantel anziehen
frühstücken
Kaffee trinken
sich anziehen
sich das Gesicht waschen
sich die Fingernägel schneiden
sich die Haare trocknen
sich die Haare waschen
sich die Zähne putzen
sich unter die Dusche stellen
zur Uni gehen

## Übung C. Körperpflege

Wer macht das? Sie, Ihre Freundin, Ihr Vater ...?

| | |
|---|---|
| 1. sich jeden Morgen baden | ich |
| 2. sich nicht oft genug die Fingernägel schneiden | meine Freundin |
| 3. sich nicht oft genug die Haare waschen | mein Freund |
| 4. sich nach jeder Mahlzeit die Zähne putzen | mein Vater |
| 5. sich immer verrückt anziehen | meine Mutter |
| 6. immer gut riechen | meine Schwester |
| 7. sich nie kämmen[1] | meine Kommilitonin |
| 8. sich nie die Haare trocknen | mein Onkel |
| 9. sich nicht gern baden | ? |
| 10. sich immer elegant anziehen | |

# 3. Word order of accusative and dative objects

When the accusative object and the dative object are both *nouns*, then the dative object precedes the accusative object.

Ich schenke **meiner Mutter** (DAT.) **einen Ring** (ACC.). *I'm giving my mother a ring.*

When either the accusative object or the dative object is a *pronoun* and the other object is a *noun*, then the pronoun precedes the noun regardless of case.

Ich schenke **ihr** (DAT.) **einen Ring** (ACC.). *I'm giving her a ring.*

Ich schenke **ihn** (ACC.) **meiner Mutter** (DAT.). *I'm giving it to my mother.*

The dative object precedes the accusative object, unless the accusative object is a pronoun.

When the accusative object and the dative object are both *pronouns*, then the accusative object precedes the dative object.

Ich schenke **ihn ihr.** *I'm giving it to her.*

Note that English speakers use a similar word order. Remember that German speakers do *not* use a preposition to emphasize the dative object as English speakers often do (*to my mother, to her*).

## Übung D. Gute Ratschläge!

Ihr Partner / Ihre Partnerin fragt Sie um Rat. Antworten Sie ihm oder ihr.

MODELL: S1: Meine Hände sind schmutzig.
S2: Warum wäschst du sie dir nicht?

1. Mein Bart ist zu lang.
2. Meine Füße sind schmutzig.
3. Meine Nägel sind zu lang.
4. Meine Haare sind nicht trocken.
5. Mein Hals ist schmutzig.
6. Meine Nase läuft.
7. Meine Haare sind zu lang.
8. Meine Augen tun mir weh.

**zumachen** **waschen** **putzen** **schneiden** **trocknen**

[1] *to comb*

# Situationen

## Arzt, Apotheke, Krankenhaus

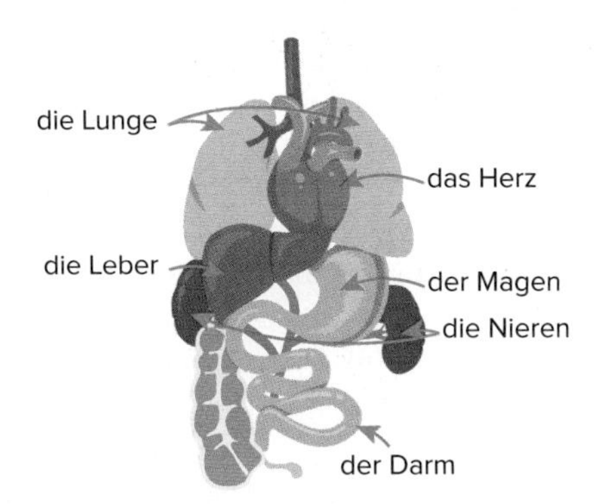


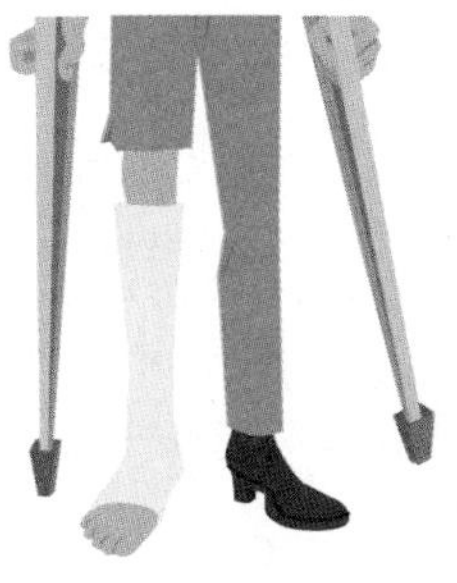

Daniel hat sich das Bein gebrochen.

Phan löst eine Tablette in Wasser auf.

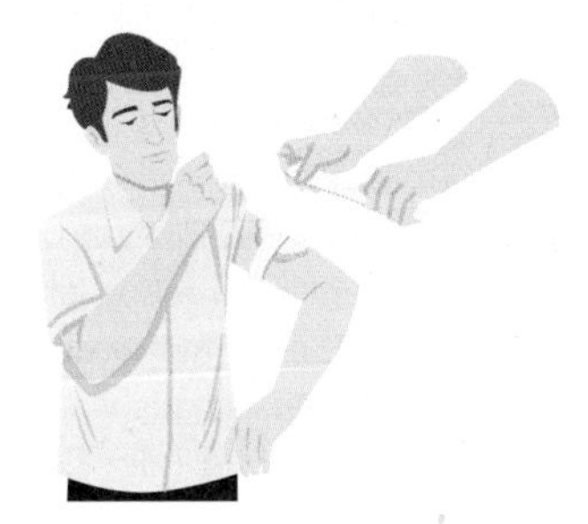

Leon bekommt einen Verband.

Der Zahnarzt zieht Julia einen Zahn.

Die Ärztin verschreibt[1] Frau Gruber ein Mittel gegen Depressionen.

### Situation 9 Dialoge

1. Herr Moser möchte einen Termin beim Arzt.

   HERR MOSER: Guten Tag, ich hätte gern ______________ für nächste Woche.

   ARZTHELFERIN: Gern, am Vormittag oder am Nachmittag?

   HERR MOSER: Das ist mir eigentlich ______________.

   ARZTHELFERIN: Mittwochmorgen um neun?

   HERR MOSER: Ja, ______________. Besten Dank.

2. Frau Körner geht in die Apotheke.

   FRAU KÖRNER: Ich habe schon seit Tagen ______________. Können Sie mir etwas dagegen[2] geben?

   APOTHEKERIN: Wir haben gerade etwas ganz Neues bekommen, Magenex.

   FRAU KÖRNER: Hauptsache, ______________.

   APOTHEKERIN: Es soll sehr gut ______________. Bitte schön.

3. Veronika ist bei ihrem Hausarzt.

   HAUSARZT: Grüezi, wie geht es Ihnen?

   VERONIKA: Ich fühle mich gar nicht wohl. Halsschmerzen, ______________ ... alles tut mir ______________.

   HAUSARZT: Das ______________ nach Grippe[3]. Sagen Sie mal bitte „Ah".

[1]*prescribes* [2]here: *for it* [3]*flu*

# KULTUR ... LANDESKUNDE ... INFORMATIONEN

## GESCHICHTE DER PSYCHIATRIE

### Vor dem Lesen

- Haben Sie manchmal schlechte Laune? Was machen Sie, wenn Sie traurig oder depressiv sind? Was hilft Ihnen?
- Was assoziieren Sie mit Sigmund Freud und der Psychoanalyse?

**Miniwörterbuch**

| | |
|---|---|
| die **Ursache, -n** | cause, reason |
| die **Seele, -n** | soul, spirit |
| die **Störung, -en** | disturbance |
| **zunehmen** | to increase, rise |
| **sich beschäftigen (mit)** | to deal (with) |
| die **Grundlage, -n** | base, basis |
| das **Gleichgewicht** | balance |
| der **Aspekt, -e** | aspect |
| die **Medizin** | medicine |
| der **Grundsatz, ¨-e** | principle, tenet |
| **hauptsächlich** | main(ly) |
| **verbrennen, verbrannt** | to burn |
| der **Fortschritt, -e** | progress |
| der **Wissenschaftler, - /** die **Wissenschaftlerin, -nen** | scientist, scholar |
| die **Behandlung, -en** | treatment |
| **weltweit** | worldwide |
| **behandeln** | to treat, deal with |
| das **Phänomen, -e** | phenomenon |
| die **Persönlichkeit, -en** | personality |

*Das Narrenhaus,* Wilhelm von Kaulbach (1834)

Interfoto/Alamy

### Arbeit mit dem Text

1. Wie versuchte man in der Antike[1] und im Mittelalter kranke Menschen zu heilen?
2. Was machte man bis zum Ende des 18. Jahrhunderts mit den „Narren"[2]? Warum?
3. Wo stand das erste psychiatrische Krankenhaus in Europa?
4. Wer suchte schon im 18. Jahrhundert die Ursache für Krankheiten in der Seele?
5. Was spielt in Sigmund Freuds Psychoanalyse eine zentrale Rolle?
6. Was begründete C.G. Jung und welche bekannten Charakterisierungen für Menschen stammen von ihm?

Seelische[3] Störungen sind in der modernen Welt die häufigsten Krankheiten und nehmen immer mehr zu. Schon in der Antike hat man sich mit psychischen Krankheitsbildern beschäftigt. Grundlage war das Gleichgewicht der Elemente Luft, Feuer, Erde und Wasser und damit verbunden die Körpersäfte[4] Blut, gelbe Galle[5], schwarze Galle und Schleim[6]. In Europa glaubte man an die Theorien des römischen Arztes Galen über 1.500 Jahre lang. Sie finden sich in vielen Aspekten der kulturellen Tradition, nicht nur in der Medizin. Wenn die vier Säfte im Gleichgewicht waren, war der Mensch gesund. Waren Menschen krank, versuchte man sie z. B. durch Ernährung oder Diäten zu heilen. An diesen antiken Grundsatz der Medizin hielten sich noch so berühmte Personen wie die Äbtissin[7] und Ärztin Hildegard von Bingen (1098–1179) im Mittelalter[8] und später der Naturheilkundler[9] Sebastian Kneipp (1821–1897).

Bis Ende des 18. Jahrhunderts wurden die „Narren" hauptsächlich eingesperrt[10], wenn sie nicht gefoltert[11] oder verbrannt wurden, weil man glaubte, dass sie vom Teufel besessen[12] waren. Ein Fortschritt war es schon, wenn sie nicht mit Armen und Kriminellen in den sogenannten „Zuchthäusern"[13] angekettet[14] waren, sondern wie in Wien seit 1784 im „Narrenturm"[15], dem ersten psychiatrischen Krankenhaus in Europa, leben konnten.

Im 18. und 19. Jahrhundert beschäftigten sich viele europäische Wissenschaftler*innen mit seelischen Krankheiten und suchten nach Ursachen und Behandlungsmethoden, z. B. der deutsche Chemiker und Mediziner Georg Ernst Stahl (1659–1734), der die Ursache von Krankheiten in der Seele suchte und wie später Sigmund Freud von der Bedeutung des Unbewussten[16] überzeugt war.

Der Österreicher Sigmund Freud (1856–1939) gilt weltweit als Gründer der Psychoanalyse. Bei einem Besuch in Paris lernte er die Hypnose als Behandlung für die Hysterie kennen und entwickelte dann seine eigenen Methoden, um die Ursachen von Neurosen und Psychosen zu verstehen und zu behandeln. Die Traumdeutung[17] und das Unterbewusste[18] spielen dabei eine zentrale Rolle.

Ein anderer bekannter Wissenschaftler war der Schweizer Psychiater Carl Gustav Jung (1875–1961), der z. B. das Phänomen der „gespaltenen[19] Persönlichkeit" beschrieb und die analytische Psychologie begründete. Jung beschäftigte sich intensiv mit dem kollektiven Unbewussten und entwickelte die Begriffe vom introvertierten und extrovertierten Menschen. Er pflegte mehrere Jahre eine intensive Freundschaft mit Freud. Als Präsident der Internationalen Allgemeinen Ärztlichen Gesellschaft für Psychotherapie (IAÄGP) versuchte er, von 1933 bis 1939 in Deutschland die Psychotherapie über die Zeit des Nationalsozialismus zu retten.

[1]*antiquity* [2]*fools, lunatics* [3]*mental* [4]*bodily fluids* [5]*bile* [6]*mucus* [7]*abbess* [8]*Middle Ages* [9]*naturopath* [10]*locked up* [11]*tortured* [12]*possessed* [13]*penitentiaries* [14]*put in chains* [15]*fools' tower* [16]*unconscious* [17]*dream interpretation* [18]*subconscious* [19]*split*

## Situation 10 Informationsspiel: Krankheitsgeschichte

MODELL: Hat Claire sich (Hast du dir) schon mal etwas gebrochen? Was?
Ist Claire (Bist du) schon mal im Krankenhaus gewesen? Warum?
Musste Herr Moser (Musstest du) schon mal starke Schmerzmittel nehmen? Warum?
Ist Herr Moser (Bist du) schon mal operiert worden?
Ist Claire (Bist du) gegen etwas allergisch? Gegen was?
Hat man Claire (Hat man dir) schon mal einen Zahn gezogen?
Hatte Herr Moser (Hattest du) schon mal hohes Fieber? Wie hoch?

| | Claire | Herr Moser | mein(e) Partner(in) |
|---|---|---|---|
| *sich etwas brechen* | | das Bein | |
| *im Krankenhaus sein* | | Lungenentzündung | |
| *starke Schmerzmittel nehmen* | ja, als sie ihre Nierenentzündung hatte | | |
| *operiert werden* | nein | | |
| *gegen etwas allergisch sein* | | Katzen | |
| *einen Zahn gezogen haben* | | ja | |
| *hohes Fieber haben* | 104° F | | |

## Situation 11 Medizinische Berufe

**ins Krankenhaus**
**in die Drogerie**
**in die Apotheke**
**zum Hausarzt**
**zum Zahnarzt**
**zum Psychiater**
**zum Tierarzt**
**zum Augenarzt**

Wohin gehen Sie?

1. Sie haben Kopfschmerzen und brauchen Schmerztabletten.
2. Sie haben schon seit zwei Wochen eine schlimme Halsentzündung und wollen Antibiotika.
3. Jemand hat sich den Arm verletzt. Der Arm blutet[1] stark und er/sie wird blass.
4. Ihr(e) Freund(in) hat Sie verlassen und Sie sind sehr deprimiert[2].
5. Ihr Goldfisch frisst schon seit mehreren Tagen nicht mehr.
6. Sie haben furchtbare Zahnschmerzen.
7. Sie können im Unterricht nicht lesen, was an der Tafel steht.
8. Ihr Arzt hat Ihnen ein Rezept verschrieben und Sie wollen sich das Medikament abholen.

## Situation 12 Rollenspiel: Anruf beim Arzt

S1: Sie fühlen sich nicht wohl. Rufen Sie beim Arzt / bei der Ärztin an, sagen Sie, dass Sie starke Schmerzen haben und dass Sie einen Termin möchten. Es ist dringend, aber Sie haben einen vollen Terminkalender.

[1]*is bleeding* [2]*depressed*

# Strukturen

## 4. Word formation: Verbs with *ab, an, auf, aus,* and *ein*

**WISSEN SIE NOCH?**

In previous chapters, you learned about separable- and inseparable-prefix verbs.

Review **Strukturen 5** in **Kapitel 1** and **Strukturen 5** in **Kapitel 6.**

Approximately 75% of German verbs are prefix verbs. The five most common separable prefixes in the order of their frequency are **an, aus, ab, ein,** and **auf.**

German separable-prefix verbs are related to English phrasal verbs such as *gets up* **(steht ... auf)** or *breaks off* **(bricht ... ab).** While German separable-prefix verbs are much more frequent than English phrasal verbs, the meaning of many of them can be guessed by looking at their parts: **einsteigen** *(to climb in),* **aussteigen** *(to climb out),* **aufsteigen** *(to climb up),* **absteigen** *(to climb down).*

| | |
|---|---|
| Sarah sieht sich Bilder **an**. | *Sarah looks* ***at*** *pictures.* |
| Phillip hebt einen Stein **auf**. | *Phillip picks* ***up*** *a rock.* |
| Mert steigt aus dem Auto **aus**. | *Mert gets* ***out*** *of the car.* |

A. **ein** and **aus**

The most common meanings of **ein** and **aus** are *in* and *out.*

| | | | |
|---|---|---|---|
| einbringen | *to bring in* | ausführen | *to carry out* |
| einlassen | *to let in* | ausgehen | *to go out* |
| einnehmen | *to take in* | ausgleichen | *to even out* |
| einsetzen | *to put in* | auswählen | *to pick out* |
| einziehen | *to move in* | ausziehen | *to move out* |

| | |
|---|---|
| Nesrin geht mit Sophie **aus**. | *Nesrin is going* ***out*** *with Sophie.* |
| Jannik zieht in seine neue Wohnung **ein**. | *Jannik is moving* ***into*** *his new apartment.* |

Westend61/Getty Images

Im Studierendenheim

B. **auf** and **ab**

The most common meanings of **auf** and **ab** are *up* and *down.* In many instances, the prefix **ab** may also mean *off.*

| | | | |
|---|---|---|---|
| aufgeben | *to give up* | abheben | *to lift off* |
| aufnehmen | *to take up* | ablehnen | *to turn down* |
| aufwachen | *to wake up* | abnehmen | *to take off* |
| aufwachsen | *to grow up* | abschneiden | *to cut off* |

| | |
|---|---|
| Elif ist heute sehr früh **auf**gewacht. | *Elif woke* ***up*** *very early this morning.* |
| Michael hat das Jobangebot **ab**gelehnt. | *Michael turned* ***down*** *the job offer.* |
| Ich habe mir ein Stück Wurst **ab**geschnitten. | *I cut* ***off*** *a piece of sausage for myself.* |

C. **an**

> **ACHTUNG!**
>
> **Note:** The meanings described here are the most common meanings of prefixes, but sometimes they may lead you astray. For example, **aufhören** means *to stop*. If in doubt, it's always better to look words up in a dictionary.

The prefix **an** is frequently used to describe the creation of some kind of contact, e.g. **anschließen** *(to plug in, to hook up)* or **anziehen** *(to put on, get dressed)*. There are several particles in English that convey the same meaning, such as *on, up, in,* and *at*. English often has a different, single verb that is used more commonly to express the same thing.

| | | | |
|---|---|---|---|
| ankommen | *to come in, arrive* | anschauen | *to look at* |
| anrufen | *to call up* | anstehen | *to stand in line* |
| anschließen | *to hook up, plug in* | anlegen | *to put on, apply* |
| anzünden | *to light up* | annehmen | *to take on, accept* |

| | |
|---|---|
| Noah schließt seinen Laptop **an**. | *Noah hooks* ***up*** *his laptop.* |
| Shannon nimmt die Herausforderung **an**. | *Shannon is taking* ***on*** *the challenge.* |

## Übung E. Was sagt man?

Wählen Sie das Verb, das den Satz am besten ergänzt.

1. Herr Moser muss seine Medikamente am Morgen _____.
   a. annehmen
   b. einnehmen
2. Lukas ist als Einzelkind _____.
   a. aufgewachsen
   b. eingewachsen
3. Jetzt muss ich Ihnen noch einen Verband _____.
   a. ablegen
   b. anlegen
4. Nach zwei Tagen können Sie den Verband _____.
   a. abnehmen
   b. einnehmen
5. Bitte _____ Sie meinen Auftrag _____.
   a. führen … auf
   b. führen … aus
6. Daniel _____ in seine neue Wohnung _____.
   a. zieht … aus
   b. zieht … ein
7. Seine Ärzte sollte man sich gut _____.
   a. abwählen
   b. auswählen
8. Ich _____. Diese Aufgabe ist zu schwer.
   a. gebe auf
   b. gebe aus
9. Leider muss ich Ihr Angebot _____.
   a. ablehnen
   b. anlehnen
10. Miguel möchte seinen Computer ans Internet _____.
    a. anschließen
    b. einschließen

# Situationen

## Unfälle

Zwei Autos sind zusammengestoßen[1]. Eine Frau ist schwer verletzt.

### Situation 13 Ein Autounfall

Eine Polizistin spricht mit einem Zeugen über einen Unfall. Bringen Sie die Sätze in eine logische Reihenfolge.

_____ Können Sie mir sagen, wie spät es ungefähr war?
_____ Also, heute Morgen war ich auf dem Weg zur Uni.
__*1*__ Bitte erzählen Sie genau, was passiert ist.
_____ Ein Auto ist aus einer Einfahrt[2] gekommen.
_____ Ich glaube nicht, er hat jedenfalls nicht gebremst, bevor er auf die Straße gefahren ist.
_____ Wissen Sie, ob der Fahrer auf den Verkehr geachtet hat?
_____ Ja, ein anderes Auto kam von rechts und dann sind sie zusammengestoßen.
_____ So zwischen halb und Viertel vor neun.
_____ Was haben Sie da gesehen?
_____ Und dann?
_____ Vielen Dank für Ihre Hilfe.

[1]*collided, crashed* [2]*driveway*

## Situation 14 Unfälle

Welcher Satz passt zu welchem Bild?

1. Michael und Maria waren auf dem See, als das Boot umkippte[1].
2. Sofie schnitt gerade Tomaten, als plötzlich vor ihrem Haus ein Mann von einem Auto erfasst wurde.
3. Hannah und Max waren auf dem Weg ins Konzert, als Hannah hinfiel.
4. Daniel saß gerade in der Bibliothek, als auf der Straße zwei Autos zusammenstießen.
5. Herr Okonkwo fuhr gerade zur Arbeit, als ihm ein Hund vors Auto lief.
6. Als Yusuf mit seinen Freunden Fußball spielte, brach er sich das Bein.
7. Maria und Michael liefen Schlittschuh, als ein Kind durchs Eis brach.
8. Johannes wollte gerade nach Hawaii fliegen, als ein Flugzeug in Brand geriet[2].

## Situation 15 In großer Not

Was machst du, wenn ...

1. du einen Unfall siehst?
2. der Verletzte einen Schock hat?
3. der Fahrer von dem anderen Auto flüchtet?
4. jemand nicht mehr atmet?
5. du im Fahrstuhl[3] stecken bleibst?
6. du dir den Arm gebrochen hast?
7. du ins Wasser fällst?
8. es im Nachbarhaus brennt?
9. du dir die Zunge verbrannt hast?

a. den Krankenwagen rufen
b. die Feuerwehr rufen
c. die Autonummer aufschreiben
d. die Polizei rufen
e. eine Decke holen und den Verletzten zudecken
f. die Zunge kühlen
g. eine Herzdruckmassage[4] durchführen
h. schwimmen
i. um Hilfe rufen
j. _______?

[1]*turned over* [2]here: *burst* [3]*elevator* [4]*chest compressions*

# Lektüre

## Vor dem Lesen

**LESEHILFE**

This text is written from multiple perspectives: a neutral report, statements of people involved in the accident, and statements of witnesses. They provide a detailed description of what happened.

**A.** Erzählen Sie mit den folgenden Wörtern eine kleine Geschichte: Was ist passiert?

- der Autofahrer
- der kleine Junge
- das Fahrrad
- der PKW[1]
- die Straße
- der Unfall
- der Zeuge
- nicht aufpassen
- bremsen
- zusammenstoßen

**B.** Lesen Sie die Wörter im Miniwörterbuch. Suchen Sie sie im Text und in den Aufgaben und markieren Sie sie.

**Miniwörterbuch**

| | |
|---|---|
| das **Gelände** | area, premises |
| der **Beamte (ein Beamter)**, **-n** / die **Beamtin, -nen** | official |
| **jederzeit** | at all times |
| der **Knall** | bang |
| **total** | total(ly) |
| **schmal** | narrow |
| der **Bereich, -e** | area |
| der **Schritt, -e** | step; walking tempo |
| **erwischen** | to catch |
| **beschädigen** | to damage |
| der **Schaden** | damage |

## 10-Jähriger vom PKW erfasst

Am letzten Dienstag kam es vor dem Gauß-Gymnasium zu einem Verkehrsunfall. Der 10-jährige Yusuf ist nach der Schule auf dem Weg nach Hause. Als er gegen 13 Uhr 40 das Schulgelände verlässt, parken Eltern mit ihren Autos vor dem Schultor. Das ist zwar nicht erlaubt, aber die Eltern tun es trotzdem. Als er mit seinem Fahrrad zwischen den parkenden Autos auf die Straße fährt, wird er von einem Auto erfasst. Was genau ist passiert?

Das erzählt Yusuf der Polizeibeamtin: Ich wollte schnell noch zum Supermarkt, weil ich neues Guthaben[2] für mein Handy brauchte. Sonst kann ich nicht mit meinen Freunden chatten. Nach dem Mittagessen musste ich außerdem viele Hausaufgaben machen. Ich habe nur daran gedacht, dass ich schnell nach Hause muss und habe nicht aufgepasst. Vor der Schule standen viele Autos und ich hatte Angst, dass ich an ein Auto einen Kratzer[3] mache und Ärger bekomme.

Das erzählt Frau S. dem Polizeibeamten: Ich saß im Auto und wollte meine Tochter von der Schule abholen. Wir hatten einen Zahnarzttermin und es musste schnell gehen. Natürlich ist es nicht erlaubt, vor dem Schultor zu stehen, aber viele Eltern machen das so. Man bleibt ja auch im Auto und kann jederzeit wegfahren, wenn zum Beispiel ein Krankenwagen auf den Schulhof fahren muss. Dann fuhr der kleine Schüler mit seinem Fahrrad vor meinem Auto auf die Straße. Ich schaute Richtung Schule. Plötzlich hörte ich einen Knall und Bremsenquietschen[4].

Das erzählt Herr M. später auf der Polizeistation: Ich wollte gerade meine Blumen gießen und schaute aus dem Fenster. Am Gauß-Gymnasium war Schulschluss. Totales Chaos auf der Straße! Parkende Autos vor dem Schultor und auf der gegenüberliegenden Straßenseite, Schüler und Schülerinnen zu Fuß und auf dem Fahrrad. Unverantwortlich[5], dass die Eltern dort alles zuparken[6]. Dabei ist die Straße auch ziemlich schmal und es gibt viel Verkehr. Plötzlich fuhr der kleine Schüler mit seinem Fahrrad zwischen den parkenden Autos durch und direkt vor ein Auto.

Das erzählt Herr F. am Abend seiner Frau: Ich hatte einen dringenden Termin bei einem Kunden und war schon spät dran. Dass um die Zeit am Gauß-Gymnasium Schulschluss ist, daran habe ich nicht gedacht. Dann wäre ich einen anderen Weg gefahren. Der Bereich vor der Schule war sehr voll: parkende Autos und Kinder überall! Ich konnte nur Schritttempo fahren und war sehr gestresst. Plötzlich kam dieser Junge mit seinem Fahrrad zwischen den parkenden Autos herausgeschossen[7]. Er ist mir direkt vors Auto gefahren. Ich habe sofort gebremst, aber trotzdem sein Fahrrad erwischt. Zum Glück hatte er einen Helm auf. Ich war total geschockt.

[1]*passenger car* [2]*credit* [3]*scratch* [4]*the squealing of brakes* [5]*irresponsible* [6]*block in* [7]*bursting out*

## Arbeit mit dem Text

**A.** Schauen Sie die Skizze an und markieren Sie, wo Frau S., Herr M. und Herr F. sind.

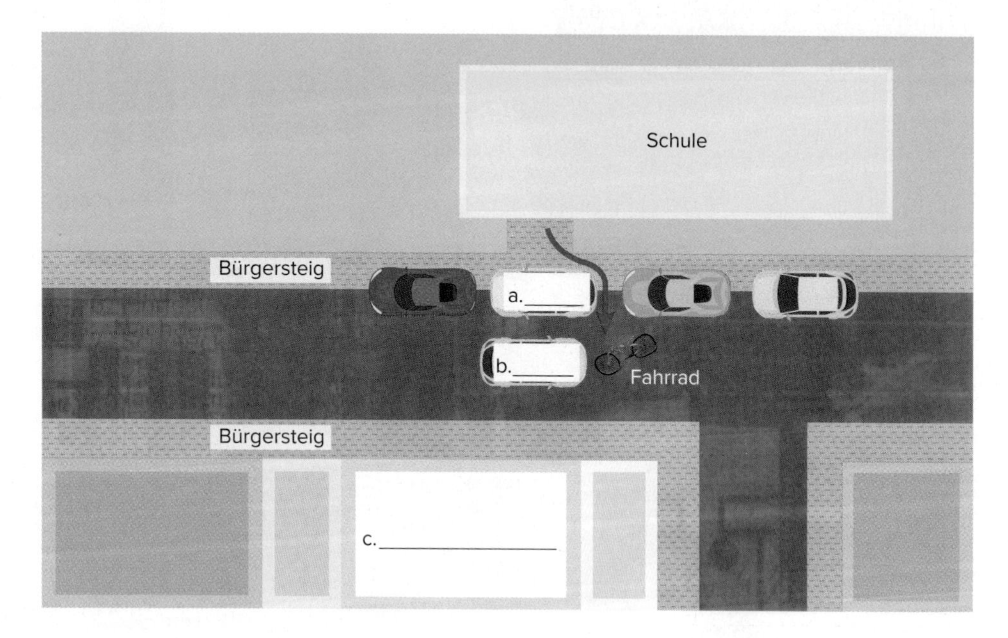


**B.** Wer sagt das: Yusuf, Frau S., Herr M. oder Herr F.?

1. Man darf nicht vor dem Schultor parken, aber sehr viele machen es trotzdem. ____________
2. Ich hatte kein Guthaben mehr auf meinem Handy. ____________
3. Unverantwortlich, dass die Eltern vor dem Schultor parken. ____________
4. Ich bin ganz langsam gefahren, aber konnte trotzdem nicht schnell genug bremsen. ____________
5. Ich wollte die Autos nicht beschädigen. ____________
6. Wir hatten wenig Zeit, weil wir zum Zahnarzt mussten. ____________
7. Ich sah aus dem Fenster, wie ein Schüler zwischen den Autos hindurch[8] fuhr. ____________
8. Ich musste schnell zu einem Termin und war im Stress. ____________

**C.** Wer hat Schuld? Der Junge, der Autofahrer, die Frau im parkenden Auto, die Eltern, der Direktor der Schule, die Polizei oder noch jemand anderes? Schreiben Sie 1–2 Sätze pro Person, warum diese Person oder diese Personen Schuld haben. Entscheiden Sie am Ende, wer die meiste Schuld trägt.

**D.** Was würden Sie machen, damit kein weiterer Unfall passiert? Sammeln Sie Möglichkeiten.

## Nach dem Lesen

Beschreiben Sie einen Unfall, den Sie einmal hatten oder gesehen haben. Wie ist der Unfall passiert? Welche Schäden oder Verletzungen gab es? Was haben Sie gemacht? Machen Sie sich zuerst Notizen, berichten Sie dann in der Gruppe und schreiben Sie schließlich Ihren Bericht auf.

[8] *through*

## Situation 16 Bildgeschichte: Elifs Unfall

**Miniwörterbuch**

| | |
|---|---|
| das **Bonbon** | hard candy |

Was ist hier passiert?

Beurich/ullstein bild/Getty Images

# Strukturen

## 5. Indirect questions: *Wissen Sie, wo ...?*

Indirect questions:

- dependent clause begins with a question word or **ob**
- conjugated verb in the dependent clause appears at the end of the clause

Indirect questions are dependent clauses that are commonly preceded by an introductory clause such as **Wissen Sie, ...** or **Ich weiß nicht, ...** Recall that the conjugated verb is in last position in a dependent clause.

| | |
|---|---|
| Wissen Sie, **wo** das Kind gefunden **wurde?** | *Do you know where the child was found?* |
| Können Sie mir sagen, **wann** die Polizei **ankommt?** | *Can you tell me when the police will arrive?* |

The question word of the direct question functions as a subordinating conjunction in an indirect question.

DIRECT QUESTION: **Wie** komme ich zur Apotheke?
INDIRECT QUESTION: Ich weiß nicht, **wie** ich zur Apotheke **komme.**

Use the conjunction **ob** (*whether, if*) when the corresponding direct question does not begin with a question word but with a verb.

DIRECT QUESTION: **Kommt** Michael heute Abend?
INDIRECT QUESTION: Ich weiß nicht, **ob** Michael heute Abend **kommt.**

### Übung F. Bitte etwas freundlicher!

Verwandeln Sie die folgenden direkten Fragen in etwas höflichere indirekte Fragen. Beginnen Sie mit **Wissen Sie, ...** oder **Können Sie mir sagen, ...**

MODELL: Wo war Herr Fischer um sieben Uhr fünfzehn? →
Wissen Sie, wo Herr Fischer um sieben Uhr fünfzehn war?
*ODER* Können Sie mir sagen, wo Herr Fischer um sieben Uhr fünfzehn war?

1. Was ist hier passiert?
2. Hat das Kind das Auto gesehen?
3. Wer war daran schuld?
4. Warum hat Herr Fischer das Kind nicht gesehen?
5. Hat Herr Fischer gebremst?
6. Wann hat er gebremst?
7. Wie oft fährt Herr Fischer diese Straße zur Arbeit?
8. Wie lange lag Yusuf auf der Straße?
9. Wann hat die Polizei Yusufs Mutter angerufen?

McPhoto/Vario Images/age fotostock

Können Sie mir sagen, was Sie gesehen haben?

## 6. Coordinating and subordinating conjunctions (summary review)

To connect thoughts more effectively, two or more clauses may be combined in one sentence. There are essentially two kinds of combinations:

1. Coordination: both clauses are equally important and do not depend on each other structurally.
2. Subordination: one clause depends on the other one; it does not make sense when it stands alone.

COORDINATION

| | |
|---|---|
| Heute ist ein kalter Tag und es schneit. | *Today is a cold day, and it is snowing.* |

SUBORDINATION

| | |
|---|---|
| Gestern war es wärmer, weil die Sonne schien. | *Yesterday was warmer because the sun was shining.* |

**WISSEN SIE NOCH?**

Dependent clauses may be introduced by subordinating conjunctions such as **als** (*when, as*), **wenn** (*when, whenever*), and **wann** (*when*); by relative pronouns such as **der, die,** and **das** (*who, whom, that, or which*); or, in indirect questions, by question words such as **was** (*what*), **wie** (*how*), and **warum** (*why*). Main verbs in dependent clauses appear at the end of the clause.

Review **Strukturen 5** in **Kapitel 3; Strukturen 1** in **Kapitel 7; Strukturen 1, 4, 6** in **Kapitel 9;** and **Strukturen 5** in this chapter.

A. Coordination

These are the five most common coordinating conjunctions.

| | |
|---|---|
| und | *and* |
| oder | *or* |
| aber | *but* |
| sondern | *but, on the contrary* |
| denn | *because* |

In clauses joined with these conjunctions, the conjugated verb is in second position in both statements.

| CLAUSE 1 | CONJ. | CLAUSE 2 |
|---|---|---|
| I II | | I II |
| Ich muss noch viel lernen, | denn | ich habe morgen eine Prüfung. |

(*I still have to study a lot, since I have a test tomorrow.*)

B. Subordination

Clauses joined by subordinating conjunctions follow one of two word order patterns.

1. When the sentence begins with the main clause, that clause has regular word order (verb second in statements) and the dependent clause introduced by the conjunction has dependent word order (verb last).

| CLAUSE 1 | CONJ. | CLAUSE 2 |
|---|---|---|
| I II | | I LAST |
| Ich muss noch viel lernen, | weil | ich morgen eine Prüfung habe. |

(*I still have to study a lot because I have a test tomorrow.*)

2. When the sentence begins with the dependent clause, the entire dependent clause is considered the first part of the main clause and occupies first position. The verb-second rule applies, then, moving the subject of the main clause to the position immediately following the verb.

| CLAUSE 1 | CLAUSE 2 |
|---|---|
| I | II SUBJECT |
| Weil ich morgen eine Prüfung habe, | muss ich noch viel lernen. |

(*Because I have a test tomorrow, I still have to study a lot.*)

Here are the most commonly used subordinating conjunctions.

| | |
|---|---|
| als | *when* |
| bevor | *before* |
| damit | *so that* |
| dass | *that* |
| indem | *by, while* |
| nachdem | *after* |
| ob | *whether, if* |
| obwohl | *although* |
| während | *while* |
| weil | *because, since* |
| wenn | *if, when* |

## Übung G. Opa ist im Garten

Ergänzen Sie **dass, ob, weil, damit** oder **wenn.**

1. OMA: Weißt du, _____[a] Opa schon den Rasen gemäht hat?
   ESKE: Ich weiß nur, _____[b] er schon seit zwei Stunden im Garten ist.
   OMA: _____[c] Opa schon so lange im Garten ist, liegt er bestimmt in der Sonne.
2. ESKE: Du, Opi, was machst du denn im Gras?
   OPA: Ich habe mich nur kurz hingelegt, _____[a] mich die Nachbarn nicht sehen.
   ESKE: Aber warum sollen die dich denn nicht sehen?
   OPA: _____[b] ich mich heute noch nicht rasiert[1] habe.

## Übung H. Minidialoge

Ergänzen Sie **obwohl, als, nachdem, bevor** oder **während.**

1. HERR MOSER: Was hat denn deine Tochter gesagt, _____[a] du mit deiner neuen Frisur[2] nach Hause gekommen bist?
   HERR FUCHS: Zuerst gar nichts. Erst _____[b] sie ein paar Mal um mich herumgegangen war, hat sie angefangen zu lachen und gesagt: „Aber, Papi, erst fast eine Glatze[3] und jetzt so viele Haare. Das sieht aber komisch aus!“
2. FRAU ROWOHLT: Guten Tag, Herr Okonkwo! Kommen Sie doch bitte erst zu mir, _____ Sie mit Ihrer Arbeit beginnen.
   HERR OKONKWO: Aber natürlich, Frau Direktorin.
3. LEON: Ja, seid ihr denn immer noch nicht fertig? Was habt ihr eigentlich die ganze Zeit gemacht?
   JULIA: _____ du dich stundenlang geduscht hast, haben wir die ganze Wohnung geputzt.
4. MARIA: Aber, Herr Wachtmeister[4], könnten Sie nicht mal ein Auge zudrücken[5]? Die Ampel[6] war doch schon fast wieder grün.
   POLIZIST: Nein, leider nicht, _____ ich es gern tun würde, meine gnädige[7] Frau. Aber Sie wissen ja, Pflicht ist Pflicht.

[1]*shaved* [2]*hairstyle* [3]*bald head* [4]*officer* [5]*ein ... turn a blind eye* [6]*traffic light* [7]*dear*

# Videoecke

## Perspektiven

Was hältst du von Tattoos oder Piercings?

McGraw-Hill/Klic Video Productions

Tattoos und Piercings gehören zum Zeitgeschmack.

### Aufgabe 1 Tattoos und Piercings

Wer mag Tattoos? Wer mag Piercings? Wer mag weder Tattoos noch Piercings? Ordnen Sie die Personen in drei Kategorien.

1. Michael

2. Judith

3. Nadezda

4. Pascal

5. Sophie

6. Felicitas

7. Tina

8. Martin

McGraw-Hill/Klic Video Productions

| Tattoos | Piercings | weder/noch |
|---|---|---|
| | | |
| | | |
| | | |
| | | |
| | | |

### Aufgabe 2 Wer sagt das?

Schreiben Sie die Namen neben die Aussagen.

1. Ich finde Tattoos und Piercings absolut hässlich.
2. Ich habe ein Tattoo.
3. Ich habe zu große Angst vor den Schmerzen.
4. Man soll möglichst natürlich aussehen.
5. Piercings sind nicht so mein Ding.
6. Tattoos und Piercings kommen irgendwann wieder aus der Mode.

| Miniwörterbuch | |
| --- | --- |
| **hässlich** | ugly |
| der **Geschmack** | taste |
| die **Mode** | fashion |
| die **Grippe** | flu |
| der **Husten** | cough |
| der **Schnupfen** | head cold, sniffles |
| **übel sein** (+ *dat.*) | to feel nauseous, sick |
| **gesetzlich** | legal; public |
| **versichert** | insured |
| das **Gehalt** | salary |

## Interviews

- Wann warst du das letzte Mal krank?
- Was hattest du?
- Was machst du, wenn du dich erkältet hast[1]?
- Hattest du schon mal einen Unfall? Erzähl mal.
- Was für eine Krankenversicherung hast du?
- Wie viel kostet sie?
- Bist du mit ihr zufrieden?

McGraw-Hill/Klic Video Productions

Albrecht

McGraw-Hill/Klic Video Productions

Michael

### Aufgabe 3 Albrecht oder Michael?

Sehen Sie sich das Video an und ergänzen Sie die Tabelle.

| | Albrecht | Michael |
| --- | --- | --- |
| *Wann war er das letzte Mal krank?* | | |
| *Was hatte er?* | | |
| *Was macht er, wenn er sich erkältet hat?* | | |
| *Was für eine Krankenversicherung hat er?* | | |
| *Wie viel kostet sie?* | | |
| *Ist er damit zufrieden?* | | |

[1]dich ... *have caught a cold*

# Wortschatz zum Lernen

| **Krankheit** | **Illness** |
|---|---|
| **ab·bauen, abgebaut** | to bring down, alleviate, reduce |
| **(sich) ärgern** | to anger (to get angry) |
| →**auf·fallen, fällt ... auf, fiel ... auf, ist aufgefallen** | to stand out, attract attention |
| →**(sich) auf·regen, aufgeregt** | to excite (to get excited, upset) |
| **aus·probieren, ausprobiert** | to try (out), test |
| **sich erholen** | to relax, recuperate |
| →**sich freuen (über)** (+ *acc.*) | to be happy, pleased (about) |
| **hemmen** | to inhibit, impede |
| **hinzu·fügen, fügt ... hinzu, hinzugefügt** | to add |
| **raten, rät, riet, geraten** (+ *dat.*) | to advise, counsel; to guess |
| →**reduzieren** | to reduce |
| →**scheinen, schien, geschienen** | to shine; to seem, appear |
| →**(sich) verletzen** | to injure (oneself) |
| **(sich) weh·tun, tut ... weh, tat ... weh, wehgetan** | to hurt (oneself) |
| die **Entzündung, -en** | infection |
| →die **Gesundheit** | health |
| →die **Krankheit, -en** | illness, sickness |
| die **Scheibe, -n** | slice, disc, pane |
| die **Verletzung, -en** | injury, violation |
| die **Wunde, -n** | wound |
| →die **Zigarette, -n** | cigarette |
| die **Zunge, -n** | tongue |
| →der **Finger, -** | finger |
| der **Magen, ¨** | stomach |
| →der **Muskel, -n** | muscle |
| →der **Schmerz, -en** | pain |
| →der **Verband, ¨e** | bandage |
| →der **Zahn, ¨e** | tooth |
| das **Fieber** | fever |
| →**dass** | that (*conj.*) |
| →**wohl** | well; probably, arguably |

| **Körperpflege** | **Body Care** |
|---|---|
| **atmen** | to breathe |
| →**beeindrucken, beeindruckt** | to impress |
| **belasten** | to burden, charge, strain |
| →**greifen, griff, gegriffen** | to grab, grasp |
| **räumen** | to clear, vacate |
| →**riechen, roch, gerochen** | to smell |
| →**unterstützen, unterstützt** | to assist, support |
| →**sich verhalten, verhält, verhielt, verhalten** | to behave, act |
| **widmen** (+ *dat.*) | to dedicate |
| die **Lippe, -n** | lip |
| die **Lunge, -n** | lung |
| →die **Mitarbeiterin, -nen** | female employee, staff |
| die **Pflege** | care |
| die **Regisseurin, -nen** | female film director |
| die **Tablette, -n** | tablet, pill |
| →die **Touristin, -nen** | female tourist |
| die **Trennung, -en** | separation, segregation |
| →der **Auftrag, ¨e** | order, instruction |
| →der **Mitarbeiter, -** | male employee, staff |
| der **Nagel, ¨** | nail |
| der **Regisseur, -e** | male film director |
| der **Tourist, -en** (*wk. masc.*) | male tourist |
| →das **Gehirn, -e** | brain |
| das **Zuhause** | home |
| →**angeblich** | alleged(ly), supposed(ly) |
| →**bewusst** | aware, conscious(ly); deliberate(ly) |
| **blass** | pale |
| **dankbar** | grateful(ly), thankful(ly) |
| →**fern** | far, distant(ly) |
| **trocken** | dry(ly) |
| →**völlig** | full(y), complete(ly) |
| →**dennoch** | still, however, nonetheless |
| →**deren** (*fem./plur.*) | whose; of which; her/its/their |
| →**dessen** (*masc./neut.*) | whose; of which; his/its |
| →**nämlich** | namely |
| →**schließlich** | finally |

| **Arzt, Apotheke, Krankenhaus** | **Physician, Pharmacy, Hospital** |
|---|---|
| →**an·nehmen, nimmt ... an, nahm ... an, angenommen** | to accept, adopt, take, assume |
| →**auf·lösen, aufgelöst** | to dissolve, break up |
| →**behandeln** | to treat, deal with |
| →**sich beschäftigen (mit)** | to deal (with) |
| →**brechen, bricht, brach, gebrochen** | to break |
| **operieren** | to operate |
| **operiert werden** | to undergo surgery |
| **verbrennen, verbrannte, verbrannt** | to burn |
| →**wirken** | to work, take effect |
| →**zu·nehmen, nimmt ... zu, nahm ... zu, zugenommen** | to increase, grow, rise |

| | |
|---|---|
| →die **Behandlung, -en** | treatment, procedure, care |
| →die **Grundlage, -n** | base, basis |
| die **Helferin, -nen** | female assistant, helper |
| die **Leber, -n** | liver |
| →die **Medizin** | medicine |
| die **Niere, -n** | kidney |
| die **Persönlichkeit, -en** | personality |
| →die **Seele, -n** | soul, spirit |
| →die **Störung, -en** | disturbance, disruption |
| →die **Ursache, -n** | cause, reason |
| →die **Wissenschaftlerin, -nen** | female scientist, scholar |
| →der **Aspekt, -e** | aspect |
| der **Darm, ¨-e** | intestine |
| →der **Fortschritt, -e** | progress |
| der **Grundsatz, ¨-e** | principle, tenet |
| der **Helfer, -** | male assistant, helper |
| →der **Wissenschaftler, -** | male scientist, scholar |
| →das **Gleichgewicht, -e** | balance, equilibrium |
| das **Medikament, -e** | medicine |
| ein **Medikament gegen** | medicine for |
| →das **Phänomen, -e** | phenomenon |
| die **Antibiotika** (*pl.*) | antibiotics |
| **hauptsächlich** | primary, primarily, main(ly) |
| →**medizinisch** | medical(ly) |
| →**stark** | strong(ly), severe(ly), heavy, heavily |
| →**weltweit** | worldwide |
| →**mal** | times; sometime, anytime |

| Unfälle | Accidents |
|---|---|
| →**achten auf** (+ *acc.*) | to watch out for, pay attention to |
| **beschädigen** | to damage |
| **bremsen** | to brake |
| →**brennen, brannte, gebrannt** | to burn |
| **decken** | to cover |
| →**durch·führen, durchgeführt** | to carry out, execute, implement |
| →**erfassen** | to measure, record, capture, catch |
| **erwischen** | to catch, nab |
| **flüchten, ist geflüchtet** | to flee |
| →**stecken** | to put, plug, insert |
| **stecken bleiben** | to get stuck |
| →**stoßen, stößt, stieß, gestoßen** | to bump, shove, punch |
| →die **Beamtin, -nen** | female official, civil servant |
| →die **Decke, -n** | blanket |
| die **Feuerwehr** | fire department |
| →die **Hilfe** | help |
| die **Verletzte, -n** | female injured person |
| die **Zeugin, -nen** | female witness |
| →der **Beamte, -n (ein Beamter)** | male official, civil servant |
| →der **Bereich, -e** | area |
| der **Brand, ¨-e** | fire, blaze |
| der **Geschmack, ¨-e** | taste |
| →der **Schaden, ¨** | damage |
| der **Schock, -s** | shock |
| →der **Schritt, -e** | step, stride |
| →der **Verletzte, -n (ein Verletzter)** | male injured person |
| der **Zeuge, -n** (*wk. masc.*) | male witness |
| →**gesetzlich** | legal(ly), statutory; public |
| →**schmal** | narrow(ly), slim, slender |
| →**bevor** | before (*conj.*) |
| →**damit** | so that (*conj.*) |
| →**irgendwann** | anytime, sometime |
| →**jedenfalls** | at least, in any case |
| →**weder ... noch ...** | neither . . . nor . . . |

KAPITEL 12

# Das 21. Jahrhundert

## Themen

Klima

Diversität

Politik

Kunst und Literatur

## Kulturelles

Kunst: Hanefi Yeter (*Analphabeten in zwei Sprachen*)

KLI: Geschlechtergerechte Sprache

Musikszene: „Liebe verbreiten“ (Leila Akinyi)

KLI: Politische Parteien

Videoecke: Medien und Finanzen

## Strukturen

1. Allowing or causing something to be done: The verb **lassen**
2. Word formation: Adjectives with **-ig, -isch, -lich,** and **un-**
3. Infinitive clauses with **zu** and **um ... zu**
4. Expressing possibility: **würde, hätte,** and **wäre**
5. Principles of case (summary review)

## Lektüren

Ballade: „Die Brück' am Tay“ (Theodor Fontane)

Film: *Vor der Morgenröte* (Maria Schrader)

After completing **Kapitel 12,** you will be able to . . .

- exchange opinions and information in conversations about contemporary environmental and social issues and politics, forming sentences and series of connected sentences and asking a variety of follow-up questions
- tell and summarize stories about climate-related, social, or political events you have witnessed in addition to fictional events depicted in films or literary works, using sentences and series of connected sentences
- identify the main message or story and most supporting details across major time frames in longer informational and fictional texts with the help of key vocabulary items
- understand the main message and some supporting details expressed in various time frames in popular songs, conversations, and discussions related to environmental, social, political, and historical issues with the help of key vocabulary items
- write a story or tale about environmental, social, political, and historical issues, using a few short paragraphs, often across various time frames
- compare products and practices in your area with those in German-speaking countries with respect to environmental, political, and social issues
- identify and compare products and practices in your area with those in German-speaking countries, such as culturally important pieces of literature and art

Hanefi Yeter: *Analphabeten in zwei Sprachen* (1978), Privatbesitz



## KUNST UND KUNSTSCHAFFENDE

Der Maler und Bildhauer[1] Hanefi Yeter (geb. 1947 in Bayburt, Türkei) studierte zuerst in Istanbul an der Akademie der schönen Künste und lebt seit 1973 in Berlin, wo er an der Hochschule der Künste einen Abschluss machte. Er zeigt in seinen Kunstwerken die unterschiedlichen kulturellen Traditionen Deutschlands und der Türkei und stellt sie gleichberechtigt[2] mit viel Humor und Ironie nebeneinander. Hanefi Yeter stellt seine Werke unter anderem in der Türkei, in Österreich und in Deutschland aus.

Das Bild „Analphabeten in zwei Sprachen" spielt auf die Konflikte von Kindern und Jugendlichen mit Migrationshintergrund[3] an[4], die zu Hause mit der Kultur und den Wertvorstellungen[5] der Eltern und außerhalb des Elternhauses mit ganz anderen Werten konfrontiert werden. Dies kann für Jungen, aber noch mehr für Mädchen zum Problem werden.

Betrachten Sie das Bild und beantworten Sie die folgenden Fragen.

1. Was sehen Sie auf dem Bild? Beschreiben Sie es.
2. Welche Farben dominieren auf dem Bild?
3. Welche Stimmung ruft das Bild hervor?
4. Welche Erinnerungen ruft das Bild bei Ihnen hervor?
5. An der Tafel steht „Ayşe darf nicht ...". Was darf Ayşe nicht? Was glauben Sie? Sammeln Sie Ihre Hypothesen.
6. Wie stehen der Junge und das Mädchen vor der Tafel und wie stehen der Junge und das Mädchen in der Zeichnung auf der Tafel? Welche Hinweise auf traditionelle Geschlechterrollen werden hier gegeben?

| Miniwörterbuch | |
|---|---|
| das **Kunstwerk, -e** | work of art |
| **kulturell** | cultural(ly) |
| die **Ironie** | irony |
| **nebeneinander** | side by side |
| **ausstellen, stellt ... aus, ausgestellt** | to show, exhibit |
| der **Konflikt, -e** | conflict |
| **außerhalb** | outside of |
| der **Hinweis, -e** | reference, indication |

[1]*sculptor* [2]*on a par, equitably* [3]*migration background* [4]auf etwas anspielen *to allude to something* [5]*values*

# Situationen

## Klima

PROFESSOR SCHULZ: Lässt sich der Klimawandel noch steuern?

PEDRO: Jedes Jahr wird es heißer. Die Hitze in manchen Ländern lässt sich nicht mehr aushalten.

MEILI: In vielen Ländern wird das Wasser knapp. Das führt zu Konflikten und Kriegen und noch mehr Menschen werden vertrieben und werden zu Flüchtlingen.

HEIDI: Die Auswirkungen des Klimawandels erleben wir schon jetzt. Es gibt viel mehr Stürme und Fluten.

NOAH: Gegen Naturkatastrophen lässt sich leider wenig machen.

HEIDI: Doch! Man kann verhindern, dass Menschen in Gefahrenzonen leben, zum Beispiel am Meer.

MIGUEL: Wind- und Sonnenenergie müssen Kohle und Erdöl ersetzen.

SHANNON: Die Wissenschaft muss helfen, neue Lösungen müssen gefunden werden.

## Situation 1 Definitionen: Klimawandel

1. das Wetter
2. das Klima
3. der Niederschlag
4. der Temperaturanstieg
5. der Klimaschutz
6. das Erdöl
7. die fossilen Energien
8. die Bevölkerung
9. die Technik
10. die Industrialisierung
11. die Reduzierung

a. das mittlere Wetter über einen Zeitraum von mindestens 30 Jahren
b. der gegenwärtige Zustand der Atmosphäre
c. die Menschen einer Region, eines Landes, der Welt
d. Handlungen, die verhindern, dass sich das Klima ändert
e. Holz, Kohle, Erdöl, Erdgas
f. Öl, das aus dem Inneren der Erde kommt
g. Schnee oder Regen
h. technische Geräte oder Gegenstände
i. Übergang von einer agrarischen auf eine industrielle Gesellschaft
j. wenn es wärmer wird
k. wenn etwas weniger wird

## Situation 2 Wer weiß – gewinnt: Klimaveränderung

1. Temperaturanstieg in der Schweiz seit 1864
2. Klimaveränderungen in der Schweiz in den nächsten Jahrzehnten
3. globaler Temperaturanstieg seit 1901
4. Klimaziel des Pariser Klimaabkommens
5. Jahr der ersten Weltklimakonferenz in Genf
6. Grund für die meisten anthropogenen $CO_2$-Emissionen
7. $CO_2$-Emissionen pro Kopf in Deutschland
8. der größte $CO_2$-Produzent in absoluten Zahlen
9. der größte $CO_2$-Produzent pro Kopf
10. ein Problem wärmerer Meere
11. Reduzierung von $CO_2$-Emissionen, die durch Ernährung verursacht werden, wenn alle Menschen vegan essen würden
12. bestes Transportmittel für das Klima bei weiten Reisen

a. 1979
b. 2 Grad Celsius
c. circa 0,8 Grad Celsius
d. 8,8 Tonnen
e. 49%
f. China
g. der Zug
h. Katar
i. können weniger $CO_2$ aufnehmen
j. Temperaturanstieg von nicht mehr als 2 Grad
k. Nutzung fossiler Brennstoffe
l. trockenere Sommer, mehr Hitzetage, heftigere Niederschläge, weniger Schnee

## Situation 3 Interview: Klimawandel

1. Arbeitest du gern im Garten oder bist du sonst gern in der freien Natur? Was machst du?
2. Warst du als Kind oft in der freien Natur? Was hast du gemacht?
3. Findest du, dass das Wetter vor 10 Jahren anders war? Gib einige Beispiele!
4. Kommst du aus einer eher kühlen oder eher heißen Region? Beschreibe das Wetter in deiner Region in allen vier Jahreszeiten!

5. Hast du schon mal extrem große Hitze oder Kälte erlebt? Erzähle davon!
6. Welche Auswirkungen des Klimawandels hast du persönlich erlebt? Nenne zwei bis drei Auswirkungen und erzähle davon.
7. Was sind, deiner Meinung nach, die wichtigsten Schritte, die gegen den Klimawandel unternommen werden müssen? Was machst du, um einen Beitrag zu leisten?
8. Kennst du Leute, die nicht glauben, dass es einen Klimawandel gibt? Oder Leute, die sagen, dass es keine Klimakrise gibt? Welche Gründe nennen sie?

### Situation 4 Diskussion: Klimaschutz

Welche Möglichkeiten gibt es, das Klima zu schützen? Sehen Sie sich die folgenden Aussagen an und entscheiden Sie, wie wichtig sie für den Klimaschutz sind: 1 = sehr wichtig, 2 = wichtig, 3 = nicht so wichtig, 4 = unwichtig. Bringen Sie dann die Aussagen in die Reihenfolge ihrer Wichtigkeit. Versuchen Sie, zu einem Konsens zu kommen.

_____ auf fossile Energien verzichten
_____ keine weiten Reisen mit dem Flugzeug machen
_____ mit dem Fahrrad statt mit dem Auto fahren
_____ öffentliche Transportmittel benutzen
_____ Politiker*innen wählen, die sich für Klimaschutz einsetzen
_____ Technik mieten statt kaufen
_____ vegan essen
_____ weniger Lebensmittel in den Müll werfen
_____ weniger neue und mehr gebrauchte Sachen kaufen
_____ weniger Plastik nutzen

## Lektüre

### Vor dem Lesen

**A.** Was assoziieren Sie mit einer Hexe? Denken Sie an Kleidung, Verhalten, Charakter, literarische Kontexte.
**B.** Welche Stücke oder Gedichte von William Shakespeare kennen Sie? In welchem Stück kommen Hexen vor? Was machen sie?
**C.** Lesen Sie die Wörter im Miniwörterbuch. Suchen Sie sie in den Aktivitäten und im Text und markieren Sie sie.

**LESEHILFE**

The poem, „Die Brück' am Tay," was written by Theodor Fontane (1819–1898). Fontane was a German novelist and poet and is one of the best-known German realists. „Die Brück' am Tay" is a ballad. A ballad is a long poem that combines elements of poetry, prose, and drama. It is in verse and typically contains dialogue as a dramatic feature. The theme or content of a ballad is often based on a true story. „Die Brück' am Tay" tells the story of the disaster that occurred in the Firth of Tay in Scotland in 1879. Note that Fontane often deletes unaccented final *-e* and *-en* in words for rhyming reasons. When he does, he uses an apostrophe to indicate that these letters are missing, e.g. *Brück'* for *Brücke* and *zusamm'* for *zusammen*.

### Die Brück' am Tay

von Theodor Fontane

*When shall we three meet again?*
*(Shakespeare: Macbeth)*

»Wann treffen wir drei wieder zusamm'?«
»Um die siebente Stund', am Brückendamm[1].«
»Am Mittelpfeiler[2].«
»Ich lösche die Flamm'.«
»Ich mit.«
»Ich komme vom Norden her.«
»Und ich von Süden.«
»Und ich vom Meer.«

[1]*dam of the bridge* [2]*central pillar*

Wann treffen wir drei wieder zusammen?

## Miniwörterbuch

| | |
|---|---|
| die **Hexe, -n** | witch |
| die **Kleidung** | clothes |
| **literarisch** | literary |
| der **Kontext, -e** | context |
| **trotz** | despite |
| das **Ufer, -** | shore |
| **heuer** | this year |
| der **Turm, ¨-e** | tower |
| **zwingen, zwang, gezwungen** | to force, coerce |
| **solche, solcher, solches** | such |
| der **Sieger, -** / die **Siegerin, -nen** | winner, victor |
| **ringen** | to struggle, strive |
| der **Stolz** | pride |
| **drüben** | over there, yonder |
| **unten** | below, down |
| die **Mitternacht** | midnight |
| **steuern** | to drive, pilot |
| **verabreden, verabredet** | to agree |
| der **Bau, -ten** | construction, building |
| **erneut** | again, anew |
| das **Unglück** | accident, disaster |
| **besitzen, besaß, besessen** | to possess, own |
| die **Katastrophe, -n** | catastrophe |

»Hei, das gibt ein Ringelreihn[3],
Und die Brücke muss in den Grund hinein.«
»Und der Zug, der in die Brücke tritt
Um die siebente Stund'?«
»Ei, der muss mit.«
»Muss mit.«
»Tand[4], Tand,
Ist das Gebilde[5] von Menschenhand.«

* * *

Auf der Norderseite, das Brückenhaus -
Alle Fenster sehen nach Süden aus,
Und die Brücknersleut', ohne Rast[6] und Ruh
Und in Bangen[7] sehen nach Süden zu,
Sehen und warten, ob nicht ein Licht
Übers Wasser hin »ich komme« spricht,
»Ich komme, trotz Nacht und Sturmesflug,
Ich, der Edinburger Zug.«
Und der Brückner jetzt: »Ich seh einen Schein[8]
Am anderen Ufer. Das muss er sein.
Nun Mutter, weg mit dem bangen[9] Traum,
Unser Johnie kommt und will seinen Baum,
Und was noch am Baume von Lichtern ist,
Zünd' alles an wie zum heiligen Christ,
Der will heuer zweimal mit uns sein, -
Und in elf Minuten ist er herein.«
Und es war der Zug. Am Süderturm
Keucht[10] er vorbei jetzt gegen den Sturm,
Und Johnie spricht: »Die Brücke noch!
Aber was tut es, wir zwingen es doch.
Ein fester Kessel[11], ein doppelter Dampf[12],
Die bleiben Sieger in solchem Kampf,
Und wie's auch rast[13] und ringt und rennt,
Wir kriegen es unter[14]: das Element.«
»Und unser Stolz ist unsre Brück';
Ich lache, denk ich an früher zurück,
An all den Jammer[15] und all die Not
Mit dem elend[16] alten Schifferboot;
Wie manche liebe Christfestnacht
Hab ich im Fährhaus[17] zugebracht[18],
Und sah unsrer Fenster lichten Schein,
Und zählte, und konnte nicht drüben sein.«
Auf der Norderseite, das Brückenhaus -
Alle Fenster sehen nach Süden aus,
Und die Brücknersleut' ohne Rast und Ruh
Und in Bangen sehen nach Süden zu;
Denn wütender wurde der Winde Spiel,
Und jetzt, als ob Feuer vom Himmel fiel',
Erglüht es in niederschießender Pracht
Überm Wasser unten ... Und wieder ist Nacht.

* * *

[3]*merry-go-round* [4]*baubles, frills* [5]*creations* [6]*rest* [7]*trepidation* [8]*light* [9]*anxious* [10]*wheezes* [11]*boiler* [12]*steam* [13]*rages* [14]kriegen ... *will defeat it* [15]*misery* [16]*miserably* [17]*ferry house* [18]*spent*

»Wann treffen wir drei wieder zusamm'?«
»Um Mitternacht, am Bergeskamm[19].«
»Auf dem hohen Moor, am Erlenstamm[20].«
»Ich komme.«
»Ich mit.«
»Ich nenn euch die Zahl.«
»Und ich die Namen.«
»Und ich die Qual[21].«
»Hei!
Wie Splitter[22] brach das Gebälk[23] entzwei[24].«
»Tand, Tand,
Ist das Gebilde von Menschenhand.«

Source: Fontane, Theodor. Die Brück' am Tay. *„Die Gegenwart: Wochenschrift für Literatur, Kunst und öffentliches Leben."* Vol. 17, no. 2, January 10, 1880, 20–21.

## Arbeit mit dem Text

**A. Handlung.** Die folgenden Sätze fassen die Handlung zusammen. Bringen Sie sie in die richtige Reihenfolge.

_____ Johnie ist der Lokführer[25] und steuert den Zug im schweren Sturm auf die Brücke.
__1__ Die Hexen treffen sich und verabreden, die Brücke über den Firth of Tay zu zerstören.
_____ Vor dem Bau der Brücke war Johnie an Weihnachten oft nicht zu Hause.
_____ Johnies Eltern warten am Nordufer des Firth of Tay auf den Zug aus Edinburg.
_____ Die Brücke stürzt im Sturm ein und reißt den Zug mit.
_____ Der Vater sieht den Zug am Südufer und hofft, dass er in elf Minuten da ist.
_____ Die Mutter hat Angst um ihren Sohn Johnie.
_____ Die Hexen treffen sich und verabreden sich erneut, um über das Unglück zu sprechen.

Interfoto/Alamy
Aus der *Illustrirte Zeitung*, Leipzig, 17. 1. 1880

**B. Leitmotiv.** Die Ballade beginnt und endet mit dem Dialog der Hexen. Am Ende steht jeweils der Satz „Tand, Tand, ist das Gebilde von Menschenhand". („Tand" bedeutet etwas Wertloses.) Was bedeutet der Satz?

☐ Die Hände von Menschen sind wertlos.
☐ Menschen besitzen oft wertlose Dinge.
☐ Dinge, die Menschen bauen, sind wertlos.

**C. Aussage.** Welcher der drei Sätze gibt die zentrale Aussage der Ballade am besten wieder?

☐ Fontane kritisiert die Hybris der technischen Welt.
☐ Die Hexen sind für Fontane die Inkarnation des Bösen.
☐ Eltern sorgen sich immer und überall um ihre Kinder.

## Nach dem Lesen

**A.** Recherchieren Sie zum Zugunglück am Firth of Tay. Was ist wirklich passiert?
**B.** Suchen Sie im Internet Informationen zu Theodor Fontane und stellen Sie sie der Klasse vor.
**C.** Wählen Sie eine andere Ballade von Theodor Fontane oder einem/einer anderen deutschen Dichter oder Dichterin zu einem anderen großen Unglück oder einer Katastrophe und erstellen Sie ein Poster oder eine Präsentation.

[19]*mountain ridge* [20]*alder trunk* [21]*agony* [22]*splinters* [23]*woodwork* [24]*asunder* [25]*engineer*

# Strukturen

## 1. Allowing or causing something to be done: The verb *lassen*

As the main verb in a sentence, **lassen** corresponds to English *to leave (someone/something) behind.*

| | |
|---|---|
| Steve hat sein Auto zu Hause **gelassen.** | *Steve left his car at home.* |

In the perfect tense: when another infinitive is present, use the infinitive **lassen** instead of **gelassen.**

The verb **lassen** is also used as an auxiliary verb. In this function, it can indicate that someone leaves something hanging, standing, lying, burning, and so forth: **etwas hängen/stehen/liegen/brennen/stecken lassen,** or that someone has dropped something: **etwas fallen lassen.** Note that the infinitive **lassen** rather than the past participle **gelassen** is used when another infinitive is present (double infinitive construction).

| | |
|---|---|
| Steve hat den Schlüssel in der Tür **stecken lassen.** | *Steve left the key in the door.* |
| Miguel hat die Weingläser **fallen lassen.** | *Miguel dropped the wine glasses.* |

**WISSEN SIE NOCH?**

You learned the reflexive pronouns in a previous chapter.

Review **Strukturen 1** and **2** in **Kapitel 11.**

A. **lassen/sich lassen** with a personal subject

In many instances, **lassen** is used with another verb and indicates either that someone **allows** something to happen (**zulassen**) or that someone **causes** something to happen (**veranlassen**). If what is happening is happening to the subject, reflexive pronouns are used.

| | |
|---|---|
| Shannon **lässt** das Telefon klingeln, wenn sie die Nummer nicht kennt. | *Shannon lets the phone ring when she doesn't recognize the number.* |
| Meili **lässt** ihre Freunde immer warten. | *Meili always makes her friends wait.* |
| Noah **lässt sich** die Haare wachsen. | *Noah is letting his hair grow.* |

The verb **lassen** usually governs the accusative case. The subject of the clause without **lassen** becomes the direct object of the clause with **lassen.**

| | |
|---|---|
| Meilis Freund (**er**) wartet. | *Meili's friend (he) is waiting.* |
| Meili lässt ihren Freund (**ihn**) warten. | *Meili's making her friend (him) wait.* |

When **lassen** is used reflexively, the second verb (the infinitive) determines the case of nouns and pronouns.

| | |
|---|---|
| Ich lasse **mir** helfen. (Jemand hilft **mir**.) | *I'm getting help. (Someone is helping me.)* |
| Ich lasse **mich** abholen. (Jemand holt **mich** ab.) | *I'm getting picked up. (Someone is picking me up.)* |

B. **sich lassen** with an impersonal subject

When **sich lassen** is used with an impersonal subject, it is like a passive combined with a modal meaning *can be done*. It is often used in written texts instead of a passive construction with **können:** for example, **lässt sich machen** instead of **kann gemacht werden.**

| | |
|---|---|
| Die Hitze lässt sich nicht aushalten. | *The heat is unbearable (cannot be tolerated).* |
| Gegen Naturkatastrophen lässt sich wenig machen. | *Not much can be done against natural catastrophes.* |

## Übung A. Minidialoge

Ergänzen Sie!

**ließ** **lassen** **beeindrucken** **lasse** **steuern** **aussteigen** **operieren**

1. MICHAEL: Maria, wieso ist denn die Autotür zu? Lass mich bitte aussteigen.
   MARIA: Ich lasse dich gerne __________, aber die Autotür ist kaputt.
2. FRAU GRUBER: Hallo, Frau Körner. Haben Sie gesehen, mit welchen Augen Herr Pusch Ihren neuen BMW angesehen hat?
   FRAU KÖRNER: Ja, Frau Gruber, Herr Pusch lässt sich leicht __________.
3. YUSUF: Der Jäger fand Schneewittchen, aber sie tat ihm so leid, dass er sie wieder laufen __________.
   ELIF: Was hat die Königin denn dann mit dem Jäger gemacht?
   YUSUF: Sie hat ihn ermorden __________.
   ELIF: Oh, nein!
4. HERR MOSER: Wissen Sie, wie das Flugzeugunglück passiert ist?
   HERR FUCHS: In der Zeitung stand, das Flugzeug ließ sich nicht mehr __________.
5. HERR MOSER: Herr Ruf, wie geht es Ihnen? Wollten Sie sich nicht __________ lassen?
   HERR RUF: Ja, die Operation ist jetzt schon morgen.
6. HEIDI: Hallo, Miguel, deine Haare sind jetzt aber schon ganz schön lang.
   MIGUEL: Ja, ich __________ sie mir wachsen.

## Übung B. Warum ist das so?

Stellen Sie Fragen. Verwenden Sie in jeder Frage eine Passivkonstruktion.

MODELL: Der $CO_2$-Anteil in der Atmosphäre lässt sich nicht reduzieren. → Warum kann der $CO_2$-Anteil nicht reduziert werden?

1. Der Klimawandel lässt sich nicht mehr aufhalten.
2. Gegen viele Auswirkungen des Klimawandels lässt sich nichts mehr tun.
3. Gegen Stürme und Fluten lässt sich nur wenig machen.
4. Auf fossile Energien lässt sich erst in vielen Jahren ganz verzichten.
5. Kohle und Erdöl lassen sich zur Zeit noch nicht ersetzen.
6. Die Klimaziele des Pariser Abkommens lassen sich nicht mehr erreichen.
7. Die Hybris der technischen Welt lässt sich leicht kritisieren.
8. Der Zug ließ sich nicht mehr bremsen.
9. Das Unglück ließ sich nicht verhindern.
10. Diese Krankheit lässt sich nicht heilen.

## 2. Word formation: Adjectives with *-ig*, *-isch*, *-lich*, and *un-*

Around three quarters of the 8,000 most frequently used German adjectives are a result of word formation. Half of these adjectives are formed with the suffixes **-ig, -isch,** and **-lich,** and another 8% are formed with the prefix **un-.**

| | |
|---|---|
| Der **gegenwärtige** Zustand der Atmosphäre ist **bedrohlich.** | *The present state of the atmosphere is threatening.* |
| In vielen **literarischen** Werken wird die Hybris der **technischen** Welt kritisiert. | *The hubris of the technical world is criticized in many literary works.* |
| Auch die Reduzierung von $CO_2$-Emissionen durch eine andere Ernährung ist nicht **unwichtig.** | *In addition, the reduction of $CO_2$ emissions by means of a change in diet is not unimportant.* |

### A. Adjectives ending in -ig

Solarenergie in Rheinland-Pfalz

schmidt-z/Getty Images

Most adjectives in **-ig** are derived from nouns. They indicate that someone or something is full of the quality implied in the noun. If the noun ends in an unstressed **-e,** the ending is dropped. A vowel that can be umlauted, such as **a, o, u,** or **au,** is often umlauted to **ä, ö, ü,** or **äu.** The suffix **-ig** is related to English *-y,* but in English there are also other patterns that express the same relationship.

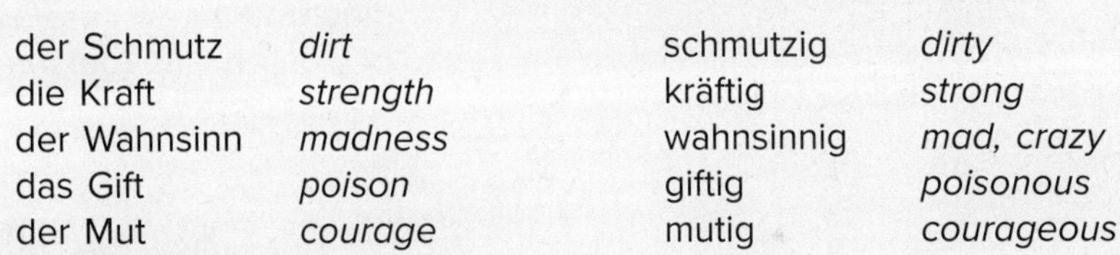

| | | | |
|---|---|---|---|
| der Schmutz | *dirt* | schmutzig | *dirty* |
| die Kraft | *strength* | kräftig | *strong* |
| der Wahnsinn | *madness* | wahnsinnig | *mad, crazy* |
| das Gift | *poison* | giftig | *poisonous* |
| der Mut | *courage* | mutig | *courageous* |

Some adjectives in **-ig** may also be derived from verbs, adverbs, and phrases.

| | | | |
|---|---|---|---|
| abhängen | *to depend* | abhängig | *dependent* |
| heute | *today* | heutig | *present, of today* |
| freier Wille | *free will* | freiwillig | *voluntary* |

### B. Adjectives ending in -isch

The vast majority (around 95%) of adjectives in **-isch** are derived from nouns. They indicate that someone or something exhibits the quality implied in the noun. Unstressed **-e** and final **-t** are usually deleted. A vowel that can be umlauted, such as **a, o, u,** or **au,** is often umlauted. The suffix **-isch** is related to English *-ish,* but there are other patterns in English that express the same relationship.

| | | | |
|---|---|---|---|
| Spanien | *Spain* | spanisch | *Spanish* |
| Japan | *Japan* | japanisch | *Japanese* |
| Medizin | *medicine* | medizinisch | *medical* |
| Politik | *politics* | politisch | *political* |
| Technik | *technology* | technisch | *technical* |
| Chemie | *chemistry* | chemisch | *chemical* |

C. Adjectives ending in **-lich**

Most adjectives in **-lich** are derived from nouns. They indicate that someone or something exhibits the quality implied in the noun. Some adjectives are also derived from verbs and commonly indicate that the action expressed in the verb is doable. Unstressed **-e** is usually deleted. A vowel that can be umlauted, such as **a, o, u,** or **au,** is often umlauted. The suffix **-lich** is related to English *-ly*, but there are other patterns in English that express the same relationship.

| | | | |
|---|---|---|---|
| der Freund | *friend* | freundlich | *friendly* |
| die Natur | *nature* | natürlich | *natural* |
| der Mensch | *human* | menschlich | *human* |
| die Wissenschaft | *science* | wissenschaftlich | *scientific* |
| glauben | *to believe* | unglaublich | *unbelievable* |
| nutzen | *to be useful* | nützlich | *useful* |

D. Adjectives beginning with **un-**

As in English, adjectives that begin with *un-* indicate the opposite of the base adjective. In German, this is a very frequent pattern. Many if not most adjectives may be negated by preceding them with **un-.** In English, there are additional patterns expressing the same relationship.

| | | | |
|---|---|---|---|
| bekannt | *known* | unbekannt | *unknown* |
| verheiratet | *married* | unverheiratet | *unmarried* |
| möglich | *possible* | unmöglich | *impossible* |
| persönlich | *personal* | unpersönlich | *impersonal* |

Peter Bernik/Shutterstock

Gemüse aus biologischem Anbau ohne chemische Mittel

## Übung C. Definitionen

Ordnen Sie die Erklärungen den Adjektiven zu.

1. Etwas, das man nicht kennt, ist ...
2. Etwas, das voll Gift ist, ist ...
3. Etwas, das voll Schmutz ist, ist ...
4. Jemand, der viel Kraft hat, ist ...
5. Jemand, der sich wie ein Mensch verhält, ist ...
6. Etwas, das sich auf die Wissenschaft bezieht, ist ...
7. Etwas, das man nicht glauben kann, ist ...
8. Etwas, das mit Chemie zu tun hat, ist ...
9. Etwas, das mit Politik zu tun hat, ist ...
10. Etwas, das sich auf einen bestimmten Typ bezieht, ist ...

a. chemisch.
b. giftig.
c. kräftig.
d. menschlich.
e. politisch.
f. schmutzig.
g. typisch.
h. unbekannt.
i. unglaublich.
j. wissenschaftlich.

# Situationen

## Diversität

LEON: Glaubst du, es ist möglich, eine Million Flüchtlinge zu integrieren?
CLAIRE: Ja, wichtig ist vor allem, Einstellungen zu ändern und Initiativen zu fördern.

FRAU GRUBER: Der erste Versuch, eine inklusive Sprache zu entwickeln, ist leider gescheitert.

MERT: Deutschland braucht in vielen Branchen ausländische Arbeitskräfte, insbesondere im MINT-Bereich.

DANIEL: Warum, glaubst du, gibt es so viel Hass und Wut in unserer Gesellschaft? Eigentlich ist das Leben doch viel zu kurz, um ständig zu streiten.

### Situation 5 **Definitionen**

1. der Frieden
2. die Aufenthaltserlaubnis
3. die Arbeitserlaubnis
4. der MINT-Bereich
5. das Geschlecht
6. etwas beantragen
7. scheitern
8. Ausländer/in
9. etwas berücksichtigen

a. Die braucht man, um in einem Land wohnen zu dürfen.
b. Der herrscht, wenn es keinen Krieg gibt.
c. Die braucht man, um arbeiten zu können.
d. eine Person, die in einem Land wohnt, ohne Staatsbürger/in zu sein
e. über etwas nachdenken und es beachten
f. Das passiert, wenn man etwas versucht, aber keinen Erfolg hat.
g. männlich, weiblich, divers
h. Das macht man, wenn man einen Antrag stellt.
i. Mathematik, Informatik, Naturwissenschaften, Technik

## Situation 6 Interview

1. Ist deine Familie eingewandert? Wenn ja, weißt du, wann deine Familie eingewandert ist? Woher kamen sie? Welche Sprachen haben sie gesprochen? Warum haben sie ihre Heimat verlassen?
2. Spricht man in deiner Familie mehr als eine Sprache? Welche? Welche Vorteile oder Nachteile hat das für dich?
3. Kennst du Einwanderer? Woher kommen sie? Sprechen sie Englisch? Warum sind sie eingewandert?
4. Weißt du, welche Bedingungen man erfüllen muss, um legal hier wohnen und arbeiten zu dürfen?
5. Welche Probleme können Einwanderer haben? Wie kann man diese Probleme lösen?

## Situation 7 Diskussion: Leben in einer fremden Kultur

Welche Probleme können Ausländer haben? Was ist für die Integration von Ausländern wichtig?

| Probleme von Ausländern | für die Integration wichtig |
|---|---|
| | |
| | |
| | |
| | |
| | |

**Geld verdienen** **eine Wohnung finden**
**eine gute Schulbildung bekommen**
**Feste gemeinsam feiern** **Heimweh haben**[1]
**Freunde finden** **gemeinsam Sport treiben**
**ein Kulturzentrum gründen** **die Sprache lernen**
**sich über die Kultur der anderen informieren**
**einen Arbeitsplatz finden** **seine Religion ausüben**
**_______?**

[1]Heimweh ... *to be homesick*

# KULTUR ... LANDESKUNDE ... INFORMATIONEN

## GESCHLECHTERGERECHTE SPRACHE

### Vor dem Lesen

- Wie sprechen Sie in Ihrer Sprache Männer und Frauen an?
- Wie sprechen Sie in Ihrer Sprache *über* Männer und Frauen? Benutzen Sie ähnliche Pronomina wie „er", „sie" und „sie" im Plural?
- Wie stellt sich inklusive oder geschlechtergerechte Sprache in Ihrem Land dar?

| Miniwörterbuch | |
|---|---|
| **ansprechen, spricht ... an, sprach ... an, angesprochen** | to address |
| **erfolgen, ist erfolgt** | to take place, occur |
| **überhaupt** | anyway, even |
| **sogenannt** | so-called |
| das **Geschlecht, -er** | gender |
| **einschließen, schließt ... ein, schloss ... ein, eingeschlossen** | to include |
| die **Initiative, -n** | initiative |
| die **Macht, ¨-e** | power |
| die **Bezeichnung, -en** | designation, name |
| **kritisieren** | to criticize, critique |
| **(un)sichtbar** | (in)visible |
| der/die **Beschäftigte, -n** | employee, worker |
| die **Teilnehmerin, -nen** | female participant |
| der **Versuch, -e** | attempt |
| **berücksichtigen** | to take into account |
| die **Verwendung, -en** | use, usage |
| **eintragen, trägt ... ein, trug ... ein, eingetragen** | to register, record |
| **entsprechen, entspricht, entsprach, entsprochen** | to correspond |
| **seitdem** | ever since |
| **angeben, gibt ... an, gab ... an, angegeben** | to indicate, cite |
| **betragen, beträgt, betrug, betragen** | to be, account for |
| **fördern** | to promote |
| der **Lohn, ¨-e** | wage, pay |
| die **Spitze, -n** | top, tip |
| **auftauchen, ist aufgetaucht** | to emerge, appear |

Volkmar Heinz/dpa-Zentralbild/ZB/dpa/Alamy

Männlich, weiblich oder divers?

„Gendersternchen" ist „Anglizismus des Jahres"! Die Wahl dazu erfolgte im Jahr 2019 und galt für das Jahr 2018. Im Jahr 2018 hatte nämlich die Verbreitung[1] dieses Begriffs rapide zugenommen. Aber was ist ein Gendersternchen überhaupt? Es ist ein Zeichen, in diesem Fall der sogenannte Asterisk, der zwischen Wortstamm und feminine Endung gesetzt wird, also zum Beispiel *Student*in, Lehrer*in, Fahrer*in*. Mit dieser Form soll eine inklusive Sprache erreicht werden, die alle Geschlechter einschließt, nicht nur die binären Geschlechter Frau und Mann.

Initiativen in dieser Richtung gibt es schon lange. Feministische Linguistinnen wie Senta Trömel-Plötz und Luise Pusch, die in den späten 1970er Jahren zum Thema Sprache und Geschlecht publizierten, sahen einen Zusammenhang zwischen gesellschaftlichen Machtverhältnissen und grammatikalischen und lexikalischen Phänomenen in der Sprache. Sie beschrieben eine frauenfeindliche[2], diskriminierende Sprache, zum Beispiel in abwertenden[3] Bezeichnungen für Frauen, wie *dumme Gans*[4] oder *alte Jungfer*[5] und im Gebrauch der Anrede *Fräulein* für unverheiratete Frauen (eine Anrede für unverheiratete Männer gab es nicht). Sie kritisierten, dass Frauen in der Sprache unsichtbar sind, z. B. durch das Pronomen *man* (Feministinnen benutzten demonstrativ *frau* als Alternative) und durch den Gebrauch des generischen Maskulins für gemischte[6] Gruppen. Als Alternative sollte man Doppelungen wie *Studentinnen und Studenten* oder Schreibweisen wie *LehrerInnen* oder *Fahrer/innen* verwenden. Viele Menschen versuchen auch mit Partizipien wie *Studierende, Kunstschaffende* oder *Geflüchtete*[7] einen respektvollen und nicht-sexistischen Sprachgebrauch umzusetzen.

Auch das generische Feminin ist eine Alternative. So verwendet die Universität Leipzig in ihren Dokumenten nur feminine Formen, zum Beispiel *Professorinnen* (wozu auch männliche „Professorinnen" gezählt werden) oder *Teilnehmerinnenliste* statt *Teilnehmerliste*.

[1]*dissemination, circulation, spreading* [2]*misogynous* [3]*pejorative* [4]*goose*
[5]*alte ... spinster, old maid* [6]*mixed* [7]*refugees*

Der erste Versuch, nicht nur die binäre gesellschaftliche Norm zu berücksichtigen, war die Verwendung des Unterstrichs[8], auch Gendergap genannt, wie zum Beispiel in *Schüler_innen* oder *Nutzer_innen*. Damit sollten alle sozialen Geschlechtsidentitäten eingeschlossen werden, nicht nur die traditionellen Geschlechter von Mann und Frau. Seit 2015 wird der Gendergap zunehmend durch das Gendersternchen ersetzt. Ursprünglich vor allem im universitären und intellektuellen Milieu verwendet, dringt es immer mehr auch in Politik und Verwaltung[9] ein[10]. Die Grünen verwenden es in ihren Dokumenten ebenso wie der Berliner Senat oder die Stadt Hannover, um nur einige wenige zu nennen.

Im Reisepass oder in der Geburtsurkunde[11] kann in Deutschland und Österreich seit 2019 neben *männlich* und *weiblich* auch *divers* eingetragen werden, um Menschen einzuschließen, die der traditionellen binären Norm nicht entsprechen. In Jobangeboten findet man seitdem fast nur noch Ausschreibungen[12] mit *m/w/d,* wie zum Beispiel eine Stelle für *eine/n Taxifahrer/in (m/w/d)* oder *eine/n Ingenieur/Ingenieurin (m/w/d).*

Aber kann Sprache die Gesellschaft verändern? Das Statistische Bundesamt[13] gab für das Jahr 2018 in Deutschland einen Lohnunterschied zwischen Frauen und Männern von 21% an. Interessant dabei war auch, dass der Lohnunterschied in den alten Bundesländern 22% betrug und in den neuen Bundesländern nur 7%. Man könnte spekulieren, dass der Kapitalismus Gender-Unterschiede eher gefördert hat als der (ehemalige) Sozialismus der neuen Bundesländer. Global betrug der Gender Pay Gap 2018 sogar 51%. Nach Meinung des Weltwirtschaftsforums[14] wird es noch 200 Jahre dauern, bis Frauen und Männer politisch völlig gleichberechtigt[15] sind, und mindestens 100 Jahre, bis es in den Bereichen Bildung, Gesundheit und Lohn völlige Gleichberechtigung gibt. Allerdings gibt es sehr große Unterschiede zwischen den Ländern. An der Spitze stehen Island, Norwegen und Schweden. Auf Platz 5 folgt ein lateinamerikanisches Land, Nicaragua, und auf den Plätzen 6 und 10 stehen zwei afrikanische Länder, Ruanda und Namibia. Deutschland steht auf Platz 14, Kanada auf Platz 16, die Schweiz auf Platz 20, Australien auf Platz 39, die USA auf Platz 51 und Österreich auf Platz 53.

Ob das Gendersternchen vom Duden bald anerkannt wird oder ob neue Vorschläge für eine bessere Inklusion auftauchen, wird sich zeigen. Ob es sich auch auf die Gesellschaft auswirkt, ist dann noch eine ganz andere Frage. In der christlichen Bibel heißt es zwar: „Im Anfang war das Wort" (Evangelium nach Johannes 1, 1–4), aber nach Goethe sind Namen und Worte nur „Schall und Rauch"[16] (Goethe, Faust 1, Vers 3453 ff.).

## Arbeit mit dem Text

Lesen Sie den Text und suchen Sie die Antworten auf diese Fragen.

1. Welche Wahl hat das Gendersternchen 2018 gewonnen?
2. Was möchte man mit dem Gendersternchen erreichen?
3. Wann begannen feministische Linguistinnen zum Thema Sprache und Geschlecht zu publizieren?
4. Was war die deutsche Sprache der Meinung dieser Linguistinnen nach?
5. Welches Pronomen sollte man statt *man* verwenden?
6. Welche Optionen gibt es, inklusiv zu formulieren?
7. Wo wird zum Beispiel das generische Feminin verwendet?
8. Woher kam das Gendersternchen ursprünglich?
9. Welche Partei verwendet es in allen ihren Dokumenten?
10. Wie nennt sich das nicht-binäre Geschlecht in Deutschland und Österreich?
11. Wie groß war der Lohnunterschied zwischen Männern und Frauen in Deutschland im Jahr 2018? Wie groß war der Lohnunterschied in den neuen Ländern?
12. Wie lange wird es noch dauern, bis es in allen Ländern der Welt in Bildung, Gesundheit und Lohn völlige Gleichberechtigung gibt?
13. In welchen Ländern ist die Gleichberechtigung von Mann und Frau schon sehr weit?
14. Ist das Gendersternchen vom Duden schon anerkannt[17]?

[8]*underscore* [9]*administration, management* [10]dringt ein *enters, penetrates* [11]*birth certificate* [12]*announcements, solicitations* [13]Statistische ... *Federal Office of Statistics* [14]*World Economic Forum* [15]*equal, having equal rights* [16]Schall ... *sound and smoke* (i.e., *hollow words*) [17]*officially recognized*

## Situation 8 Diskussion: Geschlechtergerechte Sprache

1. Was hältst du von geschlechtergerechter Sprache? Findest du sie notwendig? Was erwartest du von ihr?
2. Glaubst du, dass Sprache das Denken beeinflusst? Welche Beispiele oder Gegenbeispiele gibt es dafür?
3. Welche Optionen im Deutschen, inklusiv zu formulieren, findest du gut? Welche möchtest du verwenden?
4. Findest du es wichtig, dass es ein Geschlecht oder Geschlechter jenseits von Mann und Frau gibt? Wie könnte oder sollte man dieses Geschlecht / diese Geschlechter nennen? Was hältst du vom Wort *divers*?
5. Warum gibt es einen Lohnunterschied zwischen Männern und Frauen? Findest du das richtig? Was sollte man tun, damit dieser Unterschied geringer wird?

6. Glaubst du, dass es wirklich noch 200 Jahre dauern wird, bis Frauen völlig gleichberechtigt sind? Was müsste man tun, damit es schneller geht? Was erwartest du dir in diesem Zusammenhang von deinen Freund*innen und von dir selbst?
7. Wie interpretierst du die Liste der Länder, in denen Frauen schon relativ gleichberechtigt sind? Warum, glaubst du, stehen Länder wie Australien oder die USA so weit unten?

**Miniwörterbuch**

| | |
|---|---|
| die **Mischung, -en** | mixture, blend |
| der **Rhythmus,** *pl.* **Rhythmen** | rhythm |
| **thematisieren** | to make a topic of discussion |
| **sich auseinandersetzen (mit), auseinandergesetzt** | to deal (with) |
| das **Verständnis, -se** | understanding |
| die **Einstellung, -en** | attitude |
| die **Gewalt** | violence |
| der **Hass** | hatred |
| die **Wut** | anger, rage |
| **tauschen** | to exchange, change |
| der **Frieden** | peace |
| **auf der Hut sein** | to be alert (for trouble) |
| **dünn** | thin(ly) |

## MUSIKSZENE

### „Liebe verbreiten“ (2016, Deutschland) *Leila Akinyi*

**Biografie** Leila Akinyi kam mit 6 Jahren nach Köln, wo sie aufwuchs und auch heute noch lebt. Geboren wurde sie in Mombasa, der zweitgrößten Stadt Kenias, einer Hafenstadt am Indischen Ozean nicht weit von der Grenze mit Tansania. Ihre Musik ist eine Mischung aus Rap, Soul, Reggae und afrikanischen Rhythmen. Sie schreibt alle ihre Lieder selbst, in denen sie oft ihr Schwarz-Sein und ihr Frau-Sein thematisiert und sich kritisch mit Rassismus und Sexismus auseinandersetzt. Ihr erster großer Erfolg war 2016 ihr Lied „Afro Spartana“ mit dem Leitmotiv *Ich bin schwarz*. Das Lied „Liebe verbreiten“ stammt von derselben EP, in der Leila auch ihre mitfühlende[1], verständnisvolle Seite zeigt.

Leila Akinyi

**NOTE:** For copyright reasons, the songs referenced in **MUSIKSZENE** have not been provided by the publisher. The song can be found online at various sites.

**Vor dem Hören** Was stellen Sie sich unter *Liebe verbreiten* vor? Welche Gefühle, Einstellungen und Handlungen assoziieren Sie damit?

**Nach dem Hören**

Was singt die Sängerin? Richtig (R) oder falsch (F)? Korrigieren Sie die falschen Sätze.

_____ **1.** Die Zeiten ändern sich, aber man selbst bleibt immer gleich.
_____ **2.** Die Sängerin erinnert sich an alte Zeiten und sieht, wie sich die Gewalt verbreitet.
_____ **3.** Sie fühlt diesen Hass in sich und diese Wut.
_____ **4.** Das Leben ist zu kurz, um zu streiten.
_____ **5.** Man sollte aber nie die Seiten tauschen.
_____ **6.** Die Welt dreht sich vor allem ums Geld.
_____ **7.** Die Sängerin sehnt sich nach Frieden.
_____ **8.** Man muss auf der Hut sein und immer große Schritte machen.
_____ **9.** Die Sängerin ist dick und dünn, arm und reich, schwarz und weiß.

[1] *compassionate*

# Strukturen

## 3. Infinitive clauses with *zu* and *um ... zu*

**WISSEN SIE NOCH?**

You learned about dependent clauses in a previous chapter.

Review **Strukturen 6** in **Kapitel 11.**

Dependent clauses may be clauses introduced by a subordinating conjunction such as **dass** or **damit** or they may consist of infinitive clauses with **zu.** Infinitive clauses with **zu** are similar to infinitive clauses with *to* in English. Note, however, that in English, the infinitive is at the beginning of the clause, whereas in German, it is at the end.

| | |
|---|---|
| Der Vater hofft, **dass** der Zug in elf Minuten da ist. | *The father is hoping that the train will arrive in eleven minutes.* |
| Die Hexen verabreden, **die Brücke zu zerstören.** | *The witches agree to destroy the bridge.* |

Infinitive clauses may be dependent on the verb, a noun, or an adjective in the main clause. Note that infinitive clauses are separated from the main clause by a comma and that the infinitive is at the end of the clause.

| | |
|---|---|
| Die Ärztin hat mir geraten, mehr Sport **zu treiben.** | *The physician advised me to exercise more.* |
| Der erste Versuch, eine inklusive Sprache **zu entwickeln,** ist leider gescheitert. | *The first attempt to develop an inclusive language unfortunately failed.* |
| Es ist wichtig, Einstellungen **zu ändern** und Initiativen **zu fördern.** | *It is important to change attitudes and encourage initiatives.* |

Infinitive clauses may also be introduced by a conjunction such as **um.** Infinitive clauses with **um ... zu** express a causal relationship between the main and the infinitive clause in the same way **damit** does. **Damit** and **um ... zu** both express the aim or goal of an action. But whereas **damit** introduces a dependent clause complete with subject and conjugated verb, **um ... zu** introduces an infinitive clause without a subject and without a conjugated verb. Use **damit** when the subject of the main clause is different from the subject of the dependent clause.

Heidi öffnet das Fenster, **damit** Steve frische Luft bekommt.
*Heidi opens the window so that Steve can get some fresh air.*

Use **um ... zu** when the understood subject of the infinitive clause is the same as the subject of the main clause. Note that **um** introduces the infinitive clause, while the infinitive with **zu** is at the end of the clause.

| | |
|---|---|
| Heidi öffnet das Fenster, **damit** sie frische Luft bekommt. | *Heidi opens the window so that she can get some fresh air.* |
| Heidi öffnet das Fenster, **um** frische Luft **zu** bekommen. | *Heidi opens the window to get some fresh air.* |

## Übung D. Gefühle, Pläne, Versprechungen

So soll es sein, so wird es sein.

MODELL: Frau Ruf zwang Hannah : Hannah macht ihre Hausaufgaben. →
Frau Ruf zwang Hannah, ihre Hausaufgaben zu machen.

1. Frau Ruf zwang Hannah,
2. Herr Ruf verbot Hannah,
3. Die Hexen beschlossen,
4. Steve vergaß,
5. Heidi versprach,
6. Es begann,

a. Hannah geht allein auf Reisen.
b. Steve macht das Licht aus.
c. Heidi passt beim nächsten Mal besser auf.
d. Hannah macht ihre Hausaufgaben.
e. Es regnet fürchterlich.
f. Die Hexen zerstören die Brücke.

---

7. Yusuf hat Angst,
8. Maria bittet Michael,
9. Shannon hofft,
10. Meili hat keine Lust,
11. Miguel hat vor,
12. Ich freue mich,

g. Shannon ist in 15 Minuten hier.
h. Meili geht heute Abend ins Kino.
i. Miguel kommt auch mit.
j. Michael kommt nicht wieder zu spät.
k. Yusuf bekommt beim nächsten Test wieder eine 6.
l. Ich lerne dich kennen.

Jacob Lund/Shutterstock

## Übung E. Erfolgsgeschichten

Was muss man tun, um Erfolg an der Universität zu haben?

MODELL: Um gute Noten zu bekommen, muss man fleißig[1] lernen.

1. morgens munter[2] sein
2. die Professoren und Professorinnen kennenlernen
3. die Kommilitoninnen und Kommilitonen kennenlernen
4. am Wochenende nicht allein sein
5. die Kurse bekommen, die man braucht
6. in vier Jahren fertig werden
7. nicht verhungern[3]
8. eine gute Note in Deutsch bekommen

a. früh ins Bett gehen
b. in die Sprechstunde[4] gehen
c. jeden Tag zum Unterricht kommen
d. Leute einladen
e. regelmäßig essen
f. sich so früh wie möglich einschreiben[5]
g. viel Gruppenarbeit machen
h. viel lernen and wenig Feste feiern

[1]*diligently* [2]*wide awake* [3]*to starve* [4]*office hours* [5]*to enroll*

# Situationen

## Politik

Die Rede der Bundeskanzlerin erhielt viel Applaus.

Die Mehrheit der Bevölkerung unterstützt den Kurs der Regierung.

Die Regierung senkt die Steuern und freut sich auf den Urlaub.

Wahlen bilden die Grundlage für eine demokratische Gesellschaft.

### Situation 9 Wer im Kurs ...?

1. kennt eine Politikerin oder einen Politiker
2. ist schon mal zur Wahl gegangen
3. tritt für die Rechte von Minderheiten ein
4. hat schon mal eine politische Rede gehalten
5. gehört einer politischen Partei an
6. ist dafür, dass die Steuern gesenkt werden
7. hat schon mal eine Kandidatin unterstützt
8. möchte nicht in der Öffentlichkeit stehen
9. hat eine Strategie gegen den Terrorismus
10. möchte einmal eine Schlüsselposition in einer Organisation besetzen

# KULTUR ... LANDESKUNDE ... INFORMATIONEN

## POLITISCHE PARTEIEN

### Vor dem Lesen

- Wie heißen die wichtigsten Parteien in Ihrem Land?
- Wann wurden sie gegründet?
- Welche Grundwerte haben sie?
- Welche Partei ist zur Zeit an der Regierung?
- Wofür kämpft Ihre jetzige Regierung?

Die zwei größten Parteien in Deutschland sind die Christlich Demokratische Union Deutschlands (CDU) und die Sozialdemokratische Partei Deutschlands (SPD) mit jeweils knapp einer halben Million Mitglieder.

| Miniwörterbuch | |
|---|---|
| **jetzig** | current |
| die **Wurzel, -n** | root |
| die **Gerechtigkeit** | justice |
| das **Nahrungsmittel, -** | food, foodstuff |
| **bewahren** | to preserve, maintain |
| die **Gewerkschaft, -en** | (trade, labor) union |
| der **Sozialstaat** | welfare state, social state |
| **unterstützen, unterstützt** | to support |
| die **Arbeitslosigkeit** | unemployment |
| **bilden** | to form, make |
| die **Fraktion** | coalition, group; fraction |
| **sich kümmern um** | to take care of, to care for |
| die **Stimme, -n** | vote; voice |
| **hervorgehen, geht ... hervor, ging ... hervor, ist hervorgegangen** | to arise, develop |
| die **Armut** | poverty |
| **bekämpfen** | to combat, fight against |
| der **Einwanderer, -** / die **Einwanderin, -nen** | immigrant |
| die **Gründung, -en** | founding, formation |
| der **Außenminister, -** / die **Außenministerin, -nen** | foreign minister |
| **vorankommen, kommt ... voran, kam ... voran, ist vorangekommen** | to prosper, make progress |
| **regieren** | to govern |
| der **Lohn, ¨-e** | salary, wages |
| die **Rente, -n** | retirement pension |
| **erhöhen** | to increase |
| **abschaffen** | to abolish |
| **begrenzen** | to limit |

Die CDU wurde 1945 gegründet und nennt sich selbst die Volkspartei der Mitte. Sie ist die Partei, die am häufigsten den Bundeskanzler oder die Bundeskanzlerin gestellt[1] hat. Die CDU hat religiöse Wurzeln. In ihrem Grundsatzprogramm steht, dass ihre Grundwerte Freiheit, Solidarität und Gerechtigkeit sind. Diese Grundwerte sind christlich orientiert. Die CDU sieht Ehe und Familie als Fundament der Gesellschaft. Sie möchte die Würde[2] des Menschen vom Beginn bis zum Ende des Lebens schützen und seine natürlichen Lebensgrundlagen (Umwelt, Klima, Nahrungsmittel) bewahren. Sie fördert Eigeninitiative und sie steht für die Freiheit und Sicherheit der Bürger.

ullstein bild/Archiv Gerstenberg/The Image Works

Ein Wahlplakat der SPD um 1920

Die SPD ist die älteste deutsche Partei. Sie wurde 1863 als *Allgemeiner Deutscher Arbeiterverein* (ADAV) in Leipzig gegründet. Seit 1890 nennt sie sich Sozialdemokratische Partei Deutschlands. Ihre Grundwerte sind ebenfalls Freiheit, Gerechtigkeit und Solidarität. Die SPD steht den Gewerkschaften nahe. Besonders wichtig ist für sie der Sozialstaat, der Menschen bei Krankheit, Behinderung oder Arbeitslosigkeit unterstützt. Sie möchte, dass Menschen von ihrer Arbeit leben können. Sie kämpft für Menschenrechte und Frieden und baut dabei auf Dialog und Konfliktlösung. Sie ist für eine gesetzliche Frauenquote, die die Emanzipation der Frau fördern soll.

Von den Mitgliederzahlen an dritter Stelle steht die CSU. Sie ist die bayrische Schwesterpartei der CDU und bildet mit ihr eine gemeinsame Fraktion. Die CSU hat ähnliche Werte wie die CDU, ist allerdings noch etwas konservativer.

Die Grünen haben weniger Mitglieder als die CSU, ca. 70.000, sind aber in den letzten Jahren als die Partei, die sich vor allem um das Klima kümmert, die zweitstärkste Partei nach Stimmen geworden. Bei der Europawahl 2019 erreichte sie 20%, während die SPD auf 15% zurückfiel.

Die Grünen wurden 1980 gegründet. 1993 fusionierten[3] sie mit dem Bündnis 90, das aus der Bürgerbewegung der DDR hervorging, zum Bündnis 90/Die Grünen. Die Grundwerte der Grünen sind Ökologie, Selbstbestimmung[4], Gerechtigkeit und Demokratie. Sie wollen eine grüne Marktwirtschaft, die ökologisch und gerecht ist. Sie wollen das Klima retten und Armut bekämpfen. Sie sind für eine multikulturelle Gesellschaft und

[1]*here: provided* [2]*dignity* [3]*merged* [4]*self-determination, autonomy*

kämpfen für die Rechte von Einwanderern. Sie wollen gleiche Rechte für Männer und Frauen und kämpfen für das Adoptionsrecht für gleichgeschlechtliche[5] Paare.

Neben den Grünen gibt es noch drei weitere Parteien, die ähnlich viele Mitglieder haben, die FDP, die Linke und die AfD.

Die FDP gibt es bereits seit Gründung der Bundesrepublik Deutschland 1949. Die FDP war an vielen Bundesregierungen als der Juniorpartner von CDU/CSU oder SPD beteiligt und stellte oft den Außenminister. Die Freien Demokraten, so nennen sie sich selbst, sind die Partei der Freiheit und der Selbstbestimmung. Ihre Ziele sind vor allem: Bildung für jeden, Vorankommen durch eigene Leistung, Freiheit und Menschenrechte weltweit, und ein unkomplizierter Staat.

Die Linke bezeichnet sich selbst als eine sozialistische Partei. Sie wurde 2007 gegründet, als die Partei des demokratischen Sozialismus (PDS) mit einer linken Partei aus den alten Bundesländern fusionierte. Die PDS war die Nachfolgepartei[6] der Sozialistischen Einheitspartei Deutschlands (SED), die die DDR von ihrer Gründung 1949 bis zu ihrem Ende 1990 regierte. Die Linke ist vor allem in den neuen Bundesländern stark. Sie möchte, dass große Unternehmen und reiche Menschen deutlich mehr Steuern zahlen, bis zu 50%, und will Löhne, Renten und das Kindergeld erhöhen. Sie kämpft dafür, dass Menschen weniger arbeiten müssen. Sie will eine stärkere staatliche Kontrolle der Finanzmärkte, ist dagegen, dass die Bundeswehr im Ausland eingesetzt wird, und möchte das Adoptionsrecht für gleichgeschlechtliche Paare.

[5]*same-sex* [6]*successor party* [7]*tendencies* [8]*immigration*

Die Alternative für Deutschland (AfD) wurde erst 2013 gegründet. Sie ist eine typische Protestpartei. Ihr Hauptziel ist seit ihrer Gründung, den Euro abzuschaffen. Die AfD ist eine nationalkonservative Partei mit rechtspopulistischen Zügen[7]. Sie möchte die Einwanderung[8] begrenzen und ist dagegen, dass die Türkei in die EU aufgenommen wird. Einwanderer, die nicht genügend Geld haben, um in Deutschland zu leben, sollen in ihr Heimatland zurückkehren.

## Arbeit mit dem Text

Lesen Sie den Text und suchen Sie Antworten auf diese Fragen:

1. Welche Partei ist die älteste Partei Deutschlands? Wie alt ist sie? Wo wurde sie gegründet?
2. Welche Partei war am längsten in der Regierung? Wie alt ist sie? Wo liegen ihre Wurzeln?
3. Welche Partei ist die Nachfolgepartei der Regierungspartei der DDR? Wie hieß diese Regierungspartei? Wie nannte sie sich nach der friedlichen Revolution im Jahre 1989?
4. Welche Partei ist die ökologische Partei? Wie alt ist sie? Ist sie eher links oder rechts? Welche anderen Ziele hat sie?
5. Welche Partei möchte den Euro abschaffen? Wie alt ist sie? Ist sie eher links oder rechts? Welche weiteren Ziele hat sie?
6. Welche Partei stellte oft den Außenminister? Was sind ihre Ziele?
7. Welche Parteien sagen, ihre Grundwerte sind Freiheit, Solidarität und Gerechtigkeit?
8. Welche Parteien setzen sich besonders für Frauen ein?

## Situation 10 Die deutschen Parteien

**a.** AfD (Alternative für Deutschland): nationalkonservativ, rechtspopulistisch
*Peter Probst/Alamy*

**b.** CDU (Christlich-demokratische Union): konservativ
*Peter Probst/Alamy*

**c.** Die Grünen: liberal, ökologisch
*Peter Probst/Alamy*

**d.** FDP: liberal (Freie Demokratische Partei)
*Peter Probst/Alamy*

**e.** Die Linke: sozialistisch
*Peter Probst/Alamy*

**f.** SPD (Sozialdemokratische Partei Deutschlands): sozialdemokratisch
*Peter Probst/Alamy*

Welche Ziele haben die Parteien? Lesen Sie den Text „Politische Parteien" und entscheiden Sie, welche Parteien zu den folgenden Zielen passen.

1. das Klima retten
2. Einkommen und Vermögen gerechter verteilen
3. für starke Gewerkschaften sorgen
4. das Adoptionsrecht für gleichgeschlechtliche Paare einführen
5. die Explosion der Mietpreise verhindern
6. den Euro abschaffen
7. die Renten und Löhne erhöhen
8. dafür sorgen, dass Menschen von ihrer Arbeit leben können
9. kriminelle Einwanderer in ihr Heimatland zurückschicken
10. ermöglichen, dass man durch eigene Leistung vorankommt
11. für den Tierschutz eintreten
12. die Steuern senken
13. die europäische Integration unterstützen
14. eine gesetzliche Frauenquote einführen
15. christliche Werte betonen
16. für Bildungschancen sorgen

## Situation 11 Diskussion

Was ist gut (G) und was ist schlecht (S) für eine Demokratie?

1. Weniger als die Hälfte der Wahlbevölkerung geht zur Wahl.
2. Der neue Präsident bringt seine Verwandten und seine engen Freunde mit in die Regierung.
3. Die Wissenschaft wird zensiert, weil sie nicht mit dem konform ist, was in der Bibel steht.
4. Der Kampf gegen den Terrorismus schadet der persönlichen Freiheit der Bürger.
5. Jeder kann seine Meinung sagen, auch wenn es gegen die Regierung gerichtet ist.
6. Weil das Land in einer tiefen Rezession ist und das Wirtschaftswachstum stagniert, steigt die Zahl der Arbeitslosen immer weiter.
7. Die Regierung kann ihre Bürger nicht vor Kriminellen schützen.
8. Proteste von Bürgerinitiativen haben Erfolg, weil die Regierung zum Kompromiss bereit ist.
9. Die Medien sind engagiert und können schreiben, was sie wollen.
10. Weil das Land sehr reich ist, wollen viele Ausländer*innen aus ärmeren Ländern einwandern.
11. Die Finanzmärkte werden vom Staat immer stärker kontrolliert.
12. Abgeordnete werden für 10 Jahre gewählt, damit es eine stabile Regierung gibt.
13. Die Parteien vereinbaren eine Koalition und regieren zusammen.

## Situation 12 Interview

1. Wie würdest du deine politische Einstellung einschätzen[1]? eher konservativ oder eher liberal? und die politische Einstellung deiner Eltern?
2. Kannst du dir vorstellen, Abgeordnete oder Abgeordneter zu sein? Welcher Partei? Wofür würdest du eintreten?
3. Wenn du in Deutschland wählen könntest, welcher Partei würdest du deine Stimme geben? Warum?
4. Hast du schon mal mit einem wichtigen Politiker oder einer wichtigen Politikerin gesprochen? Wer war das? Wie ist es dazu gekommen? Worüber habt ihr gesprochen?
5. Was hältst du von der jetzigen Regierung in deinem Land? Was macht sie gut? Was macht sie schlecht?
6. Welche Gesetze sollten sich, deiner Meinung nach, in deinem Land ändern? Wähle eins und erkläre warum.
7. Welche großen politischen oder gesellschaftlichen Probleme gibt es in der Welt?
8. Bist du schon einmal mit etwas gescheitert (z. B. mit einer neuen Idee, in der Schule, in der Uni, im Freundeskreis)? Was war es? Wie ist es passiert? Was hast du danach gemacht?

[1] *assess, gauge*

# Strukturen

## 4. Expressing possibility: *würde, hätte,* and *wäre*

Use the construction **würde** + infinitive to talk about possibilities: things you would do, if you were in that particular situation.

| | |
|---|---|
| Stell dir vor, du **würdest** nach Deutschland fliegen. | *Imagine you were flying to Germany.* |
| Wo **würdest** du übernachten? | *Where would you stay for the night?* |

**WISSEN SIE NOCH?**

**Würde** functions like a modal verb. In sentences with modal verbs, the infinitive appears at the end of the sentence.

Review **Strukturen 1** and **2** in **Kapitel 3.**

***würde*** = would

Here are the forms of **würde,** which are the subjunctive forms of the verb **werden.**

| **werden** | | | |
|---|---|---|---|
| *ich* | würde | *wir* | würden |
| *du* | würdest | *ihr* | würdet |
| *Sie* | würden | *Sie* | würden |
| *er* | | | |
| *sie* | würde | *sie* | würden |
| *es* | | | |

Instead of using **würde sein** and **würde haben,** German speakers prefer to say **wäre** (*would be*) and **hätte** (*would have*).

| | |
|---|---|
| Ich glaube, dass ich eine gute Politikerin **wäre.** | *I believe I would be a good politician.* |
| Ich **hätte** sicher viel Zeit für meine Wähler. | *I'm sure I would have plenty of time for my voters.* |

Here are the forms of **wäre** and **hätte,** which are the subjunctive forms of **sein** and **haben.**

marcovarro/Shutterstock

Was wäre, wenn Sie sehr viel Geld hätten?

| **sein** | | | |
|---|---|---|---|
| *ich* | wäre | *wir* | wären |
| *du* | wärst | *ihr* | wärt |
| *Sie* | wären | *Sie* | wären |
| *er* | | | |
| *sie* | wäre | *sie* | wären |
| *es* | | | |

| **haben** | | | |
|---|---|---|---|
| *ich* | hätte | *wir* | hätten |
| *du* | hättest | *ihr* | hättet |
| *Sie* | hätten | *Sie* | hätten |
| *er* | | | |
| *sie* | hätte | *sie* | hätten |
| *es* | | | |

## Übung F. Kein Problem

Was würden Sie in diesen Situationen machen? Schreiben Sie zwei bis drei Sätze pro Frage! Was würden Sie machen, ...

1. wenn Sie sich in eine Politiker*in verlieben würden?
2. wenn Sie sich um Ihre Eltern kümmern müssten?
3. wenn Ihre Partner*in eine andere Partei wählen würde als Sie?
4. wenn Sie in ein anderes Land ziehen würden?
5. wenn Sie mit dem Studium aufhören müssten?

## Übung G. Was wäre, wenn ...

Schreiben Sie für jede Perspektive drei Sätze darüber, wie Ihr Leben aussehen würde. Verwenden Sie **hätte, wäre** und **würde** in Ihrer Antwort. Sie können auch über andere Personen schreiben.

MODELL: Wenn ich Kinder hätte, würde ich nicht so oft ins Kino gehen. Ich hätte wahrscheinlich viel mehr Arbeit. Abends wäre ich bestimmt müder.

Was wäre, wenn ...

1. Sie (keine) Kinder hätten?
2. Sie für ein politisches Ziel kämpfen würden?
3. Sie in einem anderen Land leben würden?
4. Sie ein berühmter Politiker / eine berühmte Politikerin wären?
5. Sie (kein / sehr viel) Geld hätten?

Der deutsche Bundestag

# Situationen

## Kunst und Literatur

Quim Llenas/Getty Images

Die Schauspielerinnen treten auf der Bühne auf.

Bumble Dee/Shutterstock

Die Ausstellung zieht viele Besucherinnen und Besucher an.

Jens Büttner/picture alliance/Getty Images

Es wird eine neue Oper aufgeführt.

Realistic Reflections

Die Künstlerin malt ein Bild.

Image Source

Im Fernsehen läuft eine neue Sendung.

Miroslav Lukic/Shutterstock

Der Künstler gestaltet die Figur aus Stein.

### Situation 13 Wer weiß – gewinnt: Kunst und Literatur

1. Wo werden oft Ausstellungen gezeigt?
2. Wo treten Schauspielerinnen und Schauspieler auf?
3. Wer hat die *Brück' am Tay* geschrieben?
4. Was war Theodor Storm von Beruf?
5. Von wem sind die Brandenburgischen Konzerte?
6. Was ist Hanefi Yeter von Beruf?
7. Was war Marlene Dietrich von Beruf?
8. Wo werden Opern aufgeführt?
9. Wer schrieb die Tragödie *Faust*?
10. Aus welchem Land kommt Stefan Zweig?

a. Theodor Fontane
b. aus Österreich
c. in Museen und Galerien
d. auf einer Bühne
e. in Opernhäusern
f. Schriftsteller/in
g. Schauspieler/in
h. Maler/in
i. Johann Sebastian Bach
j. Johann Wolfgang von Goethe

## Situation 14 Faust: Die einfache Version

Eins der bekanntesten Werke der deutschen Literatur ist die Tragödie *Faust* von Goethe. Was in *Faust* geschieht, finden Sie in den folgenden Sätzen. Bringen Sie die Sätze in die richtige Reihenfolge.

TEIL 1

_____ Als Faust an einem Osternachmittag spazieren geht, sieht er einen schwarzen Pudel, der ihm nach Hause folgt.

_____ Nach ihrer Unterhaltung gehen Mephisto und Faust in eine Hexenküche. Dort zeigt ihm Mephisto einen magischen Spiegel.

__*1*__ Faust ist ein berühmter Wissenschaftler, der sehr unzufrieden ist, weil er nicht alles weiß.

_____ Faust spricht lange mit Mephisto und verspricht ihm seine Seele für einen Augenblick vollkommenen Glücks.

_____ In Fausts Studierzimmer verwandelt sich der Pudel in Mephisto.

_____ Im Spiegel sieht Faust eine wunderschöne Frau.

_____ Kurz danach lernt Faust Gretchen kennen und verliebt sich in sie.

TEIL 2

_____ Aber Gretchen will nicht vom Teufel gerettet werden und bittet Gott um Vergebung[1].

_____ Als Gretchen stirbt, hört man eine Stimme von oben, die sagt: „Sie ist gerettet."

_____ Als Gretchen vom Tod ihres Bruders hört, wird sie wahnsinnig, und als ihr Kind geboren wird, tötet sie es.

_____ Auf dem Brocken hat Faust eine Vision von Gretchen, und er und Mephisto eilen ins Gefängnis, um sie zu retten.

_____ Faust und Valentin kämpfen. Faust tötet Valentin und verlässt die Stadt.

_____ Gretchen wird ins Gefängnis geworfen und zum Tode verurteilt.

__*1*__ Gretchen wird schwanger. Valentin, ihr Bruder, will Faust deshalb töten.

_____ Während Gretchen im Gefängnis sitzt, steigen Faust und Mephisto in der Walpurgisnacht auf den Brocken und feiern mit den Hexen.

| Miniwörterbuch | |
|---|---|
| (das) **Ostern** | Easter |
| die **Unterhaltung** | conversation |
| der **Augenblick, -e** | moment |
| **vollkommen** | complete, perfect, absolute |
| **eilen, ist geeilt** | to hurry |
| **verurteilen, verurteilt** | to condemn |
| **schwanger** | pregnant |

Source: Yale University Art Gallery

Faust und Mephisto feiern mit den Hexen.

[1] *forgiveness*

## Situation 15 Interview

1. Hörst du gern Musik? Was für Musik? Hast du einen Lieblingskomponisten oder eine Lieblingskomponistin?
2. Spielst du ein Instrument oder singst du?
3. Liest du gern? Was liest du gern: Romane, Gedichte, Dramen, Comics? Welche Schriftsteller oder Schriftstellerinnen magst du besonders? Hast du etwas von deutschsprachigen Schriftstellern oder Schriftstellerinnen gelesen?
4. Hast du schon mal etwas geschrieben? Was?
5. Welche Maler oder Malerinnen magst du? Welche Grafiker oder Grafikerinnen kennst du?
6. Malst oder zeichnest du? Welche Motive magst du am liebsten? (Berge? das Meer? Blumen?) Arbeitest du mit anderen Materialien wie Holz oder Stein?
7. Gehst du gern ins Theater? Welche Stücke gefallen dir besonders gut?
8. Hast du schon mal Theater gespielt? Welche Rollen hast du gespielt? Wie war das?

## Situation 16 Rollenspiel: An der Kinokasse

S1: Sie wollen mit vier Freunden in die „Rocky Horror Picture Show". Das Kino ist schon ziemlich ausverkauft. Sie wollen aber unbedingt mit ihren Freunden zusammensitzen und Reis werfen. Fragen Sie, wann, zu welchem Preis und wo noch fünf Plätze übrig sind.

# Filmlektüre

## *Vor der Morgenröte*

### Vor dem Lesen

FILMANGABEN

**Titel:** *Vor der Morgenröte*[1]
**Genre:** Spielfilm
**Erscheinungsjahr:** 2016
**Land:** Österreich, Deutschland, Frankreich
**Dauer:** 100 min.
**Regisseurin:** Maria Schrader
**Hauptrollen:** Josef Hader, Aenne Schwarz, Barbara Sukowa, Matthias Brandt

[1] *dawn*

TCD/Prod.DB/Alamy Stock Photo

Szene aus *Vor der Morgenröte*

**A.** Sehen Sie sich das Foto an und beantworten Sie diese Fragen.

1. Welche Person auf dem Foto ist die Hauptperson?
2. Wie sieht er aus und was trägt er?
3. Wie ist seine Stimmung?

4. Wer sind die Personen im Vordergrund? Was machen sie?
5. Zu welcher Zeit und in welchem Teil der Welt spielt der Film wahrscheinlich?
6. Warum sind die Leute auf dem Foto vielleicht zusammengekommen?

**B.** Lesen Sie die Wörter im Miniwörterbuch. Suchen Sie sie im Text und in den Aufgaben und markieren Sie sie.

| Miniwörterbuch | |
|---|---|
| **präsentieren** | to present |
| die **Verzweiflung, -en** | despair, doubt |
| **hilflos** | helpless |
| die **Ferne** | distance |
| **militärisch** | military, militarily |
| der **Respekt** | respect |
| der **Abschied** | farewell |
| **bevorstehen, steht ... bevor, stand ... bevor, bevorgestanden** | to lie ahead, be imminent |
| **verzweifelt** | desperate |

## Inhaltsangabe

Der Wiener Schriftsteller Stefan Zweig hat mit seiner zweiten Frau Lotte Europa verlassen. Er hat dort als österreichischer Jude keine Zukunft mehr und muss Angst um sein Leben haben. Der Film präsentiert in sechs Episoden die letzten Lebensjahre Stefan Zweigs im Exil. Die Handlung beginnt 1936 in Buenos Aires bei einem Schriftsteller-Kongress und endet 1942 mit dem Selbstmord[1] von Stefan und Lotte Zweig in Brasilien. Immer wieder sieht man das Ehepaar Zweig an verschiedenen Orten in Brasilien und in New York, wo Stefan Zweigs erste Ehefrau Friderike lebt. Neben den Themen Emigration und Zeitgeschichte geht es in dem Film vor allem um die Verzweiflung Stefan Zweigs, der hilflos aus der Ferne zusehen muss, wie Hitler-Deutschland militärisch erfolgreich ist. Seinen Freunden, die Europa nicht verlassen können, kann er nicht mehr helfen. Ihm selbst gelingt es nicht, sich in der neuen Kultur einzuleben[2], obwohl ihm immer wieder Gastfreundschaft[3] und Respekt gezeigt wird. Am Schluss, nach dem Suizid, liest ein anderer deutscher Emigrant Stefan Zweigs Abschiedsbrief vor. In dem Brief schreibt Zweig, dass ein besseres Europa bevorsteht, aber dass man noch „vor der Morgenröte" sei.

## Arbeit mit dem Text

Welche Aussagen sind falsch? Verbessern Sie die falschen Aussagen.

_____ 1. Stefan Zweig lebt mit seiner zweiten Ehefrau in England.
_____ 2. Das Leben in Europa ist für ihn und seine Frau Lotte nicht mehr sicher.
_____ 3. Am Anfang des Films sieht man Stefan Zweig bei einem Kongress in Brasilien.
_____ 4. Stefan Zweigs erste Frau Friderike begeht 1942 in New York Selbstmord.
_____ 5. Zweig ist verzweifelt, weil er seinen Freunden in Europa nicht helfen kann.
_____ 6. Die brasilianische Gastfreundschaft hilft Stefan Zweig, sich in Brasilien einzuleben.
_____ 7. Der Titel des Films bezieht sich auf Stefan Zweigs Abschiedsbrief.

## Nach dem Lesen

Recherchieren Sie im Internet.

1. Welche Preise hat der Film „Vor der Morgenröte" bekommen?
2. Welche berühmten Intellektuellen und Künstler*innen aus Österreich und aus Deutschland sind in der Zeit von 1933 bis 1945 emigriert? Wählen Sie eine Persönlichkeit und präsentieren Sie sie auf einem Poster.

[1] *suicide* [2] *settle in* [3] *hospitality*

# Strukturen

## 5. Principles of case (summary review)

Three main factors determine the choice of a particular case for a given noun: function, prepositions, and verbs.

A. **Function**

Function refers to the role a particular noun plays within a sentence: the subject, the direct object, the indirect object, or the possessive. The subject of a sentence (who or what is doing something) is in the nominative case; the direct object (the thing or person to which or to whom the action is done) is in the accusative case; and the indirect object (usually the person who benefits from the action) is in the dative case.

NOM — Maria; DAT — ihrer Freundin; ACC — einen Scheck.

Maria schreibt ihrer Freundin einen Scheck.
*Maria is writing her friend a check.*

Possessives express relationships of various kinds, such as belonging to or being part of someone or something. Possessives are in the genitive case.

Der Kurs **des Euro** ist leider wieder gefallen. — *The exchange rate of the euro has unfortunately fallen again.*

B. **Prepositions**

Nouns or pronouns that follow prepositions are always in a case other than the nominative. You have encountered four groups of prepositions so far: those that take the accusative, those that take the dative, two-way prepositions that take either the accusative or the dative according to the meaning of the clause, and those that take the genitive.

| ACCUSATIVE | DATIVE | ACCUSATIVE OR DATIVE | GENITIVE |
|---|---|---|---|
| durch | aus | an | (an)statt |
| für | außer | auf | trotz |
| gegen | bei | hinter | während |
| ohne | mit | in | wegen |
| um | nach | neben | |
| | seit | über | |
| | von | unter | |
| | zu | vor | |
| | | zwischen | |

**Nach ihrer Unterhaltung** gehen Mephisto und Faust in eine Hexenküche. — *After their conversation, Mephisto and Faust enter a witch's kitchen.*

Faust verkauft seine Seele **für einen Augenblick** vollkommenen Glücks. — *Faust sells his soul for a moment of absolute happiness.*

Two-way prepositions require accusative objects when movement toward a *destination* is involved. They require dative objects when no such destination is expressed, when the focus is on the setting of the action or state (*location*).

| | |
|---|---|
| Faust sieht **in den Spiegel.** | *Faust looks into the mirror.* |
| Faust sieht **im Spiegel** eine wunderschöne Frau. | *Faust sees a beautiful woman in the mirror.* |

C. **Verbs**

Certain verbs, just like prepositions, require a noun or pronoun to be in a particular case. The verbs **sein, werden, bleiben,** and **heißen** establish identity relationships between the subject and the predicate, and therefore require a predicate noun in the *nominative* case.

| | |
|---|---|
| Sunil ist **ein guter Student.** | *Sunil is a good student.* |

The following verbs are among those that require *dative* objects.

| | |
|---|---|
| antworten | *to answer* |
| begegnen | *to meet* |
| fehlen | *to be missing* |
| gefallen | *to be to one's liking, be pleasing to* |
| gehören | *to belong to* |
| helfen | *to help* |
| nutzen | *to be of use* |
| passen | *to fit* |
| schaden | *to be harmful (to)* |
| schmecken | *to taste good (to)* |
| stehen | *to suit, look good on* (e.g., clothing) |
| zuhören | *to listen to* |

| | |
|---|---|
| Dieses Bild gehört **meiner Mutter.** | *This picture belongs to my mother.* |
| Eine gute Wirtschaft hilft **der Regierung.** | *A good economy helps the government.* |

Most other verbs require the accusative, if they require an object at all.

| | |
|---|---|
| Ich habe gestern **einen neuen Film** gesehen. | *I watched a new movie yesterday.* |

## Übung H. Der Umzug

Bestimmen Sie den Kasus (**Nom, Akk, Dat** oder **Gen**) der unterstrichenen Nominalphrasen und geben Sie an, ob dieser Kasus wegen der Funktion (F), wegen der Präposition (P) oder wegen des Verbs (V) benutzt wurde.

| | KASUS | GRUND |
|---|---|---|
| 1. Meine Freundin braucht einen neuen Schrank. | *Nom* | *F* |
| 2. Sie möchte Schriftstellerin werden. | ______ | ______ |
| 3. Die Möbel meiner Freundin sind ultramodern. | ______ | ______ |
| 4. Morgen kaufe ich ihr eine schöne Lampe. | ______ | ______ |
| 5. Diesen Teppich mag sie sicher nicht. | ______ | ______ |
| 6. Meine Stühle gefallen ihr sicher auch nicht. | ______ | ______ |
| 7. Setzen wir uns doch an diesen Tisch. | ______ | ______ |
| 8. Ich habe nichts gegen Vorhänge. | ______ | ______ |
| 9. Das Bett tragen wir am besten zusammen. | ______ | ______ |
| 10. Die Bücher stehen auf dem Regal. | ______ | ______ |
| 11. Diese Decke gehört mir. | ______ | ______ |
| 12. Der Umzug[1] findet wegen schlechten Wetters nicht statt. | ______ | ______ |

[1]*move*

## Übung I. Gespräche im Haus

Hören Sie zu und ergänzen Sie die fehlenden Wörter.

1. DANIEL: Wohin soll ich die Blumen stellen, Phan?
   PHAN: Stell sie doch bitte auf _______ Tisch.
2. JULIA: Warum setzt du dich nicht zu uns an _______ Tisch?
   LEON: Ich sitze lieber auf _______ Sofa.
3. DAMLA: Eske, deine Bücher liegen schon wieder auf _______ Tisch. Könntest du sie bitte _______ Regal stellen?
   ESKE: Ja, klar, Damla, reg dich nicht so künstlich auf.
4. FRAU FRISCH-OKONKWO: Sumita, wo ist der Papa?
   SUMITA: Der sitzt draußen _______ Garten, auf _______ Lieblingsbank.
5. SHANNON: Hast du die Weinflaschen in _______ Schrank gestellt?
   HEIDI: Ja, sie stehen neben _______ Weingläsern.
6. LUKAS (*am Telefon*): Hi Nesrin! Was machst du denn heute Nachmittag?
   NESRIN: Nichts, Lukas. Ich bin so müde. Ich lege mich gleich _______ Bett.
7. KAYLA: Hi Steve! Kann ich mich neben _______ setzen?
   STEVE: Ja, klar, gerne. Hier ist noch frei.
8. FRAU RUF: Hast du die Suppe schon auf _______ Herd[1] gestellt, Schatz?
   HERR RUF: Na klar! Sie steht schon eine halbe Stunde auf _______ Herd.
9. HERR RUF: Schatz, ich kann den Stadtplan nicht finden.
   FRAU RUF: Ich glaube, er liegt unter _______ Zeitung.

## Übung J. Richard hat sich endlich verliebt!

Ergänzen Sie die richtigen Endungen. Hier finden Sie das Genus wichtiger Substantive.

die Adresse
die Augen (*pl.*)
die Disko
der Fernseher
das Fest
die Hausaufgaben (*pl.*)
die Hose
die Jacke
die Mail
der Mann
der Name
der Park
die Stadt
die Tür
die Uni
der Weg

Richard hat sich total verliebt. Er sah vor einem Monat auf ein_______[1] Fest ein_______[2] jungen Mann, und jetzt denkt er nur noch an ihn.

Der junge Mann trug an jenem Abend ein_______[3] Jeansjacke, unter sein_______[4] Jacke ein altes Unterhemd und ein_______[5] uralte Hose. Er stand die ganze Zeit neben d_______[6] Tür. Seine Kleidung und sein_______[7] dunklen Augen gefielen Richard sehr. Der junge Mann schaute oft zu Richard hin, aber Richard sprach ihn nicht an, er war zu schüchtern.

Jetzt träumt Richard von ihm. Er möchte mit ihm durch d_______[8] Park gehen und in d_______[9] Stadt. Vielleicht könnten sie auch mal für ein paar Tage wegfahren. Er möchte ihm gern ein_______[10] Mail schreiben, aber er weiß sein_______[11] Adresse nicht. Er kennt nur sein_______[12] Vornamen, Malik. Dies_______[13] Namen wird Richard nie mehr vergessen!

Morgens an d_______[14] Uni denkt Richard an ihn, mittags auf d_______[15] Weg nach Hause, nachmittags bei d_______[16] Hausaufgaben, abends vor d_______[17] Fernseher oder in d_______[18] Disko.

Ach, wenn er ihn doch nur noch einmal treffen könnte! Diesmal würde Richard sicher zu ihm gehen und ihn ansprechen.

[1]*stove*

# Videoecke

## Perspektiven

Wie informierst du dich? Wie hältst du dich auf dem Laufenden?

Ich informiere mich über das Internet.

### Aufgabe 1 Internet, Radio, Zeitungen oder Fernsehen?

Wie informieren sich die Personen? Ordnen Sie die Medien den Personen zu.

1. Shaimaa ____

2. Martin ____

3. Michael ____

4. Felicitas ____

5. Sandra ____

6. Pascal ____

7. Tina ____

8. Sophie ____



| | |
|---|---|
| **a. Fernsehen** | **c. Radio** |
| **b. Internet** | **d. Zeitung** |

## Interviews

- Was hältst du von der Ehe?
- Wie erledigst du deine Geldgeschäfte?
- Wie viel Geld steht dir pro Monat zur Verfügung?
- Wofür gibst du es aus?
- Hast du schon mal einen Kredit aufgenommen?
- Wie hast du das gemacht?

McGraw-Hill/Klic Video Productions

Jenny

McGraw-Hill/Klic Video Productions

Nadezda

### Aufgabe 2 Jenny, Nadezda oder beide?

Sehen Sie sich das Video an und beantworten Sie die Fragen.

| | JENNY | NADEZDA | BEIDE |
|---|---|---|---|
| 1. Wer findet Hochzeiten[1] schön, möchte aber trotzdem nicht heiraten? | ☐ | ☐ | ☐ |
| 2. Wer erledigt Geldgeschäfte per Onlinebanking? | ☐ | ☐ | ☐ |
| 3. Wer hat eine Kreditkarte? | ☐ | ☐ | ☐ |
| 4. Wer bekommt BAföG? | ☐ | ☐ | ☐ |
| 5. Wer gibt das meiste Geld für die Miete aus? | ☐ | ☐ | ☐ |
| 6. Wer hat schon mal einen Kredit aufgenommen? | ☐ | ☐ | ☐ |

### Aufgabe 3 Jenny

Wie viel Geld hat Jenny, und wofür gibt sie es aus? Ergänzen Sie die Sätze.

1. Jenny bekommt im Monat ______ Euro BAföG.
2. Sie bezahlt ______ Euro Miete.
3. ______ Euro gibt sie monatlich für Telefon und Internet aus.
4. Dazu braucht sie noch Geld für ________, ________ und Hobbys.

### Aufgabe 4 Interview

Interviewen Sie eine Partner*in. Stellen Sie dieselben Fragen.

[1] *weddings*

# Wortschatz zum Lernen

| Klima | Climate |
|---|---|
| **aus·halten, hält ... aus, hielt ... aus, ausgehalten** | to withstand, endure |
| →**besitzen, besaß, besessen** | to own, possess |
| →**sich beziehen (auf** + *acc.*), **bezog, bezogen** | to refer (to) |
| →**ersetzen, ersetzt** | to replace |
| →**kritisieren** | to criticize, critique |
| →**leisten** | to provide, do, accomplish |
| →**steuern** | to steer, operate, control |
| **vertreiben, vertrieb, vertrieben** | to displace, expel |
| →**verursachen, verursacht** | to cause |
| →**verzichten auf** (+ *acc.*) | to forgo, do without |
| →**zwingen, zwang, gezwungen** | to force, compel, oblige |
| →die **Auswirkung, -en** | impact, effect, consequence |
| →die **Bevölkerung, -en** | population |
| →die **Energie, -n** | energy |
| →die **Gesellschaft, -en** | society |
| →die **Ironie, -n** | irony |
| die **Jahreszeit, -en** | season |
| die **Kälte** | cold |
| die **Katastrophe, -n** | catastrophe |
| die **Kleidung** | clothes |
| die **Kohle** | coal |
| →die **Krise, -n** | crisis |
| die **Mitternacht** | midnight |
| die **Nutzung** | use, utilization |
| →die **Technik, -en** | technology, technique |
| die **Tonne, -n** | ton |
| der **Anstieg, -e** | rise, increase |
| →der **Bau, -ten** | construction, building |
| →der **Hinweis, -e** | reference, indication |
| →der **Konflikt, -e** | conflict |
| der **Kontext, -e** | context |
| →der **Stoff, -e** | substance, material, fabric |
| der **Stolz** | pride |
| →der **Text, -e** | text |
| der **Transport, -e** | transportation |
| der **Turm, ¨-e** | tower |
| →der **Typ, -en** | type |
| →der **Übergang, ¨-e** | transition |
| der **Zeitraum, ¨-e** | period |
| das **Abkommen, -** | agreement, treaty |
| →das **Gas, -e** | gas |
| das **Ufer, -** | shore, bank (of a river) |
| das **Unglück, -e** | misfortune, accident |
| →**absolut** | absolute(ly) |
| →**chemisch** | chemical(ly) |
| **gegenwärtig** | current(ly) |
| →**kulturell** | cultural(ly) |
| **literarisch** | literary, literarily |
| →**menschlich** | human(ly) |
| →**mittlere, mittlerer, mittleres** | average |
| →**persönlich** | personal(ly) |
| →**wissenschaftlich** | scientific(ally) |
| →**außerhalb** (+ *gen.*) | outside |
| **drüben** | over there |
| →**erneut** | anew, once again |
| →**solche, solcher, solches** | such |
| →**trotz** (+ *gen.*) | despite |
| →**unten** | down, below |
| →**wieso** | why |

| Diversität | Diversity |
|---|---|
| →**an·geben, gibt ... an, gab ... an, angegeben** | to indicate, state, specify, declare |
| →**an·sprechen, spricht ... an, sprach ... an, angesprochen** | to address, speak to |
| →**auf·tauchen, ist aufgetaucht** | to appear, emerge |
| **aus·üben, ausgeübt** | to practice |
| →**beachten** | to consider, respect |
| →**berücksichtigen, berücksichtigt** | to take into account, include |
| →**betragen, beträgt, betrug, betragen** | to be, account for, come to |
| →**entsprechen** (+ *dat.*), **entspricht, entsprach, entsprochen** | to correspond to, conform to, comply with |
| →**erfolgen, ist erfolgt** | to take place, happen; follow |
| →**erwarten** | to expect |
| →**fördern** | to promote, support |
| →**sich informieren über** (+ *akk.*) | to find out about, catch up on |
| **integrieren** | to integrate |
| →**nach·denken (über** + *acc.*), **dachte ... nach, nachgedacht** | to think (about), ponder (over) |
| →**scheitern, ist gescheitert** | to fail |
| **tauschen** | to change, exchange, trade |
| die **Arbeitskraft, ¨-e** | labor; employee |
| die **Ausländerin, -nen** | female foreigner |
| →die **Branche, -n** | sector |
| →die **Einstellung, -en** | attitude |
| die **Erlaubnis, -se** | permit, permission |
| →die **Gewalt, -en** | violence, force |
| →die **Initiative, -n** | initiative |
| →die **Integration** | integration |
| →die **Macht, ¨-e** | power, might |
| →die **Million, -en** | million |
| →die **Spitze, -n** | top, head, apex |
| →die **Teilnehmerin, -nen** | female participant |
| die **Verwendung, -en** | use, usage, application |
| die **Wut** | anger, rage |

| | |
|---|---|
| der **Aufenthalt, -e** | residence, stay |
| der **Ausländer, -** | male foreigner |
| →der **Frieden** | peace |
| der **Hass** | hatred |
| →der **Teilnehmer, -** | male participant |
| →der **Versuch, -e** | attempt, try |
| das **Geschlecht, -er** | gender |
| →das **Verständnis, -se** | understanding |
| →**ausländisch** | foreign |
| →**dünn** | thin(ly) |
| →**notwendig** | necessary, necessarily |
| →**sichtbar** | visible, visibly |
| →**sogenannt** | so-called |
| →**staatlich** | state, government, public(ly) |
| **jenseits** | beyond |
| →**seitdem** | since then, ever since |
| →**überhaupt** | at all, in the first place, anyway |
| →**um ... zu** | (in order) to |

## Politik — Politics

| | |
|---|---|
| **an·gehören** (+ *dat.*), **angehört** | to belong to, be a member of |
| →**begrenzen** | to limit |
| →**betonen** | to stress, emphasize |
| →**bilden** | to form, make; to educate |
| →**ein·treten für** (+ *acc.*), **tritt ... ein, trat ... ein, ist eingetreten** | to champion, stand up for |
| **ein·wandern, ist eingewandert** | to immigrate |
| →**erhöhen** | to increase |
| →**ermöglichen, ermöglicht** | to make possible, enable, facilitate |
| →**sich kümmern um** | to take care of, to care for |
| →**orientieren** | to orient |
| →**regieren** | to govern |
| →**richten** | to direct, point; to fix |
| →**vereinbaren, vereinbart** | to agree, arrange |
| →die **Abgeordnete, -n** (*adj. noun*) | female representative |
| →die **Alternative, -n** | alternative |
| →die **Demokratie, -n** | democracy |
| die **Ehe, -n** | marriage |
| →die **Grenze, -n** | limit, border |
| →die **Kandidatin, -nen** | female candidate |
| →die **Kanzlerin, -nen** | female chancellor |
| die **Koalition, -en** | coalition |
| →die **Mehrheit, -en** | majority |
| die **Minderheit, -en** | minority |
| →die **Ministerin, -nen** | female minister |
| →die **Öffentlichkeit, -en** | public |
| →die **Organisation, -en** | organization |
| →die **Politikerin, -nen** | female politician |
| →die **Position, -en** | position, location, place |
| →die **Regierung, -en** | government |
| →die **Strategie, -n** | strategy |
| →die **Wahl, -en** | election |
| →der **Abgeordnete, -n** (*adj. noun*) | male representative |
| →der **Kandidat, -en** (*wk. masc.*) | male candidate |
| →der **Kanzler, -** | male chancellor |
| der **Lohn, ¨-e** | salary, wages |
| →der **Minister, -** | male minister |
| →der **Politiker, -** | male politician |
| der **Terrorismus** | terrorism |
| das **Vermögen, -** | assets, wealth |
| →das **Volk, ¨-er** | people |
| →das **Wachstum** | growth |
| **arbeitslos** | unemployed, jobless |
| →**bereit** | prepared, ready, willing |
| →**demokratisch** | democratic(ally) |
| →**eng** | narrow(ly), tight(ly); close(ly) |
| →**gesellschaftlich** | social(ly), societal(ly) |
| →**jeweils** | at a time, in each case |

## Kunst und Literatur — Art and Literature

| | |
|---|---|
| →**auf·führen, aufgeführt** | to perform |
| →**gestalten, gestaltet** | to shape, make, design |
| →**halten von, hält, hielt, gehalten** | to think about, feel about |
| →**malen** | to paint |
| →**präsentieren** | to present |
| →die **Besucherin, -nen** | female visitor |
| →die **Figur, -en** | figure |
| →die **Funktion, -en** | function |
| die **Sendung, -en** | program, show, broadcast |
| →die **Stimme, -n** | voice; vote |
| →die **Verfügung, -en** | disposal |
| der **Abschied** | farewell |
| →der **Augenblick, -e** | moment |
| →der **Besucher, -** | male visitor |
| der **Teufel, -** | devil |
| →der **Tod, -e** | death |
| das **Holz, ¨-er** | wood |
| →das **Material, -ien** | material |
| das **Motiv, -e** | motif, theme |
| **magisch** | magical(ly) |
| **schwanger** | pregnant |
| →**übrig** | remaining, left |
| →**unbedingt** | absolute(ly) |
| →**vollkommen** | complete(ly), perfect(ly) |
| **wahnsinnig** | crazy, crazily, insane(ly) |
| →**jene, jener, jenes** | that, those |

APPENDIX **A**

# Informationsspiele: 2. Teil

## Einführung A

### Situation 5 **Zehn Fragen**

Stellen Sie zehn Fragen. Ja oder nein?

MODELL: S2: Trägt Herr Fuchs einen Anzug?
S1: Ja. Trägt Meili eine Brille?
S2: Nein.

| | HERR FUCHS | FRAU KÖRNER | | HERR FUCHS | FRAU KÖRNER |
|---|---|---|---|---|---|
| einen Anzug | *Ja* | _____ | einen Mantel | _____ | _____ |
| eine Brille | _____ | _____ | einen Pullover | _____ | _____ |
| ein Hemd | _____ | _____ | einen Rock | _____ | _____ |
| eine Hose | _____ | _____ | Schuhe | _____ | _____ |
| einen Hut | _____ | _____ | Socken | _____ | _____ |
| eine Jacke | _____ | _____ | Sportschuhe | _____ | _____ |
| eine Jeans | _____ | _____ | Stiefel | _____ | _____ |
| ein Kleid | _____ | _____ | ein T-Shirt | _____ | _____ |

### Situation 12 **Zahlenrätsel**

Verbinden Sie die Punkte. Sagen Sie Ihrem Partner oder Ihrer Partnerin, wie er oder sie die Punkte verbinden soll. Dann sagt Ihr Partner oder Ihre Partnerin Ihnen, wie Sie die Punkte verbinden sollen. Was zeigen Ihre Bilder?

S2: Start ist Nummer 1. Geh zu 17, zu 5, zu 60, zu 23, zu 14, zu 3, zu 19, zu 7, zu 21, zu 12, zu 6, zu 33, zu 8, zu 11, zu 40, zu 25, zu 13, zu 4, zu 15, zu 35, zu 50, zu 9, und zum Schluss zu 16. Was zeigt dein Bild?

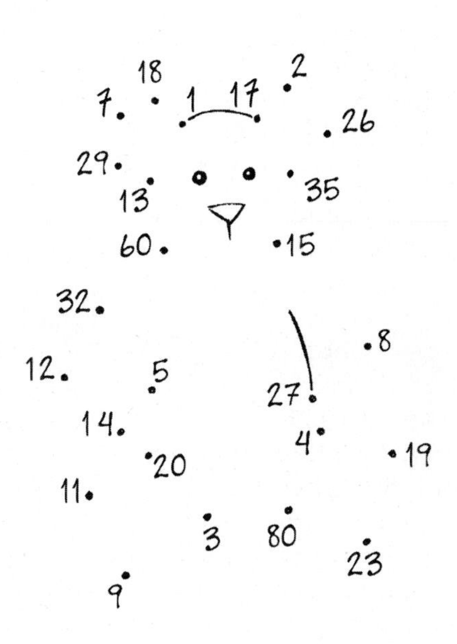

## Einführung B

### Situation 7 Familie

MODELL: S2: Wie heißt Richards Vater?
S1: Er heißt ______.
S2: Wie schreibt man das?
S1: ______. Wie alt ist er?
S2: Er ist 39 Jahre alt. Wo wohnt er?
S1: Er wohnt in ______. Wie heißt Richards Mutter?
S2: Sie heißt Maria.
S1: Wie schreibt man das?
S2: M-A-R-I-A.

| | | Richard | Sofie | Mert |
|---|---|---|---|---|
| *Vater* | *Name* | | | Kenan |
| | *Alter* | 39 | | |
| | *Wohnort* | | Dresden | |
| *Mutter* | *Name* | Maria | | |
| | *Alter* | 38 | 47 | 54 |
| | *Wohnort* | | | Solingen |
| *Bruder* | *Name* | | Jupp | |
| | *Alter* | | | |
| | *Wohnort* | Innsbruck | Leipzig | Hamburg |
| *Schwester* | *Name* | Elisabeth | — | Fatima |
| | *Alter* | 16 | — | 31 |
| | *Wohnort* | | — | |

### Situation 9 Temperaturen

MODELL: S2: Wie viel Grad Fahrenheit sind 18 Grad Celsius?
S1: ______ Grad Fahrenheit.

| °F | 90 | | 32 | | –5 | |
|---|---|---|---|---|---|---|
| °C | 32 | 18 | 0 | –18 | –21 | –39 |

## Kapitel 1

### Situation 2 Freizeit

MODELL: S2: Wie alt ist Richard?
S1: ______.
S2: Woher kommt Johannes?
S1: Aus ______.
S2: Was macht Daniel gern?
S1: Er ______.
S2: Wie alt bist du?
S1: ______.

S2: Woher kommst du?
S1: ______.
S2: Was machst du gern?
S1: ______.

| | Alter | Wohnort | Hobby |
|---|---|---|---|
| *Richard* | | Innsbruck | geht gern in die Berge |
| *Johannes* | 20 | | spielt gern Tennis |
| *Daniel* | | Göttingen | |
| *Sofie* | | | kocht gern |
| *Hannah* | 16 | München | |
| *Julia* | | Regensburg | |
| *mein/e Partner/in* | | | |

## Situation 7 Hannahs Stundenplan

MODELL: S1: Was hat Hannah am Montag um acht Uhr?
S2: Sie hat Deutsch.

| Uhr | Montag | Dienstag | Mittwoch | Donnerstag | Freitag |
|---|---|---|---|---|---|
| *8.00–8.45* | Deutsch | | | Englisch | |
| *8.50–9.35* | | Englisch | Kunst | | Mathematik |
| *9.35–9.50* | ← | | Pause | | → |
| *9.50–10.35* | | | Deutsch | | Biologie |
| *10.40–11.25* | Geschichte | Medien | | Geschichte | |
| *11.25–11.35* | ← | | Pause | | → |
| *11.35–12.20* | | Französisch | | Französisch | |
| *12.25–13.10* | Sport | | Mathematik | | Religion |

## Situation 12 Diese Woche

MODELL: S1: Was macht Phan am Montag?
S2: Sie steht um 6 Uhr auf.
S1: Was machst du am Montag?
S2: Ich ______.

| | Phan Nguyen | Mert Yilmaz | mein(e) Partner(in) |
|---|---|---|---|
| *Montag* | Sie steht um 6 Uhr auf. | | |
| *Dienstag* | | Er schaut einen Film an. | |
| *Mittwoch* | Sie hat eine Prüfung. | | |
| *Donnerstag* | | Er geht einkaufen. | |
| *Freitag* | Sie geht tanzen. | | |
| *Samstag* | | Er verbringt den Tag im Bett. | |
| *Sonntag* | Sie besucht ihre Eltern. | | |

# Kapitel 2

## Situation 3 Was machen sie morgen?

MODELL: S1: Zahlt Phan morgen eine Rechnung?
S2: Ja.
S1: Zahlst du morgen eine Rechnung?
S2: Ja. (Nein.)

| | Daniel | Phan | mein(e) Partner(in) |
|---|---|---|---|
| 1. *zahlt/zahlst ... eine Rechnung* | | + | |
| 2. *überrascht/überraschst ... jemand* | | + | |
| 3. *schaut/schaust ... einen Film an* | – | – | |
| 4. *ruft/rufst ... eine Freundin an* | | | |
| 5. *löst/löst ... ein Problem* | | + | |
| 6. *treibt/treibst ... Sport* | + | – | |
| 7. *besucht/besuchst ... einen Freund* | | | |
| 8. *macht/machst ... eine Reise* | | – | |

## Situation 15 Was machen sie gern?

MODELL: S1: Was trägt Richard gern?
S2: Hemden.
S1: Was trägst du gern?
S2: _____

| | Richard | Leon und Julia | mein(e) Partner(in) |
|---|---|---|---|
| *fahren* | | Zug | |
| *tragen* | Hemden | | |
| *lesen* | | Romane | |
| *sehen* | | Horrorfilme | |
| *vergessen* | seine Hausaufgaben | | |
| *waschen* | | ihr Auto | |
| *treffen* | | ihre Lehrer | |
| *einladen* | | ihre Eltern | |
| *sprechen* | Italienisch | | |

# Kapitel 3

## Situation 1 Kann Kayla gut rechnen?

MODELL: S1: Kann Pedro gut rechnen?
S2: Ja.
S1: Kannst du rechnen?
S2: Ja, aber nicht so gut.

[++]
wunderbar
hervorragend
sehr gut
gut

[+]
ganz gut

[0]
nicht so gut
nur ein bisschen
gar nicht
kein bisschen

| | Kayla | Pedro | mein(e) Partner(in) |
|---|---|---|---|
| *rechnen* | | gut | |
| *reden* | sehr gut | | |
| *erklären* | | ganz gut | |
| *Witze erzählen* | | nicht so gut | |
| *tanzen* | wunderbar | | |
| *Bilder beschreiben* | ganz gut | | |
| *Begriffe definieren* | | nicht so gut | |
| *Klavier spielen* | | kein bisschen | |
| *werfen* | | hervorragend | |
| *Sachen reparieren* | gut | | |

## Situation 13 Was machen sie, wenn ...?

MODELL: S1: Was macht Sarah, wenn sie müde ist?
S2: Sie trinkt Kaffee.
S1: Was machst du, wenn du müde bist?
S2: Ich gehe ins Bett.

| | Sarah | Yusuf | mein(e) Partner(in) |
|---|---|---|---|
| 1. *traurig ist/bist* | | weint | |
| 2. *müde ist/bist* | trinkt Kaffee | | |
| 3. *spät dran ist/bist* | | geht schnell | |
| 4. *wütend ist/bist* | wirft mit Tellern | | |
| 5. *krank ist/bist* | | bleibt im Bett | |
| 6. *glücklich ist/bist* | lädt Freundinnen ein | | |
| 7. *Hunger hat/hast* | | schreit laut „Hunger!“ | |
| 8. *Angst hat/hast* | schließt die Tür ab | | |

# Kapitel 4

## Situation 9 Geburtstage

MODELL: S1: Wann ist Sofie geboren?
S2: Am ersten November 1999.

| Person | Geburtstag |
|---|---|
| *Lukas* | |
| *Sofie* | 1. November 1999 |
| *Claire* | |
| *Julia* | 3. April 1996 |
| *Meili* | |
| *Noah* | 17. Januar 2002 |
| *Heidi* | |
| *mein(e) Partner(in)* | |
| *sein/ihr bester Freund* | |
| *seine/ihre beste Freundin* | |

## Situation 15 Zum ersten Mal

MODELL: S1: Wann hat Herr Moser seinen ersten Kuss bekommen?
S2: Als er zwölf war.

| | Herr Moser | Frau Gruber | mein(e) Partner(in) |
|---|---|---|---|
| *seinen/ihren/ deinen ersten Kuss[1] bekommen* | als er 12 war | | |
| *zum ersten Mal ausgegangen* | | als sie 15 war | |
| *seinen/ihren/ deinen Führerschein[2] gemacht* | mit 18 | | |
| *sein/ihr/dein erstes Bier getrunken* | | mit 18 | |
| *seinen/ihren/ deinen ersten Preis gewonnen* | mit 21 | | |
| *zum ersten Mal nachts nicht nach Hause gekommen* | noch nie | | |

[1]*kiss* [2]*driver's license*

# Kapitel 6

## Situation 6 Gestern und heute

Arbeiten Sie zu zweit und stellen Sie Fragen wie im Modell.

MODELL: S1: Früher war hier ein Reisebüro. Was ist heute hier?
S2: Heute ist hier ein Buchladen.

Früher

Heute

## Situation 16 Haus- und Gartenarbeit

MODELL: S1: Was macht Meili am liebsten?
S2: Sie geht am liebsten einkaufen.
S1: Was hat Noah letztes Wochenende gemacht?
S2: Er hat die Blumen gegossen.
S1: Was muss Meili diese Woche noch machen?
S2: Sie muss den Boden wischen.

S2: Was machst du am liebsten?
S1: Ich ______ am liebsten ______.

| | Noah | Meili | mein(e) Partner(in) |
|---|---|---|---|
| *am liebsten* | | einkaufen gehen | |
| *am wenigsten gern* | das Bad putzen | | |
| *jeden Tag* | seine Schuhe putzen | | |
| *einmal in der Woche* | | die Wäsche waschen | |
| *letztes Wochenende* | die Blumen gießen | | |
| *gestern* | die Teller waschen | | |
| *diese Woche* | | den Boden wischen | |
| *bald mal wieder* | | Staub wischen | |

# Kapitel 7

## Situation 3 Städte

Wo liegen die folgenden Städte? Schreiben Sie die Namen der Städte auf die Landkarte[1].

Augsburg, Braunschweig, Bremen, Frankfurt/Oder, Halle, Innsbruck, Kiel, Nürnberg, Rostock, Stuttgart, Zürich

MODELL: S1: Wo liegt Hannover?
S2: Hannover liegt im Norden.
S1: Wo genau?
S2: Südlich von Hamburg.

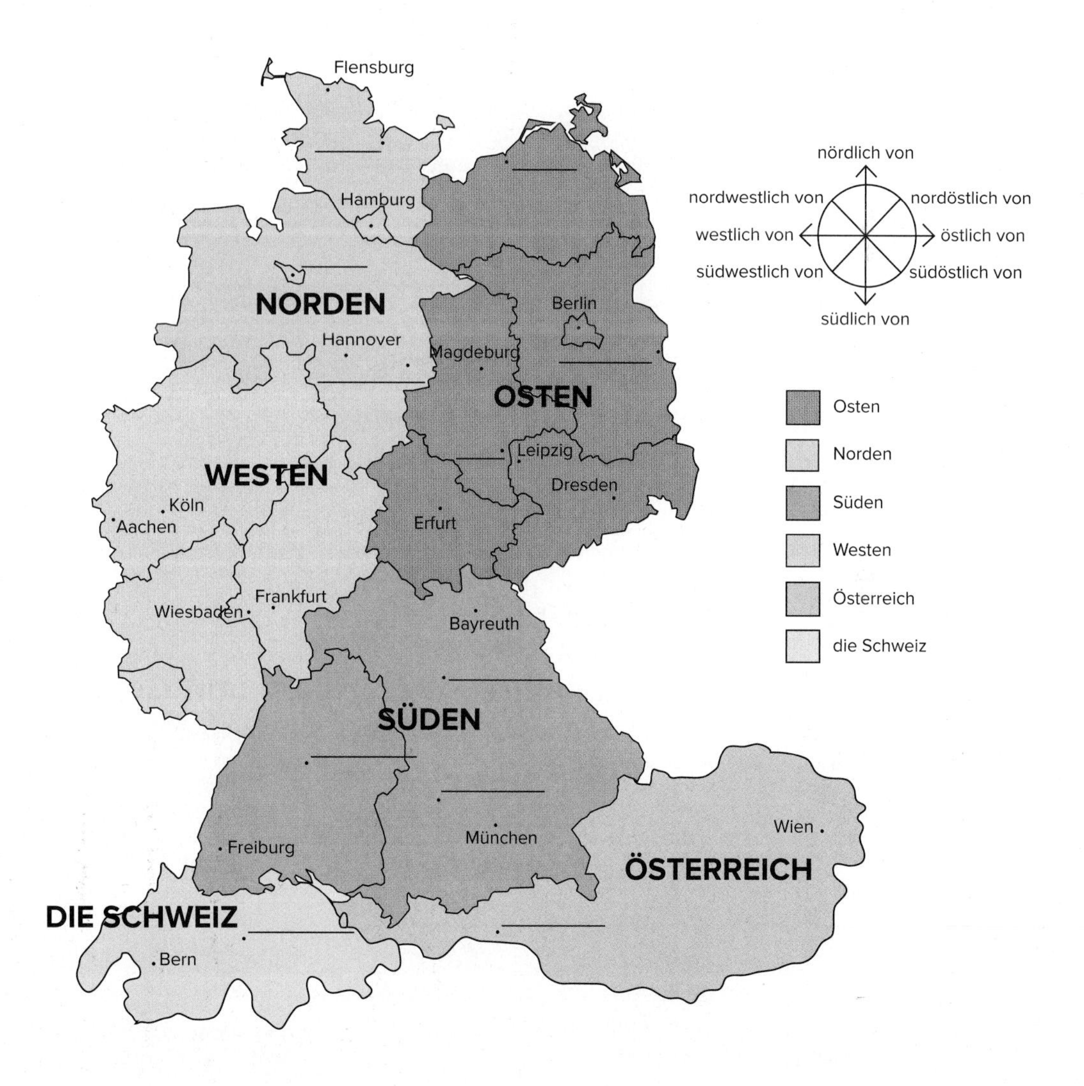


[1]*map*

## Situation 12 Ein Auto kaufen

S2: Sie wollen einen Gebrauchtwagen[1] kaufen und lesen deshalb Anzeigen im Internet. Die Anzeigen für einen VW Golf und einen Audi A3 e-tron sind interessant. Rufen Sie an und stellen Sie Fragen.

Sie haben auch eine Anzeige im Internet aufgegeben, weil Sie Ihren BMW i3 oder Ihren Mercedes E 53 verkaufen wollen. Antworten Sie auf die Fragen der Leute zu Ihren Autos.

MODELL: Guten Tag, ich rufe wegen Ihrer Anzeige an. Ich interessiere mich für den VW Golf.

1. Womit fährt der Wagen?
2. Wie alt ist er?
3. Welche Farbe hat er?
4. Wie viele Kilometer hat er?
5. Wie lange hat er noch TÜV?
6. Wie viel verbraucht er?
7. Wie viel sind das in Euro pro hundert Kilometer?
8. Was kostet der Wagen?

| | VW Golf | Audi A3 e-tron | BMW i3 | Mercedes E 53 |
|---|---|---|---|---|
| *Kategorie* | Kleinwagen | Limousine | Limousine | Cabrio |
| 1. *Kraftstoff*[2] *(Benzin, Strom oder Hybrid)* | | | Strom | Benzin |
| 2. *Baujahr*[3] | | | 2019 | 2020 |
| 3. *Farbe* | | | schwarz | blaugrün |
| 4. *Kilometerstand*[4] | | | 8.347 km | 3.115 km |
| 5. *TÜV* | | | 6 Monate | fast 2 Jahre |
| 6. *Verbrauch*[5] *pro 100 km* | | | 14 kWh[6] | 8,9 Liter |
| 7. *Kosten pro 100 km* | | | 4,50 Euro | 12,60 Euro |
| 8. *Preis* | | | 21.900 Euro | 99.000 Euro |

# Kapitel 8

## Situation 2 Mahlzeiten und Getränke

MODELL: S2: Was isst Frau Gruber zum Frühstück?
S1: ______

| | Frau Gruber | Steve | Antonia |
|---|---|---|---|
| *zum Frühstück essen* | | Brot mit Käse | Brot mit Marmelade |
| *zum Frühstück trinken* | | grünen Tee | |
| *zu Mittag essen* | frisches Gemüse | | warme Würstchen |
| *zu Abend essen* | italienische Gerichte | | |
| *nach dem Sport trinken* | nichts, sie treibt keinen Sport | kalten Tee | |
| *auf einem Fest trinken* | französischen Wein | | eiskalte Limonade |
| *essen, wenn er/sie groß ausgeht* | | gegrillten Fisch mit Kartoffeln | |

[1]*used car* [2]*fuel* [3]*year of manufacture* [4]*odometer reading* [5]*(fuel) consumption* [6]kWh = Kilowattstunden *kilowatt hours*

## Situation 6 Präferenzen

MODELL: Womit kocht Emma gern?
Was für Saft[1] trinkt Benjamin gern?
Wie serviert Hannah Essen gern?
Wem ist Emma schon mal begegnet?
Wem hat Benjamin schon mal einen Kuchen gebacken?
Wem oder was vertraut Hannah (nicht)?

| | Emma | Benjamin | Hannah |
|---|---|---|---|
| *kocht gern ...* | | mit süßen Zwiebeln | |
| *trinkt gern Saft ...* | aus sauren Äpfeln | | aus süßen Früchten |
| *serviert Essen gern ...* | | mit teuren Weinen | |
| *ist schon mal ... begegnet* | einem berühmten Koch | | einer berühmten Dichterin |
| *hat schon mal ... einen Kuchen gebacken* | | einem alten Mann | |
| *vertraut ...* | Obst und Gemüse vom Wochenmarkt | | keinen großen Hunden |

# Kapitel 9

## Situation 9 Was ist passiert?

MODELL: Was ist Mert passiert? / Was ist dir passiert?
Wann ist es passiert?
Wo ist es passiert?
Warum ist es passiert?

| | Sofie | Mert | Yusuf | mein Partner / meine Partnerin |
|---|---|---|---|---|
| *Was?* | hat ihren Schlüssel verloren | | hat seine Hose zerrissen | |
| *Wann?* | | als er in die Türkei fliegen wollte | | |
| *Wo?* | in Leipzig | | bei seiner Tante | |
| *Warum?* | | weil er zu spät losgefahren war | | |

[1] *juice*

# Kapitel 10

## Situation 2 Reisen

MODELL: S2: Woher kommt Richard?
S1: Aus _______.
S2: Wohin fährt er?
S1: Nach/In _______. Wie kommt er dahin?
S2: Mit der Bahn. Wo wohnt er?
S1: Bei _______. Was macht er da?
S2: Er lernt Französisch.

| | Richard | Sofie | Mert | Pedro | Daniel | mein(e) Partner(in) |
|---|---|---|---|---|---|---|
| *Woher?* | | aus Dresden | | aus Berkeley | | |
| *Wohin?* | | nach Düsseldorf | | nach Hawaii | | |
| *Wie?* | mit der Bahn | | mit dem Flugzeug | | | |
| *Wo?* | | bei ihrer Tante | bei Verwandten | | bei einem Freund | |
| *Was?* | Französisch lernen | | am Strand liegen und entspannen | | die Aussicht genießen und viel unternehmen | |

## Situation 10 Wo wollen wir übernachten?

MODELL: Wie viel kostet _____?
Haben die Zimmer im (in der) _____ Dusche und Toilette?
Gibt es im (in der) _____ Einzelzimmer?
Gibt es im (in der, auf dem) _____ einen Fernseher?
Ist das Frühstück im (in der, auf dem) _____ inklusive?
Ist die Lage von dem (von der) _____ zentral/ruhig?
Gibt es im (in der, auf dem) _____ Internet?

| | das Hotel Strandpromenade | das Hotel Ostseeblick | die Jugendherberge[1] | der Campingplatz |
|---|---|---|---|---|
| *Preis pro Person* | | 52,- Euro | | |
| *Dusche/Toilette* | | | nein | nein |
| *Einzelzimmer* | | | | natürlich nicht |
| *Fernseher* | in jedem Zimmer | nicht in allen Zimmern | | natürlich nicht |
| *Frühstück* | inklusive | | kostet extra | nein |
| *zentrale Lage* | | ja | | |
| *ruhige Lage* | | | ja | ja |
| *Internet* | in jedem Zimmer | im Frühstückszimmer | | nein |

[1]*youth hostel*

### Situation 14 Tiere

MODELL: Welche Tiere findet ____ am tollsten?
Vor welchem Tier hat ____ am meisten Angst?
Welches Tier hätte ____ gern als Haustier?
Welche wilden Tiere sollten seiner/ihrer Meinung nach nicht gejagt werden?
Welche Art sollte seiner/ihrer Meinung nach besser geschützt werden?
Von welchem Tier möchte ____ nicht gefressen werden?
Welche Tiere bewundert ____ am meisten?
Welchem Tier möchte ____ nicht im Wald begegnen?

| | Yusuf | Maria | mein(e) Partner(in) |
|---|---|---|---|
| *Lieblingstier* | Bären | | |
| *Angst* | | vor Ratten | |
| *Haustier* | | eine Katze | |
| *nicht gejagt werden* | Elefanten | | |
| *besser geschützt werden* | | Insekten | |
| *nicht gefressen werden* | von einem Löwen | | |
| *bewundern* | | Vögel | |
| *nicht begegnen* | | einem Wildschwein | |

# Kapitel 11

### Situation 10 Krankheitsgeschichte

MODELL: Hat Herr Moser sich (Hast du dir) schon mal etwas gebrochen? Was?
Ist Herr Moser (Bist du) schon mal im Krankenhaus gewesen? Warum?
Musste Claire (Musstest du) schon mal starke Schmerzmittel nehmen? Warum?
Ist Claire (Bist du) schon mal operiert worden?
Ist Herr Moser (Bist du) gegen etwas allergisch? Gegen was?
Hat man Herrn Moser (Hat man dir) schon mal einen Zahn gezogen?
Hatte Claire (Hattest du) schon mal hohes Fieber? Wie hoch?

| | Claire | Herr Moser | mein(e) Partner(in) |
|---|---|---|---|
| *sich etwas brechen* | den Arm | | |
| *im Krankenhaus sein* | Nierenentzündung | | |
| *starke Schmerzmittel nehmen* | | ja, als er am Knie operiert wurde | |
| *operiert werden* | | ja, am Knie | |
| *gegen etwas allergisch sein* | Eier | | |
| *einen Zahn gezogen haben* | nein | | |
| *hohes Fieber haben* | | 41,2° C | |

APPENDIX B

# Rollenspiele: 2. Teil

## Einführung A

### Situation 10 **Begrüßen**

S2: Begrüßen Sie einen Kommilitonen oder eine Kommilitonin. Schütteln Sie dem Kommilitonen oder der Kommilitonin die Hand. Sagen Sie Ihren Namen. Fragen Sie, wie alt er oder sie ist. Verabschieden Sie sich.

## Einführung B

### Situation 11 **Herkunft**

S2: Sie sind Student/Studentin an einer Universität in Österreich. Sie lernen einen neuen Studenten / eine neue Studentin kennen. Fragen Sie, wie er/sie heißt, woher er/sie kommt, woher seine/ihre Familie kommt und welche Sprachen er/sie spricht.

## Kapitel 1

### Situation 15 **Auf dem Auslandsamt**[1]

S2: Sie arbeiten auf dem Auslandsamt der Universität. Ein Student / Eine Studentin kommt zu Ihnen und möchte ein Stipendium[2] für Österreich. Fragen Sie nach den persönlichen Angaben und schreiben Sie sie auf: Name, Adresse, Telefon, E-Mail-Adresse, Geburtstag, Studienfach. Sagen Sie „Auf Wiedersehen".

## Kapitel 2

### Situation 8 **Am Telefon**

S2: Das Telefon klingelt[3]. Ein Freund / Eine Freundin ruft an. Er/Sie lädt Sie ein. Fragen Sie: **wo, wann, um wie viel Uhr, wer kommt mit.** Sagen Sie „ja" oder „nein", und sagen Sie „tschüss".

## Kapitel 3

### Situation 11 **In der Mensa**[4]

S2: Sie studieren an der Uni in Regensburg und sind in der Mensa. Jemand sucht einen Platz und möchte sich an Ihren Tisch setzen. Fragen Sie, wie er/sie heißt, woher er/sie kommt und was er/sie studiert.

[1]*study abroad office* [2]*scholarship* [3]*rings* [4]*cafeteria*

# Kapitel 4

## Situation 16 Das Leben von Studierenden

S2: Sie sind Student*in an einer Uni in Ihrem Land. Ein*e Reporter*in aus Österreich fragt Sie viel und Sie antworten gern. Sie wollen aber auch wissen, was die Reporter*in gestern alles gemacht hat: am Vormittag, am Mittag, am Nachmittag und am Abend.

# Kapitel 5

## Situation 12 Bei der Berufsberatung

S2: Sie sind Student/Studentin und gehen zur Berufsberatung, weil Sie nicht wissen, was Sie nach dem Studium machen sollen. Beantworten Sie die Fragen des Berufsberaters / der Berufsberaterin.

# Kapitel 6

## Situation 12 Zimmer zu vermieten

S2: Sie möchten ein Zimmer in Ihrem Haus vermieten. Das Zimmer ist 25 Quadratmeter groß und hat Zentralheizung[1]. Es kostet warm[2] 410 Euro im Monat. Es hat große Fenster und ist sehr ruhig. Das Zimmer hat keine Küche und nur ein kleines Bad, aber der Mieter / die Mieterin darf Ihre Küche benutzen. Der Mieter / Die Mieterin darf Freunde einladen, aber sie dürfen nicht zu lange bleiben. Sie haben kleine Kinder, die früh ins Bett müssen. Fragen Sie, was der Student / die Studentin studiert, ob er/sie raucht, ob er/sie oft laute Musik hört, ob er/sie Haustiere hat und ob er/sie Möbel hat.

# Kapitel 7

## Situation 9 Am Fahrkartenschalter

S2: Sie arbeiten am Fahrkartenschalter[3] im Bahnhof von Bremen. Ein Fahrgast möchte eine Fahrkarte nach München kaufen. Hier ist der Fahrplan. Alle Züge fahren über Hannover und Würzburg.

| | Abfahrt | Ankunft | 2. Kl. | 1. Kl. |
|---|---|---|---|---|
| *IC* | 4.25 | 15.40 | 142 Euro | 237 Euro |
| *ICE* | 7.15 | 14.05 | 152 Euro | 249 Euro |
| *IC* | 7.30 | 20.45 | 142 Euro | 237 Euro |

[1]*central heat* [2]*including utilities* [3]*ticket counter*

# Kapitel 8

## Situation 15 Auf der Bank

S2: Sie sind Bankangestellte(r) bei der Leipziger Sparkasse und ein Kunde / eine Kundin möchte ein Konto für den täglichen Gebrauch eröffnen. Fragen Sie, ob der Kunde / die Kundin ein Girokonto oder ein Sparkonto eröffnen möchte. Zinsen gibt es nur auf Sparkonten. Eine Kreditkarte bekommt man nur, wenn man ein festes Einkommen hat. Online-Zugang ist kostenlos. Überweisungen aus dem Ausland kosten 1% des Betrags.

# Kapitel 9

## Situation 8 Das Klassentreffen

S2: Sie sind auf einem Klassentreffen[1] Ihrer alten High-School-Klasse. Sie unterhalten sich mit einem alten Schulfreund / einer alten Schulfreundin. Fragen Sie, was er/sie nach Abschluss der High School gemacht hat, was er/sie jetzt macht und was seine/ihre Pläne für die nächsten Jahre sind. Sprechen Sie auch über die gemeinsame Schulzeit.

# Kapitel 10

## Situation 12 Im Hotel

S2: Sie arbeiten an der Rezeption in einem Hotel. Alle Zimmer haben Dusche und Toilette. Manche haben auch Internet. Frühstück ist inklusive. Das Hotel ist im Moment ziemlich voll. Ein Reisender / Eine Reisende kommt herein und erkundigt sich nach Zimmern. Denken Sie zuerst darüber nach: Was für Zimmer sind noch frei? Was kosten die Zimmer? Bis wann müssen die Gäste abreisen?

# Kapitel 11

## Situation 12 Anruf beim Arzt

S2: Sie arbeiten in einer Arztpraxis[2]. Ein Patient / Eine Patientin ruft an und möchte einen Termin. Fragen Sie, was er/sie hat und wie dringend es ist. Der Terminkalender für diesen Tag ist schon sehr voll.

# Kapitel 12

## Situation 16 An der Kinokasse

S2: Sie arbeiten an der Kinokasse und sind gestresst, weil Sie den ganzen Tag Karten verkauft haben. Sie haben vielleicht noch zehn Karten für die „Rocky Horror Picture Show" heute Abend, alles Einzelplätze. Auch die nächsten Tage sind schon völlig ausverkauft. Jetzt freuen Sie sich auf Ihren Feierabend, weil Sie dann mit Ihren Freunden selbst in die „Rocky Horror Picture Show" gehen wollen. Sie haben sich fünf ganz tolle Plätze besorgt, in der ersten Reihe. Da kommt noch ein Kunde.

[1]*class reunion* [2]*doctor's office*

APPENDIX C

# Phonetics Summary Tables

## I. Phoneme-Grapheme Relationships

*Note:* The ***Kontakte*** *Workbook / Lab Manual* presents the phoneme-grapheme relationship in reverse: The graphemes (letters of the alphabet) are the starting point for variations in pronunciation.

**Single vowels** are often long when they appear in an open or potentially open syllable. Such syllables end in vowels—that is, they have no following end-consonant—for example, *Ü-bung, Ho-se, hörst* (from *hö-ren*), *gut* (from *gu-te*), *Fuß* (from *Fü-ße*). This rule applies above all to verbs, nouns, and adjectives.

### Vowels

| Sound Group | Phonemes/ Sounds | Graphemes | Examples |
|---|---|---|---|
| **a**-sounds | [aː] | **a, aa** | h**a**ben, P**aa**r |
| | | **ah** | Z**ah**l |
| | [a] | **a** | m**a**chen |
| **i**-sounds | [iː] | **i, ie** | Mus**i**k, l**ie**gen |
| | | **ih, ieh** | **ih**nen, z**ieh**en |
| | [ɪ] | **i** | St**i**ft |
| **e**-sounds | [eː] | **e, ee** | g**e**ben, Id**ee** |
| | | **eh** | s**eh**en |
| | [ɛ] | **e** | H**e**rr |
| | | **ä** | **Ä**rger |
| | [ɛː] | **ä** | C**ä**sar |
| | | **äh** | z**äh**len |
| **o**-sounds | [oː] | **o, oo** | gr**o**ß, B**oo**t |
| | | **oh** | **oh**ne |
| | [ɔ] | **o** | k**o**mmen |
| **u**-sounds | [uː] | **u** | g**u**t |
| | | **uh** | **Uh**r |
| | [ʊ] | **u** | M**u**nd |
| **ö**-sounds | [øː] | **ö** | h**ö**ren |
| | | **öh** | gew**öh**nen |
| | [œ] | **ö** | **ö**ffnen |
| **ü**-sounds | [yː] | **ü, y** | **ü**ber, T**y**p |
| | | **üh** | fr**üh** |
| | [ʏ] | **ü, y** | f**ü**nf, **Y**psilon |
| reduced vowels | [ə] | **e** | b**e**ginnen |
| | [ɐ] | **er** | Vat**er** |
| | [ɐ̯] | **r** | Oh**r** |
| diphthongs | [ae̯] | **ei, ai** | Kl**ei**d, M**ai** |
| | | **ey, ay** | M**ey**er, B**ay**ern |
| | [ao̯] | **au** | Fr**au** |
| | [ɔø̯] | **eu, äu** | n**eu**n, H**äu**ser |

### Rules

1. **Long vowels** may be represented in writing by doubled vowels and by <ie>—for example, ***Tee****,* ***Boo****t,* ***Lie****be*.

2. **Long vowels** may also be represented by a vowel followed by <h>, which is not pronounced but only indicates vowel length—for example, *Z**ah**l, s**eh**en, fr**üh**.*
3. **Diphthongs** consist of two closely associated short vowels within a syllable. Diphthongs are always long vowels—for example, ***Au**ge, Kl**ei**d, n**eu**n.*
4. **Short vowels** generally precede double consonants—for example: *ö**ff**nen, Bri**ll**e, do**pp**elt.*
5. **Short vowels** may precede, though not always, a cluster of multiple consonants—for example, *Wu**rst**, Gesi**cht**, He**rbst**.*

**Double consonants** are pronounced the same as single consonants; they merely indicate that the preceding vowel is short.

### Consonants

| Sound Group | Phonemes/ Sounds | Graphemes | Examples |
|---|---|---|---|
| plosives | [p] | **p** | **P**aula |
| | | **pp** | do**pp**elt |
| | | **-b** | gel**b** |
| | [b] | **b** | **B**rille |
| | | **bb** | Kra**bb**e |
| | [t] | **t** | **T**ür |
| | | **tt** | bi**tt**e |
| | | **-d** | Hem**d** |
| | | **th** | **Th**eorie |
| | | **dt** | Sta**dt** |
| | [d] | **d** | re**d**en |
| | | **dd** | Te**dd**y |
| | [k] | **k** | **K**leid |
| | | **ck** | Ro**ck** |
| | | **-g** | Ta**g** |
| | [g] | **g** | Au**g**e |
| fricatives | [f] | **f** | **F**rau |
| | | **ff** | ö**ff**nen |
| | | **v** | **V**ater |
| | [v] | **w** | **W**ort |
| | | **v** | **V**iktor |
| | | **(q)u** | beq**u**em |
| | [s] | **s** | Hau**s** |
| | | **ss** | Profe**ss**or |
| | | **ß** | hei**ß**en |
| | [z] | **s** | Ho**s**e |
| | [ʃ] | **sch** | **Sch**ule |
| | | **s(t)** | **S**tiefel |
| | | **s(p)** | **S**prache |
| | [ʒ] | **j** | **J**ournalist |
| | | **g** | Eta**g**e |
| | [ç] | **ch** ("**ich**-sound") | Gesi**ch**t |
| | | **-ig** | zwanzi**g** |
| | [j] | **j** | **j**a |
| | [x] | **ch** ("**ach**-sound") | Bau**ch** |

| Sound Group | Phonemes/ Sounds | Graphemes | Examples |
|---|---|---|---|
| **r**-sounds | [r] | **r** | **r**ot |
| | | **rr** | He**rr** |
| | | **rh** | **Rh**ythmus |
| | [ʁ] | **r** | Tü**r** |
| | [ɐ] | **er** | Vat**er** |
| nasals | [m] | **m** | **M**antel |
| | | **mm** | ko**mm**en |
| | [n] | **n** | **N**ame |
| | | **nn** | Ma**nn** |
| | [ŋ] | **ng** | spri**ng**en |
| | | **n(k)** | da**n**ke |
| liquids | [l] | **l** | **L**ehrer |
| | | **ll** | Bri**ll**e |
| aspirants | [h] | **h** | **H**ose |
| glottal stops | [ʔ] | | be·antworten |
| affricates | [pf] | **pf** | Ko**pf** |
| | [ts] | **z** | **z**ählen |
| | | **tz** | se**tz**en |
| | | **ts** | rech**ts** |
| | | **-t(ion)** | Lek**ti**on |
| | | **zz** | Pi**zz**a |
| | [ks] | **x** | Te**x**t |
| | | **ks** | lin**ks** |
| | | **gs** | du sa**gs**t |
| | | **chs** | se**chs** |

### Rules

1. The letter pair <ch> is pronounced as:
   - a so-called "**ach**-sound" [x] after <u, o, a, au>, for example, *su**ch**en, To**ch**ter, Spra**ch**e, au**ch**;*
   - a so-called "**ich**-sound" [ç] after all other vowels as well as after <l, n, r> and in -***ch**en*—for example, *ni**ch**t, Bü**ch**er, Tö**ch**ter, Nä**ch**te, lei**ch**t, eu**ch**, Mil**ch**, dur**ch**, man**ch**mal, Mäd**ch**en;*
   - [k] in the cluster <chs> as well as at the beginning of certain foreign words and German names—for example, *se**ch**s, **Ch**arakter, **Ch**emnitz.*
2. [ʃ] is represented:
   - by the letters <sch>: ***sch**ön, Ta**sch**e;* but not in *Häuschen* (*Häus-chen*);
   - by <s(t)>: ***S**traße;* <s(p)>: ***S**prache.*
3. <r> can be clearly heard pronounced as a fricative, uvular, or trilled consonant [r]:
   - at the beginning of a word or syllable: ***r**ot, hö-**r**en;*
   - after consonants and before vowels: *g**r**ün;*
   - after short vowels (when clearly enunciated): *Wo**r**t, He**rr**.*
4. <r> is pronounced as a vowel [ɐ]:
   - after long vowels: *Uh**r**;*
   - in the unstressed combinations ***er-**, **ver-**, **zer-**, and **-er**: **er**zählen, **Ver**käuf**er**, **zer**stören, Lehr**er**, ab**er**.*

# II. German Vowels and Their Features

There are 16 or 17 vowels (+ the vocalic pronunciation of <r>). They can be differentiated by:

- **quantity** (in their length)—they are either short or long;
- **quality** (in their tenseness)—they are either lax or tense.
  Quantity and quality are combined in German. The short vowels are lax; that is, in contrast to long vowels, they are formed with less muscular tension, less use of the lips, and less raising of the tongue. The **a**-vowels are only long and short. In addition, there is a long, open [ɛː] as well as the reduced [ə] and [ɐ] (schwa).

  The following minimal pairs illustrate these differences:

  [aː] – [a]    Herr **Mah**ler – Herr **Ma**ller
  [eː] – [ɛ]    Herr **Meh**ler – Herr **Me**ller
  [iː] – [ɪ]    Herr **Mie**ler – Herr **Mi**ller
  [oː] – [ɔ]    Herr **Moh**ler – Herr **Mo**ller
  [uː] – [ʊ]    Herr **Muh**ler – Herr **Mu**ller
  [øː] – [œ]    Herr **Möh**ler – Herr **Mö**ller
  [yː] – [Y]    Herr **Müh**ler – Herr **Mü**ller

  Quality and quantity do not play a role with the reduced vowels [ə] as in *ein**e*** or [ɐ] as in *ein**er***.

- the raising of the tongue—either the front, middle, or back of the tongue is raised. The following minimal pairs illustrate the differences in front vowels:

  [eː] – [ɛ]    Herr **Meh**ler – Herr **Me**ller
  [iː] – [ɪ]    Herr **Mie**ler – Herr **Mi**ller
  [øː] – [œ]    Herr **Möh**ler – Herr **Mö**ller
  [yː] – [Y]    Herr **Müh**ler – Herr **Mü**ller

  The following minimal pairs illustrate the differences in mid vowels:

  [aː] – [a]    Herr **Mah**ler – Herr **Ma**ller
  [ə] – [ɐ]    ein**e** – ein**er**

  The following minimal pairs illustrate the differences in back vowels:

  [oː] – [ɔ]    Herr **Moh**ler – Herr **Mo**ller
  [uː] – [ʊ]    Herr **Muh**ler – Herr **Mu**ller

- the rounding of the lips—there are rounded and unrounded vowels. The following minimal pairs illustrate the differences between rounded and unrounded vowels:

  [øː] – [eː]    Herr **Möh**ler – Herr **Meh**ler
  [œ] – [ɛ]    Herr **Mö**ller – Herr **Me**ller
  [yː] – [iː]    Herr **Müh**ler – Herr **Mie**ler
  [Y] – [ɪ]    Herr **Mü**ller – Herr **Mi**ller

  The German vowels can be systematized according to features:

| | front | | mid | back |
|---|---|---|---|---|
| *long + tense* | iː<br>eː ɛː | yː<br>øː | aː | uː<br>oː |
| *short + lax* | ɪ<br>ɛ | Y<br>œ | a | ʊ<br>ɔ |
| *unstressed* | | | ə ɐ | |
| | | rounded | | rounded |

# III. German Consonants and Their Features

German consonants are differentiated according to:

- point of articulation: they are formed from the lips (in the front) to the velum (in the back) at different points in the mouth (see overview table below);
- type of articulation:
  There are plosives/stops, in which the passage of air is interrupted:

  [p] as in *Li**pp**en,* [b] as in *lie**b**en,* [t] as in *re**tt**en,* [d] as in *re**d**en,* [k] as in *we**ck**en,* [g] as in *we**g**en*

  There are fricatives, in which the passage of air creates friction:

  [f] as in ***v**ier,* [v] as in ***w**ir,* [s] as in *Hau**s**,* [z] as in *Häu**s**er,* [ʃ] as in *Ta**sch**e,* [ʒ] as in *Gara**g**e,* [ç] as in *Mäd**ch**en,* [j] as in ***j**a,* [x] as in *To**ch**ter,* [r] as in *To**r**te*

  There are nasals, in which air passes through the nose:

  [m] as in ***M**ai,* [n] as in ***n**ie,* [ŋ] as in *la**ng**e*

  There are isolated consonants—the liquid [l] as in *he**ll**,* the aspirant [h] as in ***h**ier.*

- tension—there are tense consonants that are always voiceless:

  [p] as in *Li**pp**en,* [t] as in *re**tt**en,* [k] as in *we**ck**en,* [f] as in ***v**ier,* [s] as in *Hau**s**,* [ʃ] as in *Ta**sch**e,* [ç] as in *Mäd**ch**en,* [x] as in *To**ch**ter*

  There are lax consonants that are voiced after vowels and voiced consonants:

  [b] as in *lie**b**en,* [d] as in *re**d**en,* [g] as in *we**g**en,* [v] as in *be**w**egen,* [z] as in *Häu**s**er,* [ʒ] as in *Gara**g**e,* [j] as in *Ka**j**ak*

  After a pause in speech (for example at the beginning of a sentence after a pause) and after voiceless consonants, these consonants are also pronounced voiceless:

  [b̥] as in *mit**b**ringen,* [d̥] as in *bis **d**rei,* [g̊] as in *ins Haus **g**ehen,* [v̥] as in *auch **w**ir,* [z̥] as in *ab **s**ieben,* [ʒ̊] as in *das **J**ournal,* [j̊] as in *ach **j**a*

  At the end of words and syllables, the following consonants are pronounced voiceless and tense—that is, as fortis consonants. This phenomenon is known as final devoicing:

  [b → p] as in *lie**b**,* [d → t] as in *un**d**,* [g → k] as in *we**g**,* [v → f] as in *explosi**v**,* [z → s] as in *Hau**s***

  The German consonants can be systematized according to their features as follows:

| | front | | | | | back |
|---|---|---|---|---|---|---|
| *PLOSIVE* | | | | | | |
| fortis | p | | t | | | k |
| lenis | b | | d | | | g |
| *FRICATIVE* | | | | | | |
| fortis | | f | s | ʃ | ç | x |
| lenis | | v | z | ʒ | j | r |
| *NASAL* | m | | n | | | ŋ |
| *ISOLATED* | | | l | | | h |

# IV. Melody and Accentuation

### Melody

1. Melody falls at the end of a sentence (terminal) in:
   - statements—*Ich heiße Anna.* ↘
   - questions with question words—*Woher kommst du?* ↘
   - double questions—*Kommst du aus Bonn oder aus Berlin?* ↘
   - imperatives—*Setz dich!* ↘
2. Melody rises at the end of a sentence (interrogative) in:
   - yes-no questions—*Kommst du aus Bonn?* ↗
   - follow-up questions—*Woher kommst du?* ↘ *Aus Bonn?* ↗
   - questions posed in a friendly or curious tone of voice—*Wie heißt du?* ↗ *Was möchtest du trinken?* ↗
   - imperatives and statements made in a friendly tone of voice—*Bleib noch hier!* ↗ *Die Blumen sind für dich.* ↗
3. Melody remains neutral (doesn't change) directly before pauses in incomplete sentences (progredient)—*Peter kommt aus Bonn,* → *Anna kommt aus Berlin* → *und Ute kommt aus Wien.* ↘

### Sentence Stress

1. The most important word is stressed:
   *Ich möchte ein Glas* ***Wein.*** (*kein Bier*)
   *Ich möchte ein* ***Glas*** *Wein.* (*keine Flasche*)
   *Ich möchte* ***ein*** *Glas Wein.* (*nicht zwei*)
2. Longer sentences are divided by pauses into accent (rhythmic) groups, in which there is always a main accent:
   *Ich möchte ein Glas* ***Wein,*** */ ein Stück* ***Brot,*** */ etwas* ***Käse*** */ und viel* ***Wasser.***

### Word Stress

1. The stem is stressed:
   - in simple German words: ***Mo****de,* ***hö****ren;*
   - in words with the prefixes *be-, ge-, er-, ver-, zer-: be****halt****en;*
   - in verbs with inseparable prefixes and in nouns ending in *-ung* that are derived from them—for example, *wieder****ho****len* → *Wieder****ho****lung.*
2. The beginning of a word (prefix) is stressed:
   - in verbs with separable prefixes and in nouns derived from them—***aus****sprechen* → *die* ***Aus****sprache;*
   - in compounds with *un-* and *ur-* —***Ur****laub,* ***un****genau.*
3. The principally defining word is stressed:
   - in compound nouns and adjectives—***Schlaf****zimmer,* ***dunkel****grün.*
4. The final syllable is stressed:
   - in German words with the suffix *-ei—Poli****zei;***
   - in abbreviations in which each letter is pronounced separately—*AB****C***;
   - in words that end in *-ion—Explo****sion****.*

APPENDIX D

# Grammar Summary Tables

## I. Personal Pronouns

| Nominative | Accusative | Accusative Reflexive | Dative | Dative Reflexive |
|---|---|---|---|---|
| ich | mich | mich | mir | mir |
| du | dich | dich | dir | dir |
| Sie | Sie | sich | Ihnen | sich |
| er | ihn | sich | ihm | sich |
| sie | sie | sich | ihr | sich |
| es | es | sich | ihm | sich |
| wir | uns | uns | uns | uns |
| ihr | euch | euch | euch | euch |
| Sie | Sie | sich | Ihnen | sich |
| sie | sie | sich | ihnen | sich |

## II. Definite Articles / Pronouns Declined like Definite Articles

| | |
|---|---|
| derselbe/dasselbe/dieselbe | *the same* |
| dieser/dieses/diese | *this, these* |
| jener/jenes/jene | *that, those* |
| mancher/manches/manche | *some, many a* |
| solcher/solches/solche | *such* |
| welcher/welches/welche | *which* |
| jeder/jedes/jede *(singular)* | *each, every* |
| alle *(plural)* | *all* |

| | Singular | | | Plural |
|---|---|---|---|---|
| | **MASCULINE** | **NEUTER** | **FEMININE** | |
| *Nominative* | der | das | die | die |
| | dieser | dieses | diese | diese |
| *Accusative* | den | das | die | die |
| | diesen | dieses | diese | diese |
| *Dative* | dem | dem | der | den |
| | diesem | diesem | dieser | diesen |
| *Genitive* | des | des | der | der |
| | dieses | dieses | dieser | dieser |

## III. Indefinite Articles / Negative Articles / Possessive Determiners

| | |
|---|---|
| mein/meine | *my* |
| dein/deine | *your* (*familiar singular*) |
| Ihr/Ihre | *your* (*polite singular*) |
| sein/seine | *his, its* |
| ihr/ihre | *her, its* |
| unser/unsere | *our* |
| euer/eure | *your* (*familiar plural*) |
| Ihr/Ihre | *your* (*polite plural*) |
| ihr/ihre | *their* |

| | Singular | | | Plural |
|---|---|---|---|---|
| | **MASCULINE** | **NEUTER** | **FEMININE** | |
| *Nominative* | ein | ein | eine | — |
| | kein | kein | keine | keine |
| | mein | mein | meine | meine |
| *Accusative* | einen | ein | eine | — |
| | keinen | kein | keine | keine |
| | meinen | mein | meine | meine |
| *Dative* | einem | einem | einer | — |
| | keinem | keinem | keiner | keinen |
| | meinem | meinem | meiner | meinen |
| *Genitive* | eines | eines | einer | — |
| | keines | keines | keiner | keiner |
| | meines | meines | meiner | meiner |

## IV. Relative Pronouns

| | Singular | | | Plural |
|---|---|---|---|---|
| | **MASCULINE** | **NEUTER** | **FEMININE** | |
| *Nominative* | der | das | die | die |
| *Accusative* | den | das | die | die |
| *Dative* | dem | dem | der | denen |
| *Genitive* | dessen | dessen | deren | deren |

## V. Question Pronouns

| | People | Things and Concepts |
|---|---|---|
| *Nominative* | wer | was |
| *Accusative* | wen | was |
| *Dative* | wem | — |
| *Genitive* | wessen | — |

# VI. Attributive Adjectives

| | | Masculine | Neuter | Feminine | Plural |
|---|---|---|---|---|---|
| *Nominative* | *strong* | guter | gutes | gute | gute |
| | *weak* | gute | gute | gute | guten |
| *Accusative* | *strong* | guten | gutes | gute | gute |
| | *weak* | guten | gute | gute | guten |
| *Dative* | *strong* | gutem | gutem | guter | guten |
| | *weak* | guten | guten | guten | guten |
| *Genitive* | *strong* | guten | guten | guter | guter |
| | *weak* | guten | guten | guten | guten |

*Nouns declined like adjectives:* Angestellte, Deutsche, Geliebte, Reisende, Verletzte, Verwandte

# VII. Comparative and Superlative

A. *Regular Patterns*

| | | |
|---|---|---|
| schnell | schneller | am schnellsten |
| intelligent | intelligenter | am intelligentesten |
| heiß | heißer | am heißesten |
| teuer | teurer | am teuersten |
| dunkel | dunkler | am dunkelsten |

B. *Umlaut Patterns*

| | | |
|---|---|---|
| alt | älter | am ältesten |
| groß | größer | am größten |
| jung | jünger | am jüngsten |

*Similarly:* arm, dumm, hart, kalt, krank, kurz, lang, oft, scharf, schwach, stark, warm

C. *Irregular Patterns*

| | | |
|---|---|---|
| gern | lieber | am liebsten |
| gut | besser | am besten |
| hoch | höher | am höchsten |
| nah | näher | am nächsten |
| viel | mehr | am meisten |

# VIII. Weak Masculine Nouns

These nouns add **-(e)n** in the singular of the accusative, dative, and genitive.

A. *International nouns ending in* **-t** *denoting male persons:* Assistent, Christ, Demonstrant, Dirigent, Dozent, Fürst, Journalist, Komponist, Konkurrent, Konsument, Patient, Polizist, Präsident, Produzent, Soldat, Student, Tourist

B. *Nouns ending in* **-e** *denoting male persons or animals:* Drache, Experte, Junge, Kunde, Löwe, Neffe, Riese, Vorfahre, Zeuge

C. *The following nouns:* Elefant, Gedanke*, Herr, Mensch, Nachbar, Name*

| | Singular | Plural |
|---|---|---|
| *Nominative* | der Student | die Studenten |
| | der Junge | die Jungen |
| *Accusative* | den Studenten | die Studenten |
| | den Jungen | die Jungen |
| *Dative* | dem Studenten | den Studenten |
| | dem Jungen | den Jungen |
| *Genitive* | des Studenten | der Studenten |
| | des Jungen | der Jungen |

## IX. Prepositions

| Accusative | Dative | Accusative/Dative | Genitive |
|---|---|---|---|
| durch | aus | an | (an)statt |
| für | außer | auf | trotz |
| gegen | bei | hinter | während |
| ohne | mit | in | wegen |
| um | nach | neben | |
| | seit | über | |
| | von | unter | |
| | zu | vor | |
| | | zwischen | |

## X. Dative Verbs

| | |
|---|---|
| antworten | *to answer* |
| begegnen | *to meet* |
| danken | *to thank* |
| erlauben | *to allow* |
| fehlen | *to be missing* |
| folgen | *to follow* |
| gefallen | *to please, be pleasing to* |
| gehören | *to belong to* |
| glauben | *to believe* |
| gratulieren | *to congratulate* |
| helfen | *to help* |
| leidtun | *to be sorry; to feel sorry for* |
| passen | *to fit* |
| passieren | *to happen* |
| raten | *to advise* |
| schaden | *to be harmful* |
| schmecken | *to taste (good)* |
| stehen | *to suit* |
| wehtun | *to hurt* |
| zuhören | *to listen to* |

## XI. Reflexive Verbs

| | |
|---|---|
| sich anziehen | *to get dressed* |
| sich ärgern | *to get angry* |
| sich aufregen | *to get excited* |
| sich ausruhen | *to rest* |
| sich ausziehen | *to get undressed* |
| sich beeilen | *to hurry* |
| sich erholen | *to relax, recover* |
| sich erkälten | *to catch a cold* |
| sich erkundigen | *to ask* |
| sich fragen (ob) | *to wonder (if)* |
| sich freuen | *to be happy* |
| sich (wohl) fühlen | *to feel (well)* |

**genitive:* des Gedankens, des Namens

| | | | |
|---|---|---|---|
| sich fürchten | *to be afraid* | sich setzen | *to sit down* |
| sich gewöhnen an | *to get used to* | sich umsehen | *to look around* |
| sich hinlegen | *to lie down* | sich unterhalten | *to have a conversation* |
| sich infizieren | *to get infected* | sich verletzen | *to get hurt* |
| sich informieren | *to get information* | sich verloben | *to get engaged* |
| sich interessieren für | *to be interested in* | sich vorstellen | *to imagine* |
| sich kümmern um | *to take care of* | | |

# XII. Verbs + Prepositions

**ACCUSATIVE**

| | |
|---|---|
| bitten um | *to ask for* |
| denken an | *to think about* |
| glauben an | *to believe in* |
| nachdenken über | *to think about; to ponder* |
| schreiben an | *to write to* |
| schreiben/sprechen über | *to write/talk about* |
| sorgen für | *to care for* |
| verzichten auf | *to renounce, do without* |
| warten auf | *to wait for* |

**SICH** + ACCUSATIVE

| | |
|---|---|
| sich ärgern über | *to be angry at/about* |
| sich erinnern an | *to remember* |
| sich freuen über | *to be happy about* |
| sich gewöhnen an | *to get used to* |
| sich interessieren für | *to be interested in* |
| sich kümmern um | *to take care of* |
| sich verlieben in | *to fall in love with* |

**DATIVE**

| | |
|---|---|
| fahren/reisen mit | *to go/travel by* |
| halten von | *to think of; to value* |
| handeln von | *to deal with* |
| träumen von | *to dream of* |

**SICH** + DATIVE

| | |
|---|---|
| sich erkundigen nach | *to ask about* |
| sich fürchten vor | *to be afraid of* |

# XIII. Inseparable Prefixes of Verbs

A. *Common*

| | |
|---|---|
| be- | bedeuten, bekommen, bestellen, besuchen, bezahlen |
| er- | erfinden, erkälten, erklären, erlauben, erreichen |
| ver- | verbrennen, verdienen, vergessen, verlassen, verletzen |

B. *Less Common*

| | |
|---|---|
| ent- | entdecken, entscheiden, entschuldigen |
| ge- | gefallen, gehören, gewinnen, gewöhnen |
| zer- | zerreißen, zerstören |

APPENDIX E

# Verbs

## I. Conjugation Patterns

### A. *Simple tenses and principal parts*

| | | Present | Simple Past | Subjunctive | Aux. + Past Participle |
|---|---|---|---|---|---|
| *Strong* | ich | komme | kam | käme | bin gekommen |
| | du | kommst | kamst | kämst | bist gekommen |
| | er/sie/es | kommt | kam | käme | ist gekommen |
| | wir | kommen | kamen | kämen | sind gekommen |
| | ihr | kommt | kamt | kämt | seid gekommen |
| | sie, Sie | kommen | kamen | kämen | sind gekommen |
| *Weak* | ich | glaube | glaubte | glaubte | habe geglaubt |
| | du | glaubst | glaubtest | glaubtest | hast geglaubt |
| | er/sie/es | glaubt | glaubte | glaubte | hat geglaubt |
| | wir | glauben | glaubten | glaubten | haben geglaubt |
| | ihr | glaubt | glaubtet | glaubtet | habt geglaubt |
| | sie, Sie | glauben | glaubten | glaubten | haben geglaubt |
| *Irregular Weak* | ich | weiß | wusste | wüsste | habe gewusst |
| | du | weißt | wusstest | wüsstest | hast gewusst |
| | er/sie/es | weiß | wusste | wüsste | hat gewusst |
| | wir | wissen | wussten | wüssten | haben gewusst |
| | ihr | wisst | wusstet | wüsstet | habt gewusst |
| | sie, Sie | wissen | wussten | wüssten | haben gewusst |
| *Modal* | ich | kann | konnte | könnte | habe gekonnt |
| | du | kannst | konntest | könntest | hast gekonnt |
| | er/sie/es | kann | konnte | könnte | hat gekonnt |
| | wir | können | konnten | könnten | haben gekonnt |
| | ihr | könnt | konntet | könntet | habt gekonnt |
| | sie, Sie | können | konnten | könnten | haben gekonnt |
| **haben** | ich | habe | hatte | hätte | habe gehabt |
| | du | hast | hattest | hättest | hast gehabt |
| | er/sie/es | hat | hatte | hätte | hat gehabt |
| | wir | haben | hatten | hätten | haben gehabt |
| | ihr | habt | hattet | hättet | habt gehabt |
| | sie, Sie | haben | hatten | hätten | haben gehabt |

| | | Present | Simple Past | Subjunctive | Aux. + Past Participle |
|---|---|---|---|---|---|
| **sein** | ich | bin | war | wäre | bin gewesen |
| | du | bist | warst | wärst | bist gewesen |
| | er/sie/es | ist | war | wäre | ist gewesen |
| | wir | sind | waren | wären | sind gewesen |
| | ihr | seid | wart | wärt | seid gewesen |
| | sie, Sie | sind | waren | wären | sind gewesen |
| **werden** | ich | werde | wurde | würde | bin geworden |
| | du | wirst | wurdest | würdest | bist geworden |
| | er/sie/es | wird | wurde | würde | ist geworden |
| | wir | werden | wurden | würden | sind geworden |
| | ihr | werdet | wurdet | würdet | seid geworden |
| | sie, Sie | werden | wurden | würden | sind geworden |

B. *Compound tenses*

1. *Active voice*

| | Perfect | Past Perfect | Future | Subjunctive |
|---|---|---|---|---|
| *Strong* | ich habe genommen | hatte genommen | werde nehmen | würde nehmen |
| | ich bin gefahren | war gefahren | werde fahren | würde fahren |
| *Weak* | ich habe gekauft | hatte gekauft | werde kaufen | würde kaufen |
| | ich bin gesegelt | war gesegelt | werde segeln | würde segeln |
| *Irregular Weak* | ich habe gewusst | hatte gewusst | werde wissen | würde wissen |
| *Modal* | ich habe gekonnt | hatte gekonnt | werde können | würde können |
| **haben** | ich habe gehabt | hatte gehabt | werde haben | würde haben |
| **sein** | ich bin gewesen | war gewesen | werde sein | würde sein |
| **werden** | ich bin geworden | war geworden | werde werden | würde werden |

2. *Passive voice*

| | Present | Simple Past | Perfect |
|---|---|---|---|
| *Strong* | es wird genommen | wurde genommen | ist genommen worden |
| *Weak* | es wird gekauft | wurde gekauft | ist gekauft worden |

# II. Strong and Irregular Weak Verbs

| | | | |
|---|---|---|---|
| backen (backt/bäckt) | backte | hat gebacken | *to bake* |
| beginnen (beginnt) | begann | hat begonnen | *to begin* |
| beißen (beißt) | biss | hat gebissen | *to bite* |
| bekommen (bekommt) | bekam | hat bekommen | *to get, receive* |
| beschreiben (beschreibt) | beschrieb | hat beschrieben | *to describe* |
| besitzen (besitzt) | besaß | hat besessen | *to own, possess* |
| bestehen (besteht) | bestand | hat bestanden | *to pass; to exist* |
| besteigen (besteigt) | bestieg | hat bestiegen | *to climb* |
| betreffen (betrifft) | betraf | hat betroffen | *to affect* |
| bieten (bietet) | bot | hat geboten | *to offer* |
| binden (bindet) | band | hat gebunden | *to tie, bind* |

| | | | |
|---|---|---|---|
| bitten (bittet) | bat | hat gebeten | *to ask* |
| bleiben (bleibt) | blieb | ist geblieben | *to stay* |
| braten (brät) | briet | hat gebraten | *to roast, fry* |
| brechen (bricht) | brach | hat gebrochen | *to break* |
| brennen (brennt) | brannte | hat gebrannt | *to burn* |
| bringen (bringt) | brachte | hat gebracht | *to bring* |
| denken (denkt) | dachte | hat gedacht | *to think* |
| dürfen (darf) | durfte | hat gedurft | *to be allowed to* |
| empfehlen (empfiehlt) | empfahl | hat empfohlen | *to recommend* |
| entscheiden (entscheidet) | entschied | hat entschieden | *to decide* |
| entsprechen (entspricht) | entsprach | hat entsprochen | *to correspond* |
| entstehen (entsteht) | entstand | ist entstanden | *to arise* |
| erfinden (erfindet) | erfand | hat erfunden | *to invent* |
| erhalten (erhält) | erhielt | hat erhalten | *to receive* |
| erkennen (erkennt) | erkannte | hat erkannt | *to recognize* |
| erscheinen (erscheint) | erschien | ist erschienen | *to appear* |
| essen (isst) | aß | hat gegessen | *to eat* |
| fahren (fährt) | fuhr | ist gefahren | *to go, drive* |
| fallen (fällt) | fiel | ist gefallen | *to fall* |
| fangen (fängt) | fing | hat gefangen | *to catch* |
| finden (findet) | fand | hat gefunden | *to find* |
| fliegen (fliegt) | flog | ist geflogen | *to fly* |
| fliehen (flieht) | floh | ist geflohen | *to flee* |
| fließen (fließt) | floss | ist geflossen | *to flow* |
| fressen (frisst) | fraß | hat gefressen | *to eat* |
| gebären (gebiert) | gebar | hat geboren | *to bear* |
| geben (gibt) | gab | hat gegeben | *to give* |
| gefallen (gefällt) | gefiel | hat gefallen | *to please, be pleasing to* |
| gehen (geht) | ging | ist gegangen | *to go, walk* |
| gelingen (gelingt) | gelang | ist gelungen | *to be successful* |
| gelten (gilt) | galt | hat gegolten | *to be valid* |
| geschehen (geschieht) | geschah | ist geschehen | *to happen* |
| gewinnen (gewinnt) | gewann | hat gewonnen | *to win* |
| gießen (gießt) | goss | hat gegossen | *to water* |
| greifen (greift) | griff | hat gegriffen | *to grasp, grab* |
| haben (hat) | hatte | hat gehabt | *to have* |
| halten (hält) | hielt | hat gehalten | *to hold* |
| hängen (hängt) | hing | hat gehangen | *to hang, be suspended* |
| heben (hebt) | hob | hat gehoben | *to lift* |
| heißen (heißt) | hieß | hat geheißen | *to be called* |
| helfen (hilft) | half | hat geholfen | *to help* |
| kennen (kennt) | kannte | hat gekannt | *to know* |
| klingen (klingt) | klang | hat geklungen | *to sound* |
| kommen (kommt) | kam | ist gekommen | *to come* |
| können (kann) | konnte | hat gekonnt | *to be able to* |
| laden (lädt) | lud | hat geladen | *to load* |
| lassen (lässt) | ließ | hat gelassen | *to let, leave* |
| laufen (läuft) | lief | ist gelaufen | *to run* |
| leiden (leidet) | litt | hat gelitten | *to suffer* |
| leihen (leiht) | lieh | hat geliehen | *to lend, borrow* |
| lesen (liest) | las | hat gelesen | *to read* |
| liegen (liegt) | lag | hat gelegen | *to lie* |
| mögen (mag) | mochte | hat gemocht | *to like* |

| | | | |
|---|---|---|---|
| müssen (muss) | musste | hat gemusst | *to have to* |
| nehmen (nimmt) | nahm | hat genommen | *to take* |
| nennen (nennt) | nannte | hat genannt | *to name* |
| raten (rät) | riet | hat geraten | *to advise* |
| reiten (reitet) | ritt | ist geritten | *to ride* |
| riechen (riecht) | roch | hat gerochen | *to smell* |
| rufen (ruft) | rief | hat gerufen | *to call* |
| scheiden (scheidet) | schied | hat geschieden | *to separate* |
| scheinen (scheint) | schien | hat geschienen | *to shine; to seem* |
| schießen (schießt) | schoss | hat geschossen | *to shoot* |
| schlafen (schläft) | schlief | hat geschlafen | *to sleep* |
| schlagen (schlägt) | schlug | hat geschlagen | *to strike, beat* |
| schließen (schließt) | schloss | hat geschlossen | *to shut, close* |
| schneiden (schneidet) | schnitt | hat geschnitten | *to cut* |
| schreiben (schreibt) | schrieb | hat geschrieben | *to write* |
| schweigen (schweigt) | schwieg | hat geschwiegen | *to be silent* |
| schwimmen (schwimmt) | schwamm | ist geschwommen | *to swim* |
| sehen (sieht) | sah | hat gesehen | *to see* |
| sein (ist) | war | ist gewesen | *to be* |
| senden (sendet) | sandte | hat gesandt | *to send* |
| singen (singt) | sang | hat gesungen | *to sing* |
| sinken (sinkt) | sank | ist gesunken | *to sink* |
| sitzen (sitzt) | saß | hat gesessen | *to sit* |
| sprechen (spricht) | sprach | hat gesprochen | *to speak* |
| springen (springt) | sprang | ist gesprungen | *to spring, jump* |
| stehen (steht) | stand | hat gestanden | *to stand* |
| steigen (steigt) | stieg | ist gestiegen | *to climb* |
| sterben (stirbt) | starb | ist gestorben | *to die* |
| stoßen (stößt) | stieß | hat gestoßen | *to shove, push* |
| streiten (streitet) | stritt | hat gestritten | *to quarrel, fight* |
| tragen (trägt) | trug | hat getragen | *to wear, carry* |
| treffen (trifft) | traf | hat getroffen | *to meet, hit* |
| treiben (treibt) | trieb | hat getrieben | *to do (sports)* |
| treten (tritt) | trat | ist/hat getreten | *to step; to kick* |
| trinken (trinkt) | trank | hat getrunken | *to drink* |
| tun (tut) | tat | hat getan | *to do* |
| verbrennen (verbrennt) | verbrannte | hat verbrannt | *to burn; to incinerate* |
| verbringen (verbringt) | verbrachte | hat verbracht | *to spend (time)* |
| vergessen (vergisst) | vergaß | hat vergessen | *to forget* |
| vergleichen (vergleicht) | verglich | hat verglichen | *to compare* |
| verhalten (verhält) | verhielt | hat verhalten | *to restrain* |
| verlassen (verlässt) | verließ | hat verlassen | *to leave (a place)* |
| verlieren (verliert) | verlor | hat verloren | *to lose* |
| verschwinden (verschwindet) | verschwand | ist verschwunden | *to disappear* |
| versprechen (verspricht) | versprach | hat versprochen | *to promise* |
| verstehen (versteht) | verstand | hat verstanden | *to understand* |
| vertreten (vertritt) | vertrat | hat vertreten | *to represent* |
| wachsen (wächst) | wuchs | ist gewachsen | *to grow* |
| waschen (wäscht) | wusch | hat gewaschen | *to wash* |
| werden (wird) | wurde | ist geworden | *to become* |
| werfen (wirft) | warf | hat geworfen | *to throw* |
| wissen (weiß) | wusste | hat gewusst | *to know* |
| ziehen (zieht) | zog | hat/ist gezogen | *to pull; to move* |

APPENDIX F

# Answers to Grammar Exercises

## Einführung A

**Übung A:** 1. Hören Sie zu! 2. Geben Sie mir die Hausaufgabe! 3. Öffnen Sie das Buch! 4. Schauen Sie an die Tafel! 5. Nehmen Sie einen Stift! 6. Sagen Sie „Guten Tag"! 7. Schließen Sie das Buch! 8. Schreiben Sie „Tschüss"! **Übung B:** 1.a. heißt b. heiße c. heiße 2.a. heißen b. heiße 3.a. heiße b. heiße c. heißt **Übung C:** 1. Sie 2. Es 3. Er 4. Sie 5. Es 6. Sie 7. Er 8. Sie 9. Sie 10. Er **Übung D:** 1. Er ist blau. 2. Sie ist grün. 3. Es ist gelb. 4. Er ist schwarz und rot. *or* Er ist schwarz. 5. Sie sind schwarz. *or* Sie sind grau. 6. Sie sind braun. 7. Es ist weiß. *or* Es ist blau. *or* Es ist blau und weiß. **Übung E:** 1. du 2. Sie 3. du 4. Ihr 5. Sie [*later possibly* du] 6. Sie 7. Sie 8. ihr

## Einführung B

**Übung A:** 1.a. ein b. der c. rot 2.a. ein b. der c. grün 3.a. eine b. die c. grau (*or* schwarz) 4.a. eine b. die c. braun 5.a. ein b. das c. blau 6.a. eine b. die c. schwarz **Übung B:** 1. Nein, das ist eine Lampe. 2. Nein, das ist eine Tafel. 3. Nein, das ist ein Fenster. 4. Nein, das ist ein Kind. *or* Nein, das ist ein Junge. *or* Nein, das ist ein Mädchen. *or* Nein, das ist ein Mensch. *or* Nein, das ist eine Person. 5. Nein, das ist ein Heft. 6. Nein, das ist eine Uhr. 7. Nein, das ist ein Tisch. 8. Nein, das ist eine Tür. **Übung C:** 1.a. bist b. bin c. sind 2.a. ist b. sind 3.a. seid b. bin c. ist 4.a. bin b. bin 5. sind 6. ist 7.a. sind b. bin 8.a. bist b. bin **Übung D:** 1.a. haben b. habe 2. hast 3.a. Habt b. hat c. haben d. habe **Übung E:** (*Answers for* Finger *and* Ohr *may vary.*) Die Statue hat zwei Arme, zwei Augen, zwei Beine, zehn Finger, zwei Füße, zwei Hände, eine Nase, zwei Ohren und zwei Schultern. **Übung F:** (*Numbers will vary.*) In meinem Zimmer sind viele Bücher, vier Computer, ein Fenster, zwei Lampen, zwei Stühle, ein Tisch, eine Tür, eine Uhr, vier Wände. **Übung G:** 1. Er ist schwarz. 2. Es ist weiß. *oder* Es ist hellblau. *oder* Es ist grau. *oder* Es ist grün. 3. Sie ist blau. 4. Sie ist gelb. 5. Sie sind weiß. 6. Es ist rot. 7. Er ist blau. 8. Sie sind braun. 9. Sie ist weiß. *oder* Sie ist hellblau. *oder* Sie ist grau. *oder* Sie ist grün. 10. Er ist braun. **Übung H:** 1.a. kommst b. komme 2.a. kommt b. aus c. Woher d. kommen e. ich f. aus 3.a. sie b. kommen 4.a. ihr b. wir **Übung I:** 1. Ihre 2.a. dein b. mein 3.a. mein b. mein c. Dein 4.a. Ihre b. Meine c. mein **Übung J:** (*Answers will vary.*) 1. Ich komme aus ______. 2. Meine Mutter kommt aus ______. Mein Vater kommt aus ______. 3. Meine Großeltern kommen aus ______. / Mein Großvater kommt aus ______ und meine Großmutter kommt aus ______. 4. Mein Professor / Meine Professorin kommt aus ______. 5. Ein Student aus meinem Kurs heißt ______ und er kommt aus ______. 6. Eine Studentin aus meinem Kurs heißt ______ und sie kommt aus ______.

## Kapitel 1

**Übung A:** (*Answers may vary.*) 1. Ich besuche Freunde. 2. Ihr geht ins Konzert. 3. Hannah und Max lernen Spanisch. 4. Du spielst gut Tennis. 5. Julia studiert in Regensburg. 6. Ich lese ein Buch. 7. Wir reisen nach Deutschland. 8. Richard hört gern Musik. 9. Daniel und Phan kochen Spaghetti. **Übung B:** 1. sie 2. Sie 3.a. du b. Ich 4.a. ihr b. Wir 5.a. Ich b. ihr c. Wir **Übung C:** 1.a. (tanz)t b. (tanz)e c. (tanz)t 2.a. (geh)t b. (mach)en c. (arbeit)et d. (mach)t 3.a. (koch)en b. (mach)t c. (besuch)en 4.a. (Schreib)st b. (Nutz)t c. (mach)e **Übung D:** (*Answers may vary slightly.*) 1. Pedro und Steve wandern gern. 2. Heidi arbeitet gern. 3. Steve besucht gern Freunde. *or* Steve diskutiert gern. 4. Meili geht gern ins Kino. 5. Pedro hört gern Musik. 6. Kayla macht gern Fotos. 7. Shannon schreibt gern E-Mails. 8. Miguel trinkt gern Tee. **Übung E:** 1. Frau Ruf liegt gern in der Sonne. Hannah liegt auch gern in der Sonne, aber Herr Ruf liegt nicht gern in der Sonne. 2. Max reitet gern. Yusuf reitet auch gern, aber Hannah reitet nicht gern. 3. Max kocht gern. Hannah kocht auch gern, aber Antonia kocht nicht gern. 4. Michael und Maria spielen gern Karten. Die Rufs spielen auch gern Karten, aber die Wagners spielen nicht gern Karten. **Übung F:** (*Phrasing of answers may vary.*) 1. Es ist halb acht. 2. Es ist elf Uhr. 3. Es ist Viertel vor fünf. 4. Es ist halb eins. 5. Es ist zehn vor sieben. 6. Es ist Viertel nach zwei. 7. Es ist fünfundzwanzig nach fünf. 8. Es ist halb elf. **Übung G:** 1. (Johannes) nach dem Subjekt 2. (er) vor dem Subjekt 3. (Seine Stiefmutter) nach dem Subjekt 4. (Johannes) vor dem Subjekt 5. (er) vor dem Subjekt 6. (er) vor dem Subjekt 7. (er) vor dem Subjekt 8. (Er) nach dem Subjekt **Übung H:** (*Answers will vary.*) 1. Ich studiere ______. 2. Im Moment wohne ich in ______. 3. Heute koche ich ______. 4. Manchmal trinke ich ______. 5. Ich spiele gern ______. 6. Mein(e) Freund(in) heißt ______. 7. Jetzt wohnt er/sie in ______. 8. Manchmal spielen wir ______. **Übung I:** 1. auf 2. an 3. an 4. vor 5. aus 6. ab 7. ein 8. aus 9. an 10. auf **Übung J:** (*Answers may vary slightly.*) 1. Johannes kommt in San Francisco an. 2. Noah bietet Heidi Kaffee an. 3. Heidi ruft Noah an. 4. Miguel füllt ein Formular aus. 5. Pedro holt Shannon ab. 6. Pedro und Shannon gehen aus. 7. Frau Schulz stellt Sunil vor. 8. Steve steht um sieben Uhr auf. **Übung K:** 1. Wann bist du geboren? 2. Woher kommst du? 3. Wie alt bist du? 4. Welche Fächer studierst du? 5. Wie viele Stunden arbeitest du? 6. Was machst du gern? **Übung L:** (*Answers may vary slightly.*) 1. Wie heißt du? 2. Kommst du aus München? 3. Woher kommst du? 4. Was studierst du? 5. Wie heißt deine Partnerin? 6. Wo wohnt ihr? 7. Spielst du Tennis? 8. Tanzt du gern? 9. Trinkst du gern Cola? 10. Trinkt Nesrin gern Bier?

## Kapitel 2

**Übung A:** Max kauft den Fernseher, das Regal und den DVD-Spieler. Yusuf kauft die Tasche, die Stühle und den Schreibtisch. Julia kauft die Tasche, das Regal und den Schreibtisch. Hannah kauft den Pullover, die Lampe und den DVD-Spieler. Ich kaufe ... (*Answers will vary.*) **Übung B:** (*Answers will vary. Possible answer:*) Ich habe ein Bett, Bilder, Bücher, einen Fernseher, eine Lampe, einen Laptop, einen Sessel und ein Smartphone. **Übung C:** (*Sentences will vary.*) Heidi hat einen Teppich, aber keinen Fernseher. Sie hat eine Gitarre, aber kein Fahrrad. Sie hat einen Computer, aber keine Bilder. Sie hat ein Smartphone. Shannon hat keinen Teppich, keinen Fernseher und keine Gitarre. Aber sie hat ein Fahrrad, einen Computer, Bilder und ein Smartphone. Ich habe ______. (*Answers will vary.*) **Übung D:** (*Answers will vary. Possible answers:*) 1. Ich möchte ein Auto. 2. Mein bester Freund möchte eine Brille. 3. Meine Eltern möchten einen Laptop. 4. Meine Kommilitonin möchte ein Pferd. 5. Meine Professorin möchte einen Koffer. 6. Mein Bruder möchte einen Hund. **Übung E:** (*Answers will vary.*) 1. Hannah möchte ihren Hund mitbringen. 2. Noah möchte ein Video drehen. 3. Phillip möchte seine Mutter überraschen. 4. Phan möchte eine Rechnung bezahlen. 5. Julia möchte eine neue Tasche kaufen. 6. Steve möchte in ein neues Zimmer ziehen. 7. Daniel möchte seinen Freund besuchen. **Übung F:** 1. Buch 2. Spieler 3. Sachen 4. Ring 5. Kette 6. Sack

7. Mantel 8. Aufgaben 9. Tisch 10. Schuhe 11. Farbe 12. Tag 13. Karte 14. Frau **Übung G:** *(Phrasing may vary.)* 1. Das ist ein Ohrring. 2. Das ist ein Nachthemd. 3. Das sind Sportschuhe. 4. Das ist eine Sporthose. 5. Das ist eine Kinokarte. 6. Das ist ein Schreibtisch. 7. Das ist ein Schwimmbad. 8. Das ist ein Surfbrett. 9. Das ist die Augenfarbe. 10. Das ist ein Schlafsack. **Übung H:** Seine Haare; Seine Augen; Seine Kette; Seine Stiefel; Seine Gitarre; Sein Zimmer; Sein Fenster; Ihre Haare; Ihre Augen; Ihre Kette ist kurz. Ihre Schuhe sind sauber. Ihre Gitarre ist neu. Ihr Zimmer ist klein. Ihr Fenster ist groß. **Übung I:** 1. Ihren 2. Deine 3. eure 4. Deine 5. Ihr 6. deine 7. Euren **Übung J:** (*Answers will vary.*) **Übung K:** 1.a. ihr b. wir 2.a. Sie b. Ich 3.a. sie b. er 4.a. du b. Ich c. ihr d. Wir **Übung L:** a. machen b. fährt c. wirft d. Vergisst e. geschieht f. schlägt g. macht h. lese i. schläft j. fahren **Übung M:** (*Answers will vary.*) 1. Wir sprechen (nicht) gern Deutsch. Sprecht ihr auch (nicht) gern Deutsch? 2. Ich messe (nicht) gern meine Temperatur. Misst du auch (nicht) gern deine Temperatur? 3. Ich laufe (nicht) gern im Wald. Läufst du auch (nicht) gern im Wald? 4. Ich lese (nicht) gern Romane. Liest du auch (nicht) gern Romane? 5. Wir halten (nicht) gern Referate. Haltet ihr auch (nicht) gern Referate? 6. Ich treffe (nicht) gern Freunde. Triffst du auch (nicht) gern Freunde? 7. Wir vergessen (nicht) gern die Hausaufgabe. Vergesst ihr auch (nicht) gern die Hausaufgabe? 8. Ich nehme (nicht) gern Aspirin. Nimmst du auch (nicht) gern Aspirin? 9. Wir tragen (nicht) gern Jeans. Tragt ihr auch (nicht) gern Jeans? 10. Ich lade (nicht) gern Verwandte ein. Lädst du auch (nicht) gern Verwandte ein? **Übung N:** 1. Schlaf nicht den ganzen Tag! 2. Lieg nicht den ganzen Tag in der Sonne! 3. Vergiss deine Hausaufgaben nicht! 4. Lies deine Bücher! 5. Sieh nicht den ganzen Tag fern! 6. Trink nicht zu viel Cola! 7. Sitz nicht den ganzen Tag am Computer! 8. Trag deine Brille! 9. Wirf nicht deine Hosen auf den Boden. *oder* Wirf deine Hosen nicht auf den Boden. 10. Treib Sport! **Übung O:** 1. Trag heute ein Hemd! 2. Spiel keine laute Musik! 3. Lauf nicht allein im Park! 4. Ruf deine Freunde an! 5. Überrasch deine Eltern mit einem Geschenk! 6. Lieg nicht zu lange in der Sonne! 7. Vergiss deine Hausaufgaben nicht! 8. Unternimm mal wieder etwas Interessantes! 9. Lern den Wortschatz! 10. Steh früh auf!

## Kapitel 3

**Übung A:** (*Predicates and sequence will vary. Subjects and their corresponding conjugated verbs are given here.*) A. Mein Freund / Meine Freundin kann ______. Meine Eltern können ______. Ich kann ______. / Wir können ______. Mein Bruder / Meine Schwester kann ______. Der Professor / Die Professorin kann ______. B.1. Kannst du / Könnt ihr Gedichte schreiben? 2. Kannst du / Könnt ihr Auto fahren? 3. Kannst du / Könnt ihr Begriffe definieren? 4. Kannst du / Könnt ihr gut werfen? 5. Kannst du / Könnt ihr zeichnen? 6. Kannst du / Könnt ihr Tango tanzen? 7. Kannst du / Könnt ihr tauchen? **Übung B:** (*Answers will vary.*) 1. Heute Abend will ich ______. 2. Morgen kann ich nicht ______. 3. Mein Freund / Meine Freundin kann gut ______. 4. Am Samstag will meine Freundin / mein Freund ______. 5. Mein Freund / Meine Freundin und ich wollen ______. 6. Im Winter wollen meine Eltern / meine Schwestern ______. 7. Meine Brüder / Meine Eltern können gut ______. 8. Meine Professorin / Mein Professor kann gut ______. 9. Am Wochenende will Sofie ______. **Übung C:** 1. Sie darf nicht mit Max zusammen lernen. *or* Sie muss/soll mit Max zusammen lernen. 2. Sie darf nicht den ganzen Abend fernsehen. 3. Sie muss/soll in der Klasse aufpassen und mitschreiben. 4. Sie darf nicht jeden Tag tanzen gehen. 5. Sie muss/soll jeden Tag ihren Wortschatz lernen. 6. Sie muss/soll amerikanische Filme im Original sehen. 7. Sie muss/soll für eine Woche nach London fahren. 8. Sie muss/soll fleißig die englische Grammatik lernen. **Übung D:** 1.a. Willst b. will c. kann d. muss 2.a. darf b. musst c. kann d. darfst e. könnt/dürft 3.a. sollst b. kann c. musst **Übung E:** 1. dich 2.a. mich b. dich 3. uns 4. euch 5.a. dich b. dich 6.a. mich b. Sie 7. Sie **Übung F:** 1. Ja, ich mache es gern. / Nein, ich mache es nicht gern. 2. Ja, ich kann es aufsagen. / Nein, ich kann es nicht aufsagen. 3. Ja, ich kenne ihn. / Nein, ich kenne ihn nicht. 4. Ja, ich lese sie gern. / Nein, ich lese sie nicht gern. 5. Ja, ich lerne ihn gern. / Nein, ich lerne ihn nicht gern. 6. Ja, ich kenne sie. / Nein, ich kenne sie nicht. 7. Ja, ich vergesse sie oft. / Nein, ich vergesse sie nicht oft. 8. Ja, ich mag ihn/sie. / Nein, ich mag ihn/sie nicht. **Übung G:** 1. Nein, sie liest ihn nicht, sie schreibt ihn. 2. Nein, er isst sie nicht, er trinkt sie. 3. Nein, sie macht ihn nicht an, sie macht ihn aus. 4. Nein, er kauft es nicht, er verkauft es. 5. Nein, er zieht sie nicht aus, er zieht sie an. 6. Nein, sie trägt ihn nicht, sie kauft ihn. 7. Nein, er bestellt es nicht, er isst es. 8. Nein, er besucht ihn nicht, er ruft ihn an. 9. Nein, sie trocknet es nicht, sie wäscht es. 10. Nein, er bläst sie nicht aus, er zündet sie an. **Übung H:** 1. reisen 2. Bitte 3. Hilfe 4. Größe 5. suche 6. Lage 7. Frage 8. Rede 9. Wäsche 10. Kälte 11. sprechen **Übung I:** (*Answers may vary. Possible answers:*) 1. b Weil ich krank bin. 2. h Weil er müde ist. 3. i Weil wir Hunger haben. 4. j Weil sie keine Zeit hat. 5. d Weil er wütend ist. 6. c Weil ich traurig bin. 7. a Weil ich keine Lust habe. 8. e Weil ich Angst habe. 9. f Weil er glücklich ist. 10. g Weil ich lernen muss. **Übung J:** (*Answers will vary. Possible answers:*) 1. S1: Was macht Miguel, wenn er müde ist? S2: Wenn Miguel müde ist, geht er nach Hause. S1: Und du? S2: Wenn ich müde bin, ______. 2. S1: Was macht Maria, wenn sie glücklich ist? S2: Wenn Maria glücklich ist, lacht sie viel. S1: Und du? S2: Wenn ich glücklich bin, ______. 3. S1: Was macht Herr Ruf, wenn er traurig ist? S2: Wenn Herr Ruf traurig ist, redet er mit jemand. S1: Und du? S2: Wenn ich traurig bin, ______. 4. S1: Was macht Frau Wagner, wenn sie spät dran ist? S2: Wenn Frau Wagner spät dran ist, fährt sie mit dem Taxi. S1: Und du? S2: Wenn ich spät dran bin, ______. 5. S1: Was macht Heidi, wenn sie Hunger hat? S2: Wenn Heidi Hunger hat, kauft sie etwas zu essen. S1: Und du? S2: Wenn ich Hunger habe, ______. 6. S1: Was macht Frau Schulz, wenn sie Ferien hat? S2: Wenn Frau Schulz Ferien hat, fliegt sie nach Deutschland. S1: Und du? S2: Wenn ich Ferien habe, ______. 7. S1: Was macht Phillip, wenn er Angst hat? S2: Wenn Phillip Angst hat, ruft er, „Mama, Mama". S1: Und du? S2: Wenn ich Angst habe, ______. 8. S1: Was macht Steve, wenn er krank ist? S2: Wenn Steve krank ist, geht er zum Arzt. S1: Und du? S2: Wenn ich krank bin, ______. **Übung K:** (*Answers may vary. Possible answers:*) 1. b Daniel ist müde, weil er immer so früh aufsteht. 2. h Phan ist froh, weil sie heute nicht arbeiten muss. 3. a Claire ist spät dran, weil sie noch einkaufen muss. 4. g Leon ist traurig, weil Julia ihn nicht anruft. 5. c Noah geht nicht zu Fuß, weil seine Freundin ihn zur Uni mitnimmt. 6. d Lukas bleibt zu Hause, weil Nesrin und Sofie vorbeikommen wollen. 7. e Nesrin hat Angst vor Wasser, weil sie nicht schwimmen kann. 8. f Mert fährt in die Türkei, weil er seine Cousins besuchen will.

## Kapitel 4

**Übung A:** a. hat b. ist c. hat d. hat e. ist f. sind g. ist h. hat i. hat **Fragen:** (*Phrasing may vary.*) 1. Yamina ist um 7 Uhr aufgestanden. 2. Sie sind zur Schule gegangen. 3. Sie hat „Herzlich willkommen" an die Tafel geschrieben. **Übung B:** a. haben b. sind c. haben d. sind e. sind f. haben g. haben h. sind i. haben j. sind **Fragen:** (*Phrasing may vary.*) 1. Leon und Julia sind mit dem Taxi zum Bahnhof gefahren. 2. Sie sind um 5.30 Uhr aufgebrochen. 3. Sie haben im Speisewagen gefrühstückt. 4. Nachts sind sie in den Schlafwagen gegangen und haben schlecht geschlafen. **Übung C:** a. aufgestanden b. geduscht (*oder* gefrühstückt) c. gefrühstückt (*oder* geduscht) d. gegangen e. gehört f. getroffen g. getrunken h. gearbeitet i. gegessen **Übung D:** *(Some phrasing may vary.)* 1. Hast du schon gelernt? 2. Bist du schon geschwommen? 3. Hast du schon eine Geschichte gelesen? (*oder* Hast du schon Geschichte gelesen?) 4. Hast du schon Klavier gespielt? 5. Hast du schon geschlafen? 6. Hast du schon gegessen? 7. Hast du schon gerechnet? 8. Hast du den Brief schon geschrieben? 9. Bist du schon ins Bett gegangen? **Übung E:** (*Phrasing may vary.*) 1. Kayla hat bis neun im Bett gelegen. 2. Sie hat einen Rock getragen. 3. Sie hat mit Frau Schulz gesprochen. 4. Sie hat einen Vortrag gehalten. 5. Sie hat Freundinnen getroffen. 6. Sie hat in der Bibliothek gearbeitet. 7. Es hat geregnet. 8. Sie ist nach Hause gekommen. 9. Sie hat ihre Wäsche gewaschen. 10. Sie ist abends zu Hause geblieben. **Übung F:** 1. (*Answers will vary.*) 2. (*Answers will vary.*) 3. (*Answers will vary.*) 4. (*Answers will vary.*) 5. (*Phrasing may vary.*) Am ersten Januar.

6. (*Phrasing may vary.*) Am ersten November. (*or*) Vom 31. Oktober bis zum 2. November. 7. (*Answers will vary.*) 8. (*Answers will vary.*) 9. (*Answers will vary.*) Am 20. Juni. (*or*) Am 21. Juni. (*or*) Am 22. Juni. 10. (*Answers will vary.*) Am 21. September. (*or*) Am 22. September. (*or*) Am 23. September. **Übung G:** a. im b. im c. — d. am e. Am f. um g. um h. Am i. im j. am **Übung H:** (*Answers will vary.*) **Übung I:** a. ist ... angekommen b. hat ... begrüßt c. getrunken d. ist ... gegangen e. hat geschlafen f. ist ... gegangen g. hat ... gefragt h. hat ... gesprochen i. haben ... getrunken j. sind ... gegangen **Übung J:** A: 1. R 2. F 3. R 4. F 5. R 6. F 7. F 8. R

B: Partizipien mit **ge-**:

| | |
|---|---|
| gehört | hören |
| aufgestanden | aufstehen |
| gegangen (2x) | gehen |
| gemerkt (2x) | merken |
| gefahren (2x) | fahren |
| gefunden | finden |
| zurückgekommen | zurückkommen |
| gelesen | lesen |
| angezündet | anzünden |
| eingeschlafen | einschlafen |
| ausgemacht | ausmachen |
| abgebrannt | abbrennen |

Partizipien ohne **ge-**:

| | |
|---|---|
| repariert | reparieren |
| bekommen | bekommen |
| bezahlt | bezahlen |
| vergessen | vergessen |
| verloren | verlieren |

**Übung K:** 1. Bedeutung 2. Überraschung 3. Erzählung 4. Meinung 5. Lösung 6. Hoffnung 7. Erinnerung 8. Erfahrungen 9. Entscheidung 10. Ordnung

## Kapitel 5

**Übung A:** (*Answers will vary.*) **Übung B:** (*Answers will vary.*) **Übung C:** 1. Wer 2. Wen 3. Wem 4. Wen 5. Wem 6. wer 7. Wem **Übung D:** 1. Was passiert am Abend? d. Es wird dunkel. 2. Was passiert, wenn man im Fernsehen ist? b. Man wird bekannt. 3. Was passiert, wenn man krank wird? h. Man bekommt Fieber. 4. Was passiert im Frühling? i. Die Tage werden länger. (*oder* f. Es wird wärmer.) 5. Was passiert im Herbst? c. Die Blätter werden bunt. 6. Was passiert, wenn Kinder älter werden? e. Sie werden größer. 7. Was passiert, wenn man in der Lotterie gewinnt? j. Man wird reich. 8. Was passiert, wenn man Medizin studiert? a. Man wird Arzt oder Ärztin. 9. Was passiert am Morgen? g. Es wird hell. 10. Was passiert im Sommer? f. Es wird wärmer. (*oder* i. Die Tage werden länger.) **Übung E:** 1. Vielleicht wird sie Köchin. 2. Vielleicht wird sie Wissenschaftlerin. 3. Vielleicht wird er Pilot. 4. Vielleicht wird er Politiker. 5. Vielleicht wird sie Journalistin. 6. Vielleicht wird sie Polizistin. 7. Vielleicht wird er Dichter. 8. Vielleicht wird sie Schauspielerin. **Übung F:** 1. Zuhörer 2. Zuschauerin 3. Spielerin 4. Nutzer 5. Käufer 6. Erzähler 7. Beobachterin 8. Begleiter 9. Gründerin *oder* Unternehmerin 10. Anbieterin **Übung G:** (*Some answers will vary. Most likely answers are given.*) 1. Was macht man am Strand? Man spielt Volleyball. 2. Was macht man im Kino? Man sieht einen Film. 3. Was macht man auf der Universität? Man hört Vorlesungen. 4. Was macht man an der Straße? Man parkt sein Auto. 5. Was macht man in der Disko? Man tanzt. 6. Was macht man in der Fabrik? Man arbeitet. 7. Was macht man auf der Bank? Man wechselt Geld. 8. Was macht man im Meer? Man schwimmt. 9. Was macht man in der Bibliothek? Man liest ein Buch. 10. Was macht man im Park? Man geht spazieren. 11. Was macht man im Supermarkt? Man kauft ein. **Übung H:** (*Some phrasing may vary.*) 1. Shannon ist in der Kirche. 2. Miguel ist im Meer. 3. Heidi ist auf der Polizei. 4. Meili ist in einem Hotel. 5. Kayla ist im Schwimmbad. 6. Noah ist auf der Post. 7. Frau Schulz ist in der Küche. 8. Das Poster ist an der Wand. 9. Der Topf ist auf dem Herd. 10. Der Wein ist im Kühlschrank.

**Übung I:** 1. mir 2. dir 3. euch 4. Ihnen 5. uns **Übung J:** 1. Er hat ihr einen Ring geschenkt. 2. Sie hat ihm die Zeitung gebracht. 3. Er hat ihm die Post gebracht. 4. Sie hat ihm ein Geheimnis erzählt. 5. Er hat ihr eine Geschichte erzählt. 6. Sie hat ihr ihre Wohnung angeboten. 7. Er hat ihnen eine Versicherung angeboten. 8. Sie hat ihnen ihren Arbeitsplatz gezeigt. 9. Er hat ihm sein neues Büro gezeigt. 10. Sie hat ihr eine neue Brille gekauft. 11. Er hat ihm eine Mütze gekauft.

## Kapitel 6

**Übung A:** 1. gefällt 2. folgen 3. helfen 4. Schmeckt 5. passt 6. gehört 7. Fehlt 8. begegnet 9. schadet 10. zugehört **Übung B:** (*Answers will vary.*) **Übung C:** (*Answers may vary.*) 1. Miguel ist unter der Dusche. 2. Der Spiegel hängt an der Wand. 3. Der Kühlschrank steht neben dem Fernseher. 4. Das Deutschbuch liegt im Kühlschrank. 5. Die Lampe hängt über dem Tisch. 6. Der Computer steht auf dem Schreibtisch. 7. Die Schuhe liegen auf dem Bett. 8. Die Hose liegt auf dem Tisch. 9. Das Poster von Berlin hängt über dem Fernseher. 10. Die Katze liegt unter dem Bett. **Übung D:** (*Answers will vary.*) **Übung E:** (*Answers will vary. Possible answers:*) 1. Ich bin heute Abend in der Bibliothek. 2. Ich bin am Nachmittag im Café. 3. Ich bin um 16 Uhr bei Freundinnen/Freunden. 4. Ich bin in der Nacht im Bett. 5. Ich bin am frühen Morgen am Frühstückstisch. 6. Ich bin am Montag in der Klasse. 7. Ich bin am ersten August im Urlaub. 8. Ich bin an Weihnachten auf einer Party. 9. Ich bin im Winter bei meinen Eltern. 10. Ich bin am Wochenende auf einer Party. **Übung F:** 1. Er geht zum Arzt. 2. Er geht zum Fußballplatz. 3. Sie geht ins Hotel. 4. Er geht auf die Bank. 5. Er geht in den Supermarkt. 6. Er geht auf die Post. 7. Sie gehen in den Wald. 8. Sie geht zu ihrem Freund. 9. Er fährt zum Flughafen. 10. Sie geht ins Theater. 11. Sie geht in die Schule. **Übung G:** 1. b. verspielt 2. a. bewohnt 3. b. verzählt 4. a. erklärt 5. a. erkennt 6. a. erwarten 7. a. beenden 8. a. beschenkt 9. b. verstellt 10. a. bezahlen **Übung H:** (*Some answers will vary.*) 1. Womit kochst du Kaffee? —Mit der Kaffeemaschine. 2. Mit wem feierst du Thanksgiving? —Mit meiner Freundin. *oder* Mit meinem Freund. *oder* Mit meinen Verwandten. 3. Womit kehrst du die Treppe? —Mit dem Besen. 4. Womit schneidest du das Brot? —Mit dem Messer. 5. Womit schreibst du den Brief? —Mit dem Computer. *oder* Mit der Hand. 6. Mit wem gehst du ins Kino? —Mit meiner Freundin. *oder* Mit meinem Freund. *oder* Mit meinen Verwandten. 7. Womit wirfst du den Ball? —Mit der Hand. 8. Womit fährst du in die Stadt? *oder* Mit wem fährst du in die Stadt? —Mit dem Fahrrad. *oder* Mit meiner Freundin. *oder* Mit meinem Freund. *oder* Mit meinen Verwandten. **Übung I:** 1.a. mit b. mit c. Mit d. bei 2.a. bei b. mit c. bei d. mit 3.a. mit b. mit c. bei **Übung J:** 1. aufstehst 2.a. hör b. zu c. mache d. aus 3.a. kommt b. an 4. eingerichtet 5. einladen 6.a. nehmen b. auf (*oder* 6.a. haben b. aufgenommen) 7.a. mitkommen b. mitnimmst 8.a. rufst b. an **Übung K:** (*Some answers will vary in phrasing. Possible answers:*) 1. Antonia hat einen Film angeschaut. 2. Pedro und Kayla sind ausgegangen. 3. Heidi hat Frau Schulz angerufen. 4. Herr Ruf hat das Geschirr abgetrocknet. 5. Daniel hat Freunde eingeladen. 6. Hannah hat ihr Abendkleid angezogen. 7. Maria ist aus Bulgarien zurückgekommen. 8. Herr Moser ist um zwei Uhr aufgewacht.

## Kapitel 7

**Übung A:** (*Answers will vary. Sample answers:*) 1. Ich kenne viele Leute, die laut lachen. 2. Max mag Leute, die gern verreisen. 3. Ich mag eine Stadt, die Spaß macht. 4. Ich mag eine Landschaft, die interessant aussieht. 5. Ich kenne einen Mann, der keine Pizza mag. 6. Emma kennt einen Mann, der vier Sprachen spricht. 7. Ich kenne eine Frau, die auf einer Insel lebt. 8. Lukas kennt eine Person, die nie lächelt. 9. Ich mag einen Urlaub, der wenig kostet. 10. Ich mag ein Auto, das schnell fährt. **Übung B:** 1. e → Wie heißt der Kontinent, auf dem viele Kängurus leben? (Australien) 2. i → Wie heißt der Kontinent, der eigentlich eine Halbinsel von Asien ist? (Europa) 3. k → Wie heißt der Fluss, von dem Mark Twain erzählt? (Mississippi) 4. c → Wie heißt die Stadt, die an einer Bucht liegt? (San Francisco) 5. h → Wie heißen die Berge, in denen man sehr gut Ski fahren kann? (die Alpen)

6. f → Wie heißt der Staat in den USA, dem ein Präsident seinen Namen gegeben hat? (Washington) 7. g → Wie heißt das Tal, in dem es sehr heiß ist? (das Tal des Todes) 8. b → Wie heißt die Insel, die man von New York City sieht? (Ellis) 9. j → Wie heißt das Meer, über das man nach Hawaii fliegt? (der Pazifik) 10. d → Wie heißt die afrikanische Wüste, die man aus vielen Filmen kennt? (die Sahara) 11. a → Wie heißt der See in Utah, auf dem man segeln kann? (der Große Salzsee) **Übung C:** 1. New York City ist größer als Zürich. 2. München ist älter als San Francisco. 3. Athen ist wärmer als Hamburg. 4. Der Mount Everest ist höher als das Matterhorn. 5. Der Mississippi ist länger als der Rhein. 6. Liechtenstein ist kleiner als die Schweiz. 7. Leipzig ist kälter als Kairo. 8. Ein Fahrrad ist billiger als ein Auto. 9. Ein Pferd ist stärker als ein Hund. 10. Ein Haus auf dem Land ist schöner als ein Haus in der Stadt. (*oder* Ein Haus in der Stadt ist schöner als ein Haus auf dem Land.) 11. Zehn Euro sind mehr als zehn Cent. 12. Eine Villa ist teurer als eine Wohnung. 13. Ein Porsche ist schneller als ein Volkswagen. 14. Ein Klavier ist schwerer als ein Stuhl. 15. Ein Tablet ist besser als ein Laptop. (*oder* Ein Laptop ist besser als ein Tablet.) **Übung D:** 1. Heidi ist schwerer als Shannon. 2. Noah ist am schwersten. 3. Noah ist besser in Deutsch als Steve. 4. Heidi ist in Deutsch am besten. 5. Heidi ist kleiner als Steve. 6. Shannon ist am kleinsten. 7. Steve ist jünger als Noah. 8. Steve ist am jüngsten. 9. Noahs Haare sind länger als Heidis. 10. Shannons Haare sind am längsten. 11. Heidis Haare sind kürzer als Shannons. 12. Steves Haare sind am kürzesten. 13. Shannon ist schlechter in Deutsch als Heidi. 14. Steve ist in Deutsch am schlechtesten. **Übung E:** 1. a. In Athen ist es am heißesten. 2. g. In Moskau ist es am kältesten. 3. f. Monaco ist am kleinsten. 4. e. Die Schweiz ist am ältesten. 5. j. Südafrika ist am jüngsten. 6. i. Der Nil ist am längsten. 7. d. Frankfurt liegt am nördlichsten. 8. h. Der Mount Everest ist am höchsten. 9. c. Deutschland ist am größten. **Übung F:** 1. Gleichheit 2. Selbstverständlichkeit 3. Klarheit 4. Freiheit 5. Möglichkeit 6. Wirklichkeit 7. Schwierigkeit 8. Sicherheit 9. Schönheit 10. Wahrscheinlichkeit **Übung G:** a. darauf b. daneben c. Dazwischen d. Darin e. Davor/Daneben f. darüber/dahinter g. Daran h. Darunter i. dahinter **Übung H:** (*Some phrasing will vary.*) 1. Mit wem gehen Sie am liebsten ins Theater? 2. Woran arbeiten Sie zur Zeit? 3. Auf wen müssen Sie immer warten? 4. Mit wem haben Sie in letzter Zeit gesprochen? 5. Woran denken Sie, wenn Sie „USA" hören? 6. Womit fahren Sie meistens zur Schule? 7. Worüber schreiben Sie nicht gern? 8. An wen haben Sie Ihre letzte E-Mail geschrieben? 9. Von wem halten Sie nicht viel? **Übung I:** 1.a. Hatten b. hatte 2. Waren 3.a. wart b. hatten 4.a. Warst b. war 5. hatte 6. hattest 7.a. Warst b. war c. hatte **Übung J:** 1. bin 2.a. hat b. bin 3. habe 4.a. habe b. bin 5. bin 6. bin 7.a. habe b. bin 8.a. habe b. ist 9.a. haben b. ist 10.a. sind b. hat **Übung K:** (*Some phrasing will vary.*) 1. Ich habe doch schon Frühstück gemacht. 2. Ich habe meine Milch doch schon getrunken. 3. Ich habe den Tisch doch schon sauber gemacht. 4. Ich bin doch schon zum Bäcker gelaufen. 5. Ich habe doch schon Brot mitgebracht. 6. Ich habe doch schon Geld mitgenommen. 7. Ich habe den Hund doch schon gerufen. 8. Ich habe die Tür doch schon zugemacht.

## Kapitel 8

**Übung A:** (*Answers will vary.*) 1. Amerikanisches Steak! 2. Russischer Kaviar! 3. Griechische Oliven! 4. Japanisches Sushi! 5. Französischer Champagner! 6. Deutsche Wurst! 7. Dänischer Käse! 8. Italienische Spaghetti! 9. Ungarischer Paprika! 10. Englische Marmelade! 11. Kolumbianischer Kaffee! 12. Neuseeländische Kiwis! **Übung B:** 1. Ich esse nur deutsches Brot. 2. Ich esse nur russischen Kaviar. 3. Ich esse nur italienische Salami. 4. Ich trinke nur kolumbianischen Kaffee. 5. Ich esse nur neuseeländische Kiwis. 6. Ich trinke nur französischen Wein. 7. Ich trinke nur belgisches Bier. 8. Ich esse nur spanische Muscheln. 9. Ich esse nur englische Marmelade. 10. Ich esse nur japanischen Thunfisch. **Übung C:** (*Some phrasing may vary.*) 1. Michael: Ich möchte den grauen Wintermantel da. Maria: Nein, der graue Wintermantel ist zu warm. 2. Michael: Ich möchte die gelbe Hose da. Maria: Nein, die gelbe Hose ist zu bunt. 3. Michael: Ich möchte das schicke Hemd da. Maria: Nein, das schicke Hemd ist zu teuer. 4. Michael: Ich möchte die rote Jacke da. Maria: Nein, die rote Jacke ist zu schwer. 5. Michael: Ich möchte den weißen Schlafanzug da. Maria: Nein, der weiße Schlafanzug ist zu dünn. 6. Michael: Ich möchte die grünen Schuhe da. Maria: Nein, die grünen Schuhe sind zu groß. 7. Michael: Ich möchte den eleganten Hut da. Maria: Nein, der elegante Hut ist zu klein. 8. Michael: Ich möchte die schwarzen Winterstiefel da. Maria: Nein, die schwarzen Winterstiefel sind zu leicht. 9. Michael: Ich möchte die elegante Sonnenbrille da. Maria: Nein, die elegante Sonnenbrille ist zu bunt. 10. Michael: Ich möchte die blauen Tennisschuhe da. Maria: Nein, die blauen Tennisschuhe sind zu teuer. **Übung D:** 1.a. (neu)es b. (alt)e c. (neu)en 2.a. (italienisch)e b. (weiter)e 3.a. (kaputt)es b. (alt)en c. (frei)es **Übung E:** (*Some word order may vary.*) 1. Sarah gibt ihrem neuen Freund ein Rezept. 2. Phan schenkt ihrer besten Freundin ein Buch. 3. Max kauft seinem wütenden Lehrer einen Hut. 4. Yusuf erzählt dem kleinen Bruder von Hannah einen Witz. 5. Herr Ruf kocht den netten Leuten von nebenan Kaffee. 6. Elif gibt dem süßen Baby von nebenan einen Kuss. 7. Phillip verkauft seiner großen Schwester eine Ratte. 8. Hannah zeigt die Ratte nur ihren besten Freundinnen. **Übung F:** 1. Studierenden 2. Süßer 3. Tolles 4. gebrauchte 5. gespartes 6. Süßes 7. Getretene 8. Bekannte *or* Studierende *or* Auszubildende 9. Blonden 10. Auszubildenden **Übung G:** (*Answers and sequence will vary.*) 1. Ich werde weniger fernsehen. 2. Ich werde mehr lernen. 3. Ich werde weniger oft ins Kino gehen. 4. Ich werde früher ins Bett gehen. 5. Ich werde mehr arbeiten. 6. Ich werde öfter selbst kochen. **Übung H:** (*Answers may vary.*) 1. Frau Schulz repariert morgen das Auto. 2. Heidi fährt morgen aufs Land. 3. Pedro spielt morgen Fußball. 4. Shannon schreibt morgen eine E-Mail. 5. Steve geht morgen einkaufen. 6. Meili heiratet morgen. 7. Miguel geht morgen in den Supermarkt. 8. Noah macht morgen sein Zimmer sauber. **Übung I:** (*Answers will vary.*) **Übung J:** 1. meines 2. Ihres 3. der 4. deiner 5. eines 6. gebrauchten 7. ersten 8. neuen **Übung K:** 1. Shannon spricht über den Beruf ihrer Schwester. 2. Pedro spricht über die Fabeln der Dichter der antiken Welt. 3. Heidi spricht über das Alter ihrer Kusinen. 4. Noah spricht über die Länge seines Studiums. 5. Miguel spricht über die Sprache seiner Großeltern. 6. Meili spricht über die Kleidung ihres Freundes. 7. Kayla spricht über die Währung der Schweiz. 8. Steve spricht über die Höhe seines Stipendiums. **Übung L:** 1. trotz 2. Trotz 3. während 4. Statt 5. während 6. Wegen 7. statt 8. Wegen

## Kapitel 9

**Übung A:** (*Answers will vary.*) **Übung B:** 1. Entwicklungsstufe 2. Informationssystem 3. Kleiderschrank 4. Geburtstag 5. Freiheitskampf 6. Schwierigkeitsgrad 7. Wirtschaftspolitik 8. Wartezeit 9. Folgekosten **Übung C:** (*Some answers will vary slightly.*) 1. Ich durfte nicht. 2. Ich wollte nicht. 3. Das wusste ich nicht. 4. Ich wollte es nicht. 5. Ich sollte das doch nicht. **Übung D:** (*Some answers may vary.*) 1.a. wolltest b. wusste 2.a. durfte b. musste c. wollten d. konnten 3.a. konnte b. musste (*oder* wollte) c. wusste d. wollte (*oder* musste) **Übung E:** 1.a. Wann b. Wenn 2.a. wann b. Als 3. als 4.a. Wann b. als 5.a. Wann b. Wenn 6.a. Wann b. Als **Übung F:** a. wenn b. Als c. Wenn d. wenn e. Als f. Als g. Wann h. Als i. wenn **Übung G:** a. standen b. gingen c. fuhren d. kamen e. hielten f. aßen g. schwammen h. schliefen i. sprangen **Übung H:** 1. wohnte 2. brachten 3. schliefen 4. liefen, kamen 5. sahen, saß 6. gab, fanden 7. trug, schloss 8. tötete, rannte **Übung I:** *Some answers may vary. Most plausible answers are:* 1. c 2. d 3. g 4. b 5. e 6. h 7. a 8. i 9. f

## Kapitel 10

**Übung A:** 1. b 2. a 3. h 4. g 5. c 6. d 7. i 8. j 9. f 10. e **Übung B:** (*Phrasing may vary.*) 1. Nein, mit meiner Freundin Fatima. 2. Aus Regensburg. 3. Seit einem Monat. 4. Bei ihrem Freund. 5. Gegenüber dem Rathaus. 6. Laut meinem Tagebuch am frühen Abend. 7. Nein, niemand außer Fatima und mir. 8. Ab dem frühen Morgen. 9. Bis zum Gipfel. **Übung C:** (*Answers will vary.*) 1. Ja, üb jetzt Klavier. Du hast morgen Klavierstunde. (*oder* Nein, üb jetzt nicht Klavier. Wir gehen gleich aus.) 2. Ja, ruf ihn an. Er wollte mit dir sprechen. (*oder* Nein, ruf ihn nicht an. Du musst deine Hausaufgaben machen.) 3. Ja, mach es auf. Die Luft ist hier schlecht. (*oder* Nein, mach es nicht auf. Es ist draußen zu kalt.) 4. Ja, lies mal das Buch. Es ist interessant. (*oder* Nein, lies es nicht. Es ist für dich zu schwer.) 5. Ja, rede doch mal mit mir. Du hast wohl etwas zu erklären. (*oder* Nein, rede im Moment nicht mit mir. Ich bin beschäftigt.) 6. Ja, pack jetzt deine Schultasche. Es ist schon sieben. (*oder* Nein, pack deine Schultasche nicht. Heute ist Sonntag.) 7. Ja, geh mal in den Garten. Du brauchst die frische Luft. (*oder* Nein, geh nicht in den Garten. Es regnet.) 8. Ja, fahr mal morgen mit dem Fahrrad in die Schule. Ich kann dich mit dem Auto nicht hinbringen. (*oder* Nein, fahr morgen nicht mit dem Fahrrad in die Schule. Ich bringe dich mit dem Auto hin.) **Übung D:** 1. Max und Yusuf, seid nicht so laut! 2. Maria, halte bitte an der nächsten Ampel! 3. Benjamin, fahr an der nächsten Straße nach links! 4. Hannah, iss mehr Obst! 5. Herr Pusch, fahren Sie nicht so schnell! 6. Max, warte an der Ecke auf mich! 7. Sumita und Yamina, seid nicht so ungeduldig! 8. Antonia und Elif, grüßt euren Vater von mir! 9. Yusuf, lauf mal schnell zu Papa! 10. Eske und Damla, lest jeden Tag die Zeitung! **Übung E:** 1. Mach 2. Sprechen Sie 3. warten Sie 4. vergiss 5. Helft **Übung F:** 1. herunterkommen 2. Geht ... hinaus 3. herausgefunden 4. Legen ... hin 5. herumlaufen 6. gibt ... heraus 7. hinzukommen 8. herausnehmen **Übung G:** (*Answers will vary.*) **Übung H:** 1. Müsstest du nicht noch tanken? 2. Sollten wir nicht Ahmed abholen? 3. Könnten zwei Freunde von mir auch mitfahren? 4. Sollten wir nicht zuerst in die Stadt fahren? 5. Wolltest du nicht zur Bank? 6. Könntest du etwas langsamer fahren? 7. Dürfte ich das Autoradio einschalten? 8. Dürfte ich das Fenster aufmachen? **Übung I:** 1. gegen 2. für 3. bis 4. Ohne 5. um 6. gegen 7. durch **Übung J:** 1. um 2500 v. Chr. → f. Wann wurden die ersten Pyramiden gebaut? 2. 44 v. Chr. → g. Wann wurde Cäsar ermordet? 3. 1088 n. Chr. → d. Wann wurde die erste Universität (Bologna) gegründet? 4. um 1450 → j. Wann wurde die Irokesen-Konföderation gegründet? 5. 1787 → c. Wann wurde die US-amerikanische Verfassung unterschrieben? 6. 1901 → b. Wann wurde der Australische Bund gegründet? 7. 1945 → e. Wann wurde Europa von Hitler befreit? 8. 1990 → a. Wann wurde Deutschland wiedervereinigt? 9. 2001 → h. Wann wurde das World Trade Center zerstört? 10. 2002 → i. Wann wurde der Euro eingeführt? **Übung K:** 1. Mäuse werden in vielen Labortests benutzt. 2. Hamster werden oft als Haustiere gehalten. 3. Bienen werden wegen ihrer Honigproduktion geschätzt. 4. Mücken werden durch Parfum und Kosmetikprodukte angelockt. 5. Die Fledermaus wird in vielen Kulturen mit Vampiren assoziiert. 6. Schnecken werden oft mit Butter- und Knoblauchsoße gegessen. 7. Der Gepard wird immer noch für seinen Pelz getötet. 8. Die meisten Papageien werden in der Wildnis gefangen. 9. Delfine werden wegen ihrer Intelligenz bewundert. 10. Viele Haie werden jedes Jahr gefischt.

## Kapitel 11

**Übung A:** 1.a. fühle mich b. dich ... legen 2.a. sich ... aufgeregt b. sich ... ausruhen 3.a. dich verletzt b. mich ... geschnitten 4.a. ärgerst ... dich b. dich freuen **Übung B:** (*Answers will vary. Example answer shown.*) Erst stehe ich auf. Dann stelle ich mich unter die Dusche. Dann wasche ich mir das Gesicht. Dann wasche ich mir die Haare. Dann trockne ich mir die Haare. Dann ziehe ich mich an. Dann frühstücke ich. Dann putze ich mir die Zähne und gehe zur Uni. **Übung C:** (*Answers will vary. Example answers shown.*) 1. Ich bade mich jeden Morgen. 2. Mein Onkel schneidet sich nicht oft genug die Fingernägel. 3. Mein Freund wäscht sich nicht oft genug die Haare. 4. Mein Vater putzt sich nach jeder Mahlzeit die Zähne. 5. Mein Onkel zieht sich immer verrückt an. 6. Meine Freundin riecht immer gut. 7. Mein Bruder kämmt sich nie. 8. Mein Onkel trocknet sich nie die Haare. 9. Mein Cousin badet sich nicht gern. 10. Meine Mutter zieht sich immer elegant an. **Übung D:** 1. Warum schneidest du ihn dir nicht? 2. Warum wäschst du sie dir nicht? 3. Warum schneidest du sie dir nicht? 4. Warum trocknest du sie dir nicht? 5. Warum wäschst du ihn dir nicht? 6. Warum putzt du sie dir nicht? 7. Warum schneidest du sie dir nicht? 8. Warum machst du sie dir nicht zu? **Übung E:** 1. b 2. a 3. b 4. a 5. b 6. b 7. b 8. a 9. a 10. a **Übung F:** (*Some answers will vary.*) 1. Wissen Sie, was hier passiert ist? (*oder* Können Sie mir sagen, was hier passiert ist?) 2. Wissen Sie, ob das Kind das Auto gesehen hat? (*oder* Können Sie mir sagen, ob das Kind das Auto gesehen hat?) 3. Wissen Sie, wer daran schuld war? (*oder* Können Sie mir sagen, wer daran schuld war?) 4. Wissen Sie, warum Herr Fischer das Kind nicht gesehen hat? (*oder* Können Sie mir sagen, warum Herr Fischer das Kind nicht gesehen hat?) 5. Wissen Sie, ob Herr Fischer gebremst hat? (*oder* Können Sie mir sagen, ob Herr Fischer gebremst hat?) 6. Wissen Sie, wann er gebremst hat? (*oder* Können Sie mir sagen, wann er gebremst hat?) 7. Wissen Sie, wie oft Herr Fischer diese Straße zur Arbeit fährt? (*oder* Können Sie mir sagen, wie oft Herr Fischer diese Straße zur Arbeit fährt?) 8. Wissen Sie, wie lange Yusuf auf der Straße lag? (*oder* Können Sie mir sagen, wie lange Yusuf auf der Straße lag?) 9. Wissen Sie, wann die Polizei Yusufs Mutter angerufen hat? (*oder* Können Sie mir sagen, wann die Polizei Yusufs Mutter angerufen hat?) **Übung G:** 1.a. ob b. dass c. Wenn 2.a. damit b. Weil **Übung H:** 1.a. als b. nachdem 2. bevor 3. Während 4. obwohl

## Kapitel 12

**Übung A:** 1. aussteigen 2. beeindrucken 3. ließ, lassen 4. steuern 5. operieren 6. lasse **Übung B:** (*Phrasing may vary.*) 1. Warum kann der Klimawandel nicht mehr aufgehalten werden? 2. Warum kann gegen viele Auswirkungen des Klimawandels nichts mehr getan werden? 3. Warum kann gegen Stürme und Fluten nur wenig gemacht werden? 4. Warum kann erst in vielen Jahren auf fossile Energien ganz verzichtet werden? 5. Warum können Kohle und Erdöl zur Zeit noch nicht ersetzt werden? 6. Warum können die Klimaziele des Pariser Abkommens nicht mehr erreicht werden? 7. Warum kann die Hybris der technischen Welt leicht kritisiert werden? 8. Warum konnte der Zug nicht mehr gebremst werden? 9. Warum konnte das Unglück nicht verhindert werden? 10. Warum kann diese Krankheit nicht geheilt werden? **Übung C:** 1. h 2. b 3. f 4. c 5. d 6. j 7. i. 8. a 9. e 10. g **Übung D:** 1. d. Frau Ruf zwang Hannah, ihre Hausaufgaben zu machen. 2. a. Herr Ruf verbot Hannah, allein auf Reisen zu gehen. 3. f. Die Hexen beschlossen, die Brücke zu zerstören. 4. b. Steve vergaß, das Licht auszumachen. 5. c. Heidi versprach, beim nächsten Mal besser aufzupassen. 6. e. Es begann, fürchterlich zu regnen. 7. k. Yusuf hat Angst, beim nächsten Test wieder eine 6 zu bekommen. 8. j. Maria bittet Michael, nicht wieder zu spät zu kommen. 9. g. Shannon hofft, in 15 Minuten hier zu sein. 10. h. Meili hat keine Lust, heute Abend ins Kino zu gehen. 11. i. Miguel hat vor, auch mitzukommen. 12. l. Ich freue mich, dich kennenzulernen. **Übung E:** (*Some answers will vary.*) 1. Um morgens munter zu sein, muss man früh ins Bett gehen. 2. Um die Professoren und Professorinnen kennenzulernen, muss man in die Sprechstunde gehen. 3. Um die Kommilitoninnen und Kommilitonen kennenzulernen, muss man viel Gruppenarbeit machen. 4. Um am Wochenende nicht allein zu sein, muss man Leute einladen. 5. Um die Kurse zu bekommen, die man braucht, muss man sich so früh wie möglich einschreiben. 6. Um in vier Jahren fertig zu werden, muss man viel lernen und wenig Feste feiern. 7. Um nicht zu verhungern, muss man regelmäßig essen. 8. Um eine gute Note in Deutsch zu bekommen, muss man jeden Tag zum Unterricht kommen. **Übung F:** (*Answers will vary.*) **Übung G:** (*Answers will vary.*) **Übung H:** 1. Nom, F 2. Nom, V 3. Gen, F 4. Dat, F 5. Nom, F 6. Dat, V 7. Akk, P 8. Akk, P 9. Akk, F 10. Dat, P 11. Dat, V 12. Gen, P **Übung I:** 1. den 2. den, dem 3. dem, ins 4. im, seiner 5. den, den 6. ins 7. dich 8. den, dem 9. der **Übung J:** 1. em 2. en 3. e 4. er 5. e 6. er 7. e 8. en 9. ie 10. e 11. e 12. en 13. en 14. er 15. em 16. en 17. em 18. er

APPENDIX G

# Top 1,000 German Words

The following list* contains, in order of their rank, the words introduced in ***Kontakte*** that are among the most frequent 1,000 words of German, starting with the most frequent word in German, the definite article *der, die, das*. The most common thousand words are especially useful because they account for 85% of all words in casual conversations as well as 73% of all words found in written texts. Knowing them puts you on a firm footing when listening to German conversations and reading German texts.

We suggest you start committing these words to memory for review and vocabulary growth beginning with *Kapitel 4,* because the more of the most frequent thousand words you know, the easier it will be for you to learn new words from context while reading and listening to German. You may want to focus on 100 words per week. Nouns, verbs, and adjectives are easier to learn, so you may want to start with them. Copy them into a notebook—writing down words by hand helps the memorization process considerably—starting with the most frequent ones, until you have reached 100 words for that week. Look up their meanings in the *Deutsch-Englisch* glossary of this book and write the English word next to the German word. Or you may simply start with the most frequent 100 words followed by the second most frequent 100 words, and so on. Writing down words and looking up their meanings is usually enough to get the learning process started. You learn words best by reading or hearing them. The most frequent words are so common that you are bound to come across them quite often in written texts and listening passages. Having looked up their meanings, you will learn them more quickly when you encounter them again and again. Don't hesitate to learn words that will be introduced in later chapters. You are likely to hear or read these highly frequent words long before they are formally introduced, and knowing them will help your language proficiency grow.

## Abbreviations

| | | | |
|---|---|---|---|
| *adj.* | adjective | *part.* | particle |
| *adv.* | adverb | *prep.* | preposition |
| *conj.* | conjunction | *pron.* | pronoun |
| *n.* | noun | *v.* | verb |

In the entries below, the part of speech is indicated in parentheses, followed by the frequency rank, and then the chapter where the word first appears.

**der, die, das** (*article*) #1 (A)
**und** (*conj.*) #2 (A)
**in** (*prep.*) #3 (A)
**sein** (*v.*) #4 (A)
**ein, eine** (*article*) #5 (A)
**haben** (*v.*) #6 (A)
**sie** (*pron.*) #7 (A)
**werden** (*v.*) #8 (4)
**von** (*prep.*) #9 (B)
**ich** (*pron.*) #10 (A)
**nicht** (*adv.*) #11 (A)
**es** (*pron.*) #12 (B)
**mit** (*prep.*) #13 (A)
**sich** (*pron.*) #14 (4)
**er** (*pron.*) #15 (A)
**auf** (*prep.*) #16 (6)
**für** (*prep.*) #17 (2)
**auch** (*adv.*) #18 (A)
**an** (*prep.*) #19 (2)
**dass** (*conj.*) #20 (10)
**zu** (*prep.*) #21 (2)
**als** (*conj.*) #22 (5)
**können** (*v.*) #23 (3)
**diese, dieser, dieses** (*pron.*) #24 (2)
**wie** (*adv.*) #25 (A)
**wir** (*pron.*) #26 (A)
**ihr** (*pron.*) #27 (A)
**so** (*adv.*) #28 (A)
**bei** (*prep.*) #29 (2)
**sein, seine** (*pron.*) #30 (1)
**aber** (*conj.*) #31 (B)
**man** (*pron.*) #32 (A)
**noch** (*adv.*) #33 (B)
**nach** (*prep.*) #34 (3)
**oder** (*conj.*) #35 (A)
**alle, aller, alles** (*pron.*) #36 (2)
**aus** (*prep.*) #37 (10)
**was** (*pron./adv.*) #38 (A)
**nur** (*adv.*) #39 (3)
**sagen** (*v.*) #40 (A)
**dann** (*adv.*) #41 (A)
**wenn** (*conj.*) #42 (2)
**müssen** (*v.*) #43 (3)
**um** (*conj.*) #44 (12)
**um** (*prep.*) #44 (4)
**ja** (*part.*) #45 (A)
**kein, keine** (*pron.*) #46 (2)
**über** (*prep.*) #47 (4)
**da** (*adv.*) #48 (2)
**geben** (*v.*) #49 (A)
**vor** (*prep.*) #50 (4)
**mein, meine** (*pron.*) #51 (A)
**mehr** (*adv.*) #52 (7)
das **Jahr** (*n.*) #53 (B)
**du** (*pron.*) #54 (A)
**durch** (*prep.*) #55 (7)
**viel, viele** (*pron.*) #56 (A)
**wollen** (*v.*) #57 (3)
**machen** (*v.*) #58 (1)
**andere, anderer, anderes** (*pron.*) #59 (4)
**sollen** (*v.*) #60 (3)
**schon** (*adv.*) #61 (2)
**kommen** (*v.*) #62 (B)
**mir** (*pron.*) #63 (A)
**immer** (*adv.*) #64 (3)
**mich** (*pron.*) #65 (3)
**gehen** (*v.*) #66 (A)
**groß** (*adj.*) #67 (B)
**hier** (*adv.*) #68 (A)
**ganz** (*adj.*) #69 (2)
**zwei** (*numeral*) #70 (A)
**also** (*adv.*) #71 (4)
**jetzt** (*adv.*) #72 (3)
**doch** (*adv.*) #73 (7)
**wieder** (*adv.*) #74 (3)
**uns** (*pron.*) #75 (5)
**gut** (*adj.*) #76 (A)
**bis** (*prep.*) #77 (2)
**wissen** (*v.*) #78 (2)
**sehen** (*v.*) #79 (2)
**eine, einer, eines** (*pron.*) #80 (7)
**sehr** (*adv.*) #81 (B)
**mal** (*adv.*) #82 (11)
**lassen** (*v.*) #83 (8)
**neu** (*adj.*) #84 (A)
**stehen** (*v.*) #85 (2)
**unser, unsere** (*pron.*) #86 (2)
**jede, jeder, jedes** (*pron.*) #87 (1)
**weil** (*conj.*) #88 (3)
**unter** (*prep.*) #89 (5)
der **Mensch** (*n.*) #90 (A)
**ihm** (*pron.*) #91 (5)
**ihn** (*pron.*) #92 (2)
**denn** (*conj.*) #93 (9)
das **Beispiel** (*n.*) #94 (1)
**erste, erster, erstes** (*adj.*) #95 (4)
die **Zeit** (*n.*) #96 (1)
**lang** (*adj.*) #97 (A)

*The frequency information in this list is based on Tschirner, E. and J. Möhring. *Frequency Dictionary of German: Core Vocabulary for Learners,* 2nd ed. London: Routledge, 2020.

**leben** (*v.*) #98 (2)
die **Frau** (*n.*) #99 (A)
**etwas** (*pron.*) #100 (2)
**selbst, selber** (*pron.*) #101 (2)
**wenig** (*adj.*) #102 (4)
**finden** (*v.*) #103 (2)
**gegen** (*prep.*) #104 (9)
**zwischen** (*prep.*) #105 (7)
**drei** (*numeral*) #106 (A)
**liegen** (*v.*) #107 (1)
**wo** (*adv.*) #108 (B)
**nichts, nix** (*pron.*) #109 (1)
**klein** (*adj.*) #110 (B)
der **Tag** (*n.*) #111 (A)
**deutsch** (*adj.*) #112 (B)
**bleiben** (*v.*) #113 (3)
**nun** (*adv.*) #114 (8)
**sondern** (*conj.*) #115 (7)
**heute** (*adv.*) #116 (B)
**beide** (*pron.*) #117 (2)
**hoch** (*adj.*) #118 (4)
**damit** (*adv.*) #119 (7)
**ohne** (*prep.*) #120 (2)
der **Mann** (*n.*) #121 (A)
**welche, welcher, welches** (*pron.*) #122 (A)
**tun** (*v.*) #123 (1)
**einmal** (*adv.*) #124 (4)
**ihnen** (*pron.*) #125 (5)
**heißen** (*v.*) #126 (A)
**ob** (*conj.*) #127 (6)
**denken** (*v.*) #128 (4)
**dabei** (*adv.*) #129 (6)
**seit** (*prep.*) #130 (2)
**einfach** (*adj.*) #131 (3)
**erst** (*adv.*) #132 (4)
das **Kind** (*n.*) #133 (B)
das **Land** (*n.*) #134 (6)
**stellen** (*v.*) #135 (A)
**zeigen** (*v.*) #136 (A)
**natürlich** (*adj.*) #137 (2)
**alt** (*adj.*) #138 (A)
**dort** (*adv.*) #139 (7)
**Deutschland** (*n.*) #140 (B)
**gleich** (*adj.*) #141 (2)
**nehmen** (*v.*) #142 (A)
**dürfen** (*v.*) #143 (3)
**wichtig** (*adj.*) #144 (B)
**vielleicht** (*adv.*) #145 (2)
**hören** (*v.*) #146 (1)
das **Haus** (*n.*) #147 (1)
**nein** (*part.*) #148 (A)
**wer** (*pron.*) #149 (A)
**dazu** (*adv.*) #150 (8)
**eigentlich** (*adj.*) #151 (5)
**letzte, letzter, letztes** (*adj.*) #152 (4)
**fragen** (*v.*) #153 (A)
der **Herr** (*n.*) #154 (A)
**halten** (*v.*) #155 (2)
**glauben** (*v.*) #156 (2)
die **Frage** (*n.*) #157 (A)
**gelten** (*v.*) #158 (3)
**gerade** (*adj.*) #159 (3)
**folgen** (*v.*) #160 (6)
**sprechen** (*v.*) #161 (B)
**führen** (*v.*) #162 (5)
**bringen** (*v.*) #163 (2)
die **Welt** (*n.*) #164 (3)
**gar** (*adv.*) #165 (3)
**eigen** (*adj.*) #166 (3)
**genau** (*adj.*) #167 (1)
**mögen** (*v.*) #168 (1, 3)
**spät** (*adj.*) #169 (1)
**bereits** (*adv.*) #170 (9)
**möglich** (*adj.*) #171 (2)
das **Prozent** (*n.*) #172 (4)
**während** (*prep.*) #173 (6)
**einige** (*pl. pron.*) #174 (8)
**dafür** (*adv.*) #175 (7)
**kurz** (*adj.*) #176 (A)
**richtig** (*adj.*) #177 (2)
**stark** (*adj.*) #178 (11)
**brauchen** (*v.*) #179 (1)
die **Hand** (*n.*) #180 (B)
**etwa** (*adv.*) #181 (4)
**weitere, weiterer, weiteres** (*adj.*) #182 (4)
das **Ende** (*n.*) #183 (1)
**schreiben** (*v.*) #184 (A)
**solche, solcher, solches** (*pron.*) #185 (12)
**nie** (*adv.*) #186 (3)
der **Fall** (*n.*) #187 (5)
**schön** (*adj.*) #188 (B)
**wirklich** (*adj.*) #189 (B)
**denen** (*pron.*) #190 (7)
**nennen** (*v.*) #191 (7)
**warum** (*adv.*) #192 (3)
**ziehen** (*v.*) #193 (2)
das **Wort** (*n.*) #194 (2)
**darauf, drauf** (*adv.*) #195 (9)
die **Seite** (*n.*) #197 (5)
der/das **Teil** (*n.*) #198 (3)
**jung** (*adj.*) #199 (B)
**vier** (*numeral*) #200 (A)
**besser** (*adj.*) #201 (2)
**fast** (*adv.*) #202 (5)
**schnell** (*adj.*) #203 (7)
die **Stadt** (*n.*) #204 (A)
**spielen** (*v.*) #205 (1)
**zwar** (*adv.*) #206 (7)
der **Euro** (*n.*) #207 (2)
die **Arbeit** (*n.*) #208 (1)
die **Million, Mio.** (*n.*) #209 (12)
das **Problem** (*n.*) #210 (2)
**verstehen** (*v.*) #211 (4)
**bekommen** (*v.*) #212 (1)
**meinen** (*v.*) #213 (1)
**davon** (*adv.*) #214 (9)
**fahren** (*v.*) #215 (2)
**kennen** (*v.*) #216 (A)
**dich** (*pron.*) #217 (2)
die **Mutter** (*n.*) #218 (B)
die **Woche** (*n.*) #219 (1)
der **Weg** (*n.*) #220 (7)
**weiter** (*adv.*) #221 (7)
das **Auge** (*n.*) #222 (B)
**oft** (*adv.*) #223 (B)
die **Leute** (*plural n.*) #224 (3)
**allerdings** (*adv.*) #225 (6)
**sogar** (*adv.*) #226 (B)
**jedoch** (*adv.*) #227 (4)
**setzen** (*v.*) #228 (A)
**deshalb** (*adv.*) #229 (4)
**weit** (*adj.*) #230 (6)
**sitzen** (*v.*) #231 (2)
der **Vater** (*n.*) #232 (B)
**dein, deine** (*pron.*) #233 (B)
**arbeiten** (*v.*) #234 (A)
das **Geld** (*n.*) #235 (2)
das **Unternehmen** (*n.*) #236 (5)
**nächste, nächster, nächstes** (*adj.*) #237 (10)
**erklären** (*v.*) #238 (3)
**klar** (*adj.*) #239 (4)
der/die **Doktor/in** (*n.*) #240 (A)
das **Paar** (*n.*) #241 (8)
das **Recht** (*n.*) #242 (4)
**wegen** (*prep.*) #243 (6)
**dir** (*pron.*) #244 (7)
das **Wasser** (*n.*) #245 (3)
**bestehen** (*v.*) #246 (B)
**versuchen** (*v.*) #247 (4)
der **Punkt** (*n.*) #248 (9)
der **Grund** (*n.*) #249 (2)
der **Kopf** (*n.*) #250 (B)
**beginnen** (*v.*) #251 (1)
**laufen** (*v.*) #252 (A)
das **Bild** (*n.*) #253 (A)
**verschieden** (*adj.*) #254 (7)
der **Name** (*n.*) #255 (A)
die **Aufgabe** (*n.*) #256 (4)
**schwer** (*adj.*) #257 (3)
**entsprechen** (*v.*) #258 (12)
**treffen** (*v.*) #259 (2)
die **Art** (*n.*) #260 (10)
**wohl** (*adv.*) #261 (11)
die **Geschichte** (*n.*) #262 (1)
**erzählen** (*v.*) #263 (3)
**entstehen** (*v.*) #264 (7)
**sicher** (*adj.*) #265 (B)
**neben** (*prep.*) #266 (3)
**allein, alleine** (*adv.*) #267 (6)
**hinter** (*prep.*) #269 (6)
**besonders** (*adv.*) #270 (3)
**tragen** (*v.*) #271 (A)
**kaum** (*adv.*) #272 (9)
der/die **Freund/in** (*n.*) #273 (A)
**fünf** (*numeral*) #274 (A)
**scheinen** (*v.*) #275 (11)
die **Stunde** (*n.*) #276 (1)
**aussehen** (*v.*) #277 (2)
**gern, gerne** (*adv.*) #278 (1)
**überhaupt** (*adv.*) #279 (12)
**bestimmt** (*adj.*) #280 (3)
**sowie** (*conj.*) #281 (6)
der/die **Professor/in** (*n.*) #282 (A)
**darüber, drüber** (*adv.*) #283 (6)
**schaffen** (*v.*) #285 (3)
**damals** (*adv.*) #286 (9)
**erhalten** (*v.*) #287 (5)
**lernen** (*v.*) #288 (1)
**frei** (*adj.*) #289 (B)
der **Wert** (*n.*) #290 (B)
**daran, dran** (*adv.*) #292 (11)
**suchen** (*v.*) #293 (1)
**Europa** (*n.*) #294 (B)
**gemeinsam** (*adj.*) #295 (6)
**rund** (*adj.*) #296 (5)
die **Zahl** (*n.*) #297 (8)
das **Thema** (*n.*) #298 (4)
**handeln** (*v.*) #299 (9)
das **Buch** (*n.*) #300 (A)
**bisschen** (*pron.*) #301 (3)
**deutlich** (*adj.*) #302 (9)
**anders** (*adv.*) #303 (6)
**politisch** (*adj.*) #304 (4)
**lesen** (*v.*) #305 (A)
der **Blick** (*n.*) #306 (6)
die **Form** (*n.*) #307 (8)
**einzeln** (*adj.*) #308 (9)
**erreichen** (*v.*) #309 (5)
**leicht** (*adj.*) #311 (4)
**verlieren** (*v.*) #313 (1)
**beste, bester, bestes** (*adj.*) #314 (7)
**bilden** (*v.*) #315 (12)
der **Monat** (*n.*) #316 (B)
die **Lösung** (*n.*) #317 (1)
die **Sache** (*n.*) #318 (2)
**bekannt** (*adj.*) #319 (4)
das **Ziel** (*n.*) #320 (10)
**steigen** (*v.*) #321 (7)
**eher** (*adv.*) #322 (B)
**essen** (*v.*) #323 (2)
die **Minute** (*n.*) #324 (1)
die **Nacht** (*n.*) #325 (3)
der **Platz** (*n.*) #326 (3)
**schlecht** (*adj.*) #327 (2)
das **Spiel** (*n.*) #328 (2)
die **Familie** (*n.*) #329 (B)
**jemand** (*pron.*) #330 (2)
**dessen** (*pron.*) #331 (11)
**fallen** (*v.*) #332 (4)
**zehn** (*numeral*) #333 (A)
der **Preis** (*n.*) #334 (4)
**europäisch** (*adj.*) #335 (B)
**sonst** (*adv.*) #336 (2)
der **Staat** (*n.*) #337 (8)
**helfen** (*v.*) #338 (6)
der **Bereich** (*n.*) #339 (11)
**tatsächlich** (*adj.*) #340 (5)
der **Ort** (*n.*) #341 (7)
der **Abend** (*n.*) #342 (A)
**einzig** (*adj.*) #343 (10)
die **Stelle** (*n.*) #344 (10)
**unterschiedlich** (*adj.*) #345 (3)
das **Gesicht** (*n.*) #346 (B)
die **Entwicklung** (*n.*) #347 (6)
die **Uhr** (*n.*) #348 (B)
**mehrere** (*pl. pron.*) #349 (10)
**schließen** (*v.*) #350 (A)
**schließlich** (*adv.*) #351 (11)
**legen** (*v.*) #352 (11)
**direkt** (*adj.*) #353 (3)
**daher** (*adv.*) #354 (6)
**offen** (*adj.*) #355 (3)
**erkennen** (*v.*) #356 (3)
die **Person** (*n.*) #357 (1)
der **Moment** (*n.*) #358 (1)
die **Schule** (*n.*) #359 (1)
**darin, drin, drinnen** (*adv.*) #360 (6)
das **Auto** (*n.*) #361 (A)
**niemand** (*pron.*) #362 (2)
die **Gesellschaft** (*n.*) #363 (12)
**warten** (*v.*) #364 (7)
(sich) **vorstellen** (*v.*) #365 (4)
**früh** (*adj.*) #366 (1)
**treten** (*v.*) #367 (4)
**reden** (*v.*) #368 (3)
die **Gruppe** (*n.*) #369 (5)
das **Ding** (*n.*) #370 (2)
**na** (*part.*) #371 (3)
**gewinnen** (*v.*) #372 (4)
**zunächst** (*adv.*) #373 (9)
**damit** (*conj.*) #374 (11)
die **Tür** (*n.*) #375 (A)
der **Schritt** (*n.*) #376 (11)
**entwickeln** (*v.*) #377 (3)

**meiste** (*adj.*) #378 (3)
die **Möglichkeit** (*n.*) #379 (5)
der **Sinn** (*n.*) #380 (8)
**passieren** (*v.*) #381 (4)
**manchmal** (*adv.*) #382 (B)
das **System** (*n.*) #384 (B)
die **Rolle** (*n.*) #385 (4)
**vergleichen** (*v.*) #387 (4)
**voll** (*adj.*) #388 (2)
**erwarten** (*v.*) #389 (12)
**obwohl** (*conj.*) #390 (2)
die **Straße** (*n.*) #391 (5)
die **Angst** (*n.*) #392 (3)
**allgemein** (*adj.*) #393 (9)
**fühlen** (*v.*) #394 (3)
**jene, jener, jenes** (*pron.*) #395 (12)
(sich) **erinnern** (*v.*) #396 (9)
**oh** (*part.*) #397 (3)
**bedeuten** (*v.*) #398 (4)
die **Stimme** (*n.*) #399 (12)
**wirken** (*v.*) #401 (11)
**darstellen** (*v.*) #402 (7)
der **Raum** (*n.*) #403 (10)
die **Eltern** (*plural n.*) #404 (B)
**bezeichnen** (*v.*) #405 (9)
die **Funktion** (*n.*) #406 (12)
**häufig** (*adj.*) #407 (A)
**erscheinen** (*v.*) #408 (4)
die **USA** (*plural n.*) #409 (B)
der **Flüchtling** (*n.*) #410 (4)
**früher** (*adv.*) #411 (9)
**pro** (*prep.*) #412 (3)
**ergeben** (*v.*) #413 (6)
**entscheiden** (*v.*) #414 (4)
die **Universität, Uni** (*n.*) #415 (B)
**betreffen** (*v.*) #416 (6)
**oben** (*adv.*) #417 (10)
die **Richtung** (*n.*) #418 (7)
**bestimmen** (*v.*) #419 (7)
**fehlen** (*v.*) #420 (6)
die **Sprache** (*n.*) #421 (3)
das **Produkt** (*n.*) #422 (8)
die **Situation** (*n.*) #423 (A)
**außerdem** (*adv.*) #424 (6)
**nämlich** (*adv.*) #425 (11)
**international** (*adj.*) #426 (7)
der **Anfang** (*n.*) #427 (6)
**sechs** (*numeral*) #428 (A)
**nutzen** (*v.*) #429 (1)
**sozial** (*adj.*) #430 (4)
die **Folge** (*n.*) #431 (9)
der **Satz** (*n.*) #432 (3)
**manche, mancher, manches** (*pron.*) #433 (2)
**beschreiben** (*v.*) #435 (3)
das **Licht** (*n.*) #436 (3)
**ähnlich** (*adj.*) #437 (4)
die **Regel** (*n.*) #438 (4)
**gegenüber** (*prep.*) #439 (6)
der/die **Kollege/Kollegin** (*n.*) #440 (5)
**bisher** (*adv.*) #441 (9)
**tief** (*adj.*) #442 (7)
**halb** (*adj.*) #443 (1)
**lachen** (*v.*) #444 (3)
**ebenfalls** (*adv.*) #445 (6)
**sofort** (*adv.*) #446 (3)
die **Grenze** (*n.*) #447 (12)
**ändern** (*v.*) #448 (9)
die **Entscheidung** (*n.*) #449 (4)
**verlassen** (*v.*) #450 (5)
die **Idee** (*n.*) #451 (3)
**verbinden** (*v.*) #452 (7)
**endlich** (*adv.*) #454 (1)
die **Energie** (*n.*) #455 (12)
**plötzlich** (*adv.*) #456 (9)
**danach** (*adv.*) #457 (8)
die **Kraft** (*n.*) #458 (5)
**lieber** (*adv.*) #459 (2)
**gehören** (*v.*) #460 (6)
**einsetzen** (*v.*) #461 (7)
das **Gefühl** (*n.*) #462 (3)
**trotzdem** (*adv.*) #463 (2)
(sich) **befinden** (*v.*) #464 (7)
die **Information** (*n.*) #465 (4)
**dadurch** (*adv.*) #466 (9)
**dagegen** (*adv.*) #467 (7)
die **Zukunft** (*n.*) #469 (2)
**wachsen** (*v.*) #470 (9)
**bitte** (*adv.*) #471 (A)
**weiß** (*adj.*) #472 (A)
der **Text** (*n.*) #473 (12)
**schwarz** (*adj.*) #474 (A)
**sterben** (*v.*) #475 (2)
der **Markt** (*n.*) #476 (7)
**rot** (*adj.*) #477 (A)
der **Meter, m** (*n.*) #479 (6)
**nah, nahe** (*adj.*) #480 (7)
die **Hilfe** (*n.*) #481 (11)
das **Kapitel** (*n.*) #482 (A)
**ausgehen** (*v.*) #483 (1)
die **Bedeutung** (*n.*) #484 (6)
**betrachten** (*v.*) #485 (9)
die **Chemie** (*n.*) #486 (1)
die **Luft** (*n.*) #487 (7)
der **Körper** (*n.*) #488 (B)
die **Struktur** (*n.*) #489 (A)
**stimmen** (*v.*) #490 (8)
**bitten** (*v.*) #491 (3)
das **Jahrhundert** (*n.*) #492 (5)
**wahrscheinlich** (*adj.*) #493 (1)
**öffentlich** (*adj.*) #494 (6)
**euch** (*pron.*) #495 (A)
**insgesamt** (*adv.*) #496 (9)
**anfangen** (*v.*) #497 (4)
**genug** (*adv.*) #498 (3)
der/die **Deutsche** (*n.*) #499 (B)
**verändern** (*v.*) #500 (6)
die **Wohnung** (*n.*) #501 (1)
**gelingen** (*v.*) #502 (10)
**bald** (*adv.*) #503 (9)
**gering** (*adj.*) #504 (B)
der **Film** (*n.*) #505 (2)
**kaufen** (*v.*) #506 (1)
**ansehen** (*v.*) #507 (7)
**öffnen** (*v.*) #508 (A)
die **Musik** (*n.*) #509 (1)
**schauen** (*v.*) #510 (A)
das **Stück** (*n.*) #511 (8)
**besondere, besonderer, besonderes** (*adj.*) #512 (5)
**tot** (*adj.*) #513 (9)
der/die **Gott/Göttin** (*n.*) #514 (3)
**völlig** (*adj.*) #515 (11)
**positiv** (*adj.*) #516 (9)
das **Gespräch** (*n.*) #517 (1)
**darum** (*adv.*) #518 (7)
der/die **Kunde/Kundin** (*n.*) #519 (1)
die **Menge** (*n.*) #520 (5)
die **Regierung** (*n.*) #521 (12)
die **Antwort** (*n.*) #522 (3)
**annehmen** (*v.*) #523 (11)
**falsch** (*adj.*) #524 (2)
der **Zusammenhang** (*n.*) #525 (3)
**langsam** (*adj.*) #526 (5)
der **Arm** (*n.*) #527 (B)
**nachdem** (*conj.*) #528 (4)
der **Tisch** (*n.*) #529 (B)
**rufen** (*v.*) #530 (7)
**bieten** (*v.*) #531 (5)
das **Herz** (*n.*) #532 (3)
**zusammen** (*adv.*) #533 (2)
**ebenso** (*adv.*) #535 (9)
der **Boden** (*n.*) #536 (B)
**bevor** (*conj.*) #537 (11)
**verwenden** (*v.*) #538 (1)
die **Politik** (*n.*) #539 (1)
der **Tod** (*n.*) #540 (12)
der **Erfolg** (*n.*) #541 (8)
die **Bank** (*n.*) #543 (5)
**ab** (*prep.*) #544 (10)
**persönlich** (*adj.*) #545 (12)
der/die **Präsident/in** (*n.*) #546 (5)
**holen** (*v.*) #547 (5)
der **Junge** (*n.*) #548 (A)
**sogenannt** (*adj.*) #549 (12)
die **Polizei** (*n.*) #550 (5)
die **Chance** (*n.*) #551 (4)
**innerhalb** (*prep.*) #553 (9)
die **Kunst** (*n.*) #554 (A)
die **Lage** (*n.*) #555 (10)
der/die **Schüler/in** (*n.*) #556 (1)
**gesamt** (*adj.*) #557 (6)
der **Druck** (*n.*) #558 (4)
**verschwinden** (*v.*) #559 (10)
**wohnen** (*v.*) #560 (B)
**bewegen** (*v.*) #561 (3)
**enthalten** (*v.*) #562 (4)
**aufnehmen** (*v.*) #563 (6)
die **Kosten** (*plural n.*) #564 (7)
das **Wintersemester** (*n.*) #565 (4)
(sich) **merken** (*v.*) #566 (5)
**aktuell** (*adj.*) #568 (6)
der **Begriff** (*n.*) #569 (3)
**erleben** (*v.*) #570 (6)
**relativ** (*adj.*) #571 (B)
**laut** (*prep.*) #572 (10)
der **Fuß** (*n.*) #573 (B)
die **Daten** (*plural n.*) #574 (4)
der **Krieg** (*n.*) #575 (4)
der **Gast** (*n.*) #576 (6)
die **Aussage** (*n.*) #577 (B)
das **Gesetz** (*n.*) #578 (3)
**planen** (*v.*) #579 (9)
**schwierig** (*adj.*) #580 (2)
der **Kilometer, km** (*n.*) #582 (2)
**vergessen** (*v.*) #584 (2)
der **Gedanke** (*n.*) #585 (5)
**besitzen** (*v.*) #586 (12)
**ach** (*part.*) #587 (9)
die **Partei** (*n.*) #588 (10)
(sich) **freuen** (*v.*) #589 (11)
**hängen** (*v.*) #590 (3)
**berichten** (*v.*) #591 (6)
**eng** (*adj.*) #593 (12)
die **Kultur** (*n.*) #594 (4)
der **Sohn** (*n.*) #596 (B)
der **Dank** (*n.*) #597 (10)
**trotz** (*prep.*) #598 (12)
**studieren** (*v.*) #600 (1)
**gefallen** (*v.*) #601 (6)
das **Mädchen** (*n.*) #602 (A)
(sich) **verhalten** (*v.*) #603 (11)
**mindestens** (*adv.*) #604 (7)
**ziemlich** (*adv.*) #605 (2)
das **Interesse** (*n.*) #606 (5)
**unterscheiden** (*v.*) #607 (7)
**jeweils** (*adv.*) #609 (12)
**reichen** (*v.*) #610 (7)
**sieben** (*numeral*) #611 (A)
**schlagen** (*v.*) #613 (2)
das **Tier** (*n.*) #614 (1)
**jedenfalls** (*adv.*) #615 (11)
**am** (*prep. + article*) #616 (7)
**erhöhen** (*v.*) #617 (12)
(sich) **sorgen** (*v.*) #618 (5)
die **Erfahrung** (*n.*) #619 (6)
der/die **Patient/in** (*n.*) #620 (5)
der **Morgen** (*n.*) #621 (A)
der/die **Arzt/Ärztin** (*n.*) #622 (3)
**geschehen** (*v.*) #623 (2)
**Bayern** (*n.*) #624 (6)
**lösen** (*v.*) #625 (2)
**anbieten** (*v.*) #627 (3)
**vorkommen** (*v.*) #628 (7)
**okay** (*adj.*) #629 (7)
**wünschen** (*v.*) #630 (5)
(sich) **interessieren** (*v.*) #631 (7)
der **Unterschied** (*n.*) #632 (2)
das **Foto** (*n.*) #633 (1)
**trinken** (*v.*) #634 (1)
**derselbe, dieselbe, dasselbe** (*pron.*) #635 (6)
**wählen** (*v.*) #636 (3)
**gleichzeitig** (*adj.*) #637 (1)
**knapp** (*adj.*) #638 (7)
der/die **Mitarbeiter/in** (*n.*) #639 (11)
**übernehmen** (*v.*) #640 (4)
das **Glück** (*n.*) #641 (3)
**normal** (*adj.*) #642 (5)
**leider** (*adv.*) #643 (B)
die **Grundlage** (*n.*) #644 (11)
**acht** (*numeral*) #645 (A)
die **Leistung** (*n.*) #646 (6)
**erfolgen** (*v.*) #648 (12)
die **Beziehung** (*n.*) #649 (1)
**zunehmen** (*v.*) #650 (11)
**stattfinden** (*v.*) #652 (5)
**ankommen** (*v.*) #653 (1)
**auftreten** (*v.*) #654 (1)
**insbesondere** (*adv.*) #655 (9)
**technisch** (*adj.*) #656 (1)
**wann** (*adv.*) #657 (1)
**los** (*adv.*) #658 (7)
das **Bett** (*n.*) #659 (1)
die **Höhe** (*n.*) #660 (2)
**englisch** (*adj.*) #662 (B)
**zuletzt** (*adv.*) #663 (10)
**rein** (*adj.*) #664 (8)
das **Zimmer** (*n.*) #665 (1)
**indem** (*conj.*) #666 (8)
**bauen** (*v.*) #667 (5)
das **Verhältnis** (*n.*) #668 (8)
**selten** (*adj.*) #669 (5)
die **Zeitung** (*n.*) #670 (1)
**innere, innerer, inneres** (*adj.*) #671 (B)
die **Bedingung** (*n.*) #673 (B)
das **Fenster** (*n.*) #674 (B)
der **Zug** (*n.*) #675 (1)

**funktionieren** (*v.*) #677 (5)
**sowohl** (*conj.*) #678 (8)
**schlafen** (*v.*) #679 (1)
**statt** (*prep.*) #680 (4)
das **Werk** (*n.*) #681 (7)
**grün** (*adj.*) #682 (A)
der/die **Bürger/in** (*n.*) #683 (9)
**echt** (*adj.*) #685 (2)
die **Firma** (*n.*) #686 (3)
die **Wirtschaft** (*n.*) #687 (1)
**stecken** (*v.*) #688 (11)
**hoffen** (*v.*) #689 (3)
**erfahren** (*v.*) #690 (9)
das **Mittel** (*n.*) #691 (8)
**leisten** (*v.*) #693 (12)
die **Tochter** (*n.*) #694 (B)
der/die **Lehrer/in** (*n.*) #695 (1)
**passen** (*v.*) #696 (2)
**beobachten** (*v.*) #697 (1)
die **Einführung** (*n.*) #698 (A)
das **Element** (*n.*) #699 (7)
**klingen** (*v.*) #700 (5)
**lieben** (*v.*) #701 (3)
die **Dame** (*n.*) #702 (2)
die **Vorlesung** (*n.*) #703 (4)
**zählen** (*v.*) #704 (A)
**meist** (*adv.*) #705 (6)
**dunkel** (*adj.*) #706 (5)
**Österreich** (*n.*) #707 (B)
das **Modell** (*n.*) #708 (A)
die **Bewegung** (*n.*) #709 (7)
**unten** (*adv.*) #710 (12)
die **Mitte** (*n.*) #711 (9)
**hin** (*adv.*) #712 (7)
**aufgrund** (*prep.*) #713 (6)
**beschäftigen** (*v.*) #714 (11)
**miteinander** (*adv.*) #716 (1)
**dennoch** (*adv.*) #717 (11)
**werfen** (*v.*) #718 (2)
das **Angebot** (*n.*) #719 (1)
**fertig** (*adj.*) #720 (9)
**verkaufen** (*v.*) #721 (2)
der/die **Autor/in** (*n.*) #723 (8)
**kriegen** (*v.*) #724 (8)
**zirka, ca.** (*adv.*) #725 (10)
die **EU** (*n.*) #726 (B)
die **Größe** (*n.*) #727 (1)
**hart** (*adj.*) #728 (4)
der **Bruder** (*n.*) #730 (B)
**beteiligen** (*v.*) #731 (8)
**angeben** (*v.*) #733 (12)
die **Reise** (*n.*) #734 (2)
**erfolgreich** (*adj.*) #735 (2)
der **Zustand** (*n.*) #736 (6)
**wahr** (*adj.*) #737 (3)
die **Reihe** (*n.*) #738 (6)
die **Natur** (*n.*) #739 (B)
**rechnen** (*v.*) #740 (3)
**bloß** (*adj.*) #741 (8)
**notwendig** (*adj.*) #742 (12)
**entdecken** (*v.*) #743 (4)
**dauern** (*v.*) #744 (4)
**wirtschaftlich** (*adj.*) #745 (6)
**privat** (*adj.*) #746 (4)
**modern** (*adj.*) #747 (6)
das **Haar** (*n.*) #748 (A)
**deswegen** (*adv.*) #749 (9)
**unabhängig** (*adj.*) #751 (10)
**morgen** (*adv.*) #752 (2)
der **Rahmen** (*n.*) #753 (2)
**übrigens** (*adv.*) #754 (2)
die **Einheit** (*n.*) #755 (4)
**überall** (*adv.*) #756 (10)
**feststellen** (*v.*) #757 (8)
der **Stoff** (*n.*) #758 (12)
die **Rede** (*n.*) #759 (4)
**unterstützen** (*v.*) #760 (12)
**chemisch** (*adj.*) #761 (12)
**schlimm** (*adj.*) #762 (2)
die **Schweiz** (*n.*) #763 (B)
**irgendwann** (*adv.*) #764 (11)
das **Geschäft** (*n.*) #765 (2)
**weder** (*conj.*) #766 (11)
der **Anteil** (*n.*) #767 (8)
die **Angabe** (*n.*) #768 (1)
das **Team** (*n.*) #769 (9)
**außer** (*prep.*) #770 (9)
der **Sommer** (*n.*) #771 (B)
das **Hotel** (*n.*) #772 (2)
**laut** (*adj.*) #773 (2)
**eins** (*numeral*) #774 (A)
das **Alter** (*n.*) #775 (1)
die **Sicherheit** (*n.*) #776 (B)
die **SPD** (*n.*) #777 (12)
**ständig** (*adj.*) #779 (2)
der **Einsatz** (*n.*) #780 (10)
**betonen** (*v.*) #782 (12)
die **Erde** (*n.*) #783 (7)
die **Studie** (*n.*) #784 (6)
**rechte, rechter, rechtes** (*adj.*) #786 (3)
die **Meinung** (*n.*) #787 (9)
**drehen** (*v.*) #788 (2)
der/die **Künstler/in** (*n.*) #789 (A)
**aktiv** (*adj.*) #790 (6)
der **Versuch** (*n.*) #791 (12)
**bezahlen** (*v.*) #793 (4)
die **Eigenschaft** (*n.*) #794 (8)
die **Methode** (*n.*) #796 (7)
die **Ordnung** (*n.*) #797 (3)
**Russland** (*n.*) #798 (B)
die **Wahl** (*n.*) #799 (12)
**daraus** (*adv.*) #800 (7)
**erfüllen** (*v.*) #801 (3)
die **Mama** (*n.*) #802 (2)
die **Region** (*n.*) #803 (8)
der **Sonntag** (*n.*) #804 (1)
das **Internet** (*n.*) #805 (1)
die **Nummer** (*n.*) #806 (1)
**lächeln** (*v.*) #807 (7)
**überzeugen** (*v.*) #809 (9)
**interessant** (*adj.*) #810 (7)
**menschlich** (*adj.*) #811 (12)
**Frankreich** (*n.*) #813 (B)
die **Freiheit** (*n.*) #814 (4)
**speziell** (*adj.*) #815 (8)
**französisch** (*adj.*) #816 (B)
**negativ** (*adj.*) #817 (3)
**zentral** (*adj.*) #818 (10)
**besuchen** (*v.*) #820 (1)
**gestern** (*adv.*) #821 (4)
der/die **Spieler/in** (*n.*) #822 (2)
**absolut** (*adj.*) #823 (12)
**fliegen** (*v.*) #824 (1)
der **Hund** (*n.*) #825 (2)
**antworten** (*v.*) #826 (4)
**weiterhin** (*adv.*) #827 (6)
die **Wand** (*n.*) #828 (B)
**rechts** (*adv.*) #829 (7)
**konkret** (*adj.*) #830 (2)
**russisch** (*adj.*) #831 (8)
**zahlen** (*v.*) #832 (2)
das **Feld** (*n.*) #834 (7)
**verdienen** (*v.*) #835 (4)
**amerikanisch** (*adj.*) #836 (3)
die **Sekunde** (*n.*) #837 (1)
der **Brief** (*n.*) #838 (1)
das **Mitglied** (*n.*) #839 (4)
**praktisch** (*adj.*) #840 (5)
die **Gefahr** (*n.*) #841 (2)
**binden** (*v.*) #842 (8)
**weltweit** (*adj.*) #843 (11)
die **Liebe** (*n.*) #844 (B)
der **Beginn** (*n.*) #845 (5)
**China** (*n.*) #846 (B)
**breit** (*adj.*) #847 (7)
**draußen** (*adv.*) #848 (11)
die **Bildung** (*n.*) #850 (B)
das **Blut** (*n.*) #851 (9)
das **Meer** (*n.*) #852 (1)
die **Anzahl** (*n.*) #853 (6)
die **Veränderung** (*n.*) #854 (6)
der **Mund** (*n.*) #856 (B)
**berechnen** (*v.*) #857 (8)
**betragen** (*v.*) #858 (12)
**fremd** (*adj.*) #859 (2)
der **Fehler** (*n.*) #861 (5)
**aufbauen** (*v.*) #863 (8)
die **Sonne** (*n.*) #864 (1)
**vorher** (*adv.*) #866 (3)
der **Kampf** (*n.*) #867 (9)
die **Verfügung** (*n.*) #868 (12)
**feiern** (*v.*) #869 (4)
das **Programm** (*n.*) #870 (4)
**linke, linker, linkes** (*adj.*) #871 (10)
der **Einfluss** (*n.*) #872 (2)
die **Temperatur** (*n.*) #873 (B)
**leer** (*adj.*) #874 (5)
**mitteilen** (*v.*) #875 (2)
das **Verfahren** (*n.*) #876 (4)
**danke** (*adv.*) #877 (A)
**beziehen** (*v.*) #878 (12)
**verlangen** (*v.*) #879 (12)
**zuerst** (*adv.*) #880 (4)
**klassisch** (*adj.*) #882 (8)
**ehemalig** (*adj.*) #883 (6)
das **Bein** (*n.*) #884 (B)
das **Glas** (*n.*) #885 (5)
**untersuchen** (*v.*) #886 (5)
**kalt** (*adj.*) #887 (B)
die **Sorge** (*n.*) #888 (8)
der **Himmel** (*n.*) #889 (10)
**national** (*adj.*) #891 (9)
die **Kirche** (*n.*) #892 (5)
**links** (*adv.*) #893 (7)
die **CDU** (*n.*) #894 (12)
**messen** (*v.*) #896 (2)
**lieb** (*adj.*) #897 (9)
**unbedingt** (*adv.*) #898 (12)
der **Verein** (*n.*) #899 (A)
**historisch** (*adj.*) #901 (2)
**kosten** (*v.*) #903 (2)
die **Vorstellung** (*n.*) #904 (4)
**teilen** (*v.*) #906 (8)
der **Typ** (*n.*) #907 (12)
**stammen** (*v.*) #908 (2)
**wissenschaftlich** (*adj.*) #909 (12)
**wieso** (*adv.*) #910 (12)
der **Faktor** (*n.*) #911 (6)
die **Literatur** (*n.*) #913 (1)
**überraschen** (*v.*) #914 (2)
**bewusst** (*adj.*) #916 (11)
die **Nähe** (*n.*) #918 (6)
**zahlreich** (*adj.*) #919 (10)
**medizinisch** (*adj.*) #920 (11)
**übrig** (*adj.*) #921 (12)
die **Türkei** (*n.*) #922 (B)
die **Produktion** (*n.*) #923 (7)
**drücken** (*v.*) #924 (3)
**drohen** (*v.*) #925 (9)
die **Linie** (*n.*) #926 (3)
das **Gas** (*n.*) #927 (12)
**schicken** (*v.*) #928 (6)
die **Hälfte** (*n.*) #929 (6)
der **Kontakt** (*n.*) #930 (2)
das **Interview** (*n.*) #931 (4)
**egal** (*adv.*) #932 (6)
**reisen** (*v.*) #933 (1)
der **Berg** (*n.*) #934 (1)
**irgendwo** (*adv.*) #935 (4)
**trennen** (*v.*) #936 (5)
die **Erinnerung** (*n.*) #938 (4)
**verhindern** (*v.*) #939 (7)
die **Sicht** (*n.*) #940 (9)
der **Dollar** (*n.*) #941 (2)
**leiden** (*v.*) #942 (3)
die **Position** (*n.*) #944 (12)
der **Sport** (*n.*) #945 (1)
die **Nachfrage** (*n.*) #947 (2)
**blau** (*adj.*) #948 (A)
**anschauen** (*v.*) #949 (1)
**teuer** (*adj.*) #950 (2)
die **Medien** (*plural n.*) #951 (1)
**richten** (*v.*) #952 (12)
das **Institut** (*n.*) #953 (7)
der **Plan** (*n.*) #954 (3)
**immerhin** (*adv.*) #955 (7)
das **Tor** (*n.*) #956 (7)
der **Betrieb** (*n.*) #957 (5)
das **Dorf** (*n.*) #959 (9)
(sich) **eignen** (*v.*) #960 (5)
die **Klasse** (*n.*) #961 (5)
**eingehen** (*v.*) #962 (10)
**erlauben** (*v.*) #963 (3)
**treiben** (*v.*) #964 (2)
**weg** (*adv.*) #965 (6)
**aufstehen** (*v.*) #966 (A)
der **Absatz, Abs.** (*n.*) #967 (6)
**unterwegs** (*adv.*) #968 (2)
der **Ausdruck** (*n.*) #970 (6)
**geraten** (*v.*) #971 (9)
**toll** (*adj.*) #972 (2)
die **Schwester** (*n.*) #974 (B)
der/die **Chef/in** (*n.*) #975 (10)
**greifen** (*v.*) #976 (11)
das **Risiko** (*n.*) #977 (7)
**schwach** (*adj.*) #978 (9)
die **Tabelle** (*n.*) #979 (B)
**ermöglichen** (*v.*) #980 (12)
der **Freitag** (*n.*) #981 (1)
der **Hinweis** (*n.*) #982 (12)
der **Vorteil** (*n.*) #983 (7)
der **Gewinn** (*n.*) #985 (8)
der **März** (*n.*) #987 (B)
**wiederholen** (*v.*) #988 (6)
die **Ruhe** (*n.*) #989 (B)
**ruhig** (*adj.*) #991 (B)
der **Traum** (*n.*) #992 (7)
**behandeln** (*v.*) #993 (11)
**aufhören** (*v.*) #995 (1)
**schützen** (*v.*) #996 (B)
**diskutieren** (*v.*) #997 (1)
der/die **Sprecher/in** (*n.*) #999 (6)
**produzieren** (*v.*) #1000 (8)

# Vokabeln

## Deutsch-Englisch

*Note to Students:* The definitions in this vocabulary are based on the words as used in this text. For additional meanings, please refer to a dictionary. Proper nouns are given only if the name is feminine or masculine or if the spelling is different from that in English. Compound words that do not appear in the chapter vocabulary lists have generally been omitted if they are easily analyzable and their constituent parts appear elsewhere in the vocabulary. The letters or numbers in parentheses following the entries refer to the chapters in which the words occur in the chapter vocabulary lists.

### Abbreviations

| | | | | | |
|---|---|---|---|---|---|
| *acc.* | accusative | *gen.* | genitive | *p.p.* | past participle |
| *adj.* | adjective | *inf.* | infinitive | *prep.* | preposition |
| *adv.* | adverb | *infor.* | informal | *pron.* | pronoun |
| *coll.* | colloquial | *interj.* | interjection | *rel. pron.* | relative pronoun |
| *coord. conj.* | coordinating conjunction | *masc.* | masculine | *sg.* | singular |
| *dat.* | dative | *n.* | noun | *s.o.* | someone |
| *def. art.* | definite article | *neut.* | neuter | *s.th.* | something |
| *dem. pron.* | demonstrative pronoun | *nom.* | nominative | *sub. conj.* | subordinating conjunction |
| *fem.* | feminine | *o.s.* | oneself | *v.* | verb |
| *for.* | formal | *pl.* | plural | *wk.* | weak masculine noun |

### A

**ab** (+ *dat.*) from; as of (10); **ab und zu** now and then, occasionally

**ab•bauen, abgebaut** to bring down, alleviate, reduce (11)

**ab•beißen (beißt ... ab), biss ... ab, abgebissen** to bite off

das **Abbild, -er** likeness

**ab•brechen (bricht ... ab), brach ... ab, abgebrochen** to break, snap (off); to interrupt, cancel (10)

**ab•brennen (brennt ... ab), brannte ... ab, ist abgebrannt** to be burned down

der **Abend, -e** evening (A); **am Abend** in the evening; **eines Abends** one evening; **gestern Abend** last night; **guten Abend** good evening (A); **der Heilige Abend** Christmas Eve; **heute Abend** this evening (2); **morgen Abend** tomorrow evening; **zu Abend essen** to dine, have dinner

das **Abendessen, -** dinner, supper, evening meal; **zum Abendessen** for dinner

der **Abendmahl: der letzte Abendmahl** Last Supper

**abends** evenings, in the evening (4)

das **Abenteuer, -** adventure (7)

**aber** (*coord. conj.*) but; however (B); **Das ist aber nicht viel.** Why, that's not much.

**ab•fahren (fährt ... ab), fuhr ... ab, ist abgefahren** to leave, depart

die **Abfahrt, -en** departure (7)

der/die **Abgeordnete, -n (ein Abgeordneter)** representative (12)

**ab•hängen (von** + *dat.***) (hängt ... ab), hing ... ab, abgehangen** to depend (on)

**abhängig** dependent

**ab•heben (hebt ... ab), hob ... ab, abgehoben** to withdraw (*money*) (8); (*p.p. with* **sein**) to take off, lift off (8)

**ab•holen, abgeholt** to pick (*s.o./s.th.*) up (from a place) (1)

das **Abhörgerät, -e** listening device, bug

das **Abi** (*coll.*) = das **Abitur** high school graduation exam (4)

**ab•kommen (kommt ... ab), kam ... ab, ist abgekommen: vom Weg abkommen** to leave the path, go off course

das **Abkommen, -** agreement, treaty (12)

die **Abkürzung, -en** abbreviation

**ab•legen, abgelegt** to lay down, put down, put aside

**ab•lehnen, abgelehnt** to refuse, reject (6)

die **Ablehnung, -en** rejection

**ab•nehmen (nimmt ... ab), nahm ... ab, abgenommen** to remove; to lose weight (8)

**ab•reisen, ist abgereist** to depart, check out (10)

**ab•reißen (reißt ... ab), riss ... ab, abgerissen** to tear off

der **Absatz, ¨e** paragraph (6)

**ab•schaffen, abgeschafft** to abolish

der **Abschied, -e** farewell (12)

der **Abschiedsbrief, -e** farewell letter

**ab•schließen (schließt ... ab), schloss ... ab, abgeschlossen** to lock (up) (6)

der **Abschluss, ¨e** conclusion; degree (9)

**ab•schneiden (schneidet ... ab), schnitt ... ab, abgeschnitten** to cut off

**absolut** absolute(ly) (12)

**absolvieren, absolviert** to complete, pass (10)

die **Abstammung, -en** descent

**ab•steigen (steigt ... ab), stieg ... ab, ist abgestiegen** to get down, descend

**abstrakt** abstract(ly)

die **Äbtissin, -nen** abbess

**ab•trocknen, abgetrocknet** to dry off (6); **sich abtrocknen** to dry oneself off

**ab•wählen, abgewählt** to vote out; to drop (*a school subject*)

**abwertend** derogatory

**ab•ziehen (zieht ... ab), zog ... ab, abgezogen** to pull off

**ach** oh (9); **ach so** I see

**acht** eight (A); **als er acht Jahre alt war** when he was eight years old (5); **bis acht Uhr** until eight o'clock (2)

**acht-** eighth

**achten (auf** + *acc.***), geachtet** to watch out (for); to pay attention (to) (11)

**achtundzwanzig** twenty-eight (A)
die **Achtung** attention (7)
**achtzehn** eighteen (A)
**achtzehnt-** eighteenth
**achtzig** eighty (A); **die 80er Jahre** the '80s
**adaptieren, adaptiert** to adapt
der **ADAV** = **Allgemeiner Deutscher Arbeiterverein** General German Workers' Association
**addieren, addiert** to add
**adelig** noble, aristocratic
das **Adjektiv, -e** adjective
das **Adoptionsrecht, -e** right to adopt children
die **Adresse, -n** address (1)
der **Adventskalender, -** *calendar counting the days of Advent*
die **Adventszeit** Advent season
das **Adverb, -ien** adverb
die **AfD** = **Alternative für Deutschland** Alternative for Germany (*political party*)
die **Affäre, -n** affair
der **Affe, -n** (*wk.*) monkey; ape
(das) **Afrika** Africa
**afrikanisch** African (*adj.*)
**agrarisch** agrarian, agricultural
(das) **Ägypten** Egypt
der **Ägypter, -** / die **Ägypterin, -nen** Egyptian (*person*)
**ägyptisch** Egyptian (*adj.*)
**ähnlich** similar(ly) (4)
die **Ähnlichkeit, -en** similarity
die **Ahnung, -en** idea; suspicion
die **Akademie, -n** academy
der **Akademiker, -** / die **Akademikerin, -nen** academic (*person*)
**akademisch** academic
das **Akkordeon, -s** accordion
das **Akronym, -e** acronym
die **Akte, -n** (document) file
die **Aktie, -n** share, stock (8)
**aktiv** active(ly) (6)
die **Aktivität, -en** activity
**aktuell** current(ly), up-to-date (6); present-day
die **Akzeptanz** acceptance
**akzeptieren, akzeptiert** to accept
der **Albatros, -se** albatross
die **Albernheit, -en** silliness
das **Album, Alben** album
**alemannisch** Alemannic (*adj.*)
der **Alkohol, -e** alcohol
der **Alkoholiker, -** / die **Alkoholikerin, -nen** alcoholic (*person*)
**all** all; **alle** (*pl.*) everybody; **alle zwei Jahre** every two years; **vor allem** above all
**allein(e)** alone, by oneself (6)
**alleinerziehend** single (*parent*)
**alleinstehend** single
**allerdings** however (6); of course
**allergisch (gegen** + *acc.***)** allergic (to)
**allerliebst-** most favorite
**alles** everything (2); **alles Mögliche** everything possible
**allgemein** general(ly); common(ly) (9)
die **Alliierten** (*pl.*) the Allies
der **Alltag, -e** daily routine; everyday life (4)
**alltäglich** everyday, daily
das **Alltagsleben, -** everyday life
die **Alltagssprache, -n** everyday language
die **Alpen** (*pl.*) the Alps
das **Alphabet, -e** alphabet
**alpin** Alpine
**als** (*after comparative*) than; (*sub. conj.*) as; when (5); **als er acht Jahre alt war** when he was eight years old (5); **als ob** as if; as though; **als Taxifahrer(in)** as a taxi driver (5); **anders als** different from; **mehr als** more than (5)
**also** well; so; thus (4)
**alt (älter, ältest-)** old (A); **als er acht Jahre alt war** when he was eight years old (5)
der **Altbau, -ten** *building built before the end of World War II*
der/die **Alte, -n (ein Alter)** old person
das **Alter, -** age (1)
**alternativ** alternative(ly)
die **Alternative, -n** alternative (12)
das **Alternativende, -n** alternate ending
die **Altphilologie** classical studies
die **Altstadt, ¨-e** old part of town
**am** = **an dem** at/on/in the (7)
die **Ameise, -n** ant
(das) **Amerika** America, the USA
der **Amerikaner, -** / die **Amerikanerin, -nen** American (*person*) (B)
**amerikanisch** American (*adj.*) (3)
die **Ampel, -n** traffic light
**an** (+ *dat./acc.*) at; on; to (2); in; **am Abend** in the evening; **am besten** (the) best; **am liebsten** (like) best (*to do s.th.*) (7); **am Samstag** on Saturday; **am Telefon** on the phone (2); **am Wochenende** over the weekend (1); **an** (+ *dat.*) **... vorbei** by (10); **an welchem Tag?** on what day? (4); **ans Meer** to the sea (2)
der **Analphabet, -en** (*wk.*) / die **Analphabetin, -nen** illiterate person
**analytisch** analytical
die **Ananas, -** *or* **-se** pineapple
der **Anbau** cultivation
**an•bauen, angebaut** to grow, cultivate
**an•bieten (bietet ... an), bot ... an, angeboten** to offer (3)
der **Anbieter, -** / die **Anbieterin, -nen** supplier
**an•braten (brät ... an), briet ... an, angebraten** to brown, fry
**ander-** other, others (4); different; **anders** different(ly) (6); **etwas/nichts anderes** something/nothing else; **unter anderem** among other things
(sich) **ändern, geändert** to change (9)
**andersgläubig** of a different faith or religion
**anerkennen (erkennt ... an), erkannte ... an, anerkannt** to recognize, acknowledge
der **Anfang, ¨-e** beginning (6)
**an•fangen (fängt ... an), fing ... an, angefangen** to start, begin (4)
der **Anfänger, -** / die **Anfängerin, -nen** beginner
**anfangs** in the beginning
**an•fressen (frisst ... an), fraß ... an, angefressen** to nibble (at)
die **Angabe, -n** information; indication (1)
**an•geben (gibt ... an), gab ... an, angegeben** to indicate, state, specify, declare (12)
**angeblich** alleged(ly), supposed(ly) (11)
das **Angebot, -e** offer; offering (1)
**an•gehören** (+ *dat.***), angehört** to belong to, be a member of (*an organization*) (12)
der/die **Angeklagte, -n (ein Angeklagter)** accused, defendant
die **Angeln** (*pl.*) Angles (*Germanic tribe*)
**angelsächsisch** Anglo-Saxon (*adj.*)
**angenehm** pleasant(ly) (6)
der/die **Angestellte, -n (ein Angestellter)** employee (5); clerk
**angewandt** applied
der **Anglizismus, Anglizismen** Anglicism
die **Angst, ¨-e** fear (3); **Angst haben (vor** + *dat.***)** to be afraid (of) (3)
sich (*dat.*) **an•gucken, angeguckt** (*coll.*) to look at (10)
**an•haben (hat ... an), hatte ... an, angehabt** (*coll.*) to have . . . on, wear
der **Anhalter: per Anhalter fahren (fährt), fuhr, ist gefahren** to hitchhike
sich (*acc.*) **an•hören, angehört** to sound; **das hört sich toll an** that sounds great
sich (*dat.*) **an•hören, angehört** to listen to
die **Animation, -nen** animation
**an•ketten, angekettet** to chain up
**an•kommen (kommt ... an), kam ... an, ist angekommen** to arrive (1)
**an•kreuzen, angekreuzt** to mark with an X
die **Ankunft, ¨-e** arrival (7)
**an•legen, angelegt** to put on; to aim; to invest; to install; to apply (8)
**an•lehnen, angelehnt** to lean (on)
die **Anlehnung, -en** dependence; **in Ahnlehnung an** (+ *acc.*) in imitation of
**an•machen, angemacht** to turn on, switch on
**an•nehmen (nimmt ... an), nahm ... an, angenommen** to accept; to adopt; to take; to assume (11)
die **Annonce, -n** advertisement
**anonym** anonymous(ly)

die **Anonymität** anonymity

die **Anrede, -n** form of address

der **Anruf, -e** phone call

**an•rufen (ruft ... an), rief ... an, angerufen** to call (*on the telephone*) (1)

**ans** = **an das** to/on the

**ansässig** resident (*adj.*)

der **Ansatz, ⸚e** approach, point of departure (7)

(sich) (*dat.*) **an•schauen, angeschaut** to look at; to watch (1)

**an•schließen (schließt ... an), schloss ... an, angeschlossen** to connect, join (9); to plug in; **sich an•schließen** (+ *dat.*) to join; to follow

**anschließend** subsequent(ly); afterwards (7)

der **Anschluss, ⸚e** connection; annexation (9)

(sich) (*dat.*) **an•sehen (sieht ... an), sah ... an, angesehen** to watch; to look at; to inspect (7)

**an•sprechen (spricht ... an), sprach ... an, angesprochen** to address, speak to (*s.o.*) (12)

**anständig** respectable, respectably

**anstatt** (+ *gen.*) instead of

**an•stehen (steht ... an), stand ... an, angestanden** to stand in line

der **Anstieg, -e** rise, increase (12)

**anstrengend** strenuous; tiring

die **Antarktis** the Antarctic

der **Anteil, -e** share, portion, part (8)

**anthropogen** anthropogenic, caused by humans

das **Antibiotikum, Antibiotika** antibiotic (11)

**antik** classical

die **Antike** classical antiquity

der **Antrag, ⸚e** application; petition

die **Antwort, -en** answer, response (3)

**antworten** (+ *dat.*), **geantwortet** to answer (*s.o.*) (4); **auf eine Frage antworten** to answer a question

der **Anwalt, ⸚e** / die **Anwältin, -nen** lawyer (5)

die **Anzahl** number (of), quantity (6)

die **Anzeige, -n** ad (7)

**an•ziehen (zieht ... an), zog ... an, angezogen** to put on (*clothes*); to dress; to attract (3); **sich anziehen** to get dressed

der **Anzug, ⸚e** suit (A)

**an•zünden, angezündet** to light (3); to set on fire

der **Apfel, ⸚** apple (8)

die **Apfelschorle, -n** mixture of apple juice and mineral water

die **Apfelsine, -n** orange

der **Apfelstrudel, -** apple strudel (*pastry*)

die **Apotheke, -n** pharmacy (6)

der **Apotheker, -** / die **Apothekerin, -nen** pharmacist

die **App, -s** app, software application

der **Applaus, -e** applause (8)

der **April** April

das **Aquarium, Aquarien** aquarium

(das) **Arabisch** Arabic (*language*)

die **Arbeit, -en** work (1); **sich an die Arbeit machen** to get down to work

**arbeiten, gearbeitet** to work; **arbeiten Sie mit einem Partner** work with a partner (A)

der **Arbeiter, -** / die **Arbeiterin, -nen** worker (5)

die **Arbeiterschaft** (*sg.*) workers

die **Arbeiterwohlfahrt** Workers Welfare Association

das **Arbeitsbuch, ⸚er** workbook

der **Arbeitsgeist** working spirit, drive

der **Arbeitskollege, -n** (*wk.*) / die **Arbeitskollegin, -nen** co-worker

die **Arbeitskraft, ⸚e** labor; employee (12)

**arbeitslos** unemployed, jobless (12)

die **Arbeitslosigkeit** unemployment

der **Arbeitsmarkt, ⸚e** job market

der **Arbeitsplatz, ⸚e** workplace

der **Arbeitstag, -e** workday

die **Arbeitszeit, -en** working hours

der **Architekt, -en** (*wk.*) / die **Architektin, -nen** architect (5)

die **Architektur, -en** architecture

(das) **Argentinien** Argentina

der **Ärger** trouble (9); annoyance

**ärgern, geärgert** to anger (11); **sich ärgern (über** + *acc.*) to get angry (about) (11)

**argwöhnisch** suspicious

die **Arktis** the Arctic

**arm (ärmer, ärmst-)** poor (9)

der **Arm, -e** arm (B)

die **Armbanduhr, -en** (wrist)watch

die **Armut** poverty

die **Arnika** arnica

**arrangieren, arrangiert** to arrange

die **Art, -en** kind, type; species (10)

der **Artikel, -** article (10)

der **Arzt, ⸚e** / die **Ärztin, -nen** doctor; physician (3)

**ärztlich** medical

die **Arztpraxis, Arztpraxen** doctor's office

die **Asche, -n** ash(es)

(das) **Aschenputtel** Cinderella

(das) **Asien** Asia

der **Aspekt, -e** aspect (11)

das **Aspirin** aspirin

die **Assoziation, -en** association

**assoziieren (mit** + *dat.*), **assoziiert** to associate (with)

der **Asterisk, -e** asterisk

das **Asyl, -e** asylum

das **Atelier, -s** studio

(das) **Athen** Athens

der **Atlantik** Atlantic Ocean

**atmen, geatmet** to breathe (11)

die **Atmosphäre, -n** atmosphere

**atomar** atomic

die **Attraktion, -en** attraction

**attraktiv** attractive(ly)

**au** oh

**auch** also; too; as well (A); **auch wenn** (*sub. conj.*) even if

**auf** (+ *dat./acc.*) on; upon; on top of; onto; to; at (6); **auf dem Land** in the country (*rural*); **auf Deutsch** in German; **auf Wiederhören** good-bye (*on the telephone*); **auf Wiedersehen** good-bye (A)

**auf•bauen, aufgebaut** to build (*s.o./s.th.*) up; to assemble, construct (8)

**auf•brechen (bricht ... auf), brach ... auf, ist aufgebrochen** to leave; to set out (4)

der **Aufenthalt, -e** residence; stay (12)

**auf•essen (isst ... auf), aß ... auf, aufgegessen** to eat up

**auf•fallen (fällt ... auf), fiel ... auf, ist aufgefallen** to stand out, attract attention (11)

**auf•fressen (frisst ... auf), fraß ... auf, aufgefressen** to eat up

**auf•führen, aufgeführt** to perform (12); to put on, stage

die **Aufgabe, -n** assignment; task, chore (4)

**auf•geben (gibt ... auf), gab ... auf, aufgegeben** to give up (1); to hand in; to assign

**aufgrund** (+ *gen.*) because of, on account of (6)

**auf•haben (hat ... auf), hatte ... auf, aufgehabt** (*coll.*) to have . . . on, wear

**auf•halten (hält ... auf), hielt ... auf, aufgehalten** to halt

**auf•heben (hebt ... auf), hob ... auf, aufgehoben** to set aside, save; to pick up (8); to abolish, repeal

**auf•holen, aufgeholt** to catch up

**auf•hören (mit** + *dat.*), **aufgehört** to stop (*doing s.th.*) (1); to be over

die **Aufklärung** Enlightenment

der **Aufkleber, -** sticker

**auf•lösen, aufgelöst** to dissolve, break up (11)

**auf•machen, aufgemacht** to open (3)

**auf•nehmen (nimmt ... auf), nahm ... auf, aufgenommen** to pick up; to receive, admit; to record (6); **einen Kredit aufnehmen** to take out a loan

**auf•passen (auf** + *acc.*), **aufgepasst** to pay attention (to) (3); to watch out (for); to take care (of)

**auf•räumen, aufgeräumt** to clean (up); to tidy up (4)

**auf•regen, aufgeregt** to excite (11); **sich aufregen** to get excited; to get upset (11)

**aufregend** exciting

sich **auf•richten, aufgerichtet** to stand up; to get back up

**auf•rufen (zu** + *inf.*) **(ruft ... auf), rief ... auf, aufgerufen** to call on (*to do s.th.*) (9)

**aufs** = **auf das** on/onto/to the

**auf•sagen, aufgesagt** to recite

der **Aufsatz, ¨-e** essay

**auf•saugen, aufgesaugt** to vacuum

**auf•schlagen (schlägt ... auf), schlug ... auf, aufgeschlagen** to open

**auf•schneiden (schneidet ... auf), schnitt ... auf, aufgeschnitten** to cut open

der **Aufschnitt** cold cuts

**auf•schreiben (schreibt ... auf), schrieb ... auf, aufgeschrieben** to write down

**auf•setzen, aufgesetzt** to put on (6)

**auf•springen (springt ... auf), sprang ... auf, ist aufgesprungen** to spring open

**auf•stehen (steht ... auf), stand ... auf, ist aufgestanden** to get up; to rise; to stand up; **stehen Sie auf** get up, stand up (A)

**auf•steigen (steigt ... auf), stieg ... auf, ist aufgestiegen** to climb up (10)

der **Aufsteiger, -** / die **Aufsteigerin, -nen** rising star, newcomer

der **Aufstieg, -e** ascent (9); advancement

**auf•tauchen, ist aufgetaucht** to surface; to appear, emerge (12)

der **Auftrag, ¨-e** order; instruction (11); task

**auf•treten (tritt ... auf), trat ... auf, ist aufgetreten** to appear; to occur (1)

der **Auftritt, -e** appearance

**auf•wachen, ist aufgewacht** to wake up (2)

**auf•wachsen (wächst ... auf), wuchs ... auf, ist aufgewachsen** to grow up (6)

**auf•weisen (weist ... auf), wies ... auf, aufgewiesen** to exhibit, show (7)

der **Aufzug, ¨-e** elevator

das **Auge, -n** eye (B)

der **Augenarzt, ¨-e** / die **Augenärztin, -nen** optometrist

der **Augenblick, -e** moment (12)

das **Augenlicht, -er** light of one's eyes

der **August** August

**aus** (+ *dat.*) out; from; out of (10); **aus Stein** made (out) of stone

**aus•bilden, ausgebildet** to train, teach

die **Ausbildung** specialized training (5); education

**aus•blasen (bläst ... aus), blies ... aus, ausgeblasen** to blow out

**aus•breiten, ausgebreitet** to spread out

der **Ausbruch, ¨-e** outbreak

der **Ausdruck, ¨-e** expression (6)

**aus•drücken, ausgedrückt** to express, convey (3)

sich **auseinander•entwickeln, auseinanderentwickelt** to develop away from each other

sich **auseinander•setzen mit** (+ *dat.*), **auseinandergesetzt** to concern oneself with

**aus•führen, ausgeführt** to carry out, execute (8)

**ausführlich** thorough(ly) (5)

**aus•füllen, ausgefüllt** to fill out (1)

**aus•geben (gibt ... aus), gab ... aus, ausgegeben** to spend (*money*); to serve; **sich ausgeben als** to pretend to be

**ausgebildet** educated

**aus•gehen (geht ... aus), ging ... aus, ist ausgegangen** to go out (1)

**ausgezeichnet** excellent(ly)

**aus•gleichen (gleicht ... aus), glich ... aus, ausgeglichen** to even out

**aus•halten (hält ... aus), hielt ... aus, ausgehalten** to withstand, endure (12)

**aus•hängen, ausgehängt** to put up

das **Ausland** foreign countries (6); **im Ausland** abroad (6)

der **Ausländer, -** / die **Ausländerin, -nen** foreigner (12)

**ausländisch** foreign (12)

das **Auslandsamt, ¨-er** center for study abroad

**aus•machen, ausgemacht** to switch off; to extinguish (3); to make up, constitute

die **Ausnahme, -n** exception (B)

**aus•probieren, ausprobiert** to try (out), test (11)

**aus•reichen, ausgereicht** to be enough, suffice (8)

sich **aus•ruhen, ausgeruht** to rest

die **Aussage, -n** statement (1)

**aus•sagen, ausgesagt** to say, state

**aus•schlafen (schläft ... aus), schlief ... aus, ausgeschlafen** to have a proper sleep

**aus•schließen (schließt ... aus), schloss ... aus, ausgeschlossen** to exclude

die **Ausschreibung, -en** announcement

**aus•sehen (sieht ... aus), sah ... aus, ausgesehen** to look, appear (2)

das **Aussehen** appearance

die **Außenhaut, ¨-e** outer skin

der **Außenminister, -** / die **Außenministerin, -nen** foreign minister

der **Außenseiter, -** / die **Außenseiterin, -nen** outsider

**außer** (+ *dat.*) besides, apart from (9)

**außerdem** besides, in addition (6)

**außereuropäisch** outside of Europe

**außerhalb** (+ *gen.*) outside (of) (12)

**außerordentlich** extraordinary, extraordinarily

**äußerst** extremely

die **Aussicht, -en** outlook, view, vista (10)

**aus•sprechen (spricht ... aus), sprach ... aus, ausgesprochen** to pronounce

**aus•steigen (steigt ... aus), stieg ... aus, ist ausgestiegen** to get out

**aus•stellen, ausgestellt** to exhibit

die **Ausstellung, -en** exhibition (3)

**aus•strahlen, ausgestrahlt** to radiate

**aus•suchen, ausgesucht** to choose, select (10)

(das) **Australien** Australia (B)

der **Australier, -** / die **Australierin, -nen** Australian (*person*) (B)

der **Australische Bund** Commonwealth of Australia

**aus•üben, ausgeübt** to practice (12)

**ausverkauft** sold out

**aus•wählen, ausgewählt** to select, choose (6)

der **Auswanderer, -** / die **Auswanderin, -nen** emigrant

**aus•wandern, ist ausgewandert** to emigrate

der **Ausweis, -e** identification (card) (8)

**auswendig lernen, gelernt** to learn by heart

sich **aus•wirken auf** (+ *acc.*), **ausgewirkt** to have an effect on

die **Auswirkung, -en** impact, effect, consequence (12)

**aus•ziehen (zieht ... aus), zog ... aus, ausgezogen** to take off (*clothes*) (3); (*p.p. with* **sein**) to move away (3); **sich ausziehen** to get undressed

der/die **Auszubildende, -n (ein Auszubildender)** apprentice, trainee

das **Auto, -s** car (A); **Auto fahren** to drive a car

die **Autobahn, -en** freeway

der **Autobauer, -** car manufacturer

der **Autodidakt, -en** (*wk.*) / die **Autodidaktin, -nen** autodidact

der **Autofahrer, -** / die **Autofahrerin, -nen** driver

der **Automat, -en** (*wk.*) vending machine

der **Autor, -en** / die **Autorin, -nen** author (8)

der **Award, -s** award

der/die **Azubi, -s** (*coll.*) = der/die **Auszubildende** apprentice, trainee

## B

das **Baby, -s** baby

der **Bachelor, -s** bachelor's degree

**backen (backt/bäckt), backte, gebacken** to bake (8)

der **Bäcker, -** / die **Bäckerin, -nen** baker

die **Bäckerei, -en** bakery

der **Backofen, ¨** oven

der **Backstein, -e** brick

das **Bad, ¨-er** bathroom (6); bath

die **Badehose, -n** swim(ming) trunks

der **Bademantel, ¨** bathrobe

**baden, gebadet** to bathe; to swim; **sich baden** to bathe (*o.s.*)

**baden-württembergisch** of Baden-Württemberg (*German state*)

die **Badewanne, -n** bathtub (6)

das **BAföG** = das **Bundesausbildungsförderungsgesetz** *financial aid for students from the German government*

die **Bahn, -en** path, way; railroad (7)

die **BahnCard, -s** *discount card for rail travel in Germany*

der **Bahnhof, ¨-e** train station (4); **auf dem Bahnhof** at the train station

**bald** soon (9); **bald darauf** soon thereafter (9); **bis bald** so long; see you soon (A) der **Balkon, -e** balcony (6)

der **Ball, ¨-e** ball (A)

die **Ballade, -n** ballad

der **Ballettunterricht** ballet class

die **Banane, -n** banana

der **Band, ¨-e** volume, tome (9)

die **Band, -s** band, music group

**bang(e)** afraid; anxious(ly)

die **Bange** fear, trepidation

die **Bank, ¨-e** bench

die **Bank, -en** bank (5); **auf der Bank** at the bank

die **Bankenhauptstadt, ¨-e** financial capital

der **Bär, -en** (*wk.*) bear (10)

**barfuß** barefoot

das **Bargeld** cash

der **Bar-Mizwa, -s** bar mitzvah

das/der **Barock** baroque

der **Bart, ¨-e** beard (B)

(das) **Basel** Basle

**basieren (auf** + *dat.*)**, basiert** to base, be based (on) (9)

die **Basis, Basen** basis, foundation (10)

**basteln, gebastelt** to make handicrafts; to tinker

die **Bat-Mizwa, -s** bat mitzvah

die **Batterie, -n** battery (7)

der **Bau, -ten** construction; building (12)

der **Bauch, ¨-e** belly, stomach (B)

**bauen, gebaut** to build; to manufacture, produce (5)

der **Bauer, -** / die **Bauerin, -nen** builder

der **Bauer, -n** (*wk.*) / die **Bäuerin, -nen** farmer

das **Baujahr, -e** year of manufacture

der **Baum, ¨-e** tree (9)

(das) **Bayern** Bavaria (6)

**bayrisch** Bavarian (*adj.*)

**beachten, beachtet** to consider, respect (12); to pay attention to

der **Beamer, -** data projector

der **Beamte, -n (ein Beamter)** / die **Beamtin, -nen** official; civil servant (11)

**beantragen, beantragt** to apply for, request, petition (8)

**beantworten, beantwortet** to answer (4)

**bearbeiten, bearbeitet** to work on, deal with

der **Becher, -** cup; mug; glass

**bedacht auf** (+ *acc.*) intent on

**bedeuten, bedeutet** to mean, signify (4)

**bedeutend** major; prominent(ly), significant(ly) (10)

die **Bedeutung, -en** meaning; significance (6)

die **Bedingung, -en** condition (B)

**bedrohlich** threatening

**beeindrucken, beeindruckt** to impress (11)

**beeinflussen, beeinflusst** to influence (9)

**beenden, beendet** to end (4)

sich **befinden (befindet), befand, befunden** to be located (7)

**befreien, befreit** to liberate, free (10)

**befreundet** friendly

**begabt** gifted

**begegnen** (+ *dat.*)**, ist begegnet** to meet (6); to encounter

**begehen (begeht), beging, begangen** to commit

**begehren, begehrt** to desire

**begeistern, begeistert** to thrill, excite; to inspire (8)

**begeistert** thrilled; enthusiastic (8)

der **Beginn** beginning, start (5)

**beginnen (beginnt), begann, begonnen** to begin (1)

**begleiten, begleitet** to accompany

**begrenzen, begrenzt** to limit (12)

der **Begriff, -e** term, concept (3)

**begründen, begründet** to establish; to substantiate, justify (9)

der **Begründer, -** / die **Begründerin, -nen** founder

**begrüßen, begrüßt** to greet

**behalten (behält), behielt, behalten** to keep

**behandeln, behandelt** to handle; to treat, deal with (11)

die **Behandlung, -en** treatment; procedure; care (11)

**behaupten, behauptet** to maintain, assert

die **Behinderung, -en** disability

**bei** (+ *dat.*) with; at (2); near; during; upon; among; **bei Hannah** at Hannah's (2)

**beide** both; two (2)

**beim** = **bei dem** at/with/near the

das **Bein, -e** leg (B)

das **Beispiel, -e** example (1); **zum Beispiel (z. B.)** for example

**beißen (beißt), biss, gebissen** to bite (9)

der **Beitrag, ¨-e** contribution, input; article (9)

**bei•treten** (+ *dat.*) **(tritt ... bei), trat ... bei, ist beigetreten** to join

**bekämpfen, bekämpft** to fight against

**bekannt** known (4); well-known

der/die **Bekannte, -n (ein Bekannter)** acquaintance (8)

die **Bekanntschaft, -en** acquaintance

**bekommen (bekommt), bekam, bekommen** to get, receive (1)

**belagern, belagert** to besiege

**belasten, belastet** to burden; to charge; to strain (11); to incriminate

die **Belästigung, -en** harassment

**beleben, belebt** to liven up

**belegen, belegt** to take (*a course*); to document (4); to occupy

**belehren, belehrt** to teach (*s.o.*)

**beleidigen, beleidigt** to insult

(das) **Belgien** Belgium

**belgisch** Belgian (*adj.*)

**beliebt** popular (3)

**belügen (belügt), belog, belogen** to lie to (*s.o.*)

**bemerken, bemerkt** to notice, spot, perceive (9)

**benennen (benennt), benannte, benannt** to name (10)

**benutzen, benutzt** to use (7)

das **Benzin** gasoline (7)

**beobachten, beobachtet** to watch, observe (1)

die **Beobachtung, -en** observation

der **Berater, -** / die **Beraterin, -nen** counselor (5)

**berechnen** (+ *dat.*)**, berechnet** to charge (*s.o.*) (8)

der **Bereich, -e** area (11); sector

**bereit** prepared; ready; willing (12)

**bereits** already (9); just

der **Berg, -e** mountain (1)

**bergauf** uphill

der **Bergeskamm, ¨-e** mountain ridge

das **Bergsteigen** mountaineering

der **Bergsteiger, -** / die **Bergsteigerin, -nen** mountaineer

der **Bericht, -e** report (8)

**berichten, berichtet** to report (6)

**Berliner** (*adj.*) (of) Berlin; **die Berliner Mauer** the Berlin Wall; **die Berliner Weiße** *light, fizzy beer served with raspberry syrup*

**berlinisch** (*adj.*) (of) Berlin

(das) **Bern** Bern(e)

**berücksichtigen, berücksichtigt** to take into account, include (12)

der **Beruf, -e** profession; career (1); **Was sind Sie von Beruf?** What's your profession?

**beruflich** professional(ly); job-related (10)

die **Berufsausbildung** occupational training

die **Berufsberatung, -en** job counseling

die **Berufsgruppe, -n** occupational group

die **Berufsschule, -n** vocational school

**berufsspezifisch** specific to a certain job/profession

**berühmt** famous (7)

die **Besatzungszone, -n** occupation zone

**beschädigen, beschädigt** to damage (11)

sich **beschäftigen (mit** + *dat.*)**, beschäftigt** to deal (with) (11);

**beschäftigt** busy

die **Beschäftigung, -en** activity; occupation

der **Bescheid, -e** information; **Bescheid wissen** to know; to have an idea

**beschenken, beschenkt** to give a present to (*s.o.*)

**beschließen (beschließt), beschloss, beschlossen** to decide (10)

**beschreiben (beschreibt), beschrieb, beschrieben** to describe (3); **den Weg beschreiben** to give directions

die **Beschreibung, -en** description

sich **beschweren (bei** + *dat.*)**, beschwert** to complain (to) (8)

**beschwören, beschwört** to swear to

der **Besen, -** broom

**besetzen, besetzt** to occupy (9)

**besiegen, besiegt** to conquer

der **Besitz** possessions

**besitzen (besitzt), besaß, besessen** to own, possess (12)

der **Besitzer, -** / die **Besitzerin, -nen** owner

**besonder-** special, particular (5)

**besonders** particularly, especially (3)

(sich) (*dat.*) **besorgen, besorgt** to get (*for o.s.*); to buy (*for o.s.*)

**bespitzeln, bespitzelt** to spy on

**besser** better (2)

**best-** best (7); **am besten** the best

der **Bestandteil, -e** part, component

**bestehen (besteht), bestand, bestanden** to exist; to last; to pass (*a test*); (**auf** + *dat.*) to insist (on); (**aus** + *dat.*) to consist (of) (B)

**besteigen (besteigt), bestieg, bestiegen** to climb

**bestellen, bestellt** to order (*food, merchandise*) (3)

**bestimmen, bestimmt** to determine (7)

**bestimmt** definite(ly); certain(ly) (3)

der **Besuch, -e** visit (3); **zu Besuch kommen** to visit

**besuchen, besucht** to visit (3)

der **Besucher, -** / die **Besucherin, -nen** visitor (12)

sich **beteiligen (an** + *dat.***), beteiligt** to take part (in), join (in) (8)

der **Beton** concrete

**betonen, betont** to stress, emphasize (12)

**betrachten, betrachtet** to observe (9)

der **Betrachter, -** / die **Betrachterin, -nen** observer

der **Betrag, ¨-e** amount (*of money*) (8)

**betragen (beträgt), betrug, betragen** to be, account for, come to (12)

**betreffen (betrifft), betraf, betroffen** to concern, deal with (6)

**betreiben (betreibt), betrieb, betrieben** to run, operate; to pursue (8)

der **Betrieb, -e** firm, company; operation (5)

das **Bett, -en** bed (1); **ins Bett gehen** to go to bed (1)

(sich) **beugen, gebeugt** to bend over, bow down (10)

die **Beule, -n** bump, bulge, dent

die **Bevölkerung, -en** population (12)

**bevor** (*sub. conj.*) before (11)

**bevor•stehen (steht ... bevor), stand ... bevor, bevorgestanden** to be imminent

die **Bewaffnung, -en** arming; weapons

**bewahren, bewahrt** to preserve

(sich) **bewegen, bewegt** to move

die **Bewegung, -en** movement, motion (7)

sich **bewerben (um** + *acc.***) (bewirbt), bewarb, beworben** to apply (for)

**bewerten, bewertet** to rate

**bewirken, bewirkt** to cause; to bring about

**bewohnen, bewohnt** to inhabit

**bewundern, bewundert** to admire (8)

**bewusst** aware, conscious(ly), deliberate(ly) (11)

**bezahlen, bezahlt** to pay (for) (4)

**bezeichnen (als), bezeichnet** to name, call, designate (9); to describe (as)

die **Bezeichnung, -en** name, designation

sich **beziehen auf** (+ *acc.*) **(bezieht), bezog, bezogen** to refer to (12)

die **Beziehung, -en** relationship (1)

**bezwingen (bezwingt), bezwang, bezwungen** to defeat

die **Bibel, -n** Bible

die **Bibliothek, -en** library (4)

der **Bibliothekar, -e** / die **Bibliothekarin, -nen** librarian

die **Biene, -n** bee (10)

das **Bier, -e** beer (2)

**bieten (bietet), bot, geboten** to offer (5)

der **Bikini, -s** bikini

das **Bild, -er** picture (A)

**bilden, gebildet** to form, make; to educate (12); **bildende Künste** (*pl.*) visual arts

der **Bildhauer, -** / die **Bildhauerin, -nen** sculptor

der **Bildschirm, -e** screen, display (2)

die **Bildung, -en** education (B)

**billig** cheap(ly) (2); inexpensive(ly)

**binär** binary

**binden (an** + *acc.***) (bindet), band, gebunden** to bind (to), tie (to) (8)

**Bio-** organic; biological (*prefixed to nouns*)

die **Biochemie** biochemistry

die **Biografie, -n** biography

**biografisch** biographical

die **Biologie** biology

**biologisch** biological

die **Birne, -n** pear

**bis** (*prep. + acc.; sub. conj.*) until (2); **bis acht Uhr** until eight o'clock (2); **bis bald** so long; see you soon (A); **bis zu** as far as, up to (10)

**bisher** as yet, so far (9)

**bisschen: ein bisschen** a little bit (3); **kein bisschen** not a bit (3)

der **Bissen, -** mouthful

**bitte** please; you're welcome (A); **Bitte schön?** Yes please? May I help you? **Bitte schön/sehr.** There you go.

**bitten (um** + *acc.***) (bittet), bat, gebeten** to ask (for), request (3)

**bitter** bitter(ly) (8)

**blass** pale(ly) (11)

das **Blatt, ¨-er** leaf

**blau** blue (A); **der Blaue Reiter** *a group of artists in Munich (1911–14)*

die **Blaubeere, -n** blueberry

der **Blauwal, -e** blue whale

das **Blechdach, ¨-er** tin roof

**bleiben (bleibt), blieb, ist geblieben** to stay, remain (3); **sitzen bleiben** to remain seated; to be held back a year (in school); **stecken bleiben** to get stuck (11)

der **Bleistift, -e** pencil

der **Blick, -e** look; view; glance (6)

**blind** blind(ly) (10)

das **Blog, -s** blog

**blond** blond(e) (B)

**bloß** bare(ly); mere(ly); only (8)

**blühen, geblüht** to bloom

die **Blume, -n** flower (A)

der **Blumenkohl** cauliflower

die **Bluse, -n** blouse

das **Blut** blood (9)

**bluten, geblutet** to bleed

das **Blütenblatt, ¨-er** petal

der **Boden, ¨** floor (B)

der **Bodensee** Lake Constance

das **Bonbon, -s** drop, lozenge

**boomen, geboomt** (*coll.*) to boom

das **Boot, -e** boat (2)

die **Börse, -n** stock exchange (8)

**böse** bad(ly); evil (7); angry, angrily

(das) **Bosnien** Bosnia

die **Botschaft, -en** message (6); embassy

der **Botschafter, -** / die **Botschafterin, -nen** ambassador (9)

**bowlen, gebowlt** to bowl

die **Bowlingbahn, -en** bowling alley

die **Box, -en** box; stereo speaker

die **Branche, -n** sector (12)

der **Brand, ¨-e** fire, blaze (11); **in Brand geraten** to catch fire

(das) **Brasilien** Brazil

**braten (brät), briet, gebraten** to fry

die **Bratpfanne, -n** frying pan

die **Bratwurst, ¨-e** (fried) sausage

der **Brauch, ¨-e** custom

**brauchen, gebraucht** to need; to use (1)

**brauen, gebraut** to brew

**braun** brown (A)

(das) **Braunschweig** Braunschweig, Brunswick

**brausen, gebraust** to roar; to rage

die **Braut, ¨-e** bride

die **BRD** = die **Bundesrepublik Deutschland** Federal Republic of Germany

**brechen (bricht), brach, gebrochen** to break (11)

der **Brei, -e** mush

**breit** broad(ly), wide(ly) (7)

die **Breite, -n** latitude

die **Bremse, -n** brake

**bremsen, gebremst** to brake (11)

das **Bremsenquietschen** squealing of brakes

**brennen (brennt), brannte, gebrannt** to burn (11)

der **Brennstoff, -e** fuel

das **Brett, -er** board (2)

die **Brezel, -n** pretzel

der **Brief, -e** letter (1); epistle

die **Briefmarke, -n** postage stamp

die **Brille, -n** (eye)glasses (A)

**bringen (bringt), brachte, gebracht** to bring (2)

**britisch** British

der **Brocken** *highest mountain in the Harz range*

das **Brot, -e** (loaf of) bread (5)

das **Brötchen, -** (bread) roll

das **Brotsortiment, -** bread assortment

die **Brücke, -n** bridge (10)

der **Brückendamm, ¨e** dam of the bridge

der **Bruder, ¨** brother (B)

**brüllen, gebrüllt** to roar

der **Brunnen, -** well; fountain

**brutal** brutal(ly)

das **Bruttogehalt, ¨er** gross salary

das **Buch, ¨er** book (A)

der **Bucheinband, ¨e** book cover

**buchen, gebucht** to book (7)

der **Buchstabe, -n** (*wk., gen.* **-ns**) letter, alphabetic character (9)

die **Bucht, -en** bay (7)

die **Bühne, -n** stage (10)

(das) **Bukarest** Bucharest

(das) **Bulgarien** Bulgaria

der **Bund, ¨e** federation; **der Australische Bund** Commonwealth of Australia

das **Bundesamt, ¨er** federal department

der **Bundeskanzler, -** / die **Bundeskanzlerin, -nen** (federal) chancellor

das **Bundesland, ¨er** (German or Austrian) state

die **Bundesregierung, -en** federal government

die **Bundesrepublik** federal republic; **die Bundesrepublik Deutschland** Federal Republic of Germany

der **Bundestag** Bundestag (*German federal parliament*)

die **Bundeswehr** army (5)

das **Bündnis 90** Alliance 90 (*German political party*)

**bunt** colorful(ly) (5)

die **Burg, -en** castle (4)

das **Burgenland** *Austrian state*

der **Bürger, -** / die **Bürgerin, -nen** citizen (9)

**bürgerlich** bourgeois, middle-class

der **Bürgermeister, -** / die **Bürgermeisterin, -nen** mayor

der **Bürgerrechtler, -** / die **Bürgerrechtlerin, -nen** campaigner for civil rights

der **Bürgerrechtskämpfer, -** / die **Bürgerrechtskämpferin, -nen** campaigner for civil rights

der **Bürgersteig, -e** sidewalk

das **Büro, -s** office (5)

der **Bus, -se** bus (2)

die **Butter** butter (8)

## C

**ca.** = **circa/zirka** circa, approximately (10)

das **Cabrio, -s** convertible

das **Café, -s** café (8)

die **Cafeteria, -s** cafeteria

der **Camembert, -s** Camembert (cheese)

der **Campingplatz, ¨e** campsite

der **Cartoon, -s** cartoon

(der) **Cäsar** Caesar

das **Casino, -s** casino

die **CD, -s** CD, compact disc

die **CDU** = die **Christlich-Demokratische Union Deutschlands** Christian Democratic Union of Germany (*political party*)

**Celsius** Celsius, centigrade

der **Cent, -** cent (*one hundredth of a euro*)

der **Champagner, -** champagne

die **Chance, -n** opportunity, chance

die **Chanukka** Hanukkah

das **Chaos** chaos (5)

der **Charakter, -e** character; personality

die **Charakterisierung, -en** characterization

**charmant** charming(ly)

die **Chäschüechli** Swiss cheese quiche, cheese tart

der **Chat, -s** chat

die **Chatiquette, -n** chatiquette, chat room etiquette

**chatten, gechattet** to chat (*online*)

**checken, gecheckt** to check

der **Chef, -s** / die **Chefin, -nen** boss (10); director

der **Chefkoch, ¨e** / die **Chefköchin, -nen** chef, head cook

die **Chemie** chemistry (1)

der **Chemiker, -** / die **Chemikerin, -nen** chemist

**chemisch** chemical(ly) (12)

der **Chili, -s** chili

(das) **China** China (B)

der **Chinese, -n** (*wk.*) / die **Chinesin, -nen** Chinese (*person*)

**chinesisch** Chinese (*adj.*)

der **Chor, ¨e** choir; chorus

(der) **Christ** = (der) **Christus** Christ

die **Christfestnacht, ¨e** Christmas Eve

der **Christkindlmarkt, ¨e** *Christmas market*

**christlich** Christian (*adj.*)

(der) **Christus** Christ; **um Christi Geburt** at the time of Christ's birth

**circa** = **zirka** circa

der **Claqueur, -e** / die **Claqueurin, -nen** paid applauder

der **Clip, -s** (video) clip

der **Clown, -s** clown

der **Club, -s** club; nightclub

**cm** = der **Zentimeter, -** centimeter

der **Coach, -s** coach

die **Cola, -s** cola

das **College, -s** college

der **Comic, -s** comic strip; comic book

der **Computer, -** computer (2)

der **Consultant, -s** consultant

**cool** cool(ly); fabulous(ly)

die **Couch-Potato, -(e)s** couch potato

der **Cousin, -s** male cousin (B)

die **CSU** = die **Christlich-Soziale Union in Bayern** Christian Social Union in Bavaria (*political party*)

**ct** = der **Cent, -** cent (*one hundredth of a euro*)

das **Cybermobbing** cyber-bullying

## D

**da** (*adv.*) there (2); then; (*sub. conj.*) as, since

**dabei** in that connection; while doing so; (along) with it (6); **dabei sein** to be present; **Ist ein/eine ... dabei?** Does it come with a . . . ?

**dabei•haben (hat ... dabei), hatte ... dabei, dabeigehabt** to have (*s.th.*) with/on (*o.s.*)

**da•bleiben (bleibt ... da), blieb ... da, ist dageblieben** to stay, remain (there)

das **Dach, ¨er** roof (6)

der **Dachboden, ¨** attic

**dadurch** through it/them; thereby, thus (9)

**dafür** for it/them; for that reason; on behalf of it

**dagegen** by contrast; against it/them (7); **Können Sie mir etwas dagegen geben?** Can you give me something for it (*illness*)?

**daheim•sitzen (sitzt ... daheim), saß ... daheim, daheimgesessen** to sit at home

**daher** therefore; from it (6)

**dahin** there, to that place; **dahin kommen (kommt dahin), kam dahin, ist dahin gekommen** to get there

**dahinter** behind it/them

**damals** (*adv.*) back then (9); at that time

die **Dame, -n** lady

**damit** (*adv.*) with it/them; (*sub. conj.*) so that (11)

der **Damm, ¨e** embankment

der **Dampf, ¨e** steam

**danach** after that; afterwards (8)

**daneben** beside it/them

(das) **Dänemark** Denmark

**dänisch** Danish (*adj.*)

(das) **Dänisch** Danish (*language*)

der **Dank** gratitude (10); **Vielen Dank!** Many thanks! (10)

**dankbar** grateful(ly), thankful(ly) (11)

die **Dankbarkeit** gratitude

**danke** thank you, thanks (A); **danke schön/sehr** thank you very much

**danken** (+ *dat.*), **gedankt** to thank (*s.o.*)

**dann** then (A)

**daran** about/at/on/to it/them

**darauf** after/for/on it/them; thereupon, afterward (9); **bald darauf** soon thereafter (9)

**daraus** from / out of it/them

**darin** in it/them (6)

der **Darm, ¨-e** intestine (11)

**dar•stellen, dargestellt** to illustrate, represent (7)

**darüber** over/about/above it/them (6)

**darum** because of that

**darunter** under it/them, among them

**das** (*def. art., neut. nom./acc.*) the; (*dem. pron., neut. nom./acc.*) this/that; (*rel. pron., neut. nom./acc.*) which, who(m); **das ist ...** this/that is . . . (B); **das ist mir egal** it's all the same to me (6); **das sind ...** these/those are . . . (B)

**dass** (*sub. conj.*) that (11)

das **Date, -s** (*coll.*) date

die **Daten** (*pl.*) data (4)

das **Datum, Daten** date (4); **Welches Datum ist heute?** What is today's date?

die **Dauer, -n** duration

**dauern, gedauert** to last, take (*time*) (4)

der **Daumen, -** thumb

**davon** thereof, of/from/about it/them (9)

**davon•fliegen (fliegt ... davon), flog ... davon, ist davongeflogen** to fly away

**davon•laufen (läuft ... davon), lief ... davon, ist davongelaufen** to run away

**davor** before/against it/them

der **DAX** = **Deutscher Aktienindex** German stock index

**dazu** in addition; with it/them (8); for/to it/them

**dazu•schreiben (schreibt ... dazu), schrieb ... dazu, dazugeschrieben** to add in writing

**dazwischen** between them

die **DDR** = die **Deutsche Demokratische Republik** German Democratic Republic (former East Germany)

der **Deckcode-Name, -n** (*wk., gen.* **-ns**) cover code-name

die **Decke, -n** ceiling (B); blanket (11)

**decken, gedeckt** to cover (11); **den Tisch decken** to set the table

**definieren, definiert** to define (3)

die **Definition, -en** definition

**dein(e)** (*infor. sg.*) your (A, B)

die **Deklination, -en** declension

der **Delfin, -e** dolphin

**dem** (*def. art., masc./neut. dat.*) the; (*dem. pron., masc./neut. dat.*) this/that; (*rel. pron., masc./neut. dat.*) which, whom

die **Demo, -s** (*coll.*) = die **Demonstration, -en** demonstration; rally

der **Demokrat, -en** (*wk.*) / die **Demokratin, -nen** democrat

die **Demokratie, -n** democracy (12)

**demokratisch** democratic(ally) (12)

die **Demonstration, -en** demonstration; rally

**demonstrativ** pointed(ly), in protest

**demonstrieren, demonstriert** to rally; to demonstrate (9)

der/die **Demonstrierende, -n (ein Demonstrierender)** demonstrator

**den** (*def. art., masc. acc., pl. dat.*) the; (*dem. pron., masc. acc.*) this/that; (*rel. pron., masc. acc.*) which, whom

**denen** (*dem. pron., pl. dat.*) these/those; (*rel. pron., pl. dat.*) which, whom

**denken (denkt), dachte, gedacht** to think (4); **bei sich denken** to think to oneself; **denken an** (+ *acc.*) to think of (4); **denken über** (+ *acc.*) to think about

**denn** (*coord. conj.*) for, because (9); *particle sometimes used in questions*: **Wo willst du denn hin?** Where do you want to go?

**dennoch** still, however, nonetheless (11)

die **Depression, -en** depression

**depressiv** depressive; depressed

**deprimiert** depressed

**der** (*def. art., masc. nom., fem. dat./gen., pl. gen.*) the; (*dem. pron., masc. nom., fem. dat.*) this/that; (*rel. pron., masc. nom., fem. dat.*) which, who(m)

**deren** (*dem. pron., fem. gen., pl. gen.*) of this/that/these/those (11); (*rel. pron., fem. gen., pl. gen.*) of which, whose (11)

**derselbe, dieselbe, dasselbe** the same (6)

**des** (*def. art., masc./neut. gen.*) (of) the

**deshalb** therefore; that's why (4)

**desinfizieren, desinfiziert** to disinfect

**dessen** (*dem. pron., masc./neut. gen.*) of this/that, its (11); (*rel. pron., masc./neut. gen.*) whose, of which (11)

**deswegen** therefore (9)

**deutlich** clear(ly); distinct(ly) (9)

**deutsch** German (*adj.*)

(das) **Deutsch** German (*language*) (B); **auf Deutsch** in German

der/die **Deutsche, -n (ein Deutscher)** German (*person*) (B); **Ich bin Deutsche/r.** I am German. (B)

die **Deutsche Demokratische Republik (DDR)** German Democratic Republic (*former East Germany*)

(das) **Deutschland** Germany (B); **die Bundesrepublik Deutschland** Federal Republic of Germany

der **Deutschschweizer, -** / die **Deutschschweizerin, -nen** German-Swiss (*person*)

**deutschsprachig** German-speaking

**deutschstämmig** of German origin

der **Dezember** December (B)

der **Dialekt, -e** dialect (10)

der **Dialog, -e** dialogue

die **Diät, -en** diet

**dich** (*infor. sg. acc.*) you (2)

**dicht** dense(ly), thick(ly) (7)

der **Dichter, -** / die **Dichterin, -nen** poet (8)

**dick** thick; heavy; fat (2)

die **Dicke** thickness; fatness

**dickköpfig** headstrong

**die** (*def. art., fem. nom./acc., pl. nom./acc.*) the; (*dem. pron., fem. nom./acc., pl. nom./acc.*) this/that/these/those; (*rel. pron., fem. nom./acc., pl. nom./acc.*) which, who(m)

der **Diener, -** / die **Dienerin, -nen** servant

der **Dienst, -e** service, work (9)

der **Dienstag, -e** Tuesday (1)

die **Dienstleistung, -en** service

der **Dienstwagen, -** company car

**dieser, dies(es), diese** this, these (2); that, those; **dies und das** this and that

**diesmal** this time

**digital** digital(ly)

**diktatorisch** dictatorial(ly)

die **Diktatur, -en** dictatorship

das **Ding, -e** thing (2)

**dir** (*infor. sg. dat.*) you; **Das steht / Die stehen dir gut!** That looks / Those look good on you! (2)

**direkt** direct(ly) (3)

der **Direktor, -en** / die **Direktorin, -nen** (school) principal; director (9)

die **Disko, -s** disco

**diskriminieren, diskriminiert** to discriminate

die **Diskriminierung, -en** discrimination

die **Diskussion, -en** discussion

**diskutieren, diskutiert** to discuss; to argue (1)

die **Dissertation, -en** dissertation

die **Distanz, -en** distance

die **Disziplin, -en** discipline

**divers** diverse, various; other

die **Diversität** diversity

**doch** still, yet, however (7); **doch!** yes (on the contrary)!

der **Doktor, -en** / die **Doktorin, -nen** doctor, Dr. (A)

der **Doktorand, -en** (*wk.*) / die **Doktorandin, -nen** student preparing for the doctorate

das **Dokument, -e** document

**dokumentieren, dokumentiert** to document (9)

**doll** = **toll** neat, great; **ganz doll** (*coll.*) very

der **Dollar, -** dollar

der **Dom, -e** cathedral

**dominant** dominant(ly)

**dominieren, dominiert** to dominate (9)

die **Donau** Danube (*river*)

der **Donnerstag, -e** Thursday (1)

**doppelt** double, doubly; twice (6)

die **Doppelung, -en** doubling

das **Doppelzimmer, -** double room

das **Dorf, ¨-er** village (9)

der **Dorn, -en** thorn

(das) **Dornröschen** Sleeping Beauty, Briar Rose

**dort** there (7)

**dorthin** there, thither, to a specific place

die **Dose, -n** can

der **Download, -s** download

der **Dozent, -en** (*wk.*) / die **Dozentin, -nen** lecturer

der **Drache, -n** (*wk.*) dragon

das **Drama, Dramen** drama

**dramatisch** dramatic(ally) (9)

der **Dramaturg, -en** (*wk.*) / die **Dramaturgin, -nen** dramaturge, theatrical advisor

**dran** = **daran** at/on/to it/them; **Du bist dran.** (*coll.*) It's your turn. **spät dran sein** to be late (3)

**drauf** = **darauf** after/for/on it/them

**draußen** outside, outdoors; out there (9)

**drehen, gedreht** to turn, rotate; to shoot (*film*) (2); **sich drehen** to turn, rotate

**drei** three (A)

**dreigliedrig** divided into three parts

**dreimal** three times

**dreißig** thirty (A)

**dreißigst-** thirtieth

**dreiundzwanzig** twenty-three (A)

**dreizehn** thirteen (A)

**dreizehnt-** thirteenth

**dressieren, dressiert** to train

**drin** = **darin** in it/them (6)

**dringen (dringt), drang, gedrungen** to penetrate

**dringend** urgent(ly) (10)

**dritt-** third; **das Dritte Reich** the Third Reich (Nazi Germany)

das **Drittel, -** third

**droben** up there

die **Drogerie, -n** drugstore

**drohen** (+ *dat.*)**, gedroht** to threaten (9)

**drüben** over there (12)

der **Druck, ¨-e** pressure (4)

**drücken, gedrückt** to hug; to press; to push (3)

der **Dschungel, -** jungle

**du** (*infor. sg. nom.*) you; **bist du ...?** (*infor.*) are you . . . ? (A)

**dumm** dumb, stupid(ly)

**dunkel** dark (5)

die **Dunkelheit** darkness (10)

**dünn** thin(ly) (12)

das **Duo, -s** duo

**durch** (+ *acc.*) through (7); by means of

**durchbluten, durchblutet** to supply with blood

**durch•führen, durchgeführt** to carry out, execute, implement (11)

**durchs** = **durch das** through the

der **Durchschnitt** average; **im Durchschnitt** on average

**dürfen (darf), durfte, gedurft** to be permitted (to), may (3); **nicht dürfen** must not

die **Dusche, -n** shower (6)

(sich) **duschen, geduscht** to (take a) shower (1)

die **DVD, -s** DVD

die **Dynamik** dynamic(s)

## E

**eben** simply, just; just now

**ebenfalls** also, likewise (6)

das **Ebenholz** ebony

**ebenso** equally, similarly, likewise (9)

**echt** real(ly) (2)

die **EC-Karte, -n** = die **Eurocheque-Karte, -n** Eurocheque card (*debit card*)

die **Ecke, -n** corner (6); **um die Ecke** around the corner (6)

**egal** equal(ly), same (6); **das ist mir egal** it's all the same to me (6)

der **Egoist, -en** (*wk.*) / die **Egoistin, -nen** egoist

die **Ehe, -n** marriage (12)

die **Ehefrau, -en** wife

die **Eheleute** (*pl.*) married couple

**ehemalig** former (6)

das **Ehepaar, -e** married couple

**eher** rather; more likely (B)

die **Ehre, -n** honor, privilege (8)

**ehren, geehrt** to honor (8)

**ehrgeizig** ambitious(ly)

**ehrlich** honest(ly) (8)

**ei** oh

das **Ei, -er** egg (8); **gebratene Eier** (*pl.*) fried eggs; **gekochte Eier** (*pl.*) boiled eggs

der **Eichbaum, ¨-e** oak tree

die **Eidgenössische Technische Hochschule (ETH)** Swiss Federal Institute of Technology

der/das **Eidotter** egg yolk

die **Eierschale, -n** eggshell

**eigen** own (3)

die **Eigeninitiative, -n** initiative of one's own

das **Eigenleben** life of one's own

die **Eigenschaft, -en** characteristic, feature, property (8)

**eigentlich** actual(ly) (3)

die **Eiger-Nordwand** north face of the Eiger (*mountain in the Swiss Alps*)

sich **eignen (für** + *acc.*)**, geeignet** to lend itself (to); to be suitable (for) (5)

**eilen, ist geeilt** to hurry

**ein, eine** a(n); one; **ein bisschen** a little bit (3); some; **ein paar** a few, some (2); **einer, eine, ein(e)s** (*pron.*) one (person); one (thing) (7); **eins** one (*cardinal number*) (A)

**einander** each other, one another (3)

der **Einbrecher, -** / die **Einbrecherin, -nen** burglar

**ein•bringen (bringt ... ein), brachte ... ein, eingebracht** to bring in

der **Eindruck, ¨-e** impression

**einfach** simple, simply (3); one-way (*trip*)

die **Einfahrt, -en** driveway

**ein•fallen** (+ *dat.*) **(fällt ... ein), fiel ... ein, ist eingefallen** to come to mind, occur (*to s.o.*) (9)

das **Einfamilienhaus, ¨-er** single-family home

der **Einfluss, ¨-e** influence (2)

**ein•führen, eingeführt** to introduce (10)

die **Einführung, -en** introduction (A)

**ein•gehen (auf** + *acc.*) **(geht ... ein), ging ... ein, ist eingegangen** to go (into), respond (to), agree (to) (10)

**ein•gravieren, eingraviert** to engrave

die **Einheit, -en** unity; unit (4)

**einige** some; several; a few (8)

**ein•kaufen, eingekauft** to shop (for) (1); **einkaufen gehen** to go shopping (1)

die **Einkaufsliste, -n** shopping list

das **Einkaufszentrum, -zentren** shopping center

das **Einkommen, -** income (8)

**ein•laden (lädt ... ein), lud ... ein, eingeladen** to invite (2)

die **Einladung, -en** invitation (2)

sich **ein•lassen (mit** + *dat.*) **(lässt ... ein), ließ ... ein, eingelassen** to engage (with), get involved (with)

sich **ein•leben, eingelebt** to settle down

**einmal** once (4); for once; **Es war einmal ...** Once upon a time there was . . . ; **noch einmal** one more time

**ein•nehmen (nimmt ... ein), nahm ... ein, eingenommen** to take (in)

**ein•packen, eingepackt** to pack up

**ein•richten, eingerichtet** to set up; to furnish (6)

die **Einrichtung, -en** institution

**ein•sammeln, eingesammelt** to gather, collect

der **Einsatz, ¨-e** mission, sortie (10)

**ein•schalten, eingeschaltet** to switch on (6)

**ein•schätzen, eingeschätzt** to judge, assess

**ein•schlafen (schläft ... ein), schlief ... ein, ist eingeschlafen** to fall asleep (7)

**ein•schließen (schließt ... ein), schloss ... ein, eingeschlossen** to include

sich **ein•schreiben (schreibt ... ein), schrieb ... ein, eingeschrieben** to register, enroll

**ein•sehen (sieht ... ein), sah ... ein, eingesehen** to see, realize

**ein•setzen, eingesetzt** to insert; **sich einsetzen (für** + *acc.*) to advocate (for), stand up (for) (7)

die **Einsicht, -en** view, look

**ein•sperren, eingesperrt** to lock up (*s.o.*)

**ein•steigen (steigt ... ein), stieg ... ein, ist eingestiegen** to board; to get in/on

**ein•stellen, eingestellt** to hire (8); to employ

die **Einstellung, -en** attitude, preference (12)

**ein•stürzen, ist eingestürzt** to collapse

**ein•teilen, eingeteilt** to divide up; to arrange

**eintönig** monotonous(ly)

der **Eintrag, ¨-e** entry (*in a list or ledger*)

**ein•tragen (trägt ... ein), trug ... ein, eingetragen** to enter (*into a list or ledger*)

**ein•treffen (trifft ... ein), traf ... ein, ist eingetroffen** to arrive

**ein•treten (in** + *acc.*) **(tritt ... ein), trat ... ein, ist eingetreten** to enter (into); **eintreten für** (+ *acc.*) to champion, stand up for (12)

**einundzwanzig** twenty-one (A)

**ein•wachsen (wächst ... ein), wuchs ... ein, ist eingewachsen** to grow in

der **Einwanderer, -** / die **Einwanderin, -nen** immigrant

**ein•wandern, ist eingewandert** to immigrate (12)

die **Einwanderung** immigration

**ein•weihen, eingeweiht** to open, dedicate

**ein•werfen (wirft ... ein), warf ... ein, eingeworfen** to break, smash in

der **Einwohner, -** / die **Einwohnerin, -nen** inhabitant, resident (5)

**ein•zahlen, eingezahlt** to pay in; to deposit

**ein•zeichnen, eingezeichnet** to draw in, mark in

das **Einzelkind, -er** only child

**einzeln** single, singly (9); individual(ly)

der **Einzelplatz, ¨-e** single seat

das **Einzelzimmer, -** single room

**ein•ziehen (in** + *acc.*) **(zieht ... ein), zog ... ein, ist eingezogen** to move in(to) (8)

**einzig** sole(ly), only (10)

das **Eis** ice; ice cream (2)

der **Eisbeutel, -** ice pack

das **Eiscafé, -s** ice cream parlor

die **Eisenbahn, -en** railroad

**eiskalt** ice-cold

der **Eistee** iced tea

der **Eklat, -s** sensation; altercation; **zum Eklat kommen** to erupt in a commotion

der **Elefant, -en** (*wk.*) elephant

**elegant** elegant(ly) (8)

das **Elektroauto, -s** electric car (7)

**elektronisch** electronic(ally)

das **Element, -e** element (7)

**elend** wretched(ly), miserable, miserably

**elf** eleven (A)

das **Elfenbein** ivory

die **Eltern** (*pl.*) parents (B)

die **E-Mail, -s** e-mail (1)

die **Emanzipation, -en** emancipation

der **Emigrant, -en** (*wk.*) / die **Emigrantin, -nen** emigrant

die **Emigration, -en** emigration

**emigrieren, ist emigriert** to emigrate

die **Emission, -en** emission

der **Emmentaler** Emmenthaler (cheese)

die **Emotion, -en** emotion

**emotional** emotional(ly)

der **Empfang, ¨-e** reception

**empfehlen (empfiehlt), empfahl, empfohlen** to recommend

**empören, empört** to outrage; **sich empören** to become outraged

das **Ende, -n** end (1)

**enden, geendet** to end (7)

**endlich** finally (1)

die **Endung, -en** ending

die **Energie, -n** energy (12)

**eng** narrow(ly); tight(ly); cramped (12)

sich **engagieren (für** + *acc.*)**, engagiert** to be engaged (with), commit oneself (to) (9)

**engagiert** (*adj.*) committed, involved

(das) **England** England (B)

der **Engländer, -** / die **Engländerin, -nen** English (*person*)

**englisch** English (*adj.*)

(das) **Englisch** English (*language*) (B)

der **Enkel, -** / die **Enkelin, -nen** grandson/granddaughter

**entartet** (*adj.*) degenerate

**entdecken, entdeckt** to discover (4)

die **Entdeckung, -en** discovery

der **Entertainer, -** / die **Entertainerin, -nen** entertainer

**entfernt** distant(ly), away (10)

**enthalten (enthält), enthielt, enthalten** to contain (4)

**entlang** along (10)

**entlang•gehen (geht ... entlang), ging ... entlang, ist entlanggegangen** to go along

die **Entlassung, -en** release, dismissal

(sich) **entscheiden (entscheidet), entschied, entschieden** to decide (4)

die **Entscheidung, -en** decision (4)

**entschuldigen, entschuldigt** to excuse (10); **Entschuldigen Sie!** Excuse me! (10)

die **Entschuldigung, -en** excuse; **Entschuldigung!** Excuse me! (3)

**entsetzlich** terrible, terribly

(sich) **entspannen, entspannt** to relax (10)

**entsprechen** (+ *dat.*) **(entspricht), entsprach, entsprochen** to correspond (to/with), comply (with), conform (to) (12)

**entspringen (entspringt), entsprang, entsprungen** to rise, have its source

**entstehen (aus** + *dat.*) **(entsteht), entstand, ist entstanden** to originate (from), emerge (from), come into being (from) (7)

die **Entstehung** origin

**entweder ... oder** either . . . or (4)

**entwerfen (entwirft), entwarf, entworfen** to design

**entwickeln, entwickelt** to develop (3)

die **Entwicklung, -en** development (6)

die **Entwicklungshilfe** development aid

die **Entwicklungsstufe, -n** stage of development

die **Entzündung, -en** infection (11); inflammation

**entzwei•brechen (bricht ... entzwei), brach ... entzwei, entzweigebrochen** to break asunder

die **EP, -s** EP (extended play record)

die **Episode, -n** episode

die **Epoche, -n** epoch, era, period

**er** (*pron., masc. nom.*) he, it; **er ist ...** he is . . . (A)

**erblicken, erblickt** to see, catch sight of

die **Erdbeere, -n** strawberry

die **Erde** earth; dirt; ground (7)

das **Erdgas, -e** natural gas

das **Erdgeschoss, -e** first floor, ground floor

die **Erdkunde** earth science; geography

das **Erdöl** oil, petroleum

**erdulden, erduldet** to endure, tolerate

das **Ereignis, -se** event (6)

**erfahren (erfährt), erfuhr, erfahren** to discover; to learn; to experience (9)

die **Erfahrung, -en** experience (6)

**erfassen, erfasst** to measure; to record; to capture, catch (11)

**erfinden (erfindet), erfand, erfunden** to invent (4)

der **Erfinder, -** / die **Erfinderin, -nen** inventor

die **Erfindung, -en** invention

der **Erfolg, -e** success (8); **Erfolg haben** to be successful

**erfolgen, ist erfolgt** to take place, happen, follow (12)

**erfolgreich** successful(ly) (2)

die **Erfolgsgeschichte, -n** success story

**erfüllen, erfüllt** to fulfill (3)

die **Erfüllung: in Erfüllung gehen** to come true

**ergänzen, ergänzt** to complete; to add (4); to fill in the blanks

sich **ergeben (aus** + *dat.*) **(ergibt), ergab, ergeben** to be produced (by); to arise (from) (6)

**erglühen, ist erglüht** to glow

**erhalten (erhält), erhielt, erhalten** to receive (5); to preserve

**erheben (erhebt), erhob, erhoben** to raise, elevate (8)

**erhitzen, erhitzt** to heat

**erhöhen, erhöht** to increase (12); to raise

sich **erholen, erholt** to relax, recuperate (11)

**erinnern (an** + *acc.*)**, erinnert** to remind (*of s.o./s.th.*); to commemorate (*s.o./s.th.*); **jemanden an etwas erinnern** to remind someone about something (9); **sich erinnern (an** + *acc.*)**, erinnert** to remember (*s.o./s.th.*) (9)

die **Erinnerung, -en** memory, remembrance (4)

sich **erkälten, erkältet** to catch a cold

**erkennen (an** + *dat.*) **(erkennt), erkannte, erkannt** to recognize (by) (3)

**erklären, erklärt** to explain (3)

die **Erklärung, -en** declaration; explanation (8)

**erklettern, erklettert** to climb

**erkranken, ist erkrankt** to become ill

sich **erkundigen (nach** + *dat.*), **erkundigt** to ask (about), get information (about)

**erlauben, erlaubt** to permit (3)

die **Erlaubnis, -se** permit, permission, authorization (12)

**erleben, erlebt** to experience (6)

das **Erlebnis, -se** experience (7)

**erledigen, erledigt** to finish, get done (4)

der **Erlenstamm, ¨-e** alder trunk

**ermöglichen, ermöglicht** to make possible, enable, facilitate (12)

**ermorden, ermordet** to murder, kill (10)

**ernähren, ernährt** to feed

die **Ernährung** food, nourishment, diet (8)

**erneut** anew, once again (12)

**ernst** serious(ly) (8); **ernst nehmen** to take seriously

**erobern, erobert** to conquer

**eröffnen, eröffnet** to open, establish (5)

**erreichbar** reachable

**erreichen, erreicht** to reach; to achieve (5)

**erringen (erringt), errang, errungen** to reach; to win

**erscheinen (erscheint), erschien, ist erschienen** to appear (4)

das **Erscheinungsjahr, -e** year of publication

**erschießen (erschießt), erschoss, erschossen** to shoot dead, kill (9)

**erschöpft** exhausted

**erschrecken (erschrickt), erschrak, ist erschrocken** to be frightened

**erschrecken, erschreckt** to frighten, alarm

**ersetzen, ersetzt** to replace (12)

**erspielen, erspielt: sich** (*dat.*) **etwas erspielen** to win something by playing

**erst** (*adv.*) first (4); not until; **erst mal** for now; **erst um vier Uhr** not until four o'clock (4)

**erst-** first (*ordinal number*) (4); **am ersten Oktober** on the first of October; **im ersten Stock** on the second floor (6); **zum ersten Mal(e)** for the first time (4)

die **Erstbesteigung, -en** first ascent

**erstellen, erstellt** to draw up

**ertragen (erträgt), ertrug, ertragen** to tolerate (8)

**ertränken, ertränkt** to drown

**erwachsen** grown up

der/die **Erwachsene, -n (ein Erwachsener)** adult, grown-up (3)

**erwähnen, erwähnt** to mention (8)

**erwarten, erwartet** to expect (12)

die **Erwartung, -en** expectation (5)

der/die **Erwerbstätige, -n (ein Erwerbstätiger)** wage/salary earner

**erwischen, erwischt** to catch, nab (11)

**erzählen, erzählt** to tell (*a story, joke*) (3)

der **Erzähler, -** / die **Erzählerin, -nen** storyteller

die **Erzählung, -en** story

das **Erzherzogtum, ¨-er** archduchy

**erziehen (erzieht), erzog, erzogen** to raise, bring up, parent (9)

**es** (*pron., neut. nom./acc.*) it; **es gefällt mir** I like it (6); **es gibt ...** there is/are . . . ; **gibt es ...?** is there . . . ? are there . . . ? (A)

der **Esel, -** donkey

der **Essay, -s** essay

**essen (isst), aß, gegessen** to eat (2); **zu Abend essen** to dine, have dinner

das **Essen** food

die **Essiggurke, -n** pickle

der **Esstisch, -e** dining table

(das) **Estland** Estonia

die **ETH** = die **Eidgenössische Technische Hochschule** Swiss Federal Institute of Technology

die **Etikette, -n** label

der **Etikettierer, -** / die **Etikettiererin, -nen** labeler

**etwa** approximately (4)

**etwas** something (2); anything; somewhat; **etwas anderes** something else; **etwas Interessantes** something interesting; **so etwas** something like that; some such thing; **sonst noch etwas?** anything else? (5)

die **EU** = die **Europäische Union** European Union

**euch** (*infor. pl. pron., acc./dat.*) you; yourselves

**euer, eure** (*infor. pl.*) your

der **Euro, -** euro (*European monetary unit*) (2)

(das) **Europa** Europe (B)

**europäisch** European (*adj.*) (B)

die **Europäische Union (EU)** European Union

die **Europawahl, -en** European election

der **Euroschein, -e** banknote in euros

die **Eurozone** *countries of the European Union in which the euro is the unit of currency*

**evangelisch** Protestant (*adj.*)

das **Evangelium, Evangelien** gospel

das/der **Event, -s** event

**evozieren, evoziert** to evoke

**ewig** eternal(ly)

das **Exemplar, -e** specimen; copy

das **Exil, -e** exile

die **Expedition, -en** expedition

das **Experiment, -e** experiment

die **Explosion, -en** explosion

der **Expressionismus** expressionism

**extra** extra (10)

**extracurricular** extracurricular

**extrem** extreme(ly) (9)

**extrovertiert** extroverted

**exzentrisch** eccentric(ally)

## F

die **Fabel, -n** fable

die **Fabrik, -en** factory (5)

das **Fach, ¨-er** academic subject (1)

der **Facharbeiter, -** / die **Facharbeiterin, -nen** trade worker, skilled worker

die **Fachhochschule, -n** university of applied arts and sciences

das **Fachrechnen** applied mathematics

die **Fähigkeit, -en** ability, capability

**fahren (fährt), fuhr, ist/hat gefahren** to drive; to ride (2); **Auto fahren** to drive a car; **Fahrrad fahren** to ride a bicycle; **Kanu fahren** to go canoeing; **mit dem Rad fahren** to ride a bicycle; **per Anhalter fahren** to hitchhike; **Ski fahren** to ski

**Fahrenheit** Fahrenheit

der **Fahrer, -** / die **Fahrerin, -nen** driver (5)

der **Fahrgast, ¨-e** passenger

das **Fährhaus, ¨-er** ferry house

die **Fahrkarte, -n** ticket

der **Fahrplan, ¨-e** timetable, schedule

das **Fahrrad, ¨-er** bicycle (2)

der **Fahrstuhl, ¨-e** elevator

die **Fahrt, -en** trip (7)

das **Fahrzeug, -e** vehicle (7)

der **Faktor, -en** factor (6)

der **Fall, ¨-e** fall, collapse; case (5)

**fallen (fällt), fiel, ist gefallen** to fall (4); **fallen lassen** to drop; **schwer fallen** (+ *dat.*) to seem/feel difficult (*to s.o.*)

das **Fallschirmpaket, -e** collapsible parachute pack

**falsch** wrong(ly) (2); false(ly)

die **Familie, -n** family (B)

das **Familienfest, -e** family celebration

**familienfreundlich** family-friendly

der **Familienname, -n** (*wk.*) family name, surname

**familienversichert** covered by family health insurance

der **Fan, -s** fan, enthusiast

**fangen (fängt), fing, gefangen** to catch, capture (8)

die **Fantasie, -n** imagination

die **Farbe, -n** color (A); **welche Farbe hat ...?** what color is . . . ?

die **Farbensymbolik** color symbolism

die **Faschingszeit** carnival time, Mardi Gras

**fassen, gefasst** to seize, grasp, grab; to contain (7)

**fassungslos** stunned

**fast** almost (5)

das **Fast Food** fast food

**fasten, gefastet** to fast

**faszinieren, fasziniert** to fascinate

die **Fauna** fauna; animal life

die **FDP** = die **Freie Demokratische Partei** Free Democratic Party (*German political party*)

der **Februar** February

die **Fee, -n** fairy

**fehlen** (+ *dat.*)**, gefehlt** to lack; to be missing (6); to be wrong with, be the matter with (*a person*)

der **Fehler, -** mistake (5)

die **Feier, -n** celebration, party

der **Feierabend, -e** evening (after work)

**feierlich** solemn(ly)

**feiern, gefeiert** to celebrate, party (4)

der **Feiertag, -e** holiday (4)

**fein** fine(ly) (8)

der **Feind, -e** / die **Feindin, -nen** enemy

das **Feld, -er** field (7)

**feminin** feminine

der **Feminist, -en** (*wk.*) / die **Feministin, -nen** feminist

**feministisch** feminist (*adj.*)

das **Fenster, -** window (B)

die **Fensterbank, ¨-e** windowsill

die **Ferien** (*pl.*) vacation (1)

**fern** far; distant (11)

die **Fernbeziehung, -en** long-distance relationship

die **Ferne, -n** distance

**fern•sehen (sieht ... fern), sah ... fern, ferngesehen** to watch TV (1)

das **Fernsehen** television (8)

der **Fernseher, -** TV set (2)

**fertig** ready; finished (9)

**fest** steady; fixed

das **Fest, -e** celebration, party (4); festival; holiday

das **Festival, -s** festival

**fest•stellen, festgestellt** to realize; to establish (8)

**fett** fat (9)

das **Fett, -e** fat (8)

**feucht** humid (B)

das **Feuer, -** fire (9)

die **Feuerwehr** fire department (11)

das **Fieber** fever (11)

**fies** nasty, nastily

die **Figur, -en** figure (12); character

der **Film, -e** film (2)

**finanziell** financial(ly) (8)

**finanzieren, finanziert** to finance

der **Finanzmarkt, ¨-e** financial market

**finden (findet), fand, gefunden** to find (2); **wie findest du das?** how do you like that?

der **Finger, -** finger (11)

der **Fingernagel, ¨** fingernail

(das) **Finnland** Finland

die **Firma, Firmen** company (3)

der **Firmensitz, -e** corporate headquarters, main office

der **Fisch, -e** fish (7)

**fischen, gefischt** to fish

das **Fischfilet, -s** fish filet

der **Fischkutter, -** fishing trawler

das **Fitnessstudio, -s** gym, fitness center

**flach** flat (8)

die **Fläche, -n** area; surface (7)

das **Fladenbrot, -e** flatbread

die **Flamme, -n** flame

die **Flasche, -n** bottle (5)

die **Fledermaus, ¨-e** bat

das **Fleisch** meat (8)

der **Fleiß** diligence, hard work

**fleißig** industrious(ly); diligent(ly)

die **Flexion, -en** inflection

die **Fliege, -n** fly (8)

**fliegen (fliegt), flog, ist/hat geflogen** to fly (1)

**fliehen (flieht), floh, ist geflohen** to flee (9)

das **Fließband, ¨-er** conveyor belt; assembly line

**fließen (fließt), floss, ist geflossen** to flow (7)

der **Flohmarkt, ¨-e** flea market

die **Flora** flora; plant life

**florieren, floriert** to flourish

die **Flucht, -en** flight, escape (6); **auf der Flucht** on the run

**flüchten, ist geflüchtet** to flee (11)

der **Flüchtling, -e** refugee (4)

der **Flug, ¨-e** flight (9)

der **Flughafen, ¨** airport (6)

das **Flugzeug, -e** airplane (7)

der **Fluss, ¨-e** river (7)

**flüssig** (*adj.*) fluid, liquid (8)

der **Flusskrebs, -e** crayfish

**flüstern, geflüstert** to whisper (10)

die **Flut, -en** flood

der **Föhn** *warm, southerly Alpine wind*

die **Folge, -n** order, sequence; consequence (9)

**folgen** (+ *dat.*)**, ist gefolgt** to follow, come next (6)

**folgend** following

**foltern, gefoltert** to torture

**fördern, gefördert** to promote, encourage, support (12)

die **Form, -en** form, shape (8)

**formal** formal(ly)

das **Formular, -e** form

**formulieren, formuliert** to formulate

**forschen, geforscht** to do research

die **Forschung, -en** research (B)

**fort** away

der **Fortschritt, -e** progress (11)

**fossil** fossil, fossilized

das **Foto, -s** photo (1)

die **Fotografie, -n** photography, photograph

**fotografieren, fotografiert** to take pictures, photograph (4)

die **Frage, -n** question (A); **Fragen stellen** to ask questions (A)

**fragen, gefragt** to ask; (**nach** + *dat.*) to inquire (about); **nach dem Weg fragen** to ask for directions

die **Fraktion, -en** fraction; parliamentary group

der **Franken, - (der Schweizer Franken)** (Swiss) franc

die **Frankfurter, -** frankfurter (sausage)

(das) **Frankreich** France (B)

der **Franzose, -n** (*wk.*) / die **Französin, -nen** French (*person*) (B)

**französisch** French (*adj.*)

(das) **Französisch** French (*language*) (B)

**französischsprachig** French-speaking

die **Frau, -en** Ms., Mrs.; woman; wife (A)

**frauenfeindlich** misogynistic(ally)

die **Frauenfrage, -n** issue of women's rights

der **Frauenhass** misogyny

die **Frauenquote, -n** proportion of women

der **Frauensekretär, -e** / die **Frauensekretärin, -nen** secretary for women's affairs

das **Fräulein, -** Miss

**frech** impudent(ly)

**frei** free(ly) (B); empty, available; **in freier Natur** out in the open (country); **Ist hier noch frei?** Is this seat available?

**frei•haben (hat ... frei), hatte ... frei, freigehabt** to have . . . free; to have time off

die **Freiheit, -en** freedom, liberty (4)

**freiheitlich** liberal(ly)

das **Freilichtmuseum, Freilichtmuseen** open-air museum

der **Freitag, -e** Friday (1)

**freiwillig** voluntary, voluntarily (10); optional

die **Freizeit** leisure time

**fremd** foreign, strange (2)

der/die **Fremde, -n (ein Fremder)** foreigner

der **Fremdenhass** xenophobia

die **Fremdsprache, -n** foreign language (1)

die **Frequenz, -en** frequency

das **Frequenzsprung-Verfahren, -** frequency hopping process

**fressen (frisst), fraß, gefressen** to eat (*said of an animal*) (9)

die **Freude, -n** joy; pleasure (2)

sich **freuen (über** + *acc.*)**, gefreut** to be happy (about), pleased (about) (11); **sich freuen auf** (+ *acc.*) to look forward to

der **Freund, -e** / die **Freundin, -nen** friend (A); boyfriend/girlfriend

der **Freundeskreis, -e** circle of friends

**freundlich** friendly (B)

die **Freundschaft, -en** friendship

der **Frieden, -** peace (12)

das **Friedensgebet, -e** prayer for peace

der **Friedhof, ¨e** cemetery

**friedlich** peaceful(ly) (9)

**frisch** fresh(ly) (8)

der **Friseur, -e** / die **Friseurin, -nen** hairdresser

die **Frisur, -en** hairstyle

**froh** happy; cheerful

**fröhlich** happy/happily; cheerful(ly)

die **Fröhlichkeit** cheerfulness

der **Frosch, ¨e** frog (9)

die **Frucht, ¨e** fruit (8)

**früh** early (1); in the morning; **bis um vier Uhr früh** until four in the morning; **früher** former(ly); **früher war das** that used to be; **heute früh** this morning (4); **morgen früh** tomorrow morning

der **Frühjahrsputz** spring cleaning

der **Frühling, -e** spring (B); **im Frühling** in the spring (B)

das **Frühstück, -e** breakfast (2); **zum Frühstück** for breakfast

**frühstücken, gefrühstückt** to eat breakfast (1)

der **Fuchs, ¨e** fox

das **Fugenelement, -e** linking element

(sich) **fühlen, gefühlt** to feel (3); to touch; **Ich fühle mich ...** I feel . . . (3); **sich wohl fühlen** to feel well; **Wie fühlst du dich?** How do you feel? (3)

**führen, geführt** to lead (5); **den Haushalt führen** (+ *dat.*) to keep house (*for s.o.*); **ein Gespräch führen** to have a conversation; **Krieg führen** to wage war

der **Führer, -** / die **Führerin, -nen** leader; guide

der **Führerschein, -e** driver's license

**füllen, gefüllt** to fill

das **Fundament, -e** foundation, basis

**fünf** five (A)

**fünft-** fifth

**fünfundzwanzig** twenty-five (A)

**fünfzehn** fifteen (A)

**fünfzehnt-** fifteenth

**fünfzig** fifty (A); **die 50er Jahre** (*pl.*) the '50s

die **Funktion, -en** function (12)

**funktionieren, funktioniert** to work, function (5)

**für** (+ *acc.*) for (2); **was für** what kind of

**furchtbar** terrible, terribly (4)

sich **fürchten (vor** + *dat.*)**, gefürchtet** to fear, be afraid (of) (10)

**fürchterlich** awful(ly); terrible, terribly

**fürs** = **für das** for the

**fusionieren, fusioniert** to merge

der **Fuß, ¨e** foot (B); **zu Fuß** on foot (3)

der **Fußball, ¨e** soccer ball (A); soccer

der **Fußballplatz, ¨e** soccer field

der **Fußgänger, -** pedestrian

**füttern, gefüttert** to feed (9)

**futuristisch** futuristic(ally)

## G

die **Gabe, -n** gift

die **Gabel, -n** fork

die **Galerie, -n** gallery

die **Galle, -n** gall

der **Gang, ¨e** hallway, aisle (10)

die **Gans, ¨e** goose

**ganz** complete(ly), whole, wholly; quite (2); rather; **den ganzen Tag** all day long; **ganz Deutschland** all of Germany; **ganz gut** quite good; **ganz schön viel** quite a bit

**gar: gar kein(e)** no . . . at all; **gar nicht** not at all (3); **gar nichts** nothing at all

die **Garage, -n** garage

**garantieren, garantiert** to guarantee

der **Garten, ¨** garden; yard (6)

die **Gärtnerei, -en** plant nursery

das **Gas, -e** gas (12)

die **Gasse, -n** narrow street; alley (10)

der **Gast, ¨e** guest (2); patron, customer

die **Gastfamilie, -n** host family

die **Gastfreundschaft** hospitality

das **Gasthaus, ¨er** inn

der **Gaul, ¨e** horse

**geb.** = **geboren** born

das **Gebälk, -e** beams, rafters; woodwork

das **Gebäude, -** building (6)

**geben (gibt), gab, gegeben** to give (A); **eine Party geben** to throw a party; **es gibt ...** there is/are . . . **geben Sie mir** give me (A); **gibt es ...?** is there . . . ? are there . . . ? (A); **sich** (*dat.*) **einen Termin geben lassen** to get an appointment

das **Gebiet, -e** area (B)

das **Gebilde, -** object; creation, construction

das **Gebirge, -** (range of) mountains (7)

**geboren** born (1); **Wann sind Sie geboren?** When were you born? (1)

**gebraten** (*p.p. of* **braten**) roasted; broiled; fried; **gebratene Eier** (*pl.*) fried eggs

der **Gebrauch, ¨e** use (8)

**gebrauchen, gebraucht** to use

die **Gebrüder** (*pl.*) brothers

die **Geburt, -en** birth (6)

der **Geburtsort, -e** birthplace

der **Geburtstag, -e** birthday (1); **zum Geburtstag** for someone's birthday (2)

die **Geburtsurkunde, -n** birth certificate

der **Gedanke, -n** (*wk.*) thought (5)

das **Gedicht, -e** poem (3)

die **Gefahr, -en** danger (2)

**gefährlich** dangerous(ly) (8)

**gefahrlos** safe(ly)

**gefallen** (+ *dat.*) **(gefällt), gefiel, gefallen** to be to one's liking; to please (6); **es gefällt mir** I like it (6)

der/die **Gefangene, -n (ein Gefangener)** prisoner, captive

das **Gefängnis, -se** prison, jail (6)

das **Gefühl, -e** feeling (3)

**gegen** (+ *acc.*) against; about (*with time*) (9); **ein Medikament gegen** medicine for (11)

das **Gegenbeispiel, -e** counter-example

**gegenseitig** mutual(ly)

der **Gegenstand, ¨e** object, item (B)

**gegenüber** (+ *dat.*) opposite; across (6); **gleich gegenüber** just across (the way) (6)

**gegenüberliegend** on the opposite side

**gegenwärtig** current(ly) (12)

**gegrillt** (*p.p. of* **grillen**) grilled; broiled; barbecued

das **Gehalt, ¨er** salary

**geheim** secret(ly) (8)

das **Geheimnis, -se** secret (5)

die **Geheimzahl, -en** secret PIN (personal identification number) (8)

**gehen (geht), ging, ist gegangen** to go; to walk (A); **einkaufen gehen** to go shopping (1); **geht das?** is that possible?; **in Erfüllung gehen** to come true; **ins Bett gehen** to go to bed (1); **nach Hause gehen** to go home (1); **schief gehen** to go wrong; **spazieren gehen** to go for a walk (1); **wie geht es dir?** (*infor.*) / **wie geht es Ihnen?** (*for.*) how are you?

das **Gehirn, -e** brain (11)

**gehören** (+ *dat.*)**, gehört** to belong to (*s.o.*) (6); (**zu** + *dat.*) to belong (*to s.th.*)

die **Gehorsamkeit** obedience

der **Geist, -er** mind; spirit; ghost (8)

das **Geisterhaus, ¨er** haunted house

**geistig** mental(ly); intellectual(ly) (10)

**gekocht** (*p.p. of* **kochen**) cooked; boiled; **gekochte Eier** (*pl.*) boiled eggs

das **Gel, -s** gel

das **Gelände, -** area, premises

**gelb** yellow (A)

das **Geld** money (2)

das **Geldgeschäft, -e** financial transaction

der **Geldschein, -e** note, bill (*of currency*)

der/die **Gelehrte, -n (ein Gelehrter)** scholar

der/die **Geliebte, -n (ein Geliebter)** friend, lover (3)

**gelingen** (+ *dat.*) **(gelingt), gelang, ist gelungen** to succeed, be successful (8); **Es ist mir/ihr/ihm gelungen.** I/She/He succeeded. (8)

**gelten (als) (gilt), galt, gegolten** to be valid (as), count (as) (3); to be regarded (as)

das **Gelüst, -e** craving

das **Gemälde, -** painting

**gemäßigt** moderate

**gemein** mean

**gemeinsam** in common; together (6)

die **Gemeinsamkeit, -en** togetherness; commonality

**gemeinschaftlich** collective(ly), together

**gemischt** (*p.p. of* **mischen**) mixed

das **Gemüse** (*sg.*) vegetable(s)

**gemütlich** cozy, cozily (10)

**genau** exact(ly) (1)

**genauso** just as

das **Gender** gender

der **Gendergap, -s** gender gap

**generisch** generic(ally)

(das) **Genf** Geneva

**genießen (genießt), genoss, genossen** to enjoy, savor (8)

das **Genre, -s** genre

**genug** enough (3)

**genügen, genügt** to be enough

**genügend** sufficient(ly)

das **Genus, Genera** gender

die **Geografie** geography

**geometrisch** geometric(ally)

das **Gepäck** luggage

der **Gepard, -e** cheetah

**gerade** straight; just now (3); upright; **gerade stellen** to straighten

**geradeaus** straight ahead (10)

**geradeswegs** straight; directly

das **Gerät, -e** device, gadget, appliance (10)

**geraten (in** + *acc.*) **(gerät), geriet, geraten** to get (into) (9); **in Brand geraten** to catch fire

das **Geräusch, -e** sound, (soft) noise (7)

**gerecht** just(ly), fair(ly) (6)

die **Gerechtigkeit** justice

das **Gericht, -e** court(house); dish, meal (5, 8); **auf dem Gericht** at the courthouse

die **Gerichtsverhandlung, -en** trial, hearing

**gering** slight, minor (B)

der **Germane, -n** (*wk.*) / die **Germanin, -nen** ancient German, Teuton

**germanisch** Germanic (*adj.*)

der **Germanist, -en** (*wk.*) / die **Germanistin, -nen** Germanist, German scholar

die **Germanistik** German studies

**gern(e)** gladly; with pleasure (1); (*with verb*) to like to; **ich hätte gern** I would like to have (*s.th.*) (5)

der **Geruch, ¨-e** scent, smell (7)

**gesamt** whole; combined (6)

der/die **Gesandte, -n (ein Gesandter)** envoy

das **Geschäft, -e** store (2); business

**geschäftlich** (*relating to*) business

die **Geschäftsfrau, -en** businesswoman

der **Geschäftsführer, -** / die **Geschäftsführerin, -nen** manager (8)

der **Geschäftsmann, ¨-er** businessman

**geschehen (geschieht), geschah, ist geschehen** to happen (2); to occur

das **Geschenk, -e** gift (2)

die **Geschichte, -n** history; story (1)

**geschieden** (*p.p. of* **scheiden**) divorced

das **Geschirr** (*sg.*) dishes; **das Geschirr spülen** to wash the dishes

das **Geschlecht, -er** sex; gender (12)

**geschlechtergerecht** gender-equitable

der **Geschmack, ¨-e** taste (11)

die **Geschwister** (*pl.*) brother(s) and sister(s), siblings (B)

der **Gesellenbrief, -e** apprenticeship certificate

die **Gesellenprüfung, -en** trade workers' examination

die **Gesellschaft, -en** society (12)

**gesellschaftlich** social(ly), societal(ly) (12)

das **Gesetz, -e** law (3)

**gesetzlich** legal(ly); statutory; lawful(ly) (11)

das **Gesicht, -er** face (B)

das **Gespenst, -er** ghost, spirit

das **Gespräch, -e** conversation (1)

**gestalten, gestaltet** to shape, make, design (12)

das **Geständnis, -se** confession

die **Geste, -n** gesture

**gestehen (gesteht), gestand, gestanden** to confess

**gestern** yesterday (4); **gestern Abend** last night

**gestresst** (*p.p.* of **stressen**) (*coll.*) stressed out; under stress

**gesund (gesünder, gesündest-)** healthy, healthily (8)

die **Gesundheit** health (11)

das **Getöse** roar

das **Getränk, -e** beverage (8)

das **Getreide** grain

**getrennt** (*p.p. of* **trennen**) separate(ly); with separate checks (5)

die **Gewalt, -en** violence; force (12)

das **Gewehr, -e** rifle

die **Gewerkschaft, -en** trade union, labor union

das **Gewicht, -e** weight

der **Gewinn, -e** profit, yield, earnings (8)

**gewinnen (gewinnt), gewann, gewonnen** to win (4)

der **Gewinner, -** / die **Gewinnerin, -nen** winner

**gewöhnlich** ordinary, ordinarily

das **Gewürz, -e** spice; seasoning

**gießen (gießt), goss, gegossen** to water; to pour (5)

das **Gift, -e** poison

**giftig** poisonous (9)

der **Gipfel, -** mountaintop

die **Giraffe, -n** giraffe

das **Girokonto, Girokonten** checking account

die **Gitarre, -n** guitar

das **Glas, ¨-er** glass (5)

**gläsern** (*adj.*) (made of) glass

die **Glatze, -n** bald head

**glauben (an** + *acc.*), **geglaubt** to believe (in) (2)

**gleich** (*adj.*) same, equal (2); (*adv.*) right away (2); just; right, directly; **gleich gegenüber** just across (the way) (6)

**gleichberechtigt** having equal rights

die **Gleichberechtigung** equal rights

**gleichgeschlechtlich** homosexual, same-sex

das **Gleichgewicht, -e** balance, equilibrium (11)

**gleichzeitig** simultaneous(ly)

das **Gleis, -e** (set of) train tracks

**global** global(ly)

die **Glocke, -n** bell (10)

das **Glück** luck; happiness (3); **Glück haben** to have luck, be lucky; **Viel Glück!** Lots of luck! Good luck! **zum Glück** luckily, fortunately

**glücklich** happy, happily (B)

**gnädig** gracious, kind, dear; **gnädige Frau** Madam (*very formal way of addressing a woman*)

das **Gold** gold (5)

**golden** gold(en)

das **Golf** golf

der **Gott, ¨-er** god; God (3); **grüß Gott** good afternoon; hello (*for.; southern Germany, Austria*) (A)

**Göttinger** (*adj.*) (of) Göttingen

der **Gourmet, -s** gourmet

der **Gouverneur, -e** governor

das **Grab, ¨-er** grave, tomb

der **Grad, -e** degree (B); **2 Grad Celsius** 2 degrees Celsius

die **Grafik, -en** drawing; graphic(s)

der **Grafiker, -** / die **Grafikerin, -nen** graphic designer

die **Grammatik, -en** grammar; grammar book (1)

**grammatikalisch** grammatical(ly)

das **Gras, ¨-er** grass

**grau** gray (A)

**grauen, gegraut**: **es graut mir/mich** I dread

**grausam** cruel(ly)

**greifen (greift), griff, gegriffen** to grab, grasp (11)

die **Grenze, -n** limit, border (12)

**grenzen an** (+ *acc.*), **gegrenzt** to border on

der **Grieche, -n** (*wk.*) / die **Griechin, -nen** Greek (*person*)

(das) **Griechenland** Greece

**grillen, gegrillt** to grill, barbecue

**grinsen, gegrinst** to grin

die **Grippe, -n** influenza, flu

**groß (größer, größt-)** tall; big (B); great; in a big way

**großartig** great, magnificent(ly) (10)

(das) **Großbritannien** Great Britain

die **Größe, -n** height (1); size

die **Großeltern** (*pl.*) grandparents

die **Großfamilie, -n** extended family

der **Großglockner** *mountain in the Austrian alps*

die **Großmutter, ¨** grandmother (B)

**größtenteils** for the most part

der **Großvater, ¨** grandfather (B)

**grüezi** hi (*Switzerland*)

**grün** green (A); **Die Grünen** The Greens (*political party*)

der **Grund, ¨e** ground; basis; reason, cause (2)

**gründen, gegründet** to found, establish (4)

der **Gründer, -** / die **Gründerin, -nen** founder

die **Grundlage, -n** base, basis (11)

der **Grundsatz, ¨e** principle, tenet (11)

die **Grundschule, -n** elementary school

das **Grundstück, -e** plot of land, property (6)

die **Gründung, -en** foundation, establishment

der **Grundwert, -e** basic value

die **Gruppe, -n** group (5)

der **Gruselfilm, -e** horror film (2)

der **Gruß, ¨e** greeting (9)

**grüßen, gegrüßt** to greet, say hi to (10); **grüß dich** hello (*infor.; southern Germany, Austria*); **grüß Gott** good afternoon; hello (*for.; southern Germany, Austria*) (A)

die **Grütze, -n** groats; **rote Grütze** red fruit pudding

**gucken, geguckt** (*coll.*) to look (at); to watch

der **Gummibaum, ¨e** rubber tree

**günstig** favorable, favorably; convenient(ly) (8)

die **Gurke, -n** cucumber

**gut** good; well; **Das steht / Die stehen dir gut!** That looks / Those look good on you! (2); **ganz gut** very good; quite well; **guten Abend** good evening (A); **guten Morgen** good morning (A); **guten Tag** good afternoon; hello (*for.*) (A); **mach's gut** take care (*infor.*)

die **Güte** goodness; **Du meine Güte!** (*coll.*) My goodness!

das **Guthaben, -** bank balance

der **Gutschein, -e** voucher, coupon

das **Gymnasium, Gymnasien** high school, college preparatory school (6)

## H

das **Haar, -e** hair (A, B); **Haare schneiden** to cut hair

**haben (hat), hatte, gehabt** to have (A); **Angst haben (vor** + *dat.***)** to be afraid (of) (3); **Erfolg haben** to be successful; **Hunger haben** to be hungry (3); **ich hätte gern** I would like to have (*s.th.*) (5); **Interesse haben an** (+ *dat.*) to be interested in; **lieb haben** to love, be fond of (9); **Lust haben** to feel like (*doing s.th.*) (3); **recht haben** to be right (2); **welche Farbe hat ...?** what color is . . . ? **zu haben** available

der **Habsburger, -** Habsburg

das **Hackfleisch** ground meat

der **Hafen, ¨** harbor, port (10)

der **Hai, -e** shark

**halb** half (1); **halb zehn** half past nine, nine thirty

die **Halbinsel, -n** peninsula

die **Hälfte, -n** half (6)

**hallo** hello (A)

der **Hals, ¨e** neck; throat (9)

die **Halskette, -n** necklace

das **Halstuch, ¨er** bandanna

**halten (hält), hielt, gehalten** to hold; to stop (2); to keep; **ein Referat halten** to give a paper / oral report; **halten für** (+ *acc.*) to consider; to think of as; **halten von** (+ *dat.*) to think about, feel about (12); **sich halten an** (+ *acc.*) to keep to, follow

die **Haltestelle, -n** stop (10)

der **Hamburger, -** hamburger

der **Hamster, -** hamster

die **Hand, ¨e** hand (B); **die Hand schütteln** to shake hands (A)

der **Handel** trade, commerce; deal (7)

**handeln, gehandelt** to act; to negotiate (9); **(von** + *dat.***)** to be about (9)

der **Händler, -** / die **Händlerin, -nen** merchant, dealer

die **Handlung, -en** plot, act; action (10)

der **Handschuh, -e** glove

das **Handtuch, ¨er** hand towel

**handwerklich** handy

das **Handy, -s** cell phone (2)

**hängen (hängt), hing, gehangen** to hang, be in a hanging position (3)

**hängen, gehängt** to hang (up), put in a hanging position (3)

(das) **Hannover** Hanover

die **Hanse** Hanseatic League

das **Happyend, -s** happy ending

**hart (härter, härtest-)** hard (4)

**hartnäckig** obstinate(ly), stubborn(ly)

der **Harz** *mountain range in Germany*

der **Hase, -n** (*wk.*) hare (10)

der **Hass** hate, hatred (12)

**hassen, gehasst** to hate

**hässlich** ugly

die **Haube, -n** bonnet; cap

**häufig** frequent(ly) (A); common(ly)

die **Häufigkeit, -en** frequency

**Haupt-** main (*prefixed to nouns*)

**hauptsächlich** primary, primarily, main(ly) (11)

die **Hauptstadt, ¨e** capital city (B)

das **Haus, ¨er** house (1); **nach Hause gehen** to go home (1); **zu Hause** at home (A)

der **Hausarrest, -e** house arrest

der **Hausarzt, ¨e** / die **Hausärztin, -nen** family doctor

die **Hausaufgabe, -n** homework (A)

das **Häuschen, -** small house, cottage

der **Haushalt, -e** household; housekeeping; budget (6)

das **Hausmittel, -** home remedy

das **Haustier, -e** pet

die **Haut, ¨e** skin (4)

**heben (hebt), hob, gehoben** to raise, lift (10)

die **Hecke, -n** hedge

die **Hefe, -n** yeast

das **Heft, -e** notebook (B)

**heftig** heavy, heavily; severe(ly), fierce(ly) (10)

**hei** hey

das **Heidebrot** *type of rye bread*

**heilen, geheilt** to heal

**heilig** holy; **der Heilige Abend** Christmas Eve

die **Heilpflanze, -n** medicinal plant

die **Heimat, -en** home, homeland (6)

**heim•kommen (kommt ... heim), kam ... heim, ist heimgekommen** to come home

**heimlich** secret(ly) (9)

das **Heimweh** homesickness; **Heimweh haben** to be homesick

die **Heirat, -en** marriage

**heiraten, geheiratet** to marry (3)

**heiß** hot (B)

**heißen (heißt), hieß, geheißen** to be called/named (A); **ich heiße ...** my name is . . . (A); **wie heißen Sie?** (*for.*) / **wie heißt du?** (*infor.*) what's your name? (A)

**heiter** cheerful(ly)

die **Heiterkeit** cheerfulness

die **Heizung, -en** heating

der **Held, -en** (*wk.*) / die **Heldin, -nen** hero (4)

**helfen** (+ *dat.*) **(hilft), half, geholfen** to help (6)

der **Helfer, -** / die **Helferin, -nen** assistant, helper (11)

**hell** light; bright(ly) (6)

der **Helm, -e** helmet

das **Hemd, -en** shirt (A)

**hemmen, gehemmt** to inhibit, impede (11)

die **Henne, -n** hen

**her** (to) here, hither; this way (10); **hin und her** to and fro; back and forth; **von** (+ *dat.*) **... her** as far as . . . is concerned

**herab•kommen (kommt ... herab), kam ... herab, ist herabgekommen** to come down

**herauf** up (*toward the speaker*)

**herauf•holen, heraufgeholt** to bring up, retrieve

**heraus** out this way (10); **aus** (+ *dat.*) ... **heraus** out (of)

**heraus•finden (findet ... heraus), fand ... heraus, herausgefunden** to find out (8)

die **Herausforderung, -en** challenge

**heraus•geben (gibt ... heraus), gab ... heraus, herausgegeben** to publish; to edit

der **Herausgeber, -** / die **Herausgeberin, -nen** publisher; editor

**heraus•kommen (kommt ... heraus), kam ... heraus, ist herausgekommen** to come out, appear (10)

**heraus•nehmen (nimmt ... heraus), nahm ... heraus, herausgenommen** to take out

**heraus•schießen (schießt ... heraus), schoss ... heraus, herausgeschossen** to shoot out

**heraus•springen (springt ... heraus), sprang ... heraus, ist herausgesprungen** to jump out

**heraus•suchen, herausgesucht** to pick out

**herb** sharp(ly); harsh(ly); bitter(ly)

**herbei•schleppen, herbeigeschleppt** to haul over

die **Herberge, -n** hostel

der **Herbst, -e** fall, autumn (B)

der **Herd, -e** stove

**herein** in this way (10)

**herein•holen, hereingeholt** to bring in

**herein•kommen (kommt ... herein), kam ... herein, ist hereingekommen** to come in (10)

**her•gehen (geht ... her), ging ... her, ist hergegangen** to go along

der **Hering, -e** herring

**her•kommen (kommt ... her), kam ... her, ist hergekommen** to come this way (10); to originate

die **Herkunft, ⸚e** origin, extraction (9)

der **Herr, -en** (*wk.*) Mr.; gentleman (A)

die **Herrschaft, -en** rule; dominion

**herrschen, geherrscht** to govern, rule, reign (8); to prevail

**her•schauen, hergeschaut** to look this way

**her•stellen, hergestellt** to make, produce, manufacture (7)

der **Hersteller, -** / die **Herstellerin, -nen** producer; manufacturer

**herüber** over

**herum** around (10); round about; **um** (+ *acc.*) ... **herum** around

**herum•gehen (um** + *acc.***) (geht ... herum), ging ... herum, ist herumgegangen** to go around (*s.th.*)

**herum•laufen (läuft ... herum), lief ... herum, ist herumgelaufen** to run around

**herum•stehen (steht ... herum), stand ... herum, herumgestanden** to stand around

**herum•tragen (trägt ... herum), trug ... herum, herumgetragen** to carry around

**herum•trampeln, ist herumgetrampelt** to stomp about

**herunter** down this way (10)

**herunter•kommen (kommt ... herunter), kam ... herunter, ist heruntergekommen** to come down

**herunter•laden (lädt ... herunter), lud ... herunter, heruntergeladen** to download

**herunter•steigen (steigt ... herunter), stieg ... herunter, ist heruntergestiegen** to climb down

**hervor•gehen (aus** + *dat.***) (geht ... hervor), ging ... hervor, ist hervorgegangen** to arise (from), develop (from)

**hervorragend** excellent(ly) (3)

**hervor•rufen (ruft ... hervor), rief ... hervor, hervorgerufen** to call forth, elicit (9)

das **Herz, -en** (*wk., gen.* **-ens**) heart (3)

der **Herzanfall, ⸚e** heart attack

die **Herzdruckmassage, -n** cardiac massage, chest compression

die **Herzenssache, -n** matter of the heart

der **Herzinfarkt, -e** heart attack

**herzlich** hearty, heartily

das **Herzogtum, ⸚er** duchy

**heuer** this year (*southern Germany*)

**heute** today (B); **heute Abend** this evening (2); **heute früh** this morning (4); **heute Morgen** this morning; **heute Nachmittag** this afternoon; **Welcher Tag ist heute?** What day is today? (1); **Welches Datum ist heute?** What is today's date?

**heutig** (*adj.*) today's; present-day (6)

die **Hexe, -n** witch

**hexen, gehext** to cast spells, hex

das **Hexenbuch, ⸚er** book of spells

**hier** here (A); **Ist hier noch frei?** Is this seat available?

die **Hilfe, -n** help (11)

**hilflos** helpless(ly)

**hilfreich** helpful(ly)

der **Himmel, -** sky; heaven (10)

**himmlisch** heavenly

**hin** that way; there; to (*a place*) (10); **hin und her** to and fro; back and forth; **hin und wieder** now and then; **hin und zurück** return, round-trip (5)

**hin•arbeiten (auf** + *acc.***), hingearbeitet** to work (towards)

**hinauf** up that way (10)

**hinauf•gehen (geht ... hinauf), ging ... hinauf, ist hinaufgegangen** to go up that way

**hinauf•steigen (steigt ... hinauf), stieg ... hinauf, ist hinaufgestiegen** to climb up

**hinaus** out (5)

**hinaus•bringen (bringt ... hinaus), brachte ... hinaus, hinausgebracht** to bring out

**hinaus•führen, hinausgeführt** to lead out

**hinaus•gehen (geht ... hinaus), ging ... hinaus, ist hinausgegangen** to go outside (10)

das **Hindernis, -se** obstacle

**hindurch** through; **durch** (+ *acc.*) ... **hindurch** through

**hindurch•gehen (geht ... hindurch), ging ... hindurch, ist hindurchgegangen** to go through

**hinein** in(ward); into it (9); **in** (+ *acc.*) ... **hinein** into

**hinein•beißen (beißt ... hinein), biss ... hinein, hineingebissen** to bite in

**hinein•führen, hineingeführt** to lead in

**hinein•geben (gibt ... hinein), gab ... hinein, hineingegeben** to put in

**hinein•gehen (in** + *acc.***) (geht ... hinein), ging ... hinein, ist hineingegangen** to go (into)

**hinein•geraten (in** + *acc.***) (gerät ... hinein), geriet ... hinein, ist hineingeraten** to get (into)

**hinein•laufen (in** + *acc.***) (läuft ... hinein), lief ... hinein, ist hineingelaufen** to run (into)

**hin•fallen (fällt ... hin), fiel ... hin, ist hingefallen** to fall down

**hin•gehen (geht ... hin), ging ... hin, ist hingegangen** to go that way (10)

**hin•legen, hingelegt** to lay down; **sich hinlegen** to lie down

**hin•schauen, hingeschaut** to look

**hinter** (*prep.* + *dat./acc.*) behind; (*adj.*) back

der **Hintergrund, ⸚e** background (B)

**hinterher•fahren (fährt ... hinterher), fuhr ... hinterher, ist hinterhergefahren** to drive behind, follow

**hinterher•schauen, hinterhergeschaut** to watch

**hinüber** over that way; **über** (+ *acc.*) ... **hinüber** over

**hinüber•gehen (geht ... hinüber), ging ... hinüber, ist hinübergegangen** to go over that way

**hinüber•rufen (ruft ... hinüber), rief ... hinüber, hinübergerufen** to call over

**hinüber•ziehen (zieht ... hinüber), zog ... hinüber, hinübergezogen** to pull over

**hinunter** down that way (10)

**hinunter•tauchen, hat/ist hinuntergetaucht** to dive down

**hinweg: über viele Jahrhunderte hinweg** for many centuries

der **Hinweis, -e** hint; reference, indication (12)

**hinzu** in addition (10)

**hinzu•fügen, hinzugefügt** to add (11)

**hinzu•kommen (kommt ... hinzu), kam ... hinzu, ist hinzugekommen** to come along, get added (10)

die **Historie, -n** history; story

**historisch** historical(ly) (2)

der **Hit, -s** (*coll.*) hit

die **Hitparade, -n** hit parade

die **Hitze** heat (8)

das **Hobby, -s** hobby (1)

**hoch (höher, höchst-)** high(ly) (4)

das **Hochhaus, ⸚er** high-rise building

**hoch•laden (lädt ... hoch), lud ... hoch, hochgeladen** to upload

die **Hochschule, -n** college (10); university

die **Hochzeit, -en** wedding

**hoffen, gehofft** to hope (3)

**hoffentlich** hopefully

die **Hoffnung, -en** hope (2)

**höflich** polite(ly)

die **Höhe, -n** height; amount (*of money*) (2)

der **Höhepunkt, -e** highlight (7)

die **Höhle, -n** cave (10)

**holen, geholt** to get, fetch (5)

(das) **Holland** Holland

**holländisch** Dutch (*adj.*)

(das) **Holländisch** Dutch (*language*)

die **Hölle, -n** hell

das **Holz, ⸚er** wood (12)

die **Hommage, -n** tribute

der **Honig** honey

**hören, gehört** to hear (1); to listen (to)

der **Hörtext, -e** listening text
die **Hose, -n** pants (A)
das **Hotel, -s** hotel (2)
**hübsch** pretty (A)
der **Hügel, -** hill (7)
das **Huhn, ¨-er** chicken (10)
der **Humor, -e** humor
**humorvoll** humorous(ly)
der **Hund, -e** dog (2)
das **Hundefutter** dog food
**hundert** hundred (A)
**hundertst-** hundredth
der **Hunger** hunger (3); **Hunger haben** to be hungry (3)
**hungrig** hungry, hungrily
**husten, gehustet** to cough
der **Husten, -** cough
das **Hustenbier** warm beer with honey
der **Hustenreiz** tickling in the throat; urge to cough
der **Hut, ¨-e** hat (A)
die **Hut** care; **auf der Hut sein** to be on one's guard
die **Hütte, -n** cabin; hut (6)
der **Hybrid, -e** hybrid (car)
die **Hybris** hubris
die **Hypnose, -n** hypnosis
die **Hypothese, -n** hypothesis
die **Hysterie, -n** hysteria

## I

der **ICE** = der **Intercity-Express** Intercity Express (train)
**ich** I (A); **Ich bin Deutsche/r.** I am German. (B)
die **Idee, -n** idea (3)
**identifizieren, identifiziert** to identify
die **Identität, -en** identity
die **Idylle, -n** idyll
**ihm** (*dat.*) him, it
**ihn** (*acc.*) him, it
**ihnen** (*dat.*) them
**Ihnen** (*for. dat.*) you
**ihr** (*dat. sg.*) her; (*infor. nom. pl.*) you
**ihr(e)** her, its; their (1)
**Ihr(e)** (*for.*) your (B)
**illegal** illegal(ly)
**im** = **in dem** in the
**immer** always (3); **immer mehr** more and more; **immer noch** still; **immer wieder** again and again
**immerhin** at least; anyway (7)
die **Immobilien** (*pl.*) real estate
**in** (+ *dat./acc.*) in (A); into; at; **im Ausland** abroad (6); **im ersten Stock** on the second floor (6); **im Frühling** in the spring (B); **im Januar** in January; **im Moment** at the moment, right now; **in der Nähe** in the vicinity (6); **in der Schule** at school; **in der Woche** during the week; **ins Bett gehen** to go to bed (1)
**inbegriffen** included
**indem** (*sub. conj.*) as; while; by (. . . ing) (8)
**indoeuropäisch** Indo-European (*adj.*)
die **Indogermanistik** Indo-European studies
die **Industrialisierung** industrialization
die **Industrie, -n** industry (10)
**industriell** industrial(ly)
der **Infinitiv, -e** infinitive
die **Informatik** computer science (1)
die **Information, -en** information (4)
**informieren (über** + *acc.*)**, informiert** to inform (about); **sich informieren über** (+ *acc.*) to find out about, catch up on (12)
der **Ingenieur, -e** / die **Ingenieurin, -nen** engineer
der **Inhalt, -e** contents (9)
die **Inhaltsangabe, -n** summary of contents
die **Initiative, -n** initiative (12)
die **Inkarnation, -en** incarnation
**inklusiv** inclusive(ly); **inklusive (inkl.)** including, inclusive of (*utilities*) (10)
die **Innenstadt, ¨-e** downtown (6)
**inner-** internal; inner (B)
(das) **Innerasien** central Asia
das **Innere (ein Inneres)** inside
**innerhalb** (+ *gen.*) within (9); inside of
**inoffiziell** unofficial(ly)
**ins** = **in das** in(to) the
**insbesondere** particularly (9)
die **Inschrift, -en** inscription
das **Insekt, -en** insect (7)
die **Insel, -n** island (7)
**insgesamt** overall, altogether (9)
der **Inspektor, -en** / die **Inspektorin, -nen** inspector
**installieren, installiert** to install
der **Instinkt, -e** instinct
das **Institut, -e** institute (7)
das **Instrument, -e** instrument (2)
die **Integration, -en** integration (12)
**integrieren, integriert** to integrate (12)
**intellektuell** intellectual(ly)
der/die **Intellektuelle, -n (ein Intellektueller)** intellectual
**intelligent** intelligent(ly) (7)
die **Intelligenz, -en** intelligence
**intensiv** intensive(ly)
die **Interaktion, -en** interaction
**interessant** interesting(ly) (7); **etwas Interessantes** something interesting
das **Interesse, -n** interest (5); **Interesse haben an** (+ *dat.*) to be interested in (5)
**interessieren, interessiert** to interest; **sich interessieren für** (+ *acc.*) to be interested in (7)
**international** international(ly) (7)
das **Internet** Internet; **im Internet surfen** to surf the Internet
das **Internetportal, -e** Internet portal
**interpretieren, interpretiert** to interpret
das **Interview, -s** interview (4)
**interviewen, interviewt** to interview
**introvertiert** introverted
der **I-Pod, -s** iPod
der **Iran** Iran
**irgendein** some; any (2)
**irgendwann** anytime; sometime (11)
**irgendwo** somewhere; anywhere
**irgendwohin** (to) somewhere; (to) anywhere
(das) **Irland** Ireland (B)
die **Irokesen-Konföderation** Iroquois Confederacy
die **Ironie, -n** irony (12)
**ironisch** ironic(ally)
**islamisch** Islamic
(das) **Island** Iceland
(das) **Italien** Italy
der **Italiener, -** / die **Italienerin, -nen** Italian (*person*)
**italienisch** Italian (*adj.*)
(das) **Italienisch** Italian (*language*)

## J

**ja** yes (A); indeed; **Das ist es ja!** That's just it! **wenn ja** if so
die **Jacke, -n** jacket (A)
die **Jagd, -en** hunt
**jagen, gejagt** to hunt (10)
der **Jäger, -** / die **Jägerin, -nen** hunter (9)
das **Jahr, -e** year (B); **als er acht Jahre alt war** when he was eight years old (5); **die zwanziger Jahre** (*pl.*) the '20s
der **Jahrestag, -e** anniversary
die **Jahreszahl, -en** date (year)
die **Jahreszeit, -en** season (12)
das **Jahrhundert, -e** century (5)
**-jährig** -year-old (*adj.*)
**jährlich** annual(ly)
das **Jahrzehnt, -e** decade (10)
der **Jammer** wailing; misery
der **Januar** January
(das) **Japan** Japan
**japanisch** Japanese (*adj.*) (8)
**je** (*adv.*) ever
**je** (*interj.*): **Oh je!** Oh dear!
die **Jeans** (*pl.*) jeans
**jedenfalls** at least, in any case (11)
**jeder, jedes, jede** each; every (1); **jede Woche** every week
**jederzeit** at any time
**jedoch** however (4)
**jemand** someone, somebody (2)
**jener, jenes, jene** (*dem. pron.*) that, those (12)

**jenseits** (+ *gen.*) beyond (12); **jenseits von** (+ *dat.*) beyond
der **Jesuit, -en** (*wk.*) Jesuit
**jetzig** present, current
**jetzt** now (3)
**jeweils** at a time, in each case (12)
der **Job, -s** job (B)
**jobben, gejobbt** (*coll.*) to work, do a job
**joggen, ist gejoggt** to jog
der **Joghurt, -s** yogurt
die **Johannisbeere, -n** currant
der **Jom Kippur, -** Yom Kippur
der **Journalist, -en** (*wk.*) / die **Journalistin, -nen** journalist (5)
**journalistisch** journalistic(ally)
der **Jude, -n** (*wk.*) / die **Jüdin, -nen** Jew (10)
**jüdisch** Jewish (10)
die **Jugend** youth (9); young people
die **Jugendherberge, -n** youth hostel
der/die **Jugendliche, -n (ein Jugendlicher)** teenager, youth (3)
die **Jugendsünde, -n** youthful folly
der **Juli** July
**jung (jünger, jüngst-)** young (B)
der **Junge, -n** (*wk.*) boy (A)
der **Jünger, -** / die **Jüngerin, -nen** disciple
die **Jungfer, -n** maiden; **alte Jungfer** old maid, spinster
der **Juni** June
der **Juniorpartner, -** / die **Juniorpartnerin, -nen** junior partner
**Jura** law (studies)
der **Jurist, -en** (*wk.*) / die **Juristin, -nen** jurist, lawyer

## K

der **Käfer, -** beetle
der **Kaffee** coffee (1)
der **Kaffeefilter, -** coffee filter
der **Käfig, -e** cage
der **Kaiser, -** / die **Kaiserin, -nen** emperor/ empress (8)
**kaiserlich** imperial(ly)
das **Kaiserreich, -e** empire
der **Kaiserschmarren** *an Austrian pancake dish*
der **Kakao** cocoa; hot chocolate
der **Kaktus, Kakteen** cactus
(das) **Kalifornien** California
**kalt (kälter, kältest-)** cold(ly) (B)
die **Kälte** cold (12)
das **Kamel, -e** camel
die **Kamera, -s** camera (2)
der **Kamillentee** chamomile tea
der **Kamin, -e** hearth, fireplace
sich **kämmen, gekämmt** to comb one's hair
der **Kampf, ¨-e** fight (9); battle; struggle
**kämpfen, gekämpft** to fight (9)

(das) **Kanada** Canada (B)
der **Kanadier, -** / die **Kanadierin, -nen** Canadian (*person*) (B)
der **Kandidat, -en** (*wk.*) / die **Kandidatin, -nen** candidate (12)
das **Känguru, -s** kangaroo
der **Kanton, -e** canton
das **Kanu, -s** canoe; **Kanu fahren** to go canoeing
der **Kanzler, -** / die **Kanzlerin, -nen** chancellor (12)
der **Kapitalismus** capitalism
**kapitalistisch** capitalistic(ally)
der **Kapitän, -e** / die **Kapitänin, -nen** captain
das **Kapitel, -** chapter (1)
das **Käppchen, -** little cap; little hood
**kaputt** broken (A)
**kaputt•machen, kaputtgemacht** to break; to ruin
**kariert** checked, checkered
(das) **Kärnten** Carinthia (*Austrian state*)
die **Karotte, -n** carrot
die **Karriere, -n** career
die **Karte, -n** card (1); ticket; map
die **Kartoffel, -n** potato (8)
der **Kartoffelchip, -s** potato chip
das **Karussell, -s** carousel
der **Käse, -** cheese (8)
die **Kasse, -n** ticket booth (5); cashier window
der **Kassierer, -** / die **Kassiererin, -nen** cashier
das **Kassler, -s** *salted and smoked pork*
die **Kastanie, -n** chestnut
der **Kasten, ¨** box
der **Kasus, -** (grammatical) case
(das) **Katar** Qatar
die **Katastrophe, -n** catastrophe (12)
die **Kategorie, -n** category (7)
der **Kater, -** hangover
die **Kathedrale, -n** cathedral
**katholisch** Catholic (*adj.*)
die **Katze, -n** cat (2)
**kauen, gekaut** to chew
**kaufen, gekauft** to buy (1)
der **Käufer, -** / die **Käuferin, -nen** buyer; customer (6)
das **Kaufhaus, ¨-er** department store
**kaum** barely, hardly (9)
der **Kaviar, -e** caviar
**kehren, gekehrt** to sweep (5)
**kein(e)** no; none (2); **gar kein(e)** no . . . at all; **kein bisschen** not a bit (3)
der **Keller, -** basement, cellar (4)
der **Kellner, -** / die **Kellnerin, -nen** waitperson (8)
(das) **Kenia** Kenya
**kennen (kennt), kannte, gekannt** to know (A); to be acquainted with

**kennen•lernen, kennengelernt** to get acquainted with (1); to meet
die **Kenntnis, -se** knowledge; skill (5)
**kennzeichnen, gekennzeichnet** to characterize; to label, mark (6)
die **Kerze, -n** candle (3)
der **Kessel, -** kettle; pot; boiler
die **Kette, -n** chain; necklace (2)
**kg** = das **Kilogramm, -e** kilogram
der **Kilometer, -** kilometer (2)
der **Kilometerstand** mileage
das **Kind, -er** child (B)
die **Kinderarbeit** child labor
der **Kindergarten, ¨** preschool (6)
das **Kindergeld** child-care allowance
der **Kinderreim, -e** nursery rhyme
der **Kinderwagen, -** baby carriage
die **Kindheit** childhood (9)
der **Kinetismus** kineticism (*artistic movement*)
das **Kino, -s** movie theater, cinema (1); **ins Kino gehen** to go to the movies
die **Kirche, -n** church (5)
der **Kirchentag, -e** church congress
die **Kirsche, -n** cherry
das **Kissen, -** cushion, pillow
die **Kiwi, -s** kiwi (fruit)
**Kl.** = die **Klasse, -n** class
die **Klammer, -n** bracket; parenthesis
der **Klang, ¨-e** sound; tone
**klappen, geklappt** (*coll.*) to go well, work (out)
die **Klapperschlange, -n** rattlesnake
**klar** clear(ly) (4); **Klar!** Of course!
**klären, geklärt** to clarify
die **Klasse, -n** class; grade (5)
die **Klassenarbeit, -en** (written) class test
das **Klassentreffen, -** class reunion
die **Klassik** classical period
**klassisch** classic(al)(ly) (8)
**klatschen, geklatscht** to clap
der **Klatscher, -** / die **Klatscherin, -nen** clapper
**klauen, geklaut** (*coll.*) to steal, snitch (10)
die **Klausur, -en** test
das **Klavier, -e** piano (2)
**kleben, geklebt** to stick, adhere; to be sticky
das **Kleid, -er** dress (A); **Kleider** (*pl.*) clothes
(sich) **kleiden, gekleidet** to clothe (*o.s.*)
der **Kleiderschrank, ¨-e** clothes closet, wardrobe
die **Kleidung** (*sg.*) clothes (12)
**klein** short; small (B)
der **Kletterer, -** / die **Kletterin, -nen** climber
**klettern, ist geklettert** to climb; to scramble (8)
das **Klima, -s** climate (9)
der **Klimawandel** climate change (10)
**klingeln, geklingelt** to ring
**klingen (nach** + *dat.***) (klingt), klang, geklungen** to sound (like); to ring (5)
die **Klinik, -en** clinic

die **Klinke, -n** door handle
das **Klischee, -s** cliché
**klischeehaft** stereotyped
**klopfen, geklopft** to knock (9)
der **Kloß, ¨-e** dumpling
das **Kloster, ¨** cloister; monastery; nunnery
**km** = der **Kilometer, -** kilometer
der **Knall, -e** bang
**knapp** scarce(ly); just, barely (7); meager
**knäuschen** *onomatopoeic word for nibbling*
die **Kneipe, -n** bar, tavern (1)
das **Knie, -** knee
der **Knoblauch** garlic
der **Knochen, -** bone (6)
der **Knödel, -** dumpling
der **Knopf, ¨-e** button
**knuddeln, geknuddelt** to hug, squeeze
**knuspern (an +** *dat.***), geknuspert** to nibble (at)
die **Koalition, -en** coalition (12)
der **Koch, ¨-e** / die **Köchin, -nen** cook (5)
**kochen, gekocht** to cook (1); to boil
der **Koffer, -** suitcase (3)
der **Kognak, -s** cognac
die **Kohle, -n** coal (12)
der **Kohlrabi, -** kohlrabi
der **Kolibri, -s** hummingbird
der **Kollege, -n** (*wk.*) / die **Kollegin, -nen** colleague (5)
**kollektiv** collective(ly)
(das) **Köln** Cologne
**kolumbianisch** Colombian (*adj.*)
**kombinieren, kombiniert** to combine
der **Komiker, -** / die **Komikerin, -nen** comedian
**komisch** funny, strange(ly) (10)
**kommen (kommt), kam, ist gekommen** to come (B); (**aus** + *dat.*) to come from (*a place*) (B); **Woher kommst du?** (*infor.*) Where do you come from? **zu Besuch kommen** to visit
der **Kommentar, -e** commentary
der **Kommilitone, -n** (*wk.*) / die **Kommilitonin, -nen** fellow student
die **Kommode, -n** dresser; chest of drawers
die **Kommunikation, -en** communication
**kommunizieren, kommuniziert** to communicate
die **Komödie, -n** comedy
der **Komponist, -en** (*wk.*) / die **Komponistin, -nen** composer
das **Kompositum, Komposita** compound noun
der **Kompromiss, -e** compromise
der **Konflikt, -e** conflict (12)
**konform** in agreement
**konfrontieren, konfrontiert** to confront
der **Kongress, -e** congress, conference
der **König, -e** / die **Königin, -nen** king/queen (9)
**königlich** royal(ly)
der **Königssohn, ¨-e** prince
die **Königstochter, ¨** princess
**konjugieren, konjugiert** to conjugate
**konkret** concrete(ly)
**können (kann), konnte, gekonnt** to be able (to), can; may (3)
der **Konsens, -e** consensus
**konservativ** conservative(ly) (B)
der **Konsonant, -en** (*wk.*) consonant
**konstruktivistisch** constructivist
das **Konsulat, -e** consulate
der **Kontakt, -e** contact (2)
der **Kontext, -e** context (12)
der **Kontinent, -e** continent
**kontinental** continental
das **Konto, Konten** (bank) account (5); **ein Konto eröffnen** to open a bank account
der **Kontrast, -e** contrast
die **Kontrolle, -n** control
**kontrollieren, kontrolliert** to check; to control (10); **das Öl kontrollieren** to check the oil
das **Konzentrationslager, -** concentration camp
der **Konzern, -e** corporation; enterprise (3)
das **Konzert, -e** concert (1); concerto; **ins Konzert gehen** to go to a concert
die **Kooperation, -en** co-operation
der **Kopf, ¨-e** head (B)
der **Kopfsalat, -e** lettuce
das **Kopftuch, ¨-er** headscarf
der **Korb, ¨-e** basket
das **Korn, ¨-er** grain; corn
der **Körper, -** body (B)
die **Körperhaltung, -en** posture
**körperlich** physical(ly)
die **Körperpflege** personal hygiene
der **Körpersaft, ¨-e** bodily fluid
**korrespondieren, korrespondiert** to correspond
**korrigieren, korrigiert** to correct; to grade (4)
die **Kosten** (*pl.*) cost, costs (7); expenses
**kosten, gekostet** to cost (2)
**kostenlos** free of charge
die **Köstlichkeit, -en** delicacy
das **Kostüm, -e** costume
der **Kostümträger, -** / die **Kostümträgerin, -nen** costumed character
die **Krabbe, -n** shrimp
die **Kraft, ¨-e** strength, power (5)
**kräftig** powerful(ly); strong(ly)
der **Kraftstoff, -e** fuel
der **Krämer, -** / die **Krämerin, -nen** grocer
**krank (kränker, kränkst-)** sick (3)
das **Krankenhaus, ¨-er** hospital (3)
die **Krankenversicherung, -en** health insurance
der **Krankenwagen, -** ambulance
die **Krankheit, -en** illness, sickness (11)
das **Krankheitsbild, -er** clinical picture
die **Krankheitsgeschichte, -n** medical history
der **Kratzer, -** (*coll.*) scratch
die **Krawatte, -n** tie, necktie
der **Krebs, -e** crab; cancer (8)
der **Kredit, -e** credit; loan; **einen Kredit aufnehmen** to take out a loan
der **Kreidefelsen, -** chalk cliff
der **Kreis, -e** circle (10)
**kreischen, gekreischt** to screech, shriek
der **Kreisverkehr, -e** traffic circle, roundabout (10)
das **Kreuz, -e** cross (7)
**kreuz und quer** all over
die **Kreuzung, -en** intersection (10)
der **Krieg, -e** war (4); **Krieg führen** to wage war
**kriegen, gekriegt** (*coll.*) to get (8)
der **Kriegerhelm, -e** warrior's helmet
der **Kriegsdienst** military service
der **Krimi, -s** murder mystery; crime thriller
die **Kriminalität** crime
**kriminell** criminal(ly)
die **Krise, -n** crisis (12)
die **Kritik, -en** criticism; critique (8)
**kritisch** critical(ly) (10)
**kritisieren, kritisiert** to criticize, critique (12)
(das) **Kroatien** Croatia
das **Krokodil, -e** crocodile
der **Krokus, -se** crocus
die **Krone, -n** crown
**krumm** crooked(ly)
der **Kubismus** cubism (*artistic movement*)
**kubistisch** cubist (*adj.*)
die **Küche, -n** kitchen; cuisine (5)
der **Kuchen, -** cake (5)
die **Küchenmaschine, -n** mixer
der **Kugelschreiber, -** ballpoint pen
die **Kuh, ¨-e** cow (10)
**kühl** cool(ly) (B)
**kühlen, gekühlt** to cool
der **Kühlschrank, ¨-e** refrigerator (5)
**k. u. k.** = **kaiserlich und königlich** imperial and royal (*pertaining to the dual monarchy of Austria-Hungary*)
**kulinarisch** culinary, culinarily
die **Kultur, -en** culture (4)
**kulturell** cultural(ly) (12)
der **Kulturminister, -** / die **Kulturministerin, -nen** minister for the arts
die **Kulturwissenschaften** (*pl.*) arts, humanities
sich **kümmern um** (+ *acc.*), **gekümmert** to take care of; to care for (12); to pay attention to
der **Kunde, -n** (*wk.*) / die **Kundin, -nen** customer, client (1)
die **Kunde** information; **-kunde** -ology, study of . . . (*suffixed to nouns*)
**kündigen, gekündigt** to quit, resign
die **Kunst, ¨-e** art (A)
der **Kunstalmanach, -e** art yearbook

der **Kunsterzieher, -** / die **Kunsterzieherin, -nen** art teacher

die **Kunstgeschichte** art history

der **Künstler, -** / die **Künstlerin, -nen** artist (A)

**künstlerisch** artistic(ally) (8)

die **Künstlerkolonie, -n** artists' colony

**künstlich** artificial(ly)

der/die **Kunstschaffende, -n (ein Kunstschaffender)** artist

der **Kurfürst, -en** (*wk.*) / die **Kurfürstin, -nen** elector

der **Kurs, -e** (*academic*) course, class (A); exchange rate

**kurz (kürzer, kürzest-)** short(ly) (A); brief(ly); **vor kurzem/Kurzem** a short while ago

die **Kürze, -n** shortness, brevity

die **Kusine, -n** female cousin (B)

der **Kuss, ⸚e** kiss

**küssen, geküsst** to kiss (9)

die **Küste, -n** coast (7)

**kWh** = die **Kilowattstunde, -n** kilowatt-hour

## L

**labil** unstable

das **Labor, -s** laboratory

**lächeln, gelächelt** to smile (7)

**lachen, gelacht** to laugh (3)

der **Lachs, -e** salmon

der **Lack, -e** lacquer; varnish

der **Laden, ¨** shop, store (6)

die **Lage, -n** place; position (10); location

das **Lager, -** camp

die **Lampe, -n** lamp (B)

das **Land, ⸚er** land, country; state; country (*rural area*) (6); **auf dem Land** in the country (*rural*)

**landen, ist gelandet** to land, touch down (10)

die **Landeshauptstadt, ⸚e** state capital

die **Landeskunde** regional studies

die **Landkarte, -n** map

das **Landsäugetier, -e** land mammal

die **Landschaft, -en** landscape; scenery (7); region

der **Landvogt, ⸚e** governor (*of an imperial province*)

die **Landwirtschaft** agriculture (8); farming

**lang (länger, längst-)** long (A, B)

**lange** (*adv.*) a long time

die **Länge, -n** length

die **Langeweile** boredom

**langfristig** long-term (8)

**langsam** slow(ly) (5)

**langweilig** boring (2)

der **Laptop, -s** laptop (computer) (B)

der **Lärm** noise

**lassen (lässt), ließ, gelassen** to let (8); to leave (alone); to have something done; **sich einen Termin geben lassen** to get an appointment

der **Lastwagen, -** truck (7)

(das) **Latein** Latin (*language*)

die **Laterne, -n** lamp; lantern

der **Lauf, ⸚e** run; course (9); **seinen/ihren Lauf nehmen** to take its course

**laufen (läuft), lief, ist gelaufen** to go; to run (A); **Schlittschuh laufen** to go ice-skating

**laufend** current; **sich auf dem Laufenden halten** to keep oneself up-to-date

die **Laune, -n** mood (8)

der **Lauscher, -** / die **Lauscherin, -nen** eavesdropper

**laut** loud(ly) (2); (*prep. + dat.*) according to, as per (10)

der **Laut, -e** sound

die **Lautbildung** articulation, formation of sounds

**lauten, gelautet** to read, go; **Wie lautet das Sprichwort?** How does the saying go?

die **Lautkombination, -en** sound combination

die **Lautmalerei, -en** onomatopoeia

die **Lautstärke** volume

die **Lautverschiebung, -en** sound shift

die **Lawine, -n** avalanche

das **Layout, -s** layout

**leben, gelebt** to live (2)

das **Leben, -** life; **am Leben sein** to be alive

**lebendig** alive

die **Lebensart, -en** way of life

das **Lebensgefühl, -e** awareness of life

die **Lebensgrundlage, -n** life principle

das **Lebensjahr, -e** year of life

der **Lebenslauf, ⸚e** résumé, curriculum vitae (CV)

die **Lebensmittel** (*pl.*) groceries (8)

der **Lebensraum, ⸚e** living space; habitat

die **Leber, -n** liver (11)

der **Leberkäse** *loaf made of minced liver, eggs, and spices*

**leblos** lifeless(ly)

das **Leder, -** leather

**leer** empty (5)

**leeren, geleert** to empty (3)

**legal** legal(ly)

**legen, gelegt** to lay, put, place (*in a horizontal position*); **sich legen** to lie down

die **Legende, -n** legend

die **Lehre, -n** apprenticeship (5); doctrine

**lehren, gelehrt** to teach (9)

der **Lehrer, -** / die **Lehrerin, -nen** teacher (1)

der **Leib, -er** body; belly

der **Leichenschmaus, ⸚e** funeral meal

**leicht** easy, easily (4); light

das **Leid** suffering, sorrow (4)

**leiden (an + *dat.*) (leidet), litt, gelitten** to suffer (from) (3)

die **Leidenschaft, -en** passion (8)

**leider** unfortunately (B)

**leid•tun (tut ... leid), tat ... leid, leidgetan: tut mir leid** I'm sorry

**Leipziger** (*adj.*) (of) Leipzig

**leise** quiet(ly) (9); soft(ly)

**leisten, geleistet** to provide; to do, accomplish (12)

die **Leistung, -en** accomplishment, performance (6)

**leiten, geleitet** to lead, be the head of (3)

der **Leiter, -** / die **Leiterin, -nen** leader, director

das **Leitmotiv, -e** leitmotiv, central theme

die **Lektüre, -n** reading material

**lernen, gelernt** to study; to learn (1)

die **Lesehilfe, -n** reading aid

**lesen (liest), las, gelesen** to read (A)

der **Leser, -** / die **Leserin, -nen** reader

(das) **Lettland** Latvia

**letzt-** last (4); **das letzte Mal** the last time; **in letzter Zeit** recently

**letztendlich** ultimately, in the end

**leuchten, geleuchtet** to shine, glow (9)

der **Leuchtturm, ⸚e** lighthouse

die **Leute** (*pl.*) people (3)

**lexikalisch** lexical(ly)

**liberal** liberal(ly)

**licht** light

das **Licht, -er** light (3)

**lieb** dear; good; beloved (9); sweet, lovable; **am liebsten** (like) best (*to do s.th.*) (7); **lieb haben** to love, be fond of (9)

die **Liebe, -n** love (B)

**lieben, geliebt** to love (3)

**lieber** rather, preferably (2)

der **Liebeskummer** lovesickness

**liebevoll** loving(ly)

der **Liebhaber, -** / die **Liebhaberin, -nen** lover, fan

**lieblich** charming(ly)

**Lieblings-** favorite

(das) **Liechtenstein** Liechtenstein

das **Lied, -er** song

**liegen (liegt), lag, gelegen** to lie (1); to be (in a horizontal position); to recline; to be situated

**lila** purple

die **Limonade, -n** soft drink; lemonade

die **Limousine, -n** sedan; limousine

der **Linguist, -en** (*wk.*) / die **Linguistin, -nen** linguist

die **Linguistik** linguistics

die **Linie, -n** line (3)

**link-** (*adj.*) left (10); **Die Linke** The Left (*German political party*)

**links** (*adv.*) to the left (7); **nach links** to the left

die **Linse, -n** lentil

die **Lippe, -n** lip (11)

die **List, -en** deception, trick

die **Liste, -n** list (5)

**listig** cunning(ly)

(das) **Litauen** Lithuania

der **Liter, -** liter
**literarisch** literary (12)
die **Literatur, -en** literature (1)
der **Literaturwissenschaftler, -** / die **Literaturwissenschaftlerin, -nen** literary scholar
der **LKW, -s** = der **Lastkraftwagen, -** truck
die **Lobby, -s** lobby
das **Loch, ¨-er** hole (9)
der **Löffel, -** spoon
**logisch** logical(ly)
der **Logistiker, -** / die **Logistikerin, -nen** logistics expert
der **Lohn, ¨-e** salary, wages (12)
**lokalisieren, lokalisiert** to locate
der **Lokführer, -** / die **Lokführerin, -nen** (locomotive) engineer
die **Lokomotive, -n** locomotive
**los** loose; away; **Was ist los?** What's happening? What's the matter?
**löschen, gelöscht** to put out, extinguish
**lösen, gelöst** to solve (2)
**los•fahren (fährt ... los), fuhr ... los, ist losgefahren** to drive/ride off (9)
**los•gehen (geht ... los), ging ... los, ist losgegangen** to set off; to get started
die **Lösung, -en** solution (1)
die **Lotterie, -n** lottery
der **Löwe, -n** (*wk.*) lion (10)
die **Lücke, -n** space, blank
die **Luft, ¨-e** air (7)
die **Luftmatratze, -n** air mattress
die **Lunge, -n** lung (11)
die **Lungenentzündung** pneumonia
die **Lust, ¨-e** desire (3); **Lust haben** to feel like (*doing s.th.*) (3)
**lustig** fun, funny (2); cheerful, jolly
(das) **Luxemburg** Luxembourg

## M

**m** = der **Meter, -** meter
**machen, gemacht** to make; to do (1); **mach's gut** take care (*infor.*); **sauber machen** to clean; **Schluss machen** to break it off; **selbst gemacht** homemade; **sich an die Arbeit machen** to get down to work; **sich auf den Weg machen** to set off, get on the road; **Spaß machen** to be fun; **Urlaub machen** to take a vacation
die **Macht, ¨-e** power, might (12)
die **Machtergreifung, -en** seizure of power
das **Mädchen, -** girl (A)
der **Magen, ¨** stomach (11)
die **Magen-Darm-Grippe** gastro-intestinal flu
die **Magersucht** anorexia
**magersüchtig** anorexic
**magisch** magical(ly) (12)
**mähen, gemäht** to mow (5)
**mahlen (mahlt), mahlte, gemahlen** to grind
die **Mahlzeit, -en** meal (8)
der **Mai** May
die **Mail, -s** e-mail (1)
der **Main** Main (*river*)
**mal** times; sometime, anytime (11); once; (*word used to soften commands*): **Komm mal vorbei!** Come on over!
das **Mal, -e** time; **das letzte Mal** the last time; **ein paar Mal** a few times; **mit einem Mal** all of a sudden; **zum ersten Mal(e)** for the first time (4)
**malen, gemalt** to paint (12)
der **Maler, -** / die **Malerin, -nen** painter
die **Malerei, -en** painting
die **Mama, -s** mama, mom
die **Mami, -s** mommy
die **Mammuthöhle, -n** mammoth cave
**man** one (*pron.*); people, they; **wie schreibt man das?** how do you spell that? (A)
**manch-** some (2)
**manchmal** sometimes (B)
das/der **Manga, -s** manga, Japanese comics
der **Mann, ¨-er** man; husband (A)
**männlich** masculine; male (10)
die **Mannschaft, -en** team (9)
der **Mantel, ¨** coat; overcoat (A)
das **Märchen, -** fairy tale (9)
die **Marke, -n** brand, make, model (7)
**markieren, markiert** to mark
der **Markt, ¨-e** market (7)
der **Marktplatz, ¨-e** market place; market square
die **Marktwirtschaft, -en** market economy
die **Marmelade, -n** jam; marmelade
(das) **Marokko** Morocco
der **März** March
die **Maschine, -n** machine (5)
**maskulin** masculine
die **Masse, -n** mass, masses; matter, material (7)
**massieren, massiert** to massage
**massiv** massive; strong(ly)
der **Master, -** master's degree
das **Masterstudium, -studien** course of study for a master's degree
das **Material, -ien** material (12)
die **Mathe** math
die **Mathematik** mathematics (1)
der **Mathematiker, -** / die **Mathematikerin, -nen** mathematician
**mathematisch** mathematical(ly)
das **Matterhorn** *mountain in Switzerland*
die **Mauer, -n** wall (6); **die Berliner Mauer** the Berlin Wall
das **Maul, ¨-er** mouth (of an animal)
die **Maus, ¨-e** mouse (8)
die **Medien** (*pl.*) media (1)
das **Medikament, -e** medicine (11); **ein Medikament gegen** a medicine for (11)
die **Medizin** medicine (11)
der **Mediziner, -** / die **Medizinerin, -nen** doctor
**medizinisch** medical(ly) (11)
das **Meer, -e** sea (1); **ans Meer** to the sea (2)
der **Meeresspiegel** sea level
der **Meerrettich** horseradish
das **Meeting, -s** meeting
**mehr** more (7); **immer mehr** more and more; **mehr als** more than (5); **nicht mehr** no longer; **nie mehr** never again
**mehrere** (*pl.*) several (10); **seit mehreren Tagen** for several days
die **Mehrheit, -en** majority (12)
**mehrmals** several times (5)
der **Meilenstein, -e** milestone
**mein(e)** my (A); **Du meine Güte!** (*coll.*) My goodness!
**meinen, gemeint** to mean; to think (1)
die **Meinung, -en** opinion (9); **meiner Meinung nach** in my opinion (9)
**meist** most(ly) (3, 4); **am meisten** mostly; the most; **die meisten** most (of)
**meistens** mostly; usually (8)
die **Meisterschaft, -en** championship
**meistverkauft** best-selling
die **Melancholie** melancholy
**melancholisch** melancholy
(sich) **melden, gemeldet** to report; to notify; to register (10)
die **Menge, -n** quantity, amount (5); multitude
die **Mensa, Mensen** student cafeteria
der **Mensch, -en** (*wk.*) human being, person (A); **Mensch!** (*coll.*) Man! Oh boy!
**menschengerecht** suitable for humans
das **Menschenrecht, -e** human right
**menschlich** human(ly) (12)
**merken, gemerkt** to notice, realize (5)
das **Merkmal, -e** feature, attribute (6)
die **Messe, -n** trade fair
**messen (misst), maß, gemessen** to measure (2)
das **Messer, -** knife (5)
der **Meter, -** meter
die **Methode, -n** method (7)
die **Metropolregion, -en** metropolitan area
der **Mexikaner, -** / die **Mexikanerin, -nen** Mexican (*person*)
**mexikanisch** Mexican (*adj.*)
(das) **Mexiko** Mexico
**mich** (*acc.*) me
die **Miete, -n** rent (6); **zur Miete** for rent
**mieten, gemietet** to rent (6)
der **Mieter, -** / die **Mieterin, -nen** renter (6)
die **Migration, -en** migration
der **Migrationshintergrund, ¨-e** immigrant background
die **Milch** milk (8)
**mild** mild(ly)

das **Milieu, -s** milieu
**militärisch** military, militarily
die **Million, -en** million (12)
**Min.** = die **Minute, -n** minute
die **Minderheit, -en** minority (12)
**mindestens** at least (7)
das **Mineralwasser** mineral water
der **Minidialog, -e** mini-dialogue
der **Minister, -** / die **Ministerin, -nen** minister (12)
das **Miniwörterbuch, ¨-er** mini-dictionary
der **MINT-Bereich** STEM subjects
**minus** minus
die **Minute, -n** minute (1)
**mir** (*dat.*) me; **es gefällt mir** I like it (6); **geben Sie mir** give me (A)
das **Mischbrot, -e** bread made from rye and wheat flour
**mischen, gemischt** to mix (8)
die **Mischung, -en** mix, mixture, blend (8)
das **Missverständnis, -se** misunderstanding
**mit** (+ *dat.*) with (A); (*adv.*) too, as well; **arbeiten Sie mit einem Partner** work with a partner (A)
der **Mitarbeiter, -** / die **Mitarbeiterin, -nen** co-worker; employee, staff (11)
der **Mitbegründer, -** / die **Mitbegründerin, -nen** co-founder
der **Mitbewohner, -** / die **Mitbewohnerin, -nen** roommate; housemate
**mit•bringen (bringt ... mit), brachte ... mit, mitgebracht** to bring along (2)
**miteinander** with each other (1)
**mit•fahren (fährt ... mit), fuhr ... mit, ist mitgefahren** to ride/travel along
**mit•feiern, mitgefeiert** to join the party, celebrate
**mitfühlend** sympathetic(ally)
das **Mitglied, -er** member (of an organization) (4)
**mithilfe** (+ *gen.*) with the aid of
**mit•kommen (kommt ... mit), kam ... mit, ist mitgekommen** to come along
**mit•nehmen (nimmt ... mit), nahm ... mit, mitgenommen** to take along (3)
**mit•reißen (reißt ... mit), riss ... mit, mitgerissen** to sweep away
**mit•schreiben (schreibt ... mit), schrieb ... mit, mitgeschrieben** to write along (at the same time)
**mit•singen (singt ... mit), sang ... mit, mitgesungen** to sing along
**mit•spielen, mitgespielt** to play along, join in the game
der **Mitstreiter, -** / die **Mitstreiterin, -nen** fellow campaigner
der **Mittag, -e** noon (3); **zu Mittag essen** to eat lunch
das **Mittagessen, -** midday meal, lunch
**mittags** at noon
die **Mitte** middle (9); center; in the middle of
**mit•teilen** (+ *dat.*), **mitgeteilt** to tell, share (2); to inform (*s.o.*)
das **Mittel, -** means, medium; (*financial*) instrument (8)
das **Mittelalter** Middle Ages
(das) **Mitteleuropa** Central Europe
das **Mittelmeer** Mediterranean Sea
der **Mittelpfeiler, -** central pillar
**mitten** in the middle; **mitten in der Nacht** in the middle of the night
die **Mitternacht** midnight (12); **um Mitternacht** at midnight
**mittler-** (*adj.*) middle; average (12)
der **Mittwoch, -e** Wednesday (1)
**mobben, gemobbt** (*coll.*) to bully
die **Möbel** (*pl.*) furniture (6)
das **Modalverb, -en** modal verb
die **Mode, -n** fashion
das **Modell, -e** model, example (A)
der **Moderator, -en** / die **Moderatorin, -nen** moderator
**modern** modern (6); in a modern fashion
**mögen (mag), mochte, gemocht** to like (to); to care for (3); **möchte** would like (to) (2, 3)
**möglich** possible (5); **alles Mögliche** everything possible
die **Möglichkeit, -en** possibility (5)
**möglichst** (+ *adv.*) as . . . as possible
der **Moment, -e** moment (1); **im Moment** at the moment, right now
die **Monarchie, -n** monarchy
der **Monat, -e** month (B)
**monatelang** lasting for months
**monatlich** monthly
der **Mond, -e** moon (10)
das **Monopol, -e** monopoly
der **Montag, -e** Monday (1)
**montags** on Monday(s)
das **Moor, -e** moor
das **Moped, -s** moped
der **Mord, -e** murder (9)
**morgen** tomorrow (2); **morgen Abend** tomorrow evening; **morgen früh** tomorrow morning
der **Morgen, -** morning (A); **am Morgen** in the morning; **guten Morgen** good morning (A); **heute Morgen** this morning
der **Morgenmantel, ¨-** bathrobe
die **Morgenröte** dawn
**morgens** in the morning(s)
die **Morgentoilette** morning grooming routine
(das) **Moskau** Moscow
das **Motiv, -e** motif, theme (12)
die **Motorjacht, -en** motor yacht
das **Motorrad, ¨-er** motorcycle (7); **Motorrad fahren** to ride a motorcycle
das **Motto, -s** motto, slogan
die **Möwe, -n** seagull
die **Mücke, -n** midge, mosquito (10)
**müde** tired (3)
die **Mühle, -n** mill
der **Müll** trash; garbage (6)
der **Müller, -** / die **Müllerin, -nen** miller
die **Müllkippe, -n** dump
**multikulturell** multicultural(ly)
**multiplizieren, multipliziert** to multiply
(das) **München** Munich
**Münchner** (*adj.*) (of) Munich
der **Mund, ¨-er** mouth (B)
**mündlich** oral(ly), verbal(ly) (9)
**munter** cheerful(ly); lively; wide awake
die **Münze, -n** coin
die **Muschel, -n** mussel; seashell
das **Museum, Museen** museum (1)
das **Musical, -s** musical (*stage play*)
die **Musik, -en** music (1)
der **Musiker, -** / die **Musikerin, -nen** musician
der **Muskel, -n** muscle (11)
das **Müsli, -s** granola
der **Muslim, -e** / die **Muslimin, -nen** Muslim (*person*)
**müssen (muss), musste, gemusst** to have to, must (3); **nicht müssen** not to have to, not to need to
das **Muster, -** model, pattern
der **Mut** courage
**mutig** brave(ly) (9)
die **Mutter, ¨-** mother (B)
die **Mutti, -s** mom, mommy
die **Mütze, -n** cap (5)

## N

**na** (*interj.*) well (3); so; **na, gut** well, okay; **na ja** all right; **na, klar** of course
der **Nabel, -** navel
**nach** (+ *dat.*) after; to (*a place*) (3); toward; according to; **meiner Meinung nach** in my opinion (9); **nach Christus** AD (anno Domini); **nach dem Weg fragen** to ask for directions; **nach Hause gehen** to go home (1); **nach links** to the left; **nach oben** upwards; **Viertel nach** a quarter after (*with time*)
der **Nachbar, -n** (*wk.*) / die **Nachbarin, -nen** neighbor (4)
**nachdem** (*sub. conj.*) after (4)
**nach•denken (über** + *acc.*) **(denkt ... nach), dachte ... nach, nachgedacht** to think (about); to ponder (12)
**nachdenklich** thoughtful(ly)
**nacheinander** one after the other
die **Nachfolgepartei, -en** successor party
die **Nachfrage, -n** inquiry; demand (2)
**nach•fragen, nachgefragt** to inquire
der **Nachmittag, -e** afternoon (4); **am Nachmittag** in the afternoon; **heute Nachmittag** this afternoon
**nachmittags** afternoons, in the afternoon (4)

die **Nachricht, -en** report; message; (*pl.*) news (7)

**nach•sehen (sieht ... nach), sah ... nach, nachgesehen** to check; to go and see

**nächst-** next (10); nearest

die **Nacht, ⸚e** night (3); **die ganze Nacht** all night long; **mitten in der Nacht** in the middle of the night

der **Nachteil, -e** disadvantage (7)

**nachts** nights, at night (4)

der **Nachttisch, -e** nightstand, bedside table

**nackt** naked (10)

der **Nagel, ⸚** nail (11)

**nah (näher, nächst-)** near, nearby, close(ly) (7)

**nahe** (+ *dat.*) near, close to

die **Nähe** vicinity (6); closeness, proximity; **in der Nähe** in the vicinity (6)

der **Näher, -** / die **Näherin, -nen** seamster/ seamstress, needleworker

**nahe•stehen** (+ *dat.*) **(steht ... nahe), stand ... nahe, nahegestanden** to be close with (*s.o.*)

das **Nahrungsmittel, -** food, nourishment

**naiv** naïve(ly)

der **Name, -n** (*wk., gen.* **-ens**) name (A)

**namens** by the name of; called

**nämlich** namely (11); actually

der **Narr, -en** (*wk.*) / die **Närrin, -nen** fool

die **Nase, -n** nose (B)

**nass** wet (3)

die **Nässe** wetness

die **Nation, -en** nation

**national** national(ly) (9)

der **Nationalsozialismus** National Socialism, Nazism

die **Nationalversammlung, -en** national assembly

die **NATO** NATO (North Atlantic Treaty Organization)

die **Natur, -en** nature (B); **in freier Natur** out in the open (country)

**naturgerecht** nature-friendly

der **Naturheilkundler, -** / die **Naturheilkundlerin, -nen** naturopath

**natürlich** natural(ly); of course (2)

die **Naturwissenschaft, -en** natural science

der **Nazi, -s** Nazi

**n. Chr.** = **nach Christus** after Christ, AD

der **Nebel, -** fog, mist (7)

**neben** (+ *dat./acc.*) beside; in addition to (3)

**nebenan** next door, neighbor (10); **von nebenan** from next door

**nebeneinander** next to each other

der **Nebenjob, -s** side job

die **Nebenkosten** (*pl.*) extra costs (*e.g., utilities*)

**negativ** negative(ly) (3)

**nehmen (nimmt), nahm, genommen** to take (A); **Platz nehmen** to take a seat

der **Neid** envy, jealousy

**nein** no (A)

**nennen (nennt), nannte, genannt** to name; to call (7); **sich nennen** to be called

die **Nervenheilanstalt, -en** psychiatric hospital

**nervös** nervous(ly)

das **Nest, -er** nest

**nett** nice(ly) (3)

das **Netz, -e** net

das **Netzwerk, -e** network

**neu** new(ly) (A); **etwas Neues** something new

der **Neubau, -ten** *building completed after 1 Dec. 1949*

die **Neubearbeitung, -en** revision

das **Neugeborene, -n (ein Neugeborenes)** newborn (baby)

die **Neugier** curiosity

**neugierig** curious(ly), intrigued (8)

**neulich** recently (9)

**neun** nine (A)

**neunt-** ninth

**neunundzwanzig** twenty-nine (A)

**neunzehn** nineteen (A)

**neunzehnt-** nineteenth

**neunzig** ninety (A); **die 90er Jahre** (*pl.*) the '90s

die **Neurose, -n** neurosis

**neuseeländisch** of/from New Zealand

**neutral** neutral(ly)

die **Neuverfilmung, -en** remake (*film*)

die **Neuzeit** modern era

**nicht** not (A); **gar nicht** not at all (3); **nicht mehr** no longer; **nicht (wahr)?** isn't that right? **noch nicht** not yet

die **Nichte, -n** niece

**nichts** nothing (1); **gar nichts** nothing at all

**nie** never (3); **nie mehr** never again; **noch nie** never (before)

die **Niederlande** (*pl.*) the Netherlands

**niederländisch** Dutch

sich **nieder•lassen (lässt ... nieder), ließ ... nieder, niedergelassen** to settle

(das) **Niederösterreich** Lower Austria

der **Niederrhein** Lower Rhine

(das) **Niedersachsen** Lower Saxony

**niedersächsisch** Lower Saxon (*adj.*)

**nieder•schießen (schießt ... nieder), schoss ... nieder, niedergeschossen** to shoot down

der **Niederschlag, ⸚e** precipitation

**nieder•schreiben (schreibt ... nieder), schrieb ... nieder, niedergeschrieben** to write down

**niemals** never

**niemand** nobody, no one (2)

die **Niere, -n** kidney (11)

**nigerianisch** Nigerian (*adj.*)

der **Nikolaus** St. Nicholas

das **Nikotin** nicotine

das **Niveau, -s** level (5)

der **Nobelpreis, -e** Nobel prize

**noch** even, still (B); yet; else; in addition; **immer noch** still; **Ist hier noch frei?** Is this seat available? **noch ein(e)** another, an additional (one); **noch einmal** one more time; **noch nicht** not yet; **noch nie** never (before); **sonst noch** in addition; else; **sonst noch etwas?** anything else? (5)

das **Nomen, Nomina** noun

die **Nominalphrase, -n** noun phrase

die **Nominierung, -en** nomination

**nord-** north

(das) **Nordamerika** North America

der **Norden** North (B)

die **Norderseite, -n** (*archaic*) northern side

**nördlich (von** + *dat.***)** northern; north (of) (7)

der **Nordosten** Northeast

**nordöstlich (von** + *dat.***)** northeastern; northeast (of)

die **Nordsee** North Sea

der **Nordwesten** Northwest

**nordwestlich (von** + *dat.***)** northwestern; northwest (of)

die **Norm, -en** norm

**normal** normal(ly) (5)

**normalerweise** normally, usually (8)

(das) **Norwegen** Norway

**norwegisch** Norwegian (*adj.*)

(das) **Norwegisch** Norwegian (*language*)

die **Not, ⸚e** need, hardship; emergency, distress (10)

die **Note, -n** grade, mark (*in school*)

das **Notebook, -s** notebook (computer)

der **Notfall, ⸚e** emergency

**nötig** necessary

die **Notiz, -en** note

**notwendig** necessary, necessarily (12)

die **Novelle, -n** novella

der **November** November

**Nr.** = die **Nummer, -n** number

die **Nudel, -n** noodle

**null** zero (A)

der **Nullpunkt** freezing point, zero degrees Celsius (= 32 degrees Fahrenheit)

die **Nummer, -n** number (1)

das **Nummernschild, -er** license plate (7)

**nun** now (8); well

**nur** only (3)

(das) **Nürnberg** Nuremberg

die **Nuss, ⸚e** nut

die **Nusshecke, -n** nut-thicket

**nutzen, genutzt** to use (1)

der **Nutzer, -** / die **Nutzerin, -nen** user

**nützlich** useful(ly) (9)

die **Nutzung, -en** use, utilization (12)

## O

**ob** (*sub. conj.*) whether (6); if

**oben** above (10); on top; upstairs

(das) **Oberbayern** Upper Bavaria
(das) **Oberösterreich** Upper Austria
das **Oberteil, -e** top (*clothing*)
das **Objekt, -e** object
das **Obst** fruit (8)
**obwohl** (*sub. conj.*) although (2)
**oder** (*coord. conj.*) or (A)
der **Ofen, ¨** oven (5)
**offen** open(ly) (3)
die **Offenheit** openness
**öffentlich** public(ly) (6)
die **Öffentlichkeit, -en** public (6)
**offiziell** official(ly) (8)
**öffnen, geöffnet** to open (A)
**oft (öfter, öftest-)** often (B)
**oftmals** often
**oh je** (*interj.*) oh dear
**ohne** (+ *acc.*) without (2)
das **Ohr, -en** ear (B)
**okay** (*coll.*) okay
das **Ökodorf, ¨er** ecovillage
die **Ökologie** ecology
**ökologisch** ecological(ly)
**ökonomisch** economic(al)(ly) (7)
der **Oktober** October
das **Öl, -e** oil (8); **das Öl kontrollieren** to check the oil
der **Oldtimer, -** vintage car
die **Olive, -n** olive
die **Olympischen Spiele** (*pl.*) Olympic Games, Olympics
die **Oma, -s** grandma
der **Onkel, -** uncle (B)
**online** online
das **Onlinebanking** online banking
der **Opa, -s** grandpa
die **Oper, -n** opera
die **Operation, -en** operation
**operieren, operiert** to operate (on) (11); **operiert werden** to undergo surgery (11)
das **Opfer, -** victim; sacrifice (4)
das **Opferfest, -e** Feast of the Sacrifice, Eid al-Adha
der **Opi, -s** grandpa
die **Option, -en** option
**orange** orange (*color*)
**ordnen, geordnet** to arrange, put in order
die **Ordnung, -en** order, orderliness (3)
das **Organ, -e** organ
die **Organisation, -en** organization (12)
**organisch** organic(ally)
**organisieren, organisiert** to organize
**orientieren, orientiert** to orient (12)
das **Original, -e** original
das **Originaldrehbuch, ¨er** original screenplay
der **Ort, -e** place; location; town (7)
**ost-** east
(das) **Ostdeutschland** (*former*) East Germany
der **Osten** East (B)
das **Ostern, -** Easter
(das) **Österreich** Austria (B)
der **Österreicher, -** / die **Österreicherin, -nen** Austrian (*person*) (B)
**österreichisch** Austrian (*adj.*)
die **Ostfriesischen Inseln** (*pl.*) East Frisian Islands
(das) **Ostfriesland** East Frisia
**östlich (von** + *dat.***)** eastern; east (of) (7)
die **Ostsee** Baltic Sea
das **Outfit, -s** outfit
der **Ozean, -e** ocean (7)
**ozeanisch** oceanic

## P

**paar: ein paar** a few, some (2); a couple (of); **ein paar Mal** a few times
das **Paar, -e** pair, couple (8)
**packen, gepackt** to pack (10); (*coll.*) to grab
der **Pädagog, -en** (*wk.*) / die **Pädagogin, -nen** teacher; educational theorist
**paddeln, gepaddelt** to paddle
das **Paket, -e** package
die **Palatschinke, -n** *pancake with sweet filling*
der **Panzer, -** armor
der **Papa, -s** daddy, dad
der **Papagei, -en** parrot
der **Papi, -s** daddy
das **Papier, -e** paper (B)
der **Papierkorb, ¨e** wastebasket
der **Paprika** paprika
die **Paprika, -** bell pepper
der **Papst, ¨e** pope
das **Paradies, -e** paradise
das **Parfum, -s** perfume
**Pariser** (*adj.*) (of) Paris
der **Park, -s** park (1)
**parken, geparkt** to park
der **Parkplatz, ¨e** parking space; parking lot
das **Parlament, -e** parliament
die **Parole, -n** slogan
die **Partei, -en** (political) party (10)
der **Parteivorstand, ¨e** party executive (committee)
das **Partizip, -ien** participle
der **Partner, -** / die **Partnerin, -nen** partner; **arbeiten Sie mit einem Partner** work with a partner (A)
die **Party, -s** party (1)
der **Pass, ¨e** passport (7)
**passen** (+ *dat.*), **gepasst** to match, go with (2); to fit; to suit; (**zu** + *dat.*) to go (with), fit in (with)
**passend** fitting; proper
**passieren, passiert** to happen, take place (4)
die **Passivkonstruktion, -en** passive construction
das **Passwort, ¨er** password
der **Patient, -en** (*wk.*) / die **Patientin, -nen** patient (5)
die **Pause, -n** break, intermission (1); **Pause machen** to take a break
der **Pazifik** Pacific Ocean
die **PDS** = die **Partei des demokratischen Sozialismus** Party of Democratic Socialism
**peinlich** embarrassing, awkward
der **Pelz, -e** fur
**pendeln, ist gependelt** to commute
das **Penizillin** penicillin
(das) **Pennsylvanien** Pennsylvania
**pennsylvanisch** Pennsylvanian (*adj.*)
**per** per, by means of; **per Anhalter fahren** to hitchhike
**perfekt** perfect(ly)
der **Perfektionist, -en** (*wk.*) / die **Perfektionistin, -nen** perfectionist
die **Person, -en** person (1); individual
das **Personalpronomen, -** personal pronoun
**persönlich** personal(ly) (12)
die **Persönlichkeit, -en** personality (11)
die **Perspektive, -n** perspective (1)
die **Pfalz, -en** imperial palace; Palatinate
**pfälzisch** of/from the Palatinate
die **Pfanne, -n** (frying) pan
der **Pfeffer, -** (black) pepper
die **Pfeife, -n** pipe
das **Pfeifenwölkchen, -** cloud of pipe smoke
das **Pferd, -e** horse (2)
der **Pfirsich, -e** peach
die **Pflanze, -n** plant (3)
die **Pflanzenheilkunde** herbal medicine
die **Pflaume, -n** plum
die **Pflege** care (11)
das **Pflegekind, -er** foster child
**pflegen, gepflegt** to attend to; to nurse (5); to nurture
die **Pflicht, -en** duty; requirement (3)
**pflichtbewusst** conscientious(ly)
das **Pflichtfach, ¨er** required course
**pflücken, gepflückt** to pick
das **Phänomen, -e** phenomenon (11)
die **Philippinen** (*pl.*) Philippines
der **Philosoph, -en** (*wk.*) / die **Philosophin, -nen** philosopher
die **Phonetik** phonetics
die **Phonologie** phonology
die **Physik** physics (1)
der **Physiker, -** / die **Physikerin, -nen** physicist
das **Piercing, -s** piercing
der **Pilger, -** / die **Pilgerin, -nen** pilgrim
der **Pilot, -en** (*wk.*) / die **Pilotin, -nen** pilot (5)
der **Pilz, -e** mushroom (8)
der **Pinguin, -e** penguin
**pink** pink

die **Pinnwand, ⸚e** pin-board, bulletin board
die **Pizza, Pizzen** pizza
der **PKW, -s** = der **Personenkraftwagen, -** (private) car
das **Plakat, -e** poster; placard
der **Plan, ⸚e** plan (3)
**planen, geplant** to plan (9)
der **Planet, -en** (*wk.*) planet
das **Plastik** plastic
das **Platin** platinum
die **Platte, -n** vinyl (record); disk; board (2)
der **Platz, ⸚e** place; seat (3); room, space; plaza, square; **Platz nehmen** to take a seat
die **Platzierung, -en** place, placement
**plötzlich** sudden(ly) (9)
der **Plural, -e** plural
**plus** plus
der **Pluto** Pluto
(das) **Polen** Poland
die **Politik** politics (1)
der **Politiker, -** / die **Politikerin, -nen** politician (12)
**politisch** political(ly) (4)
die **Polizei** police; police station (5); **auf der Polizei** at the police station
die **Polizeistation, -en** police station
der **Polizist, -en** (*wk.*) / die **Polizistin, -nen** police officer (5)
**polnisch** Polish (*adj.*)
die **Pommes** (*pl.*) French fries
das **Portemonnaie, -s** wallet
das **Porträt, -s** portrait
**porträtieren, porträtiert** to make a portrait of
(das) **Portugal** Portugal
(das) **Portugiesisch** Portuguese (*language*)
die **Position, -en** position, location, place (12)
**positiv** positive(ly) (9)
das **Possessivartikel, -** possessive determiner
die **Post, -en** mail; post office (5); **auf der Post** at the post office
das **Poster, -** poster
**potentiell** potential(ly)
die **Pracht** splendor
die **Präferenz, -en** preference
(das) **Prag** Prague
**prägen, geprägt** to form, shape, mold (10)
**praktisch** practical(ly); useful(ly) (5)
die **Präposition, -en** preposition
die **Präsentation, -en** presentation
**präsentieren, präsentiert** to present (12)
der **Präsident, -en** (*wk.*) / die **Präsidentin, -nen** president (5)
das **Präteritum, Präterita** preterite, simple past tense
der **Preis, -e** prize; price (4)
die **Prellung, -en** bruise
die **Premiere, -n** premiere
**pressen, gepresst** to press, squeeze (8)
das **Prestige** prestige
**prima** great
der **Prinz, -en** (*wk.*) / die **Prinzessin, -nen** prince/princess (9)
die **Priorität, -en** priority
**privat** private(ly) (4)
**pro** per (3)
die **Probe, -n** test; rehearsal
**probieren, probiert** to try; to taste (3)
das **Problem, -e** problem (2)
**problematisch** problematic
das **Produkt, -e** product (8)
die **Produktion, -en** production (7)
der **Produzent, -en** (*wk.*) / die **Produzentin, -nen** producer
**produzieren, produziert** to produce (8)
der **Professor, -en** / die **Professorin, -nen** professor (A)
die **Professur, -en** professorship, chair
der **Profiteur, -e** / die **Profiteurin, -nen** beneficiary
**profitieren, profitiert** to profit (10)
das **Programm, -e** program (4)
das **Pronomen, Pronomina** pronoun
der **Protest, -e** protest
**protestantisch** Protestant (*adj.*)
**protestieren, protestiert** to protest (9)
der **Prototyp, -en** prototype
die **Provenienz, -en** provenance
das **Prozent, -e** percentage, percent (4)
der **Prozentsatz, ⸚e** percentage
die **Prüfung, -en** test (1); exam
**prügeln, geprügelt** to beat
der **Psychiater, -** / die **Psychiaterin, -nen** psychiatrist
die **Psychiatrie** psychiatry
**psychiatrisch** psychiatric
**psychisch** psychological(ly), mental(ly)
die **Psychoanalyse, -n** psychoanalysis
der **Psychologe, -n** (*wk.*) / die **Psychologin, -nen** psychologist
die **Psychologie** psychology
die **Psychose, -n** psychosis
die **Psychotherapie, -n** psychotherapy
das **Publikum** audience (8)
**publizieren, publiziert** to publish
der **Pudding, -e** pudding
der **Pudel, -** poodle
der **Pulli, -s** = der **Pullover, -** pullover; sweater
der **Pullover, -** pullover; sweater
das **Pult, -e** desk; lectern
der **Punkt, -e** point; spot; period (9)
die **Puppe, -n** doll
das **Putenschnitzel, -** turkey cutlet
**putzen, geputzt** to clean (6); **sich (die Zähne) putzen** to brush (one's teeth)
die **Pyramide, -n** pyramid
die **Pyrenäen** (*pl.*) Pyrenees

## Q

der **Quadratkilometer, -** square kilometer
der **Quadratmeter (qm), -** square meter ($m^2$) (6)
die **Qual, -en** torment, agony
die **Qualität, -en** quality
der **Quatsch** nonsense (10)
die **Quelle, -n** source
**quer** sideways; **kreuz und quer** all over
die **Querflöte, -n** (transverse) flute
die **Quittung, -en** receipt, check

## R

der **Rabe, -n** (*wk.*) raven
das **Rad, ⸚er** wheel; bicycle (7); **(mit dem) Rad fahren** to ride a bicycle
**radeln, ist geradelt** to ride a bicycle
das **Radieschen, -** radish
das **Radio, -s** radio (2)
das **Radium** radium
der **Rahmen, -** frame (2)
die **Rakete, -n** rocket
der **Ramadan** Ramadan
der **Rand, ⸚er** edge, border (6)
das **Ranking, -s** ranking
der **Ranzen, -** schoolbag; knapsack; satchel
**rapide** rapid(ly)
der **Rapper, -** / die **Rapperin, -nen** rapper, rap singer
der **Rasen, -** lawn (5)
**rasen, ist gerast** to race; to rage
sich **rasieren, rasiert** to shave
der **Rassismus** racism
die **Rast, -en** rest
der **Rat** (*pl.* **Ratschläge**) advice, suggestion (8)
**raten (rät), riet, geraten** to guess (11); (+ *dat.*) to advise, counsel (*s.o.*) (11)
das **Ratespiel, -e** guessing game; quiz
das **Rathaus, ⸚er** town hall (1); **auf dem Rathaus** at city hall
(das) **Rätoromanisch** Romansh (*language*)
der **Ratschlag, ⸚e** (piece of) advice
das **Rätsel, -** puzzle, riddle (9)
die **Ratte, -n** rat (10)
der **Rauch** smoke
**rauchen, geraucht** to smoke (3)
der **Raum, ⸚e** room; space (10); area
**räumen, geräumt** to clear, vacate (11)
**rauschen, gerauscht** to rustle
**real** real(ly)
**realistisch** realistic(ally)
die **Realschule, -n** lower secondary school
**recherchieren, recherchiert** to investigate
**rechnen, gerechnet** to compute, calculate (3)
die **Rechnung, -en** bill, calculation (2); check (*in restaurant*)

**recht** right(ly); quite, rather; **recht haben** to be right (2)

**recht-** (*adj.*) right (3)

das **Recht, -e** right; law (4)

**rechts** (*adv.*) to the right (7)

**rechtspopulistisch** right-wing populist (*adj.*)

**recyceln, recycelt** to recycle

die **Rede, -n** speech (4); **eine Rede halten** to give a speech

die **Redefreiheit** freedom of speech

**reden, geredet** to speak; to converse (3)

der **Redner, -** / die **Rednerin, -nen** speaker, orator

**reduzieren, reduziert** to reduce (11)

die **Reduzierung, -en** reduction

das **Referat, -e** report; (term) paper; **ein Referat halten** to give a paper / oral report

das **Reflexivpronomen, -pronomina** reflexive pronoun

der **Reformator, -en** / die **Reformatorin, -nen** reformer

der **Refrain, -s** refrain

das **Regal, -e** bookshelf, bookcase (2)

die **Regel, -n** rule (4); **in der Regel** as a rule

**regelmäßig** regular(ly) (8)

**regeln, geregelt** to regulate

der **Regen, -** rain (7)

sich **regen, geregt** to stir

der **Regenschirm, -e** umbrella

**regieren, regiert** to govern (12); to rule

die **Regierung, -en** government (12)

die **Regierungspartei, -en** governing party

das **Regime, -** regime

**regimetreu** loyal to the regime

die **Region, -en** region (8)

**regional** regional(ly) (8)

der **Regisseur, -e** / die **Regisseurin, -nen** film director (11)

**regnen, geregnet** to rain (B); **es regnet** it is raining; it rains

**reiben (reibt), rieb, gerieben** to rub

**reich** rich(ly) (5)

das **Reich, -e** empire; kingdom; realm; **das Dritte Reich** the Third Reich (Nazi Germany)

**reichen, gereicht** to reach, extend; to be sufficient (7); to hand; **sich die Hand reichen** to shake hands

die **Reichensteuer, -n** tax for the wealthy

**reichlich** generous

**reif** ripe; mature (8)

die **Reihe, -n** series, range, row (6)

die **Reihenfolge, -n** order, sequence (2)

das **Reihenhaus, ¨-er** row house, town house

der **Reim, -e** rhyme

sich **reimen, gereimt** to rhyme

**rein** clean(ly); pure(ly) (8)

**rein•gehen (geht ... rein), ging ... rein, ist reingegangen** (*coll.*) to go in

der **Reis** rice

die **Reise, -n** trip, journey (2); **auf Reisen** on a trip

das **Reisebüro, -s** travel agency

**reisefertig** ready to leave

der **Reiseführer, -** travel guidebook

**reisen, ist gereist** to travel (1)

der/die **Reisende, -n (ein Reisender)** traveler

der **Reisepass, ¨-e** passport

**reiten (reitet), ritt, ist geritten** to ride horseback (1)

der **Reiter, -** / die **Reiterin, -nen** (horseback) rider; **der Blaue Reiter** *a group of artists in Munich (1911–14)*

**rekonstruieren, rekonstruiert** to reconstruct

**relativ** relative(ly) (B)

die **Religion, -en** religion (1)

die **Religionsfreiheit** freedom of religion

die **Religionsmündigkeit** religious coming-of-age

**religiös** religious(ly) (B)

**rennen (rennt), rannte, ist gerannt** to run (7)

das **Rennen, -** race (9)

die **Rente, -n** pension

**reparieren, repariert** to repair

das **Repertoire, -s** repertoire

der **Reporter, -** / die **Reporterin, -nen** reporter

die **Republik, -en** republic

**reservieren, reserviert** to reserve

der **Respekt** respect

**respektvoll** respectful(ly)

der **Rest, -e** rest, remainder (8)

das **Restaurant, -s** restaurant (2)

**retten, gerettet** to save, rescue (9)

der **Rettich, -e** radish

die **Rettung** rescue; salvation

die **Revolution, -en** revolution

das **Rezept, -e** recipe, formula; prescription (8)

die **Rezeption, -en** reception desk

die **Rezession, -en** recession

der **Rhein** Rhine (*river*)

(das) **Rheinland-Pfalz** Rhineland-Palatinate (*German state*)

die **Rhône** Rhône (*river*)

**rhythmisch** rhythmic(ally)

der **Rhythmus, Rhythmen** rhythm

**richten, gerichtet** to direct, point; to fix (12)

der **Richter, -** / die **Richterin, -nen** judge (5)

**richtig** right(ly), correct(ly) (2)

die **Richtung, -en** direction, way (7)

**riechen (riecht), roch, gerochen** to smell (11)

der **Riese, -n** (*wk.*) / die **Riesin, -nen** giant

das **Riesenkompliment, -e** huge compliment

die **Riesenschildkröte, -n** giant tortoise/turtle

**rigide** rigid(ly)

das **Rindfleisch** beef

der **Ring, -e** ring (2)

das **Ringelreih(e)n** merry-go-round

**ringen (ringt), rang, gerungen** to struggle, strive

das **Risiko, Risiken** risk (7)

der **Rock, ¨-e** skirt (A); (*sg. only*) rock music

der **Roggen** rye

die **Rolle, -n** role, part (4)

das **Rollenspiel, -e** role-play

der **Rollstuhl, ¨-e** wheelchair

(das) **Rom** Rome

der **Roman, -e** novel (2)

die **Romantik** Romantic period/movement

der **Römer, -** / die **Römerin, -nen** Roman (*person*)

**römisch** Roman (*adj.*)

**rosa** pink

der **Rosenkohl** Brussels sprouts

**rot (röter, rötest-)** red (A); **rote Grütze** red fruit pudding

(das) **Rotkäppchen** Little Red Riding Hood

(das) **Ruanda** Rwanda

der **Rücken, -** back (B)

der **Rucksack, ¨-e** backpack (2)

die **Rückseite, -n** back (side); reverse (*of a coin*)

**rufen (ruft), rief, gerufen** to call, shout (7)

die **Ruhe** peace, quiet (B); **ohne Rast und Ruh** restlessly

**ruhen, geruht** to rest

**ruhig** quiet(ly), calm(ly) (B)

der **Ruhm** fame

(sich) **rühren, gerührt** to stir, move, budge (10)

das **Ruhrgebiet** Ruhr region (*urban area in western Germany*)

der **Ruin** ruin (*financial*)

(das) **Rumänien** Romania

(das) **Rumpelstilzchen** Rumpelstiltskin

**rund** round; around (5); **rund um die Welt** around the world

der **Rundgang, ¨-e** walking tour

**runter•bringen (bringt ... runter), brachte ... runter, runtergebracht** (*coll.*) to bring down

**runter•kriegen, runtergekriegt** = **herunter•kriegen** (*coll.*) to get down

der **Rüssel, -** trunk (*of an elephant*)

**russisch** Russian (*adj.*) (8)

(das) **Russisch** Russian (*language*) (B)

(das) **Russland** Russia (B)

**rustikal** country-style

**rutschen, ist gerutscht** to slide (9); to slip

## S

das **Sachbuch, ¨-er** non-fiction book

die **Sache, -n** thing (2); cause

die **Sachertorte, -n** *type of Austrian chocolate cake*

die **Sachsen** (*pl.*) Saxons (*Germanic tribe*)
**sächsisch** Saxon (*adj.*)
der **Sack, ¨-e** sack, bag
der **Saft, ¨-e** juice
**sagen, gesagt** to say (A); to tell
die **Sahara** Sahara (Desert)
die **Sahne** cream
die **Salami, -** salami
der **Salat, -e** salad
die **Salbe, -n** ointment, salve
das **Salz** salt (8)
**sammeln, gesammelt** to collect (10); to gather
der **Sammler, -** / die **Sammlerin, -nen** collector
der **Samstag, -e** Saturday (1)
**samstags** on Saturday(s)
der **Samt** velvet
der **Sand, -e** sand (4)
die **Sandale, -n** sandal
**sanft** soft(ly); gentle, gently
der **Sänger, -** / die **Sängerin, -nen** singer
der **Sarg, ¨-e** coffin
**sarkastisch** sarcastic(ally)
der **Satz, ¨-e** sentence (3)
die **Satzstellung** word order
**sauber** clean (3); **sauber machen** to clean
**sauer** sour, tart (8); angry, angrily
der **Sauerbraten, -** sauerbraten (*marinated beef roast*)
das **Sauerkraut** sauerkraut, pickled cabbage
der **Sauerteig** sourdough
**saugen, gesaugt** to vacuum; **Staub saugen** to vacuum
die **Sauna, -s** sauna
**schade!** too bad! (6)
**schaden** (+ *dat.*), **geschadet** to be harmful to (6)
der **Schaden, ¨** damage (11)
**schaffen (schafft), schuf, geschaffen** to create
**schaffen, geschafft** to accomplish, achieve (3); **jemanden aus dem Weg schaffen** to get someone out of the way
der **Schal, -s** scarf
der **Schall, -e** sound
die **Schallplatte, -n** (phonograph) record
der **Schalter, -** counter, window
**scharf (schärfer, schärfst-)** sharp(ly); (spicy) hot (8)
der **Schatten, -** shadow; shade (4)
der **Schatz, ¨-e** treasure (9)
**schätzen, geschätzt** to value, appreciate, estimate (10)
**schauen (an/auf** + *acc.*), **geschaut** to look (at) (A)
**schaufeln, geschaufelt** to shovel
der **Schauspieler, -** / die **Schauspielerin, -nen** actor/actress (5)
**schauspielerisch** acting (*adj.*)
der **Scheck, -s** check
die **Scheibe, -n** slice; disc; pane (11)
**scheiden (scheidet), schied, geschieden** to divorce; **sich scheiden lassen** to get a divorce
der **Schein, -e** banknote; certificate; shine; appearance (8)
**scheinen (scheint), schien, geschienen** to shine; to seem, appear (11)
**scheitern, ist gescheitert** to fail (12)
**schenken, geschenkt** to give (as a present) (5)
die **Schere, -n** scissors
der **Scherz, -e** joke
**schick** chic, stylish(ly), smart(ly)
**schicken, geschickt** to send, forward (6)
**schief** crooked; **schief gehen** to go wrong
die **Schiene, -n** train track
**schießen (schießt), schoss, geschossen** to shoot (5)
das **Schiff, -e** ship (5)
das **Schifferboot, -e** boat
das **Schild, -er** sign (7)
die **Schildkröte, -n** turtle; tortoise
das **Schilfgras** reed(s)
**schimpfen, geschimpft** to cuss; to scold (9)
die **Schindel, -n** shingle
der **Schinken, -** ham
der **Schirm, -e** umbrella; sunshade; screen
die **Schlacht, -en** battle, fight
der **Schlaf** sleep (9)
der **Schlafanzug, ¨-e** pajamas
die **Schläfe, -n** temple (*part of the body*)
**schlafen (schläft), schlief, geschlafen** to sleep (2); **lange schlafen** to sleep late
der **Schlafsack, ¨-e** sleeping bag (2)
das **Schlafzimmer, -** bedroom (6)
der **Schlag, ¨-e** beat, blow, hit (10)
**schlagen (schlägt), schlug, geschlagen** to hit, beat (2)
die **Schlange, -n** snake (10)
**schlank** slender, slim (B)
**schlau** cunning(ly)
**schlecht** bad(ly) (2)
die **Schleife, -n** bow, ribbon
der **Schleim, -e** mucus
der **Schlichter, -** / die **Schlichterin, -nen** arbitrator, mediator
(sich) **schließen (schließt), schloss, geschlossen** to close, shut (A)
**schließlich** finally (11); after all
**schlimm** bad(ly) (2)
der **Schlittschuh, -e** ice skate; **Schlittschuh laufen** to go ice-skating
das **Schloss, ¨-er** palace, castle (6)
der **Schluss, ¨-e** conclusion, end (6); **Schluss machen** to break it off; **zum Schluss** in the end, finally; in conclusion
der **Schlüssel, -** key (6)
**schmal** narrow; slim, slender (11)
**schmecken** (+ *dat.*), **geschmeckt** to taste good (to) (6)
**schmeißen (schmeißt), schmiss, geschmissen** to fling, hurl
der **Schmerz, -en** pain (11)
**schmerzen, geschmerzt** to hurt
das **Schmerzmittel, -** pain killer, pain medication
sich **schminken, geschminkt** to put makeup on
der **Schmuck** jewelry
der **Schmutz** dirt; filth
**schmutzig** dirty (A)
**schnarchen, geschnarcht** to snore
die **Schnecke, -n** snail
der **Schnee** snow (9)
(das) **Schneewittchen** Snow White
**schneiden (schneidet), schnitt, geschnitten** to cut (3); **Haare schneiden** to cut hair; **sich schneiden** to cut oneself
**schneien, geschneit** to snow (B); **es schneit** it is snowing; it snows
**schnell** quick(ly), fast (7)
der **Schnitt, -e** cut, incision
das **Schnitzel, -** (veal/beef/pork) cutlet; **das Wiener Schnitzel, -** breaded veal cutlet
der **Schnupfen, -** cold (*with a runny nose*), sniffles
der **Schnurrbart, ¨-e** mustache
der **Schock, -s** shock (11)
**schocken, geschockt** (*coll.*) to shock
die **Schokolade, -n** chocolate
**schon** already (2); indeed; **schon wieder** once again
**schön** pretty, beautiful; nice (B); **Bitte schön.** There you go. **Bitte schön?** Yes please? May I help you? **Danke schön.** Thank you very much. **ganz schön viel** quite a bit
die **Schönheit, -en** beauty
der **Schöpfer, -** / die **Schöpferin, -nen** creator
der **Schrank, ¨-e** wardrobe cabinet; cupboard (2)
der **Schrei, -e** cry; shout; scream
**schreiben (schreibt), schrieb, geschrieben** to write; to spell (A); **(an** + *acc.*) to write to; **(über** + *acc.*) to write about; **wie schreibt man das?** how do you spell that? (A)
die **Schreibmaschine, -n** typewriter
der **Schreibtisch, -e** desk (2)
die **Schreibweise, -n** spelling
**schreien (schreit), schrie, geschrien** to scream, yell (3)
die **Schrift, -en** script; writing
die **Schriftsprache, -n** written language
der **Schriftsteller, -** / die **Schriftstellerin, -nen** writer (5)
der **Schritt, -e** step, stride (11)
das **Schritttempo** walking speed
die **Schublade, -n** drawer (5)
**schüchtern** shy(ly)
der **Schuh, -e** shoe (A)

der **Schulabschluss, ¨-e** school diploma

die **Schulbildung** education, schooling

**schuld: schuld sein (an** + *dat.*) to be at fault (for)

die **Schuld, -en** debt (8); fault; guilt

**schulden, geschuldet** to owe

die **Schule, -n** school (1); **in der Schule** at school

der **Schüler, -** / die **Schülerin, -nen** pupil (1)

das **Schulgelände** school grounds

der **Schulhof, ¨-e** schoolyard, playground

der **Schulschluss** end of school

die **Schulter, -n** shoulder (B)

die **Schuluniform, -en** school uniform

die **Schüssel, -n** bowl

**schütteln, geschüttelt** to shake; **die Hand schütteln** to shake hands (A)

der **Schutz, ¨-e** protection (6)

**schützen, geschützt** to protect, save (B)

**schwach (schwächer, schwächst-)** weak(ly) (9)

der **Schwager, ¨-** / die **Schwägerin, -nen** brother/sister-in-law

**schwanger** pregnant (12)

**schwarz (schwärzer, schwärzest-)** black (A)

das **Schwarzbier, -e** *very dark beer*

**schwarzhaarig** black-haired

**Schwarzwälder** (*adj.*) (of the) Black Forest (*adj.*)

**schweben, geschwebt** to float

(das) **Schweden** Sweden

(das) **Schwedisch** Swedish (*language*)

der **Schweinebraten, -** pork roast

das **Schweinefleisch** pork

der **Schweinestall, ¨-e** pigpen

die **Schweiz** Switzerland (B)

**Schweizer** Swiss (*adj.*)

der **Schweizer, -** / die **Schweizerin, -nen** Swiss (*person*) (B)

die **Schwellung, -en** swelling

**schwer** heavy, heavily; hard, difficult (3); **schwer verletzt** critically injured

die **Schwester, -n** sister (B)

**schwierig** difficult (2)

die **Schwierigkeit, -en** difficulty, challenge (9)

das **Schwimmbad, ¨-er** swimming pool; **ins Schwimmbad fahren/gehen** to drive/go to the swimming pool

**schwimmen (schwimmt), schwamm, ist/hat geschwommen** to swim (1); **schwimmen gehen** to go swimming

sich **schwingen (schwingt), schwang, geschwungen** to vault

**schwitzen, geschwitzt** to sweat, perspire

**schwul** (*coll.*) gay, homosexual

**sechs** six (A)

**sechst-** sixth

**sechsundzwanzig** twenty-six (A)

**sechzehn** sixteen (A)

**sechzig** sixty (A)

die **SED** = die **Sozialistische Einheitspartei Deutschlands** Socialist Unity Party of Germany

der **See, -n** lake (7)

die **See, -n** sea

die **Seele, -n** soul, spirit (11)

**seelisch** mental(ly), psychological(ly)

**segeln, ist/hat gesegelt** to sail

**sehen (sieht), sah, gesehen** to see (2)

sich **sehnen (nach** + *dat.*)**, gesehnt** to long (for), yearn (for)

die **Sehnsucht, ¨-e** longing, desire (4)

**sehr** very (B); **Bitte sehr.** There you go. **Danke sehr.** Thank you very much.

der **Seiltänzer, -** / die **Seiltänzerin, -nen** tightrope walker

**sein (ist), war, ist gewesen** to be (A, 4); **bist du ...?** (*infor.*) are you . . . ? (A); **das ist ...** this/that is . . . (B); **das sind ...** these/those are . . . (B); **er/sie ist ...** he/she is . . . (A); **sie sind ...** they are . . . (A); **sind Sie ...?** (*for.*) are you . . . ? (A)

das **Sein** being

**sein(e)** his (1); its

**seit** (*prep.* + *dat.*) since; for (*amount of time*) (2); **seit mehreren Tagen** for several days

**seitab** off to the side

**seitdem** since then, ever since (12)

die **Seite, -n** side; page (5)

der **Sekretär, -e** / die **Sekretärin, -nen** secretary (5)

die **Sekunde, -n** second (1)

**selber, selbes, selbe** same

**selbst** (one)self; even (2); myself, yourself, himself, herself, itself; ourselves, yourselves, themselves; by (one)self; **selbst gemacht** homemade

die **Selbstbestimmung** self-determination

der **Selbstmord, -e** suicide

die **Selbstmordrate, -n** suicide rate

das **Selbstporträt, -s** self-portrait

**selbstverständlich** of course (10); natural(ly)

**selten** seldom, rare(ly) (5)

**seltsam** strange(ly), odd(ly) (9)

das **Semester, -** semester

das **Seminar, -e** seminar, class (4)

die **Semmel, -n** (bread) roll

der **Senat, -e** senate

die **Sendung, -en** program, show, broadcast (12)

der **Senegal** Senegal

der **Senf** mustard

**senken, gesenkt** to lower (10)

**sensibel** sensitive(ly)

der **September** September

die **Serie, -n** series

**servieren, serviert** to serve

der **Sessel, -** armchair (2)

**setzen, gesetzt** to put, place, set (*in a sitting position*); **sich setzen** to sit down (A)

der **Sexismus** sexism

**sexistisch** sexist (*adj.*)

**sexuell** sexual(ly)

**shoppen, geshoppt** (*coll.*) to go shopping

der **Shrimp, -s** shrimp

**sich** oneself, himself, herself, itself, yourself (4); themselves, yourselves

**sicher** secure(ly) (B); safe(ly); sure(ly); of course

die **Sicherheit, -en** safety (B)

die **Sicherheitskraft, ¨-e** security officer

**sicherlich** surely, certainly (3)

die **Sicht, -en** view, vision, visibility (9)

**sichtbar** visible, visibly (12)

**sie** (*pron., fem. nom./acc.*) she, her, it; (*nom./acc. pl.*) they, them; **sie ist ...** she is . . . (A); **sie sind ...** they are . . . (A)

**Sie** (*for. sg./pl.*) you; **sind Sie ...?** (*for.*) are you . . . ? (A)

**sieben** seven (A)

**siebent-** seventh

**siebenundzwanzig** twenty-seven (A)

**siebt-** seventh

**siebzehn** seventeen (A)

**siebzig** seventy (A)

die **Siedlung, -en** settlement

der **Sieger, -** / die **Siegerin, -nen** winner, victor

der **Siegeszug, ¨-e** triumph

**signalisieren, signalisiert** to signal; to indicate

die **Silbe, -n** syllable (6)

der **Silbenanfang, ¨-e** beginning of a syllable, onset

das **Silbenende, -n** end of a syllable, coda

**singen (singt), sang, gesungen** to sing (1)

die **Single, -s** single (record)

der **Singular, -e** singular

der **Sinn, -e** sense; meaning (8); **im Sinn haben** to have in mind

**sinnlich** sensual(ly)

die **Sirene, -n** siren

die **Sitte, -n** custom

die **Situation, -en** situation (A)

der **Sitz, -e** seat (7)

**sitzen (sitzt), saß, gesessen** to sit (2); to be in a seated position; **sitzen bleiben** to remain seated; to be held back a year (in school)

der **Sitzplatz, ¨-e** seat

(das) **Skandinavien** Scandinavia

das **Skateboard, -s** skateboard; **Skateboard fahren** to skateboard

der **Ski, -er** ski; **Ski fahren** to ski

die **Skizze, -n** sketch

der **Sklave, -n** (*wk.*) / die **Sklavin, -nen** slave

der **Skorpion, -e** scorpion

**skypen, geskypt** to skype

die **Slowakei** Slovakia

(das) **Slowenien** Slovenia

das **Smartphone, -s** smartphone (2)
die **SMS** SMS, text message
das **Snowboard, -s** snowboard; **Snowboard fahren** to snowboard
das **Snowboarden** snowboarding
**so** so, like this (A); such; **das stimmt so** that's right; keep the change (8); **so etwas** something like that; some such thing
die **Socke, -n** sock
das **Sofa, -s** sofa (6)
**sofort** immediately, right away (3)
**sogar** even (B)
**sogenannt** so-called (12)
der **Sohn, ⸚e** son (B)
die **Solarenergie** solar energy
das **Solarium, Solarien** tanning salon
**solcher, solches, solche** such (12)
der **Soldat, -en** (*wk.*) / die **Soldatin, -nen** soldier (5)
die **Solidarität** solidarity
**sollen (soll), sollte, gesollt** to be supposed to (3)
der **Sommer, -** summer (B)
**sonderbar** strange(ly)
**sondern** but (rather / on the contrary) (7)
der **Song, -s** song
die **Sonne, -n** sun (1)
der **Sonnenbrand, ⸚e** sunburn
die **Sonnenmilch** suntan lotion
der **Sonnenstrahl, -en** ray of sunlight
der **Sonnenuntergang, ⸚e** sunset
**sonnig** sunny
der **Sonntag, -e** Sunday (1)
**sonst** otherwise (2); **sonst noch** in addition; else; **sonst noch etwas?** anything else? (5)
**sonstig** other
die **Sorge, -n** concern, worry (8)
**sorgen (für** + *acc.*)**, gesorgt** to care (for), take care (of) (5); **sich sorgen (um** + *acc.*) to worry (about)
**sorglos** carefree
die **Sorte, -n** sort, type, kind
**sortieren, sortiert** to sort
die **Soße, -n** sauce
das **Souvenir, -s** souvenir
**sowie** as well as (6)
**sowjetisch** Soviet (*adj.*)
die **Sowjetunion** Soviet Union
**sowohl ... als auch** both . . . and (8)
**sozial** social(ly) (4)
der **Sozialdemokrat, -en** (*wk.*) / die **Sozialdemokratin, -nen** Social Democrat
**sozialdemokratisch** Social Democratic
der **Sozialismus** socialism
**sozialistisch** socialist (*adj.*)
die **Soziologie** sociology
die **Spaghetti** (*pl.*) spaghetti
die **Spalte, -n** column
**spalten (spaltet), spaltete, gespalten** to split
(das) **Spanien** Spain
**spanisch** Spanish (*adj.*)
(das) **Spanisch** Spanish (*language*) (B)
**spannend** exciting, suspenseful (9)
die **Spannweite, -n** wingspan
**sparen, gespart** to save, put aside (5); (**auf** + *acc.*) to save up for
die **Sparkasse, -n** savings bank
das **Sparkonto, Sparkonten** savings account
der **Sparpreis, -e** budget price
der **Spaß, ⸚e** fun; joke (1); **Spaß haben** to have fun; **Spaß machen** to be fun; **viel Spaß** have fun
die **Spaßbremse, -n** (*coll.*) killjoy, party pooper
**spät** late (1); **spät dran sein** to be late (3); **später** later (1); **Wie spät ist es?** What time is it? (1)
**spazieren gehen (geht ... spazieren), ging ... spazieren, ist spazieren gegangen** to go for a walk (1)
die **SPD** = die **Sozialdemokratische Partei Deutschlands** Social Democratic Party of Germany
der **Speck** bacon
die **Speditionsfirma, Speditionsfirmen** shipping/transport company
die **Speisekarte, -n** menu
der **Speisewagen, -** dining car
**spekulieren, spekuliert** to speculate
die **Spezialität, -en** speciality
**speziell** special(ly); especially (8)
der **Spiegel, -** mirror (6); *title of a German news magazine*
das **Spieglein, -** (*diminutive form of* **der Spiegel**) little mirror
das **Spiel, -e** game (2); play, match
**spielen, gespielt** to play (1)
der **Spieler, -** / die **Spielerin, -nen** player (2)
der **Spieletester, -** / die **Spieletesterin, -nen** game tester
der **Spielfilm, -e** theatrical feature film
der **Spielplatz, ⸚e** playground
der **Spinat, -e** spinach
die **Spindel, -n** spindle
die **Spitze, -n** top, head, apex (12); tip, point
der **Spitzel, -** informer
der **Splitter, -** splinter; fragment
**splittern, gesplittert** to chip, crack
**spontan** spontaneous(ly)
der **Sport** sport(s); physical education (1); **Sport treiben** to do sports, work out (2)
**sportlich** sporty, athletic(ally) (B)
der **Sportplatz, ⸚e** sports field; playing field
die **Sprache, -n** language (3)
die **Sprachfamilie, -n** language family
der **Sprachgebrauch** linguistic usage
das **Sprachlabor, -s** language laboratory (4)
der **Sprachunterricht** language class
der **Sprachwissenschaftler, -** / die **Sprachwissenschaftlerin, -nen** linguist
der/das **Spray, -s** spray
**sprechen (spricht), sprach, gesprochen** to speak (B); (**über** + *acc.*) to talk about; (**von** + *dat.*) to speak of/about
der **Sprecher, -** / die **Sprecherin, -nen** speaker (6)
die **Sprechstunde, -n** office hour
das **Sprichwort, ⸚er** proverb, saying
**springen (springt), sprang, ist gesprungen** to jump (A)
der **Sprung, ⸚e** jump
**spülen, gespült** to wash; to rinse; **das Geschirr spülen** to wash the dishes
der **Staat, -en** state; country; government (8)
der **Staatenbund, ⸚e** confederation
**staatlich** state, government, public(ly) (12)
die **Staatsangehörigkeit, -en** nationality, citizenship
der **Staatsbankrott, -e** government bankruptcy
der **Staatsbürger, -** / die **Staatsbürgerin, -nen** citizen
der **Staatsrat, ⸚e** / die **Staatsrätin, -nen** state councilor
**stabil** stable, stably
die **Stadt, ⸚e** city, town (A)
der **Städtename, -n** (*wk., gen.* **-ens**) city name
der **Stadtplan, ⸚e** town/city street map
das **Stadtrecht** town/city privileges
der **Stadtrundgang, ⸚e** walking tour of the city
der **Stadtteil, -e** district, neighborhood (6)
der **Stamm, ⸚e** tribe; stem
**stammen (aus** + *dat.*)**, gestammt** to be (from), derive (from) (2)
**ständig** constant(ly) (2)
der **Standort, -e** location
**stark (stärker, stärkst-)** strong(ly); severe(ly); heavy, heavily (11)
**stärken, gestärkt** to strengthen
der **Start, -s** start
**starten, ist gestartet** to start, launch, take off (10)
die **Stasi** (*coll.*) = die **Staatssicherheit** State Security (*former East German secret police*)
**statt** (+ *gen.*) instead of (4)
**stattdessen** instead (8)
**statt•finden (findet ... statt), fand ... statt, stattgefunden** to take place (5)
die **Statue, -n** statue
der **Status, -** status
der **Staub** dust (6); **Staub saugen** to vacuum (6); **Staub wischen** to (wipe) dust
der **Staubsauger, -** vacuum cleaner
die **Stauchung, -en** compression
das **Steak, -s** steak

**stechen (sticht), stach, gestochen** to sting, bite (*insects*); to prick, pierce (10)

**stecken, gesteckt** to put, plug, insert (11); to stick; to be; **stecken bleiben** to get stuck (11)

**stehen (steht), stand, gestanden** to stand, be in an upright position (2); to be (situated); (+ *dat.*) to suit; (**für** + *acc.*) to stand (for); **Das steht / Die stehen dir gut!** That looks / Those look good on you! (2)

**stehlen (stiehlt), stahl, gestohlen** to steal (9)

die **Steiermark** Styria (*Austrian state*)

**steigen (steigt), stieg, ist gestiegen** to climb, ascend; to rise (7)

der **Stein, -e** stone (8)

die **Stelle, -n** place, position; job (10)

**stellen, gestellt** to put, place (upright); to pose (A); **Fragen stellen** to ask questions (A); **gerade stellen** to straighten

**sterben (an** + *dat.*) **(stirbt), starb, ist gestorben** to die (from/of) (2)

die **Stereoanlage, -n** stereo system (6)

der **Stern, -e** star (10)

das **Sternchen, -** asterisk

der **Sternenhimmel, -** starry sky

die **Sternwarte, -n** observatory

die **Steuer, -n** tax (8)

**steuern, gesteuert** to steer, operate, control (12); to drive, pilot

das **Stichwort, ¨er** keyword

der **Stiefel, -** boot (A)

die **Stiefmutter, ¨** stepmother

der **Stiefsohn, ¨e** stepson

die **Stieftochter, ¨** stepdaughter

der **Stiefvater, ¨** stepfather

der **Stift, -e** pen, pencil (A)

der **Stil, -e** style

die **Stille** silence, quiet (7)

**stillen, gestillt** to still, stop, quench

das **Stillleben, -** still-life

die **Stimme, -n** voice; vote (12)

**stimmen, gestimmt** to be right (8); to vote; **das stimmt so** that's right; keep the change (8); **Stimmt!** That's right!

die **Stimmung, -en** mood, atmosphere (8)

das **Stipendium, Stipendien** scholarship

der **Stock, ¨e** stick, pointer

der **Stock** (*pl.* **Stockwerke**) floor, story (6); **im ersten Stock** on the second floor (6)

der **Stoff, -e** substance, material, fabric (12)

**stolpern, ist gestolpert** to trip, stumble

der **Stolz** pride (12)

**stören, gestört** to disturb (3)

die **Störung, -en** disturbance, disruption (11)

**stoßen (stößt), stieß, gestoßen** to bump, shove, punch (11)

der **Stoßzahn, ¨e** tusk

**strafbar** punishable

die **Strafe, -n** punishment

der **Strafzettel, -** (parking or speeding) ticket

der **Strand, ¨e** beach (4)

die **Strandpromenade, -n** (beach) promenade

die **Straße, -n** street, road (5)

die **Straßenbahn, -en** streetcar (7)

die **Straßenseite, -n** side of the street

die **Strategie, -n** strategy (12)

der **Strauß, ¨e** bouquet

**streben (nach** + *dat.*), **gestrebt** to strive (for)

die **Strecke, -n** distance; route (10)

(sich) **streiten (streitet), stritt, gestritten** to argue, quarrel (9)

**streng** strict(ly) (9)

der **Stress, -e** stress

**stressen, gestresst** to stress

**stricken, gestrickt** to knit

die **Strickjacke, -n** cardigan sweater

**strikt** strict(ly)

der **Strom, ¨e** electricity, current; river (6)

die **Strophe, -n** strophe; verse

der **Strudel, -** strudel (*pastry*)

die **Struktur, -en** structure, pattern (A)

die **Strumpfhose, -n** tights; pantyhose

das **Stück, -e** piece, chunk, slice (8)

der **Student, -en** (*wk.*) / die **Studentin, -nen** student (A)

das **Studentenwerk, -e** student services

die **Studie, -n** study (6)

der **Studienabschluss, ¨e** completion of studies; graduation

das **Studienfach, ¨er** academic subject

die **Studiengebühr, -en** registration fee, tuition

**studieren, studiert** to be a student, study (1); to attend a university/college

der/die **Studierende, -n (ein Studierender)** student

das **Studierendenheim, -e** dorm

die **Studierendenschaft, -en** student parliament

das **Studierzimmer, -** study (room)

das **Studium, Studien** university studies (1); course of studies

die **Stufe, -n** step (of a staircase) (6); stage

der **Stuhl, ¨e** chair (B)

die **Stunde, -n** hour (1)

**stundenlang** for hours

der **Stundenlohn, ¨e** hourly wage

der **Stundenplan, ¨e** schedule

der **Sturm, ¨e** storm (7)

**stürmen, gestürmt** to storm

der **Sturmesflug, ¨e** storm's flight

**stürzen, ist gestürzt** to fall, tumble, plummet (10)

das **Subjekt, -e** subject

das **Substantiv, -e** noun

**subtrahieren, subtrahiert** to subtract

die **Suche, -n** search

**suchen (nach** + *dat.*), **gesucht** to search, look for (1)

die **Suchmaschine, -n** search engine

**süd-** south

(das) **Südafrika** South Africa

der **Süden** South (B)

**südlich (von** + *dat.*) southern; south (of) (7)

der **Südosten** Southeast

**südöstlich (von** + *dat.*) southeastern; southeast (of)

der **Südwesten** Southwest

**südwestlich (von** + *dat.*) southwestern; southwest (of)

der **Suizid, -e** suicide

der **Sünder, -** / die **Sünderin, -nen** sinner

**super** super

der **Superlativ, -e** superlative

der **Supermarkt, ¨e** supermarket (5)

die **Suppe, -n** soup

**surfen, gesurft** to surf, go surfing

**surreal** surreal

**surrealistisch** surrealistic(ally)

das **Sushi** sushi

**süß** sweet(ly) (2); **voll süß** totally sweet

das **Sweatshirt, -s** sweatshirt

das **Symbol, -e** symbol

**symbolisch** symbolic(ally)

**symbolisieren, symbolisiert** to symbolize

der **Symbolismus** symbolism

**sympathisch** congenial(ly), appealing(ly)

das **System, -e** system (B)

die **Szene, -n** scene (10)

## T

die **Tabelle, -n** table (B); list

das **Tablet, -s** tablet (computer)

die **Tablette, -n** tablet, pill (11)

die **Tafel, -n** blackboard; whiteboard (A)

der **Tag, -e** day (A); **an welchem Tag?** on what day? (4); **den ganzen Tag** all day long; **eines Tages** one day; **guten Tag** good afternoon; hello (*for.*) (A); **seit mehreren Tagen** for several days; **vor zwei Tagen** two days ago (4); **Welcher Tag ist heute?** What day is today? (1)

das **Tagebuch, ¨er** diary (4)

der **Tagesablauf, ¨e** daily routine; course of (one's) day

die **Tagesmutter, ¨** day nanny

die **Tageszeit, -en** time of day

**täglich** daily

das **Tal, ¨er** valley (7)

das **Talent, -e** talent

der **Tand** baubles, frills, worthless junk

**tanken, getankt** to fill up (with gas)

die **Tankstelle, -n** gas station (5)

die **Tante, -n** aunt (B)

der **Tanz, ¨e** dance

**tanzen, getanzt** to dance (1)

der **Tänzer, -** / die **Tänzerin, -nen** dancer
die **Tanzfläche, -n** dance floor
das **Tanzstudio, -s** dance studio
die **Tasche, -n** bag; purse; pocket (1)
die **Taschenlampe, -n** flashlight
das **Taschentuch, ¨-er** handkerchief
die **Tasse, -n** cup (2)
**tätig** active(ly); employed (7)
die **Tätigkeit, -en** activity (6)
**tatsächlich** actual(ly), indeed (5)
das **Tattoo, -s** tattoo
**tauchen, hat/ist getaucht** to dive (3)
der **Tauchkurs, -e** diving course
die **Taufe, -n** baptism, christening
**taugen, getaugt: es taugt nichts** it's no good
**tauschen, getauscht** to change, exchange, trade (12)
**tausend** thousand (8)
das **Tausend, -e** thousand
**tausendmal** a thousand times
das **Taxi, -s** taxi
der **Taxifahrer, -** / die **Taxifahrerin, -nen** taxi driver; **als Taxifahrer(in)** as a taxi driver (5)
das **Team, -s** team
die **Technik, -en** technology; technique (12)
**technisch** technical(ly) (1)
der **Teddy, -s** teddy bear
der **Tee, -s** tea (4)
der **Teig, -e** dough
der **Teil, -e** part (3)
**teilen, geteilt** to divide, split, share (8)
**teil•nehmen (an** + *dat.*) **(nimmt ... teil), nahm ... teil, teilgenommen** to take part, participate (*in s.th.*)
der **Teilnehmer, -** / die **Teilnehmerin, -nen** participant (12)
das **Telefon, -e** telephone (1); **am Telefon** on the phone (2)
**telefonieren (mit** + *dat.*), **telefoniert** to telephone, call (4); to talk on the phone (with)
der **Teller, -** plate (6)
die **Temperatur, -en** temperature (B)
das **Tempo, -s** speed (7)
das **Tempolimit, -s** speed limit
das **Tennis** tennis
der **Teppich, -e** carpet (2); rug
der **Termin, -e** appointment (5); **sich einen Termin geben lassen** to get an appointment
der **Terminkalender, -** appointment calendar
die **Terrasse, -n** terrace, patio (6)
der **Terrorismus** terrorism (12)
das **Tessin** Ticino (*Swiss canton*)
der **Test, -s** test
**testen, getestet** to test
**teuer** expensive(ly) (2)
der **Teufel, -** devil (12)
der **Teutoburger Wald** Teutoburg Forest

der **Text, -e** text (12)
das **Theater, -** theater (1)
das **Thema, Themen** theme, topic (4)
**thematisieren, thematisiert** to take as a theme
der **Theologe, -n** (*wk.*) / die **Theologin, -nen** theologian
**theoretisch** theoretical(ly) (5)
die **Theorie, -n** theory (10)
der **Therapeut, -en** (*wk.*) / die **Therapeutin, -nen** therapist
das **Thermometer, -** thermometer
der **Thomanerchor** St. Thomas Choir
der **Thomaskantor, -en** director of the St. Thomas Choir
der **Thunfisch, -e** tuna
das **Ticket, -s** ticket (7)
**tief** deep(ly); low (7)
das **Tiefland, ¨-er** lowland
das **Tier, -e** animal (1)
der **Tierarzt, ¨-e** / die **Tierärztin, -nen** veterinarian
der **Tiger, -** tiger
der **Tipp, -s** tip
(das) **Tirol** Tyrol (*Austrian state*)
der **Tisch, -e** table (B); **den Tisch decken** to set the table
der **Titel, -** title
**tja** (*interj.*) well
**toben, getobt** to rampage
die **Tochter, ¨** daughter (B)
der **Tod, -e** death (12)
die **Toilette, -n** toilet; bathroom (6)
**toll** (*coll.*) neat, great (2)
die **Tomate, -n** tomato
die **Tonne, -n** (metric) ton (12)
das **Top, -s** top
der **Topf, ¨-e** pot (5)
das **Tor, -e** gate (7)
**tot** dead (9)
**total** total(ly) (4)
**totalitärisch** totalitarian
**töten, getötet** to kill (9)
sich **tot•schuften, totgeschuftet** (*coll.*) to work oneself to death
die **Tour, -en** tour; trip
das **Tourette-Syndrom** Tourette syndrome
der **Tourismus** tourism
der **Tourist, -en** (*wk.*) / die **Touristin, -nen** tourist (11)
**touristisch** touristic (10)
die **Tradition, -en** tradition
**traditionell** traditional(ly)
**traditionsreich** rich in tradition
**tragen (trägt), trug, getragen** to wear (A); to carry; **trägst du ...?** do you wear . . . ? / are you wearing . . . ? (A)
die **Tragikomödie, -n** tragicomedy
die **Tragödie, -n** tragedy

der **Trailer, -** trailer
das **Training, -s** training
**trampeln, getrampelt** to stomp
**trampen, ist getrampt** to hitchhike
der **Transport, -e** transportation (12)
**transportieren, transportiert** to transport (7)
das **Transportmittel, -** means of transportation
**trauen** (+ *dat.*), **getraut** to trust (8)
die **Trauer** sorrow (2); grief
der **Traum, ¨-e** dream (7)
die **Traumdeutung, -en** dream interpretation
**träumen (von** + *dat.*), **geträumt** to dream (of/about) (2)
**traurig** sad(ly) (B)
(sich) **treffen (trifft), traf, getroffen** to meet (2); **Treffen wir uns ...** Let's meet . . .
**treiben (treibt), trieb, getrieben** to drive; to carry out, do; **Sport treiben** to do sports, work out (2)
(sich) **trennen, getrennt** to separate (5); to break up (*people*); to divide; **getrennt** separate(ly); with separate checks (5)
die **Trennung, -en** separation, segregation (11)
die **Treppe, -n** stairway (6)
das **Treppenhaus, ¨-er** stairwell
**treten (tritt), trat, ist getreten** to step (up) (4)
**treu** loyal(ly); true (9)
die **Treue** loyalty
(das) **Triest** Trieste
**trinken (trinkt), trank, getrunken** to drink (1)
das **Trinkgeld, -er** tip
**trivial** trivial(ly); trite(ly)
**trocken** dry (11)
**trocknen, getrocknet** to dry (6)
**trotz** (+ *gen.*) despite (12)
**trotzdem** nonetheless, despite that (2)
die **Truppen** (*pl.*) troops
(das) **Tschechien** Czechia, Czech Republic
**tschüss** bye (*infor.*) (A)
das **T-Shirt, -s** T-shirt
die **TU** = die **Technische Universität** Technical University
**tun (tut), tat, getan** to do (1)
(das) **Tunesien** Tunisia
die **Tür, -en** door (A)
**turbulent** turbulent(ly)
die **Türkei** Turkey (B)
**türkis** turquoise
**türkisch** Turkish (*adj.*)
(das) **Türkisch** Turkish (*language*) (B)
der **Turm, ¨-e** tower (12)
der **TÜV** = der **Technische Überwachungsverein** Technical Control Board (*German agency that checks vehicular safety*)
**twittern, getwittert** to use Twitter, "tweet"
der **Typ, -en** type (12)
**typisch** typical(ly)

## U

**u. a.** = **unter anderem** among others

die **U-Bahn, -en** = die **Untergrundbahn, -en** subway (7)

**übel** bad, nasty; **übel sein** (+ *dat.*) to feel sick; **Mir ist übel.** I feel sick.

**üben, geübt** to practice, rehearse (8); to exercise

**über** (+ *dat./acc.*) over; above; about; across; via (4); **übers Wochenende** over the weekend (4)

**überall** everywhere (10)

der **Überblick, -e** view; overview

der **Übergang, ¨-e** transition (12)

**übergehen (geht ... über), ging ... über, ist übergegangen** to transfer, pass across

**überhaupt** at all, in the first place, anyway (12)

**überholen, überholt** to overtake

**überleben, überlebt** to survive

**übermorgen** the day after tomorrow

**übermütig** in high spirits, cocky

**übernachten, übernachtet** to stay overnight (6)

**übernehmen (übernimmt), übernahm, übernommen** to take on, assume (4); to take over; to adopt

**überraschen, überrascht** to surprise (2)

die **Überraschung, -en** surprise

**überreden, überredet** to convince, persuade

die **Überredungskunst, ¨-e** powers of persuasion

**übers** = **über das** over/about the

**übersetzen, übersetzt** to translate (9)

der **Übersetzer, -** / die **Übersetzerin, -nen** translator

die **Übersetzung, -en** translation

**überwachen, überwacht** to monitor

die **Überwachung, -en** surveillance

**überweisen (überweist), überwies, überwiesen** to transfer (*money*)

die **Überweisung, -en** transfer (*of money*)

**überwiegen (überwiegt), überwog, überwogen** to outweigh, predominate (6)

**überzeugen, überzeugt** to convince (9)

**üblich** customary, customarily (6)

**übrig** remaining, left (over) (12)

**übrigens** by the way (2); incidentally

die **Übung, -en** exercise (A)

das **Ufer, -** shore, bank (of a river) (12)

die **Uhr, -en** clock (B); watch; (*sg. only*) o'clock; **bis acht Uhr** until eight o'clock (2); **erst um vier Uhr** not until four o'clock (4); **Um wie viel Uhr ...?** At what time . . . ? (1); **Wie viel Uhr ist es?** What time is it? (1)

die **Uhrzeit, -en** time

die **Ukraine** Ukraine

**ultramodern** ultramodern

**um** (+ *acc.*) around; about; at (*time*); for; **erst um vier Uhr** not until four o'clock (4); **um die Ecke** around the corner (6); **um ... herum** around; **um sechs (Uhr)** at six o'clock; **Um wie viel Uhr ...?** At what time . . . ? (1); **um ... zu** (+ *inf.*) (in order) to (4, 12)

(sich) **umarmen, umarmt** to embrace, hug

**um•bringen (bringt ... um), brachte ... um, umgebracht** to kill

**um•fallen (fällt ... um), fiel ... um, ist umgefallen** to fall over

**umfassen, umfasst** to comprise, span, cover (8); to embrace; to include

die **Umfrage, -n** survey (4)

**umgeben (umgibt), umgab, umgeben** to surround, enclose

die **Umgebung, -en** surrounding area, environs

sich **um•gucken, umgeguckt** (*coll.*) to look around

**um•kippen, ist umgekippt** to turn/fall over

**ums** = **um das** around/about/at/for the

der **Umschlag, ¨-e** cover; envelope; **warmer Umschlag** warm compress, poultice

**um•schlagen (schlägt ... um), schlug ... um, ist/hat umgeschlagen** to change

**um•setzen, umgesetzt** to implement

die **Umstellung, -en** adjustment

der **Umweg, -e** detour

die **Umwelt, -en** environment (B)

**um•werfen (wirft ... um), warf ... um, umgeworfen** to knock over/down

**um•ziehen (zieht ... um), zog ... um, ist umgezogen** to move (*to another residence*)

der **Umzug, ¨-e** move, relocation

**unabhängig** independent(ly) (10)

**unachtsam** inattentive(ly)

**unangenehm** unpleasant(ly)

**unbedingt** absolute(ly) (12)

**unbekannt** unknown (8)

**unbestimmt** indefinite

**unbetont** unstressed, unaccented

das **Unbewusste, -n (ein Unbewusstes)** unconscious

**und** (*coord. conj.*) and (A); **und so weiter (usw.)** and so forth

der **Unfall, ¨-e** accident (4)

**ungarisch** Hungarian (*adj.*)

(das) **Ungarn** Hungary

**ungeduldig** impatient(ly)

**ungefähr** approximate(ly) (7)

**ungeheuer** enormous(ly); terrible, terribly

**ungelernt** unskilled

**ungemein** exceptional(ly)

**ungewöhnlich** unusual(ly)

**ungezogen** naughty, naughtily; badly behaved

**unglaublich** incredible, incredibly (5)

das **Unglück, -e** misfortune; accident (12)

**unglücklich** unhappy, unhappily (3)

**unhöflich** impolite(ly)

die **Uni, -s** (*coll.*) = die **Universität, -en** university (B); **zur Uni** to the university (2)

die **Union, -en** union; **die Europäische Union (EU)** European Union

**universitär** (pertaining to) university (*adj.*)

die **Universität, -en** university (B)

**unklug** unwise(ly)

**unkompliziert** uncomplicated

**unmöglich** impossible, impossibly (5)

die **Unmündigkeit** dependence

die **UNO** UN (United Nations)

**unpersönlich** impersonal(ly)

das **Unrecht** injustice (9); wrong

**unrechtmäßig** illegal(ly)

**uns** (*acc./dat.*) us

**unsaniert** unrestored, unrenovated

**unschlagbar** unbeatable

die **Unschuld** innocence

**unser(e)** our

**unsichtbar** invisible, invisibly

**unten** (*adv.*) down; below (12); downstairs

**unter** (+ *dat./acc.*) under, beneath; among (5); **unter anderem** among other things

das **Unterbewusste, -n (ein Unterbewusstes)** subconscious

sich **unterhalten (unterhält), unterhielt, unterhalten** to talk, have a conversation (9)

die **Unterhaltung, -en** conversation

das **Unterhemd, -en** undershirt

der **Unterlass: ohne Unterlass** incessantly

**unternehmen (unternimmt), unternahm, unternommen** to do, undertake (2)

das **Unternehmen** company; enterprise (5)

der **Unterricht** class, instruction (9)

**unterrichten, unterrichtet** to teach, instruct (5)

**unterscheiden (unterscheidet), unterschied, unterschieden** to differentiate, distinguish; **sich unterscheiden (von** + *dat.***)** to differ (from)

der **Unterschied, -e** difference (2)

**unterschiedlich** different, diverse (3)

**unterschreiben (unterschreibt), unterschrieb, unterschrieben** to sign (A)

die **Unterschrift, -en** signature

**unterstreichen (unterstreicht), unterstrich, unterstrichen** to underline

der **Unterstrich, -e** underline

**unterstützen, unterstützt** to assist, support (11)

**untersuchen, untersucht** to examine; to investigate (5)

**unterwegs** on the road, on one's way (2)

**unverantwortlich** irresponsible, irresponsibly

**unverheiratet** unmarried

**unwichtig** unimportant

**unzufrieden** dissatisfied

**uralt** very old, ancient

der **Uranus** Uranus

**urkundlich erwähnt** mentioned in a document

der **Urlaub, -e** vacation (4); **Urlaub machen** to take a vacation

die **Ursache, -n** cause, reason (11)

der **Ursprung, ¨-e** origin (10)

**ursprünglich** original(ly) (8)

das **Urteil, -e** judgment (9)

die **USA** (*pl.*) USA (B)

der **US-Amerikaner, -** / die **US-Amerikanerin, -nen** American (from the USA) (*person*)

**US-amerikanisch** American (from the USA) (*adj.*)

**usw.** = **und so weiter** and so forth

## V

der **Valentinstag, -e** Valentine's Day

der **Vampir, -e** / die **Vampirin, -nen** vampire

die **Variation, -en** variation

der **Vater, ¨** father (B)

der **Vati, -s** dad, daddy

**v. Chr.** = **vor Christus** before Christ, BC

**vegan** vegan (*adj.*)

der **Ventilator, -en** ventilator, fan

**verabreden, verabredet** to agree; **sich verabreden (mit** + *dat.***)** to make a date (with), make an appointment (with)

sich **verabschieden, verabschiedet** to say goodbye, take leave

(sich) **verändern, verändert** to change (6)

die **Veränderung, -en** change, transformation (6)

die **Veranstaltung, -en** event, performance (8)

**verarbeiten, verarbeitet** to process, treat, convert (8)

das **Verb, -en** verb

der **Verband, ¨-e** bandage (11)

die **Verbendung, -en** verb ending

**verbessern, verbessert** to improve; to correct

**verbieten (verbietet), verbot, verboten** to forbid, prohibit (9)

**verbinden (verbindet), verband, verbunden** to connect (A); to combine

der **Verbrauch** consumption

**verbrauchen, verbraucht** to consume, spend (7)

**verbreiten, verbreitet** to spread, disseminate (9)

die **Verbreitung** spread

**verbrennen (verbrennt), verbrannte, verbrannt** to burn (11); **sich (die Zunge) verbrennen** to burn (one's tongue)

**verbringen (verbringt), verbrachte, verbracht** to spend (*time*) (1)

**verdienen, verdient** to earn (4)

**verdrängen, verdrängt** to replace, displace (10)

der **Verein, -e** association, club (A)

**vereinbaren, vereinbart** to agree, arrange (12)

**vereinen, vereint** to unite

**vereinigen, vereinigt** to unite, unify (10)

**verenden, ist verendet** to die

das **Verfahren, -** process

**verfallen (verfällt), verfiel, ist verfallen** to decline; to deteriorate

die **Verfassung, -en** constitution; state (of mind) (9); **körperliche und geistige Verfassung** physical and mental state

die **Verfolgung, -en** persecution

die **Verfügung, -en** disposal (12); order; **zur Verfügung** at one's disposal

die **Vergebung, -en** forgiveness

**vergessen (vergisst), vergaß, vergessen** to forget (2)

**vergiften, vergiftet** to poison

der **Vergleich, -e** comparison

**vergleichen (vergleicht), verglich, verglichen** to compare (4)

**vergnügt** cheerful(ly); happy, happily

das **Verhalten** behavior, conduct

sich **verhalten (verhält), verhielt, verhalten** to behave, act (11)

das **Verhältnis, -se** relationship (8)

die **Verhandlung, -en** trial, hearing

**verheiratet** married (1)

**verhexen, verhext** to cast a spell on

**verhindern, verhindert** to delay; to prevent; to frustrate (7)

**verhungern, ist verhungert** to starve (to death)

**verkaufen, verkauft** to sell (2); **zu verkaufen** for sale

der **Verkäufer, -** / die **Verkäuferin, -nen** salesperson (5)

der **Verkehr** traffic (5)

das **Verkehrsmittel, -** means of transportation; **die öffentlichen Verkehrsmittel** (*pl.*) public transportation

**verkennen (verkennt), verkannte, verkannt** to fail to recognize

**verklären, verklärt** to transfigure

(sich) **verkleiden, verkleidet** to disguise (*o.s.*), dress (*o.s.*) up

**verkommen (verkommt), verkam, ist verkommen** to deteriorate

der **Verlag, -e** publishing company, publisher (10)

**verlassen (verlässt), verließ, verlassen** to leave; to abandon (5)

sich **verlaufen (verläuft), verlief, verlaufen** to get lost, lose one's way

**verletzen, verletzt** to injure (11); **sich verletzen** to get injured (11)

**verletzt** injured; **schwer verletzt** critically injured

der/die **Verletzte, -n (ein Verletzter)** injured person (11)

die **Verletzung, -en** injury; violation (11)

sich **verlieben (in** + *acc.***), verliebt** to fall in love (with) (9)

**verliebt** in love (4)

**verlieren (verliert), verlor, verloren** to lose (1)

**verlobt** engaged

der/die **Verlobte, -n (ein Verlobter)** fiancé/fiancée

der **Verlobungsring, -e** engagement ring

der **Verlust, -e** loss, deficit (8)

**vermieten, vermietet** to let, rent (out) (6)

der **Vermieter, -** / die **Vermieterin, -nen** landlord/landlady (6)

**vermindern, vermindert** to lessen, reduce

**vermischen, vermischt** to mix

**vermissen, vermisst** to miss, want (8)

**vermitteln, vermittelt** to convey, communicate; to arbitrate (9)

das **Vermögen, -** assets, wealth (12)

**veröffentlichen, veröffentlicht** to publish (8)

die **Veröffentlichung, -en** publication

**verpassen, verpasst** to miss (9)

**verraten (verrät), verriet, verraten** to betray; to reveal, blab (9)

sich **verrechnen, verrechnet** to miscalculate

**verreisen, ist verreist** to go on a trip

**verrückt** crazy, crazily (A)

der **Vers, -e** verse; line (of poetry)

**verschenken, verschenkt** to give away

**verschieden** different(ly); various(ly) (7)

**verschließen (verschließt), verschloss, verschlossen** to lock

**verschlingen (verschlingt), verschlang, verschlungen** to devour, swallow up

**verschlucken, verschluckt** to swallow

**verschollen** lost; missing

**verschreiben (verschreibt), verschrieb, verschrieben** to prescribe

**verschütten, verschüttet** to spill

**verschwinden (verschwindet), verschwand, ist verschwunden** to disappear (10)

**versichern, versichert** to insure

die **Versicherung, -en** insurance; guarantee (5)

die **Version, -en** version

die **Versorgung, -en** supply; **medizinische Versorgung** medical care

die **Verspätung, -en** lateness; delay

**verspeisen, verspeist** to consume

**verspielen, verspielt** to gamble away; to squander

**versprechen (verspricht), versprach, versprochen** to promise (7)

die **Versprechung, -en** promise

das **Verständnis, -se** understanding (12)

**verständnisvoll** understanding(ly)

das **Versteck, -e** hiding place

(sich) **verstecken, versteckt** to hide (9)

**verstehen (versteht), verstand, verstanden** to understand (4)

**verstoßen (verstößt), verstieß, verstoßen** to disown

der **Versuch, -e** attempt, try (12)

**versuchen, versucht** to try (4); to attempt

**verteidigen, verteidigt** to defend

**verteilen, verteilt** to distribute (4)

**vertrauen** (+ *dat.*)**, vertraut** to trust (8)

das **Vertrauen** trust, confidence

**verträumt** dreamy, dreamily

**vertreiben (vertreibt), vertrieb, vertrieben** to displace, expel (12)

**vertreten (vertritt), vertrat, vertreten** to represent, stand in (*for s.o.*) (7)

der **Vertreter, -** / die **Vertreterin, -nen** representative (10)

die **Vertretung, -en** representative(s)

**verursachen, verursacht** to cause (12)

**verurteilen, verurteilt** to sentence; to condemn

**vervollständigen, vervollständigt** to complete

**verwalten, verwaltet** to administer

die **Verwaltung, -en** administration

(sich) **verwandeln in** (+ *acc.*) to change (*o.s.*) into

**verwandt** related

der/die **Verwandte, -n (ein Verwandter)** relative (2)

**verwanzen, verwanzt** to bug, plant listening devices

**verweisen (auf** + *acc.*) **(verweist), verwies, verwiesen** to refer (to), point (to) (8)

**verwenden, verwendet** to use (1)

die **Verwendung, -en** use, usage, application (12)

**verwünschen, verwünscht** to curse, cast a spell on

**verzählen, verzählt** to miscount

die **Verzeihung** forgiveness

**verzichten (auf** + *acc.*)**, verzichtet** to forgo, do without (12)

**verzweifelt** desperate(ly); despairing(ly)

die **Verzweiflung** despair

das **Video, -s** video

**viel** (*sg.*) much, a lot (of) (A); **viele** (*pl.*) many (A); **ganz schön viel** quite a bit; **Um wie viel Uhr ...?** At what time . . . ? (1); **Viel Glück!** Lots of luck! Good luck! **Viel Spaß.** Have fun.; **Vielen Dank!** Many thanks! (10); **Wie viel ...?** How much . . . ? **Wie viel Uhr ist es?** What time is it? (1); **Wie viele ...?** How many . . . ?

**vielleicht** perhaps (2); maybe

der **Vielvölkerstaat, -en** multinational state

**vier** four (A); **erst um vier Uhr** not until four o'clock (4)

**viert-** fourth

das **Viertel, -** quarter; neighborhood (10); **Viertel nach/vor** quarter after/to (*with time*)

**vierundzwanzig** twenty-four (A)

**vierzehn** fourteen (A)

**vierzig** forty (A)

**vierzigst-** fortieth

die **Villa, Villen** villa (6)

die **Vision, -en** vision

**visualisieren, visualisiert** to visualize

der **Vogel, ¨** bird (10)

das **Vöglein, -** little bird

der **Vokal, -e** vowel

das **Volk, ¨er** people (12)

die **Volkspartei** people's (political) party

der **Volkswagen, -** Volkswagen

die **Volkszählung, -en** census

**voll** full, fully; full of (2); **voll süß** totally sweet

**voller** full of

der **Volleyball, ¨e** volleyball

**völlig** full(y), complete(ly) (11)

**vollkommen** complete(ly), perfect(ly), absolute(ly) (12)

das **Vollkornbrot, -e** whole grain bread

**vollständig** complete(ly)

**vom** = **von dem** of/from/by the

**von** (+ *dat.*) of; from (B); by; **von der Arbeit** from work; **von nebenan** from next door; **Was sind Sie von Beruf?** What's your profession?

**vor** (+ *dat./acc.*) before; ago (4); in front of; because of; **Viertel vor elf** quarter to eleven; **vor allem** above all; **vor kurzem/Kurzem** a short while ago; **vor zwei Tagen** two days ago (4)

**voran•kommen (kommt ... voran), kam ... voran, ist vorangekommen** to advance, prosper, make progress

die **Voraussetzung, -en** prerequisite

**voraussichtlich** expected; probably

**vorbei** past; over (9); **an** (+ *dat.*) **... vorbei** by (10)

**vorbei•fahren (fährt ... vorbei), fuhr ... vorbei, ist vorbeigefahren** to go by

**vorbei•fliegen (fliegt ... vorbei), flog ... vorbei, ist vorbeigeflogen** to fly by

**vorbei•gehen an** (+ *dat.*) **(geht ... vorbei), ging ... vorbei, ist vorbeigegangen** to go by (10)

**vorbei•keuchen, ist vorbeigekeucht** to wheeze by

**vorbei•kommen (kommt ... vorbei), kam ... vorbei, ist vorbeigekommen** to come by, visit (3)

**vorbei•schieben (schiebt ... vorbei), schob ... vorbei, vorbeigeschoben** to push past

(sich) **vor•bereiten (auf** + *acc.*)**, vorbereitet** to prepare (for) (4)

die **Vorbereitung, -en** preparation (9)

der **Vordergrund, ¨e** foreground (B)

die **Vorderseite, -n** front (side); obverse (*of a coin*)

der **Vorfahre, -n** (*wk.*) / die **Vorfahrin, -nen** ancestor

die **Vorfahrt, -en** right-of-way

**vor•gehen (gegen** + *acc.*) **(geht ... vor), ging ... vor, ist vorgegangen** to go on, advance; to act (against) (9)

**vor•haben (hat ... vor), hatte ... vor, vorgehabt** to plan, have in mind (9)

der **Vorhang, ¨e** curtain (6)

**vorher** (*adv.*) before that (3)

**vorhersagbar** predictable

die **Vorhersage, -n** prediction

**vor•kommen (kommt ... vor), kam ... vor, ist vorgekommen** to occur, appear (7); (+ *dat.*) to seem (*to s.o.*)

**vor•lesen (liest ... vor), las ... vor, vorgelesen** to read (*to s.o.*) (5)

die **Vorlesung, -en** lecture (4)

der **Vormittag, -e** late morning (4)

**vorn** at the front

der **Vorname, -n** (*wk., gen.* **-ns**) first name, given name

**vornehm** noble, nobly; plush (8)

das **Vorprogramm, -e** supporting program, pre-show

**vors** = **vor das** in front of the

der **Vorsatz, ¨e** resolution

der **Vorschlag, ¨e** suggestion (7)

**vorsichtig** cautious(ly) (8)

(sich) **vor•stellen, vorgestellt** to introduce (*o.s.*); to present (*o.s.*) (4); **sich** (*dat.*) **etwas vorstellen** to imagine something

die **Vorstellung, -en** idea; imagination (4); performance

der **Vorteil, -e** advantage (7)

der **Vortrag, ¨e** talk; presentation; lecture (4)

## W

**wachsen (wächst), wuchs, ist gewachsen** to grow (9)

das **Wachstum** growth (12)

der **Wachtmeister, -** / die **Wachtmeisterin, -nen** (police) constable

der **Wagen, -** car (7)

der **Waggon, -s** train car

die **Wahl, -en** election (12); choice

die **Wahlbevölkerung, -en** electorate

**wählen, gewählt** to vote; to choose; to elect (3)

der **Wähler, -** / die **Wählerin, -nen** voter, constituent (6)

das **Wahlrecht, -e** right to vote, suffrage

der **Wahnsinn** insanity, madness

**wahnsinnig** crazy, crazily; insane(ly) (12)

**wahr** true (3); **nicht wahr?** isn't it so?

**während** (+ *gen.*) during; (*sub. conj.*) while (6); **während der Woche** during the week (1)

die **Wahrheit, -en** truth (10)

**wahrscheinlich** probable, probably (1)

die **Währung, -en** currency (8)

das **Wahrzeichen, -** symbol; landmark

der **Wald, ¨er** forest, woods (2)

die **Walpurgisnacht** Walpurgis Night (*the witches' sabbath, April 30*)

die **Wand, ¨e** wall (B)

der **Wandel** change (9)

die **Wandergans, ¨e** migratory goose

**wandern, ist gewandert** to hike (1)

der **Wanderschuh, -e** hiking shoe/boot

die **Wanderung, -en** hike (7)

**wann** when; **Wann sind Sie geboren?** When were you born? (1)

die **Wanne, -n** (bath)tub

das **Wappen, -** coat of arms

**warm (wärmer, wärmst-)** warm(ly) (B); (*of room/ apartment*) heated, heat included

die **Wärme** warmth, heat

**warnen, gewarnt** to warn (7)

(das) **Warschau** Warsaw

**warten (auf +** *acc.***), gewartet** to wait (for) (7)

das **Wartezimmer, -** waiting room

die **Warthe** Warta (*river in Poland*)

**warum** why (3)

**was** what (A); **was für** what kind of (3); **Was sind Sie von Beruf?** What's your profession?

die **Wäsche, -n** laundry

(sich) **waschen (wäscht), wusch, gewaschen** to wash (*o.s.*) (2)

die **Waschmaschine, -n** washing machine

das **Wasser** water (3)

das **WC, -(s)** toilet, WC (water closet)

der **Wechselkurs, -e** exchange rate (8)

**wechseln, gewechselt** to change (5); **Geld wechseln** to exchange money

**wecken, geweckt** to wake (*s.o.*) (7); to awaken, arouse

der **Wecker, -** alarm clock

**weder ... noch ...** neither . . . nor . . . (11)

**weg** away (6); **Wie weit weg?** How far away?

der **Weg, -e** way; path (7); road; **den Weg beschreiben** to give directions; **nach dem Weg fragen** to ask for directions; **sich auf den Weg machen** to set off, get on the road

**weg•bringen (bringt ... weg), brachte ... weg, weggebracht** to take away (6)

**wegen** (+ *gen.*) on account of; about (6)

**weg•fahren (fährt ... weg), fuhr ... weg, ist weggefahren** to drive off, leave

**weg•fallen (fällt ... weg), fiel ... weg, ist weggefallen** to be omitted

**weg•fliegen (fliegt ... weg), flog ... weg, ist weggeflogen** to fly away, fly off

**weg•gehen (geht ... weg), ging ... weg, ist weggegangen** to leave, go away (4)

**weg•laufen (läuft ... weg), lief ... weg, ist weggelaufen** to run away

**weg•tragen (trägt ... weg), trug ... weg, weggetragen** to carry away

**wehen, geweht** to blow

(sich) **wehren, gewehrt** to defend (*o.s.*) (8)

**weh•tun (tut ... weh), tat ... weh, wehgetan** to hurt (11); **sich wehtun** to get hurt; hurt oneself (11)

**weiblich** female; feminine

die **Weihe, -n** harrier

(das) **Weihnachten** Christmas (4)

der **Weihnachtsmarkt, ¨-e** Christmas fair/market

**weil** (*sub. conj.*) because (3)

das **Weilchen, -** little while

die **Weile, -n** while (*period of time*) (7)

**Weimarer** (*adj.*) (of) Weimar

der **Wein, -e** wine (7)

**weinen, geweint** to cry (3)

die **Weintraube, -n** grape

**weiß** white (A)

die **Weiße:** die **Berliner Weiße** *light, fizzy beer served with raspberry syrup*

**weit** far (6); long (*distance*); **Wie weit weg?** How far away?

**weiter** (*adj.*) additional; (*adv.*) further/farther, forward, along (4, 7); **und so weiter (usw.)** and so forth

**weiter•fahren (fährt ... weiter), fuhr ... weiter, ist weitergefahren** to keep on driving

**weiter•geben (gibt ... weiter), gab ... weiter, weitergegeben** to relay, pass, hand down (9)

**weiter•gehen (geht ... weiter), ging ... weiter, ist weitergegangen** to keep on walking (10)

**weiter•helfen (hilft ... weiter), half ... weiter, weitergeholfen** to help further

**weiterhin** furthermore (6)

das **Weizenmehl** wheat flour

**welch-** which, what (A); **an welchem Tag?** on what day? (4); **Welche Farbe hat ...?** What color is . . . ? **Welcher Tag ist heute?** What day is today? (1); **Welches Datum ist heute?** What is today's date?

die **Welle, -n** wave (10)

die **Welt, -en** world (3); **alle Welt** (*coll.*) the whole world; everybody

die **Weltgesundheitsorganisation** World Health Organization (WHO)

die **Welthandelsorganisation** World Trade Organization (WTO)

der **Weltkrieg, -e** world war (8)

das **Weltkulturerbe** World Cultural Heritage

**weltweit** worldwide (11)

das **Weltwirtschaftsforum** World Economic Forum

**wem** (to/for) whom (*dat.*) (5)

**wen** whom (*acc.*) (4)

die **Wende, -n** change

**wenig** (*sg.*) little (4); **wenige** (*pl.*) few (4); **am wenigsten** the least; **weniger** less; fewer

**wenigstens** at least (1)

**wenn** (*sub. conj.*) if; when(ever) (2); **wenn ja** if so

**wer** who (A)

**werden (wird), wurde, ist geworden** to become (4)

**werfen (wirft), warf, geworfen** to throw (2)

das **Werk, -e** work, product; factory

die **Werkstatt, ¨-en** repair shop; workshop; garage (5)

das **Wernicke-Zentrum** Wernicke's area (*part of the brain*)

der **Wert, -e** value (B)

**wertlos** worthless

**wertvoll** valuable, expensive (2)

die **Wertvorstellung, -en** ideal, value judgement

**wessen** whose

**west-** west

(das) **Westdeutschland** (*former*) West Germany

der **Westen** West (B)

**westlich (von +** *dat.***)** western; west (of) (7)

das **Wetter, -** weather

die **WG, -s** = die **Wohngemeinschaft, -en** shared housing

**wichtig** important (B)

die **Wichtigkeit** importance

**widmen** (+ *dat.*), **gewidmet** to dedicate (11)

**wie** how (A); **Um wie viel Uhr ...?** At what time . . . ? (1); **Wie fühlst du dich?** How do you feel? (*infor.*) (3); **Wie geht es dir?** (*infor.*) / **Wie geht es Ihnen?** (*for.*) How are you? **Wie heißt du?** (*infor.*) / **Wie heißen Sie?** (*for.*) What's your name? **Wie schreibt man das?** How do you spell that? (A); **Wie spät ist es?** What time is it? (1); **Wie viel Uhr ist es?** What time is it? (1); **Wie weit weg?** How far away?

**wieder** again (3); **hin und wieder** now and then; **immer wieder** again and again; **schon wieder** once again

**wieder•entdecken, wiederentdeckt** to rediscover

**wieder•finden (findet ... wieder), fand ... wieder, wiedergefunden** to find again

**wiederholen, wiederholt** to repeat; to review (6)

das **Wiederhören: auf Wiederhören** good-bye (*on the phone*)

das **Wiedersehen: auf Wiedersehen** good-bye (A)

**wiederum** again (10)

**wieder•vereinigen, wiedervereinigt** to reunite

die **Wiedervereinigung, -en** reunification

(das) **Wien** Vienna

**Wiener** Viennese (*adj.*); **das Wiener Schnitzel** Viennese-style breaded veal cutlet

die **Wiese, -n** meadow, pasture (7)

**wieso** why (12)

**wild** wild(ly) (10)

die **Wildnis, -se** wilderness

das **Wildschwein, -e** wild boar

der **Wille** (*wk., gen.* **-ns**) will

**willkommen** welcome

das **Willkommen, -** welcome

der **Wind, -e** wind (10)

**windig** windy

der **Winter, -** winter (B)

**wir** we

**wirken, gewirkt** to work, take effect (11)

**wirklich** real(ly) (B)

der **Wirt, -e** / die **Wirtin, -nen** host; innkeeper; barkeeper (10) die **Wirtschaft, -en** economics (1); economy

**wirtschaftlich** economic(ally); profitable, profitably (6)

die **Wirtschaftsleistung, -en** economic output

**wischen, gewischt** to mop (6); to wipe; **Staub wischen** to (wipe) dust

**wissen (weiß), wusste, gewusst** to know (*as a fact*) (2); **Bescheid wissen** to know; to have an idea

die **Wissenschaft, -en** science (B)

der **Wissenschaftler, -** / die **Wissenschaftlerin, -nen** scientist; scholar (11)

**wissenschaftlich** scientific(ally) (12)

der **Witz, -e** joke (3)

**wo** where (B); **Wo willst du denn hin?** Where are you going?

**woanders** elsewhere

die **Woche, -n** week (1); **in der Woche** during the week; **während der Woche** during the week (1)

das **Wochenende, -n** weekend (1); **am Wochenende** over the weekend (1); **übers Wochenende** over the weekend (4)

der **Wochenplan, ¨-e** weekly schedule

**wofür** for what

**wogegen** against what

**woher** where . . . from (B); whence; **Woher kommst du?** (*infor.*) Where do you come from?

**wohin** where (to) (4); whither

**wohl** well; probably, arguably (11); **sich wohl fühlen** to feel well

der **Wohlstand** prosperity

der **Wohnblock, ¨-e** residential block, apartment complex

**wohnen (in** + *dat.*), **gewohnt** to live (in) (B)

die **Wohngemeinschaft, -en** = die **WG, -s** shared housing

der **Wohnort, -e** place of residence

die **Wohnung, -en** apartment (1)

die **Wohnungssuche, -n** search for a room or apartment

das **Wohnzimmer, -** living room (6)

der **Wolf, ¨-e** wolf

die **Wolga** Volga (*river*)

die **Wolke, -n** cloud (10)

**wollen (will), wollte, gewollt** to want (to); to intend (to); to plan (to) (3)

**womit** with what, by what means

**woran** at/on/of what

**worauf** on/for what

**woraus** from/of what

**worin** in what

**Worpsweder** (*adj.*) (of) Worpswede (*a town in northern Germany*)

das **Wort, ¨-er/-e** word (2); **Worte** words (*connected discourse*); **Wörter** words (*individual vocabulary items*)

das **Wörterbuch, ¨-er** dictionary

der **Wortschatz, ¨-e** vocabulary (A)

der **Wortstamm, ¨-e** word stem

**worüber** about what

**worum** about what

**wovon** of/about what

**wovor** in front of what, of what

**wozu** to/for what; why

die **Wunde, -n** wound (11)

das **Wunder, -** wonder (4); miracle

**wunderbar** wonderful(ly) (3)

**wunderlich** strange(ly)

sich **wundern, gewundert** to wonder (9); to be surprised

**wunderschön** exceedingly beautiful(ly)

der **Wunsch, ¨-e** wish (5)

**wünschen, gewünscht** to wish, desire, want (5, 8); **sich** (*dat.*) **wünschen** to wish, wish for (8)

der **Wunschzettel, -** wish list (*of things one would like to have*)

die **Wurst, ¨-e** sausage; cold cut (8)

das **Würstchen, -** sausage; frank(furter); hot dog

die **Wurzel, -n** root

**würzen, gewürzt** to season

die **Wüste, -n** desert (7)

die **Wut** anger, rage (12)

**wütend** angry, angrily (3)

## Z

die **Zahl, -en** number (8); figure

**zahlen, gezahlt** to pay (for) (2); **Zahlen, bitte.** The check, please.

**zählen, gezählt** to count (A)

das **Zahlenrätsel, -** number puzzle

**zahlreich** numerous (10)

die **Zahlung, -en** payment

das **Zahlungsmittel, -** means of payment (8); **offizielles Zahlungsmittel** legal tender

**zahm** tame(ly)

der **Zahn, ¨-e** tooth (11); **sich die Zähne putzen** to brush one's teeth

der **Zahnarzt, ¨-e** / die **Zahnärztin, -nen** dentist

die **Zahnschmerzen** (*pl.*) toothache

die **Zange, -n** pliers; tongs (8)

**zart** tender(ly) (9)

der **Zauber, -** magic; charm

der **Zauberer, -** / die **Zauberin, -nen** magician; wizard

der **Zauberspruch, ¨-e** spell, hex

der **Zaun, ¨-e** fence (9)

**z. B.** = **zum Beispiel** for example

das **Zebra, -s** zebra

der **Zeh, -en** / die **Zehe, -n** toe

**zehn** ten (A)

**zehnt-** tenth

das **Zeichen, -** sign

der **Zeichentrickfilm, -e** cartoon, animated film

**zeichnen, gezeichnet** to draw (3)

die **Zeichnung, -en** drawing

der **Zeigefinger, -** index finger

**zeigen, gezeigt** to show (A)

sich **zeigen** to appear; **es wird sich zeigen** time will tell

die **Zeile, -n** line (*of text*) (10)

die **Zeit, -en** time (1); **in letzter Zeit** recently; **lange Zeit** (for) a long time; **zur Zeit** at present

der **Zeitgeschmack, ¨-e** contemporary taste

der **Zeitraum, ¨-e** period (12)

die **Zeitschrift, -en** magazine

die **Zeitung, -en** newspaper (1)

**zeitweise** occasionally, at times

das **Zelt, -e** tent (2)

**zensieren, zensiert** to censor

**zentral** central(ly) (10)

die **Zentralheizung** central heating

das **Zentrum, Zentren** center (4)

der **Zeppelin, -e** zeppelin, dirigible

**zerbeult** dented, smashed up

**zerbrechen (zerbricht), zerbrach, hat/ist zerbrochen** to break into pieces

**zerreißen (zerreißt), zerriss, zerrissen** to tear (9); to rip into pieces

**zerschlagen (zerschlägt), zerschlug, zerschlagen** to smash to bits

**zerstören, zerstört** to destroy (10)

der **Zeuge, -n** (*wk.*) / die **Zeugin, -nen** witness (11)

das **Zeugnis, -se** report card

der **Ziegel, -** clay tile

**ziehen (zieht), zog, gezogen** to draw, pull (2); (*p.p. with* **sein**) to move (2)

das **Ziel, -e** destination (10); goal

**zielen, gezielt** to aim

**ziemlich** quite; fairly (2)

die **Zigarette, -n** cigarette (11)

die **Zigarre, -n** cigar

das **Zimmer, -** room (1)

der **Zimmergenosse, -n** (*wk.*) / die **Zimmergenossin, -nen** roommate

das **Zimmermädchen, -** chambermaid

der **Zins, -en** interest (8)

**zirka** circa, approximately (10)

der **Zirkus, -se** circus

die **Zitrone, -n** lemon

die **Zone, -n** zone, area

der **Zopf, ¨-e** braid

**zu** (*adj.*) closed; (*adv.*) too (2); **zu viel** too much

**zu** (+ *dat.*) to; for (*an occasion*) (2); for the purpose of; **bis zu** as far as, up to (10); **um ... zu** (+ *inf.*) (in order) to (4, 12); **zu Abend essen** to dine, have dinner; **zu Besuch kommen** to visit; **zu Fuß** on foot (3); **zu haben** available; **zu Hause** at home (A); **zum Abendessen** for dinner; **zum Beispiel (z. B.)**

for example; **zum ersten Mal(e)** for the first time (4); **zum Geburtstag** for someone's birthday (2); **zum Glück** luckily, fortunately; **zum Schluss** in the end, finally; **zur Uni** to the university (2); **zur Zeit** at present

**zu•bringen (bringt ... zu), brachte ... zu, zugebracht** to spend (*time*)

das **Zuchthaus, ¨er** prison

der **Zucker** sugar (8)

**zu•decken, zugedeckt** to cover (*with a blanket*)

**zu•drücken, zugedrückt** to squeeze shut; **ein Auge zudrücken** to look the other way

**zueinander** to one another

**zuerst** (at) first (4)

der **Zufall, ¨e** coincidence (1); chance

**zufällig** fortuitous(ly), by chance (9)

**zufrieden** content(edly), satisfied (8)

der **Zug, ¨e** train (1)

der **Zugang, ¨e** access (8)

die **Zugspitze** *mountain on the German-Austrian border*

das **Zuhause** home (11)

**zu•hören** (+ *dat.*), **zugehört** to listen (to); **hören Sie zu** listen (A)

der **Zuhörer, -** / die **Zuhörerin, -nen** listener

die **Zukunft, ¨e** future (3)

**zukünftig** future (*adj.*)

**zukunftsfähig** sustainable

**zuletzt** last(ly), in a final step (10)

**zum** = **zu dem** to/for the

**zu•machen, zugemacht** to close (3)

**zunächst** initially, at first (9)

**zu•nehmen (nimmt ... zu), nahm ... zu, zugenommen** to increase, grow, rise (11)

**zunehmend** increasingly

die **Zunge, -n** tongue (11)

**zu•ordnen** (+ *dat.*), **zugeordnet** to allocate, match (B); to classify (as)

**zu•parken, zugeparkt** to box in, block in (*vehicles*)

**zur** = **zu der** to/for the

**zurecht•kommen (mit** + *dat.*) **(kommt ... zurecht), kam ... zurecht, ist zurechtgekommen** to get along (with)

(das) **Zürich** Zurich

**zurück** back (7); **hin und zurück** return, round-trip (5)

**zurück•denken (denkt ... zurück), dachte ... zurück, zurückgedacht** to think back

**zurück•fahren (fährt ... zurück), fuhr ... zurück, ist zurückgefahren** to drive back

**zurück•fallen (fällt ... zurück), fiel ... zurück, ist zurückgefallen** to drop, fall back down

**zurück•gehen (geht ... zurück), ging ... zurück, ist zurückgegangen** to go back

**zurück•kehren, ist zurückgekehrt** to return (5); to come back

**zurück•kommen (kommt ... zurück), kam ... zurück, ist zurückgekommen** to return (5); to come back

**zurück•schicken, zurückgeschickt** to send back

**zurück•schreiben (schreibt ... zurück), schrieb ... zurück, zurückgeschrieben** to write back

**zurück•treten (tritt ... zurück), trat ... zurück, ist zurückgetreten** to step down, resign (9)

**zurück•verfolgen, zurückverfolgt** to trace back

**zurück•ziehen (zieht ... zurück), zog ... zurück, zurückgezogen** to draw back, pull back

**zusammen** together (2)

**zusammen•brechen (bricht ... zusammen), brach ... zusammen, zusammengebrochen** to break down, collapse

**zusammen•fassen, zusammengefasst** to summarize

die **Zusammenfassung, -en** summary

**zusammen•finden (findet ... zusammen), fand ... zusammen, zusammengefunden** to get together

**zusammen•gehören, zusammengehört** to belong together

**zusammen•halten (hält ... zusammen), hielt ... zusammen, zusammengehalten** to hold together, close ranks

der **Zusammenhang, ¨e** connection, context (3)

sich **zusammen•schließen (schließt ... zusammen), schloss ... zusammen, zusammengeschlossen** to join together

sich **zusammen•setzen (aus** + *dat.*), **zusammengesetzt** to be composed (of)

**zusammen•sitzen (mit** + *dat.*) **(sitzt ... zusammen), saß ... zusammen, zusammengesessen** to sit together (with)

**zusammen•stoßen (stößt ... zusammen), stieß ... zusammen, ist zusammengestoßen** to crash

**zusammen•tragen (trägt ... zusammen), trug ... zusammen, zusammengetragen** to collect

**zusammen•treffen (trifft ... zusammen), traf ... zusammen, ist zusammengetroffen** to meet

**zusammen•wohnen, zusammengewohnt** to live together

**zu•schauen, zugeschaut** to watch

**zu•schlagen (schlägt ... zu), schlug ... zu, zugeschlagen** to slam (shut)

**zu•sehen** (+ *dat.*) **(sieht ... zu), sah ... zu, zugesehen** to watch; to look toward

der **Zustand, ¨e** condition, state (6)

**zu•treffen (auf** + *acc.*) **(trifft ... zu), traf ... zu, zugetroffen** to apply (to)

**zu•winken** (+ *dat.*), **zugewinkt** to wave to

**zu•ziehen (zieht ... zu), zog ... zu, zugezogen** to pull shut; to draw (*curtains*)

**zwangsneurotisch** obsessive-compulsive

**zwanzig** twenty (A); **die zwanziger Jahre** (*pl.*) the '20s

**zwanzigst-** twentieth

**zwar** though, to be sure (7)

der **Zweck, -e** cause, purpose (10)

**zwei** two (A); **vor zwei Tagen** two days ago (4)

**zweieinhalb** two and a half

**zweimal** twice (8)

**zweisprachig** bilingual(ly)

**zweit: zu zweit arbeiten/leben** to work/live together (*two people*)

**zweit-** second; **zweitältest-** second-oldest

**zweiundzwanzig** twenty-two (A)

der **Zwerg, -e** dwarf

das **Zwergkaninchen, -** dwarf rabbit, pygmy rabbit

die **Zwiebel, -n** onion

**zwingen (zwingt), zwang, gezwungen** to force, compel, oblige (12)

**zwischen** (+ *dat./acc.*) between (7); among

**zwölf** twelve (A)

**zwölft-** twelfth

(das) **Zypern** Cyprus

# Vokabeln

## Englisch-Deutsch

This list contains the words from the chapter vocabulary lists.

### A

to abandon **verlassen (verlässt), verließ, verlassen** (5)

able: to be able (to) **können (kann), konnte, gekonnt** (3)

about **über** (+ *acc.*) (4); **wegen** (+ *gen.*) (6); (*with time*) **gegen** (+ *acc.*) (9); about it **darüber** (6); to be about **handeln von** (+ *dat.*), **gehandelt** (9)

above (*adv.*) **oben** (10); (*prep.*) **über** (+ *dat./acc.*) (4); above it **darüber** (6)

abroad **im Ausland** (6)

absolute(ly) **absolut** (12); **unbedingt** (12); **vollkommen** (12)

academic subject **das Fach, ¨-er** (1)

to accept **an•nehmen (nimmt ... an), nahm ... an, angenommen** (11)

access **der Zugang, ¨-e** (8)

accident **der Unfall, ¨-e** (4); **das Unglück, -e** (12)

to accomplish **schaffen, geschafft** (3); **leisten, geleistet** (12)

accomplishment **die Leistung, -en** (6)

according to **laut** (+ *dat.*) (10)

account: (bank) account **das Konto, Konten** (5); on account of **aufgrund** (+ *gen.*) (6); **wegen** (+ *gen.*) (6); to account for **betragen (beträgt), betrug, betragen** (12); to take into account **berücksichtigen, berücksichtigt** (12)

to achieve **schaffen, geschafft** (3); **erreichen, erreicht** (5)

acquaint: to get acquainted with **kennen•lernen, kennengelernt** (1)

acquaintance **der/die Bekannte, -n (ein Bekannter)** (8)

across **gegenüber** (+ *dat.*) (6); just across (the way) **gleich gegenüber** (6); **über** (+ *acc.*) (4)

act **die Handlung, -en** (10)

to act **handeln, gehandelt** (9); **vor•gehen (geht ... vor), ging ... vor, ist vorgegangen** (9); **sich verhalten (verhält), verhielt, verhalten** (11)

action **die Handlung, -en** (10)

active(ly) **aktiv** (6); **tätig** (7)

activity **die Tätigkeit, -en** (6)

actor **der Schauspieler, -** (5)

actress **die Schauspielerin, -nen** (5)

actual(ly) **eigentlich** (3); **tatsächlich** (5)

ad **die Anzeige, -n** (7)

to add **ergänzen, ergänzt** (4); **hinzu•fügen, hinzugefügt** (11); to get added **hinzu•kommen (kommt ... hinzu) kam ... hinzu, ist hinzugekommen** (10)

addition: in addition **außerdem** (6); **dazu** (8); **hinzu** (10); in addition to **neben** (+ *dat.*) (3)

additional **weiter** (4, 7)

address **die Adresse, -n** (1)

to address **an•sprechen (spricht ... an), sprach ... an, angesprochen** (12)

to admire **bewundern, bewundert** (8)

to admit **auf•nehmen (nimmt ... auf), nahm ... auf, aufgenommen** (6)

to adopt **an•nehmen (nimmt ... an), nahm ... an, angenommen** (11)

adult **der/die Erwachsene, -n (ein Erwachsener)** (3)

to advance **vor•gehen (geht ... vor), ging ... vor, ist vorgegangen** (9)

advantage **der Vorteil, -e** (7)

adventure **das Abenteuer, -** (7)

advice **der Rat** (*pl.* **Ratschläge**) (8)

to advise **raten** (+ *dat.*) **(rät), riet, geraten** (11)

to advocate (for) **sich ein•setzen (für), eingesetzt** (7)

afraid: to be afraid **Angst haben** (3); **sich fürchten, gefürchtet** (10)

after (*prep.*) **nach** (+ *dat.*) (3); (*subord. conj.*) **nachdem** (4); after that **danach** (8)

afternoon **der Nachmittag, -e** (4); afternoons, in the afternoon **nachmittags** (4); good afternoon (*for.*) **guten Tag** (A); good afternoon (*for.; southern Germany, Austria*) **grüß Gott** (A)

afterward **darauf** (9)

afterwards **anschließend** (7); **danach** (8)

again **wieder** (3); **wiederum** (10); once again **erneut** (12)

against **gegen** (+ *acc.*) (9); against it **dagegen** (7)

age **das Alter, -** (1)

ago **vor** (+ *dat.*) (4); two days ago **vor zwei Tagen** (4)

to agree **vereinbaren, vereinbart** (12); to agree (to) **ein•gehen (auf + *acc.*) (geht ... ein), ging ... ein, ist eingegangen** (10)

agreement **das Abkommen, -** (12)

agriculture **die Landwirtschaft** (8)

ahead: straight ahead **geradeaus** (10)

air **die Luft, ¨-e** (7)

airplane **das Flugzeug, -e** (7)

airport **der Flughafen, ¨** (6)

aisle **der Gang, ¨-e** (10)

all: **all**; at all **überhaupt** (12); it's all the same to me **das ist mir egal** (6); not at all **gar nicht** (3)

alleged(ly) **angeblich** (11)

to alleviate **ab•bauen, abgebaut** (11)

alley **die Gasse, -n** (10)

to allocate **zu•ordnen** (+ *dat.*), **zugeordnet** (B)

almost **fast** (5)

alone **allein** (6)

along **entlang** (10); further/farther along **weiter** (7)

alphabetic character **der Buchstabe, -n** (*wk., gen.* **-ns**) (9)

already **schon** (2); **bereits** (9)

also **auch** (A); **ebenfalls** (6)

alternative **die Alternative, -n** (12)

although (*subord. conj.*) **obwohl** (2)

altogether **insgesamt** (9)

always **immer** (3)

ambassador **der Botschafter, - / die Botschafterin, -nen** (9)

American (*adj.*) **amerikanisch** (3); (*person*) **der Amerikaner, - / die Amerikanerin, -nen** (B)

among **unter** (+ *dat./acc.*) (5)

amount **die Höhe, -n** (2); **die Menge, -n** (5); **der Betrag, ¨-e** (8)

and (*coord. conj.*) **und** (A); both . . . and **sowohl ... als auch** (8)

anew **erneut** (12)

anger **die Wut** (12)

to anger **ärgern, geärgert** (11)

angry **wütend** (3); to get angry **sich ärgern, geärgert** (11)

animal **das Tier, -e** (1)

annexation **der Anschluss, ¨-e** (9)

another: one another **einander** (3)

answer **die Antwort, -en** (3)

to answer **antworten, geantwortet** (4); **beantworten, beantwortet** (4)

antibiotics **die Antibiotika** (*pl.*) (11)

any **irgendein(e)** (2); in any case **jedenfalls** (11)

anything else? **sonst noch etwas?** (5)

anytime **irgendwann** (11); **mal** (11)

anyway **immerhin** (7); **überhaupt** (12)

apart from **außer** (+ *dat.*) (9)

apartment **die Wohnung, -en** (1)

apex **die Spitze, -n** (12)

to appear **auf•treten (tritt ... auf), trat ... auf, ist aufgetreten** (1); **aus•sehen (sieht ... aus), sah ... aus, ausgesehen** (2); **erscheinen (erscheint), erschien, ist erschienen** (4); **vor•kommen (kommt ... vor), kam ... vor, ist vorgekommen** (7); **heraus•kommen (kommt ... heraus), kam ... heraus, ist herausgekommen** (10); **scheinen (scheint), schien, geschienen** (11); **auf•tauchen, ist aufgetaucht** (12)

appearance **der Schein, -e** (8)

applause **der Applaus, -e** (8)

apple **der Apfel, ¨** (8)

appliance **das Gerät, -e** (10)

application **der Antrag, ¨e** (8); **die Verwendung, -en** (12)

to apply **an•legen, angelegt** (8); to apply for **beantragen, beantragt** (8)

appointment **der Termin, -e** (5)

to appreciate **schätzen, geschätzt** (10)

apprenticeship **die Lehre, -n** (5)

approach **der Ansatz, ¨e** (7)

approximate(ly) **ungefähr** (7); approximately **etwa** (4); **zirka (ca.)** (10)

to arbitrate **vermitteln, vermittelt** (9)

architect **der Architekt, -en** (*wk.*) **/ die Architektin, -nen** (5)

area **das Gebiet, -e** (B); **die Fläche, -n** (7); **der Bereich, -e** (11)

arguably **wohl** (11)

to argue **diskutieren, diskutiert** (1); **(sich) streiten (streitet), stritt, gestritten** (9)

to arise **sich ergeben (ergibt), ergab, ergeben** (6)

arm **der Arm, -e** (B)

armchair **der Sessel, -** (2)

army **die Bundeswehr** (5)

around **herum** (10); **rund** (5); **um** (4); around the corner **um die Ecke** (6)

to arrange **vereinbaren, vereinbart** (12)

arrival **die Ankunft, ¨e** (7)

to arrive **an•kommen (kommt ... an), kam ... an, ist angekommen** (1)

art **die Kunst, ¨e** (A)

article **der Beitrag, ¨e** (9); **der Artikel, -** (10)

artist **der Künstler, - / die Künstlerin, -nen** (A)

artistic(ally) **künstlerisch** (8)

as **als** (5); (*subord. conj.*) **indem** (8); as a taxi driver **als Taxifahrer(in)** (5); as far as **bis zu** (+ *dat.*) (10); as of **ab** (+ *dat.*) (10); as per **laut** (+ *dat.*) (10); as well **auch** (A); as well as **sowie** (6); as yet **bisher** (9)

to ascend **steigen (steigt), stieg, ist gestiegen** (7)

ascent **der Aufstieg, -e** (9)

aside: to put aside **sparen, gespart** (5); to set aside **auf•heben (hebt ... auf), hob ... auf, aufgehoben** (8)

to ask **bitten (bittet), bat, gebeten** (3); to ask questions **Fragen stellen, gestellt** (A)

asleep: to fall asleep **ein•schlafen (schläft ... ein), schlief ... ein, ist eingeschlafen** (7)

aspect **der Aspekt, -e** (11)

to assemble **auf•bauen, aufgebaut** (8)

assets **das Vermögen, -** (12)

assignment **die Aufgabe, -n** (4)

to assist **unterstützen, unterstützt** (11)

assistant **der Helfer, - / die Helferin, -nen** (11)

association **der Verein, -e** (A)

to assume **übernehmen (übernimmt), übernahm, übernommen** (4); **an•nehmen (nimmt ... an), nahm ... an, angenommen** (11)

at **an** (+ *dat./acc.*) (2); **bei** (+ *dat.*) (2); **auf** (+ *dat./acc.*) (6); (*time*) **um** (4); at a time **jeweils** (12); at all **überhaupt** (12); at first **zuerst** (4); **zunächst** (9); at Hannah's **bei Hannah** (2); at home **zu Hause** (A); at least **wenigstens** (1); **mindestens** (7); **immerhin** (7); **jedenfalls** (11); at night **nachts** (4); at the **am** (7); At what time . . . ? **Um wie viel Uhr ...?** (1)

athletic **sportlich** (B)

atmosphere **die Stimmung, -en** (8)

attempt **der Versuch, -e** (12)

to attend to **pflegen, gepflegt** (5)

attention **die Achtung** (7); to attract attention **auf•fallen (fällt ... auf), fiel ... auf, ist aufgefallen** (11); to pay attention **auf•passen, aufgepasst** (3); to pay attention to **achten auf** (+ *acc.*), **geachtet** (11)

attitude **die Einstellung, -en** (12)

to attract **an•ziehen (zieht ... an), zog ... an, angezogen** (3); to attract attention **auf•fallen (fällt ... auf), fiel ... auf, ist aufgefallen** (11)

attribute **das Merkmal, -e** (6)

audience **das Publikum** (8)

aunt **die Tante, -n** (B)

Australia **(das) Australien** (B)

Australian (*person*) **der Australier, - / die Australierin, -nen** (B)

Austria **(das) Österreich** (B)

Austrian (*person*) **der Österreicher, - / die Österreicherin, -nen** (B)

author **der Autor, -en / die Autorin, -nen** (8)

authorization **die Erlaubnis, -se** (12)

autumn **der Herbst, -e** (B)

average **mittler-** (12)

aware **bewusst** (11)

away **weg** (6); **entfernt** (10); right away **gleich** (2); **sofort** (3); to go away **weg•gehen (geht ... weg), ging ... weg, ist weggegangen** (4); to take away **weg•bringen (bringt ... weg), brachte ... weg, weggebracht** (6)

## B

back **der Rücken, -** (B); (*adv.*) **zurück** (7); back then **damals** (9)

background **der Hintergrund, ¨e** (B)

backpack **der Rucksack, ¨e** (B)

bad **schlecht** (2); bad(ly) **schlimm** (2); **böse** (8); too bad! **schade!** (6)

bag **die Tasche, -n** (1); sleeping bag **der Schlafsack, ¨e** (2)

to bake **backen (bäckt), backte, gebacken** (8)

balance **das Gleichgewicht, -e** (11)

balcony **der Balkon, -e** (6)

ball **der Ball, ¨e** (A); soccer ball **der Fußball, ¨e** (A)

bandage **der Verband, ¨e** (11)

bank **die Bank, -en** (5); bank account **das Konto, Konten** (5)

bank (of a river) **das Ufer, -** (12)

banknote **der Schein, -e** (8)

bar **die Kneipe, -n** (1)

bare(ly) **bloß** (8); barely **knapp** (7); **kaum** (9)

barkeeper **der Wirt, -e / die Wirtin, -nen** (10)

base **die Grundlage, -n** (11)

to base, be based **basieren, basiert** (9)

basement **der Keller, -** (4)

basis **die Basis, Basen** (10); **die Grundlage, -n** (11)

bathroom **das Bad, ¨er** (6); **die Toilette, -n** (6)

bathtub **die Badewanne, -n** (6)

battery **die Batterie, -n** (7)

Bavaria **(das) Bayern** (6)

bay **die Bucht, -en** (7)

to be **sein (ist), war, ist gewesen** (A, 4); **betragen (beträgt), betrug, betragen** (12); to be (from) **stammen (aus** + *dat.*)**, gestammt** (2); to be in an upright position **stehen (steht), stand, gestanden** (2); are you . . . ? (*for.*) **sind Sie ...?** (A); are you . . . ? (*infor.*) **bist du ...?** (A); he/she is . . . **er/sie ist ...** (A); these/those are . . . **das sind ...** (B); this/that is . . . **das ist ...** (B); they are . . . **sie sind ...** (A)

beach **der Strand, ¨e** (4)

bear **der Bär, -en** (*wk.*) (10)

beard **der Bart, ¨e** (B)

beat **der Schlag, ¨e** (10)

to beat **schlagen (schlägt), schlug, geschlagen** (2)

beautiful **schön** (B)

because (*subord. conj.*) **weil** (3); (*coord. conj.*) **denn** (9); because of **aufgrund** (+ *gen.*) (6)

to become **werden (wird), wurde, ist geworden** (4)

bed **das Bett, -en** (1); to go to bed **ins Bett gehen** (1)

bedroom **das Schlafzimmer, -** (6)

bee **die Biene, -n** (10)

beer **das Bier, -e** (2)

before (*prep.*) **vor** (+ *dat./acc.*) (4); (*subord. conj.*) **bevor** (11); before that **vorher** (3)

to begin **beginnen (beginnt), begann, begonnen** (1); **an•fangen (fängt ... an), fing ... an, angefangen** (4)

beginning **der Beginn** (5); **der Anfang, ¨e** (6)

to behave **sich verhalten (verhält), verhielt, verhalten** (11)

being: human being **der Mensch, -en** (*wk.*) (A)
to believe **glauben, geglaubt** (2)
bell **die Glocke, -n** (10)
belly **der Bauch, ¨-e** (B)
to belong to **gehören** (+ *dat.*), **gehört** (6); to belong to (*an organization*) **an•gehören** (+ *dat.*), **angehört** (12)
beloved **lieb** (9); beloved friend **der/die Geliebte, -n (ein Geliebter)** (3)
below **unten** (12)
to bend over **beugen, gebeugt** (10)
beneath **unter** (+ *dat./acc.*) (5)
beside **neben** (+ *dat./acc.*) (3)
besides (*adv.*) **außerdem** (6); (*prep.*) **außer** (+ *dat.*) (9)
best **best-** (7); like best (*to do something*) **am liebsten** (7)
to betray **verraten (verrät), verriet, verraten** (9)
better **besser** (2)
between **zwischen** (+ *dat./acc.*) (7)
beverage **das Getränk, -e** (8)
beyond **jenseits** (+ *gen.*) (12)
bicycle **das Fahrrad, ¨-er** (2); **das Rad, ¨-er** (7)
big **groß (größer, größt-)** (B)
bill **die Rechnung, -en** (2)
to bind **binden (bindet), band, gebunden** (8)
bird **der Vogel, ¨** (10)
birth **die Geburt, -en** (6)
birthday **der Geburtstag, -e** (1); for someone's birthday **zum Geburtstag** (2)
bit: a little bit **ein bisschen** (3); not a bit **kein bisschen** (3)
to bite **beißen (beißt), biss, gebissen** (9); (*insects*) **stechen (sticht), stach, gestochen** (10)
bitter(ly) **bitter** (8)
to blab **verraten (verrät), verriet, verraten** (9)
black **schwarz (schwärzer, schwärzest-)** (A)
blackboard **die Tafel, -n** (A)
blanket **die Decke, -n** (11)
blaze **der Brand, ¨-e** (11)
blend **die Mischung, -en** (8)
blind(ly) **blind** (10)
blond **blond** (10)
blood **das Blut** (9)
blow **der Schlag, ¨-e** (10)
blue **blau** (A)
board **das Brett, -er** (2); **die Platte, -n** (2); blackboard, whiteboard **die Tafel, -n** (A)
boat **das Boot, -e** (2)
body **der Körper, -** (B)
bone **der Knochen, -** (6)
book **das Buch, ¨-er** (A); grammar book **die Grammatik, -en** (1)
to book **buchen, gebucht** (7)
bookcase, bookshelf **das Regal, -e** (2)
boot **der Stiefel, -** (A)
booth: ticket booth **die Kasse, -n** (5)
border **der Rand, ¨-er** (6); **die Grenze, -n** (12)
boring **langweilig** (2)
born **geboren** (1); When were you born? **Wann sind Sie geboren?** (1)
boss **der Chef, -s / die Chefin, -nen** (10)
both **beide** (2); both . . . and **sowohl ... als auch** (8)
bottle **die Flasche, -n** (5)
to bow down **sich beugen, gebeugt** (10)
boy **der Junge, -n** (*wk.*) (A)
brain **das Gehirn, -e** (11)
to brake **bremsen, gebremst** (11)
brand **die Marke, -n** (7)
brave **mutig** (9)
bread **das Brot, -e** (5)
break **die Pause, -n** (1)
to break **ab•brechen (bricht ... ab), brach ... ab, abgebrochen** (10); **brechen (bricht), brach, gebrochen** (11); to break up **auf•lösen, aufgelöst** (11)
breakfast **das Frühstück, -e** (2); to eat breakfast **frühstücken, gefrühstückt** (1)
to breathe **atmen, geatmet** (11)
bridge **die Brücke, -n** (10)
bright **hell** (6)
to bring **bringen (bringt), brachte, gebracht** (2); to bring along **mit•bringen (bringt ... mit), brachte ... mit, mitgebracht** (2); to bring down **ab•bauen, abgebaut** (11); to bring up **erziehen (erzieht), erzog, erzogen** (9)
broad(ly) **breit** (7)
broadcast **die Sendung, -en** (12)
broken **kaputt** (A)
brother **der Bruder, ¨** (B)
brown **braun** (A)
to budge **(sich) rühren, gerührt** (10)
budget **der Haushalt, -e** (6)
to build **bauen, gebaut** (5); to build (up) **auf•bauen, aufgebaut** (8)
building **das Gebäude, -** (6); **der Bau, -ten** (12)
to bump **stoßen (stößt), stieß, gestoßen** (11)
to burden **belasten, belastet** (11)
to burn **brennen (brennt), brannte, gebrannt** (11); **verbrennen (verbrennt), verbrannte, verbrannt** (11)
bus **der Bus, -se** (2)
but (*coord. conj.*) **aber** (B); (*rather / on the contrary*) **sondern** (7)
butter **die Butter** (8)
to buy **kaufen, gekauft** (1)
buyer **der Käufer, - / die Käuferin, -nen** (6)
by **an** (+ *dat.*) **... vorbei** (10); by (. . . ing) (*subord. conj.*) **indem** (8); by chance **zufällig** (9); by contrast **dagegen** (7); by oneself **allein** (6); by the way **übrigens** (2)
bye (*infor.*) **tschüss** (A)

## C

cabin **die Hütte, -n** (6)
cabinet: wardrobe cabinet **der Schrank, ¨-e** (2)
café **das Café, -s** (8)
cake **der Kuchen, -** (5)
to calculate **rechnen, gerechnet** (3)
calculation **die Rechnung, -en** (2)
to call **an•rufen (ruft ... an), rief ... an, angerufen** (1); **telefonieren, telefoniert** (4); **bezeichnen, bezeichnet** (4); **nennen (nennt), nannte, genannt** (7); **rufen (ruft), rief, gerufen** (7); to call forth **hervor•rufen (ruft ... hervor), rief ... hervor, hervorgerufen** (9); to call on **auf•rufen (ruft ... auf), rief ... auf, aufgerufen** (9); so-called **sogenannt** (12); to be called **heißen (heißt), hieß, geheißen** (A)
calm(ly) **ruhig** (B)
camera **die Kamera, -s** (2)
can **können (kann), konnte, gekonnt** (3)
Canada **(das) Kanada** (B)
Canadian (*person*) **der Kanadier, - / die Kanadierin, -nen** (B)
to cancel **ab•brechen (bricht ... ab), brach ... ab, abgebrochen** (10)
cancer **der Krebs, -e** (8)
candidate **der Kandidat, -en** (*wk.*) **/ die Kandidatin, -nen** (12)
candle **die Kerze, -n** (3)
cap **die Mütze, -n** (5)
capital city **die Hauptstadt, ¨-e** (B)
to capture **fangen (fängt), fing, gefangen** (8); **erfassen, erfasst** (11)
car **das Auto, -s** (A); **der Wagen, -** (7); electric car **das Elektroauto, -s** (7)
card **die Karte, -n** (1); identification card **der Ausweis, -e** (8)
care **die Behandlung, -en** (11); **die Pflege** (11)
to care for **mögen (mag), mochte, gemocht** (3); to care for, to take care of **sorgen für** (+ *acc.*), **gesorgt** (5); **sich kümmern um** (+ *acc.*), **gekümmert** (12)
carpet **der Teppich, -e** (2)
to carry out **durch•führen, durchgeführt** (11)
case **der Fall, ¨-e** (5); in any case **jedenfalls** (11); in each case **jeweils** (12)
castle **die Burg, -en** (4); **das Schloss, ¨-er** (6)
cat **die Katze, -n** (2)
catastrophe **die Katastrophe, -n** (12)
to catch **fangen (fängt), fing, gefangen** (8); **erfassen, erfasst** (11); **erwischen, erwischt** (11); to catch up on **sich informieren über** (+ *acc.*), **informiert** (12)
category **die Kategorie, -n** (7)
cause **der Grund, ¨-e** (2); **der Zweck, -e** (10); **die Ursache, -n** (11)
to cause **verursachen, verursacht** (12)
cautious(ly) **vorsichtig** (8)
cave **die Höhle, -n** (10)
ceiling **die Decke, -n** (11)
to celebrate **feiern, gefeiert** (4)
celebration **das Fest, -e** (4)
cell phone **das Handy, -s** (2)
cellar **der Keller, -** (4)

center **das Zentrum, Zentren** (4)
central(ly) **zentral** (10)
century **das Jahrhundert, -e** (5)
certain(ly) **bestimmt** (3); certainly **sicherlich** (3)
certificate **der Schein, -e** (8)
chain **die Kette, -n** (2)
chair **der Stuhl, ¨-e** (B)
challenge **die Schwierigkeit, -en** (9)
to champion **ein•treten für** (+ *acc.*) **(tritt ... ein), trat ... ein, ist eingetreten** (12)
chance: by chance **zufällig** (9)
chancellor **der Kanzler, - / die Kanzlerin, -nen** (12)
change **die Veränderung, -en** (6); **der Wandel** (9); climate change **der Klimawandel** (10); keep the change **das stimmt so** (8)
to change **wechseln, gewechselt** (5); **verändern, verändert** (6); **ändern, geändert** (9); **tauschen, getauscht** (12); to change (*o.s.*) into **(sich) verwandeln in** (+ *acc.*) (9)
chaos **das Chaos** (5)
chapter **das Kapitel, -** (1)
character: alphabetic character **der Buchstabe, -n** (*wk., gen.* **-ns**) (9)
characteristic **die Eigenschaft, -en** (8)
to characterize **kennzeichnen, gekennzeichnet** (6)
to charge **belasten, belastet** (11); to charge (*s.o.*) (*money*) **berechnen** (+ *dat.*), **berechnet** (8)
cheap **billig** (2)
check: with separate checks **getrennt** (5)
to check **kontrollieren, kontrolliert** (10); to check out **ab•reisen, ist abgereist** (10)
cheese **der Käse, -** (8)
chemical(ly) **chemisch** (12)
chemistry **die Chemie** (1)
chicken **das Huhn, ¨-er** (10)
child **das Kind, -er** (B)
childhood **die Kindheit** (9)
China **(das) China** (B)
to choose **wählen, gewählt** (3); **aus•wählen, ausgewählt** (6); **aus•suchen, ausgesucht** (10)
chore **die Aufgabe, -n** (4)
Christmas **(das) Weihnachten** (4)
chunk **das Stück, -e** (8)
church **die Kirche, -n** (5)
cigarette **die Zigarette, -n** (11)
cinema **das Kino, -s** (1)
circa **zirka (ca.)** (10)
circle **der Kreis, -e** (10); traffic circle **der Kreisverkehr, -** (10)
citizen **der Bürger, - / die Bürgerin, -nen** (9)
city **die Stadt, ¨-e** (A); capital city **die Hauptstadt, ¨-e** (B)
civil servant **der Beamte, -n (ein Beamter) / die Beamtin, -nen** (11)
class **der Kurs, -e** (A); **das Seminar, -e** (4); **die Klasse, -n** (5); **der Unterricht** (9)
classic(al)(ly) **klassisch** (8)
clean(ly) **sauber** (3); **rein** (8)
to clean **putzen, geputzt** (6)
to clear **räumen, geräumt** (11)
clear(ly) **klar** (4); **deutlich** (9)
client **der Kunde, -n** (*wk.*) **/ die Kundin, -nen** (1)
climate **das Klima, -s** (9); climate change **der Klimawandel** (10)
to climb **steigen (steigt), stieg, ist gestiegen** (7); **klettern, ist geklettert** (8); to climb up **auf•steigen (steigt ... auf), stieg ... auf, ist aufgestiegen** (10)
clock **die Uhr, -en** (B)
to close **schließen (schließt), schloss, geschlossen** (A); **zu•machen, zugemacht** (3)
close(ly) **nah (näher, nächst-)** (7); **eng** (12)
clothes **die Kleidung** (*sg.*) (12)
cloud **die Wolke, -n** (10)
club **der Verein, -e** (A)
coal **die Kohle, -n** (12)
coalition **die Koalition, -en** (12)
coast **die Küste, -n** (7)
coat **der Mantel, ¨** (A)
coffee **der Kaffee, -s** (1)
coincidence **der Zufall, ¨-e** (1)
cold (*adj.*) **kalt (kälter, kältest-)** (B); cold cut (*from sausage*) **die Wurst, ¨-e** (8)
cold (*n.*) **die Kälte** (12)
collapse **der Fall, ¨-e** (5)
colleague **der Kollege, -n** (*wk.*) **/ die Kollegin, -nen** (5)
to collect **sammeln, gesammelt** (10)
college **die Hochschule, -n** (10); college preparatory school **das Gymnasium, Gymnasien** (6)
color **die Farbe, -n** (A)
colorful(ly) **bunt** (5)
combined **gesamt** (6)
to come (from) **kommen (aus** + *dat.*) **(kommt), kam, ist gekommen** (B); to come along **hinzu•kommen (kommt ... hinzu), kam ... hinzu, ist hinzugekommen** (10); to come by **vorbei•kommen (kommt ... vorbei), kam ... vorbei, ist vorbeigekommen** (3); to come in **herein•kommen (kommt ... herein), kam ... herein, ist hereingekommen** (10); to come into being **entstehen (entsteht), entstand, ist entstanden** (7); to come next **folgen** (+ *dat.*), **ist gefolgt** (6); to come out **heraus•kommen (kommt ... heraus), kam ... heraus, ist herausgekommen** (10); to come this way **her•kommen (kommt ... her), kam ... her, ist hergekommen** (10); to come to **betragen (beträgt), betrug, betragen** (12); to come to mind **ein•fallen** (+ *dat.*) **(fällt ... ein), fiel ... ein, ist eingefallen** (9)
commerce **der Handel** (7)
to commit oneself **sich engagieren, engagiert** (9)
common(ly) **allgemein** (9); in common **gemeinsam** (6)
to communicate **vermitteln, vermittelt** (9)
company **die Firma, Firmen** (3); **der Betrieb, -e** (5); **das Unternehmen, -** (5); publishing company **der Verlag, -e** (10)
to compare **vergleichen (vergleicht), verglich, verglichen** (4)
to compel **zwingen (zwingt), zwang, gezwungen** (12)
to complain (to) **sich beschweren (bei** + *dat.*), **beschwert** (8)
to complete **ergänzen, ergänzt** (4); **absolvieren, absolviert** (10)
complete(ly) **ganz** (2); **völlig** (11); **vollkommen** (12)
to comply **entsprechen (entspricht), entsprach, entsprochen** (12)
to comprise **umfassen, umfasst** (8)
to compute **rechnen, gerechnet** (3)
computer **der Computer, -** (2); computer science **die Informatik** (1); laptop computer **der Laptop, -s** (B)
concept **der Begriff, -e** (3)
concern **die Sorge, -n** (8)
to concern **betreffen (betrifft), betraf, betroffen** (6)
concert **das Konzert, -e** (1)
conclusion **der Schluss, ¨-e** (6), **der Abschluss, ¨-e** (9)
condition **die Bedingung, -en** (B); **der Zustand, ¨-e** (6)
conflict **der Konflikt, -e** (12)
to conform (to) **entsprechen** (+ *dat.*) **(entspricht), entsprach, entsprochen** (12)
to connect **verbinden (verbindet), verband, verbunden** (A); **an•schließen (schließt ... an), schloss ... an, angeschlossen** (9)
connection **der Zusammenhang, ¨-e** (3); **der Anschluss, ¨-e** (9)
conscious **bewusst** (11)
consequence **die Folge, -n** (9); **die Auswirkung, -en** (12)
conservative(ly) **konservativ** (B)
to consider **beachten, beachtet** (12)
to consist (of) **bestehen (aus** + *dat.*) **(besteht), bestand, bestanden** (B)
constant(ly) **ständig** (2)
constituent **der Wähler, - / die Wählerin, -nen** (6)
constitution **die Verfassung, -en** (9)
to construct **auf•bauen, aufgebaut** (8)
construction **der Bau, -ten** (12)
to consume **verbrauchen, verbraucht** (7)
contact **der Kontakt, -e** (2)
to contain **enthalten (enthält), enthielt, enthalten** (4); **fassen, gefasst** (7)
content **der Inhalt, -e** (9)
content(edly) **zufrieden** (8)
context **der Zusammenhang, ¨-e** (3); **der Kontext, -e** (12)
contrary: but on the contrary **sondern** (7)
contrast: by contrast **dagegen** (7)

contribution **der Beitrag, ¨-e** (9)

to control **kontrollieren, kontrolliert** (10); **steuern, gesteuert** (12)

convenient(ly) **günstig** (8)

conversation **das Gespräch, -e** (1); to have a conversation **sich unterhalten (unterhält), unterhielt, unterhalten** (9)

to converse **reden, geredet** (3)

to convert **verarbeiten, verarbeitet** (8)

to convey **aus•drücken, ausgedrückt** (3); **vermitteln, vermittelt** (9)

to convince **überzeugen, überzeugt** (9)

cook **der Koch, ¨-e / die Köchin, -nen** (5)

to cook **kochen, gekocht** (1)

cool **kühl** (B)

corner **die Ecke, -n** (6); around the corner **um die Ecke** (6)

corporation **der Konzern, -e** (3)

correct **richtig** (2)

to correct **korrigieren, korrigiert** (4)

to correspond (to) **entsprechen** (+ *dat.*) **(entspricht), entsprach, entsprochen** (12)

cost, costs **die Kosten** (*pl.*) (7)

to cost **kosten, gekostet** (2)

to counsel **raten** (+ *dat.*) **(rät), riet, geraten** (11)

counselor **der Berater, - / die Beraterin, -nen** (5)

to count **zählen, gezählt** (A); **gelten (gilt), galt, gegolten** (3)

country **der Staat, -en** (8); (*rural area*) **das Land** (6); foreign countries **das Ausland** (6)

couple **das Paar, -e** (8)

course **der Kurs, -e** (A); **der Lauf, ¨-e** (9); of course **natürlich** (2); **selbstverständlich** (10)

court, courthouse **das Gericht, -e** (5, 8)

cousin (*female*) **die Kusine, -n** (B); (*male*) **der Cousin, -s** (B)

to cover **umfassen, umfasst** (8); **decken, gedeckt** (11)

cow **die Kuh, ¨-e** (10)

cozy, cozily **gemütlich** (10)

crab **der Krebs, -e** (8)

crazy, crazily **verrückt** (A); **wahnsinnig** (12)

crisis **die Krise, -n** (12)

critical(ly) **kritisch** (10)

criticism **die Kritik, -en** (8)

to criticize **kritisieren, kritisiert** (12)

critique **die Kritik, -en** (8)

to critique **kritisieren, kritisiert** (12)

cross **das Kreuz, -e** (7)

to cry **weinen, geweint** (3)

cultural(ly) **kulturell** (12)

culture **die Kultur, -en** (4)

cup **die Tasse, -n** (2)

cupboard **der Schrank, ¨-e** (2)

curious(ly) **neugierig** (8)

currency **die Währung, -en** (8)

current (*adj.*) **aktuell** (6); current(ly) **gegenwärtig** (12)

current (*n.*) **der Strom, ¨-e** (6)

curtain **der Vorhang, ¨-e** (6)

to cuss **schimpfen, geschimpft** (9)

customary, customarily **üblich** (6)

customer **der Kunde, -n** (*wk.*) **/ die Kundin, -nen** (1); **der Käufer, - / die Käuferin, -nen** (6)

cut: cold cut (*from sausage*) **die Wurst, ¨-e** (8)

to cut **schneiden (schneidet), schnitt, geschnitten** (3)

## D

daily routine **der Alltag, -e** (4)

damage **der Schaden, ¨** (11)

to damage **beschädigen, beschädigt** (11)

to dance **tanzen, getanzt** (1)

danger **die Gefahr, -en** (2)

dangerous(ly) **gefährlich** (8)

dark **dunkel** (5)

darkness **die Dunkelheit** (10)

data **die Daten** (*pl.*) (4)

date **das Datum, Daten** (4)

daughter **die Tochter, ¨** (B)

day **der Tag, -e** (A); on what day? **an welchem Tag?** (4); two days ago **vor zwei Tagen** (4); What day is today? **Welcher Tag ist heute?** (1)

dead **tot** (9); to shoot dead **erschießen (erschießt), erschoss, erschossen** (9)

deal **der Handel** (7)

to deal with **betreffen (betrifft), betraf, betroffen** (6); **behandeln, behandelt** (11); **sich beschäftigen mit** (+ *dat.*), **beschäftigt** (11)

dear **lieb** (9)

death **der Tod, -e** (12)

debt **die Schuld, -en** (8)

decade **das Jahrzehnt, -e** (10)

to decide **entscheiden (entscheidet), entschied, entschieden** (4); **beschließen (beschließt), beschloss, beschlossen** (10)

decision **die Entscheidung, -en** (4)

declaration **die Erklärung, -en** (8)

to declare **an•geben (gibt ... an), gab ... an, angegeben** (12)

to dedicate **widmen** (+ *dat.*), **gewidmet** (11)

deep(ly) **tief** (7)

to defend (*o.s.*) **(sich) wehren, gewehrt** (8)

deficit **der Verlust, -e** (8)

to define **definieren, definiert** (3)

definite(ly) **bestimmt** (3)

degree **der Grad, -e** (B); **der Abschluss, ¨-e** (9)

to delay **verhindern, verhindert** (7)

deliberate **bewusst** (11)

demand **die Nachfrage, -n** (2)

democracy **die Demokratie, -n** (12)

democratic(ally) **demokratisch** (12)

to demonstrate **demonstrieren, demonstriert** (9)

dense(ly) **dicht** (7)

to depart **ab•reisen, ist abgereist** (10)

department: fire department **die Feuerwehr** (11)

departure **die Abfahrt, -en** (7); point of departure **der Ansatz, ¨-e** (7)

to derive (from) **stammen (aus** + *dat.*), **gestammt** (2)

to describe **beschreiben (beschreibt), beschrieb, beschrieben** (3)

desert **die Wüste, -n** (7)

to design **gestalten, gestaltet** (12)

to designate **bezeichnen, bezeichnet** (4)

desire **die Lust, ¨-e** (3); **die Sehnsucht, ¨-e** (4)

to desire **wünschen, gewünscht** (5)

desk **der Schreibtisch, -e** (2)

despite **trotz** (+ *gen.*) (12); despite that **trotzdem** (2)

destination **das Ziel, -e** (10)

to destroy **zerstören, zerstört** (10)

to determine **bestimmen, bestimmt** (7)

to develop **entwickeln, entwickelt** (3)

development **die Entwicklung, -en** (6)

device **das Gerät, -e** (10)

devil **der Teufel, -** (12)

dialect **der Dialekt, -e** (10)

diary **das Tagebuch, ¨-er** (4)

to die **sterben (stirbt), starb, ist gestorben** (2)

diet **die Ernährung** (8)

difference **der Unterschied, -e** (2)

different **unterschiedlich** (3); different(ly) **anders** (6); **verschieden** (7)

to differentiate **unterscheiden (unterscheidet), unterschied, unterschieden** (7)

difficult **schwierig** (2); **schwer** (3)

difficulty **die Schwierigkeit, -en** (9)

to direct **richten, gerichtet** (12)

direct, directly **direkt** (3)

direction **die Richtung, -en** (7)

director **der Direktor, -en / die Direktorin, -nen** (9); film director **der Regisseur, -e / die Regisseurin, -nen** (11)

dirt **die Erde** (7)

dirty **schmutzig** (A)

disadvantage **der Nachteil, -e** (7)

to disappear **verschwinden (verschwindet), verschwand, ist verschwunden** (10)

disc **die Scheibe, -n** (11)

to discover **entdecken, entdeckt** (4); **erfahren (erfährt), erfuhr, erfahren** (9)

to discuss **diskutieren, diskutiert** (1)

dish **das Gericht, -e** (8)

disk **die Platte, -n** (2)

to displace **verdrängen, verdrängt** (10); **vertreiben (vertreibt), vertrieb, vertrieben** (12)

display **der Bildschirm, -e** (2)

disposal **die Verfügung, -en** (12)

disruption **die Störung, -en** (11)

to disseminate **verbreiten, verbreitet** (9)

to dissolve **auf•lösen, aufgelöst** (11)

distance **die Strecke, -n** (10)

distant **entfernt** (10); **fern** (11)

distinct(ly) **deutlich** (9)

to distinguish **unterscheiden (unterscheidet), unterschied, unterschieden** (7)

distress **die Not, ¨-e** (10)

to distribute **verteilen, verteilt** (4)

district **der Stadtteil, -e** (6)

to disturb **stören, gestört** (3)

disturbance **die Störung, -en** (11)

to dive **tauchen, hat/ist getaucht** (3)

diverse **unterschiedlich** (3)

to divide **teilen, geteilt** (8)

to do **tun (tut), tat, getan** (1); **machen, gemacht** (1); **unternehmen (unternimmt), unternahm, unternommen** (2); **leisten, geleistet** (12); to do without **verzichten auf** (+ *acc.*)**, verzichtet** (12); to get done **erledigen, erledigt** (4)

doctor, Dr. **der Doktor, -en / die Doktorin, -nen** (A)

to document **belegen, belegt** (4); **dokumentieren, dokumentiert** (9)

dog **der Hund, -e** (2)

to dominate **dominieren, dominiert** (9)

door **die Tür, -en** (A); next door **nebenan** (10)

double, doubly **doppelt** (6)

down **unten** (12); down that way **hinunter** (10); down this way **herunter** (10)

downtown **die Innenstadt, ¨-e** (6)

dramatic(ally) **dramatisch** (9)

to draw **ziehen (zieht), zog, gezogen** (2); **zeichnen, gezeichnet** (3)

drawer **die Schublade, -n** (5)

dream **der Traum, ¨-e** (7)

to dream **träumen, geträumt** (2)

dress **das Kleid, -er** (A)

to dress **an•ziehen (zieht ... an), zog ... an, angezogen** (3)

to drink **trinken (trinkt), trank, getrunken** (1)

to drive **fahren (fährt), fuhr, ist/hat gefahren** (2); to drive off **los•fahren (fährt ... los), fuhr ... los, ist losgefahren** (9)

driver **der Fahrer, - / die Fahrerin, -nen** (5); as a taxi driver **als Taxifahrer(in)** (5)

dry **trocken** (11)

to dry **trocknen, getrocknet** (6); to dry off **ab•trocknen, abgetrocknet** (6)

during the week **während der Woche** (1)

dust **der Staub** (6)

duty **die Pflicht, -en** (3)

## E

each **jeder, jedes, jede** (1); each other **einander** (3); in each case **jeweils** (12); with each other **miteinander** (1)

ear **das Ohr, -en** (B)

early **früh** (1)

to earn **verdienen, verdient** (4)

earnings **der Gewinn, -e** (8)

earth **die Erde** (7)

East **der Osten** (B); east (of) **östlich (von** + *dat.*) (7)

eastern **östlich** (7)

easy, easily **leicht** (4)

to eat **essen (isst), aß, gegessen** (2); (*said of an animal*) **fressen (frisst), fraß, gefressen** (9); to eat breakfast **frühstücken, gefrühstückt** (1)

economic **wirtschaftlich** (6); economic(al)(ly) **ökonomisch** (7)

economics **die Wirtschaft, -en** (1)

edge **der Rand, ¨-er** (6)

to educate **bilden, gebildet** (12)

education **die Bildung, -en** (B); physical education **der Sport** (1)

effect **die Auswirkung, -en** (12); to take effect **wirken, gewirkt** (11)

egg **das Ei, -er** (8)

eight **acht** (A); until eight o'clock **bis acht Uhr** (2); when he was eight years old **als er acht Jahre alt war** (5)

eighteen **achtzehn** (A)

eighty **achtzig** (A)

either . . . or **entweder ... oder** (4)

to elect **wählen, gewählt** (3)

election **die Wahl, -en** (12)

electric car **das Elektroauto, -s** (7)

electricity **der Strom, ¨-e** (6)

elegant(ly) **elegant** (8)

element **das Element, -e** (7)

to elevate **erheben (erhebt), erhob, erhoben** (8)

eleven **elf** (A)

to elicit **hervor•rufen (ruft ... hervor), rief ... hervor, hervorgerufen** (9)

else: anything else? **sonst noch etwas?** (5)

e-mail **die E-Mail, -s; die Mail, -s** (1)

to emerge **entstehen (entsteht), entstand, ist entstanden** (7); **auf•tauchen, ist aufgetaucht** (12)

emergency **die Not, ¨-e** (10)

emperor **der Kaiser, -** (8)

to emphasize **betonen, betont** (12)

employed **tätig** (7)

employee **der/die Angestellte, -n (ein Angestellter)** (5); **der Mitarbeiter, - / die Mitarbeiterin, -nen** (11); **die Arbeitskraft, ¨-e** (12)

empress **die Kaiserin, -nen** (8)

empty **leer** (5)

to empty **leeren, geleert** (3)

to enable **ermöglichen, ermöglicht** (12)

to encourage **fördern, gefördert** (12)

end **das Ende, -n** (1); **der Schluss, ¨-e** (6)

to end **beenden, beendet** (4); **enden, geendet** (7)

to endure **aus•halten (hält ... aus), hielt ... aus, ausgehalten** (12)

energy **die Energie, -n** (12)

engaged: to be engaged (involved) **sich engagieren, engagiert** (9)

England **(das) England** (B)

English (*language*) **(das) Englisch** (B)

to enjoy **genießen (genießt), genoss, genossen** (8)

enough **genug** (3); to be enough **aus•reichen, ausgereicht** (8)

enterprise **der Konzern, -e** (3); **das Unternehmen, -** (5)

enthusiastic **begeistert** (8)

environment **die Umwelt, -en** (B)

equal **gleich** (2); **egal** (6); equally **ebenso** (9)

equilibrium **das Gleichgewicht, -e** (11)

escape **die Flucht, -en** (6)

especially **besonders** (3); **speziell** (8)

to establish **gründen, gegründet** (4); **eröffnen, eröffnet** (5); **fest•stellen, festgestellt** (8); **begründen, begründet** (9)

to estimate **schätzen, geschätzt** (10)

euro **der Euro, -** (2)

Europe **(das) Europa** (B)

European (*adj.*) **europäisch** (B)

even **noch** (B); **sogar** (B); **selbst** (2)

evening **der Abend, -e** (A); evenings, in the evening **abends** (4); good evening **guten Abend** (A); this evening **heute Abend** (2)

event **das Ereignis, -se** (6); **die Veranstaltung, -en** (8)

ever since **seitdem** (12)

every **jeder, jedes, jede** (1)

everyday life **der Alltag, -e** (4)

everything **alles** (2)

everywhere **überall** (10)

evil **böse** (8)

exact(ly) **genau** (1)

exam: high school graduation exam **das Abitur** (4)

to examine **untersuchen, untersucht** (5)

example **das Beispiel, -e** (1)

excellent **hervorragend** (3)

exception **die Ausnahme, -n** (B)

exchange: exchange rate **der Wechselkurs, -e** (8); stock exchange **die Börse, -n** (8)

to exchange **tauschen, getauscht** (12)

to excite **begeistern, begeistert** (8); **auf•regen, aufgeregt** (11); to get excited **sich auf•regen, aufgeregt** (11)

exciting **spannend** (9)

to excuse **entschuldigen, entschuldigt** (10); Excuse me! **Entschuldigung!** (3); **Entschuldigen Sie!** (10)

to execute **durch•führen, durchgeführt** (11)

exercise **die Übung, -en** (A)

to exhibit **auf•weisen (weist ... auf), wies ... auf, aufgewiesen** (7)

exhibition **die Ausstellung, -en** (3)

to expect **erwarten, erwartet** (12)

expectation **die Erwartung, -en** (5)

to expel **vertreiben (vertreibt), vertrieb, vertrieben** (12)

expensive **teuer** (2); **wertvoll** (2)

experience **die Erfahrung, -en** (6); **das Erlebnis, -se** (7)

to experience **erleben, erlebt** (6); **erfahren (erfährt), erfuhr, erfahren** (9)

to explain **erklären, erklärt** (3)

explanation **die Erklärung, -en** (8)

to express **aus•drücken, ausgedrückt** (3)

expression **der Ausdruck, ¨e** (6)

to extend **reichen, gereicht** (7)

to extinguish **aus•machen, ausgemacht** (3)

extra **extra** (10)

extraction **die Herkunft, ¨e** (9)

extreme(ly) **extrem** (9)

eye **das Auge, -n** (B)

## F

fabric **der Stoff, -e** (12)

face **das Gesicht, -er** (B)

to facilitate **ermöglichen, ermöglicht** (12)

factor **der Faktor, -en** (6)

factory **die Fabrik, -en** (5)

to fail **scheitern, ist gescheitert** (12)

fair(ly) **gerecht** (6); fairly **ziemlich** (2)

fairy tale **das Märchen, -** (9)

fall **der Fall, ¨e** (5); (*autumn*) **der Herbst, -e** (B)

to fall **fallen (fällt), fiel, ist gefallen** (4); **stürzen, ist gestürzt** (10); to fall asleep **ein•schlafen (schläft ... ein), schlief ... ein, ist eingeschlafen** (7); to fall in love (with) **sich verlieben (in** + *acc.*)**, verliebt** (9)

family **die Familie, -n** (B)

famous **berühmt** (7)

far **weit** (6); **fern** (11); as far as **bis zu** (+ *dat.*) (10); so far **bisher** (9)

farewell **der Abschied, -e** (12)

farther **weiter** (7)

fast **schnell** (7)

fat (*adj.*) **dick** (2); **fett** (9)

fat (*n.*) **das Fett, -e** (8)

father **der Vater, ¨** (B)

favorable, favorably **günstig** (8)

fear **die Angst, ¨e** (3)

to fear **sich fürchten, gefürchtet** (10)

feature **das Merkmal, -e** (6); **die Eigenschaft, -en** (8)

to feed **füttern, gefüttert** (9)

to feel **fühlen, gefühlt** (3); to feel about **halten von** (+ *dat.*) **(hält), hielt, gehalten** (12); to feel like (*doing s.th.*) **Lust haben** (3); How do you feel? **Wie fühlst du dich?** (3); I feel . . . **ich fühle mich ...** (3)

feeling **das Gefühl, -e** (3)

fence **der Zaun, ¨e** (9)

to fetch **holen, geholt** (5)

fever **das Fieber** (11)

few **wenige** (4); a few **ein paar** (2); **einige** (8)

field **das Feld, -er** (7)

fierce(ly) **heftig** (10)

fifteen **fünfzehn** (A)

fifty **fünfzig** (A)

fight **der Kampf, ¨e** (9)

to fight **kämpfen, gekämpft** (8)

figure **die Figur, -en** (12)

to fill out **aus•füllen, ausgefüllt** (1)

film **der Film, -e** (2); film director **der Regisseur, -e / die Regisseurin, -nen** (11)

final: in a final step **zuletzt** (10)

finally **endlich** (1); **schließlich** (11)

financial(ly) **finanziell** (8)

to find **finden (findet), fand, gefunden** (2); to find out **heraus•finden (findet ... heraus), fand ... heraus, herausgefunden** (8); to find out about **sich informieren über** (+ *acc.*)**, informiert** (12)

fine(ly) **fein** (8)

finger **der Finger, -** (11)

to finish **erledigen, erledigt** (4); finished **fertig** (9)

fire **das Feuer, -** (9); **der Brand, ¨e** (11); fire department **die Feuerwehr** (11)

firm **der Betrieb, -e** (5)

first **erst** (4); (at) first **zuerst** (4); at first **zunächst** (9); for the first time **zum ersten Mal** (4); in the first place **überhaupt** (12)

fish **der Fisch, -e** (7)

five **fünf** (A)

to fix **richten, gerichtet** (12)

flat **flach** (8)

to flee **fliehen (flieht), floh, ist geflohen** (9); **flüchten, ist geflüchtet** (11)

flight **die Flucht, -en** (6); **der Flug, ¨e** (9)

floor **der Boden, ¨** (B); (*story*) **der Stock** (*pl.* **Stockwerke**) (6); on the second floor **im ersten Stock** (6)

to flow **fließen (fließt), floss, ist geflossen** (7)

flower **die Blume, -n** (A)

fluid **flüssig** (8)

fly **die Fliege, -n** (8)

to fly **fliegen (fliegt), flog, ist/hat geflogen** (1)

fog **der Nebel, -** (7)

to follow **folgen** (+ *dat.*)**, ist gefolgt** (6); **erfolgen, ist erfolgt** (12)

fond: to be fond of **lieb haben** (9)

food **die Ernährung** (8)

foot **der Fuß, ¨e** (B); on foot **zu Fuß** (3)

for **für** (+ *acc.*) (2); for (*amount of time*) **seit** (+ *dat.*) (2); for (*an occasion*) **zu** (+ *dat.*) (2); for someone's birthday **zum Geburtstag** (2); for the first time **zum ersten Mal** (4)

to forbid **verbieten (verbietet), verbot, verboten** (9)

force **die Gewalt, -en** (12)

to force **zwingen (zwingt), zwang, gezwungen** (12)

foreground **der Vordergrund, ¨e** (B)

foreign **fremd** (2); **ausländisch** (12); foreign countries **das Ausland** (6); foreign language **die Fremdsprache, -n** (1)

foreigner **der Ausländer, - / die Ausländerin, -nen** (12)

forest **der Wald, ¨er** (2)

to forget **vergessen (vergisst), vergaß, vergessen** (2)

to forgo **verzichten auf** (+ *acc.*)**, verzichtet** (12)

form **die Form, -en** (8)

to form **prägen, geprägt** (10); **bilden, gebildet** (12)

former **ehemalig** (6)

formula **das Rezept, -e** (8)

fortuitous(ly) **zufällig** (9)

forty **vierzig** (A)

forward: further/farther forward **weiter** (7)

to forward **schicken, geschickt** (6)

to found **gründen, gegründet** (4)

foundation **die Basis, Basen** (10)

four **vier** (A); not until four o'clock **erst um vier Uhr** (4)

fourteen **vierzehn** (A)

frame **der Rahmen, -** (2)

France **(das) Frankreich** (B)

to free **befreien, befreit** (10)

free(ly) **frei** (B)

freedom **die Freiheit, -en** (4)

French (*language*) **(das) Französisch** (B); (*person*) **der Franzose, -n** (*wk.*) **/ die Französin, -nen** (B)

frequent **häufig** (A)

fresh(ly) **frisch** (8)

Friday **der Freitag, -e** (1)

friend **der Freund, -e / die Freundin, -nen** (A); beloved friend **der/die Geliebte, -n (ein Geliebter)** (3)

friendly **freundlich** (B)

frog **der Frosch, ¨e** (9)

from **von** (+ *dat.*) (B); **ab** (+ *dat.*) (10); **aus** (+ *dat.*) (10); from it **daher** (6)

fruit **die Frucht, ¨e** (8); **das Obst** (8)

to frustrate **verhindern, verhindert** (7)

to fulfill **erfüllen, erfüllt** (3)

full, fully **voll** (2); **völlig** (11); full of **voll** (2)

fun (*adj.*) **lustig** (2)

fun (*n.*) **der Spaß, ¨e** (1)

function **die Funktion, -en** (12)

to function **funktionieren, funktioniert** (5)

funny **lustig** (2); **komisch** (10)

to furnish **ein•richten, eingerichtet** (6)

furniture **die Möbel** (*pl.*) (6)

further **weiter** (4, 7)

furthermore **weiterhin** (6)

future **die Zukunft, ¨e** (3)

## G

gadget **das Gerät, -e** (10)

game **das Spiel, -e** (2)

garage **die Werkstatt, ⸚en** (5)

garbage **der Müll** (6)

garden **der Garten, ⸚** (6)

gas **das Gas, -e** (12); gas station **die Tankstelle, -n** (5)

gasoline **das Benzin** (7)

gate **das Tor, -e** (7)

gender **das Geschlecht, -er** (12)

general(ly) **allgemein** (9)

gentleman **der Herr, -en** (*wk.*) (A)

German (*language*) **(das) Deutsch** (B); (*person*) **der/die Deutsche, -n (ein Deutscher)** (B); I am German. **Ich bin Deutsche/r.** (B)

Germany **(das) Deutschland** (B)

to get **bekommen (bekommt), bekam, bekommen** (1); **holen, geholt** (5); (*coll.*) **kriegen, gekriegt** (8); to get (into) **geraten (in** + *acc.*) **(gerät), geriet, geraten** (9); to get acquainted with **kennen•lernen, kennengelernt** (1); to get added **hinzu•kommen (kommt ... hinzu), kam ... hinzu, ist hinzugekommen** (10); to get angry **sich ärgern, geärgert** (11); to get done **erledigen, erledigt** (4); to get excited **sich auf•regen, aufgeregt** (11); to get stuck **stecken bleiben (bleibt ... stecken), blieb ... stecken, ist stecken geblieben** (11); to get up **auf•stehen (steht ... auf), stand ... auf, ist aufgestanden** (A); to get upset **sich auf•regen, aufgeregt** (11)

ghost **der Geist, -er** (8)

gift **das Geschenk, -e** (2)

girl **das Mädchen, -** (A)

to give **geben (gibt), gab, gegeben** (A); (*as a present*) **schenken, geschenkt** (5); give me **geben Sie mir** (A); to give up **auf•geben (gibt ... auf), gab ... auf, aufgegeben** (1)

gladly **gern** (1)

glance **der Blick, -e** (6)

glass **das Glas, ⸚er** (5)

glasses (*pair of eyeglasses*) **die Brille, -n** (A)

to glow **leuchten, geleuchtet** (9)

to go **gehen (geht), ging, ist gegangen** (A); **laufen (läuft), lief, ist gelaufen** (A); to go (into) **ein•gehen (auf** + *acc.*) **(geht ... ein), ging ... ein, ist eingegangen** (10); to go away **weg•gehen (geht ... weg), ging ... weg, ist weggegangen** (4); to go by **vorbei•gehen an** (+ *dat.*) **(geht ... vorbei), ging ... vorbei, ist vorbeigegangen** (10); to go for a walk **spazieren gehen (geht ... spazieren), ging ... spazieren, ist spazieren gegangen** (1); to go home **nach Hause gehen** (1); to go on **vor•gehen (geht ... vor), ging ... vor, ist vorgegangen** (9); to go out **aus•gehen (geht ... aus), ging ... aus, ist ausgegangen** (1); to go outside **hinaus•gehen (geht ... hinaus), ging ... hinaus, ist hinausgegangen** (10); to go shopping **einkaufen gehen (geht ... einkaufen), ging ... einkaufen, ist einkaufen gegangen** (1); to go that way **hin•gehen (geht ... hin), ging ... hin, ist hingegangen** (10); to go to bed **ins Bett gehen** (1); to go with **passen** (+ *dat.*)**, gepasst** (2)

god, God **der Gott, ⸚er** (3)

gold **das Gold** (5)

good **lieb** (9); good afternoon (*for.*) **guten Tag** (A); good afternoon (*for.; southern Germany, Austria*) **grüß Gott** (A); good evening **guten Abend** (A); good morning **guten Morgen** (A)

good-bye **auf Wiedersehen** (A)

to govern **herrschen, geherrscht** (8); **regieren, regiert** (12)

government **der Staat, -en** (8); **die Regierung, -en** (12); (*adj.*) **staatlich** (12)

to grab **fassen, gefasst** (7); **greifen (greift), griff, gegriffen** (11)

grade **die Klasse, -n** (5)

to grade **korrigieren, korrigiert** (4)

graduation: high school graduation exam **das Abitur** (4)

grammar (book) **die Grammatik, -en** (1)

grandfather **der Großvater, ⸚** (B)

grandmother **die Großmutter, ⸚** (B)

to grasp **fassen, gefasst** (7); **greifen (greift), griff, gegriffen** (11)

grateful **dankbar** (11)

gratitude **der Dank** (10)

gray **grau** (A)

great **großartig** (10); (*coll.*) **toll** (2)

green **grün** (A)

to greet **grüßen, gegrüßt** (10)

greeting **der Gruß, ⸚e** (9)

groceries **die Lebensmittel** (*pl.*) (8)

ground **die Erde** (7)

group **die Gruppe, -n** (5)

to grow **wachsen (wächst), wuchs, ist gewachsen** (9); **zu•nehmen (nimmt ... zu), nahm ... zu, zugenommen** (11); to grow up **auf•wachsen (wächst ... auf), wuchs ... auf, ist aufgewachsen** (6)

grown-up **der/die Erwachsene, -n (ein Erwachsener)** (3)

growth **das Wachstum** (12)

guarantee **die Versicherung, -en** (5)

to guess **raten (rät), riet, geraten** (11)

guest **der Gast, ⸚e** (2)

## H

hair **das Haar, -e** (A, B)

half **halb** (1); **die Hälfte, -n** (6)

hall: town hall **das Rathaus, ⸚er** (1)

hallway **der Gang, ⸚e** (10)

hand **die Hand, ⸚e** (B); to shake hands **die Hand schütteln, geschüttelt** (A)

to hand down **weiter•geben (gibt ... weiter), gab ... weiter, weitergegeben** (9)

to hang (*be in a hanging position*) **hängen (hängt), hing, gehangen** (3); to hang (up) **hängen, gehängt** (3)

to happen **geschehen (geschieht), geschah, ist geschehen** (2); **passieren, ist passiert** (4); **erfolgen, ist erfolgt** (12)

happiness **das Glück** (3)

happy **glücklich** (B); to be happy (about) **sich freuen (über** + *acc.*)**, gefreut** (11)

harbor **der Hafen, ⸚** (10)

hard **schwer** (3); **hart** (4)

hardly **kaum** (9)

hardship **die Not, ⸚e** (10)

hare **der Hase, -n** (*wk.*) (10)

harmful: to be harmful to **schaden** (+ *dat.*)**, geschadet** (6)

hat **der Hut, ⸚e** (A)

to hate **hassen, gehasst** (9)

hatred **der Hass** (12)

to have **haben (hat), hatte, gehabt** (A); to have in mind **vor•haben (hat ... vor), hatte ... vor, vorgehabt** (9); to have to **müssen (muss), musste, gemusst** (3); I would like to have **ich hätte gern** (5)

head **der Kopf, ⸚e** (B); **die Spitze, -n** (12); to be the head of **leiten, geleitet** (3)

health **die Gesundheit** (11)

healthy **gesund** (8)

to hear **hören, gehört** (1)

heart **das Herz, -en** (*wk., gen.* **-ens**) (3)

heat **die Hitze** (8)

heaven **der Himmel, -** (10)

heavy **dick** (2); **schwer** (3); heavy, heavily **heftig** (10); **stark (stärker, stärkst-)** (11)

height **die Größe, -n** (1); **die Höhe, -n** (2)

hello **hallo** (A); (*for.*) **guten Tag** (A); (*for.; southern Germany, Austria*) **grüß Gott** (A)

help **die Hilfe, -n** (11)

to help **helfen** (+ *dat.*) **(hilft), half, geholfen** (6)

helper **der Helfer, - / die Helferin, -nen** (11)

her **ihr(e)** (1); (*dem. pron.*) **deren** (11)

here **hier** (A)

hero **der Held, -en** (*wk.*) **/ die Heldin, -nen** (4)

herself **sich** (4)

hi: to say hi to **grüßen, gegrüßt** (10)

to hide **(sich) verstecken, versteckt** (9)

high(ly) **hoch (höher, höchst-)** (4); high school **das Gymnasium, Gymnasien** (6); high school graduation exam **das Abitur** (4)

highlight **der Höhepunkt, -e** (7)

hike **die Wanderung, -en** (7)

to hike **wandern, ist gewandert** (1)

hill **der Hügel, -** (7)

himself **sich** (4)

to hire **ein•stellen, eingestellt** (8)

his **sein(e)** (1); (*dem. pron.*) **dessen** (11)

historical(ly) **historisch** (2)

history **die Geschichte, -n** (1)

hit **der Schlag, ¨e** (10)

to hit **schlagen (schlägt), schlug, geschlagen** (2)

hobby **das Hobby, -s** (1)

to hold **halten (hält), hielt, gehalten** (2)

hole **das Loch, ¨er** (9)

holiday **der Feiertag, -e** (4)

home **die Heimat, -en** (6); **das Zuhause** (11); at home **zu Hause** (A); to go home **nach Hause gehen** (1)

homeland **die Heimat, -en** (6)

homework **die Hausaufgabe, -n** (A)

honest(ly) **ehrlich** (8)

honor **die Ehre, -n** (8)

to honor **ehren, geehrt** (8)

hope **die Hoffnung, -en** (2)

to hope **hoffen, gehofft** (3)

horse **das Pferd, -e** (2)

horseback: to ride horseback **reiten (reitet), ritt, ist geritten** (1)

hospital **das Krankenhaus, ¨er** (3)

host **der Wirt, -e / die Wirtin, -nen** (10)

hot **heiß** (B); spicy hot **scharf (schärfer, schärfst-)** (8)

hotel **das Hotel, -s** (2)

hour **die Stunde, -n** (1)

house **das Haus, ¨er** (1)

household **der Haushalt, -e** (6)

housekeeping **der Haushalt, -e** (6)

how **wie** (A); How do you feel? **Wie fühlst du dich?** (3); How do you spell that? **Wie schreibt man das?** (A)

however **aber** (B); **jedoch** (4); **allerdings** (6); **doch** (7); **dennoch** (11)

to hug **drücken, gedrückt** (3)

human(ly) **menschlich** (12); human being **der Mensch, -en** (*wk.*) (A)

humid **feucht** (B)

hundred **hundert** (A)

hunger **der Hunger** (3)

hungry: to be hungry **Hunger haben** (3)

to hunt **jagen, gejagt** (10)

hunter **der Jäger, - / die Jägerin, -nen** (9)

to hurt **weh•tun (tut ... weh), tat ... weh, wehgetan** (11); to get hurt **sich weh•tun (tut ... weh), tat ... weh, wehgetan** (11)

husband **der Mann, ¨er** (A)

hut **die Hütte, -n** (6)

## I

I **ich** (A); I am German. **Ich bin Deutsche/r.** (B)

ice, ice cream **das Eis** (2)

idea **die Idee, -n** (3); **die Vorstellung, -en** (4)

identification (card) **der Ausweis, -e** (8); secret PIN (personal identification number) **die Geheimzahl, -en** (8)

if (*subord. conj.*) **wenn** (2)

illness **die Krankheit, -en** (11)

to illustrate **dar•stellen, dargestellt** (7)

imagination **die Vorstellung, -en** (4)

immediately **sofort** (3)

to immigrate **ein•wandern, ist eingewandert** (12)

impact **die Auswirkung, -en** (12)

to impede **hemmen, gehemmt** (11)

to implement **durch•führen, durchgeführt** (11)

important **wichtig** (B)

impossible, impossibly **unmöglich** (5)

to impress **beeindrucken, beeindruckt** (11)

impression **der Eindruck, ¨e** (5)

in (*prep.*) **in** (+ *dat./acc.*) (A); (*adv.*) **hinein** (9); in a final step **zuletzt** (10); in addition **außerdem** (6); **dazu** (8); **hinzu** (10); in addition to **neben** (+ *dat.*) (3); in any case **jedenfalls** (11); in common **gemeinsam** (6); in each case **jeweils** (12); in it **drin/darin** (6); in love **verliebt** (4); in my opinion **meiner Meinung nach** (9); in order to . . . **um ... zu ...** (+ *inf.*) (4, 12); in the **am** (7); in the afternoon **nachmittags** (4); in the evening **abends** (4); in the first place **überhaupt** (12); in the spring **im Frühling** (B); in the vicinity **in der Nähe** (6); in this way **herein** (10)

to include **berücksichtigen, berücksichtigt** (12); including **inklusive** (10)

inclusive of **inklusive** (10)

income **das Einkommen, -** (8)

increase **der Anstieg, -e** (12)

to increase **zu•nehmen (nimmt ... zu), nahm ... zu, zugenommen** (11); **erhöhen, erhöht** (12)

incredible, incredibly **unglaublich** (5)

indeed **tatsächlich** (5)

independent(ly) **unabhängig** (10)

to indicate **an•geben (gibt ... an), gab ... an, angegeben** (12)

indication **die Angabe, -n** (1); **der Hinweis, -e** (12)

industry **die Industrie, -n** (10)

infection **die Entzündung, -en** (11)

influence **der Einfluss, ¨e** (2)

to influence **beeinflussen, beeinflusst** (9)

information **die Angabe, -n** (1); **die Information, -en** (4)

inhabitant **der Einwohner, - / die Einwohnerin, -nen** (5)

to inhibit **hemmen, gehemmt** (11)

initially **zunächst** (9)

initiative **die Initiative, -n** (12)

to injure **verletzen, verletzt** (11); to get injured **sich verletzen, verletzt** (11); injured person **der/die Verletzte, -n (ein Verletzter)** (11)

injury **die Verletzung, -en** (11)

injustice **das Unrecht** (9)

inner **inner-** (B)

innkeeper **der Wirt, -e / die Wirtin, -nen** (10)

input **der Beitrag, ¨e** (9)

inquiry **die Nachfrage, -n** (2)

insane(ly) **wahnsinnig** (12)

insect **das Insekt, -en** (7)

to insert **stecken, gesteckt** (11)

to inspect **an•sehen (sieht ... an), sah ... an, angesehen** (7)

to inspire **begeistern, begeistert** (8)

to install **an•legen, angelegt** (8)

instead **stattdessen** (8); instead of **statt** (+ *gen.*) (4)

institute **das Institut, -e** (7)

to instruct **unterrichten, unterrichtet** (5)

instruction **der Unterricht** (9); **der Auftrag, ¨e** (11)

instrument **das Instrument, -e** (2); (*financial*) **das Mittel, -** (8)

insurance **die Versicherung, -en** (5)

to integrate **integrieren, integriert** (12)

integration **die Integration, -en** (12)

intellectual(ly) **geistig** (10)

intelligent(ly) **intelligent** (7)

to intend (to) **wollen (will), wollte, gewollt** (3)

interest **das Interesse, -n** (5); (*money*) **der Zins, -en** (8); to be interested in **Interesse haben an** (+ *dat.*) (5); **sich interessieren für** (+ *acc.*), **interessiert** (7)

interesting(ly) **interessant** (7)

intermission **die Pause, -n** (1)

internal **inner-** (B)

international(ly) **international** (7)

to interrupt **ab•brechen (bricht ... ab), brach ... ab, abgebrochen** (10)

intersection **die Kreuzung, -en** (10)

interview **das Interview, -s** (4)

intestine **der Darm, ¨e** (11)

into it **hinein** (9)

intrigued **neugierig** (8)

to introduce **vor•stellen, vorgestellt** (4); **einführen, eingeführt** (10)

introduction **die Einführung, -en** (A)

to invent **erfinden (erfindet), erfand, erfunden** (4)

to invest **an•legen, angelegt** (8)

to investigate **untersuchen, untersucht** (5)

invitation **die Einladung, -en** (2)

to invite **ein•laden (lädt ... ein), lud ... ein, eingeladen** (2)

inward **hinein** (9)

irony **die Ironie, -n** (12)

island **die Insel, -n** (7)

item **der Gegenstand, ¨e** (B)

its **sein(e)** (*neut.*), **ihr(e)** (*fem.*) (1); (*dem. pron. masc./neut.*) **dessen** (11); (*dem. pron. fem.*) **deren** (11)

## J

jacket **die Jacke, -n** (A)

jail **das Gefängnis, -se** (6)

Japanese (*adj.*) **japanisch** (8)

Jew **der Jude, -n** (*wk.*) / **die Jüdin, -nen** (10)

Jewish **jüdisch** (10)

job **der Job, -s** (B); **die Stelle, -n** (10); job-related **beruflich** (10)

jobless **arbeitslos** (12)

to join **an•schließen (schließt ... an), schloss ... an, angeschlossen** (9); to join (in) **sich beteiligen (an +** *dat.***), beteiligt** (8)

joke **der Spaß, ¨e** (1); **der Witz, -e** (3)

journalist **der Journalist, -en** (*wk.*) **/ die Journalistin, -nen** (5)

journey **die Reise, -n** (2)

joy **die Freude, -n** (2)

judge **der Richter, - / die Richterin, -nen** (5)

judgment **das Urteil, -e** (9)

to jump **springen (springt), sprang, ist gesprungen** (A)

just **gerecht** (6); **knapp** (7); just across (the way) **gleich gegenüber** (6); just now **gerade** (3)

to justify **begründen, begründet** (9)

## K

to keep on walking **weiter•gehen (geht ... weiter), ging ... weiter, ist weitergegangen** (10); keep the change **das stimmt so** (8)

key **der Schlüssel, -** (6)

kidney **die Niere, -n** (11)

to kill **töten, getötet** (9); **erschießen (erschießt), erschoss, erschossen** (9); **ermorden, ermordet** (10)

kilometer **der Kilometer, -** (2)

kind **die Art, -en** (10); what kind of **was für** (3)

king **der König, -e** (9)

to kiss **küssen, geküsst** (9)

kitchen **die Küche, -n** (5)

knife **das Messer, -** (5)

to knock **klopfen, geklopft** (9)

to know **kennen (kennt), kannte, gekannt** (A); **wissen (weiß), wusste, gewusst** (2)

knowledge **die Kenntnis, -se** (5)

known **bekannt** (4)

## L

to label **kennzeichnen, gekennzeichnet** (6)

labor **die Arbeitskraft, ¨e** (12)

laboratory: language laboratory **das Sprachlabor, -s** (4)

lake **der See, -n** (7)

lamp **die Lampe, -n** (B)

land: plot of land **das Grundstück, -e** (6)

to land **landen, ist gelandet** (10)

landlord/landlady **der Vermieter, - / die Vermieterin, -nen** (6)

landscape **die Landschaft, -en** (7)

language **die Sprache, -n** (3); foreign language **die Fremdsprache, -n** (1); language laboratory **das Sprachlabor, -s** (4)

laptop (computer) **der Laptop, -s** (B)

last **letzt-** (4); last(ly) **zuletzt** (10)

to last **dauern, gedauert** (4)

late **spät** (1); to be late **spät dran sein** (3); late morning **der Vormittag, -e** (4); later **später** (1)

to laugh **lachen, gelacht** (3)

to launch **starten, ist gestartet** (10)

law **das Gesetz, -e** (3); **das Recht, -e** (4)

lawful **gesetzlich** (11)

lawn **der Rasen, -** (5)

lawyer **der Anwalt, ¨e / die Anwältin, -nen** (5)

to lay down **hin•legen, hingelegt** (10)

to lead **leiten, geleitet** (3); **führen, geführt** (5)

to learn **lernen, gelernt** (1); **erfahren (erfährt), erfuhr, erfahren** (9)

least: at least **wenigstens** (1); **immerhin** (7); **mindestens** (7); **jedenfalls** (11)

to leave **auf•brechen (bricht ... auf), brach ... auf, ist aufgebrochen** (4); **weg•gehen (geht ... weg), ging ... weg, ist weggegangen** (4); **verlassen (verlässt), verließ, verlassen** (5)

lecture **die Vorlesung, -en** (4); **der Vortrag, ¨e** (4)

left **link-** (10); (*remaining*) **übrig** (12); to the left **links** (7)

leg **das Bein, -e** (B)

legal **gesetzlich** (11)

to lend itself **sich eignen, geeignet** (5)

to let **lassen (lässt), ließ, gelassen** (8); (*to rent*) **vermieten, vermietet** (6)

letter **der Brief, -e** (1); (*alphabetic character*) **der Buchstabe, -n** (*wk., gen.* **-ns**) (9)

level **das Niveau, -s** (5)

to liberate **befreien, befreit** (10)

liberty **die Freiheit, -en** (4)

library **die Bibliothek, -en** (4)

to lie **liegen (liegt), lag, gelegen** (1)

life: everyday life **der Alltag, -e** (4)

to lift **heben (hebt), hob, gehoben** (10); to lift off **ab•heben (hebt ... ab), hob ... ab, ist abgehoben** (8)

light (*adj.*) **hell** (6)

light (*n.*) **das Licht, -er** (3)

to light **an•zünden, angezündet** (3)

like this **so** (A)

to like **mögen (mag), mochte, gemocht** (3); I like it **es gefällt mir** (6); I would like to have **ich hätte gern** (5); like best (*to do something*) **am liebsten** (7); to be to one's liking **gefallen** (+ *dat.*) **(gefällt), gefiel, gefallen** (6); would like (to) **möchte** (2, 3)

likely: more likely **eher** (B)

likewise **ebenfalls** (6); **ebenso** (9)

limit **die Grenze, -n** (12)

to limit **begrenzen, begrenzt** (12)

line **die Linie, -n** (3); (*of text*) **die Zeile, -n** (10)

lion **der Löwe, -n** (*wk.*) (10)

lip **die Lippe, -n** (11)

liquid (*adj.*) **flüssig** (8)

list **die Liste, -n** (5)

to listen **zu•hören, zugehört** (A)

literary **literarisch** (12)

literature **die Literatur, -en** (1)

little **wenig** (4); a little bit **ein bisschen** (3)

to live **leben, gelebt** (2); to live (in) **wohnen (in +** *dat.***), gewohnt** (B)

liver **die Leber, -n** (11)

living room **das Wohnzimmer, -** (6)

located: to be located **sich befinden (befindet), befand, befunden** (7)

location **der Ort, -e** (7); **die Position, -en** (12)

to lock **ab•schließen (schließt ... ab), schloss ... ab, abgeschlossen** (6)

long **lang (länger, längst-)** (A, B); long-term **langfristig** (8); so long **bis bald** (A)

longing **die Sehnsucht, ¨e** (4)

to look **schauen, geschaut** (A); **aus•sehen (sieht ... aus), sah ... aus, ausgesehen** (2); to look at **an•schauen, angeschaut** (1); **an•sehen (sieht ... an), sah ... an, angesehen** (7); (*coll.*) **an•gucken, angeguckt** (10); to look for **suchen, gesucht** (1); That looks / Those look good on you! **Das steht / Die stehen dir gut!** (2)

to lose **verlieren (verliert), verlor, verloren** (1); to lose weight **ab•nehmen (nimmt ... ab), nahm ... ab, abgenommen** (8)

loss **der Verlust, -e** (8)

lot: a lot **viel** (A)

loud(ly) **laut** (2)

love **die Liebe, -n** (B); in love **verliebt** (4); to fall in love (with) **sich verlieben (in +** *acc.***), verliebt** (9)

to love **lieben, geliebt** (3); **lieb haben** (9)

lover **der/die Geliebte, -n (ein Geliebter)** (3)

low **tief** (7)

to lower **senken, gesenkt** (10)

loyal **treu** (9)

luck **das Glück** (3)

lung **die Lunge, -n** (11)

## M

machine **die Maschine, -n** (5)

magical(ly) **magisch** (12)

magnificent(ly) **großartig** (10)

mail **die Post, -en** (5)

main(ly) **hauptsächlich** (11)

major **bedeutend** (10)

majority **die Mehrheit, -en** (12)

make **die Marke, -n** (7)

to make **her•stellen, hergestellt** (7); **bilden, gebildet** (12); **gestalten, gestaltet** (12); to make possible **ermöglichen, ermöglicht** (12)

male **männlich** (10)

man **der Mann, ¨er** (A)

manager **der Geschäftsführer, - / die Geschäftsführerin, -nen** (8)

mansion **die Villa, Villen** (6)

to manufacture **bauen, gebaut** (5); **her•stellen, hergestellt** (7) many viele (A); Many thanks! **Vielen Dank!** (10)

to mark **kennzeichnen, gekennzeichnet** (6)

market **der Markt, ¨e** (7)

marriage **die Ehe, -n** (12)

married **verheiratet** (1)

to marry **heiraten, geheiratet** (3)

masculine **männlich** (10)

mass, masses **die Masse, -n** (7)

to match **zu•ordnen** (+ *dat.*), **zugeordnet** (B); **passen** (+ *dat.*), **gepasst** (2)

material **die Masse, -n** (7); **das Material, -ien** (12); **der Stoff, -e** (12)

mathematics **die Mathematik** (1)

matter **die Masse, -n** (7)

mature **reif** (8)

may **dürfen (darf), durfte, gedurft** (3); **können (kann), konnte, gekonnt** (3)

me **mich** (*acc.*); **mir** (*dat.*); give me **geben Sie mir** (A)

meadow **die Wiese, -n** (7)

meal **das Gericht, -e** (5, 8); **die Mahlzeit, -en** (8)

to mean **meinen, gemeint** (1); **bedeuten, bedeutet** (4)

meaning **die Bedeutung, -en** (6); **der Sinn, -e** (8)

means **das Mittel, -** (8); means of payment **das Zahlungsmittel, -** (8)

to measure **messen (misst), maß, gemessen** (2); **erfassen, erfasst** (11)

meat **das Fleisch** (8)

media **die Medien** (*pl.*) (1)

medical **medizinisch** (11)

medicine **das Medikament, -e** (11); **die Medizin** (11); medicine for **ein Medikament gegen** (+ *acc.*) (11)

medium **das Mittel, -** (8)

to meet **treffen (trifft), traf, getroffen** (2); **begegnen** (+ *dat.*), **ist begegnet** (6)

member (of an organization) **das Mitglied, -er** (4); to be a member of **an•gehören** (+ *dat.*), **angehört** (12)

memory **die Erinnerung, -en** (4)

mental(ly) **geistig** (10)

to mention **erwähnen, erwähnt** (8)

mere(ly) **bloß** (8)

message **die Botschaft, -en** (6)

meter: square meter ($m^2$) **der Quadratmeter (qm), -** (6)

method **die Methode, -n** (7)

Mexican (*person*) **der Mexikaner, - / die Mexikanerin, -nen** (B)

middle **die Mitte** (9)

midge **die Mücke, -n** (10)

midnight **die Mitternacht** (12)

might **die Macht, ¨e** (12)

milk **die Milch** (8)

million **die Million, -en** (12)

mind **der Geist, -er** (8); to come to mind **ein•fallen** (+ *dat.*) **(fällt ... ein), fiel ... ein, ist eingefallen** (9); to have in mind **vor•haben (hat ... vor), hatte ... vor, vorgehabt** (9)

minister **der Minister, - / die Ministerin, -nen** (12)

minor **gering** (B)

minority **die Minderheit, -en** (12)

minute **die Minute, -n** (1)

mirror **der Spiegel, -** (6)

misfortune **das Unglück, -e** (12)

to miss **vermissen, vermisst** (8); **verpassen, verpasst** (9); to be missing **fehlen** (+ *dat.*), **gefehlt** (6)

mission **der Einsatz, ¨e** (10)

mist **der Nebel, -** (7)

mistake **der Fehler, -** (5)

mix **die Mischung, -en** (8)

to mix **mischen, gemischt** (8)

mixture **die Mischung, -en** (8)

model **das Modell, -e** (A); **die Marke, -n** (7)

modern **modern** (6)

to mold **prägen, geprägt** (10)

moment **der Moment, -e** (1); **der Augenblick, -e** (12)

Monday **der Montag, -e** (1)

money **das Geld** (2)

month **der Monat, -e** (B)

mood **die Laune, -n** (8); **die Stimmung, -en** (8)

moon **der Mond, -e** (10)

to mop **wischen, gewischt** (6)

more **mehr** (7); more likely **eher** (B); more than **mehr als** (5)

morning **der Morgen, -** (A); good morning **guten Morgen** (A); late morning **der Vormittag. -e** (4); this morning **heute früh** (4)

mosquito **die Mücke, -n** (10)

most **meist-** (3); mostly **meist** (3, 4); **meistens** (8)

mother **die Mutter, ¨** (B)

motif **das Motiv, -e** (12)

motion **die Bewegung, -en** (7)

motorcycle **das Motorrad, ¨er** (7)

mountain **der Berg, -e** (1); (range of) mountains **das Gebirge, -** (7)

mouse **die Maus, ¨e** (8)

mouth **der Mund, ¨er** (B)

to move **ziehen (zieht), zog, ist gezogen** (2); **bewegen, bewegt** (3); **(sich) rühren, gerührt** (10); to move away **aus•ziehen (zieht ... aus), zog ... aus, ist ausgezogen** (3); to move in **ein•ziehen (zieht ... ein), zog ... ein, ist eingezogen** (8)

movement **die Bewegung, -en** (7)

movie theater **das Kino, -s** (1)

to mow **mähen, gemäht** (5)

Mr. **Herr** (A)

Mrs.; Ms. **Frau** (A)

much **viel** (A)

murder **der Mord, -e** (9)

to murder **ermorden, ermordet** (10)

muscle **der Muskel, -n** (11)

museum **das Museum, Museen** (1)

mushroom **der Pilz, -e** (8)

music **die Musik, -en** (1)

must **müssen (muss), musste, gemusst** (3)

my **mein(e)** (A)

## N

to nab **erwischen, erwischt** (11)

nail **der Nagel, ¨** (11)

naked **nackt** (10)

name **der Name, -n** (*wk., gen.* **-ens**) (A); my name is . . . **ich heiße ...** (A); What's your name? (*for.*) **Wie heißen Sie?** (A); What's your name? (*infor.*) **Wie heißt du?** (A)

to name **bezeichnen, bezeichnet** (4); **nennen (nennt), nannte, genannt** (7); **benennen (benennt), benannte, benannt** (10); to be named **heißen (heißt), hieß, geheißen** (A)

namely **nämlich** (11)

narrow **schmal** (11); narrow(ly) **eng** (12); narrow street **die Gasse, -n** (10)

national(ly) **national** (9)

natural(ly) **natürlich** (2)

nature **die Natur** (B)

near **nah (näher, nächst-)** (7)

nearby **nah (näher, nächst-)** (7)

neat (*coll.*) **toll** (2)

necessary, necessarily **notwendig** (12)

neck **der Hals, ¨e** (9)

necklace **die Kette, -n** (2)

need **die Not, ¨e** (10)

to need **brauchen, gebraucht** (1)

negative(ly) **negativ** (3)

to negotiate **handeln, gehandelt** (9)

neighbor **der Nachbar, -n** (*wk.*) **/ die Nachbarin, -nen** (4); (*adv.*) (*next door*) **nebenan** (10)

neighborhood **der Stadtteil, -e** (6); **das Viertel, -** (10)

neither . . . nor . . . **weder ... noch ...** (11)

never **nie** (3)

new **neu** (A)

news **die Nachrichten** (*pl.*) (7)

newspaper **die Zeitung, -en** (1)

next **nächst-** (10); to come next **folgen** (+ *dat.*), **ist gefolgt** (6); next door **nebenan** (10)

nice **schön** (B); **nett** (3)

night **die Nacht, ¨e** (3); at night, nights **nachts** (4)

nine **neun** (A)

nineteen **neunzehn** (A)

ninety **neunzig** (A)

no **nein** (A); **kein(e)** (2); no one **niemand** (2)

noble, nobly **vornehm** (8)

nobody **niemand** (2)

noise: (soft) noise **das Geräusch, -e** (7)

none **kein(e)** (2)

nonetheless **trotzdem** (2); **dennoch** (11)
nonsense **der Quatsch** (10)
noon **der Mittag, -e** (3)
nor: neither . . . nor **weder ... noch** (11)
normal(ly) **normal** (5); normally **normalerweise** (8)
North **der Norden** (B); north (of) **nördlich (von** + *dat.***)** (7)
northern **nördlich** (7)
nose **die Nase, -n** (B)
not **nicht** (A); not a bit **kein bisschen** (3); not at all **gar nicht** (3); not until four o'clock **erst um vier Uhr** (4)
notebook **das Heft, -e** (B)
nothing **nichts** (1)
to notice **merken, gemerkt** (5); **bemerken, bemerkt** (9)
to notify **melden, gemeldet** (10)
nourishment **die Ernährung** (8)
novel **der Roman, -e** (2)
now **jetzt** (3); **nun** (8); just now **gerade** (3)
number **die Nummer, -n** (1); **die Zahl, -en** (8); number (of) **die Anzahl** (6); secret PIN (personal identification number) **die Geheimzahl, -en** (8)
numerous **zahlreich** (10)
to nurse **pflegen, gepflegt** (5)

## O

object **der Gegenstand, ¨-e** (B)
to oblige **zwingen (zwingt), zwang, gezwungen** (12)
to observe **beobachten, beobachtet** (1); **betrachten, betrachtet** (9)
to occupy **besetzen, besetzt** (9)
to occur **auf•treten (tritt ... auf), trat ... auf, ist aufgetreten** (1); **vor•kommen (kommt ... vor), kam ... vor, ist vorgekommen** (7); to occur (to *s.o.*) **ein•fallen** (+ *dat.*) **(fällt ... ein), fiel ... ein, ist eingefallen** (9)
ocean **der Ozean, -e** (7)
o'clock **Uhr**: not until four o'clock **erst um vier Uhr** (4); until eight o' clock **bis acht Uhr** (2)
odd **seltsam** (9)
of **von** (+ *dat.*) (B); of course **natürlich** (2); **selbstverständlich** (10); of which **dessen** (*masc./neut*), **deren** (*fem./plur.*) (11)
offer **das Angebot, -e** (1)
to offer **an•bieten (bietet ... an), bot ... an, angeboten** (3); **bieten (bietet), bot, geboten** (5)
offering **das Angebot, -e** (1)
office **das Büro, -s** (5); post office **die Post, -en** (5)
officer: police officer **der Polizist, -en** (*wk.*) **/ die Polizistin, -nen** (5)
official **der Beamte, -n (ein Beamter) / die Beamtin, -nen** (11)
official(ly) **offiziell** (8)
often **oft (öfter, öftest-)** (B)
oh **ach** (9)
oil **das Öl, -e** (8)
old **alt (älter, ältest-)** (A); when he was eight years old **als er acht Jahre alt war** (5)
on **an** (+ *dat./acc.*) (2); **auf** (+ *dat./acc.*) (6); on account of **aufgrund** (+ *gen.*) (6); **wegen** (+ *gen.*) (6); on foot **zu Fuß** (3); on one's way **unterwegs** (2); on the **am** (7); on the phone **am Telefon** (2); on the road **unterwegs** (2); on the second floor **im ersten Stock** (6); On what day? **An welchem Tag?** (4)
once **einmal** (4); once again **erneut** (12)
one (*cardinal number*) **eins** (A); (*pron.*) **einer, eine, ein(e)s** (7); one another **einander** (3)
oneself **selbst** (2); **sich** (4); by oneself **allein** (6)
only **nur** (3); **bloß** (8); **einzig** (10)
open **offen** (3)
to open **öffnen, geöffnet** (A); **auf•machen, aufgemacht** (3); **eröffnen, eröffnet** (5)
to operate **betreiben (betreibt), betrieb, betrieben** (8); **operieren, operiert** (11); **steuern, gesteuert** (12)
operation **der Betrieb, -e** (5)
opinion **die Meinung, -en** (9); in my opinion **meiner Meinung nach** (9)
opposite **gegenüber** (+ *dat.*) (6)
or (*coord. conj.*) **oder** (A); either . . . or **entweder ... oder** (4)
oral(ly) **mündlich** (9)
order **die Reihenfolge, -n** (2); **die Ordnung, -en** (3); **die Folge, -n** (9); **der Auftrag, ¨-e** (11); in order to . . . **um ... zu ...** (+ *inf.*) (4, 12)
to order (*food*) **bestellen, bestellt** (3)
orderliness **die Ordnung, -en** (3)
organization **die Organisation, -en** (12)
to orient **orientieren, orientiert** (12)
origin **die Herkunft, ¨-e** (9); **der Ursprung, ¨-e** (10)
original(ly) **ursprünglich** (8)
to originate **entstehen (entsteht), entstand, ist entstanden** (7)
other, others **ander-** (4); each other **einander** (3); with each other **miteinander** (1)
otherwise **sonst** (2)
out (*adv.*) **hinaus** (5); out, out of (*prep.*) **aus** (+ *dat.*) (10); out there **draußen** (9); out this way **heraus** (10)
outdoors **draußen** (9)
outlook **die Aussicht, -en** (10)
outside (*adv.*) **draußen** (9); (*prep.*) **außerhalb** (+ *gen.*) (12); to go outside **hinaus•gehen (geht ... hinaus), ging ... hinaus, ist hinausgegangen** (10)
to outweigh **überwiegen (überwiegt), überwog, überwogen** (6)
oven **der Ofen, ¨** (5)
over (*adv.*) **vorbei** (9); (*prep.*) **über** (+ *dat./acc.*) (4); over the weekend **am Wochenende** (1); **übers Wochenende** (4); over there **drüben** (12)
overall **insgesamt** (9)
overcoat **der Mantel, ¨** (A)
overnight: to stay overnight **übernachten, übernachtet** (6)
own **eigen** (3)
to own **besitzen (besitzt), besaß, besessen** (12)

## P

to pack **packen, gepackt** (10)
page **die Seite, -n** (5)
pain **der Schmerz, -en** (11)
to paint **malen, gemalt** (12)
pair **das Paar, -e** (8)
palace **das Schloss, ¨-er** (6)
pale **blass** (11)
pane **die Scheibe, -n** (11)
pants **die Hose, -n** (A)
paper **das Papier, -e** (B)
paragraph **der Absatz, ¨-e** (6)
to parent **erziehen (erzieht), erzog, erzogen** (9)
parents **die Eltern** (*pl.*) (B)
park **der Park, -s** (1)
part **der Teil, -e** (3); **die Rolle, -n** (4); **der Anteil, -e** (8); to take part **teil•nehmen (nimmt ... teil), nahm ... teil, teilgenommen** (9); to take part (in) **sich beteiligen (an** + *dat.***), beteiligt** (8)
participant **der Teilnehmer, - / die Teilnehmerin, -nen** (12)
to participate **teil•nehmen (nimmt ... teil), nahm ... teil, teilgenommen** (9)
particular **besonder-** (5); particularly **besonders** (3); **insbesondere** (9)
partner: work with a partner **arbeiten Sie mit einem Partner** (A)
party **die Party, -s** (1); **das Fest, -e** (4); political party **die Partei, -en** (10)
to party **feiern, gefeiert** (4)
to pass **weiter•geben (gibt ... weiter), gab ... weiter, weitergegeben** (9); (a test) **absolvieren, absolviert** (10)
passion **die Leidenschaft, -en** (8)
passport **der Pass, ¨-e** (7)
past **vorbei** (9)
pasture **die Wiese, -n** (7)
path **der Weg, -e** (7)
patient **der Patient, -en** (*wk.*) **/ die Patientin, -nen** (5)
patio **die Terrasse, -n** (6)
pattern **die Struktur, -en** (A)
to pay **zahlen, gezahlt** (2); to pay (for) **bezahlen, bezahlt** (4); to pay attention **auf•passen, aufgepasst** (3); to pay attention to **achten auf** (+ *acc.*)**, geachtet** (11)
payment: means of payment **das Zahlungsmittel, -** (8)
peace **die Ruhe** (B); **der Frieden, -** (12)
peaceful(ly) **friedlich** (9)
pen, pencil **der Stift, -e** (A)
people **die Leute** (*pl.*) (3); **das Volk, ¨-er** (12)

per **pro** (3); as per **laut** (+ *dat.*) (10)
to perceive **bemerken, bemerkt** (9)
percent, percentage **das Prozent, -e** (4)
perfect(ly) **vollkommen** (12)
to perform **auf•führen, aufgeführt** (12)
performance **die Leistung, -en** (6); **die Veranstaltung, -en** (8)
perhaps **vielleicht** (2)
period **der Punkt, -e** (9); (of time) **der Zeitraum, ¨-e** (12)
permission, permit **die Erlaubnis, -se** (12)
to permit **erlauben, erlaubt** (3)
person **der Mensch, -en** (*wk.*) (A); **die Person, -en** (1)
personal(ly) **persönlich** (12); secret PIN (personal identification number) **die Geheimzahl, -en** (8)
personality **die Persönlichkeit, -en** (11)
perspective **die Perspektive, -n** (1)
to petition **beantragen, beantragt** (8)
pharmacy **die Apotheke, -n** (6)
phenomenon **das Phänomen, -e** (11)
phone: cell phone **das Handy, -s** (2); on the phone **am Telefon** (2); smartphone **das Smartphone, -s** (2)
photo **das Foto, -s** (1)
to photograph **fotografieren, fotografiert** (4)
physical education **der Sport** (1)
physician **der Arzt, ¨-e / die Ärztin, -nen** (3)
physics **die Physik** (1)
piano **das Klavier, -e** (2)
to pick up **auf•heben (hebt ... auf), hob ... auf, aufgehoben** (8); to pick (somebody) up (from a place) **ab•holen, abgeholt** (1)
picture **das Bild, -er** (A); to take pictures **fotografieren, fotografiert** (4)
piece **das Stück, -e** (8)
to pierce **stechen (sticht), stach, gestochen** (10)
pill **die Tablette, -n** (11)
pilot **der Pilot, -en** (*wk.*) **/ die Pilotin, -nen** (5)
PIN: secret PIN (personal identification number) **die Geheimzahl, -en** (8)
place **der Platz, ¨-e** (3); **der Ort, -e** (7); **die Lage, -n** (10); **die Stelle, -n** (10); **die Position, -en** (12); in the first place **überhaupt** (12); to take place **passieren, ist passiert** (4); **statt•finden (findet ... statt), fand ... statt, stattgefunden** (5); **erfolgen, ist erfolgt** (12)
to place **stellen, gestellt** (A)
plan **der Plan, ¨-e** (3)
to plan **planen, geplant** (9); **vor•haben (hat ... vor), hatte ... vor, vorgehabt** (9); to plan (to) **wollen (will), wollte, gewollt** (3)
plant **die Pflanze, -n** (3)
plate **der Teller, -** (6)
to play **spielen, gespielt** (1)
player **der Spieler, - / die Spielerin, -nen** (2)
pleasant **angenehm** (6)
please **bitte** (A)
to please **gefallen** (+ *dat.*) **(gefällt), gefiel, gefallen** (6); to be pleased (about) **sich freuen (über** + *acc.*)**, gefreut** (11)
pleasure **die Freude, -n** (2); with pleasure **gern** (1)
plot **die Handlung, -en** (10); plot of land **das Grundstück, -e** (6)
to plug **stecken, gesteckt** (11)
to plummet **stürzen, ist gestürzt** (10)
plush **vornehm** (8)
pocket **die Tasche, -n** (1)
poem **das Gedicht, -e** (3)
poet **der Dichter, - / die Dichterin, -nen** (8)
point **der Punkt, -e** (9); point of departure **der Ansatz, ¨-e** (7)
to point **verweisen (verweist), verwies, verwiesen** (8); **richten, gerichtet** (12)
poisonous **giftig** (9)
police **die Polizei** (5); police officer **der Polizist, -en** (*wk.*) **/ die Polizistin, -nen** (5); police station **die Polizei** (5)
political(ly) **politisch** (4); political party **die Partei, -en** (10)
politician **der Politiker, - / die Politikerin, -nen** (12)
politics **die Politik** (1)
to ponder **nach•denken (über** + *acc.*) **(denkt ... nach), dachte ... nach, nachgedacht** (12)
poor **arm (ärmer, ärmst-)** (9)
popular **beliebt** (3)
population **die Bevölkerung, -en** (12)
port **der Hafen, ¨** (10)
portion **der Anteil, -e** (8)
to pose **stellen, gestellt** (A)
position **die Lage, -n** (10); **die Stelle, -n** (10); **die Position, -en** (12)
positive(ly) **positiv** (9)
to possess **besitzen (besitzt), besaß, besessen** (12)
possibility **die Möglichkeit, -en** (5)
possible **möglich** (5); to make possible **ermöglichen, ermöglicht** (12)
post office **die Post, -en** (5)
pot **der Topf, ¨-e** (5)
potato **die Kartoffel, -n** (8)
to pour **gießen (gießt), goss, gegossen** (5)
power **die Kraft, ¨-e** (5); **die Macht, ¨-e** (12)
practical(ly) **praktisch** (5)
to practice **üben, geübt** (8); **aus•üben, ausgeübt** (12)
to predominate **überwiegen (überwiegt), überwog, überwogen** (6)
preferably **lieber** (2)
preference **die Einstellung, -en** (12)
pregnant **schwanger** (12)
preparation **die Vorbereitung, -en** (9)
preparatory: college preparatory school **das Gymnasium, Gymnasien** (6)
to prepare **vor•bereiten, vorbereitet** (4)
prepared **bereit** (12)
preschool **der Kindergarten, ¨** (6)
prescription **das Rezept, -e** (8)
to present **vor•stellen, vorgestellt** (4); **präsentieren, präsentiert** (12)
present-day **heutig** (6)
presentation **der Vortrag, ¨-e** (4)
president **der Präsident, -en** (*wk.*) **/ die Präsidentin, -nen** (5)
to press **drücken, gedrückt** (3); **pressen, gepresst** (8)
pressure **der Druck, ¨-e** (4)
pretty **hübsch** (A); **schön** (B)
to prevent **verhindern, verhindert** (7)
price **der Preis, -e** (4)
to prick **stechen (sticht), stach, gestochen** (10)
pride **der Stolz** (12)
primary, primarily **hauptsächlich** (11)
prince **der Prinz, -en** (*wk.*) (9)
princess **die Prinzessin, -nen** (9)
principal **der Direktor, -en / die Direktorin, -nen** (9)
principle **der Grundsatz, ¨-e** (11)
prison **das Gefängnis, -se** (6)
private(ly) **privat** (4)
privilege **die Ehre, -n** (8)
prize **der Preis, -e** (4)
probable, probably **wahrscheinlich** (1); probably **wohl** (11)
problem **das Problem, -e** (2)
procedure **die Behandlung, -en** (11)
to process **verarbeiten, verarbeitet** (8)
to produce **bauen, gebaut** (5); **her•stellen, hergestellt** (7); **produzieren, produziert** (8); to be produced **sich ergeben (ergibt), ergab, ergeben** (6)
product **das Produkt, -e** (8)
production **die Produktion, -en** (7)
profession **der Beruf, -e** (1)
professional(ly) **beruflich** (10)
professor **der Professor, -en / die Professorin, -nen** (A)
profit **der Gewinn, -e** (8)
to profit **profitieren, profitiert** (10)
profitable **wirtschaftlich** (6)
program **das Programm, -e** (4); **die Sendung, -en** (12)
progress **der Fortschritt, -e** (11)
to prohibit **verbieten (verbietet), verbot, verboten** (9)
prominent(ly) **bedeutend** (10)
to promise **versprechen (verspricht), versprach, versprochen** (7)
to promote **fördern, gefördert** (12)
property **das Grundstück, -e** (6); **die Eigenschaft, -en** (8)
to protect **schützen, geschützt** (B)

protection **der Schutz, ¨e** (6)

to protest **protestieren, protestiert** (9)

to provide **leisten, geleistet** (12)

public (*adj.*) **öffentlich** (6); public(ly) **staatlich** (12)

public (*n.*) **die Öffentlichkeit, -en** (12)

to publish **veröffentlichen, veröffentlicht** (8)

publisher, publishing company **der Verlag, -e** (10)

to pull **ziehen (zieht), zog, gezogen** (2)

to punch **stoßen (stößt), stieß, gestoßen** (11)

pupil **der Schüler, - / die Schülerin, -nen** (1)

pure(ly) **rein** (8)

purpose **der Zweck, -e** (10)

purse **die Tasche, -n** (1)

to pursue **betreiben (betreibt), betrieb, betrieben** (8)

to push **drücken, gedrückt** (3)

to put **stellen, gestellt** (A); **stecken, gesteckt** (11); to put aside **sparen, gespart** (5); to put on **an•ziehen (zieht ... an), zog ... an, angezogen** (3); **auf•setzen, aufgesetzt** (6)

puzzle **das Rätsel, -** (9)

## Q

quantity **die Menge, -n** (5); **die Anzahl** (6)

to quarrel **(sich) streiten (streitet), stritt, gestritten** (9)

quarter **das Viertel, -** (10)

queen **die Königin, -nen** (9)

question **die Frage, -n** (A); to ask questions **Fragen stellen, gestellt** (A)

quick(ly) **schnell** (7)

quiet (*n.*) **die Ruhe** (B); **die Stille** (7)

quiet(ly) **ruhig** (B); **leise** (9)

quite **ganz** (2); **ziemlich** (2)

## R

race **das Rennen, -** (9)

radio **das Radio, -s** (2)

rage **die Wut** (12)

railroad **die Bahn, -en** (7)

rain **der Regen, -** (7)

to rain **regnen, geregnet** (B)

to raise **erheben (erhebt), erhob, erhoben** (8); **erziehen (erzieht), erzog, erzogen** (9); **heben (hebt), hob, gehoben** (10)

to rally **demonstrieren, demonstriert** (9)

range **die Reihe, -n** (6); range of mountains **das Gebirge, -** (7)

rarely **selten** (5)

rat **die Ratte, -n** (10)

rate: exchange rate **der Wechselkurs, -e** (8)

rather **eher** (B); **lieber** (2); but rather **sondern** (7)

to reach **erreichen, erreicht** (5); **reichen, gereicht** (7)

to read **lesen (liest), las, gelesen** (A); to read (*to s.o.*) **vor•lesen (liest ... vor), las ... vor, vorgelesen** (5)

ready **fertig** (9); **bereit** (12)

real(ly) **wirklich** (B); **echt** (2)

to realize **merken, gemerkt** (5); **fest•stellen, festgestellt** (8)

reason **der Grund, ¨e** (2); **die Ursache, -n** (11)

to receive **bekommen (bekommt), bekam, bekommen** (1); **erhalten (erhält), erhielt, erhalten** (5); **auf•nehmen (nimmt ... auf), nahm ... auf, aufgenommen** (6)

recently **neulich** (9)

recipe **das Rezept, -e** (8)

to recognize **erkennen (erkennt), erkannte, erkannt** (3)

record: vinyl record **die Platte, -n** (2)

to record **auf•nehmen (nimmt ... auf), nahm ... auf, aufgenommen** (6); **erfassen, erfasst** (11)

to recuperate **sich erholen, erholt** (11)

red **rot (röter, rötest-)** (A)

to reduce **ab•bauen, abgebaut** (11); **reduzieren, reduziert** (11)

to refer **verweisen (verweist), verwies, verwiesen** (8); to refer (to) **sich beziehen (auf +** *acc.***) (bezieht), bezog, bezogen** (12)

reference **der Hinweis, -e** (12)

refrigerator **der Kühlschrank, ¨e** (5)

refugee **der Flüchtling, -e** (4)

to refuse **ab•lehnen, abgelehnt** (6)

region **die Region, -en** (8)

regional(ly) **regional** (8)

to register **melden, gemeldet** (10)

regular(ly) **regelmäßig** (8)

to rehearse **üben, geübt** (8)

to reign **herrschen, geherrscht** (8)

to reject **ab•lehnen, abgelehnt** (6)

relationship **das Verhältnis, -se** (8); **die Beziehung, -en** (12)

relative(ly) **relativ** (B)

relatives **die Verwandten** (*pl.*) (2)

to relax **(sich) entspannen, entspannt** (10); **sich erholen, erholt** (11)

to relay **weiter•geben (gibt ... weiter), gab ... weiter, weitergegeben** (9)

religion **die Religion, -en** (1)

religious **religiös** (B)

to remain **bleiben (bleibt), blieb, ist geblieben** (3)

remainder **der Rest, -e** (8)

remaining **übrig** (12)

to remember **sich erinnern an** (+ *acc.*), **erinnert** (9)

remembrance **die Erinnerung, -en** (4)

to remind someone about something **jemanden an etwas erinnern, erinnert** (9)

to remove **ab•nehmen (nimmt ... ab), nahm ... ab, abgenommen** (8)

rent **die Miete, -n** (6)

to rent **mieten, gemietet** (6); **vermieten, vermietet** (6)

renter **der Mieter, - / die Mieterin, -nen** (6)

repair shop **die Werkstatt, ¨en** (5)

to repeat **wiederholen, wiederholt** (6)

to replace **verdrängen, verdrängt** (10); **ersetzen, ersetzt** (12)

report **der Bericht, -e** (8)

to report **berichten, berichtet** (6); **melden, gemeldet** (10)

to represent **dar•stellen, dargestellt** (7); **vertreten (vertritt), vertrat, vertreten** (7)

representative **der Vertreter, - / die Vertreterin, -nen** (10); **der/die Abgeordnete, -n (ein Abgeordneter)** (12)

request **der Antrag, ¨e** (8)

to request **bitten (bittet), bat, gebeten** (3); **beantragen, beantragt** (8)

requirement **die Pflicht, -en** (3)

to rescue **retten, gerettet** (9)

research **die Forschung, -en** (B)

residence **der Aufenthalt, -e** (12)

resident **der Einwohner, - / die Einwohnerin, -nen** (5)

to resign **zurück•treten (tritt ... zurück), trat ... zurück, ist zurückgetreten** (9)

to respect **beachten, beachtet** (12)

to respond (to) **ein•gehen (auf +** *acc.***) (geht ... ein), ging ... ein, ist eingegangen** (10)

response **die Antwort, -en** (3)

rest **der Rest, -e** (8)

restaurant **das Restaurant, -s** (2)

return (*round-trip*) **hin und zurück** (5)

to return **zurück•kehren, ist zurückgekehrt** (5); **zurück•kommen (kommt ... zurück), kam ... zurück, ist zurückgekommen** (6)

to reveal **verraten (verrät), verriet, verraten** (9)

rich(ly) **reich** (5)

riddle **das Rätsel, -** (9)

to ride **fahren (fährt), fuhr, ist/hat gefahren** (2); to ride horseback **reiten (reitet), ritt, ist geritten** (1); to ride off **los•fahren (fährt ... los), fuhr ... los, ist losgefahren** (9)

right (*adj.*) **richtig** (2); **recht-** (3); right away **gleich** (2); **sofort** (3); that's right **das stimmt so** (8); to be right **recht haben (hat ... recht), hatte ... recht, recht gehabt** (2); **stimmen, gestimmt** (8); to the right **rechts** (7)

right (*n.*) **das Recht, -e** (4)

ring **der Ring, -e** (2)

to ring **klingen (klingt), klang, geklungen** (5)

ripe **reif** (8)

rise **der Anstieg, -e** (12)

to rise **steigen (steigt), stieg, ist gestiegen** (7); **zu•nehmen (nimmt ... zu), nahm ... zu, zugenommen** (11)

risk **das Risiko, Risiken** (7)

river **der Strom, ¨e** (6); **der Fluss, ¨e** (7)

road **die Straße, -n** (5); on the road **unterwegs** (2)

role **die Rolle, -n** (4)

roof **das Dach, ¨-er** (6)

room **das Zimmer, -** (1); **der Raum, ¨-e** (10); living room **das Wohnzimmer, -** (6)

to rotate **drehen, gedreht** (2)

round **rund** (5); round-trip **hin und zurück** (5)

roundabout **der Kreisverkehr, -e** (10)

route **die Strecke, -n** (10)

routine: daily routine **der Alltag, -e** (4)

row **die Reihe, -n** (6)

rule **die Regel, -n** (4)

to rule **herrschen, geherrscht** (8)

run **der Lauf, ¨-e** (9)

to run **laufen (läuft), lief, ist gelaufen** (A); **rennen (rennt), rannte, ist gerannt** (7); **betreiben (betreibt), betrieb, betrieben** (8)

Russian (*adj.*) **russisch** (8); (*language*) **(das) Russisch** (B)

## S

sacrifice **das Opfer, -** (4)

sad **traurig** (B)

salary **der Lohn, ¨-e** (12)

salesperson **der Verkäufer, - / die Verkäuferin, -nen** (5)

salt **das Salz** (8)

same **gleich** (2); **egal** (6); it's all the same to me **das ist mir egal** (6); the same **derselbe, dieselbe, dasselbe** (6)

sand **der Sand, -e** (4)

satisfied **zufrieden** (8)

Saturday **der Samstag, -e** (1)

sausage **die Wurst, ¨-e** (8)

to save **schützen, geschützt** (B); **sparen, gespart** (5); **auf•heben (hebt ... auf), hob ... auf, aufgehoben** (8); **retten, gerettet** (9)

to savor **genießen (genießt), genoss, genossen** (8)

to say **sagen, gesagt** (A); to say hi to **grüßen, gegrüßt** (10)

scarce(ly) **knapp** (7)

scene **die Szene, -n** (10)

scenery **die Landschaft, -en** (7)

scent **der Geruch, ¨-e** (7)

scholar **der Wissenschaftler, - / die Wissenschaftlerin, -nen** (11)

school **die Schule, -n** (1); college preparatory school, high school **das Gymnasium, Gymnasien** (6); high school graduation exam **das Abitur** (4); school principal **der Direktor, -en / die Direktorin, -nen** (9)

science **die Wissenschaft, -en** (B); computer science **die Informatik** (1)

scientific(ally) **wissenschaftlich** (12)

scientist **der Wissenschaftler, - / die Wissenschaftlerin, -nen** (11)

to scold **schimpfen, geschimpft** (9)

to scramble **klettern, ist geklettert** (8)

to scream **schreien (schreit), schrie, geschrien** (3)

screen **der Bildschirm, -e** (2)

sea **das Meer, -e** (1); to the sea **ans Meer** (2)

to search **suchen, gesucht** (1)

season **die Jahreszeit, -en** (12)

seat **der Platz, ¨-e** (3); **der Sitz, -e** (7)

second (*adj.*): on the second floor **im ersten Stock** (6)

second (*n.*) **die Sekunde, -n** (1)

secret **das Geheimnis, -se** (5)

secret(ly) **geheim** (8); **heimlich** (9); secret PIN (personal identification number) **die Geheimzahl, -en** (8)

secretary **der Sekretär, -e / die Sekretärin, -nen** (5)

sector **die Branche, -n** (12)

secure(ly) **sicher** (B)

security **die Sicherheit, -en** (B)

to see **sehen (sieht), sah, gesehen** (2); see you soon **bis bald** (A)

to seem **scheinen (scheint), schien, geschienen** (11)

segregation **die Trennung, -en** (11)

to seize **fassen, gefasst** (7)

seldom **selten** (5)

to select **aus•wählen, ausgewählt** (6); **aus•suchen, ausgesucht** (10)

self **selbst** (2)

to sell **verkaufen, verkauft** (2)

seminar **das Seminar, -e** (4)

to send **schicken, geschickt** (6)

sense **der Sinn, -e** (8)

sentence **der Satz, ¨-e** (3)

to separate **trennen, getrennt** (5)

separate(ly), with separate checks **getrennt** (5)

separation **die Trennung, -en** (11)

sequence **die Reihenfolge, -n** (2); **die Folge, -n** (9)

series **die Reihe, -n** (6)

serious(ly) **ernst** (8)

servant: civil servant **der Beamte, -n (ein Beamter) / die Beamtin, -nen** (11)

service **der Dienst, -e** (9)

set: TV set **der Fernseher, -** (2)

to set **setzen, gesetzt** (A); to set aside **auf•heben (hebt ... auf), hob ... auf, aufgehoben** (8); to set out **auf•brechen (bricht ... auf), brach ... auf, ist aufgebrochen** (4); to set up **ein•richten, eingerichtet** (6)

seven **sieben** (A)

seventeen **siebzehn** (A)

seventy **siebzig** (A)

several **einige** (8); **mehrere** (10); several times **mehrmals** (5)

severe(ly) **heftig** (10); **stark (stärker, stärkst-)** (11)

shade, shadow **der Schatten, -** (4)

to shake hands **die Hand schütteln, geschüttelt** (A)

shape **die Form, -en** (8)

to shape **prägen, geprägt** (10); **gestalten, gestaltet** (12)

share **der Anteil, -e** (8); (*stock*) **die Aktie, -n** (8)

to share **mit•teilen, mitgeteilt** (2); **teilen, geteilt** (8)

sharp(ly) **scharf (schärfer, schärfst-)** (8)

shine **der Schein, -e** (8)

to shine **leuchten, geleuchtet** (9); **scheinen (scheint), schien, geschienen** (11)

ship **das Schiff, -e** (5)

shirt **das Hemd, -en** (A)

shock **der Schock, -s** (11)

shoe **der Schuh, -e** (A)

to shoot **schießen (schießt), schoss, geschossen** (5); (*film*) **drehen, gedreht** (2); to shoot dead **erschießen (erschießt), erschoss, erschossen** (9)

shop **der Laden, ¨** (6); repair shop **die Werkstatt, ¨-en** (5)

to shop for **ein•kaufen, eingekauft** (1); to go shopping **einkaufen gehen (geht ... einkaufen), ging ... einkaufen, ist einkaufen gegangen** (1)

shore **das Ufer, -** (12)

short **kurz (kürzer, kürzest-)** (A); (*height*) **klein** (B)

shoulder **die Schulter, -n** (B)

to shout **rufen (ruft), rief, gerufen** (7)

to shove **stoßen (stößt), stieß, gestoßen** (11)

show **die Sendung, -en** (12)

to show **zeigen, gezeigt** (A); **auf•weisen (weist ... auf), wies ... auf, aufgewiesen** (7)

shower **die Dusche, -n** (6)

to shower **duschen, geduscht** (1)

to shut **schließen (schließt), schloss, geschlossen** (A)

siblings **die Geschwister** (*pl.*) (B)

sick **krank (kränker, kränkst-)** (3)

sickness **die Krankheit, -en** (11)

side **die Seite, -n** (5)

sign **das Schild, -er** (7)

to sign **unterschreiben (unterschreibt), unterschrieb, unterschrieben** (A)

significance **die Bedeutung, -en** (6)

significant(ly) **bedeutend** (10)

to signify **bedeuten, bedeutet** (4)

silence **die Stille** (7)

similar(ly) **ähnlich** (4); similarly **ebenso** (9)

simple, simply **einfach** (3)

since **seit** (+ *dat.*) (2); ever since, since then **seitdem** (12)

to sing **singen (singt), sang, gesungen** (1)

single, singly **einzeln** (9)

sister **die Schwester, -n** (B)

to sit **sitzen (sitzt), saß, gesessen** (2); to sit down **sich setzen, gesetzt** (A)

situation **die Situation, -en** (A)

six **sechs** (A)

sixteen **sechzehn** (A)
sixty **sechzig** (A)
skill **die Kenntnis, -se** (5)
skin **die Haut, ⸚e** (4)
skirt **der Rock, ⸚e** (A)
sky **der Himmel, -** (10)
sleep **der Schlaf** (9)
to sleep **schlafen (schläft), schlief, geschlafen** (2)
sleeping bag **der Schlafsack, ⸚e** (2)
slender **schlank** (B); **schmal** (11)
slice **das Stück, -e** (8); **die Scheibe, -n** (11)
to slide **rutschen, ist gerutscht** (9)
slight **gering** (B)
slim **schlank** (B); **schmal** (11)
slow(ly) **langsam** (5)
small **klein** (B)
smartphone **das Smartphone, -s** (2)
smell **der Geruch, ⸚e** (7)
to smell **riechen (riecht), roch, gerochen** (11)
to smile **lächeln, gelächelt** (7)
to smoke **rauchen, geraucht** (3)
snake **die Schlange, -n** (10)
to snap (off) **ab•brechen (bricht ... ab), brach ... ab, abgebrochen** (10)
to snitch (*coll.*) **klauen, geklaut** (10)
snow **der Schnee** (9)
to snow **schneien, geschneit** (B)
so **so** (A); **also** (4); so-called **sogenannt** (12); so far **bisher** (9); so long **bis bald** (A); so that (*conj.*) **damit** (11)
soccer ball **der Fußball, ⸚e** (A)
social(ly) **sozial** (4); **gesellschaftlich** (12)
societal(ly) **gesellschaftlich** (12)
society **die Gesellschaft, -en** (12)
sofa **das Sofa, -s** (6)
soft noise **das Geräusch, -e** (7)
soldier **der Soldat, -en** (*wk.*) **/ die Soldatin, -nen** (5)
sole(ly) **einzig** (10)
solution **die Lösung, -en** (1)
to solve **lösen, gelöst** (2)
some **ein paar** (2); **irgendein(e)** (2); **manch-** (2); **einige** (8)
somebody, someone **jemand** (2)
something **etwas** (2)
sometime **irgendwann** (11); **mal** (11)
sometimes **manchmal** (B)
son **der Sohn, ⸚e** (B)
song **das Lied, -er** (2)
soon **bald** (9); see you soon **bis bald** (A); soon thereafter **bald darauf** (9)
sorrow **die Trauer** (2); **das Leid** (4)
sortie **der Einsatz, ⸚e** (10)
soul **die Seele, -n** (11)
sound **das Geräusch, -e** (7)
to sound (like) **klingen (nach** + *dat.*) **(klingt), klang, geklungen** (5)
sour **sauer** (8)
South **der Süden** (B); south (of) **südlich (von** + *dat.*) (7)
southern **südlich** (7)
space **der Raum, ⸚e** (10)
to span **umfassen, umfasst** (8)
Spanish (*language*) **(das) Spanisch** (B)
to speak **sprechen (spricht), sprach, gesprochen** (B); **reden, geredet** (3); to speak to **an•sprechen (spricht ... an), sprach ... an, angesprochen** (12)
speaker **der Sprecher, - / die Sprecherin, -nen** (6)
special **besonder-** (5); special(ly) **speziell** (8)
specialized training **die Ausbildung** (5)
species **die Art, -en** (10)
to specify **an•geben (gibt ... an), gab ... an, angegeben** (12)
speech **die Rede, -n** (4)
speed **das Tempo, -s** (7)
to spell **schreiben (schreibt), schrieb, geschrieben** (A); How do you spell that? **Wie schreibt man das?** (A)
to spend **verbrauchen, verbraucht** (7); (*time*) **verbringen (verbringt), verbrachte, verbracht** (1)
spicy hot **scharf (schärfer, schärfst-)** (8)
spirit **der Geist, -er** (8); **die Seele, -n** (11)
to split **teilen, geteilt** (8)
sport **der Sport** (1); to do sports **Sport treiben (treibt), trieb, getrieben** (2)
sporty **sportlich** (B)
spot **der Punkt, -e** (9)
to spot **bemerken, bemerkt** (9)
to spread **verbreiten, verbreitet** (9)
spring **der Frühling, -e** (B); in the spring **im Frühling** (B)
square meter ($m^2$) **der Quadratmeter (qm), -** (6)
to squeeze **pressen, gepresst** (8)
staff **der Mitarbeiter, - / die Mitarbeiterin, -nen** (11)
stage **die Bühne, -n** (10)
stairway **die Treppe, -n** (6)
to stand **stehen (steht), stand, gestanden** (2); to stand in (*for s.o.*) **vertreten (vertritt), vertrat, vertreten** (7); to stand out **auf•fallen (fällt ... auf), fiel ... auf, ist aufgefallen** (11); to stand up **auf•stehen (steht ... auf), stand ... auf, ist aufgestanden** (A); to stand up for **sich ein•setzen für, eingesetzt** (7); **ein•treten für** (+ *acc.*) **(tritt ... ein), trat ... ein, ist eingetreten** (12)
star **der Stern, -e** (10)
start **der Beginn** (5)
to start **an•fangen (fängt ... an), fing ... an, angefangen** (4); **starten, ist gestartet** (10)
state (*condition*) **der Zustand, ⸚e** (6); (*territory*) **der Staat, -en** (8); (*adj.*) **staatlich** (12); state (of mind) **die Verfassung, -en** (9)
to state **an•geben (gibt ... an), gab ... an, angegeben** (12)
statement **die Aussage, -n** (1)
station: gas station **die Tankstelle, -n** (5); police station **die Polizei** (5); train station **der Bahnhof, ⸚e** (4)
statutory **gesetzlich** (11)
stay **der Aufenthalt, -e** (12)
to stay **bleiben (bleibt), blieb, ist geblieben** (3); to stay overnight **übernachten, übernachtet** (6)
to steal **stehlen (stiehlt), stahl, gestohlen** (9); (*coll.*) **klauen, geklaut** (10)
to steer **steuern, gesteuert** (12)
step **der Schritt, -e** (11); step (of a staircase) **die Stufe, -n** (6); in a final step **zuletzt** (10)
to step (up) **treten (tritt), trat, ist getreten** (4); to step down **zurück•treten (tritt ... zurück), trat ... zurück, ist zurückgetreten** (9)
still **noch** (B); **doch** (7); **dennoch** (11)
to sting **stechen (sticht), stach, gestochen** (10)
to stir **(sich) rühren, gerührt** (10)
stock **die Aktie, -n** (8); stock exchange **die Börse, -n** (8)
stomach **der Bauch, ⸚e** (B); **der Magen, ⸚** (11)
stone **der Stein, -e** (8)
stop **die Haltestelle, -n** (10)
to stop **halten (hält), hielt, gehalten** (2); to stop (*doing something*) **auf•hören (mit** + *dat.*), **aufgehört** (1)
store **das Geschäft, -e** (2); **der Laden, ⸚** (6)
storm **der Sturm, ⸚e** (7)
story **die Geschichte, -n** (1); (*floor*) **der Stock** (*pl.* **Stockwerke**) (6)
straight **gerade** (3); straight ahead **geradeaus** (10)
to strain **belasten, belastet** (11)
strange **fremd** (2); **seltsam** (9); strange(ly) **komisch** (10)
strategy **die Strategie, -n** (12)
street **die Straße, -n** (5); narrow street **die Gasse, -n** (10)
streetcar **die Straßenbahn, -en** (7)
strength **die Kraft, ⸚e** (5)
to stress **betonen, betont** (12)
strict **streng** (9)
stride **der Schritt, -e** (11)
strong(ly) **stark (stärker, stärkst-)** (11)
structure **die Struktur, -en** (A)
stuck: to get stuck **stecken bleiben (bleibt ... stecken), blieb ... stecken, ist stecken geblieben** (11)
student **der Student, -en** (*wk.*) **/ die Studentin, -nen** (A); to be a student **studieren, studiert** (1)
study **die Studie, -n** (6); university studies **das Studium, Studien** (1)
to study **lernen, gelernt** (1); **studieren, studiert** (1)
subject: academic subject **das Fach, ⸚er** (1)
subsequent(ly) **anschließend** (7)

substance **der Stoff, -e** (12)

to substantiate **begründen, begründet** (9)

subway **die U-Bahn, -en** (7)

to succeed **gelingen** (+ *dat.*) **(gelingt), gelang, ist gelungen** (8); I/She/He succeeded **Es ist mir/ihr/ihm gelungen** (8)

success **der Erfolg, -e** (8)

successful **erfolgreich** (2); to be successful **gelingen** (+ *dat.*) **(gelingt), gelang, ist gelungen** (8)

such **solcher, solches, solche** (12)

sudden(ly) **plötzlich** (9)

to suffer (from) **leiden (an** + *dat.*) **(leidet), litt, gelitten** (3)

suffering **das Leid** (4)

to suffice **aus•reichen, ausgereicht** (8)

sufficient: to be sufficient **reichen, gereicht** (7)

sugar **der Zucker** (8)

suggestion **der Vorschlag, ¨-e** (7); **der Rat** (*pl.* **Ratschläge**) (8)

suit **der Anzug, ¨-e** (A)

suitable: to be suitable **sich eignen, geeignet** (5)

suitcase **der Koffer, -** (3)

summer **der Sommer, -** (B)

sun **die Sonne, -n** (1)

Sunday **der Sonntag, -e** (1)

supermarkt **der Supermarkt, ¨-e** (5)

to support **unterstützen, unterstützt** (11); **fördern, gefördert** (12)

supposed(ly) **angeblich** (11); to be supposed to **sollen (soll), sollte, gesollt** (3)

sure: to be sure **zwar** (7)

surely **sicherlich** (3)

surface **die Fläche, -n** (7)

surgery: to undergo surgery **operiert werden** (11)

to surprise **überraschen, überrascht** (2)

survey **die Umfrage, -n** (4)

suspenseful **spannend** (9)

to sweep **kehren, gekehrt** (5)

sweet **süß** (2)

to swim **schwimmen (schwimmt), schwamm, ist/hat geschwommen** (1)

Swiss (*person*) **der Schweizer, - / die Schweizerin, -nen** (B)

to switch off **aus•machen, ausgemacht** (3); to switch on **ein•schalten, eingeschaltet** (6)

Switzerland **die Schweiz** (B)

syllable **die Silbe, -n** (6)

system **das System, -e** (B)

## T

table **der Tisch, -e** (B); (*chart*) **die Tabelle, -n** (B)

tablet **die Tablette, -n** (11)

to take **nehmen (nimmt), nahm, genommen** (A); **an•nehmen (nimmt ... an), nahm ... an, angenommen** (11); to take (*a course*) **belegen, belegt** (4); to take (*time*) **dauern, gedauert** (4); to take a shower **duschen, geduscht** (1); to take along **mit•nehmen (nimmt ... mit), nahm ... mit, mitgenommen** (3); to take away **weg•bringen (bringt ... weg), brachte ... weg, weggebracht** (6); to take care (of) **sorgen (für** + *acc.*), **gesorgt** (5); to take care of **sich kümmern um** (+ *acc.*), **gekümmert** (12); to take effect **wirken, gewirkt** (11); to take into account **berücksichtigen, berücksichtigt** (12); to take off **ab•heben (hebt ... ab), hob ... ab, ist abgehoben** (8); **starten, ist gestartet** (10); to take off (*clothes*) **aus•ziehen (zieht ... aus), zog ... aus, ausgezogen** (3); to take on **übernehmen (übernimmt), übernahm, übernommen** (4); to take part **teil•nehmen (nimmt ... teil), nahm ... teil, teilgenommen** (9); to take part (in) **sich beteiligen (an** + *dat.*), **beteiligt** (8); to take pictures **fotografieren, fotografiert** (4); to take place **passieren, ist passiert** (4); **statt•finden (findet ... statt), fand ... statt, stattgefunden** (5); **erfolgen, ist erfolgt** (12)

tale: fairy tale **das Märchen, -** (9)

talk **der Vortrag, ¨-e** (4)

to talk **sich unterhalten (unterhält), unterhielt, unterhalten** (9)

tall **groß (größer, größt-)** (B)

tart **sauer** (8)

task **die Aufgabe, -n** (4)

taste **der Geschmack, ¨-e** (11)

to taste **probieren, probiert** (3); to taste good to **schmecken** (+ *dat.*), **geschmeckt** (6)

tavern **die Kneipe, -n** (1)

tax **die Steuer, -n** (8)

taxi: as a taxi driver **als Taxifahrer(in)** (5)

tea **der Tee, -s** (4)

to teach **unterrichten, unterrichtet** (5); **lehren, gelehrt** (9)

teacher **der Lehrer, - / die Lehrerin, -nen** (1)

team **die Mannschaft, -en** (9)

to tear **zerreißen (zerreißt), zerriss, zerrissen** (9)

technical(ly) **technisch** (1)

technique **die Technik, -en** (12)

technology **die Technik, -en** (12)

teenager **der/die Jugendliche, -n (ein Jugendlicher)** (3)

telephone **das Telefon, -e** (1)

to telephone **telefonieren, telefoniert** (4)

television **das Fernsehen** (8); (TV set) **der Fernseher, -** (2)

to tell **erzählen, erzählt** (3); **mit•teilen, mitgeteilt** (2)

temperature **die Temperatur, -en** (B)

ten **zehn** (A)

tender **zart** (9)

tenet **der Grundsatz, ¨-e** (11)

tent **das Zelt, -e** (2)

term **der Begriff, -e** (3)

terrace **die Terrasse, -n** (6)

terrible, terribly **furchtbar** (4)

terrorism **der Terrorismus** (12)

test **die Prüfung, -en** (1)

to test **aus•probieren, ausprobiert** (11)

text **der Text, -e** (12)

than **als** (5); more than **mehr als** (5)

thank you, thanks **danke** (A); Many thanks! **Vielen Dank!** (10)

thankful **dankbar** (11)

that (*dem. pron.*) **jener, jenes, jene** (12); (*subord. conj.*) **dass** (11); down that way **hinunter** (10); so that (*conj.*) **damit** (11); that is . . . **das ist ...** (B); that's why **deshalb** (4); that way **hin** (10); up that way **hinauf** (10)

theater **das Theater, -** (1); movie theater **das Kino, -s** (1)

their **ihr(e)** (1); (*dem. pron.*) **deren** (11)

theme **das Thema, Themen** (4); **das Motiv, -e** (12)

then **dann** (A); back then **damals** (9); since then **seitdem** (12)

theoretical(ly) **theoretisch** (5)

theory **die Theorie, -n** (10)

there **da** (2); **dort** (7); **hin** (10); is there . . . ? are there . . . ? **gibt es ...?** (A); over there **drüben** (12)

thereafter: soon thereafter **bald darauf** (9)

thereby **dadurch** (9)

therefore **deshalb** (4); **daher** (6); **deswegen** (9)

thereupon **darauf** (9)

these **diese** (2); these are . . . **das sind ...** (B)

thick **dick** (2); thick(ly) **dicht** (7)

thin(ly) **dünn** (12)

thing **das Ding, -e** (2); **die Sache, -n** (2)

to think **meinen, gemeint** (1); to think (about) **nach•denken (über** + *acc.*) **(denkt ... nach), dachte ... nach, nachgedacht** (12); to think (of) **denken (an** + *acc.*) **(denkt), dachte, gedacht** (4); to think about **halten von** (+ *dat.*) **(hält), hielt, gehalten** (12)

thirteen **dreizehn** (A)

thirty **dreißig** (A)

this **dieser, dieses, diese** (2); down this way **herunter** (10); in this way **herein** (10); like this **so** (A); out this way **heraus** (10); this evening **heute Abend** (2); this is . . . **das ist ...** (B); this morning **heute früh** (4); this way **her** (10)

thorough(ly) **ausführlich** (5)

those **jene** (12); those are . . . **das sind ...** (B)

though **zwar** (7)

thought **der Gedanke, -n** (*wk., gen.* **-ns**) (5)

thousand **tausend** (8)

to threaten **drohen** (+ *dat.*), **gedroht** (9)

three **drei** (A)

to thrill **begeistern, begeistert** (8)

thrilled **begeistert** (8)

throat **der Hals, ¨-e** (9)

through **durch** (+ *acc.*) (7)

to throw **werfen (wirft), warf, geworfen** (2)

Thursday **der Donnerstag, -e** (1)

thus **also** (4); **dadurch** (9)

ticket **das Ticket, -s** (7); ticket booth **die Kasse, -n** (5)

to tidy up **auf•räumen, aufgeräumt** (4)

to tie **binden (bindet), band, gebunden** (8)

tight(ly) **eng** (12)

time **die Zeit, -en** (1); at a time **jeweils** (12); At what time . . . ? **Um wie viel Uhr ...?** (1); for the first time **zum ersten Mal** (4); several times **mehrmals** (5); times **mal** (11); What time is it? **Wie spät ist es?** (1); **Wie viel Uhr ist es?** (1)

tired **müde** (3)

to **zu** (+ *dat.*) (2); **an** (+ *dat./acc.*) (2); **auf** (+ *dat./acc.*) (6); to (*a place*) **nach** (+ *dat.*) (3); **hin** (10); in order to . . . **um ... zu ...** (+ *inf.*) (4, 12); to be sure **zwar** (7); to the left **links** (7); to the right **rechts** (7); to the sea **ans Meer** (2); to the university **zur Uni** (2); up to **bis zu** (+ *dat.*) (10)

today **heute** (B); today's **heutig** (6); What day is today? **Welcher Tag ist heute?** (1)

together **zusammen** (2); **gemeinsam** (6)

toilet **die Toilette, -n** (6)

to tolerate **ertragen (erträgt), ertrug, ertragen** (8)

tome **der Band, -̈e** (9)

tomorrow **morgen** (2)

ton **die Tonne, -n** (12)

tongue **die Zunge, -n** (11)

too **auch** (A); **zu** (2); Too bad! **Schade!** (6)

tooth **der Zahn, -̈e** (11)

top **die Spitze, -n** (12)

topic **das Thema, Themen** (4)

total(ly) **total** (4)

to touch down **landen, ist gelandet** (10)

tourist **der Tourist, -en** (*wk.*) **/ die Touristin, -nen** (11)

touristic **touristisch** (10)

tower **der Turm, -̈e** (12)

town **die Stadt, -̈e** (A); **der Ort, -e** (7); town hall **das Rathaus, -̈er** (1)

trade **der Handel** (7)

to trade **tauschen, getauscht** (12)

traffic **der Verkehr** (5); traffic circle **der Kreisverkehr, -e** (10)

train **der Zug, -̈e** (1); train station **der Bahnhof, -̈e** (4)

training: specialized training **die Ausbildung** (5)

transformation **die Veränderung, -en** (6)

transition **der Übergang, -̈e** (12)

to translate **übersetzen, übersetzt** (9)

to transport **transportieren, transportiert** (7)

transportation **der Transport, -e** (12)

trash **der Müll** (6)

to travel **reisen, ist gereist** (1)

treasure **der Schatz, -̈e** (9)

to treat **verarbeiten, verarbeitet** (8); **behandeln, behandelt** (11)

treatment **die Behandlung, -en** (11)

treaty **das Abkommen, -** (12)

tree **der Baum, -̈e** (9)

trip **die Reise, -n** (2); **die Fahrt, -en** (7)

trouble **der Ärger** (9)

truck **der Lastwagen, -** (7)

true **wahr** (3); **treu** (9)

to trust **trauen** (+ *dat.*)**, getraut** (8); **vertrauen** (+ *dat.*)**, vertraut** (8)

truth **die Wahrheit, -en** (10)

try **der Versuch, -e** (12)

to try **probieren, probiert** (3); **versuchen, versucht** (4); to try (out) **aus•probieren, ausprobiert** (11)

Tuesday **der Dienstag, -e** (1)

to tumble **stürzen, ist gestürzt** (10)

Turkey **die Türkei** (B)

Turkish (*language*) **(das) Türkisch** (B)

to turn **drehen, gedreht** (2)

TV set **der Fernseher, -** (2); to watch TV **fern•sehen (sieht ... fern), sah ... fern, ferngesehen** (1)

twelve **zwölf** (A)

twenty **zwanzig** (A)

twenty-one **einundzwanzig** (A)

twice **doppelt** (6); **zweimal** (8)

two **zwei** (A); **beide** (2); two days ago **vor zwei Tagen** (4)

type **die Art, -en** (10); **der Typ, -en** (12)

## U

uncle **der Onkel, -** (B)

under **unter** (+ *dat./acc.*) (5)

to undergo surgery **operiert werden** (11)

to understand **verstehen (versteht), verstand, verstanden** (4)

understanding **das Verständnis, -se** (12)

to undertake **unternehmen (unternimmt), unternahm, unternommen** (2)

unemployed **arbeitslos** (12)

unfortunately **leider** (B)

unhappy **unglücklich** (3)

to unify **vereinigen, vereinigt** (10)

unit **die Einheit, -en** (4)

to unite **vereinigen, vereinigt** (10)

unity **die Einheit, -en** (4)

university **die Universität, -en** (B); (*coll.*) **die Uni, -s** (B); to the university **zur Uni** (2); university studies **das Studium, Studien** (1)

unknown **unbekannt** (8)

until **bis** (+ *acc.*) (2); not until four o'clock **erst um vier Uhr** (4); until eight o'clock **bis acht Uhr** (2)

up: up that way **hinauf** (10); up to **bis zu** (+ *dat.*) (10); up-to-date **aktuell** (6)

upright: to be in an upright position **stehen (steht), stand, gestanden** (2)

upset: to get upset **sich auf•regen, aufgeregt** (11)

urgent(ly) **dringend** (10)

USA **die USA** (*pl.*) (B)

usage **die Verwendung, -en** (12)

use **der Gebrauch, -̈e** (8); **die Nutzung, -en** (12); **die Verwendung, -en** (12)

to use **nutzen, genutzt** (1); **verwenden, verwendet** (1); **brauchen, gebraucht** (1); **benutzen, benutzt** (7)

useful **nützlich** (9); useful(ly) **praktisch** (5)

usually **meistens** (8); **normalerweise** (8)

utilization **die Nutzung, -en** (12)

## V

to vacate **räumen, geräumt** (11)

vacation **die Ferien** (*pl.*) (1); **der Urlaub, -e** (4)

to vacuum **Staub saugen, gesaugt** (6)

valid: to be valid **gelten (gilt), galt, gegolten** (3)

valley **das Tal, -̈er** (7)

valuable **wertvoll** (2)

value **der Wert, -e** (B)

to value **schätzen, geschätzt** (10)

various(ly) **verschieden** (7)

vegetable(s) **das Gemüse** (*sg.*) (8)

vehicle **das Fahrzeug, -e** (7)

verbal(ly) **mündlich** (9)

very **sehr** (B)

via **über** (+ *acc.*) (4)

vicinity **die Nähe** (6); in the vicinity **in der Nähe** (6)

victim **das Opfer, -** (4)

view **der Blick, -e** (6); **die Sicht, -en** (9); **die Aussicht, -en** (10)

village **das Dorf, -̈er** (9)

vinyl (record) **die Platte, -n** (2)

violation **die Verletzung, -en** (11)

violence **die Gewalt, -en** (12)

visibility **die Sicht, -en** (9)

visible, visibly **sichtbar** (12)

vision **die Sicht, -en** (9)

visit **der Besuch, -e** (3)

to visit **besuchen, besucht** (1); **vorbei•kommen (kommt ... vorbei), kam ... vorbei, ist vorbeigekommen** (3)

visitor **der Besucher, - / die Besucherin, -nen** (12)

vista **die Aussicht, -en** (10)

vocabulary **der Wortschatz, -̈e** (A)

voice **die Stimme, -n** (12)

volume **der Band, -̈e** (9)

voluntary, voluntarily **freiwillig** (10)

vote **die Stimme, -n** (12)

to vote **wählen, gewählt** (3)

voter **der Wähler, - / die Wählerin, -nen** (6)

## W

wages **der Lohn, ⁻̈e** (12)

to wait **warten, gewartet** (7)

waitperson **der Kellner, - / die Kellnerin, -nen** (8)

to wake **wecken, geweckt** (7); to wake up **auf•wachen, ist aufgewacht** (2)

to walk **gehen (geht), ging, ist gegangen** (A); to go for a walk **spazieren gehen (geht ... spazieren), ging ... spazieren, ist spazieren gegangen** (1); to keep on walking **weiter•gehen (geht ... weiter), ging ... weiter, ist weitergegangen** (10)

wall **die Wand, ⁻̈e** (B); **die Mauer, -n** (6)

to want **wünschen, gewünscht** (5); **vermissen, vermisst** (8); to want (to) **wollen (will), wollte, gewollt** (3)

war **der Krieg, -e** (4); world war **der Weltkrieg, -e** (8)

wardrobe cabinet **der Schrank, ⁻̈e** (2)

warm **warm (wärmer, wärmst-)** (B)

to warn **warnen, gewarnt** (7)

to wash **waschen (wäscht), wusch, gewaschen** (2)

to watch **an•schauen, angeschaut** (1); **beobachten, beobachtet** (1); **an•sehen (sieht ... an), sah ... an, angesehen** (7); to watch out for **achten auf** (+ *acc.*), **geachtet** (11); to watch TV **fern•sehen (sieht ... fern), sah ... fern, ferngesehen** (1)

water **das Wasser** (3)

to water **gießen (gießt), goss, gegossen** (5)

wave **die Welle, -n** (10)

way **die Richtung, -en** (7); **der Weg, -e** (7); by the way **übrigens** (2); down that way **hinunter** (10); down this way **herunter** (10); in this way (in here) **herein** (10); just across the way **gleich gegenüber** (6); on one's way **unterwegs** (2); out this way **heraus** (10); that way **hin** (10); this way **her** (10); up that way **hinauf** (10)

weak **schwach (schwächer, schwächst-)** (9)

wealth **das Vermögen, -** (12)

to wear **tragen (trägt), trug, getragen** (A); do you wear . . . ? / are you wearing . . . ? **trägst du ...?** (A)

Wednesday **der Mittwoch, -e** (1)

week **die Woche, -n** (1); during the week **während der Woche** (1)

weekend **das Wochenende, -n** (1); over the weekend **am Wochenende** (1); **übers Wochenende** (4)

weight: to lose weight **ab•nehmen (nimmt ... ab), nahm ... ab, abgenommen** (8)

welcome: you're welcome **bitte** (A)

well (*adv.*) **also** (4); **wohl** (11); as well **auch** (A); as well as **sowie** (6)

well (*interj.*) **na** (3)

West **der Westen** (B); west (of) **westlich (von** + *dat.***)** (7)

western **westlich** (7)

wet **nass** (3)

what **was** (A); At what time . . . ? **Um wie viel Uhr ...?** (1); On what day? **An welchem Tag?** (4); What day is today? **Welcher Tag ist heute?** (1); what kind of **was für** (3); What time is it? **Wie spät ist es?** (1); **Wie viel Uhr ist es?** (1); what's your name? (*for.*) **Wie heißen Sie?** (A); What's your name? (*infor.*) **Wie heißt du?** (A)

wheel **das Rad, ⁻̈er** (7)

when (*adv.*) **wann** (1); when (*subord. conj.*) **wenn** (2); **als** (5); when he was eight years old **als er acht Jahre alt war** (5); When were you born? **Wann sind Sie geboren?** (1)

where **wo** (B); where . . . from **woher** (B); where (to) **wohin** (4)

whether (*subord. conj.*) **ob** (6)

which **welcher, welches, welche** (A); of which **dessen** (*masc./neut*), **deren** (*fem./plur.*) (11)

while (*period of time*) **die Weile, -n** (7)

while (*subord. conj.*) **während** (6); **indem** (8)

to whisper **flüstern, geflüstert** (10)

white **weiß** (A)

whiteboard **die Tafel, -n** (A)

who **wer** (A)

whole **ganz** (2); **gesamt** (6); wholly **ganz** (2)

whom **wen** (*acc.*) (4); (to/for) whom **wem** (*dat.*) (5)

whose **dessen** (*masc./neut*), **deren** (*fem./plur.*) (11)

why **warum** (3); **wieso** (12); that's why **deshalb** (4)

wide(ly) **breit** (7)

wife **die Frau, -en** (A)

wild(ly) **wild** (10)

willing **bereit** (12)

to win **gewinnen (gewinnt), gewann, gewonnen** (4)

wind **der Wind, -e** (10)

window **das Fenster, -** (B)

wine **der Wein, -e** (7)

to wish (for) **(sich) wünschen, gewünscht** (5, 8)

with **mit** (+ *dat.*) (A); **bei** (+ *dat.*) (2); with each other **miteinander** (1); with it **dabei** (6); **dazu** (8); with pleasure **gern** (1)

to withdraw **ab•heben (hebt ... ab), hob ... ab, abgehoben** (8)

within **innerhalb** (9)

without **ohne** (+ *acc.*) (2); to do without **verzichten auf** (+ *acc.*), **verzichtet** (12)

to withstand **aus•halten (hält ... aus), hielt ... aus, ausgehalten** (12)

witness **der Zeuge, -n** (*wk.*) **/ die Zeugin, -nen** (11)

woman **die Frau, -en** (A)

wonder **das Wunder, -** (4)

to wonder **sich wundern, gewundert** (9)

wonderful **wunderbar** (3)

wood **das Holz, ⁻̈er** (12)

woods **der Wald, ⁻̈er** (2)

word **das Wort, ⁻̈er** (2)

work **die Arbeit, -en** (1); **der Dienst, -e** (9)

to work **arbeiten, gearbeitet** (A); **funktionieren, funktioniert** (5); **wirken, gewirkt** (11); to work out **Sport treiben (treibt), trieb, getrieben** (2); work with a partner **arbeiten Sie mit einem Partner** (A)

worker **der Arbeiter, - / die Arbeiterin, -nen** (5)

workshop **die Werkstatt, ⁻̈en** (5)

world **die Welt, -en** (3); world war **der Weltkrieg, -e** (8)

worldwide **weltweit** (11)

worry **die Sorge, -n** (8)

would like (to) **möchte** (2, 3)

wound **die Wunde, -n** (11)

to write **schreiben (schreibt), schrieb, geschrieben** (A)

writer **der Schriftsteller, - / die Schriftstellerin, -nen** (5)

wrong **falsch** (2)

## Y

yard **der Garten, ⁻̈** (6)

year **das Jahr, -e** (B); when he was eight years old **als er acht Jahre alt war** (5)

to yell **schreien (schreit), schrie, geschrien** (3)

yellow **gelb** (A)

yes **ja** (A)

yesterday **gestern** (4)

yet **doch** (7); as yet **bisher** (9)

yield **der Gewinn, -e** (8)

you (*infor. sg. acc.*) **dich** (2); you're welcome **bitte** (A)

young **jung (jünger, jüngst-)** (B)

your (*for.*) **Ihr(e)** (B); (*infor. sg.*) **dein(e)** (A, B)

youth **der/die Jugendliche, -n (ein Jugendlicher)** (3); **die Jugend** (9)

## Z

zero **null** (A)

# Index

This index is divided into three subsections: Culture, Grammar, and Vocabulary. Reading, film, and music titles are included in the Culture section, as are artists' names.

## Culture

# Grammar

# Vocabulary